Johannes Mario Simme[...]
nen ersten Roman »Mic[...]
seinen brillant erzählten[...]
manen – sie sind in 26 [...]
weit über 65 Millionen e[...]
men gemacht. Nicht minder erfolgreich sind seine Kinderbücher. Fast alle
seine Romane wurden verfilmt.

Von Johannes Mario Simmel sind außerdem erschienen:

Vollständige Taschenbuchausgabe 1981
Droemersche Verlagsanstalt Th. Knaur Nachf., München
© 1978 Droemer Knaur Verlag Schoeller & Co., Locarno
Satz IBV Lichtsatz KG, Berlin
Druck und Bindung Elsnerdruck, Berlin
Printed in Germany   22 21 20 19 18
ISBN 3-426-00728-2

Johannes Mario Simmel:
Hurra, wir leben noch

Roman

FÜR MEINE HELENA

Die großen Zeiten, die heldischen Zeiten brauchen große, heldische Menschen. Das haben uns die Lehrer in der Schule erzählt, und ich mußte immer denken: Was für ein Unfug. Wenn Helden schon überhaupt nötig sind, dann doch bitte für kleine, schlimme und schwierige Zeiten!

Die letzten dreißig Jahre zum Beispiel waren doch für uns alle wahrhaftig kein Honiglecken – oder? Denken wir nur an den Beginn. Und an heute.

Da gibt es nun einen Mann, der heißt natürlich nicht Jakob Formann, wie er in diesem Buch heißt, sondern ganz anders – und das ist so einer, wie ich ihn mir immer gewünscht habe: ein Held für schlechtes Wetter!

Jakob freilich würde bloß verlegen werden, wenn ihm das jemand mitten ins Gesicht sagte. Denn er findet sich alles andere als heldisch.

Ich habe diesen Jakob Formann, der in Wirklichkeit ganz anders heißt, innig in mein Herz geschlossen. Und darum, und zum Trost und zur Belehrung von uns allen, habe ich seine Geschichte aufgeschrieben.

J. M. S.

Wir haben den größten Krieg aller Zeiten angefangen und ihn glorreich verloren. Besonders glorreich verloren haben ihn jene, die ihn gewannen. Danach ging es uns eine Zeitlang miserabel. Danach ging es uns eine Zeitlang derart gut, daß die Welt Bauklötze staunte. Das nannte man das »Wirtschaftswunder«. Dann war diese Periode zu Ende, und es begann uns wieder wunderbar zu gehen. Ohne Zweifel wird alles bald wieder okay sein.

Warum das so ist, hat mir keiner der vielen Experten, die ich befragte, besser erklären können als Kurt Tucholsky, den ich zwar leider nicht mehr befragen konnte, der aber 1930 folgendes geschrieben hat:

DER KREISLAUF DER NATUR

Mein Vater hat einen Cousin, dessen Stiefvater ist mit seinem Großzwilling verheiratet. Und dem sein Onkel pflegt zu sagen: »Mein liebes Kind, da sind nun also die Würmer. Die Würmer werden von den Fröschen gefressen; die Frösche von den Störchen; die Störche bringen die Kinder; und die Kinder haben Würmer. So schließt sich der Kreislauf der Natur.«

Prolog

Die glücklichen Zeiten der Menschheit sind die leeren
Blätter im Buch der Geschichte.

LEOPOLD VON RANKE (1795–1886)

1

Und mit der Wildheit eines Stiers nach vorn.

Und mit aller Wollust dieser Erde wieder zurück.

Nach vorn. Zurück. Ach, welche Wonne, ach, welches Glück. Blödsinniger
Werbespruch: ›Nur fliegen ist schöner‹. Das Schönste auf der Welt war und
ist und wird zu allen Zeiten bleiben: das da! Und vor. Und zurück. Gibt
natürlich viele unter uns, die dabei mächtig schwitzen, dachte er. Richtig
tropfen. Den Süßen ins Gesicht. Zwischen die Brüste. Auf den Bauch. Haben mir Frauen erzählt.

Und wieder nach unten. Und wieder – langsam! – nach oben. Ich, dachte
er, tropfe niemals. Glückspilz, der ich bin. Heiß wird mir natürlich. Ist ja
auch eine Anstrengung. Komisch, so heiß wie diesmal ist mir noch nie gewesen. Man muß schon sagen: gottverflucht heiß.

Und stellte mit blankem Entsetzen fest: Über seine Nase rann ein Schweiß-
tropfen! Fiel abwärts.

Drip!

Und ein zweiter.

Drip!!

Entsetzlich.

Drip!!!

Ein dritter.

Grauenvoll, dachte er. Bin ich heute so aufgeregt? Oder werde ich alt? Oder
was ist sonst los? Ich halte ja immer die Augen geschlossen dabei. Konzen-

triert man sich besser. Aber jetzt will ich doch eines riskieren. (Ein Auge.)
Er riskierte eines. Danach ward ihm von einem Sekundenbruchteil zum anderen nicht mehr siedend heiß, sondern eisig kalt.

Ach du liebe Güte!

Kein Wunder, daß ich so schwitze.

Unter mir brennt ein Feuerchen. Wenn der Tank von einem Rolls-Royce, Marke ›Silver Shadow‹, explodiert, und wenn dabei das Benzin in Brand gerät – eijeijei! Ich habe einen Rolls-Royce, Marke ›Silver Shadow‹. Ich habe noch vier andere Autos. Aber mit dem ›Silver Shadow‹ bin ich heute nacht gefahren.

Und vor. Und zurück. Und vor. Und...

Wieso eigentlich, bitte recht herzlich. Riskieren wir mal zwei Augen. Alle, die wir haben.

Ogottogottogottogott!

Er begann plötzlich zu bibbern wie Sülze. Wie sehr viel Sülze. Nur nicht runterfallen, dachte er verzweifelt, nur nicht runterfallen, mitten hinein in das hübsche Feuerchen. Er lag, wie er jetzt feststellte, in der Gabelung zweier Äste eines großen Baumes. Der Baum stand direkt am Abhang einer Schlucht. Links von ihm befand sich die Brücke einer Autobahn mit durchbrochenem Geländer.

Durchbrochenem...

Und jetzt, schlagartig, erinnerte er sich.

Jetzt weiß ich wieder alles! Ich bin auf der verschneiten, vereisten Bahn der vereisten, verschneiten Brücke ins Schleudern geraten. Bei einer Geschwindigkeit von hundertzwanzig Stundenkilometern. Und mit einem Blutalkoholspiegel von ohne jeden Zweifel über zwei Promille. Auf und nieder. Nieder und auf. Aber jetzt macht mir das überhaupt keinen Spaß mehr. Sondern sozusagen im Gegenteil.

Das da, zu meiner Linken, ist eine Brücke. Muß sie sein. Ich erinnere mich, daß ich vor der Brücke ein gelbes Schild mit der Aufschrift WEYARN gesehen habe. Um Gottes willen, das ist ja die Mangfallbrücke! Das Tal da unten, in dem mein Rolls-Royce brennt, schätze ich auf gut und gerne siebzig Meter Tiefe, und ich bin ein hervorragender Schätzer. Und das Vor und Zurück, das mich so entzückt hat vor fünf Minuten noch, kommt vom Vor und Zurück der Äste, in die ich geflogen bin. Offenbar aus dem Rolls geschleudert, als der das Gitter durchbrach. Massel muß der Mensch haben. Hm.

Feuerchen... Feuerchen...

Mit einem hübschen großen Feuerchen hat doch alles angefangen vor vielen, vielen Jahren. Wo war dieses andere Feuerchen? Warum brannte es?
Er grübelte.
Es kam nicht das geringste dabei heraus.
Infolgedessen fing er an zu beten.

Lieber Gott, ich flehe Dich an, wenn es Dich gibt, errette mich! Bitte! Ich will dann auch an Dich glauben, und ich will allen Menschen sagen, daß es Dich gibt und daß sie an Dich glauben müssen, nur laß mich jetzt mit dem Leben davonkommen. Du hast es schon oft getan, aber so brenzlig war es noch nie, Himmelarsch und – verzeih, lieber Gott, verzeih! Laß die Äste nicht abbrechen. Laß mich nicht hinunter in die Flammen meines ›Silver Shadow‹ fallen. Ich trete auch wieder in die Kirche ein. Ich wäre ja nie ausgetreten, wenn die Kirchensteuer nicht so irrsinnig hoch – hopps, Herrjeses, um Christi willen, jetzt wäre ich fast abgerutscht! Wegen eines sündhaften Gedankens. Meinetwegen sollen sie die Kirchensteuer doppelt so hoch ansetzen, die Geistlichen Herren. Dreimal so hoch! Nur laß mich von dem Baum da runter und in Sicherheit kommen, Vater im Himmel, Du!

Er machte eine kleine Bewegung.

Sogleich knirschten sämtliche Äste, die der Baum besaß. Der Baum selber knirschte auch. Ojojojoj. So geht das nicht. Ich muß zurückrobben. Wie ich in Rußland vorgerobbt bin in diesem Dorf, wie hieß es gleich? Lyubcha hieß es, Donnerwetter, was für ein Gedächtnis ich habe, vorgerobbt mit drei Hohlhaftladungen. Ich bin ein sportgestählter Mensch. Immer gewesen. Ein Stalinpanzer und zwei T 34 sind hochgegangen. Aber keinem Menschen ist ein einziges Haar gekrümmt worden! Weder den russischen Soldaten noch mir. Denn ich habe in einer Scheune gelegen und gewartet, bis sich alle Herren Rotarmisten zur Ruhe begeben hatten. Und ich habe die Panzer auch nicht zum Spaß kaputtgemacht, Du weißt, lieber Gott, was so ein Stalin oder so ein T 34 kostet, wieviel Arbeit darin steckt. Ich habe es einfach tun müssen, weil die verfluchten Hunde von dieser ›Alarmkompanie‹, in die sie mich strafhalber gesteckt haben, nachdem ich die Verlobte jenes Ritterkreuzträgers aufs Kreuz gelegt... Lieber Gott, ich bin besoffen!

Heilige Jungfrau Maria, jetzt ist da unten auch noch der Reservetank explodiert. Schon zum zweitenmal, daß ich mit einem Rolls-Royce solchen Ärger habe. Das erstemal, in Neumexiko, da ist mir einer plötzlich stehengeblieben. Einfach stehen! Die Benzinpumpe total im – verzeih, verzeih, lieber Gott! Da habe ich aus dem nächsten Kaff nach London telegrafiert an Rolls-Royce, daß der Wagen reparaturbedürftig ist. Und die haben zurücktelegrafiert: ›rolls royce niemals reparaturbedürftig stop mechaniker kommt mit nächster maschine bea.‹

So ist es gut! Immer schön weiter zurückrobben! Zwanzig Zentimeter habe ich schon geschafft. Höchstens drei Meter habe ich noch.

In der Tiefe, sehr klein, sehe ich jetzt Menschen auf den Steilhängen herumklettern, Männlein, Weiblein. Höre, sehr undeutlich, ihre Stimmen...

»Der wo in dem Schlitten gsessn is, den gibt's nimmer, den hat's zrissen!«

»Nacha müssat aba doch wenigstens der Kopf und die Haxn und ois andere da rumkugeln! I find aba nix!«

13

»Natürli war er bsoffn! Gschieht eam ganz recht! Bsoffne Sau.«

»Zum erstenmal seit sechs Wocha hob i wieda richtig gschlaffa! Und da muaß si der Depp darenna! Die glaubn aa, sie kenna si ois erlaubn, de Kapitalisten, de dreckatn!«

Ermutigend, solch Stimmchen zu hören. Wahrlich, ich sage euch...

Sirenen.

Wieso Sirenen?

Ach, hat wohl jemand die Feuerwehr alarmiert. Kommen sie schon über die verschneiten Felder gebraust, die braven Buben. Schön groß und rot, die Feuerwehrwagen mit den kreisenden Lichtern. Verdammmt, jetzt wäre ich fast wieder hinuntergekracht! Langsamer, Mensch, langsamer robben! Und verzeih das ›verdammt‹, lieber Gott, bitte. Kommt alles nur, weil ich blau bin, so blau, so blau. Damals, in Rußland, war ich stocknüchtern. Und bin auf einem Sandboden gerobbt, nicht auf einem vereisten, rissigen Ast. Und kam direkt aus einem Lazarett und nicht direkt vom Wiener Opernball. Und hatte eine Landseruniform an, eine verdreckte, und nicht einen verdreckten Frack wie jetzt. Verdreckt ist er und zerrissen, der Kragen erwürgt mich fast, und mit dem elenden Ding hätte ich mir eben um ein Haar ein Auge ausgestochen. Das elende Ding da ist das ›Große Silberne Ehrenzeichen am Band für Verdienste um die Republik Österreich‹.

Sie haben es mir heute vormittag – nein, gestern vormittag! – feierlich verliehen. Und Punkt Mitternacht, auf dem Opernball, sind sie dann alle gratulieren gekommen. Jetzt ist es sechs Minuten nach sechs Uhr früh, erkenne ich auf meiner Armbanduhr, die – Dir sei es gedankt – ein Leuchtzifferblatt hat. Vor sechs Stunden also ist das gewesen. Siehst du, Jakob, du kannst noch richtig zählen, du hast noch alle Tassen im Schrank, du erinnerst dich an den Opernball. Bundeskanzler Dr. Josef Klaus (Österreichische Volkspartei, rechts, schwarz, aber ein ganz reizender Mensch) hat den grippekranken Bundespräsidenten Adolf Schärf (Sozialdemokratische Partei Österreich, links, rot, aber auch ein ganz reizender Mensch) vertreten.

Noch langsamer robben!

Heute, am 26. Februar 1965, habe ich Geburtstag. Meinen fünfundvierzigsten. Hätte ich mir natürlich auch nicht träumen lassen, daß ich meinen fünfundvierzigsten Geburtstag so – Vorsicht, Gabelung! – verbringen werde.

Sechstausend Gäste sind in der Staatsoper gewesen. Ich war die absolute Attraktion. Hab' ich mir zumindest eingebildet. Wie sehr viele andere auch. Das österreichische Wunderkind!

»Lassenses brenna, Chef, der Bsoffene is hin, der pickt da oben irgendwo im Schnee!« Eine zwitschernde Stimme aus der Tiefe. Nein, zartes Kind, das da gerufen hat, indessen die braven Buben von der Feuerwehr Schaum zu verspritzen begannen, picken tu ich nicht im Schnee, sondern hier oben

Das Jahr 1965 fängt an...

Das neue Jahr wird in der Bundesrepublik Deutschland mit einem Feuerwerk für 50 Millionen Mark begrüßt.

Der Frankfurter Zoodirektor Dr. Bernhard Grzimek kämpft erbittert gegen Leopardenpelze.

Am 5. Januar wird Konrad Adenauer, deutscher Bundeskanzler von 1949 bis 1963, 89 Jahre alt.

Seit 6. Januar bewohnt der arabische Exkönig Ibn Saud das 12. Stockwerk des Wiener Hotels ›Intercontinental‹. Mit ihm sind gekommen: eine ungenannte Zahl seiner insgesamt 22 legitimen Söhne; 40 Hofbeamte; nicht wenige Haremsdamen (wieviel, wird weder von der Polizei noch vom Hotel verraten); drei Ärzte mit Sauerstoff-Flaschen und Blutkonserven. Ibn Saud ist seit 1959 Ehrenpräsident des Kreisverbandes Freiburg im Bund der Kinderreichen.

Am 25. Januar stirbt Winston Churchill, von 1940 bis 1945 und von 1951 bis 1955 britischer Premierminister, 90 Jahre alt.

In der UdSSR ist am 14. Oktober 1964 Nikita Chruschtschow von allen seinen Ämtern entbunden worden. Zu seinen Nachfolgern Leonid Breschnew als Parteichef und Aleksej Kossygin als Ministerpräsident tritt als Staatspräsident Nikolaj Wiktoriwitsch Podgorny.

Am 4. Februar 1965 wird Professor Ludwig Erhard, der »Vater des deutschen Wirtschaftswunders« und seit 1963 Bundeskanzler, 68 Jahre alt.

Seit diesem Jahr starrt man in der BR auf das Gespenst der »Rezession«: Die privaten Einkommen wachsen stärker als die Erträge aus der Leistung der Wirtschaft.

Drittes Passierscheinabkommen (vorher 1963 und 1964) zwischen dem Senat von (West-)Berlin und der DDR: West-Berlinern ist ein zeitlich begrenzter Besuch von Verwandten in Ost-Berlin gestattet.

Man tanzt jetzt »Let Kiss« – zwei Hopser nach links, zwei nach rechts, dann ein Sprung vor, zwei zurück und schließlich drei Hüpfer nach vorn und ein Küßchen für den Partner.

In den USA erhält durch den Krieg in Vietnam die Rüstungsindustrie im Jahr 1965 zusätzlich Aufträge in Höhe von 1 700 000 000 $.

Am 25. Februar findet der Wiener Opernball statt – es ist der zehnte seit Kriegsende. Als die letzten Besucher sich gegen vier Uhr morgens zur traditionellen Gulaschsuppe in der Eden-Bar treffen, wirft dort, wie der Münchner Klatschkolumnist Hunter notiert, ein Unbekannter eine Stinkbombe.

auf dem Baum, und hin bin ich auch noch nicht. Der Allmächtige wird mich jetzt nicht sterben und verderben lassen. Hoffentlich.

Dieses ›Große Silberne Ehrenzeichen am Band‹ macht mich noch wahnsinnig. Eben hätte ich mir fast den Hals aufgeschlitzt daran. Eine Freude haben sie mir bereiten wollen zu meinem Geburtstag. Und dann – Achtung, da kracht ein Zweig! – die Mitternacht! Geht da die Tür von der mittleren Loge auf (ich habe ein paar Freunde eingeladen und drei Logen gehabt), geht da also die Tür auf, und herein kommt der Kreisky und sagt...

2

»...daß der Herr Bundeskanzler auf dem Weg zu Ihnen ist, mein lieber Herr Formann«, sagte Österreichs Außenminister Dr. Bruno Kreisky.

»Das ist aber lieb von ihm«, antwortete Jakob gerührt. Die Damen und Herren in seiner Loge erstarrten vor Ehrfurcht. Jakob zog an seiner Frackweste. Er besaß ein Dutzend Fräcke, und obwohl sein Schneider ihm immer wieder versicherte, der Frack sei der Anzug des Gentleman und so bequem zu tragen wie kein anderer, hatte Jakob sich niemals an diese Art von Kleidung gewöhnen können. Er haßte es, wenn er einen Frack anziehen mußte, und so war er denn mit den Jahren immer tiefer in das Hassen seiner Fräcke hineingeraten. Nur ein Sadist konnte so ein Ding erfunden haben! Der Metallknopf, der einem am Kragen die Luft nahm! Der beinharte Hemdeinsatz unter der Frackweste, der einen nicht leger sitzen ließ, sondern immer nur absolut aufrecht und steif, damit man das untere Ende nicht in die... in den Leib bekam! Die Bänder, mit denen Hemd und Weste festgezurrt werden mußten, als wäre man eine Rennjacht! Und die anderen Bänder, die verhinderten, daß die Hose hinunter und die Frackweste hinauf rutschten, indem sie beide verbanden! Die – ach was! Am schlimmsten war die entsetzliche Hitze, die so ein Frack entfachte – und dazu noch ein Opernhaus mit sechstausend Menschen und keiner Airconditioning.

Wann immer er einen Frack tragen mußte, trank Jakob, ehe er sich ins Vergnügen stürzte, ein großes Glas Salzwasser. Das verhinderte Schweißausbrüche – eine Zeitlang wenigstens. Dafür mußte er dann aber auch stets Traubenzuckertäfelchen mit sich tragen. Wegen des Kreislaufs. Ach, dachte Jakob, waren das noch schöne Zeiten damals, 1945, als wir nichts zu fressen und keinen Groschen und nur alte Fetzen und durchlöcherte Schuhe hatten! Und noch nicht wußten, was Ährkondischenning ist... 1965 kostete eine Loge für den Opernball im Ersten Rang offiziell 60 000 Schilling. Im ›Schleich‹ kostete sie das Dreifache. Jakob hatte, nachdem er das erfuhr, freiwillig pro Loge 180 000 Schilling bezahlt, denn er wußte, wie seine liebe, langjährige Freundin Christl Gräfin Schönfeldt, Arrangeurin aller Opernbälle, stets dafür sorgte, daß der Reinertrag dieses großen

Festes denen zugute kam, die sehr alt oder sehr jung, auf alle Fälle aber sehr arm und sehr hilflos waren. Vor zwanzig Jahren war Jakob Formann das selber gewesen: sehr jung und sehr arm und sehr hilflos. So wie wir alle 1945 eben. Nein, noch etwas mehr! Danach allerdings war Jakob einiges passiert. Exemplarisches. Darum erzählen wir ja diese Geschichte.

3

»Happy birthday to you, happy birthday to you, happy birthday, dear Jakob, happy birthday to you!« sang der Kanzler der Bundesrepublik Österreich, Dr. Josef Klaus, und viele, viele sangen mit.
Jakob mußte mit den Tränen kämpfen.
»Ich dank' dir schön, Herr Kanzler«, sagte Jakob und fuhr sich mit einem Handrücken über die Augen. »Euch allen danke ich!«
Die beiden Herren standen einander in Jakobs mit dunkelrotem Samt ausgeschlagener Mittelloge gegenüber. Von hinten strahlten nun Scheinwerfer herein und verbreiteten eine grauenvolle Hitze. Kameras klickten ununterbrochen. Andere surrten. Fernsehen und Wochenschau. Und in Jakobs Hort, der normalerweise acht, höchstens zehn Personen aufzunehmen imstande war, drängten immer neue Menschen, um dem Geburtstagskind die Hand zu schütteln – Minister (sieben, acht, neun, zählte Jakob mechanisch mit), Generalsekretäre politischer Parteien (eins, zwei, drei, vier), ausländische Diplomaten (elf, zwölf, dreizehn). Jakobs Gäste, allen voran seine geliebte, göttliche Natascha, waren ohne Mitleid auf den Gang hinausgequetscht worden. Hoffentlich bricht die Loge nicht ab und kracht ins Parkett, dachte Jakob. Im Parkett befand sich ein großer Teil dessen, was man ›die Weltprominenz‹ nennt. Ein anderer Teil starrte aus Logen herüber.
Der Salztrick ist im Eimer, dachte Jakob, während er spürte, wie ihm Schweißbächlein über Brust und Rücken zu strömen begannen. Der Klaus sieht auch aus wie aus dem Wasser gezogen.
»Das ist der schönste Moment in meinem Leben, Herr Kanzler«, sagte Jakob. Haben mich also sechs rote Großkopfete hofiert, dachte er, und fünf schwarze, und jetzt noch der Kanzler! Die Kirche und die Kommunisten, sinnierte er, die wirklich außergewöhnlich vieles gemeinsam haben, beileibe nicht nur dies, daß ihre Großkopfeten nicht zum Opernball kommen, haben mir durch ihre Funktionäre ihre besten Wünsche übermitteln lassen. Na, sie haben ja auch alle, alle von mir Wahl- und andere Spenden erhalten, und das nicht zu knapp. Ich bin ein einfacher Mensch. Jeder einzelne von denen will doch eigentlich nur das Beste für die Menschen, wie ich das verstehe. Was soll man da machen? Muß man sehen, hehe, daß man ein gerechter Mensch bleibt und allen geben, dachte Jakob, in Erinnerung ver-

sunken, wieder achteinhalb Zentimeter vom Ast des vereisten Baumes über der Mangfallschlucht da bei Weyarn in Oberbayern zurückrobbend. Lieber Gott, hilf…

»Herr Formann, du bist ein Österreicher«, sagte der Kanzler. »Und wir alle sind stolz auf dich!«

»Ich hab bloß a bißl mehr Glück gehabt als andere«, murmelte Jakob verlegen.

»Immer noch die alte Bescheidenheit«, murmelte der Kanzler.

»Schau mal, Herr Formann, ich komm' doch wirklich in der ganzen Welt herum, aber nirgendwo und bei niemandem hab' ich so herrliche Eier gesehen wie bei dir!«

(Und wieder elf Zentimeter zurückgerobbt…)

»Herr Kanzler«, sprach Jakob, während an seiner linken Schläfe eine Narbe zu pochen begann, die ein Scharfschütze der Roten Armee, der sehr gut, aber nicht gut genug schoß, ihm einstens beschert hatte, »die Güte meiner Eier ist nicht mein Verdienst.«

Na also. Der Herr Minister für Kultur und Volksbildung. Noch ein Schwarzer!

»Wessen Verdienst denn?« fragte der Kanzler ernst. » *Nur* das deine. Es sind doch *deine* Eier! Und auch darüber freuen wir uns alle, und auch darauf sind wir stolz, daß es ein *Österreicher* ist, der die exquisitesten Eier der Welt hat!«

Beifall ringsum. Jakobs Gesicht nahm die Farbe einer überreifen Tomate an. Er lächelte und verneigte sich beschämt in die Runde. Nelson Aldrich Rockefeller und seine Frau winkten ihm aus der Loge gegenüber zu. Er winkte zurück.

(Wenn ich mich jetzt wie ein Affe auf den Ast unter mir schwinge, gewinne ich mindestens einen Meter. Und verliere vielleicht das Leben. Er schwang. Der Ast brach nicht. Morgen nichts wie wieder rein in die Kirche!)

Das Orchester spielte den ›Donauwalzer‹, während Jakob den Blick durch die Staatsoper kreisen ließ und Minister, Präsidenten, Filmstars, Scheichs, Industrielle, Wissenschaftler, Künstler, Aristokraten, hinreißend schöne Frauen und hinreißend reiche Millionäre erblickte und grüßte. Und siehe, da ward es ihm übel, ganz plötzlich.

Das kam, weil Jakob keinen Alkohol vertrug. Weil er niemals frivolen Herzens Geistiges trank. Weil er stets auf seine Gesundheit bedacht war. Und das war sehr vernünftig von ihm. Manchmal natürlich, wie an diesem Abend, ging es einfach nicht anders. Seine neunzehn Gäste und er hatten bislang einundvierzig Flaschen ›Roederer Crystal‹ getrunken. Zwanzig leere weitere hatte der Kellner dazugestellt. Und Jakob, des Alkohols ungewohnt, fühlte, daß er blau war und immer blauer wurde.

(Und vor zwanzig Jahren kein Dach über dem Kopf. Schlafen, wenn du Glück hattest, in Wärmestuben. Ein Paar Stiefel für eine Zigarette. Tja…)

Jakobs neunzehn Gäste bewohnten allesamt Luxusappartements im nahen Hotel IMPERIAL Freunde aus Übersee hatte er mit einer Düsenmaschine, Typ Boeing 727, einfliegen lassen. Freunde aus Europa hatte eine ›Mystère‹ herangebracht. Er selber war mit einer zweiten ›Mystère‹ aus Istanbul gekommen. Der Flugpark gehört ihm ebenso wie ein Fuhrpark von zwei Mercedes, zwei Porsche und einem Rolls-Royce, Typ ›Silver Shadow‹.

»Sei so gut, Herr Formann«, sagte die bekannteste Wiener Gesellschaftsintrigantin, »darf ich dich umarmen?«

»Aber bitte, natürlich«, sagte Jakob und dachte: In Österreich bleibt einem auch nichts erspart!

Und so wurde er denn umarmt und auf die rechte und auf die linke Wange geküßt.

(Genauso, wie ich meine Wahlspenden verteile, dachte er.)

Am Stamme angelangt!

Nun muß ich springen, runter in den Schnee. Jetzt werden wir gleich sehen, ob es Dich gibt, lieber Gott. Wenn es Dich nicht gibt, sause ich nach dem Sprung über den Steilhang ins Tal. Wenn es Dich gibt, bleibe ich oben. Du kannst es Dir aussuchen, dachte Jakob und sprang.

Er blieb oben.

Längere Zeit konnte er nur liegen. Er keuchte. Er war schweißüberströmt, total erledigt. Seine Hände zitterten wie die eines alten Süffels. Ihm wurde wieder übel, mächtig übel. Alles kreiste um ihn. Vorsichtshalber legte er beide Arme um den Baumstamm und preßte eine Wange an die eisige Rinde. Also gibt es Dich, Gott. Gott sei Dank, dachte er. Das Leuchtzifferblatt seiner Uhr zeigte 6 Uhr 13.

4

Seine Armbanduhr hatte 4 Uhr 21 gezeigt, als Herr Walter Horvath zu ihm sagte: »Ich bitt' Sie um alles in der Welt, Herr Formann, tun S' das nicht!«

Und als Herr Alexander Fleischer hinzufügte: »Das wär' doch glatter Selbstmord, wär' das, Herr Formann!«

Die Herren Fleischer und Horvath waren (und sind noch immer) die Nachtportiers des Hotels IMPERIAL.

Jakob, im Frack, eine weiße Nelke im Knopfloch, erwiderte freundlich, aber bestimmt: »Ich brauch' meinen Rolls!« Er stieß dezent auf und verspürte den würzigen Geschmack der hervorragenden Gulaschsuppe, die er mit seinen Gästen nach Verlassen des Opernballs im Stadtpalais der Gräfin Vera Czerny-Wiskowitsch zu sich genommen hatte. Das Pilsner Urquell, das er dazu durstig getrunken hatte, erhöhte seinen Alkoholspiegel erheblich. »Lassen Sie den Rolls aus der Garage holen«, sagte Jakob und fügte mit gewinnendem Lächeln hinzu: »Bitte schön!« Jakob Formann war, wenn überhaupt, liebenswert betrunken; niemals stänkerte er, niemals suchte er Streit.

Außer den beiden Nachtportiers und ihm befanden sich noch drei Putzfrauen in der Hotelhalle. Jakobs Gäste hatten sich bereits auf ihre Appartements zurückgezogen.

»Bei dem Nebel und dem Schnee und dem Glatteis«, sagte Herr Fleischer nun besorgt. »Ein Wahnsinn ist das, Herr Formann!«

»Gar kein Wahnsinn! Ich muß um neun in München sein! Wichtige Vorstandssitzung um zehn!« Alles war genau geplant, es hätte prima geklappt, wäre nicht der verfluchte Nebel gekommen.

Daß der verfluchte Nebel gekommen war und die Flughäfen von Wien und München geschlossen werden mußten, hatte Jakobs Chefpilot ihm telefonisch mitgeteilt, als er noch bei der gräflichen Gulaschsuppe saß. Fliegen fiel aus.

»Nehmen Sie doch wenigstens einen von Ihren Chauffeuren«, bat Herr Horvath. »Der soll Sie fahren, wenn es denn schon sein muß!«

»Herr Horvath, für was halten Sie mich? Für einen dreckigen kapitalistischen Ausbeuter? Meine Chauffeure haben die ganze Nacht aufbleiben müssen, um uns vom IMPERIAL in die Oper zu bringen und von der Oper zur Gräfin und von der Gräfin zurück ins IMPERIAL!«

»Sie waren doch auch die ganze Nacht auf, Herr Formann!«

»Aber zu meinem Vergnügen, Herr Fleischer!«

»Herr Formann, sein S' doch vernünftig! Sie können nicht selber fahren! Sie sind übermüdet! Sie sind... sind...«

»Besoffen, meinen Sie!«

»Ich würd' mir nie erlauben...«

»Besoffen fahr' ich am besten! Also los, los, los, meine Herren, Beeilung, den Rolls, bitte! Ich habe nicht einmal mehr Zeit, mich umzuziehen. Das tu' ich dann in meiner Wohnung in München!«

Herr Fleischer und Herr Horvath sahen einander an.

Na ja, sagte der Blick.

5

Na ja, und jetzt sitzt unser Freund am westlichen Steilhang des Tals der Mangfall, total erledigt, zu Tode erschöpft, in weißer Finsternis. Das ›Große Silberne Ehrenabzeichen‹ wollte sich gerade in seine Kehle bohren. Er schlägt danach. Die Armbanduhr zeigt 6 Uhr 13.

Um 6 Uhr 13 am 26. Februar 1965 – und schon geraume Zeit davor – nannte Jakob Formann dies sein eigen: riesige Werke zur Erzeugung von Plastik-Produkten jeglicher Art; neun Fabriken zur Herstellung von Fertighäusern; eine Hochseeflotte, modernste Fahrgast-Motorschiffe, Frachter,

Tanker; ein Großklinikum, eine große Illustrierte, ein Anlageberatungs-Büro (mit zahlreichen Außenstellen) für Projekte in Zonenrandgebieten und West-Berlin; ein internationales Reiseunternehmen (Züge, Busse, Schiffe, Flugzeuge – was man halt so braucht); ein mit diesem Reiseunternehmen gekoppeltes Möbelversandhaus, beide wiederum gekoppelt mit einer Immobilienfirma – und diverse andere Kleinigkeiten. Nach dem sogenannten ›Schachtelsystem‹, beziehungsweise als Mitbesitzer war Jakob Formann beteiligt an: den beiden gewaltigsten Brauereien der Welt; einer Lebens- und sonstigen Versicherung; an der bekanntesten deutschen Automobilfabrik. Er besaß vielerlei Aktien. Und Orden, Orden, Orden. Und Eier, Eier, Eier...

Unten, in der Tiefe des Mangfalltales, hatten die braven Buben von der Feuerwehr ganze Arbeit geleistet. Nichts brannte mehr. Die meisten Anrainer waren wieder nach Hause gegangen. Zwei VW-Kombis der Polizei standen nun neben den Löschzügen. Jakob, die Arme immer noch fest um den Baumstamm geschlungen, sah, wie die Feuerwehrleute und die Polizisten diskutierten. Der Rolls war nur noch schaumbespritzter, ausgeglühter Schrott. Wo aber war die Leiche des Fahrers? Das interessierte die Polizisten natürlich. Suchscheinwerfer irrten über die Abhänge, mahnende Rufe durch ein Megaphon erklangen: »Mann! Leben Sie noch! Wo sind Sie? Melden Sie sich! Werfen Sie einen Stein! Geben Sie uns ein Zeichen!« Jakob öffnete den Mund, um »Hier!« zu brüllen. Der Mund blieb offen – stumm.

Der Schock...

Der furchtbare Schock! Jetzt erst hat er eingesetzt. Ich kann nicht schreien. Ich kann nicht flüstern. Ich kann kein Glied bewegen. Nicht einmal einen kleinen Finger, alle Nägel krallen sich in die Baumrinde. Vielleicht kriege ich einen Herzinfarkt. Oder habe schon einen. Zu blöd. Sterben hätte ich auch im IMPERIAL können. Viel gemütlicher wäre es da gewesen.

6

Neben seinen Flugzeugen und Luxusautos besaß Jakob Formann, am Morgen dieses 26. Februar 1965 mit rapide schwindenden Kräften dem Tod im Mangfalltal entgegenbangend, eine herrliche Jacht und, natürlich, die verschiedensten Domizile: ein Schloß samt Park in Bayern; eine Villa samt Park in Beverly Hills, California; eine Villa samt Park vor Rom; eine ebensolche samt Park auf Cap d'Antibes; ein Haus in Gstaad; ein halbes Dutzend Wohnungen; dazu Jahresappartements in den besten Hotels von Wien, London, New York, Tokio und Rio de Janeiro.

Auch auf dem Höhepunkt seines Erfolgs indessen war er ein Mann geblieben, der die einfachen Freuden des Lebens allen anderen vorzog. Niemals, nicht bei Hitze, nicht bei Kälte, nicht bei Regen, nicht bei Schnee, verzichtete er auf die tägliche Radtour über mindestens zwanzig Kilometer. Er betrieb Ertüchtigungssport jeglicher Art. Es gab keine noch so schmutzige, noch so schwere Arbeit, bei der er nicht sofort mit Hand angelegt hätte, wenn es not tat. Dafür liebten ihn alle, die für ihn schufteten. Und er liebte sie alle. Jederzeit hätte er, vor die freie Wahl gestellt, ein Staatsdiener bei Königin Juliane der Niederlande für eine zünftige Brotzeit mit seinen Arbeitern schießen lassen! (Graubrot mit Schweineschmalz!) Er fühlte sich als einer der ihren, sein Leben lang. Nach dem Vorbild von Ernst Abbe und dem Zeiss-Werk (Gott, sind wir gebildet!) hatte er in seinen Betrieben ein System echter Gewinnbeteiligung eingeführt. Er...

Moment mal!

Natürlich war Jakob Formann auch ein Gauner und ein Haderlump und ein Fallot, und wo er nur konnte, beschiß er und legte er andere herein – genau wie wir das alle tun. Er war eben ein ganz normaler Mensch, der auch häufig genug von seinen Ellbogen Gebrauch machte.

1965 war sein Name weltbekannt.

Er baute gigantische Anlagen in Amerika und in der Sowjetunion, in Japan, Deutschland, Polen und Jugoslawien. Sogar in China! Für Jakob Formann gab es keine politischen Grenzen, keine politischen Schwierigkeiten. Dieser Mann war wahrhaft kosmopolitisch, gleichermaßen begehrt vom Kreml wie vom Weißen Haus. Das kam: Er ließ sich ständig über die verschiedensten Ideologien informieren, langsam und gründlich, denn da war er kein schneller Denker. Alle Ideologien, so befand er stets nach genauer Prüfung (siehe auch unter Spenden für alle politischen Parteien und Kirchen), wollten nur das Allerbeste für die Menschen! Was hätte ihn also an einer einzigen Ideologie stören können? Und was (bei solchen Spenden!) irgendeinen Ideologen an ihm? Letzlich und endlich waren diesem Jakob die Menschen doch lieber als die Ideologien. Das Liebste auf der Welt waren ihm vernünftige Menschen ohne Ideologien.

»Hallo! Hallo! Wenn Sie noch nicht tot sind, geben Sie ein Zeichen!« hallte die von hoher Intelligenz zeugende Formulierung der Megaphonstimme aus der Tiefe zu ihm herauf. Die Lichtkegel der Suchscheinwerfer glitten über die Steilhänge, immer weiter.

Tut mir leid, meine Herren, dachte Jakob traurig. Ich kann Ihnen nicht helfen. Stimme habe ich keine mehr. Zum Zeichengeben bin ich zu schwach. Tot bin ich noch nicht, vielleicht werde ich es bald sein. Mein Hintern ist schon angefroren. Wie lange wird es dauern, bis die Große Kälte meinen Kopf erreicht? Was nützen mir meine Millionen, wenn ich nicht einmal mehr »Hilfe« flüstern kann?

In New York und Tokio, in Moskau und Neu-Delhi, Stockholm und Hamburg, so dachte er benommen und immer benommener, habe ich in der letzten Zeit immer wieder vom Leistungsknick reden gehört, von einer

Krise zwischen vierzig und fünfzig. Immer nur gelacht habe ich darüber. Ein sehr dummes Lachen ist das wohl gewesen...

»Hallo! Hallo!«

Ausgerechnet jetzt, dachte er erbittert.

Ausgerechnet jetzt muß mir dieses Gedicht einfallen – Gesang heißt das, Trottel! – dieser Gesang, den meine geliebte Natascha da auf Cap d'Antibes rezitiert hat.

Von Danton. Quatsch! Danton ist dieser Maler mit den hochgezwirbelten Schnurrbartenden, der diese Pfannkuchenuhren malt. Nein, Dante heißt der Kerl! (Jetzt kommt die Kälte schon die Beine herauf.) Die ›Göttliche Komödie‹ hat er geschrieben. Komisch, ausgerechnet *der* Gesang fällt mir jetzt wieder ein. Wohl schon Agonie...

»Hallo! Hallo!«

Ja, schrei nur schön. Ich kann euch nicht helfen. Wenn ich jetzt sterbe, dann sterbe ich intellell. Ich behalte doch nie auch nur den Namen eines einzigen Dichters oder Musikers oder Bildhauers. Bin immer ein einfacher Mann geblieben. Scheißfrack! Aber an diesem Knick in der Lebensmitte scheint was dran zu sein. Mich wenigstens hat es erwischt. Und wie. Mein lieber Mann!

> Gerade in der Mitte meiner Lebensreise
> Befand ich mich in einem dunklen Walde,
> Weil ich den rechten Weg verloren hatte.
> Wie er gewesen, wäre schwer zu sagen.
> Der wilde Wald, der harte und gedrängte,
> Der in Gedanken noch die Angst erneuert,
> Fast gleichet seine Bitternis dem Tode...

Dem Tode. Da haben wir's. Warum mußte ich mir gerade diesen Quatsch merken? Jetzt ist die Kälte schon im Bauch. Die Finger frieren ab. Ich kann nicht mehr vernünftig denken...

»Hallo!... Hallo!...« Nur noch ganz verweht und leise drang die Stimme an sein Ohr. Sie ging ihn nichts mehr an.

1946

Ein ›Wirtschaftswunder‹ hat es nie gegeben!

Professor Dr. ALEX MÖLLER,
ehemaliger Finanzminister
der Bundesrepublik Deutschland

1

Auf einem stillen Leckt-mich-am-Arsch-Standpunkt hielt Jakob Formann Wache vor dem Stacheldrahtzaun neben der Einfahrt A des amerikanischen Fliegerhorsts Hörsching in der Nähe von Linz. Er lehnte da um 17 Uhr 30 am 3. November 1946 und hörte seit langem das Dröhnen der Motoren einer ›Flying Fortress‹, die beharrlich über dem Flughafen ihre Runden drehte.

Zuerst hatte Jakob noch den Kopf gehoben und die ›Flying Fortress‹ beobachtet, doch bald war ihm das zu strapaziös geworden. Mochten die Piloten der Maschine besoffen oder verrückt oder beides sein – ihn interessierte es nicht. Er hatte das Dritte Reich, den Krieg in Rußland und zahlreiche weitere lebensgefährliche Ereignisse überstanden und dabei herausbekommen, daß es nicht lohnt, in einer Welt wie dieser über irgend jemanden empört, begeistert, traurig, erfreut, erstaunt, verblüfft, will sagen: auch nur geringstens gefühlsmäßig engagiert zu sein. Es lohnt nicht, wegen irgend jemandem oder irgend etwas den Atem, geschweige denn den Kopf zu verlieren. Jakob Formann war seit Jahren – und, wie er sich ausgerechnet hatte, wohl noch auf Jahre hinaus – vollauf mit Überleben beschäftigt. Solcherlei Erkenntnis hatte ihm seinen stillen Leckt-mich-am-Arsch-Standpunkt beschert.

Die ›Flying Fortress‹ drehte nach wie vor ihre Runden. Sie donnerte über den entspannten ›Civilian Guard‹ Jakob Formann hinweg, der in die Lektüre des Annoncenteils des NEUEN ÖSTERREICH vom Vortag vertieft war.

Der Annoncenteil nahm den größten Raum der nur acht Seiten umfassenden Zeitung ein. Versunken las Jakob, was so gesucht und was geboten wurde...

Gesucht: politisch unbelasteter Mezzosopran; schwarze Breeches-Hosen und Schaftstiefel (ach ja, dachte Jakob) gg. Herrenfahrrad; linker Herrenhalbschuh (42) eines Oberschenkelamputierten gg. rechten; Filzhut gg. Bratpfanne; Kleinbildkamera gg. Kinderwagen; elektrischer Kocher gg. Dachziegel; Christus am Ölberg (Holzplastik) gg. Baumaterial; Kleiderschrank gg. 16 m Vorhangstoff; Rollschrank gg. Rasiermesser; 15 m Seil gg. Beil (nanu, dachte Jakob); gläubiger Landwirtssohn möchte auf diesem Wege prüfen, ob Gott der Herr einen mittleren landwirtschaftl. Betrieb in der US-Zone Österreichs, evtl. auf Rentenbasis, für ihn bereithält; 3500 Gasmasken gg. ...

In dem Wachhäuschen beim Eingang A des US-Fliegerhorsts Hörsching begann das Telefon zu schrillen. Scheiße, dachte Jakob, wieder kein Mantel. Er ließ das Telefon einige Male schrillen in der innigen Hoffnung, es werde verstummen. Das weite Gelände des Airfield mit all den Baracken, dem Tower, den Maschinen und Hangars sowie dem oben elektrisch geladenen Stacheldrahtzaun wurde nachts von mächtigen Scheinwerfern angestrahlt. Noch war es nicht Nacht. Der Winter 1946/47 sollte viel ärger werden als der Katastrophenwinter 1945/46, aber er ließ sich mehr Zeit damit.

Die Stadt Linz befand sich in der amerikanischen Zone Österreichs, nahe der Demarkationslinie zur sowjetischen, und die Umgebung der Stadt Linz war damals ganz außerordentlich trostlos. Am absolut trostlosesten sah es rund um den Fliegerhorst Hörsching aus, was gar manchen Sieger der Neuen Welt ins Krankenhaus brachte. Nach einer vergilbten Statistik dieses Jahres waren es in Hörsching siebenundsechzig Sieger: dreiundsechzig wegen eines HWG-Trippers (depressive Stimmungslage, häufig wechselnder Geschlechtsverkehr) und vier wegen seelischer Defekte (depressive Neurosen). Die Stimmung unter den hier Diensttuenden und Kommandierenden war aggressiv-trostlos.

Das Telefon klingelte weiter.

Gemächlich schritt Jakob Formann nun die geteerte Straße entlang zu dem Wachhäuschen; sie wurde an beiden Seiten ebenfalls von oben elektrisch geladenem Stacheldrahtzaun gesäumt. Etwa zweihundert Meter entfernt stand ein wirtlicher aussehendes, größeres Häuschen. In ihm tat die Militärpolizei Dienst, und vor ihm befand sich ein Schlagbaum. Dahinter erst begann das eigentliche Gelände des Fliegerhorsts.

Jakob betrat den klosettgroßen Holzverschlag, der den österreichischen Bewachern des Airfield zugedacht war, nahm den Hörer des Feldtelefons ans Ohr und meldete sich in makellosem Englisch: »Entrance A, Civilian Guard Jakob Formann speaking!«

Alles Folgende wurde in englischer Sprache erledigt.

1945 – das Ende vom Ende

»Es geht alles vorüber, / es geht alles vorbei, / im April geht der Führer / und im Mai die Partei!« Lied deutscher Landser seit 1944.

9. Mai 1945, 00.01 Uhr: Bedingungslose Kapitulation des »Großdeutschen Reiches«.

Bilanz des Zweiten Weltkrieges: 53,3 Millionen Tote in aller Welt, 20 Millionen Heimatlose, Vertriebene und Flüchtlinge in Europa.

Allein in Westdeutschland zerstört: 2,25 Millionen Wohnungen, 4752 Brücken, 4300 Kilometer Eisenbahnschienen.

Gesamtkosten: 3 000 000 000 000 Dollar.

Die Lebensmittelkarten der Stadtverwaltung von Berlin sahen für die Zeit vom 15. bis 31. Mai 1945 vor:

für Schwerarbeiter: Tagesration Brot 600 g, Fleisch 100 g, Fett 30 g, Kartoffeln 400 g, Nährmittel 80 g, Zucker 25 g; Monatsration Salz 400 g, Bohnenkaffee 100 g, Kaffee-Ersatz 100 g, echter Tee 20 g…

für die sonstige Bevölkerung: Tagesration Brot 300 g, Fleisch 20 g, Fett 7 g, Nährmittel 30 g, Kartoffeln 400 g, Zucker 15 g; Monatsration Salz 400 g, Bohnenkaffee 25 g, Kaffee-Ersatz 100 g, echter Tee 20 g.

»Verdiente Gelehrte, Ingenieure, Ärzte, Kultur- und Kunstschaffende sowie die leitenden Personen der Stadt- und Bezirksverwaltungen, großen Industrie- und Transportunternehmen erhalten… Lebensmittelrationen… für Schwerarbeiter.«

»Der Juli ist nun zu Ende, ohne daß wir« (in dem von den Sowjets besetzten Berlin) »ein Gramm Fett bekommen hätten, kein Fleisch, kein Gemüse, kein Obst, kein Salz, keinen Essig, keinen Ersatzkaffee, nur das Brot und einen Teil der Kartoffeln und 620 g Zucker, 600 g Mehl und 7 Suppenwürfel« (Margret Boveri in »Tage des Überlebens«).

»Therese Neumann« (47 Jahre alte, 55 kg wiegende Landwirtstochter im bayerisch-oberpfälzischen Konnersreuth, seit 1926 mit den Wundmalen Christi stigmatisiert und angeblich ohne jede Nahrungsaufnahme lebend) »ist zweifellos der einzige Mensch in Deutschland, der keine Lebensmittelkarte bezieht« (Pfarrer Josef Naber, Konnersreuth).

26. Juni 1945: »Wir, die Völker der Vereinten Nationen, sind entschlossen, die kommende Generation vor der Geißel des Krieges zu bewahren, die zu unseren Lebzeiten zweimal unsagbares Elend über die Menschheit gebracht hat« (Charta der UN).

6. August 1945: Die erste amerikanische Atombombe vernichtet die japanische Hafenstadt Hiroshima.

Von dem Schweizer Arzt und Philosophen Max Picard erscheint das Buch »Hitler in uns selbst«.

Am 6. Oktober 1945 kommt in München die Nummer 1 der »Süddeutschen Zeitung« heraus. Die Druckplatten sind aus dem eingeschmolzenen Bleisatz für Adolf Hitlers »Mein Kampf« gegossen. Aus der Nr. 1 der »Neuen Zeitung« (18. Oktober 1945): Erich Engel hat soeben die Münchner Kammerspiele mit »Macbeth« eröffnet. – Dort spielt auch das Kabarett »Die Schaubude« (mit Texten von Erich Kästner). – Im Ballsaal der Münchner Residenz werden gezeigt: Goldonis »Kaffeehaus«, Lessings »Nathan« und Anouilhs »Antigone«.

20. November 1945 bis 1. Oktober 1946: Nürnberger Prozeß gegen die Hauptkriegsverbrecher. 12 Todesurteile (vollstreckt am 16. Oktober 1946).

Eine bebende Männerstimme drang an Jakobs Ohr: »Hier ist Colonel Hobson!«

Auch noch dieser Kretin, dachte Jakob und erwiderte in lässigster Haltung, den militärischen Schneid lediglich in der Stimme: »Yessir?«

»Goddammit, endlich! Kommen Sie sofort zu mir in den Tower! Grauenhafte Sauerei hier! Brauche jemanden, der Deutsch und Englisch spricht!«

»Ich komme, Sir«, sagte Jakob, legte den Hörer behutsam nieder und machte sich ohne jede Hast auf den Weg. Seine hervorragenden Englischkenntnisse verdankte er dem Umstand, daß er viele Jahre in England zugebracht hatte; dort vertrat sein Vater eine Wiener Fabrik, die sich mit dem Bau von Holzverarbeitungsmaschinen beschäftigte.

Es dämmerte bereits ziemlich stark. Jakob trug eine blaugefärbte amerikanische Armeehose, ein ebenso behandeltes Armeehemd und ein Armeejakkett. Dazu eine Armeekrawatte und einen grüngestrichenen Armeeplastikhelm mit den großen weißen Buchstaben C und G (für Civilian Guard, also Ziviler Wachdienst). Armeestiefel besaß er nicht. Die Fußbekleidung, die er trug, hatte er in einem winzigen tschechischen Ort, Mukulow, ganz nahe der österreichischen Grenze, gestohlen, und weil der Diebstahl schon längere Zeit zurücklag, befanden die Schuhe sich in einem erbärmlichen Zustand.

Die ›Flying Fortress‹ donnerte wieder über den Platz hinweg.

Jakob erreichte die komfortable MP-Baracke und öffnete die Eingangstür, um drei Herren zu sagen, daß etwas faul und er gerufen worden war. MPs und Civilian Guards arbeiteten hier rund um die Uhr, in einem Achtstundenturnus. Die gleichen MPs verlangten stets die gleichen Civilian Guards, und so hatte sich Jakob herzlich befreundet mit drei jungen Männern etwa seines Alters und exakt seines eingangs erwähnten Grundsatzstandpunktes. Es handelte sich um den Master-Sergeant George Misaras (Eltern aus Marghita, Rumänien, in die Vereinigten Staaten eingewandert), um den Gefreiten Mojshe Faynberg, einen bleichen, dicken Jungen mit rotem Haar, Sohn eines Flickschusters aus New Yorks Bronx, und um den Sergeanten Jesus Washington Meyer aus dem Staate Alabama und daselbst aus der Stadt Tuscaloosa. Diese drei jungen Männer hatten den D-Day, die Invasion am Abschnitt ›Omaha Beach‹ der Normandieküste, mitgemacht und sich durch halb Europa gekämpft – ebenso ungern, wie Jakob in den großen Hitlerkrieg gezogen war, um in Rußland zu überleben.

George Misaras saß hinter einem pompösen Schreibtisch (hinter dem vor zwei Jährchen noch ein Gauleiter gesessen hatte), die Schuhe auf der Tischplatte, als Jakob hereinkam. Er hatte sich durch Lektüre eines Comic-Strip-Heftchens fortgebildet. Jesus Washington Meyer und Mojshe Faynberg waren damit beschäftigt, ein neues Pin-up-Foto von Jane Russel an einer Wand zu befestigen, an der schon viele andere Pin-up-Fotos, etwa von Rita Hayworth, Lana Turner oder Betty Grable, prangten.

»Was is' los, Jake?« fragte Misaras. »Kalt? Willst 'n Schluck heißen Kaffee?«

»Mann, hat *die* ein Paar Augen! Nein, danke, George«, sagte Jakob.

»Howard Hughes«, sagte Mojshe, Reißzwecken zwischen den Lippen.

»Howard wer?«

»Hughes! Aus rostfreiem Stahl! Komplizierte Konstruktion!«

»Was?«

»Der Beha von der Tante! Ins Kleid gearbeitet. Raffiniert, wie? Hat dieser Howard Hughes eigens für die Jane Russel erfunden. Der erfindet dauernd was. Is' Multimillionär. Hätte es nicht nötig.«

»Der Colonel hat mich gerade angerufen. Ich soll rauf in den Tower kommen, übersetzen.«

»Was übersetzen?« fragte der riesenhafte Neger Jesus Washington Meyer.

»Keine Ahnung. Bloß: Es ist jetzt niemand beim Eingang.«

»Na und? Ist es dein Airfield?« Mojshe zuckte die Achseln. »Wahrscheinlich hängt's mit diesem Drecksbomber zusammen, der da über uns rumkurvt.«

»Kann schon sein. Nur: Warum kurvt er? Trouble, sage ich euch!«

»Diese Arschlöcher von Piloten machen mich noch wahnsinnig«, sagte Jesus. »Scheiß auf das ganze Air Corps!«

»Ja, das ist leicht gesagt«, murmelte Mojshe versonnen.

2

»*Verrückt!*« kreischte Colonel Peter Milhouse Hobson hysterisch, knallrot im Gesicht, die Arme hochwerfend, im obersten Stockwerk des Towers, zwischen drei Soldaten, die vor ihren Radargeräten und Sprechfunkanlagen arbeiteten, hin und her rennend. »Ich werde verrückt, verrückt, verrückt!«

Zwei der drei Fluglotsen wiesen gleichfalls Zeichen psychischer Störungen auf. Sie bellten in ihre Mikrofone, stotterten und fluchten, und viele ihrer Angaben zur Sicherung des umliegenden amerikanischen Luftraums waren falsch. Die beiden sind schon geschafft, dachte Jakob. Der dritte ist es nicht. Der dritte Lotse saß entspannt auf seinem Drehstuhl und blies Kinderkaugummi rhythmisch zu Blasen auf. Als er Jakob sah, kniff er ein Auge zu. Nanu, dachte Jakob, ein Warmer? Ach nein, sicherlich nur ein normaler Mensch.

Im Tower lief stets ein Tonband, das auch mit den Telefonleitungen verbunden war. Dieses Band zeichnete alle Gespräche auf für den Fall, daß es zu Unstimmigkeiten, Ungenauigkeiten oder, Gott behüte, einem Unglück kam. Kam es, Gott behüte, zu einem Unglück und gab es dabei, Gott behüte, Verletzte oder gar Tote, so konnte man mit Hilfe des Tonbands jederzeit feststellen, wer woran Schuld trug. Eine äußerst praktische Anlage. Die Luftwaffe der Vereinigten Staaten, der wir an dieser Stelle unseren tiefempfundenen Dank aussprechen, hat uns aus ihren Archiven jenes exemplarische Band zur Verfügung gestellt, das am frühen Abend des 3. November 1946 gerade lief.

Ton ab! Band läuft.

»Rufen Hörsching Tower… Hier ist Flug Eins-acht-eins…«

»Ich verstehe Sie, Eins-acht-eins. Was gibt's?«

»Was sollen diese ewigen Warteschleifen, Hörsching Tower? Wir haben hier schon alle den Drehwurm!«

»Nur noch ein Weilchen, Eins-acht-eins. Wir haben jetzt einen Dolmetscher hier. Es wird sich gleich alles klären. Over!«

»Gleich klären? Wissen Sie, was Sie mich können, Hörsching Tower? Sie können…«

»Kein Wort weiter, Eins-acht-eins! Machen Sie sich nicht unglücklich! Colonel Hobson steht neben mir. Hört jedes Wort. Er bringt Sie vors Kriegsgericht!«

»Kriegsgericht, ha! Ich habe in diesem Scheißkrieg zweiunddreißig Tageseinsätze über deutschen Städten geflogen und lebe noch immer! Glauben Sie, ich habe vor Ihrem Colonel Angst?«

»Und ich war über Monte Cassino und über Saint Lô und habe vierzig Einsätze überlebt! Glauben Sie, Sie können sich mit mir anlegen, Captain? Sie bleiben auf tausend Meter und drehen noch zehn Minuten Ihre Runden. Over!… Was suchen denn *Sie* hier?« Die letzten Sätze hatte Colonel Hobson gesprochen.

»Sie haben mich rufen lassen, Sir.«

»Ich Sie? Niemals!«

»Aber ja doch, Sir. Wegen des Bombers, Sir. Ich bin Civilian Guard Jakob Formann!«

»Ach so. Entschuldigen Sie, Formann. Hahaha! Ist gar kein Bomber!«

»Sir, das ist eine ›Fliegende Festung‹! Ich bin lange genug hier, um…«

»Das ist eine umgebaute ›Fliegende Festung‹. Eine als Transporter umgebaute! Verstanden?«

»Nein, Sir.«

»Was soll das heißen?«

»Das soll heißen, daß ich nicht verstanden habe, Sir!«

»Sie, wenn Sie mir frech kommen, bringe ich Sie…«

Das Folgende unverständlich, weil Motorengeräusch alles übertönt. Geräusch wird leiser.

»Hier ist der Captain. Sorry, Gentlemen. Habe auf den falschen Hebel gedrückt. Kann vorkommen. Wird wieder vorkommen, wenn ihr uns nicht bald sagt, was wir tun sollen!«

»Mann, steck dir doch deinen Hebel in den Arsch!«

»Ruhe! Der Befehlshabende hier bin ich! Und ich dulde diesen Bordellton nicht!«

»Hr-rm. Sofern ich mir eine Bemerkung erlauben darf, Sir: Wenn das da über uns ein Transporter ist und kein Bomber, dann müssen die Passagiere doch auch langsam durchdrehen, weil die Maschine immer im Kreis fliegt, Sir!«

»Ist ja auch schon passiert!«

»Was ist auch schon passiert, Sir?«

»Na, was Sie sagen! Sind schon welche ausgekrochen.«

»Au... au... ausgekrochen, Sir?«

»Ja doch, verflucht!«

»au... au... aus der Maschine, Sir?«

»Aus ihren Schalen, dämlicher Kraut!«

»Entschuldigen Sie, Sir, aber Menschen haben keine Schalen.«

»Wer redet denn von Menschen?«

»Sie, Sir!«

»Niemals! Niemals habe ich...«

»Chörsching Tower! Chierr Vienna Center... Chierr Vienna Center. Chörsching Tower, bitte kommen!«

»Das sind die Russen, Mann! Los, los, los, gehen Sie ran!«

»Vienna Center... Vienna Center... Hier ist Hörsching Tower! Es spricht der Dolmetscher.«

»Freundschaft, Genosse Dolmetscher, Freundschaft! Chörren zu und übersetzen Colonel Chobson: Chabben nicht gefunden Genossen Generalmajor Tschurasjew. Tutt uns leid, Chörsching Tower. Obberbefehlshaber von sowjetische Besatzungstruppen in Österreich, Genosse Generalmajor Tschurasjew, ist gefarren auf Semmering. Mit Genossin Gemahlin. Abgestiegen Chotell Panhans...«

Hin- und Herübersetzen Jakobs.

»Colonel Hobson läßt ihnen mitteilen: Dann fliegt die Maschine eben *so* in den Korridor ein, Vienna Center!«

»Dann fliegt Maschinn ebben *nicht* so in Korridor ein! Sagen das Colonel Chobson! Schlimme Sache sonst! Amerikanskaja aggressija! Over!«

Jakob übersetzt. Der Colonel flucht.

Dann wieder Jakobs Stimme: »Wenn Sie schon nicht Menschen gesagt haben, dann haben Sie aber Passagiere gesagt, Sir!«

»Passagiere, ja! Aber Menschen, nein! Westmorelands!«

Jetzt sehr starke Motorengeräusche.

Dann:

»...wissen nicht, was Westmorelands sind, Sie – *wie* heißen Sie?«

»Formann, Sir. Jakob Formann, Sir. Nein, Sir, weiß nicht, was Westmorelands sind.«

»Küken, Formann! Hochgezüchtete Küken! Über Ihnen! Vierzigtausend! *Vierzigtausend!*«

»Yesssirr, Colonel, Sir!«

»Passen Sie auf, Formann: Gestern früh startete drüben eine ›Fliegende Festung‹. Alles klar?«

»Alles klar, Sir.«

»Unsere ›Fliegende Festung‹, alles klar? Die da oben, kapiert?«

»Kapiert, Sir.«

»An Bord eine Ladung angebrüteter Eier von Westmoreland-Hühnern für österreichische Landwirtschaftsbetriebe, die daniederliegen. Spende des ›American Friends Committee‹. Alles…«

»…klar, ja, Sir!«

»Maschine hatte Defekt in Treibstoffleitung! Stellte sich bei Zwischenlandung in Frankfurt heraus. Aufenthalt wegen Reparatur: Sieben Stunden!«

»Verstehe, Sir. Die ›Fliegende Festung‹ hätte Linz sieben Stunden früher erreicht und den Luftkorridor zu Mittag passiert, und alle vierzigtausend Eier sind so angebrütet, daß die erste Schale erst gebrochen wäre, wenn das letzte Ei den Bauernhof erreicht hätte.«

»Phantastisch, wie schnell… äh… äh… *Wie* heißen Sie?«

»Jakob Formann, Sir.«

»…wie schnell Sie das begriffen haben, Formann.«

»Gesunder Menschenverstand einfach, Sir.«

»Das sagen Sie so. Wenn Sie wüßten, was für ein Idiot ich… äh, mit was für Idioten ich es zu tun habe, dann…«

Die Maschine muß direkt jetzt über den Tower geflogen sein, so laut ist an dieser Stelle das Motorengeheul.

Danach: »Verstehen Sie jetzt die grausige Situation, in der wir uns befinden, Formann?«

»Yes, Sir!«

Stoptaste drücken. Band steht.

3

Als wir den Krieg mit Hilfe der ›Vorsehung‹ verloren hatten, teilten die Sieger Deutschland und Österreich in Besatzungszonen auf. Berlin und Wien lagen tief in den sowjetischen Zonen. Westalliierte Flugzeuge mußten den Weg nach Berlin oder Wien auf vorgeschriebenen ›Luftstraßen‹ zurücklegen. In Österreich gab es einen einzigen Luftkorridor. Der durfte ›aus Sicherheitsgründen‹ nur bei Tageslicht benützt werden. Nachts nicht und nicht nach Einbruch der Dämmerung solcher Art, daß die Sichtweite weniger als vierhundert Meter betrug.

Am 3. November 1946 ging die Sonne um 7 Uhr 19 auf, und um 16 Uhr 48 ging sie unter. Dann kam die Dämmerung, die tiefe Dämmerung und endlich die Nacht, in der es verboten war, in den Luftkorridor einzufliegen. Als die ›Fliegende Festung‹ über dem amerikanischen Fliegerhorst Hörsching zu kreisen begonnen hatte, war es 17 Uhr 10 gewesen, und Vienna Control hatte ›Njet!‹ gesagt.

Jetzt, um 17 Uhr 42, dreht die ›Fliegende Festung‹ noch immer ihre Runde.

Es ist mittlerweile *sehr* dämmrig geworden.

Und Samstag ist es dazu.

4

Ton ab! Band läuft weiter.

»Verflucht noch mal, Herr Kollege, die Küken *müssen* nach Wien und von dort auf die Bauernhöfe! Sie wissen es so gut wie ich, daß ein neugeborenes Küken die erste Nahrung und die erste Flüssigkeit nur an dem Ort zu sich nehmen darf, an dem es dann immer bleibt.«

»Ach, leckt's mich doch am Arsch!«

»Sie als befreiter Österreicher und Dolmetscher im Provost Marshal Office in Wien wollen also die Verantwortung für den Tod von vierzigtausend unschuldigen Küken auf Ihre Schultern laden?«

»Ich will überhaupt nix laden! Heut ist Samstag! Da sind die Hohen Herren alle weg! Der Provost Marshal ist nicht da, das habe ich Ihnen schon zweimal gesagt! Der ist übers Weekend nach Salzburg gefahren, mit seiner Frau!«

»Wer ist denn sein Stellvertreter?«

»Colonel Worsley. Steht hier neben mir. Er sagt gerade, daß er nichts tun kann. Versuchen Sie's doch bei den Engländern, Herr Kollege. Die sind schließlich auch eine Schutzmacht Österreichs! Heil ... äh, 'tschuldigung, Servus!«

Klick.

»Der Kerl hat aufgehängt!«

Jakob übersetzt.

Allgemeines Fluchen.

»Hörsching Tower! Hier Eins-acht-eins ... Bitte kommen!«

»Was gibt's?«

»Vierunddreißig weitere ausgekrochen, Colonel, Sir!«

»Machen Sie mich nicht wahnsinnig!«

Jetzt eine neue Stimme, lupenreines King's English, schneidig: »Kommandantur Wien, McIntosh!«

»Wer ist denn um Gottes willen nun wieder McIntosh?«

»Colonel McIntosh, Vertreter Seiner Exzellenz, des Herrn britischen Stadtkommandanten.«

»Aha. Und der ist also auch mit seiner Frau...«

»No, Sir. Der ist mit einem Freund zur Jagd nach Kärnten.«

»Jagen, fischen, vogelstellen, das hält jung die Junggesellen...«

»Haben Sie den Verstand verloren, Formann?«

»Ach, das fiel mir gerade so ein, Sir.«

»Reißen Sie sich gefälligst zusammen, Kerl! Hallo, Colonel! Hören Sie: Wir haben über unseren Köpfen...«

»Vierzigtausend bebrütete Eier, ja, ja. Ich weiß, ich weiß. Die Herren amerikanischen Verbündeten haben uns bereits unterrichtet. Ich bin beauftragt, Sir, Ihnen mitzuteilen, daß das Britische Empire in dieser Angelegenheit strikteste Enthaltsamkeit üben muß. Warum versuchen Sie es nicht bei Seiner Exzellenz, dem Herrn französischen Stadtkommandanten? Auch Frankreich ist für das befreite Österreich verantwortlich!«

Auf dem Band ist nunmehr ein gräßliches Durcheinander von Stimmen und Geräuschen zu hören. Dann erklingt eine neue, helle Stimme, die in melodischem, leicht singendem Wienerisch mitteilt, Seine Exzellenz, der französische Stadtkommandant von Wien, sei nach Berlin geflogen – einer Einladung Jean Cocteaus folgend.

»Jean wer?« (Jakob fragt.)

»Cocteau, Süßer! Monsieur Cocteau zeigt im Maison de France am Kurfürstendamm seinen neuen Film ›La Belle et la Bête‹ mit Jean Marais. Zur Sache, Chéri! Der Vertreter des Herrn Stadtkommandanten läßt bestellen, daß er die Infamie der Engländer, die Grande Nation in diese Affäre hineinzuziehen, durchaus erwartet hat. Es möge sich indessen niemand täuschen: Frankreich hat nicht die Absicht, sich eines Problems anzunehmen, das ausschließlich Amerika und Rußland angeht. Adiöööh, Liebling!«

Folgt Jakobs Übersetzung.

Dann die Stimme des Colonel Hobson, eiskalt: »Jim, geben Sie mir OMGUS in Berlin. General Robert Loosey!«

»Hörsching Tower!...Hier ist Eins-acht-eins... Wieder dreizehn ausgekrochen. Over!«

»Haben Sie endlich Berlin, verflucht! Jim?«

»Ja. Vermittlung OMGUS sagt, daß General Loosey nicht da ist.«

»Dann geben Sie mir Generalmajor Lucius D. Clay!«

»Wollte ich schon. Ist auch nicht da.«

»Sondern wo?«

»Weiß Vermittlung nicht, Colonel, Sir. General Loosey soll irgendwo bei Frankfurt sein. In Bad Nauheim.«

»Wo?«

»Bad Nauheim, Sir. Mit Frau und Tocher und Schwiegersohn und drei Enkelkindern... Wann kommt Loosey zurück, Frankfurt!«

»Er übernachtet in Nauheim. Hat sich fürs Weekend freigenommen, Sir. Fliegt erst Montag früh zurück nach Berlin.«

»Da muß doch irgendein Diensthabender in Berlin sein, gottverdammt, Jim!«

»Ist auch einer, Colonel, Sir!«

»Geben Sie mir den Kerl!«

»Ich habe Berlin auf Standleitung, Colonel, Sir!«

»Also nichts wie her mit dem Diensthabenden! Mit dem rede ich jetzt mal ein Wörtchen! Und wenn der kneift, rufe ich *Washington*, Saustall, verfluchter!«

»Hörsching Tower!... Hörsching Tower!... Hier Eins-acht-eins!... Wieder einundzwanzig ausgekrochen!«

»Geburtenzahlen werden ab sofort immer erst gemeldet, wenn das nächste Hundert voll ist, Eins-acht-eins! Herrgott! Gebt mir fünf Minuten Zeit, dann sieht die Sache anders aus!« schrie der Colonel. Die Lautstärke hat seine Stimme völlig verändert, dachte Jakob. Er fühlte sich schwindlig. Die Narbe an seiner Schläfe begann zu pochen. Das Gesicht rötete sich und nahm einen idiotischen Ausdruck an, wie stets, wenn Jakob Formann ganz intensiv nachdachte. Seine gesamte Intelligenz stülpte sich dann sozusagen nach innen, und für die Fassade (das Gesicht zum Beispiel) blieb nichts, aber auch gar nichts übrig. Er wirkte stets wie ein armer Trottel, wenn er gerade alles andere als ein armer Trottel war. Raum und Zeit verschwammen für ihn, und gleich einem eigenwilligen Echo von des Colonels Gebrüll schmetterte eine andere Stimme in Jakobs innerem Ohr: »Nun, deutsches Volk, gib mir die Zeit von vier Jahren und dann urteile und richte mich!« Es war die Stimme des Adolf Hitler.

5

1933, am 1. Februar, war es, als der Kerl das geschrien hat. Noch in Deutschland. Da war ich dreizehn Jahre alt. Und im Gymnasium. Ich war ein schlechter Schüler, von Latein über Physik bis Mathematik in allen Fächern der Faulste – der ›Klassen-Idiot‹. Aber ein schlauer Idiot, weiß der Himmel.

1938 schrie der Kerl noch immer, jetzt auch in Wien. Eigentlich hätte ich 1938 die Matura machen müssen. (Abitur nennen sie das in Deutschland.) Habe ich? Einen Dreck habe ich! Ein Jahr vorher haben sie mich nämlich aus der Schule gefeuert. Weil ich ihnen wohl *zu* schlau gewesen bin. Und zu frech. Also habe ich mich halt ein bißchen beschäftigt, bis zum Februar 1939. Und, wupp, war ich auch schon beim Reichsarbeitsdienst. Steine klopfen. Autobahn bauen. In verstunkenen Baracken schlafen. Abitur? Ha! Nach einem halben Jahr Arbeitsdienst bin ich sofort zum Barras überstellt

worden. In eine verstunkene Kaserne. Und habe ich strammstehen gelernt.
Griffe kloppen, Menschen töten. In der Deutschen Wehrmacht. Am 1.
September 1939 ist es dann losgegangen. Noch im gleichen Jahr war ich
schon im schönsten Schlamassel. Bin drin geblieben, bis ich in Gefangenschaft geriet, 1945. Aus der habe ich mich dann selber entlassen; aber das
steht nicht zur Diskussion. 1945, im November, bin ich in Wien angekommen. Abgerissen, ausgehungert, halb erfroren. Haus weg. Eltern weg. Alles weg.
»Gib mir die Zeit von vier Jahren...«
Vier Jahre!
Ich habe ihm *sieben* Jahre gegeben, dem Sauhund! Sieben Jahre habe ich
ihm geben müssen wie so viele Millionen andere arme Kerle. Erstaunlicherweise lebe ich noch. Aber wie! Als ›Civilian Guard‹. Bin nichts. Habe
nichts. Außer meinen Leckt-mich-am-Arsch-Standpunkt. Den will ich
auch behalten! Aber je länger ich mir das Theater ansehe, das dieser idio-
tische Colonel da mit den vierzigtausend Westmoreland-Küken aufführt,
das Theater, das sie alle, alle diese verehrungswürdigen Sieger aufführen
mit den vierzigtausend Küken, desto größer wird meine Wut über die verlorenen Jahre. Ich habe den Krieg nicht angefangen. Jetzt wollen wir doch
mal sehen, ob ich ihn wirklich verloren habe, Himmel, Arsch und Zwirn!
Diese blödsinnigen Eier...
Eier? Mit Eiern hat's doch schon mal was gegeben in meinem Leben! Ich
muß mich nur daran erinnern! Wie war das bloß? Und wo? Das wird mir
schon wieder einfallen. *Muß* mir wieder einfallen. Denn jetzt hole ich mir
meine verlorenen Jahre zurück, verflucht! Jetzt führe ich *meinen* Krieg,
meinen eigenen Krieg, verdammt! Auf *meine* Weise! Zu *meinem* Wohle!
Auf *eigene* Rechnung und Gefahr! Für *mich* – und nicht für Ehre, Führer,
Vaterland und diesen ganzen Scheiß! Ich habe die Schnauze voll! Gestrichen voll! Nun laßt mich mal ran! Nun gebt auch mir mal ein paar Jahre
Zeit! Sieben Jahre Zeit gebt mir, ihr Hohen Herren ringsherum, und dann
urteilt und richtet *mich*!
Himmelherrgottnochmal, wenn ich bloß wüßte, wie das damals mit den
Eiern war!
Langsam. Von vorn.
In Krakau war es, das weiß ich bestimmt.
Was war das? Was? Ich muß es genau wissen, dann kann ich dieses Rind-
vieh von Colonel vielleicht reinlegen und *meinen* Krieg anfangen! Krakau... Krakau... Im Lazarett lag ich da mal... Das Lazarett war in der Uni-
versitätsklinik... Und da war die blonde Friederike... Süßes Mädchen...
Hat in der Klinik gearbeitet... Und mir erzählt, was sie da machen. Was
sie da machen... etwas mit Eiern... Was haben sie da bloß gemacht mit
den Eiern?

Das Band ist inzwischen weitergelaufen. In seiner Erinnerung an die Zeit in Krakau wühlend, hörte Jakob das Gekläff des Colonels, der nun den Diensthabenden bei OMGUS, Berlin, am Apparat hat: »...und ich sage Ihnen, Major: Wenn wir nicht wollen, daß die Kommunisten uns überrennen, dann müssen wir einig und starken Herzens...«

Was war mit den Krakauer Eiern los?

»...als freie Bürger einer freien Welt...«

Sie haben so ein Geheimnis darum gemacht, da in der Universitätsklinik. Auch der süßen Friederike habe ich mein Ehrenwort geben müssen, daß ich niemals ein Wort darüber verlieren werde. Worüber nur, verflucht? O Gott, ist dieser Colonel ein Trottel! Wie leicht könnte ich den aufs Kreuz legen, wenn ich nur wüßte, wie das damals mit den Eiern gewesen ist... Irgendwas mit Brüten... Die haben auch angebrütete Eier gehabt, da in Krakau... Ein Forschungsinstitut innerhalb der Universitätsklinik... Strengstens gegen die Außenwelt abgeschirmt...

»Hörsching Tower!... Hier Eins-acht-eins...«

»Was gibt's, Eins-acht-eins?«

»Ach, nichts Besonderes, Hörsching Tower. Es geht uns nur der Sprit aus. Wir sind bereits auf Reserve!«

»Wir haben vielleicht mal eine Schlacht verloren, Eins-acht-eins, aber nicht den Krieg, alles klar?«

Und auf diesen Eiern da in Krakau haben sie irgendwas gezüchtet... Was, zum Teufel?

»Sie sind mir verantwortlich, Major! Ich muß sofort eine Entscheidung von General Loosey haben! Wir rufen Washington!«

Jetzt fällt's mir wieder ein! Auf Eiern, auf angebrüteten Hühnereiern, haben die da in Krakau die Erreger einer Krankheit gezüchtet...

»Ich sage Ihnen, die Eier können nicht bei uns runterkommen, Major!... Warum nicht? Herrgott, wegen der Begleitpapiere! Die sind aus Versehen in New York auf dem Flughafen liegengeblieben! New York sah keine andere Möglichkeit, als den Text nach Frankfurt Rhein Main Control durchzufunken...«

»Dringendes Staatsgespräch Washington!... Dringend Staat Washington!«

»...Rhein Main Control hat den Text sofort weiter nach Tulln gefunkt. ...Nein, Tulln, das ist der Wiener Ausweichflughafen. ... *Was?* ...Natürlich liegt Tulln in der Sowjetischen Zone! Das ist ja die Sch... die Schwierigkeit! Die Sowjets akzeptieren den gefunkten Text nicht! Sie wünschen die *Papiere!* Und eine beglaubigte russische Übersetzung! Die ist auch in New York liegengeblieben! Aber die Eier *müssen* nach Wien, ist das endlich klar, Major, oder bin ich von lauter Idioten umgeben?«

Fleckfieber-Erreger! Jetzt weiß ich es wieder! Weil doch so viele arme Landserschweine an Fleckfieber verreckt sind...

»Hören Sie, Major! Wenn diese Sowjets glauben, sie können mit uns machen, was sie wollen, dann haben sie sich aber geschnitten!«

Um Himmels willen, dachte Jakob. Der Verrückte will die ›Fliegende Festung‹ tatsächlich gegen den Widerstand der Russen nach Wien durchbrechen lassen! Das muß ich verhindern, unter allen Umständen! Vierzigtausend Eier, an die muß *ich* ran! Die Eins-acht-eins mit den Eiern, das wird jetzt *meine* Sache! Übel, übel, diese Waffenbrüderschaft der vier Alliierten. Wir können uns einen Dritten Weltkrieg so ohne jede Atempause – gut, gut, daß wir alle fünfundzwanzig Jahre einen anfangen, daran haben wir uns schon gewöhnt –, doch so ohne jede Atempause können wir uns einen Dritten Weltkrieg nicht leisten! Hauptsache aber: die vierzigtausend Eier...

»...Treibstoff noch für einunddreißig Minuten...«

»Na und wenn schon, Eins-acht-eins! Der Colonel spricht jeden Moment mit Washington!«

Wie komme ich an die vierzigtausend Eier ran, verdammt?

»Bedaure, Sir, Colonel, Sir, aber Vermittlung Washington sagt, General Eisenhower ist zum Golfspielen gefahren.«

»Golfspie... Ungeheuerlich! Hat der Mann denn überhaupt kein Pflichtbewußtsein? Geben Sie mir den *Präsidenten!*«

»Den Pr... Pr... Präsidenten, Sir, Colonel, Sir?«

»Etwas nicht klar, Jim?«

»Do... do... doch, Sir, Colonel, Sir, alles klar. Ver... Ver... Verbindung mit dem Pr... Pr... Präsidenten...«

»Washington? *Washington?* Hier Colonel Hobson, Hörsching Airfield bei Linz, Austria... Nein, nicht Australia! *Austria!* Habe hier einen schweren Krisenfall... Muß unbedingt Mister President sprechen!... Eine Minute warten? ...Ich danke, Mister Secretary of State, ich danke...«

»Hörsching Tower! Chierr Vienna Center... chierr Vienna Center...«

»Was ist, Vienna Center? Hier ist Dolmetscher Hörsching Tower!«

»Freundschaft, Genosse Dolmetscher, Freundschaft! Chabben gefunden Genosse Tschurasjew auf Semmering... chabben gerade gesprochen mit ihm...«

»Ja. Ja. Ja. Und?«

»Genosse Generaloberst Tschurasjew chatt telefoniert von Semmering mit Moskau... Wir chierr chabben abgehört und auf Band genommen alle Ihre Gespräche! Wissen, Sie stehen in Verbindung mit Weiße Chaus! Treiben Konflikt auf Spitze! Bitte serr, können chabben! Befehl von Genosse Generaloberst Tschurasjew nach Blitzgespräch mit Genosse Stalin: Wenn ›Fliegende Festung‹ eindringt in sowjetischen Luftraum, wir werden antworten auf diese schwerste Provokazje! Befell an Genossen Oberbefehlschabber Sowjetische Luftwaffe Austria: Sofort zehn Jaks gestartet, um abfangen ›Fliegende Festung‹ und zur Landung zwingen...«

Danach:

»Boy, o Boy, da sind sie schon! Guck mal auf meinen Radarschirm! Die hellen Punkte da entlang der Luftstraße... Eins... zwei... drei... zehn, tatsächlich. Na, das wird fröhlich!«

»Hörsching Tower... Hörsching Tower... Colonel Hobson?«

»Jawohl!«

»Der Präsident der Vereinigten Staaten von Amerika ist jetzt sprechbereit für Sie!«

»Ich... oh... äh... äh...«

»Bitte??«

»Ich danke! Hat sich erledigt! Nicht mehr nötig, Mister Secretary of State! Bin absolut Herr der Lage...« (Geräusch eines fallenden Hörers.) »Los, los, los, Jim, Joe, Tommy, holt die verfluchte Eins-acht-eins runter!«

»Eins-acht-eins! Lande-Information: Sie haben Landebahn fünfnull... Starker Seitenwind von links! Mit Böen!«

»Scheiß auf den Seitenwind! Hauptsache, wir landen endlich!«

Jetzt aber nichts wie ran, dachte Jakob bebend. (»Gib mir die Zeit von vier Jahren, und dann urteile und richte mich!«) Und fuhr zu dem kleinen Colonel herum. »Sir!«

Der Colonel fuhr auch herum. Vor Schreck.

»Wahnsinnig geworden, Mann?«

»Ladung muß natürlich sofort nach Landung verbrannt werden, Sir!« sagte Jakob.

Scharf. Sehr scharf.

»Ladung muß *was?*« Der Colonel starrte ihn an.

»*Verbrannt werden!* So schnell wie möglich!« Gott, wie ich es hasse, dieses Kommandogebrüll, aber jetzt muß es her, es geht um meinen Krieg, um meine Zukunft! Alle im Kontrollraum des Tower starren mich an! Ich muß von hinten anfangen, um sie meschugge zu machen, dachte Jakob und schnarrte los: »Schon mal was von Enteneiern gehört, Gentlemen?«

Die Herren nickten.

»Darf ich als bekannt voraussetzen, daß man Enteneier ohne Gefahr für Leib und Leben keinesfalls roh essen darf?«

»Was soll das, Formann!« schrie der Colonel. »Daß man Enteneier nicht roh essen darf, weiß jeder Trottel!«

»Eben! Und zwar, weil sie Bakterien enthalten. Gefährliche Bakterien! Von Typhus, zum Beispiel!« schrie Jakob. »Erreger von Flecktyphus, zum Beispiel!« Ich bin ein Genie. Wie gut, daß mir doch noch eingefallen ist, was mir damals Friederike in Krakau erzählt hat, vom Fleckfieber und von den Eiern. »Unbeschreiblich gefährlich, Sir!« Hobson nickte, plötzlich stumm und bleich, die Lippen zusammengepreßt.

»Eins-acht-eins, Sie nähern sich dem Gleitpfad...«

»Deshalb so gefährlich, Sir, weil es genügt, daß *ein einziger Mann* sich ansteckt, um eine Seuche ausbrechen zu lassen! Sie wissen, so eine Fleckfieber-Epidemie...«

Epidemie!

Ich bin wirklich ein Genie!

Vor nichts haben die Amerikaner und die Russen und die anderen Sieger so viel Angst wie vor Epidemien! Gerade jetzt! Jakob sah mit Genugtuung, daß der Colonel sich setzen mußte.

»Eins-acht-eins! Gut auf Gleitpfad... Jetzt gehen Sie über den Gleitpfad... Bringen Sie Ihre Maschine nach unten!«

»Ich war mal im Lazarett in Krakau, Sir. In der Universitätsklinik. Da hat es eine Versuchsstation gegeben, gleich nebenan...«

»Ver... ver...«

»Versuchsstation, ja! Diese Erreger brauchen einen Nährboden, wenn man sie züchten will!«

»Wer wollte sie denn züchten, um Gottes willen?«

»Na wir, die Deutschen! War ganz streng isoliert, das Versuchsgelände!«

»Aber... aber warum denn das Zeug auch noch *züchten*, wenn es schon in der Natur vorkommt?«

»Eins-acht-eins, Sie sind immer noch zu hoch... Bringen Sie Ihre Maschine langsam tiefer... Nun sind Sie auf...«

»Weil... nein, andersherum, Sir!« (Jetzt muß ich höllisch aufpassen!)

»Also: Es sind so viele Soldaten an Fleckfieber gestorben, es hat so viele Epidemien gegeben« (immer noch mal drauf rumtrampeln, er hat wieder gezuckt!), »daß die Ärzte versucht haben, Fleckfieber-Erreger zu züchten, um daraus ein Serum *gegen* das Fleckfieber zu gewinnen. Alles klar?«

»Absolut«, flüsterte der Colonel. Er verstand kein Wort. Nur Epidemie. Und so was war auf vierzig Einsätzen und hat Monte Cassino und Saint Lô überlebt, dachte Jakob. Es sind immer die Guten, Gescheiten, die es erwischt. Trottel wie der da, die haben ihren eigenen Schutzengel!

Er sprach jetzt immer schneller: »Und was, glauben Sie, hat man als Nährboden für die Erreger benützt?«

»Was... was, Formann?«

»*Eier*, Sir. *Hühnereier*, Sir. *Angebrütete Hühnereier!*«

»Good God Almighty!«

Jetzt muß ich von Eiern im allgemeinen reden, dachte Jakob. Einmal von Enteneiern, dann von Eiern an sich. Sonst kommt der Trottel noch dahinter, daß die Amis ja nicht gerade vierzigtausend angebrütete Eier rüberschicken, weil sie unbedingt eine Monsterepidemie auslösen, sondern weil sie armen Bauern helfen wollen! Was denn, Ei ist Ei! Und je mehr Lametta einer trägt, desto dämlicher ist er. (Scheint die Regel zu sein. Habe ich auch bei uns den ganzen Krieg über beobachten können.)

40

»Nun stellen Sie sich vor, Sir, in so einem Entenei sind Fleckfieber-Erreger! Und es kommt unter die Leute!«

Der Colonel bewegte nur stumm die Füße hin und her.

»Die Folgen sind nicht abzusehen, wie?« hetzte Jakob. »Die Seuchen, die Epidemien! Die armen Toten! Vierzigtausend Eier« (jetzt sage ich einfach nur noch Eier!) »kommen da gerade runter... Vierzigtausend *bebrütete* Eier! Damit können sie halb Europa ausrot...«

»Hören Sie auf, Formann! Das ist ja grauenvoll!«

»Eins-acht-eins! Sie sind jetzt dreihundert Fuß unter Gleitpfad. Bringen Sie Ihre Maschine hoch... Sie nähern sich jetzt dem Gleitpfad...«

Ich muß *noch* schneller sprechen, dachte Jakob selig. Enteneier, Hühnereier, Hühnereier, Enteneier, der Kerl darf überhaupt nicht mehr wissen, wo ihm die Eier... wo ihm der Kopf steht! Noch zehnmal hin und her, und der Colonel ist fix und fertig.

»Ich will wahrhaftig nicht in Panik machen, Sir«, log Jakob. »Aber nach dem, was ich da in Krakau mitgekriegt habe, bin ich allergisch gegen Eier! *Angebrütete* besonders! Und aus vielen Eiern, die da ankommen, sind sogar schon Küken gekrochen. Falls es – Gott soll es verhüten! – eine Riesenepidemie unter GIs und Zivilisten gibt...«

»Bitte, Formann, bitte! Wenn das wahr ist...«

»...dann wird man natürlich den Verantwortlichen suchen und ihn zur Rechenschaft ziehen! Und das mit Recht«, fuhr Jakob unerbittlich fort. »Sie wußten es nicht, Sir, das mit den Eiern. Es war nur Christenpflicht, Sie aufzuklären!« Verflucht, wenn wir schon den Krieg verloren haben, weil wir so blöd waren, ihn anzufangen, statt an die Vernunft zu glauben, warum soll ich dann *meinen* Krieg nicht gewinnen?

Der Colonel sah Jakob starr an.

Nanu, der wird doch nicht wider Erwarten Verstand haben? dachte Jakob entsetzt.

Der Colonel fuhr hoch, schlug einem der drei schwer arbeitenden Fluglotsen auf die Schulter und brüllte: »Veterinary Branch, aber sofort!«

»Eins-acht-eins! Sie gehen jetzt über den Gleitpfad... Halten Sie Ihre Sinkgeschwindigkeit ein...!«

» *Veterinary* Branch, Sir?«

»Stellen Sie eine Verbindung her, oder ich schieße Sie über den Haufen, Mann!« tobte Hobson. Er mißtraut mir also nur und will Gewißheit haben, dachte Jakob, und ihm war mau. Wenn der Mann von der Veterinary Branch nun einen Lachkrampf kriegt, bin ich vierzigtausend Eier los. Schwermut überkam ihn. Grundlos. Denn als der mit dem Tode bedrohte Lotse eine Verbindung hergestellt hatte, hörte Jakob zu seiner grenzenlosen Erleichterung Colonel Hobson in die Telefonmuschel brüllen: »...Ihre Antwort sei ja oder nein, kein Herumgerede, Captain Robbins! Ich frage Sie noch einmal: Sind vierzigtausend mit Fleckfieber-Erregern infizierte angebrütete Eier lebensgefährlich?« Der Herr sei gelobt für die Produktion von Idioten, dachte Jakob und wischte sich Schweiß von der Stirn.

Veterinär-Offizer Robbins brüllte so laut zurück, daß Jakob seine Stimme hörte.

»Sie sind besoffen, wie?«

»Was erlauben Sie sich, Mann?«

»Nicht zu fassen...«

»Antworten Sie mir augenblicklich, oder ich bringe Sie vor ein Kriegsgericht! Bei mir landen gerade vierzigtausend solche Eier!«

»Bei Ihnen... Allmächtiger im Himmel!« ertönte ein Stöhnen.

»Also sie *sind* gefährlich?« keuchte Hobson.

»Gefährlich? *Lebensgefährlich! Vernichten! Vernichten! Vernichten!*« kreischte es aus der Membran des Hörers. »Jesus Christ, da fragt der Mann, ob solche Eier gefährlich sind!«

»Man wird doch noch fragen dür...«, begann Hobson. Da hatte der Gesprächspartner schon den Hörer in die Gabel geknallt.

Colonel Hobsons Antlitz war weiß wie Schnee.

So ist das Leben, dachte Jakob voll wilder, aber stiller Begeisterung. Gott, ich danke Dir dafür, daß Du auch Volltrottel geschaffen hast.

Der Volltrottel stierte ihn an und flüsterte mit feuchten Augen: »Sagen Sie mal, Formann, wie heißen Sie mit dem Vornamen?«

»Jakob.«

»Darf... darf... darf ich Jake und du zu Ihnen sagen?«

»Meinetwegen.«

»Aber du mußt Peter zu mir sagen!«

»Okay, Peter.«

»Niemals werde ich dir das vergessen, Jake. Niemals, hörst du?«

»Hab's gehört, Peter.«

»Glaub mir das, Jake!« (Ich glaub's dir aufs Wort, dachte Jakob.) »Mein Gott, warum hast du auf der anderen Seite kämpfen müssen? Einen Mann wie dich... einen Mann wie dich, Jake, hätte ich mir in meinem Offizierskorps gewünscht!«

»Danke, Peter.«

Der Colonel erhob sich federnd und sprach mit gepreßter Stimme: »Ladung wird sofort ausgeladen und verbrannt, alles klar?«

Jakob sah zu den anderen.

Die anderen sahen, wie die riesige ›Fliegende Festung‹ zur Landung ansetzte. Nur Tommy, der Lotse mit dem Kinderkaugummi, sah Jakob an. Und kniff wieder ein Auge zu.

Jakob trat schnell zu ihm.

Tommy flüsterte: »Ich spreche Deutsch – aber das weiß keiner.«

»Und?«

»Und außerdem studiere ich Biologie.«

»Mit zehn Prozent bist du dabei«, flüsterte Jakob.

»Mit zwanzig.«

»Mit fünfzehn.«

»Okay, mit fünfzehn, Jake«, flüsterte Tommy und blies seinen Gummi so weit auf, daß er platzte. Im gleichen Moment hatte die ›Fliegende Festung‹ Bodenberührung und schoß mit den radierenden Pneus ihrer Räder über die seit langem beleuchtete Landebahn. Es war genau 18 Uhr 58.

Es war ein historischer Augenblick: der Beginn von Jakob Formanns meteorhafter Karriere.

7

Der Hase mußte sich an seinem Fahrrad festhalten und dreimal ansetzen, bevor er flüsterte: »*Vierzigtausend?*«

»Ja«, sagte Jakob mit einem freundlichen Blick seiner tiefdunklen Augen. »Und du radelst sofort weiter nach Theresienkron und alarmierst sämtliche Bauern. Sie sollen sich darauf vorbereiten, daß die vierzigtausend kommen – im Lauf der Nacht!«

»Aber das ist doch Diebstahl, Bärchen!« sagte der Hase.

»Jetzt gilt Moral nur für die Sieger!«

»Da hast du natürlich auch wieder recht«, sagte der Hase.

Das Gespräch zwischen dem Bären und dem Hasen fand außerhalb des Fliegerhorsts statt, neben dem oben stromgeladenen Stacheldrahtzaun. Gleißendes Licht warfen Scheinwerfer über das ganze Gelände, über Tower, Hangars, Mannschaftsunterkünfte und draußen, weit entfernt, am Ende einer Landebahn, über die ›Fliegende Festung‹. Denn da in der Nähe, auf einem Flecken ausgedörrten Ackers, sollte nun auf Befehl des Colonel Hobson die gesamte Fracht der Eins-acht-eins mit Benzin übergossen und verbrannt werden.

Der Hase war schlank, hatte aufregende Kurven genau dort, wo sie hingehören, außerdem rehbraune Augen mit langen Wimpern und braunes Haar. Der Hase hieß Julia Martens. Er trug ein kornblumenblaues Kleid mit weißen Abnähern und weiße Schuhe. Der Hase hatte am 3. November 1946 nur ein einziges Kleid und ein einziges Paar Schuhe. Sonst besaß er noch selbstgefertigte, einigermaßen abenteuerlich aussehende Hosenanzüge. Und für seinen Bären hatte der Hase einen ebenso abenteuerlichen Anzug genäht. Derselbe war jedoch so beschaffen, daß Jakob – Multimillionär von 1965 – doch lieber in seinen eingefärbten Sachen herumlief. Im übrigen ist es jedermann bekannt, daß Verliebte sich zärtlich Tiernamen geben. Und Julia, genannt Hase, und Jakob, genannt Bär, liebten einander. Jakob hatte aus Gründen, über die noch zu sprechen sein wird, seine Stellung als Dolmetscher bei der amerikanischen Militärpolizei in Wien Knall und Fall aufgeben und mit Hilfe des liebenswerten Generals Mark Clark in einer Verbindungsmaschine nach Linz fliegen müssen. Im gleichen Flugzeug: George Misaras, Mojshe Faynberg und Jesus Washington Meyer. Jakobs Problem war gewesen, in Linz eine Wohnung zu finden. Und etwas zu essen. In den großen Städten verhungerten die Menschen, als würden sie dafür bezahlt. Und im Radio konnte man hören, das ehemalige Großdeutsche Reich sei so zerstört, daß dreißig Kubikmeter Schutt auf den Kopf der Bevölkerung kamen. Und daran waren die Deutschen selber schuld und durften es nie vergessen! Schon um sechs Uhr früh standen Schlangen vor dem Wohnungsamt. Jakob stand auch da. Ein erschöpfter Beamter saß hinter einem Schreibtisch, auf dem sich Briefe häuften. Er war mit einer kreischenden Dame beschäftigt.

Jakob sah schnell, daß hier nichts zu holen war. Er ging. Als er aus dem Amt auf die Straße hinaustrat, fuhr ihn ein schönes, junges Mädchen in einem kornblumenblauen Kleid mit ihrem Fahrrad über den Haufen. Er war selber schuld, denn er hatte nicht aufgepaßt. Die Hübsche war furchtbar aufgeregt, aber bei Jakob fand sich nur eine Platzwunde am Schädel. Er erzählte ihr, daß er keine Bleibe habe. Sie erzählte ihm, daß sie ihm eine besorgen werde. Nicht in Linz! Außerhalb! In dem kleinen Ort Theresienkron, da beim Ami-Fliegerhorst Hörsching. In den Dörfern gab es immer noch Platz. Das Mädchen, zum Beispiel, hatte ein riesengroßes Zimmer bei der Pröschl-Bäuerin. Jakobs Platzwunde wurde verbunden, dann setzte er sich auf den Gepäckträger des Rades, das dem schönen Mädchen gehörte, und sie strampelte mit ihm nach Theresienkron zur guten Frau Luise Pröschl. Es waren nur sieben Kilometer zu strampeln, aber sie brauchten für die Reise einen halben Tag. Sie hatten nämlich gleich festgestellt, daß sie einander geistig gut verstanden. Auf der Fahrt nach Theresienkron (Jakob mußte das Mädchen um die Hüften fassen, um nicht vom Gepäckträger zu fallen), entdeckten die beiden andere Gemeinsamkeiten. Es war ein sonniger Tag. In einem kleinen Wäldchen stellten sie dann fest, daß sie einander tatsächlich auf *jedem* Gebiet außerordentlich gut verstanden! (Hier ist anzumerken, daß es kaum eine Frau gab, die sich nicht binnen kürzester Zeit mit unserem Jakob außerordentlich gut verstand. Kein Wunder: Jede Frau spürte, daß dieser Jakob Formann, der sich so ungezwungen gab, über ein außerordentlich gutes Verständnis für Frauen verfügte.)

Als sie endlich ankamen, sah die lebenserfahrene Pröschl-Bäuerin sogleich, daß es sich hier um einen akuten Notfall handelte und vermietete Jakob und dem Mädchen, das Julia hieß, ohne zu zögern die halbe Etage im ersten Stock ihres Hauses. Mit Küchenbenützung.

Das mit dem ›Hasen‹ und dem ›Bären‹ ergab sich dann ganz zwanglos in der folgenden Nacht.

Der Hase arbeitete in einem Verlag in Linz. Tatsächlich, es gab schon wieder Verlage! Mit dem Fahrrad strampelte der Hase jeden Morgen nach

1946 – zaghafter Anfang

1946-1950: Demontage in Westdeutschland (Wert bis Februar 1948 bereits 12,5 Milliarden D-Mark).

Neujahr: Erste Gefangenenpost aus der Sowjetunion.

11. Januar: Nahezu auf den Tag genau 9 Monate nach Einmarsch der Amerikaner wird in Almeding, Bayern, der erste Negersprößling geboren und Lorenz getauft.

5. März: Konrad Adenauer (am 6. 10. 45 als Oberbürgermeister von Köln von den Engländern »wegen Unfähigkeit« entlassen) Vorsitzender der CDU in der Britischen Besatzungszone.

März: In der französischen Zone 1075 Kalorien täglich. Die »Entnazifizierung« wird deutschen Behörden übertragen.

1. April: Wiederbeginn der Vorlesungen an der Münchner Universität, am 8. April an der Technischen Hochschule München.

22. April: Durch Zwangsvereinigung von KPD und SPD wird in Berlin für die Sowjetzone die Sozialistische Einheitspartei Deutschlands (SED) gegründet.

April: Erste Modenschau der Münchner Meisterschule für Mode (53 Modelle).

10. Mai: Kurt Schumacher Vorsitzender der SPD.

Juni: An Litfaßsäulen ein Plakat: WER EINEN SCHIEBER ANZEIGT, IST KEIN DENUNZIANT!

22. Juli: Erste CARE-Pakete treffen in Bremerhaven ein.

Juli: Schwarzmarktpreise in Berlin: 1 kg Mehl RM 11,-; 1 Paar Schuhe RM 420,-; 20 amerikanische Zigaretten RM 150,-; 1 kg Bohnenkaffee RM 1100,-; 1 Ei RM 12,-; 1 Schachtel Streichhölzer RM 5,-.

Dezember: US-Soldaten dürfen deutsche Frauen heiraten.
In Vietnam ruft Ho Tschi Minh zum Kriege gegen die Franzosen auf.
ENIAC – erster voll elektronischer Computer (USA).
Volkswagenwerk Wolfsburg beginnt mit Serienproduktion des »Käfers«.

Bühne: Carl Zuckmayer »Des Teufels General«, Uraufführung in Zürich.

Bücher: Erich M. Remarque, »Arc de Triomphe«; Theodor Plivier, »Stalingrad«; Erich Kästner, »Das fliegende Klassenzimmer«; Eugen Kogon, »Der SS-Staat«. Die ersten drei ro-ro-ro-Zeitungsdrucke: Hemingway, »In einem anderen Land«; Tucholsky, »Schloß Gripsholm«, Gide, »Die Verliese des Vatikan«.

Filme: »La Belle et la Bête« (Frankreich, Cocteau); »Die besten Jahre unseres Lebens« (USA, William Wyler); »Gilda« (USA, Charles Vidor). Erster deutscher Nachkriegsfilm: »Die Mörder sind unter uns« von Wolfgang Staudte.

Schlager: »Gib mir einen Kuß durchs Telefon.«

Linz, und jeden Abend strampelte er zurück. Jakob, auf seinen Gesundheitszustand bedacht in Krieg und Frieden, absolvierte täglich und bei jedem Wetter eine Tour zu Rade (Nachkriegsbeute), fünf Kilometer zum Fliegerhorst, fünf Kilometer zurück.

»George, Mojshe und Jesus machen mit«, sagte Jakob am Abend des 3. November 1946 zu Julia, vor dem Stacheldrahtzaun stehend. »Andere auch.«

»Dann kann ja nichts schiefgehen«, rief Julia aufgeregt.

»Unberufen«, sagte Jakob.

»Da kaufen wir dir aber auf dem Schwarzmarkt feste, warme Schuhe!« rief der Hase.

»Und du bekommst einen Wintermantel, einen ganz feinen«, sagte Jakob.

»Auch schwarz. Im NEUEN ÖSTERREICH wird und wird keiner zum Tausch angeboten, ich hab' wieder im Annoncenteil nachgeschaut, bevor das Theater hier angefangen hat. Jetzt fahr aber los, Hase!«

»Okay, Bärchen!« Der Hase schwang sich auf das klapprige Rad und trat in die Pedale wie ein Sechstagefahrer.

8

In einer Höhe von dreitausend Metern über der Stadt St. Pölten kreisend, konnte Hauptmann Grigorij S. Oronewitsch zwei Stunden später aus der Kanzel einer Jak-Maschine seinem Vorgesetzten über Funk mit Genugtuung melden, daß die Amerikaner neben dem Fliegerhorst Hörsching die Ladung der ›Fliegenden Festung‹ auf freiem Feld verbrannten. Frohen Herzens vernahm der Kommandeur des Jak-Geschwaders die Meldung des Hauptmanns Grigorij S. Oronewitsch. Kurze Zeit später war Außenminister Molotow im etwas weiter entfernten Moskau frohen Herzens. Und gleich darauf stopfte sich der Genosse Stalin schmunzelnd sein Pfeifchen und bemerkte zu seinem Geheimdienstfreund Lawrentij Berija: »Das ist die einzige Art, wie man mit unseren Waffenbrüdern im Großen Vaterländischen Krieg der Sowjetunion, mit diesen Wallstreet-Gangstern, umgehen kann!«

Colonel Peter Milhouse Hobson lag zur gleichen Zeit am Stadtrand von Linz im requirierten Haus eines getürmten Ortsgruppenleiters gleichfalls frohen Herzens im Bett und lächelte jedesmal selig, wenn es in seinem Schlafzimmer besonders hell wurde, weil wieder Kisten ins Feuer geworfen worden waren. Na, wie habe ich das hingekriegt? dachte er. Weltkrieg verhindert. Seuche verhindert – wenn das nicht eine Beförderung gibt! Vielleicht werde ich Brigadegeneral?

Diese Nacht war erfüllt von emsiger Tätigkeit zahlreicher Amerikaner und befreiter Österreicher. Die ›Operation Chicken‹, wie George Misaras sie getauft hatte, leiteten Jakob Formann und Tommy Lewis, der dritte Fluglotse, der deutsch sprach und Biologie studierte. Tommy Lewis wurde im Laufe der folgenden Jahre auf Grund seiner fünfzehnprozentigen Beteiligung reicher und reicher. Heute ist er in Chicago ein ganz ungewöhnlich reicher Mann, der zur Verblüffung seiner Freunde und Nachbarn nach der Entlassung aus der Army (1948) niemals auch nur einen einzigen Tag gearbeitet hat. Die fünfzehn Prozent haben genügt.

Jakob und Tommy hatten einen idiotensicheren Plan entwickelt, nachdem die Mannschaft der ›Flying Fortress‹ sich aufs Ohr gehauen hatte und sofort tief und traumlos eingeschlafen war. Auch die beiden anderen Lotsen des Nachmittags waren abgelöst worden. Jakob machte in dieser Woche immer von 16 bis 24 Uhr Dienst, und für den gleichen Zeitraum waren seine drei MP-Freunde eingeteilt, die er in den Plan eingeweiht hatte. Sie waren voller Hilfsbereitschaft. Misaras sorgte dafür, daß seine Crew sofort von einer anderen abgelöst wurde. Die neue Crew war der alten durch gemeinsame Schiebereien innig verbunden.

Am aufgeregtesten war Mojshe. »Mein Großvater«, gab er bekannt, »hat zehn Kilometer hinter Tarnopol auch Hühner gehabt!«

Als er dann mit seinen Freunden in das Innere der ›Fliegenden Festung‹ kletterte, sackte er allerdings auf dem Pilotensitz zusammen vor Schreck und stöhnte: »Gott der Gerechte...!« Alle stöhnten. Fast alle.

Misaras: »Gott steh uns bei!«

Jesus: »Das muß der alte Herr mit dem weißen Bart jetzt aber auch wirklich tun!«

Jakob stöhnte nicht. Ihm hatte es vor Schreck das Stöhnen verschlagen: Eintausend Kisten zu je vierzig Stück – da waren sie, im Laderaum der umgebauten ›Fliegenden Festung‹. Ein furchterregender Anblick. Daran änderte auch nichts, daß aus vielen Kisten leises Piepsen erscholl. Im Gegenteil!

Stumm ließ Jakob sich auf den Sitz des Copiloten sinken.

»Andererseits«, sagte Mojshe, der sich schon wieder erholt hatte, »ist das nicht unsere Angelegenheit! Colonel Hobson hat Befehl gegeben, die Fracht zu verbrennen. Mündlich und schriftlich. Jake und dieser Tommy Lewis haben sich sofort freiwillig gemeldet. Der Colonel, dieses Arschloch, hat Tommy gesagt, er kann so viele Kumpels und Laster und Benzin anfordern, wie er braucht! Die Kumpels werden die Kisten auf die Laster laden.«

»Ja, und wir vier, wir fahren nur die Laster hin und her.«

»Na bitte!«

»Was ist denn dieses ganze Zeug da drüben?« fragte Jesus.

»Das«, belehrte ihn Mojshe, »sind Brutmaschinen. Haben die gleich mitgeliefert. Das Feinste vom Feinen. Elektrisch beheizt, da sind die Anschlüsse! Küken brauchen nämlich Wärme. Habt ihr Strom in eurem Drecksnest?«

»Ja«, sagte Jakob. »Und Gott sei Dank Drecksnest. In Linz fällt der Strom doch dauernd aus, oder es gibt Sperren. Wir haben am Bach unseren eigenen Generator.«

»Und womit willst du die Küken füttern?«

»Maiskörner und Fischmehl«, sagte Jakob.

»Aber in deinem fucked-up Austria gibt es doch weder...«

»Im beschissenen Österreich nicht, Burschi«, sagte Jakob und wies in den Laderaum. »Aber hier. Denkst du, unsere amerikanischen Freunde und Helfer liefern uns Küken ohne was zu fressen? Da hinten, die Säcke! Was steht drauf?«

»›Mais und Fischmehl United States Army‹ steht darauf«, murmelte Jesus beeindruckt. »Woher hast du gewußt, daß die Säcke auch in der Maschine sind?«

»Hab' ich mir ausgerechnet«, sagte Jakob bescheiden.

»Deine Küken können aber doch noch keine Maiskörner runterwürgen, Jake!«

»Natürlich nicht! Die kriegen zuerst Wasser und dann Spezialfutter! Da drüben, die anderen Säcke!« Er sah aus der Einstiegluke, denn ein schwerer Laster hatte neben dem umgebauten Bomber gehalten.

»Wir bringen die Trucks«, flüsterte der GI am Steuer. Er trug Arbeitskleidung und Schildmütze. Auf Motorhaube und an die Seiten des Lasters waren große weiße Sterne gemalt und die Buchstaben USACE – UNITED STATES AIR CORPS EUROPE.

»Okay. Ihr kommt rein und ladet aus. Wir fahren die Trucks«, sagte Jakob. »Wie viele seid ihr?«

»Vier Laster, dreißig Mann hat Tommy angefordert.«

»Na, dann hurtig, meine Herren, hurtig«, sagte Jakob. »Und daß mir keiner ein Ei klaut. Da ist der Tod drin!«

9

Hei, war das ein Feuerchen!

Dreißig Meter hoch stiegen die Flammen! Was so erstklassiges Flugbenzin ist, das brennt vielleicht!

Kiste um Kiste flog in das Feuerchen! Die Männer, welche da arbeiteten, schwitzten. Sie ließen ein paar Flaschen Bourbon kreisen und sangen wüste Lieder. Immer neue Laster brachten immer neue Kisten. Andere Laster (vier insgesamt) rollten in einiger Entfernung an dem Feuerchen vorüber, verschwanden in der Dunkelheit, kehrten wieder nach einer Weile und rollten durch den Eingang B zu der ›Flying Fortress‹. Die elektrische Beleuchtung bei Eingang B war aus unerklärlichen Gründen gerade in dieser Nacht ausgefallen.

Die Männer in der ›Flying Fortress‹ hoben, behutsam wie Gehirnchirurgen, Kiste nach Kiste auf die vier Laster, die von Jakob und seinen MP-Freunden gefahren wurden. Ein Haufen andere Männer – von Tommy Lewis überwacht – wuchteten andere Kisten auf andere Laster – alles, was sich an Holz und Kartons hinter der Mess Hall des Airfield bereits zu bedrohlichen Höhen schichtete: leere Holzkisten und Pappschachteln, in denen Verpflegung, geistige und ungeistige Getränke, Zigaretten, Zigarren, Schallplatten, die Bücher der Fliegerhorst-Bibliothek angeliefert worden waren – ein Skandal, wie es da hinter der Mess Hall aussah. Da mußte wirklich mal Ordnung gemacht werden, meinten Tommy Lewis und Jakob Formann. Natürlich fuhren auch Laster mit Flugbenzin hinaus auf den wüsten Acker unter dem Tor B, das seit Adolf Hitlers Tod nicht mehr geöffnet worden war. Pfeifend, saufend, ein munteres Liedchen auf den Lippen – so arbeitete die zweite Mannschaft fröhlicher Dinge.

Jakob, dessen Truck als erster mit den Kisten aus der ›Fliegenden Festung‹ vollgeladen worden war, rollte denn auch als erster an den hübschen großen Feuerchen hinter Tor B vorbei. Die Jungs dort, die unentwegt Abfall und alte Kisten ins Feuer warfen, winkten ihm grölend nach. Jakob hupte anerkennend und holperte sodann (in den Kisten piepste es gequält) über den Acker bis zu der Straße nach Theresienkron. Hier konnte er schneller fahren. Im Rückspiegel sah er Lichter. Das ist Mojshe mit dem zweiten Laster, dachte er. Hinter ihm wurde kurz das Fernlicht aufgeblendet. Na also, dachte Jakob zufrieden. Wenn den Knaben da auf dem Acker bloß nicht das Zeug ausgeht, bevor wir das letzte Küken draußen haben. Mein Gott, was für ein schönes Feuerchen! (Es war, geneigter Leser, jenes schöne Feuerchen, das unser Freund zwanzig Jahre später, in einer Astgabel über der Mangfallschlucht hängend, vergebens sich ins Gedächtnis zu rufen bemüht war, das hübsche große Feuerchen, mit dem, wie er 1965 rückblickend mit Fug und Recht meinen konnte, alles begonnen hatte.) Damit hätten wir auch das klargestellt.

10

Kein Mensch in Theresienkron schlief in dieser denkwürdigen Nacht, die noch heute, dreißig Jahre später, festlich begangen wird mit Musik und Tanz, gewaltigem Fressen und noch gewaltigerem Suff. Nur die Babys und die ganz Alten und Siechen waren in Ruhe gelassen worden. Im übrigen hatte, wie Jakob bei seinem ersten Eintreffen gerührt sah, der Hase alles bis ins letzte vorbereitet. Bauern, Bäuerinnen, der Geistliche Herr, Knaben und Mädchen standen bereit, um die anrollenden Laster abzuladen. In Windeseile geschah diese Arbeit. In gleicher Windeseile wurden die einzelnen Kisten zu den einzelnen Höfen (eine in das Gärtlein hinter dem Kirchlein) gebracht – auf Leiterwagen, Kinderwagen, einem Leichenwagen mit zwei halbverhungerten Pferden. Jakob sah, wie der Hase das Entladen und Verteilen leitete. Hätte Julia den Krieg geführt anstelle unserer ach so tapferen Generäle, dachte Jakob erschrocken, dann hätten wir ihn, Gott soll abhüten, am Ende noch gewonnen! Er rief nach ihr. Sie winkte. Ach ja, dachte er, ich weiß schon, was ich habe an meinem Hasen. Wendete und fuhr zurück zum Fliegerhorst.

Als Jakob das nächste Mal Mojshe traf, hatte der Mann, der alles wußte, folgendes mitzuteilen: »Natürlich ist das Interesse an Hühnern in unserer Familie erhalten geblieben. Zu Hause« (er meinte: in Amerika) »hat man gerade festgestellt, daß Hennen besser legen, wenn Schlagermusik ertönt!«

»Blödsinn.«

»Gar kein Blödsinn, Jake! Frankie-Boy haben sie am liebsten! Das habe ich erst vorige Woche in STARS AND STRIPES gelesen. Schau mal: Bei uns in den großen Warenhäusern gibt es längst Dauerberieselung mit Fumu.«

»Mit was?«

»Funktioneller Musik. Die versetzt die Kunden in die rechte Kaufstimmung. Vor ein paar Jahren haben verschiedene Forscherteams so ein Fumu-Experiment auf Hühnerhöfen gemacht. Zwei Gruppen von Hennen getrennt, A und B. A keine Fumu. B dauernd Fumu.«

»Na und?«

»Was ich dir sage, Jake! Mittlere Werte: Unter Musikberieselung lebende Hennen haben in hundertfünfundvierzig Tagen neunhundertfünfzig Eier gelegt – hundertfünf mehr als die, die schlagerlos gelebt haben. Wie gesagt, vor allem Frank Sinatra macht müde Hennen munter! Du mußt dir unbedingt alle seine Platten besorgen und einen Plattenspieler. Viele Plattenspieler!«

»Woher?«

»Mojshe wird sehen. Mojshe wird organisieren. Mojshe weiß auch schon, wo er Platten und Plattenspieler organisieren wird!«

»Nämlich?«

»Nämlich Mojshe hat Freunde beim ›Blue Danube Network‹!« (›Blue Danube Network‹ war das österreichische Gegenstück zum ›American Forces Network‹, kurz AFN, in der US-Zone Deutschlands.) »Das nächste Mal, wenn ich frei habe und nach Wien komme, schau ich mich da mal um…« Stunde um Stunde verrann.

Langsam leerte sich der Riesenrumpf des ehemaligen Bombers. Zahlreiche Küken wurden in diesen Stunden geboren. Die Bodenmannschaft, die das Feuerchen unterhielt, zeigte sich immer ausgelassener. (Sechs Flaschen Bourbon!) Ist doch schön, wie allen die Arbeit von der Hand geht, dachte Jakob, als er wieder einmal an der Brandstelle vorüberrumpelte.

Gegen drei Uhr früh war er gerade neuerlich beim Beladen, da schlenderte

der Fluglotse Tommy Lewis heran. Er fühlte – Biologiestudent! – Verantwortung. »Sehr wichtig! Noch etwas, was du noch nicht wissen wirst. Und
du mußt jetzt eine Menge wissen!« Jakob nickte gramvoll. Das war ihm
schon selber klargeworden. »Die Futteraufnahme bei Hühnern ist kompli-
zierter, als du denkst. Versuche haben erwiesen, daß Hennen im Vergleich
zu Hähnen eine wesentlich höhere Pickgenauigkeit haben.«
»Sag das noch mal!«
»Ja, ich weiß, da muß man eine höllisch präzise Aussprache haben. *Pickgenauigkeit!* Und zwar ergeben sich die Probleme aus dem nur schwach entwickelten Bewegungsapparat der Hühneraugen!«
»Aha.«
»Das Huhn richtet immer abwechselnd ein Auge auf das entdeckte Korn
und ermittelt so die Entfernung. Dann kommt es zu einer Reflexbewegung,
die die Wissenschaftler ›Pickschlag‹ nennen. Der ›Pickschlag‹ erfolgt aus
einer Entfernung von ein bis drei Zentimetern. Kannst dich drauf verlassen. Ich vergesse nie eine Zahl.«
»Weiß ich.«
»Na ja, und die Pickgenauigkeit bei den Hennen liegt zwischen achtundvierzig und zweiundneunzig Prozent. Die Hähne müssen ihre Hälse bis
zum Sattwerden viel öfter senken. Bei ihnen beträgt die Treffsicherheit nur
vierzehn bis zweiundfünfzig Prozent.«

11

Ein neuer Tag hatte längst begonnen, eine schwache Herbstsonne war auf-
gegangen (um 7 Uhr 19), als die große Operation beendet war, als vierzigtausend Küken – alle waren sie mittlerweile ausgekrochen – zum erstenmal
Speis und Trank erhalten hatten. Die Brutmaschinen strahlten behagliche
Wärme auf die lieben Kleinen, der Generator am Bach lief mit voller Kraft.
Auf die Bauernhöfe von Theresienkron verteilt, schliefen vierzigtausend
Küken sowie neunhundertsiebenundachtzig von insgesamt neunhundert-
neunundachtzig Einwohnern des winzigen Ortes. Die zwei, die noch nicht
schliefen, waren Jakob und sein Hase. Sie kamen als letzte in ihre Wohnung
im Haus der guten Frau Luise Pröschl, denn sie hatten bis zum letzten Au-
genblick darüber gewacht, daß keine verräterische Spur auf den plötzlichen
Reichtum der armen Leute von Theresienkron hinweisen konnte.
Um 7 Uhr 49 betraten sie ihr Heim.
»Das hast du großartig gemacht, Hase«, sagte Jakob lobend. »Und ich danke
dir.«
Julia fiel ihm leidenschaftlich um den Hals und rief: »Und du hast es auch
großartig gemacht, Bärchen, und ich liebe dich so!«
»Mmmm«, machte er animiert. Julia hatte den Namen Hase erhalten, weil

sie sich so weich anfühlte und alles anknabberte. (Im Augenblick Jakobs Unterlippe. Das klingt harmlos, aber sie hatte ja erst begonnen.)

»Mmmmm-mmmm«, machte Jakob wieder. Er hatte den Namen Bär nicht nur erhalten, weil er bei bestimmten Tätigkeiten brummte, sondern auch noch auf Grund anderer Aktivitäten, welche die schöne Leserin, der kluge Leser sich selber ausmalen mögen.

»Weißt du, Bärchen«, sagte der Hase, »ich denke, daß wir jetzt, zur Feier des Tages, ein schönes, warmes Bad nehmen und dann... und nachher können wir bis zum Nachmittag schlafen, und wenn wir aufgewacht sind, zu unseren vierzigtausend Kleinen gehen. Was hältst du von meiner Idee?«

»Mmmmm!!!« machte Jakob. Dann fiel ihm etwas ein. »Wir haben aber doch kein warmes Wasser!«

Der Hase senkte züchtig den Kopf und bekannte: »Ich habe die liebe Frau Pröschl gebeten, daß sie uns in der Badestube einen großen Bottich mit heißem Wasser füllt. Sie hat's getan, bevor sie schlafen gegangen ist, ich habe nachgesehen. Bärchen, Bärchen, wohin rennst du?... Warte doch auf mich... Ich will doch mit dir zusammen... Gott, hat der Bär es eilig!«

12

»Don't know why, there's no sun in the sky! Stormy weather! Since my man and I ain't together, it keeps raining all the time...«, ertönte die aufregend heisere Stimme der berühmten schwarzhäutigen amerikanischen Blues-Sängerin Lena Horn. Es stimmte übrigens gar nicht! Im Gegenteil, da war eine Sonne am Himmel, keine Rede von stürmischem Wetter, keine Rede davon, daß es unentwegt regnete, und schon gar keine Rede davon, daß Julia und ihr Mann nicht zusammen waren. Mehr zusammen als der Hase und der Bär konnten zwei Menschen auf dem Bett mit den rot und weiß karierten Decken überhaupt nicht zusammensein! ›Stormy weather‹ war nun aber einmal des Hasen und des Bären Lieblingslied, und sie spielten es immer, wenn sie so sehr zusammen waren, wie ein Mann mit einer Frau nur zusammen sein kann. (Vorausgesetzt, eine Steckdose für den uralten Plattenspieler befand sich in der Nähe, natürlich. Wenn sie im Wald und auf der Heide da suchten ihre Freude, mußten sie ohne das Lied auskommen. Deshalb blieben sie so gern zu Hause.)

»...stormy weather! Just can't keep my thoughts together...«

Mit jeder Sekunde fiel es auch Jakob und Julia schwerer, ihre Gedanken zusammenzuhalten.

»Bärchen, mein geliebtes Bärchen...« Der Hase strich zärtlich über des Bären tiefdunkles Haar.

»Ach, Hase, Hase...«

»...I'm weary all the time... the time... so weary all the time...«

Draußen trampelten schwere Schuhe die Holztreppe herauf. Die beiden hörten nichts davon.

»...since he went away, cold fear walked in to wreck me! If he stays away ol' rockingchair will get me...«

Draußen trommelten Fäuste gegen die Tür.

Die beiden hörten nichts. Sie waren zu sehr bei der Sache.

»Formann!« schrie eine Männerstimme. Englisch. »Jake Formann, gott-verflucht noch mal! Machen Sie auf!«

»Da will mich wer sprechen, Hase.«

»Ach, so eine Gemeinheit, und ich war gerade kurz vor...«

»Was ist los?« brüllte der Bär in höchster Erregung. Und in englischer Sprache.

»Öffnen Sie sofort die Tür!«

»Ich denke nicht daran!« tobte der Bär.

Der Schreier muß dem Akzent nach Texaner sein, dachte er.

»Wenn Sie die Tür nicht sofort öffnen, treten wir sie ein!«

»Mein Gott, ist das peinlich«, flüsterte der seidenweiche Hase.

»Tut mir leid«, sagte Jakob und zog sich von Julia zurück. »Du kennst die Texaner nicht. Die sind zu allem fähig.« Zornig brüllte er: »Ich bin nackt! Ich muß mir was anziehen!«

»Aber schnell!«

Jakob fuhr in eine Unterhose der US-Army und raste zur Tür. Der Hase zog die rot und weiß karierte Decke hoch bis zum Hals.

»Ich zähle bis drei!« schrie der Kerl draußen. »Eins... zwei...«

Jakob hatte die Tür erreicht und sperrte auf. Ein riesiger Texaner (also mit Akzenten kenne ich mich aus, dachte der Bär) trat in den Raum, gefolgt von zwei kleineren Sergeanten.

»First Lieutenant Dooley vom Provost Marshal Linz«, brüllte der Texaner.

»Was fällt Ihnen ein?« brüllte Jakob zurück. »Was wollen Sie hier?«

Der Oberleutnant aus Texas wies ein Dokument vor.

»Wissen Sie, was das ist, Formann?«

»Immer noch Mister Formann für Sie! Das ist ein Haftbefehl!«

»Richtig. Ausgestellt auf wen?«

»Ausgestellt auf Jakob Formann«, sagte Jakob hochnäsig. Den Schreck bekam er mit Spätzündung. Er sprang richtig in die Höhe dabei. »Jakob Formann!« schrie Jakob Formann. »Das bin doch ich! Aber... aber wieso? Wie lautet die Anklage?«

»Mord an vierzigtausend Küken!«

13

HEUTE UND JEDEN ABEND UM 19 UHR:
DER HEILIGE GEIST WIRD ZU UNS KOMMEN!
(MIT ERLAUBNIS DER MILITÄRREGIERUNG)

Die Worte standen auf einer Papptafel, die neben den Eingang einer Kirche gehängt worden war. Ja, bei den Brüdern herrscht jetzt Hochbetrieb, dachte Jakob. Krieg anfangen, Krieg verlieren, Neunte Symphonie von Beethoven spielen, Händchen falten, in die Kirche gehen...

»Now get the hell out of this jeep, you son-of-a-bitch«, sprach der amerikanische Befreier. Jakob stieg aus.

Die Kirche befand sich im Zentrum von Linz. Das Zentrum von Linz war im Krieg arg zerbombt worden. Trümmerschutt von eingestürzten Häusern und Dreck aller Art, dazwischen die Reste von zerstörten Wohnungseinrichtungen, verstopften hier immer noch die Straßen. Autos der Amerikaner (andere gab es nicht) fuhren Slalom durch die Ruinenstrecken. Die Trümmer waren noch immer da – nicht etwa, weil man, auch in Linz, der österreichischen Devise frönte ›Ana wird's scho wegrama!‹ –, nein, nicht deshalb, sondern weil man in Linz auf Anordnung der Militärregierung sogenannte ›Ziegelschupfbrigaden‹ aus ehemals großkopfeten Parteigenossen und ›Goldfasanen‹ zusammengestellt hatte. Die beherrschten alle möglichen Berufe, in denen sie jetzt Berufsverbot hatten. Das Trümmerwegräumen war ihre Strafe! Sie hatten es nur nie gelernt. Aber wie es so geht, waren viele, die das Schaufeln gelernt hatten, auch stramme Nazis gewesen und standen jetzt gleichfalls unter Berufsverbot. Sie hätten den Schutt wegräumen können! Aber sie durften nicht. Zur Strafe!

Der Kirche gegenüber befand sich ein großes Gebäude, in dem bis vor kurzem noch die Gestapo residiert hatte. Dieses Gebäude war natürlich stehengeblieben. Jetzt residierte hier der Provost Marshal. »Da rein!« Der Texaner schubste Jakob ins Haus. Die beiden Sergeanten folgten mit schußbereiten Pistolen. Jeder Versuch des Küken-Genocid-Täters, auszureißen, war sinnlos.

Jakob wurde in den zweiten Stock geführt. Ein Gang. Eine Tafel mit der Aufschrift OFFICE PROVOST MARSHAL. Mechanisch steuerte Jakob die Richtung. Der Texaner packte ihn an den Schultern, drehte diese um neunzig Grad und wies auf eine kleine Tür am Ende des dunklen Ganges. Also marschierte Jakob gelassen, wie es seinem Leckt-mich-am-Arsch-Standpunkt wohl anstand, den dunklen Gang hinunter. Der Texaner klopfte, riß die Tür auf, salutierte (so taten's auch die beiden Sergeanten) und meldete Jakob Formanns Ankunft. Dann stieß er den Verhafteten in ein kleines Büro und knallte die Tür hinter ihm zu.

Jakob taumelte vorwärts und kam erst knapp vor einem Schreibtisch zum

54

Stehen. Hinter dem Schreibtisch saß ein Mann in Uniform, der eine Nikkelbrille trug.

Der Mann erhob sich.

Jakob lächelte gewinnend und sagte englisch: »Habe die Ehre, Lieutenant, Sir. Schönes Wetter heute, nicht wahr?«

Der Lieutenant, der einen bedrückten Eindruck machte, antwortete darauf höflich deutsch, mit Frankfurter Akzent: »Wohlsein.«

»Ich habe nicht geniest, Lieutenant, Sir«, sagte Jakob.

»Ich habe auch nicht gesagt, daß Sie geniest haben, Herr Formann.«

»Sie haben aber ›Wohlsein‹ gesagt.«

»Ja.«

»Warum?«

»Weil ich so heiße. John Albert Wohlsein.«

»Sehr erfreut, Lieutenant Wohlsein.«

Die Herren schüttelten einander die Hände. Wohlsein hielt eine Packung Lucky Strike hin. Graziös nahm Jakob sie an sich.

»Lieutenant stammen aus Frankfurt?« forschte Jakob.

»Aus Offenbach, Herr Formann. Bitte, setzen wir uns doch.«

Es folgte eine längere Pause.

Wohlsein preßte die Fingerspitzen beider Hände aneinander und sah immer bedrückter aus.

»Warum sehen Sie so bedrückt aus, Sir?« fragte Jakob, der Mitleid empfand.

»Weil ich immer bedrückter werde«, antwortete Wohlsein. Seiner Gemütslage entsprach der Helligkeitsgrad des Büros. Obwohl draußen die liebe Sonne lachte, war es im Zimmer dämmrig. Das Fenster hatte nämlich keine Glasscheiben. Die meisten Fenster in den Städten Österreichs und Deutschlands hatten damals keine Glasscheiben. Alles war bei Luftangriffen zerbrochen. Jeder half sich, wie er konnte. In Wohlseins Büro trug die Fensteröffnung eine Sperrholzplatte mit sehr vielen Ausschnitten. In den Ausschnitten klebten Röntgenaufnahmen der Innereien zahlreicher Unbekannter. Man sah die verschiedensten Körperteile – Brustkörbe, Lungen, Schädel, Mägen, Därme. Voll dankbarer Erinnerung an nicht wenige Lazarettaufenthalte, die alle sehr lehrreich für ihn gewesen waren, erkannte Jakob jegliches Organ sogleich. An den hellen Stellen der Aufnahmen sikkerte Tageslicht in das Büro, das meiste kam durch die Aufnahme eines prächtigen Thorax o. B.

»Warum werden Sie denn immer bedrückter, Sir?« fragte Jakob.

»Weil ich der Adjutant des Provost Marshal bin.«

»Aha.«

»Seinem Adjutanten überträgt der Provost Marshal immer die unangenehmsten Aufgaben. Hier, in diesem Abstellraum. Er sitzt vorne in einem herrlichen Raum und bei schönstem Tageslicht. Seine Affären läßt er mich hier, in diesem dreckigen Loch, in Ordnung bringen. Abseits. Versteckt. Damit möglichst keiner weiß, daß bei uns ab und zu was passiert.«

»Aha«, sagte Jakob zum zweitenmal und dachte, zu dem provisorischen Fenster blickend: Mit *dem* Magengeschwür ist, wer immer, hoffentlich gleich zum Chirurgen gerannt!

Wohlsein schlug kraftlos auf ein paar Papiere, die vor ihm lagen.

»Schöne Schweinerei«, sagte er dazu.

»Was, bitte?«

»Das da ist ein Rapport, den uns Colonel Hobson vom Hörsching Airfield gestern abend noch geschickt hat.«

»Eiweh«, sagte Jakob.

»Sie haben leicht Eiweh sagen«, beklagte sich Wohlsein. »Aber ich muß sehen, wie wir diesen fucked-up shit aus der Welt schaffen.« Er fügte hastig hinzu: »Colonel Hobson ist ein vorbildlicher Offizier!«

»Ich habe Colonel Hobson nur...«

»Halten *Sie* bloß den Mund, Herr Formann, ja? Enteneier! Fleckfieber! Epidemie, Seuchengefahr! Alle Westmorelands verbrennen, auf der Stelle! Vierzigtausend Westmorelands!« Wohlsein erhob sich zu seiner ganzen riesigen Größe und trat an das eigenwillige Fenster. Er wandte Jakob den Rücken.

Eijeijeijeijei, dachte der.

Na ja. Wie Gott will. Was werde ich kriegen? Zwei Jahre? Drei Jahre? Fünf? Und meine Freunde? Ich nehme alle Schuld auf mich, das ist klar. Aber wird das helfen?

»Hören Sie mal zu, Herr Formann«, sagte Wohlsein dumpf, während er, die auf dem Rücken ineinander verkrampften Hände öffnend und schließend, durch einen Gebärmutterhals auf die Straße hinausblickte. »Habe ich Ihr Ehrenwort...«

»Selbstverständlich! Mein *großes!*«

»Lassen Sie mich ausreden, bitte, lieber Herr Formann!« (*Lieber*, hat er gesagt! Was ist *jetzt* los?) »Habe ich Ihr Ehrenwort, daß Sie niemals eine einzige Silbe über das verlauten lassen werden, was da mit den Eiern passiert ist? Was der Colonel angeordnet hat?«

»Sie haben es, Sir.« (Was soll denn das?)

»Wenn Sie wirklich schweigen – und alle anderen Beteiligten auch, ich muß alle noch einzeln verhören –, wenn Sie alle miteinander wirklich schweigen, immer, unter allen Umständen – dann ist der Provost Marshal – und ich bin befugt, Ihnen das in seinem Namen verbindlich zu erklären – bereit, Gras über die Sache wachsen zu lassen. Sie dürfen dann auch Ihre Eier behalten. Und niemand wird bestraft. Den tapferen Colonel Hobson werden wir – hrm – mit einer anderen Aufgabe betrauen.« Ach, so ist das! dachte Jakob und schwieg. »Antworten Sie, Herr Formann!« Und Jakob schwieg. Wohlsein fuhr herum. Er weinte nun beinahe. »Stellen Sie sich vor, es kommt heraus, was für Kommandanten wir haben! Die Russen kriegen Lachkrämpfe! Aber wenn Sie und die anderen jetzt dichthalten, können Sie die Eierproduktion ganz groß aufziehen und den Vertrieb unter der notleidenden Bevölkerung selber organisieren!«

Da war aber auch schon Jakobs angeborene Unverschämtheit zum Durchbruch gekommen. »Und um mir dieses Angebot zu machen, wird ein Haftbefehl für mich ausgeschrieben, und ich werde wie ein gemeiner Verbrecher aus dem Bett geholt?«

»Ein unglücklicher Zufall! Der Provost Marshal hat den Befehl gegeben, ohne sich über den Sachverhalt ganz im klaren zu sein! Er hat da doch immer noch geglaubt, die Küken sind tatsächlich verbrannt worden! Während man Sie hergeholt hat, habe ich mit dem Provost Marshal gesprochen und ihm mitgeteilt, daß Sie nur Abfall verbrannt haben...«

»Woher wissen denn aber *Sie* das?«

»Criminal Investigation Department! Ich habe Spezialisten zur Brandstelle gejagt! Ich selber habe mich überzeugt!«

»Wovon überzeugt?«

»Daß Sie nur Abfall verbrannt und die Küken gestohlen haben! Das habe ich schnellstens dem Provost Marshal mitgeteilt! Er bedauert sein Verhalten ganz außerordentlich...«

»Dafür kann ich mir was kaufen!«

»...und läßt Sie durch mich bitten, Ihre Festnahme zu vergessen! Sie werden von uns auch in jeder nur möglichen Weise unterstützt werden...«

Jetzt aber nix wie ran, dachte unser Freund und tobte weiter: »In jeder nur möglichen Weise unterstützt? Daß ich nicht lache! Bin ich bis jetzt von Ihnen jemals unterstützt worden? Schauen Sie mich doch an! Diese gefärbten Dreckslumpen! Und hier...« Jakob hob einen Fuß. »Wasser kommt in die Schuhe! Der Winter ist schon da! Meine Freundin hat nicht mal einen Mantel!«

»Sie werden selbstverständlich beide von uns eingekleidet. Wozu haben wir die PX-Läden?«

(PX war die Abkürzung für ›Post Exchange‹, und das wiederum bedeutete Warenhäuser, in denen Amerikaner und ihre Frauen alles, aber auch wirklich alles kaufen konnten.)

»Und wie soll ich mit meinen Mitarbeitern all die vielen Wege zurücklegen – vielleicht zu Fuß?«

»Es steht natürlich ein Jeep zu Ihrer Verfügung.«

»Der mir bei der ersten Kontrolle weggenommen wird, worauf ich wegen Diebstahls von Heereseigentum wieder bei Ihnen lande!«

»Sie bekommen einen Jeep mit dem Zeichen des Roten Kreuzes und alle erforderlichen Dokumente und Passierscheine und einen Brief ›To whom it may concern‹ mit der Aufforderung an alle US-Dienststellen, Sie nach besten Kräften zu unterstützen. Sind Sie *nun* zufrieden?«

»Nein.«

Wohlsein stöhnte. »Was darf's denn noch sein?«

»Sir, ich habe heute nacht vierzigtausend Küken gestohlen. Und nur ich und sonst niemand weiß, wie man die Küken richtig behandelt. Aber was weiß ich da schon wirklich?«

»Auch daran ist gedacht, Herr Formann! Sie und ich, wir fahren heute nachmittag ins Lager Glasenbach.«

»Glasenbach? Das ist doch das Lager, in dem die ganzen hohen Nazis sitzen! So ein feiner Mann bin ich doch nicht!«

Der Lieutenant Wohlsein kam vom Fenster zu Jakob und strich mit der Hand lächelnd über dessen Schulter. »Im Lager Glasenbach sitzt Professor Karl Wilhelm Donner. Sie kennen den Namen? Natürlich. Wer kennt ihn nicht? Ein Genie von einem Flugzeugkonstrukteur! Toller Mann! Den stellen wir Ihnen auch zur Verfügung!«

»Ich brauche niemanden, der mir Flugzeuge baut, ich brauche jemanden, der...«

»Professor Donner hat sich als Hobby seit vielen Jahren für Hühnerzucht und für Eier und für Experimente mit Eiern interessiert. Er ist der größte Experte Europas auf diesem Gebiet!«

»Halten Sie mich bitte nicht für einen Querulanten, Sir! Aber ich möchte nicht unbedingt mit einem ehemaligen SS-Mann zusammenarbeiten. Der macht sonst nicht nur Experimente mit meinen Hühnern, sondern auch mit mir!«

»Donner war kein SS-Mann! Bloß Förderer des Freundeskreises des Reichsführers SS! Hat immer nur aus *Idealismus* gehandelt. Ich weiß es. Denn ich habe ihn oft genug verhört.«

»Wenn er immer nur aus Idealismus gehandelt hat, warum sitzt er dann in Glasenbach?«

»Machen Sie etwas gegen die Vorschriften, lieber Herr Formann! Professor Donner war auf unseren Listen ein ›Automatic Arrestee‹, also unter allen Umständen sofort zu verhaften. Seine Leidenschaft war es ein Leben lang, Flugzeuge zu bauen. Tja, aber er darf keine mehr bauen. Also wird er mit Leidenschaft Hühner züchten! Sind Sie jetzt endlich zufrieden?«

»Nein.«

»Formann!«

»Ich habe noch einen Wunsch!«

»Nämlich welchen?« fragte Wohlsein, am Ende seiner Kräfte, leicht schwankend.

»Ich will keinen gewöhnlichen Wintermantel für meine Freundin. Es muß einer aus Pelz sein!« erklärte Jakob mit Entschiedenheit und mit einem gewinnenden Lächeln.

14

»Hy… hy… hy…«

»Herr Formann, ich muß doch sehr bitten! Hören Sie sofort mit diesem blöden Gelächter auf!«

»Ich ka… ka… kann nicht! Hy… hy… hy…!«

»Herr Formann, wenn Sie sich nicht augenblicklich beherrschen, löse ich diese Versammlung auf!«

»Ich bin ja schon still. Verzeihen Sie, Herr Professor!« sagte Jakob, hochrot im Gesicht. Er preßte eine Hand gegen den Mund.

»Das will ich hoffen. Wie ich also sagte: Eier aus der Westmoreland-Familie sind Hybrid-Eier. Aus ihnen kommen Hybrid-Hühner. Das hat nichts mit der Hybris zu tun, an die *Sie* denken, Herr Formann!« (Jakob dachte gar nicht an Hybris. Er hörte das Wort zum erstenmal.) »Nicht also mit Selbstüberheblichkeit oder frevelhaftem Hochmut, besonders den Ewigen Göttern gegenüber!« (Eiweh, dachte Jakob.)

»Seien Sie Herrn Formann nicht gram, Herr Professor«, bat der Hase. »Er ist ein sehr einfacher Mensch.«

Professor Dr.-Ing. Dr. phil. Dr. h. c. Dr. e. h. Karl Wilhelm Donner, der Mann, der für Hitler alle die schönen Flugzeuge gebaut hatte, war ein weißhaariger Herr mit stahlblauen Augen und sah stets grollend aus. Siebenundfünfzig Jahre Groll. Er trug noch die etwas schäbig gewordene und all der schönen Rangabzeichen, Orden und Ehrenzeichen entblößte Uniform der Waffen-SS. Er war ja auch erst seit drei Stunden aus dem Lager Glasenbach raus, man hatte ihm andere Kleidung in Aussicht gestellt, doch im Moment war keine Minute zu verlieren. Für vierzigtausend ging es um Tod oder Leben.

»Die Grenze zwischen Mensch und Gott einzuhalten«, donnerte Donner, »ist ein Hauptmotiv der altgriechischen Religion. Und Hybris ist daher ein Hauptmotiv ihrer Dichtung – denken Sie an Prometheus, Bellerophon, Ixion! Tja, aber das griechische Wort ›hybrid‹ bedeutet auch noch etwas anderes, nämlich: von zweierlei Art, zwittrig! Hybrid-Eier sind also Produkte der Kreuzung zweier Arten von besonderer Güte. Jeder einigermaßen Gebildete – *Sie* natürlich nicht, Herr Formann…«

»Sagen Sie mal, wie reden Sie eigentlich mit Ihrem Befreier?«

»…kennt außer dem Hybrid-Huhn auch noch das Hybrid-Schwein, den Hybrid-Weizen und den Hybrid-Mais…« Professor Donner hielt seine Antrittsrede im größten Schweinestall des größten Bauern von Theresienkron. Seine Zuhörer standen, lehnten und hockten dicht gedrängt auf Stroh oder Schweinetrögen und lauschten begierig jedem Wort. Sie mußten doch mit der Materie vertraut werden! Gewiß, man hielt Hühner. Aber doch nur die ganz gewöhnlichen Mistkratzer! Nun aber ging es um kostbare Hybrid-Hühner! Viele Anwesende machten sich Notizen. Auch Jakob hörte jetzt aufmerksam zu. Schließlich war es pures – toi, toi, toi! – Gold, das da über Donners grimmige Lippen floß!

Im Anschluß an die Donner-Worte sprach Jakob. Er informierte die Zuhörer über alles Geschehene und Geplante, rief jedermann zu größtem Fleiß und größter Anstrengung auf und machte dann – am 4. November 1946! – als erster Westeuropäer einen Vorschlag, der damals in einer knappen Viertelstunde akzeptiert wurde, während er überall sonst in Westeuropa noch heute, dreißig Jahre später, auf heftigsten Widerstand stößt. Jakob Formann schlug vor, aus Theresienkron ein ›Kollektiv‹ zu machen. Nach kommunistischem Vorbild, inmitten einer kapitalistischen Zone. Hier sollten alle im Besitz der Produktionsmittel sein! Niemand sollte eigenwillig handeln dürfen! Gewinnausschüttung des Unternehmens: jedes halbe Jahr. Ein fünfköpfiger Vorstand, darin Professor Donner, Julia Martens und Jakob Formann; Verkaufs- und Verhandlungsbeauftragter mit Abnehmern: Jakob Formann. Alle Rechte für weitere Unternehmen, Filialen, Zweigstellen und dergleichen vorbehalten 1946 by Jakob Formann. Der Hochwürdige Herr Pfarrer (die ihm zugeteilten Hühner hatte er im Windschatten an der Rückseite des Kirchleins untergebracht) leitete die Abstimmung. Ergebnis: hundert Prozent Ja-Stimmen. (Noch besser als unter Hitler und Stalin!) Hochwürden, der eine besonders schöne Schrift besaß, nahm alles zu Protokoll.

Und dieses Protokoll, ein ebenso denkwürdiges wie wertvolles Schriftstück, verwahrten sie zuletzt in einer eisernen Kassette, die der guten Frau Pröschl gehörte. Es war eine schwere Kassette, und man konnte sie nur mit zwei Schlüsseln öffnen.

15

»Heinrich hat stets nur auf meinen Rat gehört und stets nur meinen Rat gesucht«, sagte Donner dieses Abends später vollen Mundes zu Jakob und Julia, bei denen er Unterschlupf gefunden hatte. (Die Wohnung war groß genug.) Der Hase hatte als Vorspeise dünne, wohlschmeckende Oblaten, bestrichen mit einem Saucenfleisch, dessen Rezept Mojshe Faynbergs Geheimnis war, serviert. »Gesegnete Mahlzeit, Herr Professor, ich bringe die Mazzes!«

»Was für ein Heinrich?« fragte Jakob.

»Heinrich Himmler«, antwortete Donner, während Jakob die Mazzes aus dem Munde fielen, »der Reichsführer SS und Chef der Deutschen Polizei!«

»Inwiefern hat dieser Scheißhund – entschuldige, Hase! – auf Ihren Rat gehört?« lärmte Jakob. »Und auf was für einen Rat? Haben sie dem Reichsheini vielleicht auch geraten, mit seinen verbrecherischen Ausrot...«

Der Professor fiel ihm empört ins Wort.

»Niemals! Wofür halten Sie mich? Mein Chefkonstrukteur bis 1933 – gut, ein Jude, aber sonst ein hochanständiger Mensch! – war einer meiner besten Freunde! Schlimm, grauenvoll, was da passiert ist… Könnte ich noch ein wenig von dieser vorzüglichen Speise haben, liebe gnädige Frau?«

»Aber gerne«, sagte der Hase und legte nach. »Nicht zuviel, Herr Professor, nachher gibt es noch Schaschlik. Und meine Mutter war Russin.«

»Ein wundervolles Volk, die Russen!« schwärmte der Professor, während er wie ein reißender Wolf über die neue Portion Mazzes herfiel. »Dieses Ertragenkönnen von Leiden… Diese Helden der Roten Armee…«

Jakobs Schläfe begann zu pochen.

»Auf welchem Gebiet *hat* Himmler also auf Sie gehört?«

»Auf dem Gebiet der Hühnerzucht.« Donner hob die Brauen. »Ja, haben Sie denn nicht gewußt, daß der Reichsfüh… äh, daß dieser Kriegsverbrecher Hühner gezüchtet hat?«

Der Bär und der Hase starrten Donner an wie vom Donner gerührt.

»So ist es. Natürlich, das wissen nur wenige.« Der Professor nickte eifrig. »Heinrich wollte… er war doch Rassenfanatiker, nicht wahr… also er wollte mehr als Rassehühner. Er wollte das *Herrenrassehuhn* züchten. Gott, was haben wir herumexperimentiert auf seinem Hof in Waldtrudering…«

»Wo?«

»In Waldtrudering bei München.«

»Himmelherrgott, da hat das Schwein Hühner gezüchtet?«

»Er und seine Frau Marga. Ach ja, lang ist's her. Dann ist die Marga weggezogen, oder er hat sie rausgeschmissen, ich weiß es nicht.«

»Gibt's ihn noch?«

»Er hat sich doch umgebracht!«

»So, und jetzt kommt das gute Schaschlik…«

»Nicht den Himmler! Den Hof in Waldtrudering natürlich!«

»Ach, riecht das herrlich! Sicherlich gibt's den noch«, sagte Donner.

»Warum?«

»Weil ich dort unsere erste Filiale eröffnen werde«, antwortete Jakob.

16

»Wissen Sie, wie ich Sie nenne, Jake?« fragte General Mark Clark.

»Nein, Herr General«, sagte Jakob interessiert. »Wie denn?«

»Ich nenne Sie den ›Mann, der immer rennt‹! Warum rennen Sie so, Jake?«

»Ich weiß nicht«, antwortete unser Freund verlegen. »Ich will gar nicht rennen. Es rennt sich mir sozusagen von selber!«

Hier log Jakob Formann: Er wußte sehr wohl, warum er so rannte. (»Nun, deutsches Volk, gib mir die Zeit von vier Jahren und dann urteile und richte mich!«) Jakob hatte dem Gröfaz sieben Jahre gegeben! *Sieben Jahre!* Und die wollte er jetzt wiederhaben und mal feststellen, ob er den Krieg wirklich verloren hatte! Wenn man das will, muß man schon rennen! Aber einem amerikanischen General kann man so was nur sehr schwer erklären.

»Ich kapiere es einfach nicht«, sagte der große, schlanke und liebenswürdige Mark Clark. »Hier in Wien sind Sie dauernd gerannt, bis ich Ihnen bei dieser Werwolf-Affäre das Leben retten mußte. Vorher sind Sie gerannt – mit der ganzen Roten Armee am Schwanz.« (Damit spielte der General auf die selbstherrliche Weise an, in welcher Jakob – mit einer Dame natürlich! – sich und hundertfünfzig Kameraden aus der Kriegsgefangenschaft entlassen und von einem Lager namens Opalenica, welches sich unweit der großen Stadt Poznan – früher Posen – befand, durch Deutschland, Böhmen und Österreich bis nach Wien ›gerannt‹ war.) »Kaum in Hörsching«, fuhr der General fort, »sind Sie hinter vierzigtausend Eiern her, und jetzt habe ich Sie schon wieder nach Wien einfliegen lassen müssen im Kurierflugzeug, weil es keinen Landweg für Sie gibt. Die Sowjets lachen zwar sehr über Sie, sie möchten Sie aber auch ganz gerne erwischen für das, was Sie bei ihnen angestellt haben. Immer noch nicht genug: Jetzt jagen Sie auch *mich* seit Wochen mit diesem verrückten Eierprojekt für ganz Österreich und für Deutschland dazu! Mein Freund General Lucius Clay hätte mir fast den Kopf abgerissen, als ich ihm in Berlin Ihre irren Vorschläge unterbreitet habe.«

»Diese Vorschläge sind in keiner Weise irre, Herr General! Sie haben Hand und Fuß und sind bis ins letzte ausgearbeitet! Kleine Kinder wissen überhaupt nicht, was das ist, ein Ei!«

»Okay, okay, nun geben Sie schon Ruhe! Nachdem Sie mir von Ihren himmelstürmenden Plänen am Telefon erzählten, habe ich sie bei unserem nächsten Treffen in Berlin auch Lucius und McNarney vorgetragen.«

»Und?«

»Und nach dreistündigem Gefluche waren die Herren einverstanden!«

»Jiii – pppiiieee!« schrie Jakob.

»Noch ein bißchen lauter«, sagte Clark. »Dann kommen gleich die Sowjets über den Gang und nehmen Sie hopp und fragen Sie, was aus den hundertfünfzig Deutschen und dem Sergeanten Wanderowa geworden ist.«

General Mark Clark war amerikanischer Stadtkommandant der Viermächtestadt Wien. Seine Diensträume hatte er im Palais Auersperg, in dem die drei anderen Mächte gleichfalls ihre Büros hatten.

Der General saß in einem Fauteuil hinter einem Schreibtisch, neben sich an einer Stange die Fahne der Vereinigten Staaten. Jakob saß in einem Fauteuil vor dem Schreibtisch, neben sich einen Damenregenschirm amerikanischer Machart. (Sehr bunt.) Der Hase und er waren mittlerweile im Linzer PX eingekleidet worden. Jetzt, Ende November 1946, regnete es häufig.

»Es sind also alle einverstanden?« fragte Jakob ehrfürchtig.

»Ja. Ich habe in Berlin einen langen Vortrag darüber gehalten, daß man schließlich und endlich allen Deutschen und Österreichern helfen muß, nicht nur denen in Theresienkron, wohin ein Meschuggener verschlagen worden ist. Sie bekommen alle nötigen Passierscheine, Bevollmächtigungen der amerikanischen Besatzungsmacht und auch ein paar Mark, wenn Sie nach Deutschland fahren. Eine Bedingung allerdings ist dabei.«

»Ojweh.«

»Nix ojweh! Was ich Ihnen jetzt sage, behalten Sie gefälligst für sich. Es ist vertraulich: Die Engländer und wir werden am ersten Januar 1947 unsere Zonen in Deutschland zusammenlegen zur sogenannten ›Bi-Zone‹. Das wird dann eine gemeinsame Verwaltung und ein vereintes Wirtschaftsgebiet geben.«

»Na prima!« Jakob freute sich. »Da kann ich ja bis rauf nach Flensburg fahren!«

»Sie haben nicht ganz verstanden, Jake. Die Bedingung heißt, daß Sie sich verpflichten, zwanzig Prozent des Gesamtanfalls an Eiern, wenn Ihr Laden einmal läuft und die Hennen richtig legen – wann wird das eigentlich sein?…«

»So in sechs, acht Monaten.«

»…also dann verpflichten Sie sich, zwanzig Prozent der Anfallquoten an die britische und die amerikanische Armee zu verkaufen. Unseren Leuten hängt dieses Eipulver schon zum Hals heraus!«

»Wo ist der Vertrag?«

»Hier. Lesen Sie ihn genau durch, Jake!«

»Ich hab' doch Vertrauen zu den Vereinigten Staaten von Amerika«, brummte Jakob, während er schon unterschrieb.

17

Unter der Rubrik ›Beförderungen‹ in STARS AND STRIPES VOM 29. November 1946 findet man dies:

Für außerordentliche Verdienste wurde Full Colonel Peter Milhouse Hobson (Cedar Rapids, Iowa) mit sofortiger Wirkung der zeitweilige Rang (temporary rank) eines Generalmajors verliehen. Generalmajor Hobson, bislang der Befehlshaber des Hörsching Airfield bei Linz (Austria), tritt zum 1. Dezember dieses Jahres seinen Dienst im Hauptquartier der Amerikanischen Streitkräfte in Deutschland, Heidelberg, als Leiter der Kulturabteilung an.

»Ich habe immer nur Flugzeuge bauen wollen, die die Menschen in die ganze Welt bringen«, sagte Professor Donner. Er kam gerade vom täglichen Vortrag im Schweinestall. Der Hase kochte. Donner und Jakob saßen im Wohnzimmer, tranken PX-Whiskey und rauchten PX-Zigarren. »Dann, als der Führer ... äh ... Hitler an die Macht kam und mich rief, habe ich darauf bestanden, nur Flugzeuge zu bauen, die die Heimat schützen. Aber der Füh ... pardon, aber der Hitler hat nur gebrüllt, daß er von mir Maschinen für den Angriff haben will!«

»Und die haben Sie ihm geliefert«, sagte Jakob und nahm einen großen Schluck.

»Sie können leicht reden und ein großer Held sein!« rief Donner aufgebracht. »Sie können keine Flugzeuge bauen! Was glauben Sie, was mir passiert wäre, wenn ich mich geweigert hätte? Ich will aus meinem Herzen keine Mördergrube machen«, fügte er gedämpft hinzu. »Ich war natürlich auch fasziniert von den unbegrenzten Möglichkeiten, die der Hitler mir geboten hat!«

»Tja«, machte Jakob.

»Was heißt ›tja‹?« brauste Donner auf.

»Was gibt's denn heute abend Gutes, Hase?«

»Kohlrouladen, Bärchen!« erscholl es aus der Küche.

»Ich will wissen, was ›tja‹ heißt!« donnerte Donner. Plötzlich fiel er in sich zusammen und Zigarrenasche auf seine hübsche hellblaue Hose (er war inzwischen auch neu eingekleidet worden im PX) und murmelte ergeben: »Ich verstehe schon, was Sie mit ›tja‹ meinen, Herr Formann. Wissen Sie, was ich jetzt, wo Sie mich aus dem Lager geholt haben, neben meiner Beratertätigkeit als Eierspezialist hier, machen möchte?«

»Was?«

»Häuser bauen! So viele wie möglich!«

»Erst mal können vor Lachen! Es ist doch nichts zum Bauen da!«

»Und ob was da ist!« Donner schlug auf den Tisch.

»Was soll das heißen?«

Professor Dr.-Ing. Dr. phil. Dr. h. c. Dr. e. h. Karl Wilhelm Donner sagte Jakob, was das heißen sollte: Natürlich war die Produktion von Flugzeugen in den letzten Kriegsjahren immer schwieriger geworden. Die Bombenteppiche ... Infolgedessen wurden Donners Betriebe verlagert – in stille Bergtäler Österreichs und Bayerns, unter die Erde, in Stollen, Tunnels und Höhlen.

»Jetzt haben wir aber wieder Unterkünfte für unsere Arbeiter gebraucht. Und Baracken für das ganze Material, nicht wahr?«

»Mmmmmm«, machte Jakob, der Bär. In seinem Kopf begannen sich schon viele kleine Rädchen zu drehen.

»Diese Unterkünfte und Baracken mußten schnell zu errichten sein«, erzählte Donner. »In Fertigbauweise! Eins – zwei – drei – und so ein Haus hatte dazustehen! Alles vorfabriziert! In meinem Stab hatte ich einen hochqualifizierten Fachmann für diese Bauten. Herrgott, riechen die Kohlrouladen gut, liebe gnädige Frau! Der Mann heißt Jaschke. Ingenieur Karl Jaschke. Er kam von Christoph und Unmack in Niesky.«

»In wo?«

»Niesky!« Der Professor buchstabierte. »Das ist in der Lausitz. Die einzige Stadt Deutschlands mit einem slawischen Namen, den die Nazis nicht germanisiert haben! Weil diese Stadt nämlich weltbekannt gewesen ist für ihre hervorragenden Tropenbaracken und Fertighäuser!«

»Wie hieß denn Ihr Jaschke vor der Germanisierung?«

»Haben Sie gerne Paprika zu den Rouladen, Herr Professor?«

»Soviel wie möglich! Herrlich! Jaschke.«

»Was, Jaschke?«

»Der Jaschke hieß immer Jaschke. Der ist von dort. Sehr fromme evangelische Bevölkerung. Pfeffer natürlich auch, liebe gnädige Frau! Viel Pfeffer! ›Herrenhuter‹ sind das da in der Lausitz, nennen sich ›Brüdergemeinde‹. Der Jaschke, der ist auch ein strammer Bruder.«

An Jakobs Schläfe begann die Narbe zu pochen.

»Wo lebt denn der jetzt?«

»In Murnau. Mit Frau und Kindern. Ich habe mal einen Brief von ihm ins Lager geschmuggelt bekommen. Ist ein feiner Kerl, Herr Formann! Sie würden sich glänzend mit ihm verstehen!«

»Ich *werde* mich glänzend mit ihm verstehen, Herr Professor!« Die Schläfe klopfte wild. »Woraus sind denn diese Häuser gebaut worden?«

»Na, aus Holz und Aluminium, Spanplatten, Eternit... Das kann Ihnen alles der Jaschke sagen.«

»Wo befindet sich denn noch Aluminium und Holz und Eternit und all das, Herr Professor? Ah, Hase, das riecht wirklich wunderbar! Hoffentlich sind auch Zwiebeln drin!«

»Aber natürlich! Ich mache ein paar mehr für euch.«

»Herzlichsten Dank, liebe gnädige Frau. Ja, bitte, noch zwei. Das ist ja eine Delikatesse, Gott im Himmel! Das Material hat der Jaschke alles sichergestellt, hat er geschrieben. Versteckt. Wie gesagt, ich würde sofort anfangen, Häuser zu bauen. Tja, aber mich läßt man ja nicht. Ich bin schon glücklich, daß ich hier auf Ihre Eier aufpassen darf. Bei Ihnen ist das anders, Herr Formann. Sie haben eine weiße Weste. Sie dürften jetzt... Sie könnten jetzt...«

»Ja«, sagte Jakob Formann verträumt, »ich könnte jetzt...«

Und dann kam das gesegnete Weihnachtsfest!

Es war nun schon sehr kalt geworden, und in Deutschland und Österreich waren die ersten fünfhundertdreiundachtzig von insgesamt sechstausend-fünfhunderteinundvierzig Menschen erfroren, die in diesem Katastro-phenwinter 1946/47 erfrieren sollten. Die Zahl der an Krankheiten Verbli-chenen ging in die -zigtausende. Ach, war es da traut und heimelig bei der guten Frau Luise Pröschl!

Jakob und der Hase hatten – mit Erlaubnis der Militärregierung – das halbe PX geplündert, und so bekamen am Heiligen Abend viele Einwohner von Theresienkron viele Geschenke. Professor Donner weinte, als er die neuen farbstrotzenden Krawatten und den Lammfellmantel sah, den der Hase für ihn aus dem PX geholt hatte.

»Wenn Ihnen was nicht gefällt, können Sie es jederzeit umtauschen. Nun hören Sie schon endlich auf zu weinen, lieber Herr Professor!«

»Ach, ich will ja, aber ich kann nicht!« schluchzte der. »Jetzt hat wirklich die Neue Zeit begonnen, in der alle Menschen Brüder sind!«

(Nicht zu fassen, wie ein gescheiter Mensch sich so irren kann!)

Und die amerikanischen Freunde vom Fliegerhorst Hörsching kamen mit einem Zweitonner. Auf dem waren Konserven, K-Rations, Whiskey und ein herrlicher Riesenweihnachtsbaum aus wetterfestem Pappmaché, der wurde auf dem Dorfplatz aufgestellt und mit vielen elektrischen Kerzen bestückt. Dafür erhielten die Freunde von den braven Theresienkronern bislang versteckt gehaltene Ehrendolche der SS und Hitler-Bilder. Auf solch Gelump waren alle Amis in Europa ganz wild. Es gab auch Deutsche Kreuze in Gold, von den Landsern lieblos ›Spiegeleier‹ genannt, und Ge-frierfleischorden. Und vierzigtausend Küken bekamen Extraportionen Mais und piepsten begeistert im Chor.

Und der Provost Marshal schickte mehrere Fünftonner voll Kohle, auf daß niemand frieren mußte – wenn man schon in ganz Europa fror, dann kei-nesfalls in Theresienkron! (Der Provost Marshal bekam des Führers Werk ›Mein Kampf‹ in Goldschnitt und Leder! Das war einstmals das Hochzeits-geschenk für den Bürgermeister von Theresienkron gewesen. Der große, starke Mann hatte Tränen in den Augen gehabt, als er den Prachtband ver-schenkte, aber er sagte: »Ich weiß schließlich, was sich gehört!«)

Und Jakob bescherte den Hasen mit einem – wirklich und wahrhaftig! – garantiert echten schwarz und weiß gefleckten Kaninchenmantel (aus dem PX natürlich) und mit Stiefeln und einem bunten Kopftuch! Und der Hase bescherte dem Bären einen garantiert echten Diplomatenkoffer samt Ge-heimschloß und einen Wintermantel!

Und Mojshe Faynberg und Jesus Washington Meyer durften (als zwei Weihnachtsmänner mit roten Mänteln und Kapuzen und Säcken auf dem

Rücken) alle Kinder von Theresienkron bescheren, und wir sind ganz sicher, daß beide, der Jude und der Neger, niemals und von niemandem mehr geliebt wurden als in dieser Heiligen Nacht! Mojshe, der die schönste Stimme hatte, sang unermüdlich für jede neue Besucherschar auf dem Dorfplatz, vor dem Pappmaché-Weihnachtsbaum mit den elektrischen Kerzen immer wieder: »Stille Nacht, Heilige Nacht...«
Und siehe, das Fest nahm kein Ende und dauerte Tage und Nächte, und dann kam Silvester, und da fing alles noch einmal von vorne an!

20

Jakob und der Hase zogen sich in jener Nacht bald zurück, und alle respektierten das, denn am 1. Januar wollte Jakob nach Deutschland aufbrechen, und also galt es, Abschied zu nehmen.
In dem großen Bett ihres Schlafzimmers nahmen Bär und Hase drei Stunden und einundfünfzig Minuten lang voneinander intimen Abschied, und es war so schön, wie es noch nie gewesen war. Und deshalb mußte der arme Hase natürlich zuletzt, so gegen drei Uhr früh, fürchterlich weinen und war nur mit größter Anstrengung des Bären zu beruhigen.
Die beiden saßen auf dem Bett und streichelten und herzten einander, und der Hase dachte, wie unendlich er den Bären liebte, und der Bär dachte an den Ingenieur Karl Jaschke, und ob er den wohl in Murnau treffen würde und ob das Haus vom Himmler ausgebombt war oder noch stand.
Verdammet uns den Jakob nicht! Er war kein schlechter Mann. Der Kern war gut. Und wenn er liebte, dann liebte er wirklich. Genauer: Wenn er zu lieben glaubte, dann glaubte er auch wirklich zu lieben. Die normale Liebe der normalen Männer kannte er nicht, da fehlte ihm einfach etwas. Er war ein guter Liebhaber, und er war zärtlich zu seinen Frauen, aber Gott hatte ihn solcherart geschaffen, daß er ehrlich und wahrhaftig nicht wußte, was das ist: wahre Liebe. Sagt, kann man ihm dafür böse sein? Der liebe Gott hatte da doch etwas verabsäumt, nicht er! Liebe, das bedeutete für Jakob Zärtlichkeit, Fürsorge, Höflichkeit – solange die Frau da war. Sie fehlte ihm im allgemeinen nicht, wenn sie dann nicht mehr da war (oder wenn er dann nicht mehr da war), denn es gab so viele hübsche Frauen, und Jakob hatte Glück bei ihnen: Ihm gefielen sie alle. Aber darüber konnte er doch nicht das Ziel aus den Augen verlieren, das er sich gesetzt hatte!
»Hase, Hase, Hase«, sagte Jakob in dieser Nacht, den Rücken der schluchzenden Julia streichelnd, »so höre doch auf zu weinen, ich bitte dich.« (Und mein rechter Arm schläft auch gleich ein.)
»Wie kann ich denn aufhören zu weinen?« schluchzte sie von neuem auf. (O Gott!) »Morgen abend fährst du weg, so weit weg, und keiner weiß, wann du wiederkommst.«

»Sobald ich kann, Hase, komme ich wieder, das ist doch klar!« (Und wenn der Hof vom Himmler zu haben ist, wo kriege ich die Menschen her, die da mit mir arbeiten, da und anderswo – bis rauf nach Flensburg?)

»Das ist gar nicht klar, Bärchen! Ich ... ich hab' so schreckliche Angst, daß du überhaupt nicht mehr wiederkommst!«

»Was ist das für ein Unsinn, mein geliebter Hase! Na, na, na! Bitte nicht mehr weinen!« (Und wenn ich den Ingenieur Karl Jaschke in Murnau wirklich finde, können wir gleich mit den Fertighäusern anfangen.)

»Niemals, Bärchen, niemals im Leben wird dich eine Frau mehr lieb haben können als ich, das ist unmöglich!«

»Das weiß ich, Hase. Und es wird dich auch niemals im Leben ein Mann mehr lieb haben als ich!« (Und wenn irgendwelche verfluchten Hunde das ganze Material geklaut haben für die Häuser?)

»Aber die Weiber! So einen wie dich wollen sie alle!«

»Hase! Nun hör aber wirklich auf, bitte, ja? Du weißt doch, daß ich fortfahren muß, nicht?« (Hoffentlich bescheißt dieser Jaschke mich nicht.)

»Ha-hase und Bä-bär gehören zusammen?« stammelte Julia.

»So ist es, Hase.« (Und wenn jemand in dem Haus vom Himmler drinsitzt, wie krieg' ich den raus?)

»Fü-hür immer?«

»Für immer.« (Vielleicht kann ich ihn bei mir anstellen, den Kerl, der vielleicht im Haus vom Himmler wohnt. Großer Gott, wenn da etwa alles voller Flüchtlinge steckt? Na also. Jetzt ist der rechte Arm eingeschlafen!) Jakob küßte den Hasen noch einmal ganz zärtlich auf den Hals und ließ sich dann auf das Kissen sinken. Sofort war der Hase über ihm.

»Schwör mir das!«

»Ich schwöre es dir!« (Gott, bin ich plötzlich müde. Ich muß in Deutschland gleich sehen, daß ich über den General Clark und den General Clay und den General Loosey Empfehlungsschreiben bekomme.) »Ich lasse dir den Jeep da und die Papiere. Fahr vorsichtig! Und im Schreibtisch liegt eine Vollmacht.«

»Was für eine Vollmacht, Bärchen?«

Schwerer und schwerer fällt mir das Reden, dachte Jakob, während er mit Mühe antwortete: »Ich erkläre in der Vollmacht, daß, für den Fall, daß ich länger als ein Jahr nicht wiederkomme und ... oder ... unauffindbar bin ...«

»Neiiin!!« heulte Julia auf.

»... du an meine Stelle trittst mit allen Rechten und allen Pflichten.«

»Ich will nicht! Ich will nicht!«

»Du mußt, Hase, du mußt!« Jetzt brauche ich schon Streichhölzer, um sie mir zwischen die Lider zu stecken, sonst bin ich in einer Minute weg. »Alles, was mir hier gehört, gehört dann dir!«

»Wenn dir etwas zustößt, will ich auch nicht mehr leben!«

»Mußt… leben… mußt… an… Hühner denken… Riesenbetrieb… Riesenverantwortung… Außerdem… alles rein theoretisch… Vorsichtsma…« Und dann war Jakob weg, aber total.

21

Der Bahnhof von Linz war zerstört. Der ›Orient-Expreß‹ fuhr weiter draußen ab, unter freiem Himmel. Dieser Himmel war schwarz, aber die Nacht war weiß, weiß von Schnee. Und in dieser weißen Finsternis, in welcher der Sturm nur zwei schwache Lampen schaukeln ließ, standen am Abend des 1. Januar 1947 zwischen Gleisen, Trümmern, Bombentrichtern und in eisiger Kälte Julia, Professor Donner, George, Jesus und Mojshe, um Jakob Formann das Geleit zum Abschied zu geben. Ein amerikanischer Transportoffizier stand gelangweilt neben seinen drei Mann Begleitpersonal. Drei französische Schaffner wieselten geschäftig herum. Der Zug führte zwei Schlafwagen, einen Schlafwagen der Ersten Klasse sowie einen Speisewagen und durfte nur von alliiertem Personal benutzt werden.
Jakob hatte ein Schlafwagenabteil bekommen. Die alliierten Damen und Herren fanden das unbegreiflich. Ein Österreicher! Ein Zivilist! (Der Provost Marshal hatte sich über die kostbare ›Mein Kampf‹-Ausgabe in Leder und Goldschnitt überhaupt nicht beruhigen können.)
Der befreite Österreicher stand beim Einstieg seines Wagens. Der Hase neben ihm hielt seine Hand ganz fest. Und Jakobs blauer Mantel war mit Kaninchenhaaren übersät. (Sie hatten auf dem Weg zum Bahnhof – die drei Ami-Freunde waren mit einem Weapons-Carrier gekommen – ununterbrochen voneinander Abschied genommen.) Und nun wünschten alle Jakob Glück und Gesundheit und Erfolg.
Jesus Washington Meyer sprach: »Da habe ich ein Geschenk für dich, Jake.«
»Was ist das?« fragte Jakob etwas angeekelt, als er sah, was in Jesusens Hand lag.
»Eine Hasenpfote ist das«, erklärte Jesus. Sie war klein und vertrocknet und ganz hart. »Die hat mir Pa gegeben«, sagte Jesus. »Als ich zur Army mußte. Diese Pfote hat Pa sein ganzes Leben lang Glück gebracht. Mir auch, Jake! Oder glaubst du, ich hätte sonst diesen fucked-up Krieg so gut überstanden? Mein Pa hat die Pfote von seinem Pa bekommen. Diese Pfote ist schon sehr lange in unserer Familie. Wer immer sie besitzt, Jake, hat Glück, no shitting! Du wirst an meine Worte denken. Nur vertrauen mußt du der Pfote natürlich!«
»Ja, aber du brauchst sie doch selber, Jesus…«
»Hell, ich darf doch irgendwann wieder nach Hause. Du mußt in diesem beschissenen Europa bleiben! Du brauchst sie mehr als ich!«

»Ich danke dir also auch schön, Jesus. Bist ein feiner Kerl!«

»Ach, halt die Fresse«, sagte Jesus.

»All aboard!« schrien die amerikanischen Begleitmannschaften.

»En voitures!« schrien die drei französischen Schaffner.

»Ja also…«, sagte Jakob.

Der Hase schluchzte gramvoll auf, dann küßte er den Bären viele, viele Male. (Dabei wechselten noch viele, viele Kaninchenhaare den Besitzer.) Und stammelte: »Komm wieder… komm wieder…«

»Natürlich, Hase«, sagte Jakob, der sich bereits in Waldtrudering und Murnau und Flensburg sah, und, visionär, auch in Jerusalem und Madagaskar und Nord- und Südamerika.

»Jetzt steig ein«, würgte der Hase hervor. »Schnell!«

Jakob strich Julia noch einmal über das Kopftuch, dann kletterte er in den Wagen und ließ das Türfenster herab, um zu winken. Schnee peitschte in sein Gesicht. Türen flogen zu. Die Pfeife der Lokomotive heulte. Der Hase winkte und schrie, aber der Sturm riß ihm die Worte von den Lippen, als der ›Orient-Expreß‹ nun anruckte und langsam in die Nacht hinausglitt. Jakob winkte.

Der Zug ging in eine Kurve. Jakob sah Julia nicht mehr. Er schloß das Fenster und ging den Gang des Waggons hinauf. Bett 31. Die Tür zum Abteil stand offen. Der Herr von Nummer 32, dem Unterbett, saß auf demselben und fraß Schokolade, einen großen Riegel. Er hatte den Mund so voll, daß er nur ein ungläubiges Würgen herausbrachte. Auch Jakob mußte sich am Türrahmen festhalten, so verblüfft war er, diesen Herrn zu sehen.

»Franzl«, sagte er atemlos. »Wie kommst denn du hierher? Dich haben sie doch in Wien eingesperrt!«

Aber Franzl sprang, starren Blicks, in die Höhe, schoß zur Tür hinaus und den Gang entlang.

Jakob blickte ihm kopfschüttelnd nach. Dann setzte er sich auf das untere Bett. Immer noch schüttelte er fassungslos den Kopf. Doch jetzt kam Müdigkeit über ihn. Er ließ sich zurückfallen und schloß die Augen.

22

»Noch einen Whiskey, Jakob?«

»Du weißt doch, ich trinke keinen Alkohol.«

»Nur damit du nicht krank wirst!«

»Dann gerne, Franzl.«

»Wieder nur on the rocks!«

»Wieder nur on the rocks!«

»Na, also dann cheers, mein Alter!«

»Cheers, mein Guter!«

Diese ebenso geistreiche wie gediegene Konversation hatte am Abend des 11. November 1945 in einer Villa in dem exklusiven Wiener Randbezirk Pötzleinsdorf und daselbst in einem großen Badezimmer stattgefunden. Nun, am Abend des 1. Januar 1947 im Türrahmen seines Schlafwagenabteils stehend und den schokoladefressenden Herrn auf dem Unterbett betrachtend, fiel Jakob alles, was damals passiert war, wieder ein – in einer Sekunde.

Ein Badezimmer!

Jakob lag nackt in der Wanne, wohlig Whiskey aus einem Kristallglas schlürfend (obwohl er Antialkoholiker war – aber die Gesundheit ist des Menschen höchstes Gut!), in wunderbar warmem, weichem Wasser. Es war das erste Bad seit seiner Selbstbefreiung aus russischer Gefangenschaft. Er hatte ein Bad nötig. Er hatte einen Whiskey nötig. Er hatte ein Dach über dem Kopf nötig. Es gab nichts, was Jakob nicht nötig gehabt hätte an diesem Novemberabend des Jahres 1945.

Auf dem geschlossenen Klosett saß der Mann, den er Franzl genannt hatte, in einem erstklassigen Kammgarnanzug, mit Seidenhemd samt eingestickten Buchstaben F und A, einer Foulardkrawatte und glänzenden Halbschuhen. An seinen kurzen, dicken Fingern blitzten mehrere große Ringe. Er hatte ein gedunsenes Gesicht mit winzigem rotem Mund, zusammengewachsene Augenbrauen und brillantineglänzendes, sorgsam gescheiteltes dunkelblondes Haar. Seine Augen waren grau und vermittelten den Eindruck von unendlicher Weisheit und Güte.

Der Mann, kleiner als Jakob und viel beleibter, hieß Franz Arnusch. Vor zwei Stunden war Jakob, erst seit zwei Tagen in Wien, noch verzweifelt durch die Stadt geirrt auf der Suche nach einem warmen Platz für die Nacht. Er hatte in diesen zwei Tagen erfahren, daß Vater und Mutter von Bomben erschlagen worden waren, daß in der elterlichen Wohnung (Billrothstraße 29) drei obdachlose Familien saßen, die um nichts in der Welt hinausgesetzt werden konnten, da es sich um Flüchtlinge handelte, die das Wohnungsamt dort nicht eingewiesen hatte und daher nach messerscharfer Logik auch nicht wieder ausweisen durfte.

Mit der bescheidenen Hoffnung auf eine Wärmestube in der Rotenturmstraße war Jakob gerade zwischen der ausgebrannten Staatsoper und dem gegenüberliegenden ausgebrannten ›Heinrichshof‹ dahingeschlichen, als er zwei Bullen von Männern erblickte, die einen großen zusammengerollten Teppich zu einem Auto schleppten. Aus dem Teppich erklangen verzweifelte Rufe: »Hilfe! Hilfe! So helft's mir doch! Die entführen mich!« Solcherart pflegten muskelstrotzende Herren in jenen Tagen sehr häufig andere Herren in Wien, Wien, nur du allein, abzutransportieren. Rein in den Teppich. Rein in den Wagen. Und nichts wie weg. Von den Transportierten hörte man nie wieder. Diese Art des Menschenraubs war derart gang und gäbe, daß sich kaum jemand auch nur um die Schreie des Opfers kümmerte. Jakob hörte denn auch eine junge Frau zu ihrem Begleiter sagen: »Jöh, schau, Karli, da entführen s' wieder einen!«

»Ja, Mitzi«, sagte der Karl, »mach ma, daß ma weita kommen!« Und sie enteilten, indessen der Teppichinhalt weiter um Hilfe schrie.

Jakob hatte nachgedacht. Lange und gründlich. Wie stets.

Nun schritt er vor. Er trat zu den Teppichträgern und sprach höflich und sanft: »Grüß Gott, meine Herren. Entschuldigen Sie, wenn ich mich in Ihre Angelegenheiten einmische – aber sind Sie sicher, daß Sie dem Herrn im Teppich gesundheitlich auch nicht schaden?«

»Was is los, du Hundsgfraas, du ang'spiebens?«

»Ich meine: Mangel an Sauerstoff kann zu schlimmen Folgen führen«, erläuterte Jakob und sprach nicht weiter, weil ihm der menschliche Schrank, der das Ende der Teppichrolle trug, wuchtig in den Hintern trat. Jakob kam auf Glatteis ins Rutschen und krachte zu Boden, jedoch nicht, ohne vorher, sozusagen in einer Reflexbewegung, dem menschlichen Schrank, der den Teppich vorne trug, seinerseits in den Hintern getreten zu haben. Der Herr vorne und Jakob saßen auf dem Pflaster.

Der Träger hinten konnte den Teppich allein nicht halten. Der Teppich krachte gleichfalls zur Erde und rollte sich hurtig auf. (Echter Smyrna.) Aus seinem Inneren schälte sich ein fetter Herr.

Die beiden Gorillas verloren den Kopf und flüchteten. Der fette Herr, noch nicht ganz bei Sinnen, stürzte sich auf Jakob, der eben wieder aufgestanden war, und begann wie von Sinnen auf ihn einzuschlagen, wobei ihm undruckbare Worte aus dem Munde flossen. Jakob schlug zurück. Heftig, weil gekränkt über solcherlei Vergeltung einer guten Tat. Die Herren gingen in den Clinch. Sie besorgten es einander ordentlich, bis der Fette plötzlich von seinem Tun abließ und entgeistert stammelte: »Ja… aa… kob?«

»Fra… a… anzl«, stammelte Jakob, genauso entgeistert.

Danach lagen sie einander in den Armen, und der Arnusch Franzl hatte Tränen in den Augen. Immerhin – die beiden kannten einander seit ihrer Schulzeit. Immerhin – der Freund hatte dem Freunde das Leben gerettet!

»Wer waren denn die?« hatte Jakob gefragt.

»Schweine. Glauben, ich hab' sie reingelegt. Haben mich entführen wollen«, hatte der Arnusch Franzl geantwortet. »Ich werde dir nie genug danken können. Komm weg jetzt, schnell. Mein Wagen steht in der Operngasse.«

Sie waren fortgerannt, dann war der Franzl zurückgeeilt und hatte den echten Smyrna geholt.

»Warum liegenlassen? Als ob wir's zum Wegschmeißen hätten! Du kommst zu mir!«

»Ich komme…«

»Zu mir! Na was denn?« sagte der dicke Arnusch, während er zunächst den Smyrna und danach den abgerissenen, verhungerten Jakob in seinem ansehnlichen Wagen (amerikanisches Modell) verstaute und losbrauste. Jakob hatte kaum ein Wort herausbringen können. Erst jetzt, in der Wanne und unter dem Einfluß des ungewohnten Whiskeys, erholte er sich langsam.

»Franzl, um alles in der Welt, sag mir, wie du so ein Haus hast kriegen können! Doch nicht mit Schleich allein!« Franzl machte eine abschätzende Handbewegung. »Eben! Also wie dann? Unter uns können wir doch ganz offen sein!«

»Noch einen Schluck, Jakob?«

»Ich werd' ja besoffen...«

»Ja und? In zwei Stunden kommen ein paar Katzen...« Franzl berührte mit drei Fingerspitzen die Lippen, um anzudeuten, daß es sich um ganz besonders hübsche Mädchen handelte. »Mir ergeben wie Sklavinnen. Kannst eine haben. Meinetwegen auch alle drei.«

»Eine gerne. Zu mehr bin ich zu kaputt. Auf dein Wohl, lieber Franzl!«

»Auf unser Wohl, lieber Jakob!« Die Aschenkrone der Zigarre wuchs. Der Franzl betrachtete zuerst sie und dann seinen Schulfreund wohlwollend. »Red weiter!«

»Wieso weiter? Ich habe dich was gefragt! Wie kommst du zu so einer Villa und zu so einem Wagen? Du hast mit Ach und Krach die Matura gemacht. Ich nicht mal die. Aber du warst doch fast so blöd wie ich.« Der Whiskey machte sich bemerkbar. In Whiskey veritas. »Ein Angeber warst du auch. Und ein Spinner.«

»Aber ein schlauer Spinner, lieber Jakob, der gewußt hat, was er spinnt!«

»Das stimmt, lieber Franzl. Du hast so viele Drehs und Tricks gekannt wie keiner von uns. Du warst natürlich auch nicht beim Barras, was?«

»Ich war unabkömmlich in der Heimat.«

»Klar. Wo hast du dich denn rumgedrückt?«

»Beim Wiener Finanzgericht, lieber Jakob.«

»Finanz... ach so, klar! Geld, was? Dafür hast du dich schon immer interessiert, für Geld!«

»Da siehst du wieder einmal, wie es so geht im menschlichen Leben«, sagte der untersetzte, wohlgewandete Franz Arnusch. »Natürlich habe ich diese Villa und das alles hier nicht nur mit blödem Schleich gekriegt!«

»Sondern wie?«

»Sondern gescheiter! Transaktionen mit Geld! Diese Zeit jetzt, das ist eine Zeit, da kannst du die wildesten Sachen machen mit Geld. Devisen! Echte Dollars! Script Dollars! Francs! Pfunde! Was du willst. Na, und das tu ich. Ich helfe, wo ich kann. Und meine Partner sind mir eben dankbar.«

»Mit wem schiebst du denn, lieber Franzl?«

»Ach, weißt du, eigentlich mit allen. Sind mir alle gleich lieb und wert. Muß ja jeder sein Scherflein beitragen, jetzt. Furchtbar, was man diesen armen, unschuldigen Menschen in Österreich angetan hat.«

»Von wem hast du die Villa?«

»Von den Christlichen.«

»Auch den Wagen, die Anzüge, den Whiskey, alles?«

»Nein.«

»Von wem denn?«

»Von den Kommunisten.«

»Und wen hast du gewählt, bei der ersten Nachkriegswahl?«

Der Mann auf dem Klo zuckte die Achseln.

»Mich haben sie doch nicht wählen lassen.«

»Warum nicht, Franzl, mein Guter?«

»Na, weil ich doch ein Nazi war, Jakob, mein Bester!«

»Du bist schon eine Sau, Franzl, mein Guter.«

»Natürlich bin ich eine Sau, Jakob, mein Bester.«

»Aber du untertreibst! Du bist eine zu große Sau!«

»Das ist ja gerade das Feine, Jakob, mein Guter«, sagte Franzl. »Wenn man eine zu große Sau ist, dann hilft einem schon wieder der liebe Gott!«

23

Man kann sich an unheimlich viel erinnern in einer Sekunde.

Und Jakob Formann hätte sich noch an viel mehr erinnert, wenn in der zweiten Sekunde, nachdem er den mit Schokolade gefüllten Mund des erstarrten Franz Arnusch erblickt hatte, dieser ihm nicht heiser stöhnend entgegengestürzt wäre mit irrem Ausdruck im Gesicht. Jakob wich zur Seite. Wie eine Gewehrkugel schoß der Franzl den Gang des nun sehr schnell fahrenden, manchmal ruckenden Schlafwagenwaggons hinab und war verschwunden. Jakob sah ihm kopfschüttelnd nach, dann trat er in das Abteil und setzte sich seinerseits auf das Unterbett. Es wird schon was passieren, dachte er ohne Erregung, wie es seinem bereits mehrfach erwähnten Leckt-mich-am-Arsch-Standpunkt entsprach. Danach wurde er sogar ein wenig philosophisch. Das Ergebnis seiner Bemühungen auf diesem Gebiet läßt sich etwa in diese Worte kleiden: Manche Menschen sorgen dafür, daß etwas geschieht; manche Menschen sorgen dafür, daß nichts geschieht; manche Menschen sehen zu, wie etwas geschieht; und die überwältigende Mehrheit der Menschen hat keine Ahnung, was überhaupt geschehen ist. Zu der überwältigenden Mehrheit gehöre auch ich.

Was ist jetzt mit dem Franzl los? Hat er platterdings den Verstand verloren? Ist er imstande und stürzt sich bedenkenlos aus dem dahinrasenden ›Orient-Expreß‹ in den eisigen Schneesturm hinaus? Ich hänge doch sehr an ihm und habe ihn immer sehr bewundert. Weil er so gescheit ist. Er wird schon nicht. Aber wo ist er hin? Na, wir werden ja sehen…

Jakob lehnte sich im Unterbett zurück und gedachte wieder der Vergangenheit. Seine Erinnerungen waren das, was man dreißig Jahre später ›nostalgisch‹ nennen würde…

Damals, im November 1945 zu Wien, hatte sich der reiche Franzl des armen Jakob angenommen und ihm ein Zimmer in der großen schönen Villa, in welcher es nachts oft viel Krach gab (die Katzen!), zur Verfügung gestellt. Durch seine Beziehungen zu den Alliierten (der Franzl hatte zu allen Menschen Beziehungen!) wurde Jakob Dolmetscher in der Military Police Station an der Ecke Martinstraße und Währingerstraße. Auf dieser MP-Wache lernte er die Herren George Misaras, Jesus Washington Meyer und Mojshe Faynberg kennen. Hier wurden sie Freunde. Drei Monate später erhielten sie den Auftrag, nach Pötzleinsdorf zu fahren und den Franzl Arnusch auf Antrag der Wiener Staatsanwaltschaft zu verhaften. Er hatte es ein bißchen übertrieben.

Wahrlich keine angenehme Aufgabe für Jakob!

Er sagte es dem Franzl auch, als sie kamen, um ihn abzuholen. Da wieder eine Katzenparty im Schwange war, hatte der Franzl nur einen kleinen roten Slip an. Er bat, sich ankleiden zu dürfen. Die Bitte wurde ihm gewährt. Als sie dann mit ihm und Jakob auf dem Rücksitz des Jeeps und mit Mojshe am Steuer zum Untersuchungsgefängnis des Landesgerichts in der Lastenstraße (das ›Graue Haus‹ geheißen) rasten, stammelte Jakob unentwegt Entschuldigungen. Es war ihm wirklich scheußlich zumute! Ausgerechnet seinen Wohltäter brachte er jetzt hinter Gitter.

Franz Arnusch strich Jakob über das Haar, sprach tröstend auf den Gebrochenen ein, sagte, derselbe dürfe weiter in der Villa leben – jedenfalls in dem einen Zimmer, alles andere würde ja jetzt wohl abgeholt oder versiegelt werden –, und sprach mit Würde: »Der Gerechte muß viel leiden. Aber der Herr hilft ihm.« Wunderbarerweise wußte Franzl sogar die Bibelstelle, denn salbungsvoll schloß er: »Vierunddreißigster Psalm, Vers zwanzig.«

24

»Jakob! He, Jakob, wach auf!«

Unser Freund fuhr empor. Jemand rüttelte ihn am Arm und watschte ihn sanft ab. Er schlug die Augen auf. Über ihn geneigt stand, verschmierte Schokolade um die bläulichen Lippen, der Franzl Arnusch.

»Was ist? Wer hat…?« Jakob brauchte einige Zeit, um zu sich zu kommen.

»Warum bist du wie ein Irrer weggestürzt, als du mich gesehen hast?«

Der Franz Arnusch sagte nur: »Komm mit!«

»Wohin?«

»Zum Boß. Er will dich sehen. Unbedingt.«

»Ich gehe jetzt schlafen. Dein Boß hat wohl nicht alle!«

»Jakob, das ist ein Befehl!«

»Für wen ein Befehl?«

»Für mich! Ich habe den Befehl, dich zum Boß zu bringen!«

Leise wiegend jagte der Zug nun dahin, durch den Sturm, die Nacht, den Schnee.

»Dein Boß kann mich mal... Ich laß mir nix befehlen! Ich weiß ja überhaupt nicht, wer das ist!«

»Jakob, du bist erledigt, wenn du nicht kommst!«

»Schon gut, Burschi. Geh zur Seite. Ich will mich ausziehen.«

»Herrgott, Jakob, verstehst du nicht? Du bist erledigt, wenn du nicht zum Boß kommst!«

»Hab's gehört«, antwortete Jakob, aus seinen Hosen steigend.

»Herrgott, und ich bin auch erledigt!« schrie der nervöse Devisenfachmann auf. »Willst du nicht wenigstens wissen, wieso ich überhaupt hier bin und einen Boß habe, und wieso ich nicht mehr im Gefängnis sitze?«

Jakob ließ sich, nur halb bekleidet, auf das untere Bett fallen.

»Ach so, ja! Wieso sitzt du nicht mehr?«

Der Franzl schloß die Abteiltür, ließ sich neben Jakob sinken und erzählte, warum er nicht mehr saß...

25

Der Schlüssel der Zellentür im Wiener Landesgericht drehte sich geräuschvoll im Schloß. Die Zelle teilte Franzl schon seit vier Monaten mit einem ehemaligen Gauredner und Goldenen Parteigenossen. Die beiden hatten sich rasch befreundet und spielten gerade eine Partie Schach. Nun blickten sie interessiert auf. Man schrieb den 22. April 1946.

Der ihnen bekannte freundliche Wärter mit dem Glasauge ließ einen Herrn in Schlotterzivil eintreten.

»Tut mir leid, daß ich stören muß«, sagte der Schlotterzivilist (er schlotterte, abgemagert, in einem alten Anzug, der ihm einmal gepaßt hatte), »aber ich habe mit Ihnen zu sprechen, Herr Arnusch. Sie, Herr Gloggnitz, möcht' ich bitten, inzwischen mit dem Herrn Wärter draußen auf dem Gang zu warten. Dies ist ein Gespräch unter vier Augen!«

»Scheiße«, sprach der Arnusch Franzl, »in drei Zügen wären Sie matt gewesen, Herr Gloggnitz. Na ja, wie es eben so geht im menschlichen Leben.«

Die Redensart liebte der Franzl und gebrauchte sie häufig. Seine Zellentür fiel zu. Der Schlüssel drehte sich wieder. Dort, wo der Gauredner gesessen hatte, saß jetzt der Schlotterzivilist. Er sah sich das Schachbrett an und schüttelte den Kopf.

»Wie kann der Trottel seinen König derartig bloßstellen?«

»Nicht wahr? Und so was war Gauredner! Wundert es Sie da, daß wir den Krieg verloren haben? Übrigens, mit wem habe ich die Ehre?«

»Doktor Schostal«, sagte der Abgemagerte.

»Aha«, sagte Franzl.

»Von der österreichischen Zollbehörde! Ich komme im Auftrag des Alliierten Kontrollrats!«

»Aha«, sagte der Franzl zum zweitenmal.

»Ich komme ohne jeden Umschweif zur Sache«, versprach Dr. Schostal. »Sie«, er stach mit einem Finger nach Franzl, »Sie kennen doch alle prominenten Schieber in Österreich und in Deutschland. Die Großen und die Kleinen. Die Devisenschieber! Auf dem Gebiet sind Sie doch ein Genie!«

»Was ist los? Wollen Sie mir Komplimente machen?«

»Genau das will ich. Wir suchen sie, diese ganz großen Schieber! Merken Sie noch immer nichts?«

»Ich glaube schon«, sagte der Franzl.

»Na also! Dann kommen Sie doch zu uns, Herr Arnusch! Wir brauchen Sie!«

Eine halbe Stunde später (es mußten noch gewisse Bedingungen festgelegt werden, die Franzl stellte), verließ Jakobs Schulfreund in Begleitung Dr. Schostals die Zelle.

»Auf Wiedersehen«, sagte der freundliche Wärter aus purer Gewohnheit. Das irritierte den Franzl ein wenig.

Er wurde (als Tarnung) Chef eines Teams zur Bekämpfung des Zigaretten-Schwarzhandels. Daneben hatte er Spezialaufträge, die ganz großen Devisenschieber betreffend. Zu diesem Zweck erhielt er Pässe, Ausweise, Visa, die Erlaubnis zu reisen und Geld.

Nun reiste der Franzl. Viel und weit!

Er kümmerte sich aber auch um die nicht so Großen, zum Exempel eben um die Zigarettenschieber. Mit drei echten Zollbeamten ging er auf Pirsch. Bei Schwechat, in der Nähe von Wien, wo dreißig Jahre später ein gewaltiger Flughafen stehen sollte, machten sie einen fetten Fang: Sie erwischten einen Lastwagen mit zwei Millionen Zigaretten. Die drei echten Zollbeamten freuten sich und dachten an Beförderung. Der Franzl klärte sie auf: »Unter- oder Oberbeamter, das ist doch alles Unsinn! Titel sind leerer Wahn. Geld allein macht glücklich. Eine Million behalten wir uns, die andere liefern wir ab.«

So geschah's. Alle waren zufrieden.

Einen zweiten Laster erwischten sie bald danach, als dessen Motor, mit der schweren Fracht den Riederberg heraufkeuchend, streikte und der Fahrer aussteigen mußte. Das Team war rasch zur Stelle und beschlagnahmte drei Millionen Zigaretten. Franzl teilte brüderlich. »Glatte Rechnung, gute Freunde«, sagte er. »Der Staat kriegt nichts, denn der Staat ist nicht unser Freund...«

26

»Das waren natürlich kleine Fische«, erzählte Franzl seinem Schulfreund Jakob, der wieder hellwach geworden war, indessen die Achsen des Waggons hetzten und die Pfeife der Lokomotive klagend schrie. »Die Großen mit den Devisen, das ist mein Rebbach, nach wie vor! Mein ursprüngliches Gebiet, nicht wahr? Ich arbeite schwer, mein Lieber. Dauernd unterwegs. Ab und zu muß ich halt auch so einen Devisenschieber hochgehen lassen! Da blutet mir jedesmal das Herz! Aber es lohnt sich! Ich habe interessante Verbindungen angeknüpft. Unsere Aktionen erstrecken sich bereits fast über ganz Europa.«

»Was kann man dabei verdienen?«

»Millionen, mein Bester, Millionen! Wir haben aber auch ein Millionen-Dollar-Gehirn als Boß, kann ich dir sagen. Der will dich sprechen. Und da sagst du nein?«

»Wer hat nein gesagt?« erkundigte sich Jakob.

(Gebt mir sieben Jahre Zeit...)

»Du!«

»Da mußt du dich aber verhört haben, mein Guter.« Jakob kroch wieder in seine Hosen und machte sich präsentabel. Was für eine unruhige Nacht... »Wo müssen wir hin?«

»Nach vorn. Übernächster Wagen. Erste Klasse. Einzelabteil.«

»Vorwärts, Kamerad«, sagte Jakob.

Nachdem sie ihr Abteil versperrt hatten (es gab so viele kriminelle Subjekte in jenen Tagen!), schlingerten sie zum übernächsten Wagen vor. Hier klopfte der Franzl an eine Abteiltür, dreimal lang, einmal kurz, zweimal lang. Die Tür ging auf.

»Da ist Herr Formann, Boß«, sagte Franzl demütig.

Jakob sah in das Abteil. Der Boß lag im unteren (und einzigen) Bett. Der Boß war kein Mann. Der Boß war eine Frau. Eine Frau in einem sehr ausgeschnittenen roten Seidennachthemd, eine sehr schöne Frau mit hellblauen Augen und blauschwarzem Haar, das ihr über die bloßen Schultern fiel.

Jakob klappte gegen das Gangfenster zurück.

»Der Werwolf!« keuchte er.

In der Tat, er war es.

Präziser gesagt: Es war die Werwölfin.

27

Auf flog die Tür der Wache.

»'ttention!« schrie George Misaras und stand selber stramm. Jesus und Mojshe nahmen Haltung an. Jakob, als befreiter Österreicher, brauchte derlei Unfug (bis auf weiteres) nicht mitzumachen. Das erste, was er sah, war eine sehr hübsche junge Frau mit hellblauen Augen, blauschwarzem Haar, das ihr über die Schultern fiel, und Kurven, Kurven… Jakob unterdrückte einen Pfiff, zum Glück, denn unmittelbar hinter dem Mädchen erschien ein höchstens zwanzig Jahre alter First Lieutenant. Stichelhaarig, blond – wenn's Gott dem Allmächtigen gefallen hätte, ein idealer SS-Typ. Der Leutnant hielt der sehr jungen Frau einen Arm brutal auf den Rücken gedreht. Seine andere Hand preßte dem beklagenswerten Geschöpf einen riesigen Colt in die Rippen.

Das war in der Nacht zum 13. August 1946, die dem heißesten Tag dieses Jahres folgte. Es herrschte immer noch eine Affenhitze…

Misaras salutierte übertrieben zackig. Der Leutnant war weiß vor Wut. Sofort schnauzte er los: »Sie sind der Ranghöchste?«

»Yesssirrr, Lieutenant, Sir!«

Der blonde Held der Neuen Welt ließ seine Blicke über die anderen Anwesenden schweifen. Dabei fiel ihm etwas auf.

»Der beschissene Zivilist da, wer ist das?«

»Unser Dolmetscher, Sir. Was kann ich für Sie tun, Sir, Lieutenant, Sir?«

Der First Lieutenant mußte Gefühle empfinden, die selbst Napoleon niemals empfunden hat. Er schnauzte (aber sein Stimmbruch war immer noch nicht ganz vorüber): »Werwolf gefangen, Master-Sergeant!«

»Wo ist er, Sir?«

»Steht vor Ihnen, Master-Sergeant! Können Sie nicht sehen?«

»Der… der… das Mädchen da, Sir?«

(Erläuterung für jüngere Leser: Als der Krieg schon vollkommen verloren war, schickte Hitler auch noch alte Männer und Kinder an die Front, dieweil er im tiefen Keller der Reichskanzlei saß. Bevor er sich dann tapfer umbrachte, gab er noch Befehl, daß auch nach der Niederlage junge Menschen als ›Werwölfe‹ weiterkämpfen und dem Feind größtmöglichen Schaden zufügen sollten. Ein paar Idioten taten das dann – ganz kurze Zeit.)

»Da staunen Sie, was?« kläffte der First Lieutenant. »Jawohl, die elende Bestie hier ist ein Werwolf! Hätte mich um ein Haar erwischt. Aber ich war schneller!«

»Wohl getan, Sir, Lieutenant, Sir«, sagte George unerschütterlich ernst.

Mojshe, Jakob und Jesus sahen einander fassungslos an. Ein Irrer?

»War schon in West Point stets schneller als jeder andere!«

(West Point ist die amerikanische Militärakademie.)

Ich wette, du hast in diesem fucked-up Krieg keinen einzigen Schuß gehört, du Milchgesicht, dachte George, während er sich ernst erkundigte: »Was hat das Mädchen – pardon, der Werwolf! – getan, Sir?«

Die junge Frau heulte plötzlich los wie ein Schloßhund, den Riesenrevolver immer noch im Rücken. Unabhängig voneinander dachten die drei Freunde besorgt: Das Heldenarschloch ist imstande und schießt uns das Girl hier in der Station über den Haufen! So was Blödes – da glaubt der, anderthalb Jahre nach Kriegsende, noch an den Werwolf!

»Fragen Sie ihn doch!« schnarrte der Lieutenant.

»Spricht der Werwolf englisch?«

»Nein.«

»Dann brauchen wir den Dolmetscher. Jake, komm her.«

»Vorsicht mit dem verfluchten Scheißzivilisten!« krächzte der First Lieutenant, der offenbar nicht anders reden konnte als ein zackiger deutscher Äh-Äh-Leutnant aus Kaiser Wilhelms Zeiten. Das weißblonde Haar war kurz geschoren, das Gesicht mit dem viel zu langen Kinn und der viel zu niedrigen Stirn war nun hektisch gerötet. »Ist der Dolmetscher nach Waffen durchsucht? Vielleicht ist der auch ein Werwolf!«

»Sicherlich nicht, Sir.«

»Werden es schon merken, wenn Sie sein Messer zwischen den Rippen haben! Keine Ordnung in diesem Land! Keine Disziplin! Keine Wachsamkeit!«

»Yesssirrr, Lieutenant, Sir!« brüllte George Misaras, während er dachte: Du weißt ja noch nicht einmal, wie man sich nach dem Scheißen abwischt. Er sprach gemessen: »Wir brauchen den Dolmetscher, Sir. Das Mädchen versteht nicht englisch. Wenn Sie uns bitte die Einzelheiten bekanntgeben wollen?«

Der Blonde hatte seine Sternstunde. Er entschloß sich zu einem abgehackten: »At ease!« Danach brauchten die drei Amis wenigstens nicht länger strammzustehen. »Robert Jackson Connelly mein Name.« Der Blonde kam in Fahrt. »War abends im ›Hawaii-Club‹. Bißchen tanzen. Coca-Cola trinken. Ich trinke niemals Alkohol, verstanden?«

»Yesssssirrrr!« brüllten die drei MPs so laut, daß der Abstinenzler zusammenfuhr.

»Wie heißen Sie?« fragte Jakob die heulende junge Frau. »Und weinen Sie nicht. Es passiert schon nix.«

»Was sagt der fucked-up Nazi?« brüllte Connelly.

Jakob hatte die Schnauze voll. »Ich bin kein fucked-up Nazi, Sir«, sagte er mit größter Höflichkeit und in makellosem King's English. »Ich habe das Mädchen nach seinem Namen gefragt.«

»Die kleine Mörderin heißt...«

»Hilde Korn«, sagte die junge Frau schluchzend. Soviel Englisch bekam sie noch mit.

»Weiter, Sir, wenn ich bitten darf«, sagte Misaras. Er war nicht zu erschüttern. Mojshe und Jesus vorläufig auch nicht – Männer, die in der Normandie unter schwerstem Beschuß die Steilküste hinaufgeklettert sind und den Westwall überrannt haben, kann man nicht so leicht erschüttern. Auch einen Mann nicht, der drei Jahre Rußland überlebt und sich einen stillen Leckt-mich-am-Arsch-Standpunkt zugelegt hat.

»Weiter…« Der West-Point-Mann straffte seinen Körper noch mehr. »Um zehn den Club verlassen. Dieser Werwolf da sagt, ich soll noch zu ihr kommen. Hätte eine Wohnung. Sonst wahrlich nicht meine Art, verstanden?«

»Absolut, Sir, Lieutenant, Sir!«

»Hübsch, das Werwolf-Aas, nicht wahr? Ging also mit. Jeder geht mit einer Hübschen. Aber nicht jeder geht mit einem Werwolf!«

»Weiter, Sir, bitte.«

»Ich schone mich nicht, Sergeant. Ehrlich sei der Mann, aufrecht und treu! War angetan von dieser… Bestie. Drängte mich, sie zu kohabitieren.«

»Drängte ihn zu was?« flüsterte Mojshe, an Jesus gewandt.

»Zu ficken, Idiot«, flüsterte Jesus, an Mojshe gewandt.

»Bin schließlich ein Mann, verstanden?«

»Verstanden, Sir, Lieutenant, Sir. Wenn Sie es sagen!«

»Nehmen gemeinsam Bad. Bestie heuchelt Liebe und Leidenschaft. Gehen ins Bett. Dann geschieht's.«

»Geschieht was, Sir?«

»Werwolf attackiert mich.«

»In welcher Weise, Sir?«

»Küßt mich…«

»Na ja…«

»Abwarten, Master-Sergeant, verdammt! Küßt Mund, Stirn, Augen, Brust… gleitet dann blitzschnell hinab… Wie gesagt, ich schone mich nicht… und nahm mein, Sie wissen schon was, zwischen die Zähne!«

»Hrm-mmm!«

»Zwischen die Zähne! Drücke ich mich klar genug aus?«

»Absolut, Sir.«

»Ich ihr sofort mit der Handkante eins ins Genick. Nahkampfausbildung West Point.«

»Gibt nichts Besseres, Sir, Lieutenant, Sir!« sagte Misaras.

Mojshe murmelte etwas und verschwand (trotz Westwall und Invasionserfahrung) blitzschnell im Hinterzimmer der Wache. Der hat Angst, daß es ihm jetzt in die Hosen geht, weil er nicht lachen darf, dachte Jakob. Aber ich? Was mache ich? Ich kann nicht verschwinden. Und wenn ich lache, ist alles aus. Die Rote Armee ist schon hinter mir her. Da hat mir dieser West-Point-Supertrottel gerade noch gefehlt. Der läßt mich hochgehen, wenn ich lache.

Jesus half sich in seiner Weise. »Unfaßbar«, würgte er hervor und verschwand gleichfalls. Nur George Misaras blieb eisern Herr der Lage.

»Jake! Setz dich an die Maschine und nimm ein Protokoll auf. Frag das Girl, ob es das wirklich getan hat!«

»Hast du das wirklich getan?« fragte Jakob.

»Ja doch«, schluchzte die Blauschwarze. Sie hatte einen norddeutschen Akzent. »Besoffen waren wir beide, ich war geil, und da habe ich ihm einen blasen wollen, verstehst du das vielleicht?«

Jakob nickte stumm. Er konnte nicht sprechen. Er hatte Angst zu platzen.

»Das ist doch das Natürlichste von der Welt! Alle anderen Amis sind selig, wenn unsereins so was tut. Aber ich… Mir muß so was passieren, Herrgott! Der ist ja noch eine männliche *Jungfrau*, Mensch!«

»What does she say?« Jakob übersetzte falsch.

»*Lüge!*« brüllte Connelly. »Von wegen sie war geil!«

»Ich kann es nicht begreifen, Sir«, sagte George Misaras. Der Kerl hat Drahtseile statt Nerven, dachte Jakob voller Hochachtung. »Warum tat sie es? Was, Sir, vermuten Sie, hat das Mädchen damit bezweckt?«

»Das fragen Sie noch, Master-Sergeant?« tobte Connelly. »Haben Sie nicht für einen Cent Verstand? Dieser Werwolf wollte ihn natürlich abbeißen, und ich wäre verblutet, hilflos verblutet!«

28

Also tippte Jakob den ›Desk-Blotter‹, den laufenden Tätigkeitsbericht der Wache, um ein Stück weiter voll. Connellys Aussage. Die Aussage der Hilde Korn. Immer mit drei Durchschlägen. Er tippte allerdings etwas eigenwillig. Man kann sagen, er tippte ironisch. Sehr ironisch. Man kann sogar sagen: unverschämt ironisch.

Dann schrieb er einen Haftbefehl für Hilde Korn aus.

»Ich komm' jetzt in'n Knast?«

»Tut mir leid. Ja.«

»Mensch, Junge, hat dir noch nie 'ne Frau einen geblasen?«

»Doch, natürlich.«

»Na und? Hast *du* sie eingesperrt?«

»Nein. Aber ich bin auch kein amerikanischer First Lieutenant.« Jakob tippte: ›…23 Uhr 46: Dem Werwolf Handschellen angelegt…‹

»Ich komme mit«, erklärte Connelly.

»Aber das ist wirklich nicht nötig, Sir…«

»*Ich komme mit!*«

»Und dafür kriegt der Scheißer noch die höchste Auszeichnung für Tapferkeit vor dem Feind!« flüsterte Misaras, über Jakob gebeugt.

»Und wird General«, flüsterte Jakob und tippte: ›First Lieutenant Connelly begleitet Crew mit entsicherter Waffe, um jedes Entkommen des Werwolfs zu verhindern. Jeep ab Station zu Dependance Landesgericht Neubaugürtel: 23 Uhr 54.‹

Eine Stunde später saß die fünfundzwanzigjährige Hilde Korn, wohnhaft Wien 18, Kreuzgasse 232, zweiter Aufgang, dritter Stock, in einer besonders gesicherten Zelle.

Eine Stunde später verabschiedeten sich die Herren Misaras, Faynberg und Formann vor einer requirierten Villa von dem First Lieutenant Connelly. Der West-Point-Mann sprach: »Wohl getan, Boys. Laßt euch mein Entrinnen vor dem sicheren Tod eine ernste Warnung sein!«

Und dreizehn Stunden später standen die Boys und Jesus Washington Meyer dazu vor dem großen, schlanken General Mark Clark, dem amerikanischen Stadtkommandanten von Wien, in dessen Arbeitszimmer im Palais Auersperg.

29

»Ich habe heute früh Ihren Bericht gelesen, Formann«, sagte Mark Clark. »Ich bin vor Lachen fast erstickt. Die Franzosen und die Russen brüllen noch immer vor Lachen. Die Engländer haben noch immer nicht begriffen, was an der Sache so komisch ist. Dieses Fräulein ist natürlich schon wieder frei – auf meine Anweisung. Ich habe es hierherbringen lassen und ihm ein CARE-Paket geschenkt für das Versprechen, keinem Menschen etwas von diesem Erlebnis zu erzählen. Süßes Fräulein, wirklich!«

»Herr General finden ihre Adresse auf dem Desk-Blotter!«

»Formann!!«

»Verzeihung, Herr General. Es sollte nur ein freundlicher Hinweis sein.«

»Sie scheinen nicht zu wissen, Herr Formann, daß diese Art von Liebesbezeigung, selbst unter Eheleuten, in mehreren Staaten Amerikas heute noch gegen das Gesetz verstößt und mit Gefängnisstrafen geahndet wird.«

Gott schütze Amerika, dachte Jakob und sagte: »Ist dem in der Tat so, Herr General?«

»Dem ist in der Tat so. Und jetzt Schluß mit dem Quatsch! Wir kommen zum ernsten Teil. Mein sowjetischer Kollege hat zuerst auch sehr gelacht und ist dann zum ernsten Teil gekommen. Sie sind doch aus sowjetischer Gefangenschaft ausgebrochen...«

»Es hat mir alles so lange gedauert, Herr General!«

»Ruhe! Ausgebrochen und haben gleich hundertundfünfzig deutsche Gefangene mit befreit und sind mit einem gewissen Sergeanten Jelena Wanderowa verschwunden. Deshalb muß jetzt alles sehr schnell gehen.«

»Was, Sir?« fragte Jakob.

»Ich hasse es, einen guten Dolmetscher zu verlieren«, sagte Mark Clark, »aber Sie müssen aus Wien verschwinden, augenblicklich! Und zwar in westlicher Richtung! Die Sowjets haben noch einiges Interesse an Ihnen, Herr Formann.«

»Man kann's verstehen«, sagte Jakob demütig. »Aber wie komme ich aus Wien raus? Nach Tulln, zum Flughafen, müßte ich doch durch die Russische Zone. Und mit einem Auto wäre es dasselbe. Also ausgeschlossen.«

»Absolut ausgeschlossen! Wien ist eine Insel in der Sowjetischen Zone. Genau wie Berlin. Das wird noch einmal sehr unangenehme Folgen haben – für Berlin. Oder für Wien. Oder für beide Städte!« (Merke: Es ist nicht wahr, daß *alle* Generäle Idioten sind.)

»Also wie komme ich nach dem Westen?«

»Hinten im Park auf der Wiese steht eine Kuriermaschine. Muß ich noch weitersprechen?«

»Keinesfalls«, beteuerte Jakob.

»Und Sie drei«, Mark Clark wandte sich an Jakobs MP-Freunde, »werden ebenfalls schleunigst Wien verlassen. Strafversetzt. Zum Fliegerhorst Hörsching bei Linz. Die Säcke mit all Ihren Sachen werden Ihnen nachgeschickt. Nur raus jetzt!«

»Warum strafversetzt, Sir?« fragte Misaras. »Wir haben doch überhaupt nichts getan!«

»*Sie* nicht, aber *ich*«, sagte der Generalmajor. »Wenn das rauskommt, schiebe ich es natürlich auf *Sie!*«

»Natürlich«, sagte Mojshe. »Wie's der Brauch ist.«

»Seien Sie bloß ruhig, Private Faynberg! Wissen Sie, wer dieser Connelly ist?«

»Na, ein…«, begann Mojshe, aber Jesus hielt ihm schnell den Mund zu.

»Das natürlich auch«, sagte Mark Clark. »Und außerdem ist er der Sohn eines der einflußreichsten Senatoren in Washington! Mit dem hat er heute nacht noch telefoniert! Und heute früh hat dieser Senator mit mir telefoniert und mich zusammengeschissen! Also keine Widerrede! Sie müssen *alle* raus aus Wien – *sofort!*«

»Und diese junge Frau…«

»Stammt aus Deutschland. Displaced Person. Wird mit dem nächsten Transport abgeschoben. Keine Spuren! Dieser Senator kommt jetzt nach Wien!« sagte Mark Clark.

30

»Der Werwolf!« hatte Jakob gekeucht, während er gegen ein Fenster im Schlafwagengang des ›Orient-Expreß‹ taumelte.

In der Tat, er war es.

Präziser gesagt: Es war die Werwölfin.

»Der Formann!« sagte die Frau im Bett (man könnte hinzufügen: schmatzend) und räkelte sich noch ein wenig mehr. Eine Schulter war schon blank. Die Achsen des ›Orient-Expreß‹ pochten. Zu beiden Seiten des Zuges, der da durch die Nacht raste, stoben weiße Schneeflügel empor bis zu den Wagendächern. Die Stimme der schwarzen Hilde hatte sich in den letzten Monaten völlig verändert. Sie war rauh und tief geworden. Der heulende

Werwolf von einst als ganzer hatte sich verändert! Den schmiß so leicht nichts mehr um. Der heulte so leicht nicht mehr los.

»Ha... hallo«, sagte Jakob und schluckte, denn die eine Nachthemdseite rutschte lebensgefährlich. Die schwarze Hilde räkelte sich wie ein Aal.

»Sonst hast du nichts zu sagen, Formann? Keine Freude? Keine Überraschung?«

»Wenn Sie sich noch ein bißchen mehr räkeln, stehen Sie im Freien, Fräulein Korn«, sagte Jakob. Er war auf einmal gleichfalls heiser.

»Seit wann denn ›Sie‹?« fragte die schwarze Hilde beleidigt. Und räkelte sich. Na also. Eine war draußen. Und was für eine. Mein lieber Mann! Hilde bedeckte lässig ihre Blöße.

»Na, schließlich hatte ich bisher nur die Ehre, Sie ein einziges Mal zu sehen, Fräulein Korn, und da mußte ich Sie einsperren.«

»Aber da *hast* du ›du‹ zu mir gesagt, Formann! Und außerdem heiße ich nicht Fräulein Korn, sondern Mrs. Fletcher.«

Es war alles ein bißchen viel auf einmal für Jakob.

»Mrs. Fletcher... Wieso?... Sie wurden doch längst nach Deutschland gebracht... gleich damals, nachdem...«

»Denkste.«

»Und du bist der... hrm... Boß vom Franzl?«

»Das ist der Boß von uns allen«, sagte Jakobs Schulfreund Franz Arnusch hastig. »Wir sind eine... eine Organisation, verstehst du?«

»Organisation von was?«

»Na von...«

»Laß mich mit dem Kleinen allein, Franzl! Hau ab!«

»Jawohl, Boß!«

Der Franzl haute ab.

Jakob stand vor der schwarzen Hilde dem Bett gegenüber an die Wand gepreßt und starrte auf sie herab. Er hielt sich an der Türklinke fest. Das hätte noch gefehlt, daß er gleich auf sie draufgefallen wäre bei diesem Schwanken des Wagens!

»Was... was ist das für eine Organisation, Hilde?« fragte er endlich. Ein Auge... *zwei* Augen hat die Person!

»Laureen.«

»Was?«

»Laureen ist jetzt mein Vorname. Nicht mehr Hilde. Laureen Fletcher.«

»Pardon! Also, was ist das für eine Organisation, Laureen?«

»Steh nicht so steif rum. Setz dich aufs Bett.« Er ließ sich daraufplumpsen. In ihre Magenkuhle. (Sie lag auf der Seite.) Ist ja wirklich zu blöd, dachte er. Ich bin ein erwachsener Mann! »Ich habe so etwas wie eine offene Handelsgesellschaft mit Filialen in verschiedenen Ländern. Du bist der einzige, der zu mir Laureen sagen darf. Brauchst mich nicht Boß zu nennen.«

»Sehr freundlich, Laureen.«

»Ich handle mit den verschiedensten Artikeln. Ich würde sagen, daß die Basis aller meiner Geschäfte die menschliche Dummheit ist.«

»Da hast du dir eine goldene Basis ausgesucht, Laureen!«

»Übrigens heiße ich nicht nur Fletcher. Ich habe eine ganze Menge Namen und Pässe. Und Perücken.«

»Selbstverständlich.«

»Und wie heißt du mit Vornamen?«

»Jakob, und meine Freunde sagen Jake zu mir.«

Die ehemalige schwarze Hilde räkelte sich wieder. Unter der Decke. Sie schubberte sich an Jakob.

»Ich habe so oft an dich denken müssen, Jake.«

»Klar«, sagte er. »Welche Frau kann mich schon vergessen?«

»Trottel. Ich habe so oft an dich denken müssen, weil du einem andern Mann ähnlich siehst. Und dann kommst du in das gleiche Schlafwagenabteil wie der Franzl. Zufälle gibt es!«

»Was ist das für ein anderer Mann?«

»Gib mir mal bitte meine Tasche vom Waschtisch. Danke.« Sie kramte kurz und entnahm der Tasche einen Paß, so geöffnet, daß Jakob das Paßfoto sehen konnte.

Das Paßfoto zeigte das Gesicht eines Herrn, der Jakob in der Tat außerordentlich ähnelte.

»Donnerwetter. Wer ist das?«

»Das«, sagte die ehemalige schwarze Hilde – derzeit Laureen –, »ist Señor Miguel Santiago Cortez. Kennst du nicht?«

»Nie gehört den Namen.«

»Mensch, Junge, in welchem Kuhdorf bist du denn gewesen, seit wir uns zum letztenmal gesehen haben?«

»In Theresienkron«, sagte Jakob.

»Wo ist denn das?«

Jakob sagte, wo das war und was er da gemacht hatte.

»Eier«, sagte Laureen. »Großer Gott! Eier. Und dich habe ich für intelligent gehalten. Natürlich sind einem wie dir die Namen der internationalen Hochfinanz nicht bekannt.«

»Was ist also mit diesem Cortez los?«

»Er hat Tbc.«

»Wo?«

»In der Lunge, Idiot.«

»Wo er *ist*, meine ich!«

»Für das nächste Jahr in Davos. Um seine Tuberkeln loszuwerden.«

»Weiter, du Luder.«

»Ach, ich habe ja gleich gewußt, daß du auf mich stehst! Weiter, Junge, wäre zu sagen, daß Señor Cortez, bevor er nach Davos fuhr, in Paris seinen Paß verloren hat. Ein ehrlicher Finder gab den Paß bei der Argentinischen

Gesandtschaft ab. Trotzdem hat Señor Cortez ihn nicht wiederbekommen.«

»Warum nicht?«

»Ein Kulturattaché hat ihn zurückbehalten. Der ist auch Mitglied meiner Organisation. Heute. Damals war er's noch nicht. Damals sagte er sich nur, daß der Paß eines Milliardärs immer etwas Gutes ist, und verkaufte ihn deshalb an deinen Freund Franzl. Der war gerade in Paris, zum Glück. Wir fahren jetzt wieder hin...«

»Wieso kann der Franzl nach Paris fahren?«

»Na, er ist doch immer noch bei der österreichischen Zollbehörde! Mit allen Vollmachten und mit Paß und Fahrbefehlen und so weiter! Er ist mein Fachmann in Devisenfragen. Daneben ist er natürlich für die Österreicher tätig. Nach dir haben wir gesucht wie nach einer Stecknadel im Heuhaufen.«

»Wegen der Ähnlichkeit mit dem da«, sagte Jakob und wies auf das Paßfoto.

»Wegen der Ähnlichkeit mit dem da«, sagte Laureen.

»Wo kommt ihr her?«

»Aus Wien.«

»Aber da habt ihr doch zuerst mit einem andern Zug fahren müssen! Durch die ganze Sowjetische Zone!«

»Na und? Ich als Amerikanerin, Franzl als Zollfahnder mit allen Ausweisen! Glaubst du, das war schwer?«

»Woher hast du aber den amerikanischen Paß?«

»Woher schon? Von einem Fälscher. Der hat auch alle meine anderen Pässe gefälscht. Großartiger Mann, sage ich dir. Jedenfalls – unterbrich mich nicht immer, bitte, ja? – hat Franzl den Paß von Señor Cortez mir gegeben, während der natürlich einen neuen Paß beantragen mußte.«

»Wie korrupt ist dieser argentinische Handelsattaché in Paris eigentlich?« fragte Jakob.

»Ich muß dir noch die Adresse und das Erkennungszeichen für meinen Paßfälscher geben. Du wirst auch Pässe brauchen jetzt. Sehr.«

»Was sehr?«

»Sehr korrupt ist dieser argentinische Handelsattaché. Dazu sehr häßlich. Dazu wie wild hinter den Weibern her. Das kostet ihn natürlich eine Menge Geld. Aus Liebe tut's keine mit dem.«

»Verstehe.«

»Der braucht also dauernd Geld.«

»Verstehe.«

»Wir haben den Paß, wir haben den Handelsattaché, und jetzt, endlich, haben wir auch dich, der du diesem Tuberkel-Milliardär so ähnlich siehst. Nun laß dir was einfallen.«

»Einfallen?«

»Ich und der Franzl machen doch in Devisen!«

»Wo hinein?«

Darüber mußte sogar die Pfeife der Lok aufjaulen.

»In Devisengeschäften, du Trottel! Mit dir können wir ein Geschäft machen, das sich lohnt. Und ich habe dich in der Hand, mein Junge. Ich kenne ein kleines russisches Abenteuer.«

»Von wem?«

»Von einem russischen Mitarbeiter. Die suchen dich immer noch. Ein kleiner Hinweis von mir genügt also.«

»Du erpreßt mich...«

»Natürlich. Wovon reden wir denn die ganze Zeit? Wir arbeiten jetzt zusammen, oder ich lasse dich platzen. Kapiert? Na also, endlich. Ich liefere den Paß, den Attaché, meine Organisation. Wir werden Partner.«

»Ich brauche aber keinen Partner, Laureen! Denk doch an meine Eier!«

»Auf deine Eier kann ich jetzt keine Rücksicht nehmen! Schau mal: Franzl und ich haben da in Recklinghausen einen Kerl aufgetrieben, der sieht dir halbwegs ähnlich. Halbwegs! Mit Schminke und so könnte man's wohl hinkriegen. Wir wollten es auf alle Fälle versuchen. Deshalb sind wir mit dem Recklinghausener in Paris verabredet, der Franzl und ich. Finanztechnisch hat der Franzl schon alles ausgearbeitet.«

»Da ist er ja auch ein Genie!«

»Und doch ist auch da noch nicht alles in Ordnung! Franzl weiß das. Ganz abgesehen von dem Recklinghausener. Es kann alles schiefgehen, haben wir uns gesagt, aber probieren müssen wir's! Na, aber jetzt haben wir *dich*! Also mußt natürlich du ran! Den Recklinghausener schicken wir zurück. Und was der Franzl noch nicht gefunden hat, das mußt du liefern.«

»Ich? Herrgott, Hilde, ich meine Laureen, ich habe doch keine Ahnung von Finanzen! Das ist doch Franzls Spezialgebiet! Da bin ich doch ein kompletter Trottel! Du darfst nichts von mir verlangen, was ich einfach nicht schaffe! Apropos: Wie geht der Trick vom Franzl?«

Laureen erklärte, wie der Trick vom Franzl ging. Gleich allen wirklich guten Tricks ging er sehr einfach. Sogar Jakob kapierte auf Anhieb.

»Phantastisch«, murmelte er ehrfurchtsvoll. »Ja, der Franzl!«

»Nichts ›ja der Franzl‹! Er weiß es, und ich weiß es, trotz allem fehlt bei dem Trick noch etwas! Wir haben uns abgequält, aber es kam uns nicht...«

»Was kam euch nicht?«

»Das... die... Wie soll ich dir das erklären, das ist Psychologie... Sagen wir, die Sache, die das Ganze unauffällig macht, sympathisch... Verstehst du, was ich meine?«

»Du meinst den ›Human touch‹?«

»Den Human touch, ja!«

»Das Menschliche, das Rührende, wie?«

»Das Menschliche, das Rührende, genau! Und das wirst *du* dir jetzt einfallen lassen! Das hat nichts mit Finanzen zu tun! Du bringst den Human touch in die Geschichte, und kriegst deinen Anteil. Na?«

»Hm…«

»Los, denk nach! Denk schneller, Genosse! Sonst bist du schon in Sibirien.«

Die Achsen hetzten, hetzten, hetzten…

Jakob griff in die Hosentasche.

»Nein!« sagte Laureen. »Erst die Arbeit, dann das Vergnügen.« Sie erstarrte. »Was hast du da?«

»Eine alte Hasenpfote«, erklärte ihr Jakob ruhig. »Habe ich gerade geschenkt bekommen. Wer sie besitzt, soll immer Glück haben.«

»Na, das werden wir ja gleich sehen. Konzentriere dich!«

Jakob nickte. Er senkte den Kopf, starrte die Hasenpfote an, als wolle er sie hypnotisieren und dachte nach. Über die elende Situation, in der er sich befand. Über seinen Privatkrieg, den er gewinnen wollte. Über seine Eier. Und über den Human touch.

Laureen zündete sich inzwischen eine Zigarette an. Sie benützte eine unmäßig lange goldene Spitze. Minuten verstrichen. Der Zug verlangsamte seine Fahrt. Ein paar schwache Lichter huschten vorüber.

»Da hätten wir Attnang-Puchheim«, sagte Laureen.

»Und da hätten wir den Human touch«, sagte Jakob.

Sie fuhr im Bett hoch.

O Gott, schon wieder, dachte Jakob. Diese Augen…

»Du hast ihn?«

»Ja.«

»Und du hast dich entschlossen, mit mir zusammenzuarbeiten?«

»Was bleibt mir denn anderes übrig?«

»Wie ist das mit dem Human touch?« fragte sie.

»Was schaut denn bei der Sache heraus?« fragte er.

»So rund zweihunderttausend Dollar.«

Jakob streichelte die alte, steinharte Hasenpfote. Dabei zeigte sich zum erstenmal, daß dieselbe wirklich Glück brachte und ihren Besitzer beschützte. Jakob dachte: So rund zweihunderttausend Dollar, hat das Weib gesagt. Du liebes Gottchen!… Da bleibt natürlich einiges für mich hängen! Mann, auch nur mit hunderttausend Dollar kann man heute ganz Deutschland kaufen! Deutschland? Den Trümmerhaufen will ich gar nicht! Aber mit guten Dollars könnte ich jetzt meine Eier- und Fertighäuserprojekte groß aufziehen! Ganz groß! Um Jakob drehte sich alles ein wenig. Das ist schon eine Pfote, diese Pfote!

Wenn das so weiterging!

»Einverstanden«, sagte er. »Hundertzwanzigtausend für mich, achtzigtausend für dich.«

»Ich sehe schon, ich werde mit meinem russischen Freund sprechen müssen.«

»Entweder wir einigen uns, oder du kommst nicht mehr lebend aus dem Abteil, Süße.«

»Hunderttausend für mich und hunderttausend für dich! Ich bringe den Paß!«

»Und ich bringe den Human touch.«

»Gefalle ich dir eigentlich gar nicht, Jake?«

»Okay, okay«, sagte Jakob. »Du hast dir in der Zwischenzeit doch sicherlich immer brav die Zähne geputzt nach der Werwolfgeschichte. Also schön. Hunderttausend für dich, hunderttausend für mich.«

»Moment mal, ja? Was ist der Human touch?«

»Wir müssen heiraten, Liebling.«

»*Das* nennst du Human touch?«

»Das nenne ich Human touch, ja! Die süße Zeit der Flitterwochen! Wir haben nur Augen und alles andere füreinander! Das Glück, stell es dir vor! Ganz jung verheiratet!«

»Wenn's nichts Schlimmeres ist.«

»Du kommst als meine Frau mit nach Paris.«

»Als Señora Cortez?«

»Nein, als Mrs. Fletcher! Dazu muß *ich* einen falschen Paß auf den Namen Fletcher – Vorname ist mir egal – kriegen.«

»Wenn's weiter nichts ist.«

»Hat der korrupte Handelsattaché einen Wagen mit einer CD-Nummer?«

»Ja. Einen großen.«

»Hast du eine Bankverbindung in Amerika?«

»Selbstverständlich. Wofür hältst du mich?«

»Sehr gut«, sagte Jakob. Dann begann er, den Human touch zu erläutern. Laureen war tief beeindruckt. »Großartig, Jake!« Sie ließ sich zurückfallen und lag jetzt ganz im Freien. »Schließlich werden wir nun doch bald als Eheleute auftreten«, sagte sie. »Da möchtest du dich vielleicht ein wenig besser bei mir auskennen.«

»Ich muß mich ganz genau bei dir auskennen«, sagte Jakob und stellte wieder einmal sein außerordentlich gutes Verständnis für Frauen unter Beweis. Mit vollem Erfolg…

Salzburg lag hinter ihnen, als Laureen, selig und schläfrig in seinen Armen, murmelte: »Jake…?«

»Hm?«

»Wenn du unbedingt willst, nimm dir hundertzwanzigtausend!«

»Ah, nein!« sagte Jakob. »Darauf hättest du *vor* Attnang-Puchheim eingehen müssen. Jetzt käme ich mir unanständig vor.«

31

»Gelobt sei Jesus Christus«, sagte Jakob Formann.

Er hatte die Caritas-Baracke im völlig zerstörten Münchner Hauptbahnhof betreten und kämpfte mit der Tür, die sich fast nicht schließen ließ, so schlimm tobte der Schneesturm.

Eine Schwester mit schwarzem Lodenumhang sah diesen höflichen, gläubigen Menschen freundlich an. »Wir sagen nur ›Grüß Gott‹«, sprach sie mit sanftem Lächeln. »Gelobt sei Jesus Christus... Ach, wie lange ist es her, daß jemand das zu mir gesagt hat! Ja, früher...«

»In meiner Familie haben wir Geistliche Herren und Geistliche Schwestern nur so gegrüßt, gute Schwester«, behauptete Jakob.

»In meiner auch. Gelobt sei Jesus Christus«, nuschelte der kleine, magere Mann, der mit Jakob in die Baracke geschlüpft war.

»In Ewigkeit. Amen... Wir sind komplett, aber für Notfälle haben wir immer noch ein Kämmerchen«, erklärte die gute Schwester. Sie mußte laut sprechen, um das Schnarchen, Röcheln und Rasseln der schlafenden Menschen, die hier herumlagen, zu übertönen. Zwei Minuten später ruhte Jakob auf einer Pritsche des Notfall-Kämmerchens. Auf einer zweiten Pritsche ruhte der Kleine. Die gute Schwester hatte sie mit dem Versprechen verlassen, für beide beten zu wollen, inniglich.

Und der Franzl und die Laureen liegen auf weichen Schlafwagenbetten im ›Orient-Expreß‹, dachte Jakob, und keiner betet für sie, inniglich. Nicht neidisch sein. Ich komme ja nach. Bald. Meine Eier haben Vorrang...

Der ›Orient-Expreß‹ hatte München um 5 Uhr 30 früh erreicht, besser: das, was von München übriggeblieben war, und das war sehr wenig. Jakob stand, vom Schneesturm umheult, und gähnte. Was so ein richtiger Werwolf ist, der ermüdet auch den geübtesten Herrn...

Unweit des Münchner Hauptbahnhofes erblickte Jakob den Eingang eines Tiefbunkers. Na, dachte er, da wird sich ja noch ein Plätzchen finden lassen. (Jakob konnte überall schlafen, auch auf Betonboden. Wenn man ihn nur ließ.)

Er erreichte den Eingang zum Tiefbunker. Dort stand eine Telefonzelle ohne Glasscheiben, so daß jedermann hören konnte, was ein kleiner Mann, der gerade telefonierte, sagte. Der kleine Mann sagte, der Kaffee könnte jetzt abgeholt werden. Neben sich hatte er einen Sack. Überstark roch der Kaffee. Jakob schnupperte. Zwei Bahnpolizisten, die neben der Zelle standen, mußten ihn eigentlich auch riechen. Offenbar nicht. Jakob wollte den Tiefbunker betreten. Daran wurde er durch einen verschlafenen Mann gehindert, der, dick vermummt, quer hinter dem Eingang des Bunkers auf dem Boden lag.

»Was wollen denn Sie?«

»Wer sind denn Sie?«

»Portier von diesem Hotel.«

»Blöde Frage. Schlafen.«

»Kommt gar nicht in Frage.«

»Warum nicht?«

»Weil... wir sind überkomplett«, sagte der Hotelportier. »Da gibt's nur noch die Caritas-Baracke. Bahnhofsmission«, sagte der Vermummte auf dem Betonboden.

»Wohlan«, sagte Jakob. »Ich danke für den Hinweis.« Als er zu der Telefonzelle kam, fuhr da gerade ein Auto mit Holzvergaser vor. An der Windschutzscheibe steckte ein großes Schild. ARZT IM DIENST, las Jakob. Interessiert blieb er stehen und beobachtete, gemeinsam mit den beiden verträumten Polizisten, wie der kleine Schwarzhändler, der telefoniert hatte, den Sack zum Auto schleppte, dessen Fahrer den Kofferraum geöffnet hatte. Der Kaffee wurde verstaut. Geldpacken wechselten den Besitzer. Der ›Arzt im Dienst‹ fuhr ab. Der Kleine beleckte die klammen Finger und zählte Scheine.

»Immer lustig«, sagte Jakob zu den beiden Polizisten.

Derjenige, der ihm antwortete, sprach gepflegtes Hochdeutsch: »Was wollen Sie, mein Herr? Die Lage verschlechtert sich rapide. Verglichen mit heute haben hier vor einem Jahr noch zivilisierte Zustände geherrscht. Ich bin als einer der letzten aus Stalingrad herausgeflogen worden. Meinen Sie, ich riskiere nun in der Heimat mein Leben?«

Der kleine Schwarzhändler, der das Geldzählen beendet hatte, fluchte laut: »Jetzt kann ich bei der Kälte zurück nach Giesing! Ich frier' mir noch mal meinen Johnnie ab!«

»Warum müssen Sie denn auch um diese Zeit arbeiten?« forschte Jakob.

»Weil da die Polizei, mein Freund und Helfer, aufpaßt. Du hast ja keine Ahnung, was sich hier am Tag für kriminelle Elemente herumtreiben!« Der Kleine sprach mit einem östlichen Akzent.

»Bist du fromm?« fragte Jakob den Kleinen.

»Was soll die blöde Frage?«

»Ich auch nicht. Aber jetzt müssen wir es sein«, sagte Jakob. »Los, komm!« Und er ging schon voraus in Richtung auf die Caritas-Baracke.

32

»Wollen wir noch eine pusten?« fragte Jakob eine Viertelstunde später, auf der Pritsche des Notfall-Kämmerchens liegend, wobei er sich wohlig streckte.

»Sehr freundlich!« Der Kleine nahm eine ›Chesterfield‹ aus der Packung, die Jakob ihm hinhielt.

1947 – Hunger und Hoffnung

4. Januar: DER SPIEGEL, Nr. 1.

März: Volksmund: Zusatzfrage zum Entnazifizierungs-Fragebogen: »Gedenken Sie im Jahr 1948 noch zu leben? Wenn ja – wovon?«

5. Juni: Marshallplan, ERP (bis 1951 an West-Europa 12,4 Milliarden $, davon an West-Deutschland 1,7 Milliarden $).

10. Juni: Durch »Gemeinsame Anordnung« der US- und der britischen Militärregierung wird die »Verwaltung des Vereinigten Wirtschaftsgebietes« (im Volksmund: Bizonesien) errichtet.

5. Juli: In Berlin wurde auf dem Schwarzen Markt ein Negerbaby gegen 8 Doppelzentner Zucker und laufende Lebensmittelzuteilung angeboten. Es war sofort »vergriffen«.

Juli: John Scott in »Time«: »Die Deutschen sind augenscheinlich nicht bereit, irgend etwas zu der Zukunft Europas beizutragen außer harten Worten und der Hoffnung, daß sie die amerikanisch-russischen Spannungen zu ihrem Vorteil ausnutzen können.«

Der britische Vize-Luftmarschall Champion de Crespigny, Gouverneur von Schleswig-Holstein: »50 Prozent der schleswig-holsteinischen Bevölkerung gehen einem langsamen Hungertod entgegen.«

18. August: Erste Exportmesse in Hannover.

31. Oktober: Die argentinische Regierung gibt bekannt, daß infolge wirtschaftlicher Schwierigkeiten landwirtschaftliche Erzeugnisse im Wert von 125 Millionen Sterling verbrannt werden müßten.

20. November: Zur Hochzeit der britischen Prinzessin Königin Elizabeth mit Philip Mountbatten schickt der Ortsausschuß Düsseldorf der Christlichen Arbeiterjugend als Geschenk die Tagesration eines Normalverbrauchers im Ruhrgebiet (300 g Brot, 5 g Fett, 12,5 g Fleisch, 2 g Käse, 40 g Nährmittel).

Enteignungen in der Sowjetzone: »Volkseigene Betriebe« (VEB).

Paul von Hindenburg, Generalfeldmarschall und Reichspräsident, wird entmilitarisiert, obwohl er bereits 1934 verstorben ist.

Thomas Mann: Martin Luther sei schuld daran, daß es Preußentum, Staatsvergottung und Nationalsozialismus gegeben habe, und Luther sei ihm außerdem wegen seiner Vorliebe für Musik unsympathisch.

Bertolt Brecht bestreitet in den USA bei einem Verhör über »unamerikanische Umtriebe«, jemals Kommunist gewesen zu sein.

Hans Werner Richter gründet die »Gruppe 47«.

»Du bist doch ein gebildeter Mensch, habe ich den Eindruck«, sagte Jakob. »Wie kann...«

»...ein so schönes Mädchen wie ich so tief sinken?« Der Kleine grunzte angeekelt. »Ich bin Flüchtling. Aus Gleiwitz. Mensch, ich hab' vielleicht einen Rochus!«

»Auf wen?«

»Auf die deutsche Gerechtigkeit!« Die Wärme hatte den Kleinen munter werden lassen. Nach eigenem Bekunden hieß er Wenzel Prill, einunddreißig Jahre alt, alle Angehörigen umgekommen. Fast-Akademiker...

»...beim Ausbruch des Krieges mußte ich sofort an die Front. Dann wurde ich verwundet, am Schädel, und ich konnte studieren. Jura.«

Diese Erklärung entzückte Jakob bereits. Ein hochintelligenter Mann, dachte er. Genau der Typ, den ich jetzt brauche.

Das einzige, berichtete der hochintelligente Mann, was er aus dem großen Zusammenbruch im Osten bis nach München habe retten können, war eine Brieftasche gewesen. In der Brieftasche hatten sich zwanzigtausend RM befunden. Natürlich wurde ihm diese Brieftasche gestohlen...

»...hab' ich Anzeige erstattet. Hab' den Dieb beschreiben können. Bei einer Razzia in der Möhlstraße haben MPs den Dieb dann verhaftet. Die Möhlstraße – das ist das Schwarzmarktzentrum, weißt du?«

»Was?«

»Na, die Möhlstraße hier! Den Kerl haben sie eingelocht. Nackt ausgezogen. Alle Taschen durchsucht. Ihm hinten und vorn reingeschaut. Nix. Der Kerl hat die zwanzigtausend nicht mehr gehabt. Auch nicht die Brieftasche. Nur eine goldene Repetieruhr.«

»Na also!« Wenzel lachte hohl.

»Warum lachst du so dämlich, Wenzel?« fragte Jakob. »Die Uhr wird das Schwein vermutlich mit deinen zwanzigtausend Piepen gekauft haben.«

»Richtig.«

»Na also! Da war doch dein Vermögen wieder!«

»Habe ich auch gedacht. Ein braver Mensch, der Dieb, habe ich gedacht. Also wirklich. Er war sofort geständig. Da lag die Uhr. Schön, hab' ich gedacht, werden sie mir also die Uhr geben. Aus Gold. Eine Repetieruhr. Die hat ›Üb immer Treu und Redlichkeit‹ gespielt. Da kann man auch eine Existenz damit aufziehen. Hab' ich gedacht. Aber ich hab' mich geirrt.«

»Wieso?«

»Der Fall ist vor ein deutsches Gericht gekommen. Die gibt's schon wieder. Gerichte gibt's in Deutschland immer. Der Herr Staatsanwalt hat eine flammende Rede gehalten. In'n Knast mit dem Dieb! hat er gefordert. Ganz meine Meinung! Ganz die Meinung vom Richter! Der hat dir den Dieb vielleicht verdonnert, Mensch!«

»Und du hast die Uhr gekriegt!«

Wenzel betrachtete Jakob wie ein Lehrer einen idiotischen Schüler.

»Hast wohl noch nie mit einem deutschen Gericht zu tun gehabt, eh?«

»Es hat sich noch nicht ergeben. Entschuldige.«

Wenzel akzeptierte die Antwort mit einem Kopfnicken und berichtete weiter. Die Uhr hatte er natürlich nicht zurückbekommen. Denn, so der Vorsitzende in der Urteilsbegründung mit rasiermesserscharfer Logik, es war dem Wenzel diese goldene Uhr ja auch nicht gestohlen worden. Gestohlen worden war ihm eine Brieftasche mit zwanzigtausend RM. Infolgedessen behielt das Hohe Gericht die goldene Uhr. Jemand mußte schließlich die Prozeßkosten bezahlen, nicht wahr? Und natürlich wurde der Wert der Uhr nach dem Preis von vor 1939 berechnet, nicht zum gegenwärtigen Schwarzmarktpreis. Ein deutsches Gericht treibt keinen Schwarzhandel, üb immer Treu und so weiter...

»...so war das, mein Junge!« schloß Wenzel seinen Bericht im Notfall-Kämmerchen der Caritas-Baracke. Er sah Jakob an. »Was ist mir übriggeblieben? Mein Studium hab' ich nicht vollendet. Gelernt hab' ich nichts. Also blieb nur der Schwarzmarkt, und da hab' ich mich auf Kaffee geworfen. Was Besseres gibt's nicht für einen wie mich.«

»Doch«, sagte Jakob.

»Was?« fragte Wenzel.

»Eier«, sagte Jakob. Und erzählte dem Kleinen ein wenig von seinen großen Plänen. Der war beeindruckt.

»Das klingt nicht schlecht, mein Junge.«

»Willst du mit mir zusammenarbeiten?«

»Halbe-halbe.«

»Nix halbe-halbe. Du kriegst genug, ich bin nicht kleinlich. Später gibt's auch Gewinnbeteiligung. So einen Rechtsverdreher wie dich brauch' ich jetzt.«

»Na schön. Du wirst aber auch noch andere Leute brauchen – wenn du viele Hühner hast. Da gibt's einen Haufen zu malochen!«

»Weiß ich.«

»Und Geld! Und unser Geld ist doch nur noch der Dreck vom Dreck!«

»Unseres, ja. Dollars sind auch Dreck, eh?«

Dem Kleinen stand der Mund offen. »Hast du Dollars gesagt?«

»Hab' ich gesagt«, antwortete Jakob und gedachte herzinniglich des Werwolfs, des Arnusch Franzl und des Geschäfts, das er mit ihnen vorhatte.

33

»Dem Robert haben sie sein Fahrrad geklaut.«

»Der hat doch gar keins gehabt!«

»Doch. Onkel Franz hat ihm eins verkauft.«

»Und wann ist es geklaut worden?«

»Gestern nachmittag.«

»Wo?«

»Am Stachus. Er hat Emil rasch die Butter bringen wollen.«

»Okay, was kann ich für Sie tun?« fragte daraufhin der bleiche, hohlwangige Buchbinder Josef Mader in einem Haus an der Schellingstraße, besser: im Keller eines Hauses, das es einmal an der Schellingstraße gegeben hatte. Den Keller gab es noch. Jakob stand dem Buchbinder in dessen Kellergeschäft gegenüber. Es roch nach Papier, Leim und Schweineschmalz. Schon die ganze Zeit während des Idioten-Dialogs hatte Jakob von den drei Gerüchen der nach Schmalz am meisten tangiert. Das Wasser war ihm zusammengelaufen im Munde. Herr Mader hatte Schmalz in dem seinen. Auf einem Stück Brot vermutlich. Er schien gerade Pause gemacht zu haben, als Jakob gekommen war, und hatte ein wenig undeutlich gesprochen. Schmalzbrot – das hatte Jakob seit Kindesbeinen am liebsten gegessen. Die Fenster des Geschäfts befanden sich nahe der Decke des Gewölbes. Ab und zu sah man ein Paar Unterschenkel in Schuhen und Hosen vorübergehen. Durchlöchert, zerfetzt. Die Schuhe und Hosen. Schmalzbrot frißt der Kerl, dachte Jakob voll verzehrender Sehnsucht. Nach einem so großen Krieg. Und weiche keinen Fingerbreit... Ich deliriere ja schon, das gehört ganz woandershin, ich muß mich zusammenreißen!

Jakob überwand einen heftigen Anfall von Schwindel und schüttelte dem Schmalzbrotesser die Hand. Dann sagte er, daß er von Mrs. Fletcher komme.

»Das habe ich schon an dem Spruch gemerkt, den wir da aufgesagt haben von Robert und dem geklauten Fahrrad. Sie müssen das Theater verstehen«, sprach Mader, Jakob mitten ins Gesicht (richtiges Schweineschmalz, dachte er... von Gottes Wegen ab), indem er einen Arm um des Besuchers Schulter legte, »aber ich muß vorsichtig sein. Wir leben in gefährlichen Zeiten. Und da geht's nicht ohne ein gutes Erkennungszeichen.«

»Wem sagen Sie das, Herr Mader?« antwortete Jakob (dem seine Hilde-Laureen den Erkennungs-Dialog beigebracht hatte) und dachte: Wenn der Kerl endlich runterschlucken würde, damit ich das Schmalz nicht mehr riechen muß!

Der Kerl versperrte die Eingangstür des Ladens, hängte ein KOMME GLEICH WIEDER-Schild daran und schluckte endlich. Gott sei Dank, dachte Jakob. Hat es eigentlich schon mal einen Schmalzbrot-Lustmord gegeben? Der Buchbinder ging zu einer Wand mit Stellagen. Ein Regal schwang zurück, nachdem Mader auf den Lederrücken eines Buches des Dichters Heinz Steguweit (der gerade verboten worden war) gedrückt hatte. Jakobs Blicken bot sich ein großes Hinterzimmer.

»Bitte, kommen Sie weiter«, lud Herr Mader ein. Jakob trat in das Hinterzimmer, das ebenfalls mit Bücherregalen bestückt war. Mader drückte auf den Lederrücken des ›Kapital‹ von Karl Marx (das gerade wieder erlaubt war). Das Regal schwang zurück und rastete mit lautem Klick ein. Jakob sah sich um. In dem zweiten Raum befanden sich Druck-, Zeichen- und Fälscherutensilien aller Art, als da sind Pinsel, Fläschchen, Stempel, Schreibfedern und dergleichen. Auch eine handliche Presse gab es. Das meiste befand sich auf einem überladenen Tisch. Ein Stückchen des Tisches war freigeräumt worden. An dieser Stelle erblickte Jakob einen Teller mit Graubrot, einen Salzstreuer, einen zweiten Teller mit drei bestrichenen Schmalzbroten, eine geöffnete Schmalzkonserve der Deutschen Wehrmacht sel., Messer, Gabel und eine Tasse voll dünnem Tee neben einer Teekanne. Die Narbe an Jakobs Schläfe begann zu zucken.

»Oh«, sagte unser Freund mühsam, »ich habe Sie beim Essen gestört, Herr Mader.« Er mußte die Augen schließen, denn er ertrug den Anblick der Schmalzbrote nicht.

»Aber überhaupt nicht«, sagte der Buchbinder munter. »Kleine Arbeitsruhe, sonst nichts. Was darf es also sein, lieber Herr Formann?«

Die Augen blinzelnd geöffnet, setzte sich Jakob auf die alte Handpresse.

»Einiges.« Mader nickte, setzte sich auf einen Sessel und aß weiter. Dazu schlürfte er Tee. Jakob fuhr fort: »Auf Mrs. Fletchers Kosten.«

»So ist es.« Mader nickte. »Mrs. Fletcher ist Dauerkundin. Was haben Sie denn, mein Gott? Ist Ihnen nicht wohl? Sie haben vielleicht noch nicht gefrühstückt?« Jakob konnte das nur noch mit einer Kopfbewegung bestätigen. »Um Himmels willen, dann nehmen Sie doch, nehmen Sie doch – es ist zwar nur Schmalzbrot und Kamillentee, warten Sie, ich hole noch eine Tasse…«

»Vergelt's Gott«, flüsterte Jakob.

»Wenn ich also bitten darf«, sprach der Fälscher. Er überreichte ein Schmalzbrot. Jakob saß erstarrt.

»Nun beißen Sie schon hinein!«

Jakob biß. Kaute. Schluckte. Biß wieder. Begann sich wie ein reißender Wolf zu betragen. Ja, dachte er taumelig, so schmeckt das eben. Ach, diese Wonne, ach, diese Seligkeit!

»Langsam! Langsam! Es gibt noch mehr, und niemand nimmt Ihnen etwas weg, Herr Formann. Hier, ein Schlückchen Tee.« Jakob trank. Jakob aß. Jakob trank. Jakob aß.

»Seit meiner Kindheit…«, begann er, bekam etwas in die falsche Kehle, und Mader mußte ihm auf den Rücken klopfen und auffordern, die Arme zu heben. Eben noch entging Jakob dem mit Recht als qualvoll bezeichneten Erstickungstod. »…seit meiner Kindheit gibt es nichts Schöneres für mich als Schmalzbrote. Ich bitte Sie, mir mein Betragen zu verzeihen, Herr Mader!«

»Aber Herr Formann! Kann ich doch verstehen! Geht mir doch genauso! Essen Sie, essen Sie! Es sind noch genug Büchsen da. Ich habe sie mir herübergerettet aus dem Krieg. Traurig genug.«

»Was?«

»Was die Hunde den armen Landserschweinen zugemutet haben!« Mader empörte sich und schlug auf den Sattel seines Fahrrades, das neben ihm, an eine Wand gelehnt, stand. Die Klingel schepperte.

Danach wurde die Unterhaltung ein wenig chaotisch.

»Wie kommt denn hier ein Fahrrad her?«

»Na, sind in dem Schmalz vielleicht genug Zwiebeln für Ihren Geschmack drin? Ich hab' einen kleinen Handel mit Fahrrädern.«

»Ein bißchen mehr Zwiebeln könnten schon drin sein. Woher haben Sie Fahrräder, Herr Mader?«

»Ein bißchen mehr? Ich sage Ihnen, die Schweine haben alles für sich behalten!«

»Welche Schweine?«

»Na, die Bonzen natürlich! So um einundvierzig herum hat's plötzlich geheißen, wir machen nach einem genialen Einfall des Führers ein Giftgas aus Zwiebeln, weil die bösen Feinde angeblich ein Gas aus Senf gemacht haben. Das war der Grund, warum es keine Zwiebeln mehr gegeben hat! Erinnern Sie sich nicht?«

»Ich war den ganzen Krieg an der Front, Herr Mader.«

»Dann glauben Sie mir! Giftgas – lächerlich! Selber haben sie die Zwiebeln fressen wollen, die Bonzen, und reintun ins Schmalz. Ganz abgesehen von den guten Grieben. Finden Sie eine einzige Griebe in dem Schmalz da?«

»Leider nicht. Zunächst einmal brauche ich einen amerikanischen Paß auf den Namen Fletcher.«

»Da jetzt neue Zwiebeln reinzumengen, wäre Wahnsinn. Schmeckte niemals! Abgesehen davon, daß es Zwiebeln nicht gibt. Die haben gedacht, sie können einfach alles mit uns machen, die Schweine. Sie haben Glück. Erst gestern ist wieder eine Sendung reingekommen. Sie müssen nämlich zuerst einen amerikanischen Paß *haben*, wenn Sie einen fälschen wollen, wissen Sie?«

»Weiß ich, ja. Und… und Sie handeln auch mit Fahrrädern?«

»Wann wollen Sie geboren sein?« Mader schluckte Reste und packte den nächsten Kanten. Wie kann ein Mann nur so verfressen und dabei so abgemagert sein? sinnierte Jakob. »Klar. Dachten Sie, ich bin Sammler?«

»Von was?«

»Von Fahrrädern! Sie haben mich doch gefragt, oder?«

»Hab' ich, ja. Irgendwann. 1920, 21, 22. Monat und Tag egal. Wie Sie's am leichtesten fälschen können. Ich bin in Eile. Visa für Frankreich und Belgien, bitte. Noch mindestens drei Monate gültig, die Visa. Und Sie glauben wirklich, daß die Bonzen auch alle Grieben…«

»Klar! Lieb Vaterland, magst ruhig sein. Vorname?« Mader hatte einen Block herausgezogen, einen Bleistift genommen und machte mit einer fettigen Hand fettige Notizen.

»Zwei Vornamen, bitte. Suchen Sie sich zwei aus. Solche, wo Sie am wenigsten Arbeit mit haben. Mir sind die Namen egal. Meiner Frau auch.«

»Was ist schon ein Name? Sie haben ganz recht. Sie sind also der Herr Gemahl von Mrs. Fletcher.«

»Ja. Dürfte ich… noch ein Brot…«

»Soviel Sie wollen, lieber Herr Formann. Freut mich, daß es Ihnen schmeckt. Ordentlich Salz drauf!«

»Wir haben vor einem halben Jahr geheiratet. Danke. Salz gibt's wenigstens noch frei. Halbes Jahr, schreiben Sie sich's auf!«

»Schon geschehen. Herzlichen Glückwunsch zur Vermählung, Herr Formann. Natürlich brauchen Sie auch noch andere Dokumente. Wollen mal sehen.« Mader rieb sich die Fettfinger am Hosenboden sauber, während er zu einem Wandtresor schritt. Als Herr Mader den Tresor öffnete, sah Jakob beglückt, daß der zum Bersten gefüllt war mit Dokumenten aller Art. Und mit Schmalzkonserven.

»Laureen hat mir gesagt, Sie haben einfach alles, Herr Mader.«

»Da hat Laureen die Wahrheit gesagt. Es gibt wirklich nichts, was ich nicht habe.«

»Aber wo bekommen Sie das ganze Zeug her?«

»Wo hat der Hermann Göring seine Giftkapsel herbekommen, hä?« Mader erleichterte sich durch sanftes Aufstoßen. »Nun wollen wir mal sehen, was wir alles brauchen für Sie…« Er wühlte in seinen Beständen.

»Von einem… Sie kriegen das alles tatsächlich von den Amis?«

»Wenn Deutsche einen Ami dazu bringen, so eine Zyankalikapsel in Nürnberg bis in die Zelle zu schaffen, dann werde ich ja wohl hier in München auch meine Möglichkeiten haben. Bei mir geht's schließlich nicht um Tod und Leben.«

»Trotzdem. Billig werden Ihre Lieferanten nicht sein!«

»Glauben Sie, ich bin billig? Aber meine falschen Papiere sind echter als echte! Keine Sorgen. Noch ein Schmalzbrot? Zahlt alles die werte Frau Gemahlin. Wenn Sie noch was Russisches oder Englisches benötigen…«

»Im Moment nicht, lieber Herr Mader.«

»Bitte, bitte. Ich wollte damit nur zum Ausdruck bringen, daß ich mit den Alliierten zusammenarbeite.«

»Wie schön. Vielleicht ein andermal. Natürlich auch Visa für Austria und Germany. Laufdauer, was Sie verantworten können.«

»Dann würde ich den Stempel ›Special Mission‹ empfehlen, Herr Formann.«

»Wie es Ihnen am besten erscheint, lieber Herr Mader.«

»'n Geburtsschein brauchen Sie unbedingt.« Und nun wählte der Künstler ein Dokument nach dem anderen aus dem Tresor. »Heiratsurkunde, Social Security Card… Ich kann Ihnen sagen, bei mir geht's vielleicht zu! Ich arbeite Tag und Nacht!«

»Tck, tck, tck.«

»So was von Andrang habe ich seit 1933 nicht mehr gehabt!«

»Waren Sie Soldat?«

»Nee, Fälscher. Bei der Abwehr. Canaris. Da habe ich alles erst richtig gelernt. Legen Sie mal für einen Moment das Schmalzbrot hin, ich will Paßfotos von Ihnen machen.« Sie gingen in einen weiteren Raum, und Mader fotografierte. »Mit sechs, sieben Tagen müssen Sie aber schon rechnen – ist doch ein Haufen Arbeit!«

»Gewiß, Herr Mader. Ach ja, richtig: Etwas Briefpapier mit Adresse und feine Kuverts mit Adresse brauche ich auch.«

»Die pisse ich Ihnen besoffen in den Schnee. Auch auf den Namen Fletcher?«

»Nein. Ich habe Ihnen alles aufgeschrieben. Hier. Miguel Santiago Cortez.«

»Und die Adresse, Herr Formann? Wir können wieder zu unseren Schmalzbroten gehen.« Sie gingen. Jakob überreichte Mader einen Zettel. Der las: »Miguel Santiago Cortez, Calle de Baldomero Moreno, Buenos Aires« und pfiff laut und lange durch die Zähne.

»Warum?« fragte Jakob, schon wieder mit vollem Mund.

»Warum was?«

»Warum haben Sie eben so langgezogen gepfiffen?«

»Wegen dem Namen. Das ist einer der reichsten Männer Argentiniens, dieser Cortez. Hab' erst vor ein paar Tagen einen Artikel in der NEUEN ZEITUNG gelesen.«

»Ich wohne übrigens in der feinsten Gegend der Stadt«, gab Jakob gelassen bekannt.

»Waren Sie denn jemals dort?«

»Wann soll ich denn da hingekommen sein? Und wie? Mrs. Fletcher hat es mir gesagt, und dann hat sie mir noch einen Stadtplan gezeigt. Das genügt... Hören Sie, Mrs. Fletcher hat doch ein laufendes Konto bei Ihnen...«

»Ja, warum?«

»Weil ich dringend ein Fahrrad brauche«, antwortete Jakob. »Ich glaube, ich nehme das da an der Wand. Sie verrechnen es zusammen mit den Papieren. Vielen Dank. Donnerwetter, Sechsgangschaltung! Habe ich mir immer schon gewünscht.« Jakob strich zärtlich über die Lenkstange. Dann fiel ihm etwas ein. »Ach, könnte ich vielleicht zwei Fahrräder haben?«

»Selbstredend. Es stehen noch welche in der Dunkelkammer«, sagte Mader.

34

»Haut ab oder ich knall' euch über'n Haufen, ihr dreckigen Krauts!« sprach der riesenlange MP beim Eingang zur McGraw-Hill-Kaserne an der Tegernseer Landstraße in München. Der Anblick war grotesk. Vor dem wohlgenährten, warmgekleideten, kaugummikauenden Helden der Neuen Welt standen frierend, rotgesichtig und blinzelnd zwei gar jämmerlich anzusehende Besiegte der Alten Welt im Schnee und hielten sich an Fahrrädern fest. Träumerisch griff der Ami nach seiner Pistole.

Schon wieder ein Texaner, dachte Jakob. Haben die ein Monopol für Schnauzerei? Na, wenn es denn gar nicht anders geht, und obwohl ich es hasse, da hilft nur eins: zurückschnauzen! Er tobte los in schönstem Amerikanisch: »Also bitte! Ich habe es mit Freundlichkeit versucht und Sie gebeten, uns bei Governor van Wagoner anzumelden, der unseren Besuch erwartet! Was haben Sie getan, Mann? Angebrüllt haben Sie uns, Mann! *Schnauze*, jetzt rede *ich*! Schon mal was von General Mark Clark in Vienna gehört? Und von General Clay in Berlin? Maul halten! Antwort!«

»Ye... ye... yes, Sir...«, stammelte der uniformierte Riese verblüfft. An allerhand war er gewöhnt. Daran, daß ihn ein deutscher Zivilist anbrüllte, noch nicht. Ein Verrückter, dachte er, ängstlich nach dem Knopf der Alarmsirene tastend, der sich hinter ihm an der Außenseite des Wachhäuschens neben einer weiß und rot gestreiften, geschlossenen Schranke befand.

»Versuchen Sie bloß nicht, Alarm auszulösen! Hände nach vorn! Na wird's bald?« Der Texaner stand mit offenem Mund da und würgte nach Worten. Es kam nichts heraus. Jakob griff in die innere Jackentasche und förderte einen Haufen Papiere zutage. »Da! Und da! Und da! Vorwärts, Mann, lesen Sie! Oder lassen Sie es sich vorlesen!«

Die Papiere waren Empfehlungsschreiben der Herren Clay und Clark an den Militärgouverneur für Bayern, Murray D. van Wagoner. Der Texaner las sie mit bebenden Lippen.

»Bißchen schneller!« tobte Jakob. Das ist das Feine an meinem Krieg: Jetzt tobe ich mal mit den anderen, so wie die anderen sieben Jahre mit mir getobt haben. Jetzt sind sie alle für mich nur der letzte Dreck, so wie in den vergangenen sieben Jahren ich der letzte Dreck für sie gewesen bin. Das waren zwar andere, aber darauf kann ich keine Rücksicht nehmen. Jetzt habe ich endlich meine Freiheit! Freiheit – das ist der Zustand, wenn man nichts mehr zu verlieren hat! Jakob schrie: »Fertig?«

»Yes, Sir, Mister Formann...«

»Worauf warten Sie dann noch? Wollen Sie vielleicht gütigst ans Telefon treten und uns bei dem Herrn Gouverneur anmelden?«

»Certainly, Mister Formann... Aber der andere Gentleman... in den Papieren ist nur von Ihnen die Rede...«

»Das ist Mister Prill, mein Stellvertreter!« brüllte Jakob, daß seine Stimme kippte. Muß ich noch üben, die Brüllerei, dachte er.

»Entschuldigen Sie, Mister Formann... Konnte ich nicht wissen...«

»Make it snappy!« sagte der kleine Wenzel Prill, der in seinen Lumpen erbärmlich fror, scharf und schmallippig. Jakob sah ihn bewundernd an. Der hat den rechten Ton, dachte er ergriffen, als er sah, wie der Texaner sich einen Feldtelefonhörer aus dem Wachhäuschen angelte und nun seinerseits (wie so was ansteckt, dachte Jakob. Na ja, wir haben's ja gerade mit einem ganzen Volk erlebt!) zu brüllen begann: »Mister Formann and Mister Prill asking to see Governor van Wagoner!... I don't give a shit if he's busy! These two gentlemen have papers from General Clark and General Clay, you fucked-up idiot!« Junge, Junge, das hat aber schnell gewirkt, dachte Jakob zufrieden, während er den Texaner weitertoben hörte. Zuletzt legte dieser den Hörer hin, brüllte nach einem zweiten MP, der erschrocken aus dem Wachhäuschen kam, und trug dem unschuldigen Wesen auf, die beiden Gentlemen zu Gouverneur van Wagoner zu geleiten. Die beiden Gentlemen schritten hoheitsvoll an dem Texaner vorbei. Der starrte sie an wie Fabelwesen. »Pardon me... Aber ich konnte wirklich nicht wissen... Es ist nur meine Pflicht...«

»Nur die Pflicht, natürlich, das haben wir auch immer gesagt, als *wir* Soldaten waren. Mach dir nichts draus, buddy, zum Glück bist du noch vernünftig geworden, und also werde ich davon absehen, beim Gouverneur Anzeige gegen dich zu erstatten«, sagte Jakob.

»Danke... danke, Sir...«

»Die Fahrräder können wir doch hier... oder wird bei euch geklaut?«

»Ich werde die Fahrräder persönlich bewachen, Mister Formann!« versprach der Texaner, der weiche Knie bekommen hatte. In diesen wirren Zeiten sollte man wissen, who is who in Germany. Da laufen ja die Ministerpräsidenten wie Müllkutscher herum!

Drei Minuten später saßen Jakob und Wenzel dann dem dicken und jovialen Gouverneur Murray D. van Wagoner in dessen Büro gegenüber. Von der Wand hinter dem Militärgouverneur lächelte General Dwight Eisenhower auf die beiden herab, als wolle er sie segnen. Van Wagoner war über Jakobs Person in der Tat bereits informiert. Es freute ihn, die Bekanntschaft eines so außergewöhnlichen Mannes zu machen, sagte er.

»Ganz meinerseits, Governor!«

»Womit kann ich Ihnen helfen, meine Herren? Ich habe den Auftrag, Ihnen zu helfen. Es wird mir ein Vergnügen sein.«

Jakob räusperte sich. »Wir sind unterwegs zum Himmler-Hof, Governor. Nach Waldtrudering.«

»Haben Sie einen Wagen?«

»Fahrräder.«

»Bei diesem Schnee? Ich gebe Ihnen einen Wagen mit Fahrer...«

»Das wäre zu umständlich, Governor. Herzlichen Dank. Wir haben nämlich sehr viel zu tun jetzt, Ihr Fahrer könnte ermüden«, sagte Jakob, während er dachte: Das letzte, was wir bei unseren Geschäften jetzt brauchen können, ist ein amerikanischer Aufpasser! »Der Himmler-Hof genügt natürlich nicht. Der reicht nur, soviel ich von Professor Donner weiß, vielleicht für zwanzigtausend Hühner...«

»Und Sie brauchen weitere Niederlassungen!«

»So ist es, Governor. Sicherlich hat Ihnen das Wien und Berlin auch schon mitgeteilt...«

»Hat es, Mister Formann. Wir haben hier eine ganze Reihe stillgelegter Betriebe, die als ehemaliges Nazieigentum von uns verwaltet werden. In der ganzen Bi-Zone. Wenn Sie sich die Liste ansehen wollen... bitte... Nach den modernen Methoden braucht man ja keine Höfe mehr für Hühnerzucht, es genügen Fabrikhallen, nicht wahr?«

»Exakt, Governor.« Jakob und Wenzel betrachteten die Liste. Es war eine lange Liste.

»Und entschuldigen Sie bitte den Zwischenfall mit dem Posten am Tor«, sagte van Wagoner.

»Schon vergessen, Governor«, sprach Wenzel, fast so fließend englisch wie Jakob. »Rein formaljuristisch gesehen war der Mann absolut im Recht!« Er starrte auf die vielen Namen der Liste. »Mensch, das ist ja die halbe deutsche Industrie!«

»Ich denke, wir wollen unser Unternehmen zunächst nicht breit streuen, sondern an zwei, drei Stellen ballen«, sagte Jakob. »Hier, dieses Panzerwerk bei Bayreuth und diese Flugzeughallen bei Frankfurt erscheinen mir ausreichend. Sie sind sehr groß. Ohne Zweifel wird noch ein Teil der ehemaligen Belegschaft aufzutreiben sein – und außerdem gibt's ja jede Menge von Flüchtlingen. Für vermehrte Kalorienzuteilung arbeitet heute jedermann liebend gerne in Deutschland.«

»Sie sind ein kluger Kopf, Mister Formann. Vergrößern können Sie sich noch immer.«

»Eben, nicht wahr?« Jakob nickte. »Bayreuth ist vom Flughafen Nürnberg aus leicht mit angebrüteten Eiern und Brutmaschinen zu beliefern, und bei Frankfurt liegt Ihr Rhein-Main-Flughafen. Besser kann man's nicht haben.«

»Okie-dokie, Mister Formann. Dann werden wir – dieser Papierkrieg! – jetzt gleich entsprechende Verträge zwischen der Army und Ihnen – verzeihen Sie: zwischen Ihnen und der Army...«

»Aber ich bitte Sie, Governor!«

»...aufsetzen. Sie inspizieren die Gelände und teilen mir mit, wann Sie so weit sind, daß die Eier kommen können. Zusätzliche Lebensmittelkarten werden meine Ortskommandanten Ihnen auf Schreiben von mir bei den deutschen Dienststellen in Waldtrudering, Bayreuth und Frankfurt anfor-

dern. Wenn sich irgendwelche Schwierigkeiten einstellen sollten, lassen
Sie es mich sofort wissen.«

»Mit Vergnügen, Sir. Zwei Bitten. Erstens: Ich möchte, daß Mister Prill
als mein Vertreter mit den gleichen Vollmachten ausgestattet wird wie ich.
Ich werde vielleicht nicht immer anwesend sein, ich habe mich jetzt um
so vieles zu kümmern, Sie verstehen?«

»Ich verstehe.«

Gott sei Dank verstehst du *nicht*, dachte Jakob und fuhr fort: »Zweitens:
Könnten wir wohl in Ihrem PX einen Wintermantel für Mister Prill und
Winterschuhe, Schals und Handschuhe für uns beide bekommen?«

»Werde ich sofort veranlassen. Donnerwetter, Mister Formann, Sie gehen
aber ran!«

»Ich habe keine Minute zu verlieren, Sir«, sagte Jakob.

35

Kinder greinten, schrien und weinten. Frauen verfluchten diese Zeit und
diese Welt, husteten und niesten in dem scheußlichen Gebäude. Die Menschen, die hier auf Jakob und Wenzel einredeten, sie beschworen, anbettel-
ten und anflehten, waren abgemagert und dick vermummt mit elendem,
altem Zeug, denn in Heinrich Himmlers einstmaligem Heim in Waldtrudering war es eiskalt. Beim Sprechen quoll allen der Atem in weißen Wolken aus den Mündern, Kindern und Frauen. Sehr junge, sehr alte sah Jakob
– keinen Mann.

Nervös fingerte er an der alten, vertrockneten Hasenpfote, dem Geschenk
seines Freundes Jesus Washington Meyer, in der rechten Hosentasche
herum. Hier kann nicht einmal mehr die Wunderpfote helfen, dachte er
verzweifelt. Verflucht, es ist einfach alles zu lange gutgegangen! So etwas
hat ja kommen müssen! Da haben wir jetzt die Bescherung.

Im obersten Stockwerk schrie eine Frau von Zeit zu Zeit gellend. Ein Arzt
war bei ihr. Sie bekam ein Kind. Ein Kind in dieser Zeit und an diesem Ort,
dachte Jakob. Armes Kind. In was für eine Welt hinein wirst du geboren!
Und wozu? Wärst du doch geblieben, wo du warst...

Jakob empfand ein jähes Gefühl des Zorns. Hätte der Kerl von dieser Frau
nicht rechtzeitig bremsen können? Es gibt Millionen Flüchtlinge, dachte
er, müssen ausgerechnet auch hier welche leben? Die Überlegung war nicht
logisch, aber Jakob war im Moment nicht fähig, logisch zu denken, und was
er dachte, entsprang, unter Umgehung des Kopfes, direkt seinem Herzen...

»Ruhe!« schrie er sehr laut, weil ihm sehr mies war. »Es genügt, wenn die
Dame hier mir die Lage erklärt! Alle auf einmal kann ich nicht verstehen!«

Die Dame, auf die er mit dem Kinn wies, war eine etwa dreißigjährige Frau, deren Haar vollkommen weiß glänzte. Wie der Schnee draußen, dachte Jakob hilflos. Der Sturm hat aufgehört. Man muß für alles dankbar sein.

»Diese Kinder, Mädchen, Frauen und Großmütter«, sagte indessen die Weißhaarige, »sind seit vielen Monaten auf der Flucht und auf dem Transport von einem Lager ins andere. Wie ich. Ich komme aus Ostpreußen. Andere Frauen auch. Dann gibt es welche aus Pommern, Mecklenburg, Thüringen, dem Sudetenland… Sie sind in vielen Lagern gewesen und immer wieder abgeschoben worden. Weil die Lager überfüllt waren. Weil sie geschlossen wurden, nachdem dort eine Epidemie ausgebrochen war. Ich brauche Ihnen nicht zu sagen, daß solche Menschen gerade zu Hunderttausenden kreuz und quer durch ganz Europa ziehen.«

»Nein«, sagte Jakob beklommen, »das brauchen sie nicht, Frau…«

»Bernau. Ich war Lehrerin. Mein Mann ist gefallen, meine beiden Kinder sind verhungert. Ich habe Glück gehabt. Ich muß nur noch für mich selber sorgen. Aber da gibt es Frauen mit fünf, sechs und mehr Angehörigen hier… Wirklich, es tut mir leid, Herr Formann.«

»Was?«

»Sie haben mir so schöne Papiere von den Amis gezeigt, daß Sie berechtigt sind, den Himmler-Hof zu übernehmen – und jetzt finden Sie *uns* vor.« Die Gebärende schrie wieder. »Natürlich werden wir den Anordnungen der Militärregierung folgen und weiterziehen. Von diesem verkommenen Hof zu einem verkommenen andern. Gott wird uns helfen.«

»Ich will mich ja nicht einmischen«, sagte Wenzel und tat es, »aber ausgerechnet auf den würde ich mich nicht so verlassen in Ihrer Situation!«

»Gott schuf diese Erde…«, begann die Lehrerin.

»Ja, ja, ja«, unterbrach sie Wenzel. »Ich hab' auch die Bibel gelesen, Frau Bernau. Gott schuf diese Erde in sieben Tagen, und siehe, er fand sehr gut, was er gemacht hatte. Vielleicht hätt' er sich aber doch ein paar Tage mehr Zeit lassen und eine weniger gute Meinung von seinem Job haben sollen… Schauen Sie mich nicht so an. Für den Mantel kann ich nichts! Den haben mir die Amis geschenkt!«

»Sie brauchen sich nicht zu entschuldigen«, sagte die Lehrerin. »Aber lästern brauchen Sie auch nicht. Haben Sie keine Angst, daß hier jemand Widerstand leistet und nicht gehen will. Von uns hat keine mehr auch nur einen Funken Kraft, Widerstand zu leisten. Es wird nur eine kleine Weile dauern, bis wir verschwunden sind.«

»Wovon leben Sie?« fragte Jakob. »Ich meine: Was essen Sie?«

»Wenig«, sagte die Lehrerin. »Das, was wir von den Bauern erbetteln, und das, was uns die Amis geben. Die Bauern geben fast nichts, weil wir nichts mehr haben , was wir ihnen geben könnten. Sie kommen aus München?«

»Ja. Mit dem Fahrrad.«

»Das ist doch mächtig weit! Und bei *dem* Wetter.«

»Ein Vergnügen war es auch nicht gerade, Frau Bernau«, sagte Wenzel. Die Gebärende schrie.

»Komm, Wenzel«, sagte Jakob. Der starrte ihn an. »Hast du nicht gehört?«

»Doch. Aber dann geht das ja nicht, was wir machen wollten.«

»Es geht auch nicht, daß wir alle diese Frauen und Kinder verjagen. Wir haben noch einen weiten Weg vor uns, wir werden übernachten müssen irgendwo.«

»Wo willst du hin?«

»Zum Tegernsee.«

»Herrjeses!« Wenzel fuhr zurück. »Der Mann hat den Verstand verloren! Tegernsee? Weißt du, wo das ist?« Jakob nickte freundlich. »Aber warum willst du dahin?«

»Das sage ich dir nachher«, erwiderte Jakob. Es war plötzlich sehr still in dem scheußlichen Gebäude. Dann entstand ein Raunen, ein Rufen, frohes Gelächter. Eine der Frauen sagte der nächsten etwas. Zuletzt hatte es Frau Bernau gehört. Die lächelte.

»Mir ist was eingefallen«, sagte Jakob indessen zu Wenzel. »Weißt du, ich habe ein Gedächtnis wie ein Elefant. Und während dieser Rederei habe ich mich an etwas erinnert... Warum lächeln Sie, Frau Bernau?«

»Die Schwangere oben...«

»Was ist mit ihr?«

»Sie hat ein Mädchen zur Welt gebracht, eben. Das Kind braucht nie Soldat zu werden. Ist das nicht wunderbar?«

»Ist das nicht *was?*« fragte Jakob.

»Sei ruhig«, sagte Wenzel. »Unsere herzlichsten Glückwünsche der Mutter und Ihnen allen hier. Ich hoffe, Sie hören bald wieder von uns. Und Gutes! Auf Wiedersehen, Frau Bernau.«

»Auf Wiedersehen, meine Herren. Und Gott segne Sie!«

»Ja«, murmelte Jakob, der schon die Haustür aufmachte und in den Schnee hinausstapfte, »wäre schön, wenn Gott das jetzt tun würde.«

Auf der Straße blieb er plötzlich stehen und schüttelte den Kopf. »Was hast du?« fragte Wenzel.

»Glücklich«, sagte Jakob. »Hast du das gehört? Die sind alle so glücklich da drinnen, weil ein Kind geboren worden ist. Jetzt und hier. Glücklich! Mensch, man ist doch nicht schon deshalb glücklich, weil man nicht vergast worden ist wie Frau Kohn!«

»Du siehst das falsch, Jakob. Paß mal auf: In unserem ganzen Denken ist ein Fehler drin, aber der ist grundsätzlich: Die Menschen leben nicht nach der Ratio...«

»Nach der wie bitte?«

»Nach der Ratio. Weißt natürlich nicht, was Ratio heißt.«

»Nicht frech werden, Klugscheißer. Schließlich bin ich ja nicht in der Baumschule gewesen. Ratio heißt...«

»Ratio heißt Vernunft. Wir Menschen leben nicht nach der Vernunft, nicht so, wie wir wirklich glücklich sein könnten, ohne Kriege und Elend und all das. Und ich will dir mal sagen, was ich glaube.«

»Na was denn?«

»Ich glaube, tief in uns drin da ist etwas, das macht, daß wir gar nicht wirklich glücklich sein wollen! Beim Barras habe ich einen Koch gekannt, der hat es später bis zum Jagdschein gebracht, bis zum Paragraphen einundfünfzig, ein toller Kerl, der hat immer gesagt: Glück ist überhaupt nur kommunistische Propaganda!«

»Ja, so was fällt nicht jedem ein«, sagte Jakob und schwang sich aufs Rad. »Los, vorwärts, zum Tegernsee! Mit den Rädern ist das ein Klacks!«

»Verflucht, aber was willst du am Tegernsee?«

»Sehen, ob's die noch gibt.«

»Wen?«

»Die Nibelungentreue«, sagte Jakob und strampelte schon los.

36

»Na also, er hat uns gesegnet, der liebe Gott«, sagte Jakob spät an diesem Abend zu Wenzel. Sie lagen unter ein paar Pferdedecken, die sie gestohlen hatten, im Heu eines Schobers, dessen Tor sie aufgebrochen hatten, und ein jeder von ihnen aß einen Kanten Brot und ein großes Stück Wurst dazu. Brot und Wurst waren auf die gleiche Weise in ihren Besitz gekommen wie die Pferdedecken. Sie waren am Tegernsee gewesen. Den Rückweg nach München schafften sie nicht mehr. »Bist du sehr müde?«

»Ach wo«, sagte Wenzel mit mildem Sarkasmus, »nur die Füß' tun mir e bissl weh.«

»Du mußt eben regelmäßig Freiübungen machen wie ich«, sagte Jakob, an dem jede Art von Sarkasmus verschwendet war. »Ich fühl' mich ganz frisch.«

»Das freut mich aber, Jakob.«

»Schon gut, Wenzel.«

»Also, jetzt weißt du, daß es die ›Nibelungentreue‹ noch gibt. Zufrieden?«

»Sehr.«

»Wieso sehr? In dem Kasten sitzen doch ein Haufen Kerle drin, hast du selber gesehen! Auch ein Name für so ein Schlößchen – ›Nibelungentreue‹!«

»Weil du nicht weißt, daß der ehemalige Besitzer dieses Gehöfts der Herr Reichshauptstellenleiter Baldur Niemcewicz gewesen ist.«

» Wie heißt der Kerl?«

»Baldur Niemcewicz.«

»Ach so. Ja, já. Uraltes Germanengeschlecht.«

»Eben. So ein Name verpflichtet. Wenzel! Ich hab' dir doch gesagt, ich hab' ein Gedächtnis wie ein Elefant. In irgend so einer Nazizeitschrift im Krieg war diese ›Nibelungentreue‹ einmal abgebildet. Innen und außen. Mensch, innen hättest du das sehen müssen! Was der Niemcewicz sich da zusammengeklaut hat an Gobelins und Gemälden und Möbeln! So was hatte zu repräsentieren, Wenzel, kapier es endlich. Ein Reichshauptstellenleiter, das war nicht so ein Dreck, wie du und ich es sind, der hat was darstellen und Kultur zeigen müssen und Penunse haben natürlich!«

»Vielleicht auch Schmuck, hä?« murmelte Wenzel in tragischer Erinnerung an die Repetieruhr aus Gold, die ihm gestohlen worden war, von einem Ganoven und von einem Richter.

»Da kannst du Gift drauf nehmen, Wenzel, daß der Reichshauptstellenleiter sich auch mit Schmuck eingedeckt hat. Den hat er natürlich mitgenommen, wie er dann abgehauen ist. Das andere Zeug vermutlich nicht. Das war ihm zu groß und sperrig.«

»Wo der jetzt wohl sein mag?«

»Südamerika, Argentinien, schätze ich. Da sind die meisten hin, als das Dritte Reich hopsgegangen ist – wenn sie noch konnten.«

»Mensch, der Baldur Niemcewicz hat vielleicht ein Massel gehabt! Unsereins...« Wenzel begann plötzlich unflätig zu fluchen.

»Warum fluchst du so unflätig, Wenzel?« forschte Jakob, nachdem er dem anderen Zeit gelassen hatte.

»Wär' ich bloß bei meinem Kaffeehandel geblieben! Aber nein, ich Trottel muß mich ja mit dir zusammenschmeißen, weil du so riesenhafte Pläne hast und so feine Papiere von den Amis!«

»Du sollst nicht so reden, Wenzel«, sagte Jakob, in den Zähnen bohrend, wo sich ein Stück Wurst verklemmt hatte. »Wenn du mit mir arbeitest, mußt du dir jede Menge Ausdauer anschaffen und dich nicht gleich vom ersten Fehlschlag umschmeißen lassen. Schau, ein Beispiel: Beim Barras, da hab' ich auch einmal versucht, den Simulanten zu spielen, damit ich aus dem größten Dreck raus und in ein Lazarett komme.«

»Ja und?«

»Ich hab' mir gedacht, am schwersten nachzuweisen ist es, ob du nicht vielleicht ein bissel deppert bist, ich meine, ob du nicht einen Schock oder so was gekriegt hast und man dich deshalb nicht andauernd mit einer Alarmkompanie losjagen kann, immer in die dickste Scheiße. Da habe ich also den Verrückten gespielt.«

»Wie?«

»Ich hab' gesagt, ich bin schwerkrank und muß ununterbrochen Fieber messen. Besonders wenn ich Wache gehabt habe! Und ich habe gesagt, ich kann nicht grüßen, weil mehrere Thermometer unter meinen beiden Armen klemmen.«

»Was heißt mehrere?«

»Wie sie dann endlich meine Sachen durchsucht haben, haben sie zweiunddreißig Thermometer gefunden. In einem Lazarett hab' ich mal eine größere Ladung mitgehen lassen, verstehst du?«

»Verstehe. Und?«

»Na ja, und zuletzt ist es ihnen zu blöd geworden, und sie haben mich zu einem Nervenarzt geschickt, damit der mich untersucht. Der Idiotendoktor hat mich natürlich in zwei Minuten durchschaut gehabt und kv. geschrieben, und vier Tage später war ich wieder bei einer Alarmkompanie, aber dieser Klapsmühlenheini, der hat etwas gesagt, was ich nie vergessen habe.«

»Was?«

»Er hat gesagt, daß zuletzt nur der durchkommt, der am meisten aushalten und die meisten Niederlagen einstecken kann – und nicht der, der immer wieder bloß Siege erringt! Das hat mir sehr großen Eindruck gemacht. Laß den Kopf nicht hängen, Wenzel. Es geht schon alles seinen guten Weg. Du wirst an meine Worte denken. Ich sag' dir: Wir werden noch einmal beide ganz, ganz reiche Leute!«

»Scheiß mit Reis«, sagte Wenzel. »Wir hatten schon recht, als wir den Stanke, den Blödmann, so verdroschen haben, daß er für vierzehn Tage ins Lazarett hat gemußt, damit sie ihn wieder zusammenflicken.«

»Was war denn mit dem Stanke, Wenzel?«

»Der war in meiner Kompanie, ein Studienrat, der hat's mit dem Leibniz gehabt und uns immer so Sprüche aufgesagt, besonders wenn ein russischer Angriff gerade vor der Tür stand.«

»Was hat er euch denn für Sprüche aufgesagt?«

»Na, von Leibniz«, sagte Wenzel. »Weißt du nicht mal, wer Leibniz war?«

»Der die Kekse erfunden hat?«

Wenzel lachte auf. »Nicht ganz, Jakob. Ich meine den berühmten deutschen Philosophen. Den hat der Stanke immer zitiert, und sein Lieblingszitat hat geheißen: ›Unsere Welt ist die beste aller möglichen Welten‹.«

»Ja«, sagte Jakob sinnend, »so was gibt's häufiger, als man denkt, Wenzel. Ich erinnere mich an ein Arschloch im Gefangenenlager, zu dem sind viele hingegangen, weil es geheißen hat, daß er Trost spenden und alles erklären kann. Ich bin natürlich nie hingegangen, aber die Kameraden haben es mir erzählt. Sie haben ihn gebeten, ihnen zu erklären, warum das Elend und das Böse diese Welt so überschwemmen und wir so in der Scheiße sitzen. Und da hat dieser Kerl geantwortet, daß in unserer Welt alles seine Ordnung hat und gesetzmäßig ist und zum besten bestellt. Aber er hat keinen großen Erfolg gehabt, denn die Krüppel und die mit Hungerödemen und die, die der Krieg im Kopf ganz ruiniert hat, und die mit Skorbut, denen schon alle Zähne ausgefallen sind, haben ihm nicht geglaubt.«

37

»Jake! Mein Gott, Jake, wie ich mich freue, dich wiederzusehen!« Mit ausgestreckten Armen kam der Chef der Kulturabteilung der US Army Europe, Generalmajor Peter Milhouse Hobson, quer durch sein riesiges Büro auf Jakob Formann zu. Bevor Jakob es verhindern konnte, hatte ihn Hobson bereits an die Brust gedrückt und auf beide Wangen geküßt. Mit der neuen Uniform und den neuen Rangabzeichen sieht er noch vertrotterter aus, als er in Hörsching auf dem Fliegerhorst ausgesehen hat, dachte Jakob Formann selig, und er schlug Hobson krachend auf die Schulter.

»Ich freue mich auch, Peter«, sagte Jakob. Im nächsten Moment durchfuhr ihn eisiger Schrecken: Er sah, außer Wänden, die mit Theaterspielplänen beklebt waren, an einer Wand ein Bücherregal. In dem Regal standen dick, breit und in herrlichstes Leder gebunden, Bücher. Jakob sah genauer hin. Gesammelte Werke. Goldprägung. Shakespeare, Byron, Dickens…

Jakobs Blick umflorte sich, er konnte nichts mehr erkennen. Entsetzlich, dachte er bebend, der Chef der Kulturabteilung, dieser liebe Trottel, liest. *Kann* lesen! Ich bin verloren. Was ich vorhabe, funktioniert nie. Achgottachgottachgott…

»Setz dich, Jake, setz dich doch. Zigarette? Zigarre? Whiskey?«

»Ziga-garre und eine Co-coke, wenn's recht ist, Peter.« Ich werde verrückt! *Goethe!* Ein ganzes Bord voll. Alles verloren…

»Na, aber ich genehmige mir einen kleinen. Die Wiedersehensfreude, Jake, die Wiedersehensfreude!«

»Ja-ha…«

Hobson zog drei Bände Shakespeare aus dem Regal. Jakob stand das Herz still. Will der mir jetzt ›Romeo und Julia‹ vorlesen? dachte er verzweifelt. Der Generalmajor stellte die drei Bände Shakespeare auf ein Bord. Jakob mußte die Augen schließen vor Erleichterung. Das waren ja gar keine Bücher! Das waren Attrappen! Die drei Bände Shakespeare verdeckten zwei Flaschen VAT 69. Coca-Cola gab es im Byron. Und hinter Goethe war ein veritabler niedriger Eisschrank versteckt! Der Generalmajor mixte die Drinks. Er strahlte. »Prima, wie?«

»Pri-pri-prima, Peter.«

»Geschenk vom Hauptquartier, als ich herkam. Aufmerksam, was?«

»Se-sehr aufmerksam. Gib mir ruhig auch einen Schuß Shakespeare in die Coke, Peter!«

»Here you are… Was machst du in Heidelberg, Jake?« lärmte Hobson. »Wie bist du hergekommen?«

»Ach, das war ganz einfach, Peter. Danke sehr, ich schneide sie mir selber ab. Zuerst habe ich einen Güterwagenplatz erobert und bin nach Nürnberg gefahren. Kein Eis, bitte. Von Nürnberg dann in einem anderen Güterwagen bis Würzburg. Dort haben sie mich vier Tage lang eingesperrt…«

»Warum, um Himmels willen, Jake?«

»Großrazzia auf entsprungene SS-Männer.«

»Aber du bist doch nie SS-Mann gewesen!«

»Du weißt das und ich weiß es, Peter, aber mach das mal diesen Leuten klar!«

»Diese Idioten! Du hast doch amerikanische Papiere von höchster Stelle! General Clark, General Clay! Ja, da staunst du, daß ich das weiß, was? Ich verfolge deine Karriere aus der Ferne! Hahaha!«

»Hahaha! Die MPs haben gesagt, so mies gefälschte Papiere hätten sie noch nie gesehen.«

»Goddamnit, die hätten doch bloß Clark und Clay anzurufen brauchen!«

»Haben sie auch getan, Peter. Sind aber eben erst nach zwei Tagen daraufgekommen, daß das das einfachste ist. Und dann hat's noch zwei Tage gedauert, bis sie telefonisch durchkamen!«

»Diese Armleuchter! Nenn mir Namen, Jake, ich werde durchgreifen! Rücksichtslos!«

»Ach, Peter! Schwachköpfe gibt's überall. Deshalb bin ich ja auch zu dir gekommen.« Hobson nickte eifrig. »Weil sich da unten in Bayern ein paar Idioten ein Ding geleistet haben, das zum Himmel stinkt. Nur du kannst das in Ordnung bringen!«

»Was haben diese Idioten in Bayern denn angestellt?« Hobson begann vor Aufregung und Freude darüber, daß Jakob nur ihm so etwas zutraute, wieder im Zimmer hin und her zu rennen, wie seinerzeit im Tower des Fliegerhorsts Hörsching bei Linz.

»Von Würzburg an bin ich dann einen ganzen Tag getippelt«, plauderte Jakob verträumt, »und dann hab' ich wunde Füße gehabt und mich an den Straßenrand gestellt und so mit dem Daumen gewinkt, und nach ein paar Stunden schon hat ein Laster gehalten, der ist aber nach Frankfurt gefahren, und so habe ich in Frankfurt einen anderen Güterwaggon erobert und bin bis Wiesbaden gekommen, und dann hat mich ein Schieber in seinem Chevrolet über die Autobahn bis hierher gebracht.«

»Was die Idioten in Bayern angestellt haben...«

»Hör zu, Peter, wenn du nicht sofort etwas unternimmst, wird man dich sehr bald zur Verantwortung ziehen.«

»Zur Verantwortung?« Hobson erbleichte und hielt sich an dem gesammelten Thackeray-Gin fest. »Wo... wofür denn?«

Jakob sog ernst an seiner Zigarre und ließ den Rauch durch die Nase quirlen. Dann nahm er einen Schluck stark mit Whiskey versetztes Coca-Cola zu sich. Schließlich sagte er sorgenvoll: »Du bist doch auch verantwortlich für historisch wichtige Stätten, Peter, wie?«

»Ich bin für alles Kulturelle verantwortlich... auch für historisch wichtige Stätten... Warum?... Was ist denn?«

»Etwas Unwiederbringliches, ein nicht mehr gutzumachender Verlust eines historischen Gebäudes steht zu erwarten«, sagte Jakob hart. Manchmal muß man hart sein.

»Unwieder... Jesus Christ, wovon redest du, Jake?« Hobsons Hand, die bei Thackeray Halt gesucht hatte, glitt bebend über alle möglichen Gesammelten Werke und krallte sich endlich um die von Schiller. Die Attrappen schwankten wie im Sturm. Aber der Schiller-Likör hielt stand.

»Ich rede von dem Gebäude in Waldtrudering, in dem Heinrich Himmler einst seine Versuche gemacht hat, deutsche Überhühner zu züchten. Du weißt natürlich von diesem Gebäude?«

»Von... Ich... Natürlich weiß ich von diesem Gebäude! Was ist mit dem, Jake?«

Natürlich hast du keine Ahnung, du Trottel, lieber, kleiner, dachte Jakob, da kann ich ganz beruhigt sein mit noch ein wenig mehr Verwegenheit (Chuzpe würde mein Freund Mojshe Faynberg das nennen. Wo der jetzt wohl ist und was er macht? Und seine Kameraden? Und... und... der *Hase!*). Keine Zeit, sentimental zu werden, dachte Jakob, doch ein wenig erschüttert durch die Erinnerung an Julia, den so sanften Hasen, und fuhr markig fort: »Das Gebäude, der ganze Himmler-Hof, steht unter Denkmalschutz und darf nicht beschädigt werden!« Dieser völlig frei erfundenen Behauptung fügte Jakob sicherheitshalber hinzu: »Sagte mir General Clark. Darum sollte ich ihn ja auch übernehmen – nicht den General Clark, den Himmler-Hof – und dafür verantwortlich sein, daß da alles erhalten bleibt.« (So was hat Clark nie gesagt, aber ich sage es, und der Trottel glaubt es, und ab diesem Augenblick steht der Himmler-Hof unter Denkmalschutz!) »Damit zukünftige Generationen, aber zunächst die Lebenden im Zuge der Re-education diese Stätte der Teufelei besichtigen können.«

»Wieso Stätte der Teufelei...« Und wenn sie mir den Generalmajor wieder wegnehmen, weil ich von nichts eine Ahnung habe? dachte Hobson in Panikstimmung. Diese verfluchten Hunde! Alle wollen sie meinen Posten!

»Stätte der Teufelei, Peter, meine ich so: Du weißt doch von Himmlers Rassenwahn. Vom deutschen Übermenschen, den er züchten wollte auf diesen ›Lebensborn‹-Farmen, auf denen ausgesuchte blonde SS-Männer mit ausgesuchten deutschen blonden Mädchen – ich brauche nicht weiterzusprechen.«

»Nei-nein...«

»Darum der Denkmalschutz, Peter! Hier zeigt sich die diabolische Parallele: Deutsche Überhühner – deutsche Übermenschen!«

»Verstehe...«

»Und nun stell dir vor: Der Hof ist gerammelt voll mit Flüchtlingen, die natürlich in kürzester Zeit alles demolieren werden.«

»Augenblicklich gebe ich Befehl, daß dieser Hof zu räumen ist!«

»Aber das wäre unmenschlich, Peter.«

»Wieso, Jake?«

»Es sind nur Mädchen und Kinder und Frauen und Großmütter da, kein einziger Mann! Keine Kohlen! Die Kälte! Kaum etwas zu essen! Nein, nein«, sagte Jakob, die Beine von sich streckend und wieder an der Zigarre ziehend, »so geht das nicht, Peter! *So* nicht! Wir sind ja schließlich keine Faschisten, nicht wahr? Dieses Quartier des Satans muß für künftige Generationen erhalten bleiben – zur Mahnung und Belehrung. Eine Unterbringung von Menschen, und noch dazu von so vielen, wäre das Ende. Eine Unterbringung von *Hühnern* – unter meiner beständigen Aufsicht, versteht sich – hingegen bedeutete die Gewißheit, daß alles erhalten und nichts beschädigt wird. Im Gegenteil, dieser historisch wichtige Bau wird sorgsam konserviert.«

»Ja, aber du sagst doch selber, daß man Frauen und Kinder nicht rausschmeißen kann, ohne so barbarisch zu handeln, wie die Nazis gehandelt haben.«

»Sage ich ja, Peter.« Zug aus der Zigarre.

»Was soll ich aber dann um Himmels willen unternehmen?«

Jakob beugte sich vor, streifte die Aschenkrone von seiner Zigarre und erläuterte dem Generalmajor Peter Milhouse Hobson, was dieser unternehmen sollte.

38

Am 14. Januar 1947, er kam traurig und kalt, fuhr eine große olivfarbene Limousine des Hauptquartiers der US-Streitkräfte in Heidelberg in den Hof des Gutes NIBELUNGENTREUE am Tegernsee ein. Der Limousine entstiegen ein Generalmajor und zwei magere Zivilisten, von denen der eine unter einem krachneuen Mantel schreiend bunte PX-Kleidung trug, der andere, kleinere, unter einem ebenfalls krachneuen Mantel einen alten Anzug, der an seinem Körper schlotterte.

Ein Weapons-Carrier war der Limousine gefolgt und stoppte nun gleichfalls. Sechs amerikanische MPs sprangen in den Schnee. Derartiges Treiben weckte die Neugier der Herren, die in dem großen, protzigen Hauptgebäude wohnten. Sie sahen durch die Fenster des Erdgeschosses, und noch ehe Jakob an der Haustür hätte klingeln können, wurde diese schon von einem blonden Jüngling aufgerissen, der Haltung annahm, während er, an Jakob gewandt, sagte: »Guten Tag, meine Herren, Sie wünschen?«

»Wir möchten den Hausherrn sprechen«, sagte Jakob freundlich. Hinter dem ersten blonden Jüngling waren zwei weitere aufgetaucht, gleichfalls blond, bildschön und stramm.

»Selbstverständlich«, antwortete der Knabe im lockigen Haar bei der Tür, immer noch in tadellos militärischer Haltung. »Wen darf ich Herrn von Herresheim melden?«

»Sie können... Das machen wir schon selber«, sagte Jakob, schob den Jüngling beiseite und schritt, gefolgt von seinen Freunden, ins Haus.

»Oh«, jammerte der Knabe, »jetzt haben Sie mir aber weh getan! Warum sind Sie so böse zu mir?« Dann lachte er schelmisch und rief seinen beiden seidenweichen Freunden zu: »Nehmt euch in acht, das ist ein ganz Wilder!«

Die beiden Knaben kicherten, als Jakob an ihnen vorüberschritt. Der aber dachte: Aha, das sind also wohl die Nibelungen.

Aus einer sehr großen holzgetäfelten Halle trat ein Hüne von Mann, sehr gut gekleidet, sehr gut genährt, mit unmutig gehobenen Augenbrauen.

»What's going on here?« erkundigte er sich in akzentfreiem Englisch.

»Herr von Herresheim, wenn ich nicht irre«, sagte Jakob. Wenzel hatte sich, während Jakob in Heidelberg war, informiert.

»Der bin ich. Und Sie?«

»Jakob Formann.«

»Nie gehört.«

»Jetzt wissen Sie's.«

»Wenn Sie mir hier frech kommen, Sie Lümmel... good afternoon, Major General, Sir... dann können Sie was erleben!« Jakob und die anderen sahen in der großen Halle zahlreiche weitere vollgefressene und gutgekleidete Herren sowie einen vierten blonden Jüngling, der strammstand. Von den vollgefressenen Herren waren die meisten betrunken, drei schliefen auf schönen Diwans.

Die Unterhaltung lief englisch weiter.

»Kann ich *was* erleben?« erkundigte sich Jakob.

»Das werden Sie schon sehen! Bitte, setzen Sie sich, Major General, setzen Sie sich doch, um Himmels willen!« Hobson blieb stehen. »Was ist denn los hier?« staunte Herr von Herresheim. »Ist etwas geschehen? Das müßte ich doch wissen! Der Kommandeur des Amerikanischen Hauptquartiers für Bayern in Bad Tölz hätte mich sofort verständigt. Schließlich bin ich sein engster Mitarbeiter auf deutscher Seite. Der tut nichts, ohne sich mit mir zu beraten...«

»Ja, ja«, sagte Jakob. Er sah sich in der Halle mit den herrlichen barocken Möbeln, echten Teppichen und Gobelins, kristallenen Lüstern und kostbaren Gemälden um. »Hübsch haben Sie's hier, Herr Wehrwirtschaftsführer, sehr hübsch! Sie sind ein kultivierter Mensch. Sieht man sofort. Ihre Saufbrüder und die süßen Knaben... wie im alten Rom! Und gebildet sind Sie! Sie sprechen vier Sprachen, habe ich gehört!«

»Fünf!« Herr von Herresheim straffte sich. »Und wer sind Sie, und wer ist der kleine Mickrige? Dolmetscher? Brauche ich nicht! Kann mich mit dem Major General direkt unterhalten. Und die MPs dürfen gefälligst draußen warten. Die trampeln mir ja den ganzen Schneedreck auf die Teppiche.«

»Die MPs bleiben hier«, sagte Major General Hobson mit erhobener Stimme. Wieder einmal war seine Stunde gekommen.

»Warum?«

»Um Sie und Ihre Freunde abzuholen.«

»Mit welchem Recht?«

»Wir haben in den Fahndungslisten nachgesehen.« Hobsons Augen glänzten. Er warf Jakob einen dankbaren Blick zu.

Jakob brüllte deutsch: »Ortsgruppenleiter Steininger!«

Einer der Männer, die sanft geschlafen hatten, fuhr hoch, stolperte über die eigenen Beine und stand dann zitternd stramm.

»Hier!«

»Ortsgruppenleiter Wieser!« brüllte Jakob.

Ein zweiter Mann sprang auf. Er jammerte: »Ich habe stets nur meine Pflicht getan... nur meine Pflicht!«

»Ortsgruppenleiter Falter!« brüllte Wenzel.

Ein weiterer Trunkenbold erhob sich mühsam.

»Na, Väterchen?« sagte Jakob.

»Einen Moment, ja?« Herr von Herresheim hatte sich erholt. »Sie haben sich hier gründlich geirrt, äh... Wie war der Name?«

»Formann.«

»Ach was. Mit Ihnen spreche ich doch überhaupt nicht, Sie... Sie Kreatur! Und mit dieser halben Portion neben Ihnen auch nicht! Halten Sie's Maul, Mann, oder ich lasse _Sie_ verhaften! Nun hören Sie einmal gut zu, Major General, Sir. Bevor Sie den Fehler Ihres Lebens begehen und sich Ihre Karriere versauen...«

»Karriere versauen...« Hobson wurde schon wieder unsicher. Flehentlich blickte er zu Jakob, als wollte er sagen: In was hast du mich da hineingeritten?

»Jawohl, Karriere versauen, Sir!«

»Hören Sie mal, Herresheim...«

»Sie halten das Maul, oder Sie kriegen einen Tritt in den Hintern, daß Sie bis Bad Tölz fliegen!«

Die blonden Knaben kicherten. Das Wort ›Hintern‹ hatte vollauf genügt, sie zu erheitern. Sie waren leicht zu erheitern.

Herr von Herresheim legte sprachgewaltig in fließendem Englisch los: »Sie wissen nicht, wer vor Ihnen steht, Major General! Sie meinen vielleicht, es hat in Deutschland keinen Widerstand gegen die Hitler-Verbrecher gegeben, wie? Nur Yes-men, was? Haben Sie eine Ahnung, wie viele mutige Männer im Dunkeln gegen Hitler gearbeitet haben, gegen diese Bestie, gegen diesen Mörder...«

»Ich glaube, _Sie_ werden gleich einen Tritt in den Hintern kriegen«, sagte Wenzel.

Der von Herresheim begann zu toben.

»Was erlauben Sie sich, Sie Kommunist, Sie Verbrecher!«

»Kommunist... Verbrecher...« Hobson bewegte verloren die Beine hin und her. Ei weh, dachte Jakob. Wenn dieser alte Nazi so weitermacht, kippt mir mein Freund Hobson um. Der ist doch so dämlich, daß er sich von allem und jedem beeinflussen läßt. Der glaubt in einer Viertelstunde dem Drecks-Nazi und nicht mehr mir!

Dennoch durchströmte ihn ein angenehmes, warmes Gefühl. Ein anderer Mann hätte Blut und Wasser geschwitzt bei diesem Unternehmen ›Nibelungentreue‹ – nicht so Jakob Formann. Er hat niemals, auch nicht in weit gefährlicheren Situationen, Blut und Wasser geschwitzt wie normale Menschen, obwohl es ihm von nun an bestimmt war, immer wieder gleichsam über einen eben noch fußbreiten Grat vorwärtszuschreiten, rechts und links gähnende Abgründe. Immer wieder ist er denn auch mal abgerutscht, manchmal gefallen. Jeder andere wäre zerschmettert liegengeblieben. Nicht so Jakob. Er hat sich stets im letzten Augenblick gefangen. Das erwähnte selig-wärmende Gefühl hat er noch oft in solchen Momenten empfunden. Schlimmstenfalls schüttelte er sich wie ein Hund und kletterte sodann frohgemut wieder empor zum Licht, hinauf zu seinem messerrückenscharfen Grat...

Indessen hatte der von Herresheim weiter auf den armen Hobson eingeredet – in akzentfreiem Englisch. Erschüttert über die eigene Größe beteuerte er, schon während des Krieges für die Alliierten gearbeitet zu haben. »Vorräte habe ich angelegt, unter akuter Lebensgefahr, für den großen Tag der Erhebung gegen Hitler! Die mir erteilten Befehle habe ich nicht nur nicht befolgt, sondern ich habe sie – immer unter Todesgefahr, Sie wissen ja nicht, Sie können sich ja nicht vorstellen, wie das zuging in diesem Verbrecherstaat! – ich habe diese Befehle sabotiert! Meine Fabriken im Warthegau haben nicht funktioniert! Ich habe mein Soll nicht an Berlin geliefert! Ich habe mit den Polen gemeinsame Sache gemacht...«

Hobson sah zum Erbarmen aus.

»Gemeinsame Sache gemacht!« Jakob lachte heiser. »Ausgebeutet bis zum Krepieren haben Sie die Polen! Die Produktion haben Sie – jedenfalls zum Teil – versteckt und gehortet, um nach dem Zusammenbruch damit Ihre dreckigen Geschäfte machen zu können!«

»Mann, noch ein Wort, und ich bringe Sie ins...!« schrie der Wehrwirtschaftsführer, deutsch diesmal.

»Sehen Sie, da ist er schon wieder, der gute alte Ton.« Jakob wandte sich an Hobson. »Glaub diesem Mistkerl nicht, Peter, um Himmels willen!«

»Ja, aber... aber der Kommandant in Tölz hat ihm doch vertraut!«

»Stimmt«, ließ sich jetzt der ›mickrige‹ Freund Wenzel vernehmen, »dem hat dieser Herresheim Dokumente, Bestätigungen von Geretteten, Dankschreiben vorgelegt...«

»Die samt und sonders gefälscht waren!« setzte Jakob hinzu.

»Ich bringe Sie...«

»Jajaja, das haben Sie schon mal gesagt. Ich habe euren Dreckskrieg mitmachen müssen. Der Major General nicht! Ich kenne euch Brüder! Der Major General und der Kommandant in Bad Tölz, die kennen euch nicht! Sie können Englisch und Französisch! *Das* ist Ihre Stärke! *Deshalb* hat der Kommandant in Tölz Sie hierhergesetzt!« Immer wohliger und wärmer wurde es Jakob. »Weil Sie ihm eingeredet haben, Sie sind ein *Wirtschaftsfachmann*, und Sie werden alles tun, um in Bayern die Wirtschaft anzukurbeln – so war's doch!«

»Genau so! Und ich schufte und plage mich Tag und Nacht!« tobte der von Herresheim. »Ich komme kaum zum Schlafen! Meine Gesundheit geht vor die Hunde! Und das alles, damit das Vaterland neu erstehe!«

»Genauso habe ich mir das vorgestellt, Sie Schuft...«

»Haben Sie Schuft gesagt?«

»Habe ich gesagt, ja!«

»Major General, ich, der ich für Ihre Army arbeite, bitte Sie, mich gegen die Infamie dieser Kreatur in Schutz zu nehmen!«

»Halt's Maul, du Scheißkerl!«

»Jake, vielleicht sollten wir... vielleicht hast du dich geirrt... und Mister Herresheim ist wirklich ein Widerstandskämpfer...«

»Ich irre mich nicht! Widerstandskämpfer! Peter, ich beschwöre dich: Hör auf mich, sonst bist du deine Stellung los! Was glaubst du, was passiert, wenn ich mit General Clay rede...«

»O Gott, ist das alles furchtbar! Wär' ich doch in Heidelberg geblieben...«

»...und ihm von dem Drecksack hier berichte und von den lieben Ortsgruppenleitern und den Bubis, die er sich hergeholt hat, um eine schöne warme Gesellschaft zu haben...« Jakob schrie jetzt, denn er sah, daß nicht nur Hobson, sondern auch die MPs unsicher geworden waren. »...und um sich vollzufressen und vollzusaufen und die ganze Army lächerlich zu machen!« (Jetzt ist mir herrlich warm!)

»Haben Sie General Clay gesagt?« fragte der von Herresheim, plötzlich sehr bleich.

»Habe ich, ja. Das ist ein Freund von mir. General Clark auch. Governor van Wagoner auch!«

»Der auch...« Wehrwirtschaftsführer von Herresheim mußte sich gegen die Wand lehnen. Er atmete schwer. Na also, du Hund, dachte Jakob. Der von Herresheim sagte zu Hobson: »Erlauben Sie, daß ich zwei Minuten unter vier Augen mit diesem... Herrn rede, Major General? Das Ganze scheint mir in der Tat ein gewaltiges Mißverständnis zu sein, an dem dieser... Herr... hrm... allerdings wohl... unschuldig ist.«

»Reden Sie... reden Sie mit ihm... mein Gott, wir sind doch übers Meer gekommen, damit hier endlich wieder Gerechtigkeit herrscht...«, stammelte der unglückliche Peter Milhouse Hobson.

39

»Zwanzig Ballen französische Seide, Herr Formann. Garantiert echt. Direkt aus Lyon…«, flüsterte der von Herresheim. Er stand vor Jakob in einem Zimmer, das an die Halle grenzte, und jetzt blinzelte er vertraulich. »Wir sind doch beide deutsche Menschen, wie? Müssen uns doch gegen diese Kaffern schützen, was? Die zwanzig Ballen sind für Sie!«

»Ist das alles, Herresheim?« fragte Jakob verächtlich.

»Warten Sie! Auch noch ein herrlicher russischer Zobel gehört Ihnen, wenn Sie jetzt bloß den Mund halten und wieder verschwinden…«

»Für ein bißchen Seide und einen Zobel… Finden Sie das nicht selber reichlich dünn, Herresheim?«

»Herrgott, nehmen Sie doch Vernunft an! Haben Sie Mitleid!«

»Wann haben Sie denn mal Mitleid gehabt, Sie Schwein?«

»Den ›Blauen Turm von Westkapelle‹ kriegen Sie auch noch!«

»Was für einen Turm?«

»Den blauen! Von Piet Mondrian! Dem großen holländischen Maler! Müssen Sie doch kennen!«

»Klar kenne ich den«, sagte Jakob. Klar kannte er ihn nicht. »Wenn Sie glauben, daß Sie mich damit bestechen können…«

»Himmel, ich gebe Ihnen mein Letztes! Eine vom Führer persönlich unterschriebene Verleihungsurkunde für das Ritterkreuz des Kriegsverdienstkreuzes mit Schwertern…!«

»Was soll ich denn mit *dem* Appelsinenorden?«

»Da ist kein Name eingesetzt! Aufheben sollen Sie die Urkunde für später, wenn alles wiederkommt! Dann können Sie da Ihren eigenen Namen einsetzen und…«

»Das ist ja 'n tolles Ding!«

»Nicht wahr? Also seien Sie vernünftig und lassen Sie uns hier in Ruhe!«

»Nein.«

»Sie haben immer noch nicht genug?«

»Was gibt's noch, Herresheim? Wie ist das mit den Vorräten? Haben Sie die wirklich beiseite geschafft?« Jakob hatte plötzlich einen ganz anderen Ton angeschlagen. Der von Herresheim merkte es sehr wohl.

»Natürlich!«

»Was?«

»Lebensmittel…«

»Wo?«

»Kennen Sie den Wallberg?«

»Nein.«

»Der geht da gleich im Süden hoch. Daneben der Setzberg. Verbunden durch eine flache Senke. Dort steht eine Alm, ganz allein und verlassen. Aber gesichert! Dort habe ich…«

»Wann kann ich das Zeug runterholen?«

»Sie wollen mir alles… wirklich alles…?«

»Natürlich.«

»Sie elen… verzeihen Sie, Herr Formann! Wie Sie wollen. Es ist aber verflucht steil da hinauf. Und hinunter.«

»Das lassen Sie nur meine Sorge sein. Wann können wir da rauf?«

»Wann Sie wollen. Morgen… übermorgen…«

»Übermorgen«, entschied Jakob. »Ich habe schließlich noch was anderes zu tun. Die Seide, den Zobel und das ganze Zeug hole ich mir morgen… den Rest übermorgen… Jetzt lassen Sie mich den Major General beruhigen. Ich nehme alles auf mich. Ich muß mich da geirrt haben. Jemand hat Sie denunziert…«

»Ich danke Ihnen, Herr Formann, ich danke Ihnen, Sieg… äh, Gott vergelt's!«

40

Zwei Tage später bezwangen zwei Herren den Wallberg in seiner herrlichen winterlichen Einsamkeit. Damals kletterte niemand zum Vergnügen. Dazu waren die meisten Menschen viel zu schwach. Der Wehrwirtschaftsführer nicht, der war ganz im Gegenteil mehr als herausgefressen und mußte immer wieder um Atempausen bitten. Er hatte Angst, das Herz könnte ihm versagen.

Jakob, der in sieben Jahren genug Zeit und Gelegenheit zum Trainieren gehabt hatte, nahm den Wallberg sozusagen im Laufschritt. Die Seidenballen, den Zobel, den holländischen Meister und die Ehrenurkunde, die Hitler blanko unterschrieben hatte, waren inzwischen nach München gebracht worden. Der wackere Fälscher Mader bewahrte alles in seiner Werkstatt auf.

Da war die Alm. Junge, Junge, ist der auf Nummer Sicher gegangen, dachte Jakob, als er sah, wie der Wehrwirtschaftsführer mit Spezialschlüsseln ein Schloß nach dem andern aufsperrte. Nebel hüllte alles ein. Gut so, dachte Jakob.

Jetzt hatte Herresheim das letzte Schloß auf. Er öffnete die Tür.

Jakob trat in die große Almhütte. Herresheim folgte ihm. Jakob pfiff anerkennend. Vom Boden bis zur Decke war hier alles gefüllt mit Zucker, Kaffee, Schokolade, mit Konserven aller Art, mit Mehl, Fett, geräucherten Schinken und Würsten. Es sah aus und roch wie im Magazin einer riesigen Lebensmittelhandlung.

»So«, sagte der von Herresheim, total erschöpft, »also das gehört auch noch Ihnen. Das Letzte, was ich habe. Sie sind mir vielleicht ein gerissener…«

Er sprach den Satz nicht zu Ende. Jakob wußte, warum.

Hinter Herresheim war Generalmajor Peter Milhouse Hobson getreten. Er
bohrte dem Wehrwirtschaftsführer die Mündung einer Pistole in den Rük-
ken. Hinter Hobson sah Jakob Soldaten. Und ein paar Mann deutsche Polizei. (Darum habe ich gebeten, dachte er gerührt. Peter ist wirklich ein feiner Kerl.)

»Wa... wa... was soll das heißen?« stammelte Herresheim.

»Herresheim, Sie Verbrecher, Sie sind verhaftet, das soll es heißen«, sagte
Hobson. (Ein bißchen zu theatralisch, dachte Jakob. Aber das ist wieder eine
von seinen Sternstunden. Und auf dieses braune Mistvieh wirkt es! Laß
nur...)

»Sie haben doch von den Vorräten gewußt, Major General«, stammelte der
Wehrwirtschaftsführer. »Ich habe sie angegeben...«

»Die Pfoten über den Kopf, aber schnell!«

Herresheim hob die Hände.

»...Sie haben... haben... doch alles gewußt! Und alle meine Urkunden
gesehen!«

»Das haben unsere Spezialisten in München auch«, sagte Hobson grimmig.
»Alles Fälschungen, wirklich sehr gute Fälschungen. Kein Wort von all
dem Quatsch, den Sie uns erzählt haben, ist wahr gewesen – für die Alliierten gekämpft, Sabotage gegen Hitler! Auch da habe ich nachforschen lassen. Nirgends ist etwas davon bekannt.«

»Darum wollte ich erst in zwei Tagen mit Ihnen hier raufgehen, Herresheim«, erläuterte Jakob. »Damit der Major General genügend Zeit hat...«

»Sie elender Verräter!« Herresheim machte Anstalten, sich auf Jakob zu
stürzen.

Ein Militärpolizist schlug ihm den Schaft einer Maschinenpistole kurz und
gar nicht einmal besonders heftig über den Schädel. Herresheim kippte um.
Er begann zu weinen über soviel Unrecht, das es gab auf der Welt. Und
weil ihm der Schädel weh tat.

»Ihre Saufkumpane, die Herren Ortsgruppenleiter, die sitzen schon alle.
Ihre Bubis haben wir ins Arbeitslager Moosburg gesteckt, zu den braunen
Bonzen. Und Sie, Herresheim, nehme ich mit nach München. Auf Sie wartet ein hübscher kleiner Prozeß«, sagte Hobson. »Da werden wir nicht mal
einen Dolmetscher brauchen – bei Ihren Sprachkenntnissen! Danke, Jake,
daß du uns die Alm so genau beschrieben hast. Wir haben sie gleich gefunden.«

»Gerne geschehen«, sagte Jakob, indessen vier kräftige MPs den von Herresheim schon ins Freie zerrten.

»Gebt acht, daß er sich nicht weh tut«, sagte Jakob.

»Sie Schwein! Sie Verräter! Die gerechte Strafe wird Sie treffen!« schrie
der Gefangene, als er abgeschleppt wurde.

»Jajaja, sicherlich«, sagte Jakob gelangweilt. Er wandte sich an seinen
Freund Hobson. »Ich schlage vor, daß zunächst einmal die Frauen und Kin-

der im Himmler-Hof mit einem Teil der Vorräte hier versorgt werden, Peter«, sagte er. »Den Rest bekommen die deutschen Behörden zur Verteilung. Einverstanden?«

»Einverstanden«, sagte Hobson. »Mensch, Jake, du bist schon ein Kerl!«

»Es geht«, sagte Jakob bescheiden, und danach summte er leise eine Melodie von Glenn Miller. Und sang schließlich zu ›In the Mood‹ einen Text, der jetzt gerade Mode geworden war:

> »Auf, wir gründen wieder eine Nazipartei,
> und die alten Bonzen, die sind wieder dabei,
> mit Genehmigung der Militärregierung
> bringen wir die Sache dann in Schwung…«

Jakob grinste. »Ja, Scheiße«, sagte er vor sich hin. »Hier haben jetzt die Frauen und Kinder aus dem Himmler-Hof ein schönes Heim.«

Wichtiger Hinweis: Der vorangegangene Bericht mußte mit besonderer Umsicht verschlüsselt werden, da es sich bei dem im Roman erwähnten ›Wehrwirtschaftsführer von Herresheim‹ um einen Mann handelt, der heute im Wirtschaftsleben der Bundesrepublik Deutschland eine sehr hohe Position einnimmt.

41

»Es wird Sie sicher interessieren, Mister Fletcher«, sagte der eleganteste der drei eleganten Nachtportiers des ebenso eleganten HÔTEL DES CINQ CONTINENTS in Paris zweiundsiebzig Stunden später zu Jakob Formann, der sich im Augenblick gerade Jerome Howard Fletcher nannte, »daß gestern noch Miss Rita Hayworth in diesem Appartement gewohnt hat.«

Der ›Orient-Expreß‹ hatte die Gare de l'Est um 3 Uhr 45 früh erreicht. Jetzt war es 4 Uhr 10, und der Nachtportier des HÔTEL DES CINQ CONTINENTS sah aus wie aus dem Ei gepellt.

»Die gute alte Rita«, sagte Hilde Korn, die sich des längeren schon Mrs. Laureen Fletcher nannte, wehmütig lächelnd, »ist sie noch immer mit Orson zusammen?«

»Selbstverständlich, Madame.«

»Na, so selbstverständlich ist das auch wieder nicht. Wird nicht mehr lange dauern, wie ich Rita kenne.«

»Darüber, Madame, steht mir natürlich keinesfalls ein Urteil zu. Diese herrlichen Orchideen… Ich werde mich selbst sogleich um eine Vase kümmern!« Der Nachtportier nahm Mrs. Fletcher ein wahrlich imposantes Gebilde von Cattleyen und Venusschuhen aus der zarten Hand und bedachte

Mr. Fletcher mit einem Ausdruck der Wertschätzung. »Wirklich eine Pracht, Sir! Wenn die Herrschaften durstig sind… Die Direktion hat sich eine kleine Aufmerksamkeit erlaubt…« Er sah dezent zu einem Tischchen, auf dem sich ein großer Obstkorb, eine Vase voller Teerosen und eine Flasche Champagner in einem silbernen Kühler befanden. »Gläser stehen auf der Anrichte, Madame, Sir…«

Jakob befand sich zum erstenmal in seinem Leben in derartig unirdischen Gefilden. Aber das war ihm scheißegal, sonst wäre er nicht Jakob Formann gewesen.

»Oh«, sagte er (die Unterhaltung verlief englisch), »how very kind. Nur, leider, ich trinke keinen Alkohol. Wenn ich vielleicht etwas ›Preblauer‹ haben könnte…«

»›Preblauer!‹… Aber, Sir, pardon me, das ist doch ein österreichisches Erzeugnis…«

Verdammt, aufpassen! dachte Jakob und sagte: »Ich trinke es am liebsten, und darum lasse ich es mir überallhin nachschicken. Das ist so'n Tick von mir. Den haben andere Leute auch, nicht wahr? Der König von England nimmt überallhin nur garantiert englisches Wasser für seinen Tee mit, wie?«

»Gewiß, Mister Fletcher. Um Himmels willen, das war kein Vorwurf!« Na also. »Nur – wir haben kein ›Preblauer‹.«

»Vier-Sterne-Hotel und kein ›Preblauer‹«, sagte Jakob im Tonfall der sogenannten klassischen Ironie.

»In Frankreich gibt es ›Perrier‹, Sir. Das ist auch… hrm… sehr bekömmlich und wird viel getrunken.«

»Na meinetwegen«, brummte Jakob.

»Es ist… hrm… allerdings fast halb fünf Uhr früh, Sir. Ich bin untröstlich, aber um diese Zeit ist auch in einem Hotel wie dem unsern niemand mehr… Selbstverständlich werde ich persönlich ein paar Fläschchen ›Perrier‹ für Sie besorgen«, sagte der Nachtportier und steckte die große Geldnote ein, die Jakob ihm gegeben hatte. Rückwärtsgehend entfernte er sich. Die hohe, weiß-goldene Tür des Vorraums zum Salon fiel sanft hinter ihm ins Schloß.

»Wer ist denn Rita Hayworth?« fragte Jakob. »Wer ist Orson?«

»Orson Welles ist ein weltberühmter amerikanischer Filmschauspieler. Rita Hayworth ist eine weltberühmte amerikanische Filmschauspielerin. Du willst doch nicht im Ernst behaupten, daß du von beiden noch nie gehört hast!«

»Doch«, sagte Jakob Formann, »will ich.«

Es klopfte, und drei Hausdiener brachten zwei Schrankkoffer, zwei Hutschachteln, einen selbstverständlich mit Nummernschlössern gesicherten Schmuckkoffer, Gepäck, das alles Laureen gehörte, und sodann einen Diplomaten- und fünf Schweinslederkoffer, die Jakob gehörten. Seit einer halben Stunde. Jakob schüttelte den Herren herzlich und reichlich die Hand. Die Herren wünschten angenehmen Aufenthalt und verschwanden. Kurz darauf erschien der Modejournal-Nachtportier mit einer Kristallvase für die Orchideen und einem zweiten silbernen Kühler. Darin schwammen zwischen Eisstücken vier Fläschchen ›Perrier‹. Der Gentleman entbot eine gesegnete Nachtruhe und entschwand rückwärtsschreitend.

Jakob sah sich gelangweilt in dem Riesensalon um und ging zum Fenster. Er öffnete und blickte hinaus. Das Appartement lag im vierten Stock. Jakob betrachtete die Avenue des cinq Continents. Sie war total verlassen und finster. Die Straßenbeleuchtung war abgeschaltet. Auch die Franzosen hatten sich halb zu Tode gesiegt. Es gab sehr oft Stromsperren, es gab immer noch Lebensmittelkarten, es gab einen riesigen Schwarzmarkt, und es gab sehr viele arme Leute.

»Na ja«, sagte Jakob.

»Na ja, was?« forschte Laureen, hinter seinem Rücken.

»Na ja, das wäre also die Lichterstadt an der Seine«, sagte Jakob und strich über den Kragen seines weißen Seidenhemds. Er trug einen dunkelblauen Zweireiher mit Nadelstreifen (aber ganz feinen), der ihm wie angegossen saß, obwohl er nicht eine einzige Anprobe gehabt hatte. Der Werwolf – jetzt nennen wir die Dame aber endgültig Laureen! – hatte dem Jakob anläßlich der zwei Wochen zurückliegenden Fahrt im Schlafwagen des ›Orient-Expreß‹ ordentlich Maß genommen. Sie kannte im exklusiven Faubourg-St.-Honoré einen Schneider, der es fertigbrachte, binnen kürzester Zeit Anzüge allein nach Laureens Angaben zu zaubern. Diesmal hatte er es für Jakob getan, in dessen funkelnagelneuen Schweinslederkoffern sich sieben weitere Anzüge und ein Smoking befanden. Schon zwei Wochen war Laureen mit dem Arnusch Franzl, Jakobs Schulfreund, in Paris. In Neuilly besaß sie eine ständige Wohnung. Dort hatte sie mit Franzl bis zu Jakobs Ankunft gelebt. Diese Wohnung wurde ständig von den unterschiedlichsten Mitgliedern der Organisation, die Laureen aufgezogen hatte, angelaufen und benützt.

An der Gare de l'Est hatte Laureen Jakob abgeholt. Sie hielt einen Riesenstrauß Orchideen in der Hand, den sie sich selbst gekauft hatte. Im Gewimmel der aus dem Zug Steigenden überreichte sie den Strauß Jakob, wonach sie einander so lange und leidenschaftlich küßten, daß es auf dem Bahnsteig zu Stauungen kam. (»Daß du mir ja leidenschaftlich genug bist!« hatte Jakob Laureen beim ersten Wiedertreffen eingeschärft. »Gehört alles zum Human touch! Auch im Hotel mußt du dich benehmen wie seit gestern verheiratet!«)

Auf der Gare de l'Est war Jakob sodann mit einem der fünf Koffer und seinem billigen Fiber-Koffer in die Herrentoilette gegangen. Dort hatte er sich eingeschlossen und umgekleidet. (Rasiert hatte er sich noch im Schlafwagen.) Seine schreiend bunte amerikanische PX-Kleidung aus Linz – (Ach, ist das eine Ewigkeit her! Was wohl der arme Hase macht? Ich wünsche mir so sehr, daß ich mich wieder um ihn kümmern könnte, dachte er voll Selbstmitleid, aber ich muß doch meinen Krieg gewinnen!) – hatte er sodann in dem billigen Fiber-Koffer verwahrt, nachdem er der alten Jacke alle die liebevoll von Josef Mader (dem mit den Schmalzbroten) gefälschten Dokumente und der alten Hose die glückbringende Hasenpfote entnommen hatte. Der Fiber-Koffer ruhte nun in einem Fach der Gepäckaufbewahrung. Und wenn ihn niemand herausgeholt hat, ruht er noch heute dort.

Laureens Schrankkoffer waren voller Dior-Kleider, Kostüme, Abendroben, feinster und raffiniertester Wäsche und kostbarer Schuhe. In dieser Nacht trug Laureen ein schlichtes Woll-Jersey-Kostüm (Dior), einen Nerzmantel (›Black Diamond‹), einen verwegen schief aufgesetzten Filzhut mit breiter Krempe und ausreichend Chanel No. 5.

Jakob holte noch einmal tief schlechte Stadtluft, dann zog er den Kopf zurück, schloß das Fenster und drehte sich um. Laureen trug nur noch ausreichend Chanel No. 5.

42

Es war schon hell, als Mrs. Fletcher dazu kam, ihren Champagner, und Mr. Fletcher dazu kam, sein ›Perrier‹ zu trinken. Die Jungvermählten hatten es beide außerordentlich eilig und nötig gehabt, und so waren die Stunden dahingeflossen. Nachdem Mrs. Fletcher genügend Champagner und Mr. Fletcher genügend ›Perrier‹ getrunken hatten, gingen sie zunächst ins Badezimmer des Luxus-Appartements. Danach fielen sie wieder übereinander her.

Das Frühstück nahmen sie um 11 Uhr zu sich. Im Appartement. Zu Mittag aßen sie um 15 Uhr. Wieder im Appartement. Sie hatten sich die Speisekarte bringen lassen. Die Preise waren astronomisch und für den normalen Mitteleuropäer nicht nur unerschwinglich – woher hätte der denn auch das Geld nehmen sollen? –, sondern schlechthin unvorstellbar. Mr. und Mrs. Fletcher waren keine normalen Mitteleuropäer. Das Personal wechselte bereits bedeutungsvolle Blicke. *So* muß es sein, nur *so* geht die Chose mit meinem Human touch, dachte Jakob, als er bemerkte, wie einer der beiden Kellner, die im Salon servierten, den andern ansah, und wie sie dann beide in Laureens Dekolleté starrten, das unter dem listig sich öffnenden Morgenmantel außerordentlich günstig zu betrachten war. Jakob trug ebenfalls einen Morgenmantel, ihm schaute aber keiner in den Ausschnitt, obwohl er einen goldgelben Pyjama und golden glänzende Pantoffeln besaß. Damit aber die Kellner auch von ihm etwas zu sehen bekamen, streichelte er fleißig Laureens Hals, Nacken und Arme.

Am späteren Nachmittag ruhten Mr. und Mrs. Fletcher. Dann badeten sie gemeinsam, was natürlich wiederum Folgen hatte. Anschließend badeten sie, jeder allein, noch einmal, und dann zog Jakob – zum erstenmal in seinem Leben! – einen Smoking an. Laureen wählte ein langes Kleid aus weißem Seidenchiffon, das die Brüste hoch- und herausstemmte und sich, gefältelt, eng an den Körper schmiegte.

Während des Anziehens in dem eigens dafür vorgesehenen Raum des Appartements blickte Jakob plötzlich starr auf seine Lackschuhe (er hatte auch noch nie im Leben Lackschuhe getragen). Laureen bemerkte es.

»Warum stierst du denn so auf deine Lackschuhe?« fragte Laureen, mit ihren Nylonstrümpfen beschäftigt.

»Ich denke gerade an die armen Frauen und Kinder, die wir im Himmler-Hof gefunden haben«, sagte Jakob und bewegte die Füße mit den Lackschuhen hin und her.

»Was ist mit denen?« Laureen schlüpfte in das Chiffonkleid.

»Die haben es jetzt warm und schön in der ›Nibelungentreue‹, fast so wie wir«, sagte Jakob. »Hab' dir doch erzählt, nicht?«

»Ja, hast du.« Laureen gab leichte Zeichen von Nervosität zu erkennen. »Würdest du mir bitte den Reißverschluß und die Häkchen hinten zumachen, Liebling?«

Er stand auf und trat hinter Laureen. Es gibt so vieles, was ich nicht kann, dachte er. Aber Frauen an- und ausziehen, das konnte ich schon immer. Allerdings hatten sie nicht solche sündteuren Fetzen an. Er nestelte an den Häkchen, während er sprach. »Den Himmler-Hof haben wir also erobert, der Wenzel und ich. Wenzel hat im Tiefbunker beim Hauptbahnhof dreißig Mann ausgesucht, die machen den Dreckstall erst mal sauber. Jetzt frieren *die*, die armen Hunde. Woher sie was zu fressen bekommen, ist mir ein Rätsel. Wenzel hat allerdings gesagt, es gibt eine Menge abzustauben bei den Bauern, und so eine Sau ist schnell organisiert und geschlachtet. Aber auf die Dau…«

Danach geschah etwas zutiefst Erschreckendes. Nie wieder ist in Jakobs Leben ähnliches geschehen. Etwas Derartiges ereignet sich – und wir haben uns bei mehreren international bekannten Psychiatern erkundigt – überhaupt höchst selten: daß nämlich ein Mensch in einem Zustand der Erstarrung und der Trance die Summe aller Erfahrungen zieht, die er noch gar nicht gemacht hat, die er erst machen wird! Das Phänomen erleben die Betroffenen unbewußt. Niemand erträgt es bewußt – haben uns die international berühmten Psychiater gesagt – mit Ausnahme von Heiligen, und selbst diese finden es schwierig.

Jakob stand, die Finger an der Häkchenreihe über dem Reißverschluß von Laureens Kleid, unbewegten Gesichts, wie zu Stein erstarrt. Sein Gesicht hatte einen absolut idiotischen Ausdruck angenommen, seine Stimme, mit der er nun plötzlich leiernd redete, einen völlig anderen Tonfall.

»Eitelkeit«, sprach Jakob mit fremd klingender Stimme. »Eitelkeit der Ei-
telkeiten. Alles ist eitel…«

Laureen fuhr herum. »Jakob!«

Doch der sah und hörte sie nicht.

»Ein Geschlecht«, leierte er, »geht, und ein Geschlecht kommt, die Erde
aber bleibt bestehen ewiglich…«

»Jakob!« rief Laureen. »Laß den Quatsch! Du hast mich zu Tode er-
schreckt!«

Jakob sprach in seinem absonderlichen Singsang weiter, ohne sie zu beach-
ten: »Die Sonne geht auf, und die Sonne geht unter und läuft an ihren Ort,
daß sie wieder aufgehe daselbst…«

»Mein Gott, Jakob! Liebster Jakob! Armer Jakob! Du hast den Verstand
verloren! Ein Arzt… ein Arzt…« Sie wollte aus dem Umkleideraum zu
einem Telefon eilen, aber Jakob stand mitten im Zimmer, und sie wagte
sich nicht in seine Nähe. Das Ganze war gespenstisch. Sie wich zurück.

»Alle Wasser laufen ins Meer«, psalmodierte Jakob, »doch das Meer wird
nicht voller; an den Ort, da sie herfließen, fließen sie wieder zurück…«

»O mein Gott«, flüsterte Laureen erschüttert.

Unbeweglich stand Jakob, während er wie aus dem Schlaf sprach: »Ich will
meine Eier. Du willst etwas anderes. Wenn wir haben, was wir wollen,
werden wir wieder etwas anderes haben wollen. Sieh dir die Welt an! Was
in ihr geschieht, und was die Menschen tun, und was die Menschen sich
wünschen… Alles das, was geschieht und was sie tun und was sie sich
wünschen, alles das, was wir Leben nennen, ist nicht so ungeheuer wichtig
und ist nicht so ungeheuer tragisch und ist nicht so ungeheuer aufregend,
wie wir wohl denken, sondern nur ungeheuer *blöde*…«

Laureen stand mit halbgeschlossenen Häkchen vor ihm, dessen Hosen-
Reißverschluß nur halb geschlossen war, und flüsterte: »Jakob, mein armer, armer Jakob…«

»Dank dieser ungeheuren Blödheit der Menschen«, sprach Jakob entrückt
und mit Toilettefehler, »werde ich meinen Krieg gewinnen. So wie noch
nie ein Krieg gewonnen worden ist! Denn ich werde mich auf die Seite der
einen schlagen und an ihrem Munde hängen und ihnen recht geben in allem, und ich werde mich auf die Seite der anderen schlagen und ihnen recht
geben in allem und an ihrem Mund hängen, und ich werde sie bewundern
und beschenken und werde glauben, was beide Seiten mir sagen, obwohl
ich deutlich, ganz deutlich spüre, daß man auf keiner der beiden Seiten stehen kann. Weil sie nämlich alle beide stinken…«

»Manchmal hilft ein heftiger Schock«, murmelte Laureen todesmutig und
trat an Jakob heran.

Der fuhr aus seiner Erstarrung empor. Der Blick seiner verschwommenen
Augen wurde klar, er sah Laureen an. »Grüß Gott. Was hast du eben getan?«

»Ich habe dir eine geschmiert«, erwiderte Mrs. Fletcher zitternd.

»Geschmiert... Aber warum denn?«

»Damit du wieder zu dir kommst! Du warst auf einmal völlig weg und hast so wirres Zeug geredet...«

Absolut kraftlos ließ Jakob sich in einen weiß-goldenen Sessel mit rotem Samtbezug fallen.

»Wirres Zeug...«

»Ja.«

»Was für wirres Zeug?«

»Das weißt du doch selber!«

Unglücklich erwiderte er: »Ich habe keine Ahnung...« Er griff sich an den Kopf. »Nicht die Ahnung einer Ahnung... Was habe ich denn gesagt? Eine Schweinerei?«

»Viel schlimmer.«

»Dann sag's mir doch!«

»Nein! Ich bin froh, wenn du ihn wirklich nicht mehr weißt, den ganzen Quatsch! Niemals werde ich es dir sagen! Wie konntest du nur...« Eine Idee kam ihr. »Hast du vielleicht vor kurzem in der Bibel gelesen?«

»Bibel?« wiederholte er verloren.

»Ja! In diesen Hotels liegt doch eine Bibel in jedem Nachttisch!«

»In jedem Nachttisch...«

»Erinnere dich, Jake! Es ist wichtig!«

»Wichtig... Warte... Ja, ich erinnere mich... Ich habe in so einer Nacht-tischbibel gelesen, während du im Bad warst, nachdem wir gerade...«

»Schon gut. Was hast du gelesen?«

»Weiß ich nicht... oder doch... Prediger Salomo... und dann in der Apo-stelgeschichte... die Sache mit der Bekehrung von diesem Paulus... nein, Saulus... was da in der Nähe von Damaskus passiert ist... die ganze Ge-schichte von dem Licht, das auf ihn zugestürzt gekommen ist vom Himmel, und dieses ›Saul, Saul, warum verfolgst du mich?‹-Rufen der Stimme, die plötzlich gesagt hat... gesagt hat... ich weiß nicht mehr, was sie gesagt hat... jedenfalls ist der Saulus ein Paulus geworden, nachdem er seinen Unfall gehabt hat, du kennst ja die Story...«

Laureen mußte die Augen schließen. Sie kniete jetzt vor ihm, der Häk-chenverschluß und der Reißverschluß waren wieder ganz aufgegangen, bis zum Höschen hinunter.

»Erleuchtung«, stammelte sie.

»Was, Erleuchtung?«

»Hast du gehabt. Du hast eine Erleuchtung gehabt! Du warst weg von ei-nem Moment zum andern... und geredet hast du wie im Schlaf... aber jetzt bist du wieder wach, ja?«

»Vollkommen. Dein Reißverschluß ist offen.«

»Deiner auch, Liebling.«

Sie schloß seinen. Er schloß ihren.

»Wir müssen uns beeilen«, sagte er wieder mit normaler Stimme. »Wir können den Handelsattaché nicht warten lassen.«

»Bist du auch bestimmt sicher, daß alles wieder okay mit dir ist?«

»Bestimmt.« Er lachte. »Muß ein richtiger Filmriß gewesen sein! Ich habe ja auch ganz schön was geleistet vorher, wie?«

»Das hast du, mein Schatz!« sagte Laureen.

Und dann lachten beide.

Paulus hat, wie alle großen Propheten und Religionsphilosophen unserer Welt, seine Erleuchtung schwer und qualvoll durchlitten. Danach war er ein anderer Mensch. Jakobs Erleuchtung war weder qualvoll noch schwer. Sie war gleich einem Traum gewesen, in dem man mit einem Male die Wahrheit über die Menschen und die Welt in blendender Klarheit erkennt – um schon im Augenblick des Erwachens nicht die winzigste Spur einer Erinnerung an das Erkannte zu haben. Nicht einmal eine Minute lang hatte Jakob – fürwahr ein seltenes Phänomen, wie uns die erwähnten psychiatrischen Zelebritäten bestätigen – den Schlaf der Wahrheit geschlafen. Und gleich danach alles vergessen, was er in ihm erkannt hatte. So also regelt sich diese Welt von selbst. Was dabei herauskommt, sollte eigentlich jeder sehen können. Für jene, die es trotzdem nicht sehen können, ist dieses Buch geschrieben.

43

Das Foto zeigte das Gesicht eines Herrn mit edlem Aristokratenkopf, vollem schwarzem Haar und großen feurigen Augen. Das Foto lag auf der Damastdecke eines Tisches. Der Tisch war einer der besten des Lokals. Das Lokal war das berühmte russische Feinschmeckerrestaurant ›Sheherazade‹. Das Restaurant ›Sheherazade‹ liegt in der Rue de Liège. Ein normales Menü in der ›Sheherazade‹ kostete damals etwa dreimal soviel, wie ein französischer Staatssekretär im Monat verdiente. Der Franc war nicht derart wertlos wie die Deutsche Reichsmark, denn die Franzosen hatten ja den Krieg gewonnen, aber viel mehr wert war er auch nicht! Hatte man Dollars, dann konnte man in Dollars bezahlen!

Der im Augenblick sehr menschenscheue Franzl Arnusch, der in Laureens Wohnung in Neuilly geblieben war, hatte einige Dollars vorgeschossen. Sie genügten für ein phantastisches Abendessen zu dritt.

Fünf Geiger, die von Tisch zu Tisch gingen, spielten schwermütige russische Weisen für ein fast ausschließlich amerikanisches Publikum. Und das war ungemein zahlungsfähig. Ein Amerikaner, der anno 1947 einen Scheck über nur dreißig Dollar hergab, erhielt dafür – durch gefällige Vermittlung der Herren Schieber – eine Summe französische Francs, die normalerweise der Kaufkraft von einhundertfünfzig Dollars entsprach. Die Amerikaner empfahlen einander die Schieber, denn natürlich dachte keiner von ihnen daran, seine Dollars bei der Banque de France einzuwechseln, die nur den Tageskurs zahlte.

»Einen Ami, der so blöd ist, daß er das macht, den gibt's nicht«, hatte der Arnusch gesagt. Und auf dieser einfachen Erkenntnis basierte der ganze Plan, der nun Wirklichkeit werden sollte.

»Er heißt Robert Rouvier. Die Adresse und die Telefonnummer des Schweinehunds stehen auf der Rückseite des Fotos, Sir«, sagte der argentinische Handelsattaché Amadeo Juarez.

»Der sieht aber gar nicht aus wie ein Schweinehund«, sagte Jakob. »Wenn ich eine Frau wäre – in den täte ich mich verknallen.«

»Das tun die Frauen ja auch ununterbrochen«, sagte Juarez, ein plumper Mann von solcher Häßlichkeit, daß sie bereits faszinierte: Halbglatze, bleiches, rundes Gesicht, Schnüffelnase und Mäusezähnchen, die sich hinter den wulstigen Lippen eines schiefen Mundes verbargen: Das ist Amadeo Juarez, der Wüstling, der Frauenheld, der pathologische Rammler, dachte Jakob. Extrawünsche hat er vermutlich auch. So was geht natürlich ins Geld! Und der Schöne, der auf dem Foto, der gar nicht aussah wie ein Schweinehund, sondern wie ein barmherziger Samariter, dieser Robert Rouvier, dieser bedenkenlose Schieber und Schuft – so etwas an Charme und männlicher Schönheit hatte Jakob noch nicht gesehen. Dieses Lächeln! Diese Zähne!

»Ich weiß, was Sie denken, Sir«, sagte der Handelsattaché, Speichel versprühend. 'n Sprachfehler hat er auch noch, dachte Jakob. »Man muß nicht aussehen wie ein Schweinehund, um einer zu sein. Das gilt für den da ebenso wie für mich... Schon gut...! Es ist lieb von Ihnen, daß Sie widersprechen wollen, aber ich weiß, wie ich ausschaue! Und ich bin keiner! Der da hingegen...« Flink wie ein Taschenspieler legte Amadeo Juarez eine Reihe anderer Fotos auf den Tisch. »Die schickt Ihnen Monsieur Arnusch. Sie sehen die beiden Landsitze dieses Schweinehunds Rouvier, ein Schloß, das ihm gehört, sein Stadtpalais – und hier wäre eine kleine Auswahl seiner Opfer. Der und der und der hier haben sich in den letzten Monaten das Leben genommen, nachdem Rouvier ihnen alles andere genommen hatte.« Weitere Fotos. »Das hier sind Kopien der Abschiedsbriefe, die von der Polizei gefunden und an alle Devisenfahnder weitergegeben wurden – also auch an Monsieur Arnusch. Monsieur Rouvier ist ein ungemein gerissener Schweinehund. Die Polizei, die Fahnder, sie können ihm nichts nachweisen. Niemals! Man lasse ihn so weitermachen – noch ein, zwei Jahre –, und ganz Belgien wird im Eimer sein!«

»Da hörst du es, Darling«, sagte Laureen.

Die fünf Geiger spielten das Lied von Stenka Rasin.

»Ich sehe jetzt zweifelsfrei, daß es sich um eine zutiefst moralische und gerechte Sache handelt, die wir erledigen müssen – schon im Gedenken an die unglücklichen Toten.« Jakob unterbrach sich, erstens, um Laureen die Hand zu küssen, zweitens, weil gerade die Vorspeise – große Belon-Austern – serviert wurde. »Vielen Dank, Towaristsch«, sagte Jakob freundlich und auf russisch zu dem Kellner, der – wie alle seine Kollegen und die Musiker – eine Russenbluse trug. In der Sowjetunion war Jakob lange genug gewesen, um ein wenig von der Landessprache zu erlernen. Zu dem Getränkekellner, der mit einer Flasche eisgekühltem Wodka bereitstand, sagte er, ebenfalls auf Russisch: »Mir keinen Wodka, bitte, mir ein ›Perrier‹!«

»Bedaure, Monsieur«, sagte der Kellner auf französisch, »ich habe Sie nicht verstanden.«

»Ich auch nicht. Wir können nicht Russisch«, sagte der Sommelier, gleichfalls auf französisch.

Jakob sagte auf englisch: »Ich verstehe nicht Französisch.«

Der Handelsattaché sprang ein: »Erlauben Sie…« und übersetzte zum einen Jakobs Wünsche auf französisch und zum andern die Antworten der Kellner auf englisch.

Die Kellner nickten erfreut. Sie waren beide noch jung und russische Prinzen. So erläuterte nun der Handelsattaché. Ihre Großväter waren klapprige alte Fürsten und fuhren klapprige alte Taxis. Viele russische Blaublütler hatten, wie der abgrundhäßliche Amadeo Juarez erzählte, nach 1917 Mütterchen Rußland verlassen und waren vor allem nach Paris gegangen. Ihre Enkel wollten nicht mehr Russisch lernen.

»Ich kann mir's ganz gut vorstellen, daß es den Alten zu Hause nicht mehr gefallen hat«, sagte Jakob. Er hatte so seine Erfahrungen. »Bitte, bitte, beginnen Sie zu essen!« Jakob unterbrach sich und lächelte gewinnend. Noch nie im Leben hatte er Austern gegessen und also keine Ahnung, wie man das anfing. Er mußte es nachmachen. Er machte es nach. Einmal sah er dabei zu Laureen hinüber, einmal zu Juarez. Mit einem Gäbelchen fing es an. Natürlich erwischte Jakob zunächst die größte Gabel, die vor ihm lag. Laureen hustete. Jakob blinzelte, legte die größte Gabel zurück und nahm die kleinste. (»Da wird eine Menge Besteck um deinen Teller liegen, Schatz«, hatte Laureen im Hotel noch gesagt. »Der Fall ist ganz einfach, du arbeitest dich von außen nach innen.«) Haha, und jetzt habe ich gedacht, von innen nach außen! Na ja, dachte Jakob, außer Laureen hat's niemand gemerkt. Er nahm eine Austernhälfte zur Hand wie seine Tischnachbarn, träufelte wie diese Zitrone darauf (der Attaché roch auch noch intensiv an dem Zeug, bevor er träufelte, aber das erschien unserm Freund etwas überspannt), sodann schälte Jakob, aufmerksam alle Bewegungen seiner Begleiter nachahmend, das schlabbrige grau-bräunliche Zeug aus der harten Schale, hob Schale und Schlabbriges zum Munde und glaubte, sich übergeben zu müssen. Rotz mit schlechtem Fischgeschmack! Er unterdrückte mühsam seinen Ekel und schluckte das Zeug. Und was das kostet! dachte er. Weit, weit entfernt glitt, ein Schatten nur, Josef Mader, der Fälscher, Schmalzbrot essend, vorbei. Was hätte Jakob jetzt für ein Schmalzbrot gegeben! Aber: Nimm dich zusammen! sagte er zu sich selbst. Du führst Krieg. Du willst ihn gewinnen. Gegen diese ganze verfluchte Welt. Da heißt es auch Opfer bringen und Austern essen. Die zweite, o Gott. Neun hat jeder von uns bestellt. Runter damit! Bleiben immer noch sieben.

»Hervorragend«, wagte Jakob zu sagen.

»Ganz hervorragend, Mister Fletcher.« Der Attaché betupfte sich mit seiner Serviette die Lippen. »Ich esse nur Belons. Niemals die spanischen.«

»Ich auch«, sagte Laureen. »Die spanischen verdaut man schwer, sie sind so fett.«

»Absolut richtig, Darling«, sagte Jakob und küßte Laureens Hand.

»Igitt! Nicht doch, Schatz! Deine Lippen und deine Hand sind doch jetzt auch fett.«

»Würde ich spanische essen, wären sie noch fetter«, gab Jakob von sich und lachte schallend. Na schön, dachte er, keiner lacht mit. Großer Gott, noch sechs Stück von dem Schlabberzeug. Ob ich nicht einfach aufstehe und weggehe, zurück zu Wenzel, zum Hof des Herrn Reichsführers Himmler? Er stand nicht auf. Er schluckte heldenmütig weiter. Kellner brachten silberne Schalen voller Wasser, auf dem große Zitronenstücke schwammen. Jakob versuchte munter Konversation zu machen. »Hier in Paris, Señor Juarez, können wir uns in der Öffentlichkeit treffen. Können ausgehen wie heute und vergnügt...« Uah! Wieder eine, runter damit! »...sein wie heute. Alte gute Freunde... hrm.« (Und ich übergebe mich doch noch. Das habe ich wirklich nicht gewußt, daß alle feinen, reichen Leute pervers sind.) »Wenn wir uns jedoch jetzt in Belgien sehen, kennen wir uns nicht, sind wir uns absolut fremd. Fremder als fremd. Sie verstehen, mein Lieber?« Noch fünf.

»Ich verstehe, Mister Fletcher.«

»Iß deine Austern, Liebling«, flötete Laureen. »Oder sind sie nicht in Ordnung? Du machst so ein... gequältes Gesicht. Warte, ich winke dem Maître. Er soll dir sofort neun neue brin...« Verdammter Scheiß! Noch einmal alles von vorne! Jakob ließ Laureen nicht aussprechen.

»Das sind die besten Austern, die ich je gegessen habe, ich bitte dich, Darling!« Und die fünfte. Dafür hätte ich das EK I verdient! Ääääh, das ist einfach zu widerlich! Jakobs Hände bebten, als er die nächste Auster zum Munde führte. Er schabte sie aus der harten Schale, hob das Gäbelchen – und blitzschnell rutschte die Auster davon, talwärts. Eijeijeijei! Jakob stockte der Atem. Wenn das jemand gesehen hat...

Es hatte niemand gesehen, nicht einmal Laureen und Juarez. In der ›Sheherazade‹ brannten nur Kerzen, es war sehr schummrig hier. Zum Glück. Wo ist das Zeug bloß hin? überlegte Jakob besorgt. Unauffällig tastete er über sein Knie. Da war das Zeug nicht. Unauffällig tastete er mit den Lackschuhen über den Boden unter dem Tisch und trat auf etwas Glitschiges. Seligkeit erfüllte ihn. Da war das Zeug! Zwischen seinen Smokinghosenbeinen unter den Tisch gesaust. Und niemand hatte es bemerkt. Jakob war plötzlich bester Laune. Wenn das so einfach ging!

Es ging so einfach. Die restlichen Austern ließ Jakob dezent auf die gleiche Weise unter den Tisch sausen, eine nach der andern. Er plauderte sogar dazu. Ich bin eben doch ein Weltmann! Wie's da unten aussieht, geht niemanden was an. Ich hätte keine einzige mehr runtergebracht. Ums Verrekken nicht! Aber so... So war Jakob zugleich mit Laureen und dem Attaché fertig.

Die beiden prosteten einander mit Wodka zu. Jakobs ›Perrier‹ war noch nicht gekommen. Er wollte nicht unhöflich sein, hob die Fingerschale, die vor ihm stand, sprach sanft lächelnd »Na sdarowje« und trank die halbe Schale aus, bevor er Laureens erschrecktes »Aber Jerome!« wahrnahm.

»Was gibt's denn, Darling?«

»Was machst du da, Sweetheart?«

»Das siehst du doch«, sagte Jakob. Er sah auch den verwunderten Blick des Attachés, sah, wie Gäste an den Nebentischen ihn verblüfft-spöttisch betrachteten. »Das mach' ich immer so. Zitronenwasser nach Austern. Die liegen mir sonst zu schwer im Magen. Ihr trinkt Wodka. Ich mein Zitronenwasser.«

»Um Gottes willen, Jerome«, flüsterte Laureen, »stell sofort die Schale hin!«

»Aber warum?«

»Aus der trinkt man nicht!«

»Wozu stehen die Dinger denn dann aber da? Was macht man denn damit?«

»Damit wäscht man sich die Fingerspitzen«, flüsterte Laureen.

Jakob gelang es, ein schallendes Gelächter zu produzieren, obwohl er sich fühlte, als wären mindestens fünf der neun Belons nicht mehr gut gewesen. Die Narbe an seiner Schläfe pochte heftig.

»Hahaha!« lachte Jakob. »Recht geschieht mir! Wer blöd fragt, bekommt blöde Antworten!« Immer noch lachte niemand. Jakob winkte dem Getränkekellner, der eilends herbeischoß.

»Monsieur?«

»Wodka«, sagte Jakob, mit lebenslangen Gewohnheiten brechend. »Einen großen Wodka! Du verstehn?«

»Oui, Monsieur, s'il vous plaît«, sagte der Sommelier unbewegten Gesichts.

Jetzt starrten alle Menschen Jakob an. So ein Scheißlokal, dachte der. Scheißaustern. Scheißfingerschale. Scheißscheißscheiß!

Im nächsten Moment streifte Laureen unachtsam ihr goldenes Feuerzeug fort. Jakob erbleichte. Schnell wollte er sich bücken, denn das Feuerzeug war… war… war unter den Tisch gefallen. Mit einem so seltsamen Geräusch. Als ob… O Gott!

Jakob war nicht schnell genug. Der Maître d'Hotel war schneller. Er bückte sich, tastete kurz, dann erhob er sich, dunkelrot im Gesicht. Bohrer, so hieß beim Barras der ärgste Schinder, als ich Rekrut war, dachte Jakob. Adolf Bohrer. Auf mich hat der es besonders abgesehen gehabt. Herrgott, was habe ich unter diesem Bohrer gelitten. Der hat mich zusammengebrüllt und was gepiesackt, daß ich gedacht habe, ich überlebe es nicht, und nach der Brüllerei hat er mich dann mit einem vor Wut dunkelroten Gesicht angestarrt, daß ich immer gehofft habe, es trifft ihn der Schlag. Der Kellner da, der Laureens Feuerzeug aus dem Schlabberhaufen zwischen meinen Füßen herausgefischt hat, der ist doppelt so dunkelrot! O verflucht, wenn den jetzt der Schlag trifft! Oder wenn er mir eine in die Fresse haut! Richtig reingepatscht in die Austernversammlung ist er. Wie er jetzt das Feuerzeug und seine Hand an der Hose trockenwischt! Wie heißen diese Viecher mit dem grauenvollen Blick, an dem die Leute gestorben sind?

Basilisken!

Jakob schenkte dem Basilisken ein unbeschwertes, heiteres Knabenlächeln. Das Basilisken-Rot wurde noch um eine Spur dunkler.

»Voilà, Madame…«, würgte der Kellner mit Mühe hervor. Dann stürzte er davon. Ich glaube, ich werde wohl nicht mehr in die ›Sheherazade‹ kommen, überlegte Jakob.

44

Sie kehrten sehr spät ins HOTEL DES CINQ CONTINENTS zurück.

Amadeo Juarez fuhr sie hin – in einem schwarzen Bentley, der eine CD-Nummer hatte. Er begleitete Mrs. und Mr. Fletcher noch in die Halle. Zwei Pagen schleppten die Rosen. Alles strahlte das Liebespaar an. Na schön, die Fingerschale, dachte Jakob. Ach leckt mich doch… Aber der *Human touch!* *Der* funktioniert! Wie die hier alle Laureen und mich angaffen – die Portiers, die Gäste! Gegen *unsere* Liebe ist die von dieser Rita Dingsbums und ihrem Kerl, mir fällt der Name nicht ein, ein Dreck!

Der Attaché verabschiedete sich, nachdem er noch bekanntgegeben hatte, daß er für die nächsten Wochen Urlaub habe und jederzeit zur Verfügung stünde.

»Hat Franzl alles geliefert, was wir brauchen?« flüsterte Jakob. Laureen nickte.

»Okay. Dann werden wir morgen nach Brüssel fahren, Señor Juarez«, flüsterte Jakob. »Ich mit der Bahn, Sie mit dem Wagen.« Danach flüsterte er noch allerhand…

Im Appartement angekommen, zog er so schnell wie möglich seinen Smoking aus. Auch Laureen entkleidete sich und schlüpfte in ein dünnes Negligé. Dabei machte sie Jakob immer noch Vorwürfe.

»Jetzt habe ich aber genug!« sagte der nun doch etwas gekränkt. »Ich weiß selber, was ich nicht weiß. Aber was ich nicht weiß, werde ich lernen. Basta! Als ob die Welt von Fingerschalen abhinge!«

»Die Welt nicht, Schatz, aber unser Geschäft«, antwortete Laureen, auf Anhieb liebevoll. Sie schmiegte sich an ihn. Es war ein sehr dünnes Negligé. Jakob trug nur noch Unterhemd und Unterhosen. »Nicht doch, Laureen. Nicht! Bitte!« (Wenn die von dem Austernhaufen unter dem Tisch wüßte!)

»Aber ich liebe dich so sehr.«

»Ich liebe dich auch! Erst noch schnell der Rest vom Geschäftlichen. Ich will doch morgen fahren. Also was sagt Rubinstein?«

Dieser Rubinstein, Serge mit Vornamen, war 1947 ein mysteriöser Bankier in New York. Laureens amerikanischer Bankier. Die Verbindung hergestellt hatte – wie es so geht im menschlichen Leben – der Arnusch Franzl. (1955 wurde der mysteriöse Rubinstein in der Wohnung seiner Frau Mama auf grausame – und mysteriöse – Weise ermordet. Schlagzeilen in der Weltpresse! Bis zum heutigen Tag hat die Polizei die Täter nicht gefaßt.)

»Muß das sein?« Laureen schubberte sich an Jakob.

»Muß, ja. Ganz schnell.« Er ging in den Salon voraus. Sie folgte ihm. Aus der Mittellade eines herrlichen Louis-XV-Schreibtisches nahm Laureen zahlreiche Papiere. Jakob setzte sich in einen Sessel vor dem Kamin.

»Hier, bitte…« Laureen kam mit den Papieren. »Hat alles der Franzl vorbereitet. Er hat an Rubinstein geschrieben – als mein Sekretär. Ich habe angefragt, ob Rubi bereit ist, ein Konto auf den Namen Miguel Santiago Cortez zu eröffnen und darauf hunderttausend Dollar einzuzahlen – selbstverständlich nur auf dem Papier und für die Dauer von höchstens zwei Monaten.«

»Der echte Cortez liegt noch immer in Davos?«

»Ja. Es geht ihm sehr schlecht.«

»Endlich eine gute Nachricht! Und Rubi hat das Konto eröffnet?«

»Längst.« Laureen überreichte ein Schreiben. Ihr Negligé rutschte. Sie stöhnte leidenschaftlich.

»Ja, ja. Gleich, gleich«, sagte Jakob. Er las, daß der mysteriöse Rubinstein, der später auf so mysteriöse Weise abgeschlachtet worden ist, durchaus bereit sei, den Wunsch seiner guten Kundin Laureen Fletcher zu erfüllen.

»Na prima«, sagte Jakob.

»Ganz so prima ist es nicht. Du brauchst nicht weiterzulesen. Es geht schneller, wenn ich's dir sage. Rubi schreibt, daß er für diese kleine Gefälligkeit natürlich etwas verlangen muß.«

»Was muß er denn für diese kleine Gefälligkeit verlangen?«

»Zwanzigtausend Dollar.«

»Das ist ja ein Früchtchen! Mit dem wird es noch mal ein böses Ende nehmen.«

»Warte, es kommt noch schöner. Rubi schreibt, daß er sein Geld irgendwie absichern muß und daß er darum seiner Bank den Auftrag gegeben hat, die Zahlungen einzustellen, wenn die Gesamthöhe der Schecks, die du ausschreibst, den Betrag von zehntausend Dollar übersteigt.«

»Wieso *ich* ausschreibe?«

»Señor Miguel Santiago Cortez natürlich. Der bist du doch in Brüssel.«

»Ach ja, natürlich. Verzeih.«

»Ist schon verziehen. Nun komm endlich…«

»Sofort. Aber bis zehntausend darf ich gehen?«

»Bis zehntausend darfst du gehen.«

»Bankunterlagen? Scheckbücher?«

Laureen warf ihm das Erbetene auf die Unterhose.

Jakob blätterte gedankenvoll in Scheckheften. Nun besaß er also, er, der falsche Miguel Santiago Cortez, bei der ›Guaranty Trust Bank‹ in New York ein Konto in Höhe von hunderttausend Dollar. Josef Mader hatte ihm, Jakob, alle Papiere für Miguel Santiago Cortez hervorragend gefälscht, vor allem einen Paß. Und ähnlich sah Jakob dem lungenkranken Milliardär auch. Jakob angelte einen weiteren Brief Rubinsteins aus dem Haufen auf seiner Unterhose. In diesem Brief teilte Rubi seinem lieben Freund Franzl Arnusch mit, auf welchen Banken der *echte* Miguel Santiago Cortez, der – bislang ohne Erfolg, Gott sei's gedankt – in Davos versuchte, die Tuberkulose loszuwerden, sein Vermögen verwahrte. Es handelte sich um (allein in den USA) sechs Banken, und die Beträge, die dort lagen, waren phantastisch.

»Phantastisch«, murmelte Jakob. »Unser Franzl ist ein Genie!«

»Darum arbeitet er ja auch für mich«, sagte Laureen.

Sie zeigte Jakob, in dessen Schoß wühlend, einen Haufen Papiere.

»Was ist… nicht doch, Laureen, bitte!… was ist das?«

»Industriekataloge, Aktienofferten, Bankrundschreiben… Die schicke ich dir nach Brüssel ins Hotel. Weil du doch jetzt ein internationaler Finanzmann bist. Ein ganz großer. Ein ganz großer internationaler Finanzmann bekommt solche Post.«

Er sah sie zärtlich an.

»Woran denkst du, Liebling?« forschte sie.

»An meine Eier«, gestand er.

»Jakob!«

»Nein, wirklich, Laureen. Ich bin ja so glücklich. Ich könnte dich abschlekken vor Glück!«

»Na endlich!« Sie nahm ihn an der Hand und zog ihn mit sich. Alle Papiere fielen zu Boden. Laureens Negligé auch. »Dem steht nicht das geringste im Wege, Sweetheart«, sagte Mrs. Fletcher.

Den Abschied von ihrem geliebten Gatten gestaltete Mrs. Laureen Fletcher auf Jakobs ausdrückliches Geheiß (»Daß es dir aber auch wirklich erstklassig das Herz zerreißt!«) in der Halle des HÔTEL DES CINQ CONTINENTS so herzzerreißend sie konnte, und das war eine Menge. Sie küßte Jakob ununterbrochen, während sie mit ihm zum Ausgang schritt. Das gesamte Personal war zutiefst gerührt. Mit Liebe kann man jeden Franzosen zutiefst rühren. Und darauf kam es jetzt an. Der Human touch! Der mußte nach Jakobs Plan von allem anderen ablenken. Wenn man seiner oder Laureens später gedachte oder über sie befragt wurde, dann durfte niemandem etwas anderes einfallen als die Erinnerung an diese übergroße Liebe!

Laureen war eine prächtige Partnerin. Gotterbärmlich schluchzte sie im Taxi, das sie beide zum Bahnhof brachte. Sie heulte auf der Gare du Nord wie ein Schloßhund. Sie klammerte sich an Jakob und barmte bitterlich. Bahnpolizisten, Zugpersonal und sehr viele Reisende betrachteten das so interessante Paar voller Wohlwollen.

»Wie lange wird das Ganze dauern, Darling?«

»Eine Woche vielleicht«, sagte der Darling, »oder zehn Tage.«

»Nein! Das ertrage ich nicht! Das ertrage ich nicht!« Jetzt – Jakob bemerkte es voller Entsetzen – weinte Laureen echt! Verflucht, dachte Jakob, das Luder wird sich doch nicht in mich verknallt haben? Ich meine, verstehen könnte ich es ja. Aber dann hätte ich ja schon wieder eine am Hals...

»Sweetheart«, sagte er, ihren bebenden Rücken streichelnd, indessen sie sich an ihn preßte, »du mußt jetzt vernünftig sein. Zweihunderttausend Dollar verdient man nicht im Bett... äh, im Schlaf, wollte ich sagen!«

46

Von Paris bis Brüssel sind es zweihundertachtundneunzig Kilometer. Dazwischen liegt die Grenze. Polizei- und Zollbeamte kontrollierten Jakobs amerikanischen Paß auf den Namen Jerome Howard Fletcher und fanden nichts zu bemängeln. Mein lieber Freund Josef Mader, der Münchner Fälscher, ist wirklich Weltklasse, dachte Jakob frohen Mutes. Ich darf nicht vergessen, ihm ein paar Dosen Schmalz mit genug Zwiebeln und feinen Grieben mitzubringen.

Auch in den vielen Gepäckstücken fand sich nichts, was die Zöllner zu beanstanden gehabt hätten. Sie wünschten Mr. Fletcher eine angenehme Reise. Mr. Fletcher dankte. Die erste Station auf belgischem Gebiet hieß Frameries.

In Frameries stieg Jakob aus. Zwei Träger transportierten seinen Schweinslederkofferberg durch das Bahnhofsgebäude auf den Platz davor.

Unter einem verschneiten Baum am Ende des Platzes stand ein Bentley mit französischer CD-Nummer. Die Scheinwerfer flammten auf, der Wagen kam angesummt und hielt. Der abnorm häßliche Handelsattaché Amadeo Juarez mit dem abnormen Frauenverschleiß stieg aus. Die Gepäckträger verstauten Jakobs Koffer. Zum Glück war es ein großer Bentley. Jakob entlohnte die Träger. Die Träger verbeugten sich geradezu ehrfürchtig. Wieder zuviel Trinkgeld, dachte Jakob verärgert. Aber schon war die Rechtfertigung da: Warum sollen die armen Hunde, die sich für mich abmühen, nicht auch eine Freude haben? (Solch Alibi brachte es mit sich, daß Jakob niemals davon zu heilen war, viel zu hohe Trinkgelder zu verteilen.) Der Attaché und Jakob kletterten in den Wagen.

»Wo sind die Scheckhefte und die Papiere von Rubi?« fragte Jakob.

»Hier.« Der Handelsattaché war maulfaul. Er reichte Jakob einen Diplomatenkoffer. »Hat mir Ihre Frau gegeben.«

Das ist der Diplomatenkoffer, den mir der Hase in Linz im PX gekauft und zu Weihnachten geschenkt hat, dachte Jakob sentimental. Der Hase... wie gemein benehme ich mich gegen ihn. Und ganz gewiß werde ich niemals im Leben und in der ganzen Welt eine bessere Frau finden als Julia, mein Gott. (Genau diesem Gedanken hat er in Abständen das ganze nächste Vierteljahrhundert hindurch nachgehangen.)

»Jetzt geben Sie mir den anderen Paß.« Daraufhin gab der mürrische Juarez ihm den Paß, den der Milliardär Cortez in Paris verloren und den nun Juarez mit über die Grenze gebracht hatte. Juarez besaß diplomatische Immunität. Er und sein Wagen wurden niemals untersucht. (Schlauer Franzl!)

Jakob nahm den erstklassig gefälschten amerikanischen Paß auf den Namen Jerome Howard Fletcher aus der Jackentasche und reichte ihn Juarez, der ihn aufbewahren sollte. Den echten argentinischen Paß steckte er ein.

»Was ist los mit Ihnen, Juarez? Warum sind Sie so mürrisch?«

»Ich bin nicht mürrisch, ich bin müde.«

»Sie sollten doch nachmittags schlafen!«

»Habe ich auch.«

»Aber nicht allein«, sagte Jakob ergrimmt.

»Sie kennen Yvonne nicht. Das ist die süßeste...«

Mit diesem Typ muß man gleich Fraktur reden, dachte Jakob und schnauzte den Mann, der an übermäßiger Hormonausschüttung litt, an: »In der nächsten Zeit werden Sie sich zusammenreißen, verstanden? Es wird Ihnen ja Gott behüte wohl möglich sein, für einen Riesenverdienst zehn Tage lang nicht herumzubocken!«

»Ich will's versuchen«, sagte Juarez kläglich, »aber versprechen kann ich es nicht. Es ist einfach zu stark – stärker als ich, Señor Cortez.«

Zwei Stunden später erreichten die beiden einen Taxistand an der Peripherie von Brüssel. Gemeinsam holten sie Jakobs Schweinslederkofferpracht aus dem Wagen. Dann wählten sie ein Taxi, in dem all die Koffer auch Platz hatten.

»Ich rufe Sie an«, sagte Juarez.

»Aber nur...«

»...aus einer Telefonzelle«, knurrte Juarez gereizt. »Ich bin kein Idiot.«

»Geb's Gott!« Jakob sah dem Bentley nach, der davonschoß. Wetten könnte ich, daß der Kerl schon wieder zu irgendeiner Puppe saust, die er in Brüssel kennt, dachte er traurig. Es ist zum Verzweifeln mit dem Burschen! Das ist ja ein... ein... na ja, eben ein!

Jakob nante dem Chauffeur den Namen des Hotels, zu dem er wollte.

»PLAZA, sehr wohl, Monsieur. Sind Sie Amerikaner?« Der Taxifahrer drehte sich um. Das hätte er nicht tun sollen. Er stieß um ein Haar mit einem anderen Taxi zusammen, das gerade vorüberfuhr. Halt. Große Beschimpfung, von der Jakob nichts verstand. Zwei Worte blieben haften: ›Flame‹ und ›Wallone‹. Endlich hatten die beiden Herren sich ausgetobt. Sein Fahrer kletterte hinter das Steuerrad, wüst vor sich hinfluchend. Nur soviel verstand Jakob, daß der Chauffeur dauernd einen dreckigen Flamen verfluchte. Das muß der andere gewesen sein, überlegte Jakob. Aber was sind Flamen? Und was sind Wallonen? Um Gottes willen nicht fragen, sonst gibt's einen richtigen Unfall! Ich werde mich erkundigen. Vielleicht kann man dabei was herausschlagen. Ich habe schon aus den sonderbarsten Sachen was herausgeschlagen...

Auf dem Weg durch die Stadt beruhigte der Taxifahrer sich langsam. Gott sei Dank, dachte Jakob. Ich hab' mich nicht durch einen ganzen Krieg gerettet, damit mich jetzt irgend so ein Fallone oder Walme totfährt.

»Nein, Argentinier«, antwortete Jakob. Mit einiger Verspätung.

»Was, Argentinier?« fragte der Chauffeur, der englisch mit schwerem Akzent sprach.

»Bin ich. Haben sie mich gefragt. Vorhin.«

»Ah!« Der Chauffeur begann zu schwärmen. »Schauen Sie sich das an, Sir! Klein-Paris hat man Brüssel immer schon genannt. Aber ich glaube, jetzt ist es mehr Paris als Paris selber!«

Das stimmte. Jakob erblickte breite Boulevards, Luxusgeschäfte, Häuser mit üppigem Stuck. Alle Straßen waren taghell erleuchtet. Hier existierten offenbar keine Strombeschränkungen. An den Geschäftshäusern sah man Leuchtreklamen in allen Farben. Der Chauffeur teilte Jakob mit, daß die Geschäfte bis Mitternacht geöffnet seien. In den Schaufenstern lagen Luxusartikel aus der ganzen Welt. Belgien hat den Krieg eben nicht annähernd so gewonnen wie Frankreich, sinnierte Jakob.

»Auch auf kulturellem Gebiet ist alles in Ordnung...« Der Taxichauffeur war äußerst gesprächig. »Sartre, Anouilh, Wilder...«

Keine Ahnung, wer die Herren sind, dachte Jakob. Nie gehört. Schieber offenbar nicht. Er sagte: »Großartig!«

»Und ›Egmont‹!« Der Chauffeur kam immer mehr in Fahrt. »›Don Giovanni‹ und ›Tristan‹ sind zu erwarten – mit österreichischen Solisten! Ah, und Schönberg! Lieben Sie die deutsche Musik auch so sehr?«

Fragen kann ein Mensch stellen!

»Hm…«

»Fast den ganzen Tag hören Sie deutsche Musik im Radio – von Bach bis Reger, alles! Wenn Sie amerikanischen Jazz wollen, müssen Sie einen deutschen Sender wählen…« Jakob döste sanft, bis das Taxi hielt.

Aus dem Innern des PLAZA kamen Hausdiener und Portiers geeilt. Bei der Reception wieselten Herren um Jakob herum. Der Name Miguel Santiago Cortez schien allenthalben einen märchenhaften Klang zu haben. Na, wartet mal, bis ich meinen Krieg gewonnen habe, dachte Jakob. Der Klang von meinem Namen dann!

»Appartement dreihundertsieben, Señor Cortez – das schönste unseres Hauses!«

»Haben wir sofort für Sie reserviert, nachdem Ihr Pariser Büro anrief.« (Braver Franzl.)

»Es ist Post für Sie da, Señor Cortez!« (Brave Laureen.)

Der weltberühmte (falsche) Cortez, der in Wahrheit ein armes Landserschwein gewesen war, steckte Expreßbriefe und größere Kuverts lässig in die Tasche seines Flanellmantels. Der Hoteldirektor persönlich brachte ihn nach oben. Jakob überlegte: Kann man einem derartigen Gentleman Geld geben? Wird er es ablehnen? Ein so imposanter Mann! Der so imposante Mann nahm mit tausend Dank. Von diesem Moment an war Jakob davon überzeugt: Es gibt keinen Menschen auf der Welt, dem man *kein* Geld geben darf. Vielleicht mit Ausnahme des Heiligen Vaters. Er sollte noch daraufkommen, daß auch…

Er badete.

Er saß im Salon still vor einem anderen herrlichen Louis-XV-Schreibtisch (ohne eine Ahnung davon zu haben, daß es ein Louis-XV-Schreibtisch war) und räusperte sich ein paarmal, um für seine Rolle als Milliardär fit zu sein. Dann wählte er die Nummer, die der Handelsattaché auf die Rückseite des Fotos des Herrn Robert Rouvier geschrieben hatte. Er verabredete sich – man sprach Englisch – mit Rouvier für den nächsten Vormittag im Hotel. Rouvier äußerte ungeheure Freude darüber, mit einem Mann wie Miguel Santiago Cortez ins Geschäft zu kommen.

Zufrieden ging Jakob schlafen, nachdem er noch einmal sein Prachtappartement inspiziert hatte. Das Ding konnte sich sehen lassen, wahrhaftig!

Unser Freund schlief sehr unruhig in dieser Nacht. Immer wieder schreckte er aus gräßlichen Alpträumen auf. In ihnen sprachen mit ihm vertraulich Herren, die er nicht kannte, nie gesehen hatte, von denen er nicht das geringste wußte. Die Herren hießen Egmont Wilder, Reger Anouilh, Giovanni Sartre und Don Schönberg…

47

»Hören Sie, lieber Monsieur Rouvier, es ist eigentlich für den Moment nur eine Gefälligkeit, um die ich Sie bitten möchte«, sagte Jakob zu dem Brüsseler Monsterschieber. Der saß ihm in dem prachtvollen Salon von Jakobs Appartement im Hotel PLAZA gegenüber, rank, schlank, glänzend gekleidet, griechisch edle Gesichtszüge, exotische feuchte Glutaugen mit langen Wimpern.

»Was immer ich für Sie tun kann, Señor Cortez… es ist mir eine Ehre und Freude, Sie persönlich kennenzu…«

»Mir auch. Ich bin erst gestern angekommen, verstehen Sie.« Mit einer weiten Armbewegung umrundete Jakob den Salon solcherart, daß der Schreibtisch und die vielen Aktienofferten und Industriekataloge dem Schieber ins Auge stechen mußten (und stachen). »Ich denke, ich werde hier in ein solides Unternehmen… äh, einsteigen. Für den Moment brauche ich etwas Kleingeld. Haha. Sie verstehen? Könnten Sie mir – reiner Freundschaftsdienst von Ihnen, ich weiß, das bringt Ihnen nichts ein, aber wie gesagt, ich bin eben erst angekommen –, könnten Sie mir wohl ein paar Dollar wechseln?«

»Mit Freuden, Señor Cortez. Wieviel darf's denn sein?«

»Ach, nur ein Klacks. Sagen wir, vielleicht fünftausend?«

Der traumhaft schöne Rouvier sprach mit Betonung: »Ich wechsle Beträge in jeder Höhe, Señor Cortez. Auch in der höchsten. Ich stehe Tag und Nacht zu Ihrer Verfügung, wenn Sie… ich meine, wenn Sie später mehr…«

»Ja, natürlich, gewiß. Ich muß Ihnen aber einen Scheck geben – auf eines meiner amerikanischen Konten.«

»Den akzeptiere ich mit Vergnügen, Señor Cortez, mit Vergnügen!«

»Lassen Sie mal sehen… Ja, mein Spesenkonto werde ich nehmen, denke ich. ›Guaranty Trust‹ in New York. Hier, der letzte Auszug, sehen Sie. Es sind nur noch jämmerliche Hunderttausend drauf. Schauen Sie sich den Auszug an. Damit Sie nicht denken, ich will Sie reinlegen.« Dankbar gedachte Jakob an dieser Stelle des Franzl Arnusch und seines finanziellen Schnellsiederkurses, der ihm via Laureen zuteil geworden war. Er selbst hatte bis dahin nicht einmal den Unterschied zwischen einem Wechsel und einem Scheck gekannt.

»Nein, also wirklich nicht Señor Cortez«, sagte Rouvier.

»Ich bestehe aber darauf!« sagte Jakob.

»Sie machen sich lustig über mich! Sie sind mir doch für jeden Betrag gut! Ich weigere mich ganz einfach, den Auszug anzusehen«, sagte Rouvier und sah ihn sich ganz genau an.

Mittlerweile schrieb Jakob zügig einen Scheck auf das ihm von Serge Rubinstein eröffnete Konto aus. Natürlich unterzeichnete er mit ›Miguel S.

Cortez‹. Den Scheck reichte er Rouvier. »So, bitte. Sie schicken den... äh, Scheck natürlich per Luftpost. Vielleicht dazu noch Expreß. Dann sind Ihnen die Dollars in vier Tagen auf Ihrem Konto gutgeschrieben. Sie haben doch ein Konto in Amerika?«

»Selbstverständlich, Señor Cortez. Wie sollte ich sonst arbeiten?« Rouvier holte eine Brieftasche hervor und zählte Jakob den Schwarzmarktgegenwert von fünftausend Dollar in belgischen Francs auf den Tisch. Jakob stand gelassen daneben, eine Hand in der Hosentasche. Die Hand hielt die vertrocknete alte Hasenpfote.

»So, bitte. Und... Sie vergessen mich ganz bestimmt nicht... ich meine später, wenn Sie mehr brauchen für das belgische Unternehmen?«

»Ich vergesse Sie ganz bestimmt nicht, Monsieur Rouvier«, sagte Jakob und dachte: Worauf du dich verlassen kannst!

»Ich danke Ihnen, Señor Cortez! Ich danke Ihnen! Kann ich im Moment sonst noch etwas für Sie tun?«

Jakob erinnerte sich.

»Ja, Monsieur Rouvier. Sie können mir erklären, was Flamen und was Wallonen sind. Ich weiß, das klingt ungebildet, aber wir Argentinier...«

»Ich bitte Sie! Sie wissen, wann der Wiener Kongreß stattfand?«

»Selbstverständlich.« Selbstverständlich wußte Jakob das nicht, aber zum Glück sprach Rouvier fließend weiter.

»Sie haben doch den Film mit dem Fritsch und der Harvey gesehen ›Der Kongreß tanzt‹? Dieser Kongreß, 1815, diente der Neugestaltung Europas nach den Napoleonischen Kriegen. Den Vorsitz führte der österreichische Staatskanzler Fürst Metternich.«

»Der österreichische Staatskanzler Metternich«, echote Jakob. Ich hab' doch gewußt, da kommt was heraus, womit man was anfangen kann. Und natürlich hat ein Wiener seine Finger dabei im Spiel gehabt.

»Sehen Sie, ursprünglich gehörte das ganze Gebiet hier zu den südlichen Niederlanden. Auf dem Wiener Kongreß wollten die Franzosen das Gebiet schlucken. Die Briten – immer konträr, immer konträr! – wollten das Gegenteil: Sie wollten, daß die südlichen und nördlichen Niederlande wieder zusammengeführt wurden. Typisch österreichische Lösung: Das auch nicht, aber ein neuer Staat mit Namen Belgien!«

»Ja, aber die Wall...«

»Moment! In diesem Belgien hatte man also zwei verschiedene Volksstämme zusammengeschmissen. Die Wallonen und die...«

»...Flamen.«

»Richtig! Na ja, und die beiden konnten einander nie leiden. Etwa so wie Preußen und Bayern. Schlimmer! Weil sie zwei ganz verschiedene Sprachen sprechen – Französisch die Wallonen und so etwas wie Holländisch die Flamen. Und weil – so behaupten wenigstens die Wallonen! – die Flamen in industrieller und jeder anderen Hinsicht bevorzugt wurden, wuchs und wuchs der Abscheu voreinander, bis zum heutigen Tag.« Rouvier lachte heiter.

»Warum lachen Sie so, Monsieur Rouvier?«

»Der Abscheu ging so weit, Señor Cortez, daß es im Krieg eine wallonische und eine flämische Waffen-SS für den Herrn Hitler gegeben hat! Hahaha!«

»Hahaha! Sie sind flämischer Abstammung, Monsieur Rouvier?«

»Natürlich! Mein Name – so französisch er sich anhört – ist gut flämisch. Man sollte ihn Ruwihr aussprechen. Die Wallonen sitzen mehr im Süden Belgiens. Brüssel ist altflämisches Gebiet, aber französisiert. Und wann immer es geht, gibt's Krach zwischen den beiden Sprach- und Volksgruppen.«

»Ich interessiere mich sehr für fremde Sitten und Gebräuche…«

»Wenn dem so ist… äh… hm… hätte ich noch einen Vorschlag zu machen, Señor Cortez…«

»Und zwar, Monsieur Rouvier?«

Der Glutäugige trat näher. Seine Augen wurden schmal. Um Himmels willen, dachte Jakob und drückte die Hasenpfote wie ein Verrückter, es wird jetzt doch nicht noch etwas schiefgehen…

»Was machen Sie heute abend, Señor Cortez?«

»Heute…« Gott sei Dank! »…abend? Nichts!«

»Dann erlauben Sie, daß ich Sie zum Essen einlade. Und anschließend gehen wir in die ›Chatte noire‹!«

Mit so feinen Leuten zum Essen gehen, das ist mir zu gefährlich, dachte Jakob in Erinnerung an das Austern-Desaster und sagte: »Ich nehme abends nur eine Kleinigkeit zu mir. Aber wenn Sie mich dann abholen wollen?«

Rouvier strahlte.

»Wunderbar! Sagen wir um elf? Das ist nämlich etwas absolut Sensationelles! Noch nie dagewesen! Phantastisch, Señor Cortez! Einmalig in der Welt!«

»Wovon reden Sie, Monsieur Rouvier?«

»Von Gloria Cadillac! Die tritt in der ›Chatte noire‹ auf!« Rouviers Stimme steigerte sich zu flüsternder Ekstase: »Striptease, Señor Cortez! Sie wissen vielleicht nicht, was das ist, ›Striptease‹, es kommt aus Amerika und stellt den absoluten Höhepunkt aller erotischen…«

»Ich weiß, was Striptease ist, Monsieur Rouvier«, sagte Jakob und dachte an ein verdrecktes Lokal in Linz und eine fette Schönheitstänzerin mit schmutzigen Schleiern und ebensolchen Fußsohlen.

»Sie wissen es nicht, Señor Cortez! Das hat die Welt noch nie gesehen! Stellen Sie sich vor: Diese Amerikanerin, diese Gloria Cadillac, zieht sich aus… ganz, ganz langsam… Sie sehen… einfach alles… vollkommen freie Brüste! Vollkommen freie Brüste, habe ich gesagt, Señor Cortez!«

»Hab's gehört, Monsieur Rouvier!«

»Dann den Bauch!«

»Hm.«

»Warten Sie! Dann die Schenkel! Zuletzt hat Gloria nur noch ein winziges Höschen an. Und dann... dann...« Die Stimme versagte Rouvier. Röchelnd holte er Atem. »...aber Sie müssen höllisch aufpassen, damit Sie den Moment nicht versäumen!«

»Welchen Moment?«

»In dem Gloria das winzige Höschen abstreift. Wie gesagt, es geht um Bruchteile von Sekunden! Doch wenn Sie Glück haben, sehen Sie sogar...«

»Aha.«

»Unfaßbar, wie? Danach geht natürlich sofort das Licht aus.«

»Natürlich.«

»Aber dieser Sekundenbruchteil! Eine weitere Steigerung ist unmöglich! Wird es niemals geben! Nie! Sie müssen selbstverständlich ungeheuer konzentriert sein! Ich habe es fünfmal in der ganzen Zeit geschafft, die... ihre... na also, ich habe sie in der ganzen Zeit fünfmal gesehen!«

»Was heißt das, ›in der ganzen Zeit‹?«

»Na, in drei Monaten zirka! Solange Gloria auftritt!«

»Da sind Sie jeden Abend in die ›Chatte noire‹ gegangen?«

»Jeden Abend! Also nach dem Essen hole ich Sie ab, wir gehen in die ›Chatte noire‹ und sehen Gloria und vielleicht auch ihre...«

»Ja, und vielleicht auch ihre«, sagte Jakob und dachte: Nicht zu fassen! Und das ist der gefährlichste Schieber Belgiens!

48

Am Spätnachmittag rief der exemplarisch häßliche Handelsattaché an.

»Endlich«, sagte Jakob erbost. »Warum nicht früher?«

»Ich habe gestern in meinem Hotel ein Zimmermädchen kennengelernt, Señor Cortez... Claire... So etwas Süßes, so etwas Aufregendes habe ich noch nie erlebt...« Und so etwas Teures vermutlich auch nicht, dachte Jakob. »...Claire hatte ab Mitternacht frei... da bin ich zu ihr gegangen und...«

»Zum Teufel, ja!« Jetzt habe ich schon zwei Sexual-Irre.

»Sie müssen entschuldigen, ich bin erst vor einer halben Stunde aufgewacht!«

»Sie fahren nach Paris zurück. Sofort. Wir treffen uns Punkt zwanzig Uhr in der Mitte der kleinen Rue de Loxum. Die liegt bei der Kathedrale Saint-Michel...«

»Sie kennen sich ja gut aus in Brüssel!«

»Wie in meiner Hosentasche«, sagte Jakob. Er hatte einen Stadtplan und einen Besichtigungsführer vor sich liegen. »Diese gotische Kathedrale gehört zu den schönsten Europas...«

Juarez kam zum Treff in der kurzen, sehr schlecht beleuchteten Rue de Loxum zwanzig Minuten zu spät.

Jakob war wütend: »Zwanzig Uhr habe ich gesagt!«

»Entschuldigen Sie, aber Claire hat noch immer frei...«

»Sie wollen doch nicht sagen, daß Sie schon wieder...?«

»Sie kennen Claire nicht... Ein Vulkan... Mittendrin sah ich auf meine Armbanduhr...«

»Na und?«

»Mein ausgeprägtes Pflichtgefühl hat mich hochgerissen. Coitus interruptus. Ich könnte Sie umbringen, Monsieur!«

»Und ich *Sie*! Reißen Sie sich nicht hoch, reißen Sie sich zusammen! Hier!« Jakob reichte dem Attaché seinen Diplomatenkoffer in den Bentley. Diplomatenkoffer, dachte er dabei, hin und her gezerrt zwischen Wut und Sentimentalität, Diplomatenkoffer, Hase, liebe Julia, wie es ihr wohl geht? Ach, Donner wird schon auf sie aufpassen. Trotzdem – ich muß Julia unbedingt so schnell wie möglich wiedersehen, ich benehme mich ja wie ein Schwein.

»Da sind belgische Francs drin«, sagte Jakob. »Sie fahren sofort nach Paris und geben den Koffer Laureen. Die wird sich umgehend mit Monsieur Arnusch in Verbindung setzen. Der wird die Francs schnellstens wieder in Dollar wechseln und telegrafisch auf mein New Yorker Konto überweisen. Kapiert?«

»Ja doch.« Der Attaché würgte.

»Was haben Sie?«

»Claire... Wenn sie mich jetzt betrügt...«

»Einen Mann wie Sie? Juarez! Ich bitte Sie! *Ich* würde Sie nie betrügen können!«

»Nei-nein?«

»Nein! Außerdem kommen Sie ja gleich zurück!«

»Ja-ha, das natürlich... Mein Gott, wenn Sie wüßten, wie sehr ich dieses Mädchen liebe!«

Es ist zum Verrücktwerden...

»Fahren Sie los!« schnauzte Jakob energisch, aber sehr leise. »Und in Paris vergessen sie nicht, Laureen zu sagen, daß ich sie unendlich liebe – und das sagen Sie, wie verabredet, so laut wie möglich und dann, wenn möglichst viele Leute zuhören!«

»Werde ich tun. So schnell ist noch kein Mann aus Paris wieder zurück in Brüssel gewesen!« erklärte Juarez und fuhr, gedeckt durch seine diplomatische Immunität, auf kreischenden Pneus los.

Jakob holte tief Luft.

Jetzt läuft also der Trick, dachte er. Gott steh uns bei! Bisher und bis auf weiteres arbeiten wir mit Verlust. Denn die Francs muß der Franzl bei Pariser Devisenschiebern ja wieder in Dollar wechseln, um sie nach New York überweisen zu können, und bei diesem Umwechseln verliert er natürlich. Trotzdem! Wenn alles gutgeht, schwimmen wir bald in Geld. In anständigem Geld. Wo ist die Hasenpfote? Fest drücken! Ach, meine Eier...

Jakob stand fünf Minuten reglos in der sehr düsteren Rue de Loxum und träumte mit offenen Augen von Millionen Eiern. Es war ein wunderbarer Traum – nach dem Alptraum mit den Herren Bach Wilder, Don Sartre, Giovanni Schönberg & Co. Dann schrak er auf. Um 11 Uhr holte ihn doch dieser Adonis von einem Devisenschieber im Hotel ab, um mit ihm zu Gloria Cadillac zu fahren, in der Hoffnung, vielleicht noch einmal die ihre zu erblicken.

49

Um 23 Uhr 57 hatte Robert Rouvier sie dann tatsächlich ein sechstes Mal erblickt. Jakob hatte überhaupt nichts erblickt, weil der Kerl, der vor ihm saß, aufgesprungen war. Rouvier fühlte sich einem Herzanfall nahe. Er konnte erst nach ein paar Minuten wieder sprechen und auch da nur keuchend: »Es war mir... noch einmal... vergönnt... Sie... Sie haben mir... Glück gebracht...«

Ich werde dir noch viel mehr Glück bringen, dachte Jakob.

Eine halbe Stunde später saß dann Gloria Cadillac, rothaarig, grünäugig, in einem ungemein dekolletierten Abendkleid an ihrem Tisch. Die Herrschaften tranken Champagner (Jakob trank ›Perrier‹). Rouvier sprach stotternd, er konnte sich nicht beruhigen. Der eine stottert, der andere bumst sich weich im Hirn – welch ein Vergnügen, dachte Jakob. Ein Glück, daß ich nicht bin wie jene.

Englisch spricht diese Cadillac. Wenn das eine Amerikanerin ist, bin ich ein Argentinier. Rouvier entschuldigte sich errötend für einen Moment. Die Erregung hatte sich ihm (unter anderem) auf die Blase geschlagen. Er werde gleich wieder da sein, sagte er.

»Schur, sanni-boi, schur«, sagte Gloria. Danach gab sie Jakob bekannt, daß sie seit ihrem ersten Auftreten jeden Abend nach ihrer Darbietung an diesem Tisch sitze und mit dem ›sanni-boi‹ Champagner trinke.

»Satsch ä neis män!«

Jakob riskierte es. In väterlichem Tonfall erkundigte er sich: »Woher in den Staaten kommen Sie denn?«

Sie musterte ihn und warf den Kopf zurück: »Ju hef notissed it, hef ju?«

»Yes, my dear...«

»Du ju spik Schermen?«

»Yes. My Kindermädchen was from Austria. Vienna.«

Im nächsten Moment hatte ihm Gloria derart auf den Rücken gehauen, daß das ›Perrier‹ in dem Glas, das er gerade zum Mund führte, drei Tische weit sprühte. »Aus Wean war dei Kindermadl? Da leckst mi am Oasch! Der Senor hat von aner Weanerin Deitsch g'lernt!«

»Was anderes too.«

»Was denn noch?«

»She has me... hrm... deflauert, when I was elf...«

Gloria konnte es nicht fassen.

»Entjungfert! Mit elfe! Jetzt gibst mir aba a Busserl!«

Er gab ihr ein ordentliches und ausgiebiges.

»Du, des derf aba kana erfahrn, vastehst? Dir hab i's gsagt, weil i einfach Vatraun hab' zu dir!«

»Kein Wort will ever come over my Lippe«, versprach er guttural. »Und wie heißen du really?«

»Woditschka Reserl.«

»And why du nennen dir Gloria Cadillac und machen auf Amerikanerin?«

»Heast, du hast 'leicht a Ahnung, wie's zugeht in Wean! Nix zum Fressen! Nix zum Heizen! Trümma, Trümma, Trümma. Und die Besatzungsmächte, die viere! Was die aufführn! Des kann se ana aus Argentinien einfach net vorstellen, was für a armseliges Leben mir ham, mir Östarreicha!«

»No, surely, I can make mir keine Vorstellung davon. How should ich auch?«

»Sixt es! Ami-Girl? Freundin von am Russen? Heast, i brauch a Marie! Von der Liebe alla kann ma net leben!«

»Certainly not.«

»Na alsdann. Und dann des Ölend. Bin i also abghaut. Zuerst nach Hamburg. Du, da schaut's no vü schlimmer aus als in Wean! Am Strich gehen mag i net. Mei Muatterl war Tänzerin im Staatsopernballett, mei Vaterl war Logenschließa. I hab Künstlablut in mia! Alsdann nix wie an amerikanischen Namen und außi aus Deitschland!«

»Aber wer hat dir denn das Striptease beigebracht?«

»Heast, wann dir dei Kindermadl des andere aa so gut beibracht hat wie Deitsch... na servas!«

Eiweih, dachte Jakob. Sie hat mir was Nettes sagen wollen. Es gibt Nettigkeiten, die sind lebensgefährlich. Also ließen seine Kenntnisse der deutschen Sprache rapide nach: »No, no, no... just a little... but who has tought jou striptease?«

»A ehemalige BDM-Führerin aus Castrop-Rauxel. Brunhilde Zecke. Die arbeitet jetzt in Schweden. Nennt sich Kitty Kattykitt... Fern der Heimat... oame Sau...«

»Well, she is German. But you, befreites Austria...«

»Des is aba ja woar, was du da sagst! Mir san a klaans, tapferes Volk, das wo der Hitla vergewaltigt hat…« Mit einem Schluchzen, ohne Übergang: »Und wer vergewaltigt mi?«

»Well, after all… was du tun… and here are only Männer…«

»Na eben!«

»Eben what?«

»Männa! Schau dir die Klacheln hier doch an! Geile Hund, alle miteinand. Aber können kann kana net. Der Robert aa net!«

Jakobs Brauen hoben sich.

»Monsieur Rouvier ist impotent?«

»Impotent? Im Gegenteil, Schatzi, im Gegenteil! Der kriegt ihn nimmermehr hoch! Was glaubst, was i schon alles angestellt hab, bloß damit er a klans bißl… du vastehst?«

»Verstehen, yes.«

»Und des seit fast drei Monat! Jede Nacht! I bin scho halb narrisch. Und mir kummt's aus die Ohren außi!«

»But… but he is so wonderfully schön!«

»Dafür kann i mia was kaufn!«

»Hm.« Und angesichts dieses Adonis hatte Jakob fast schon Minderwertigkeitskomplexe bekommen! Er reflektierte: Rouvier ist also ein Beauty boy und Zéro, Juarez ist häßlich und rammelt wie ein Karnickel. Und was mich selber angeht, so könnte ich jetzt nicht einmal aufstehen, ohne daß der Tisch umkippte.

Die Göttin seufzte.

»Na ja, und jetzt alsdern Rom. Bin neugierig, ob i bei die Spaghetti an reinkrieg…«

»Hrrm!«

»'tschuldige. I kumm aus Ottakring. Is dir ka Begriff, was?«

»Sorry. We lived in Döbling. My nurse came auch from dort.«

»Ja, Döbling! Des ist was für die feinen Leut! Aber Ottakring – des is des Volk! I bin a Kind aus der Hefe des Volkes!« verkündete Gloria. »'s Woditschka Reserl eben. Den Namen hab i natürlich ändern müssen, hat der Ferdl gsagt.«

»Who is Ferdl?«

»Mei Mänätscha.«

»Well now, could nicht your Ferdl…«

»So hab i mia des ja vorgstellt!«

»Yes. Und?«

»Unsaans hat ka Glück. Der Ferdl is a Warma. Hundat Prozent.«

»How sad. Where ist denn Ferdl?«

»Schon in Rom. Da soll i auftreten. Übermorgen. Im ›Casanova‹. Auf der Via Benito.«

Irgendwas stimmt da nicht, grübelte Jakob und forschte: »Via wie?«

»Benito… I denk mia, sie ham's nach'm Mussolini so gnennt.«

»I see. Then this is your last Abend hier?«

»Ja. Aba der Robert waaß des net. I kann des nimmermehr ertragen, des Herumgewurschtel an ihm, des stundenlange. Bei allem Geld, wo er mir gibt.«

»Well, I don't verstehen that! He kommt here jede Nacht to see deine… deine…«

»Ja, ich vasteh schon! Und?«

»Und he can see deine… your… zu Hause, as long as he will!«

»I hab's eahm ja aa schon hundertmal zeigen wollen! Ab daham bei mia, da wü er's net sehn!«

»What?«

»Des is pischologisch, waast? Daham da derf i mi net ausziagn. Da ziagt er mi imma aus! Weil er hofft, daß er dabei… du vastehst?«

»I understand.«

»Funktioniert nur nie. Beim Beha is Schluß. Zum Hoserl kommt er gar net amal! Da is er dann schon längst bös! Bös auf mi! Stell dir des vor! Bös auf *mi*, weil *er* net kann! I sag ja, zu dir hab i Vatraun. Vom ersten Moment an ghabt. Außadem bin i morgen früh weg. Acht Ua drei geht mei Zug. Nacha können mi alle hier am Oasch lecken.«

»Gibt surely welche, who would this gern schon vorher tun, with pleasure!« Jakob fühlte ein heftiges Rühren. Ob das eine echte Rothaarige ist? dachte er. Und grüne Augen. Grüne Augen haben schon immer Verheerungen angerichtet bei mir.

»Du maanst… Jessassmariandjosef! Und du bist doch so reich!«

»Hrm! Well, yes. But I am a Fremder hier. And I have practically kein Geld. Außer you nehmen Dollar-Schecks…«

»I nimm do ka Geld von dir! Um nix in der Welt. Du mit dein Weaner Kindermadl… Außadem, i hab dir ja gsagt, mir kummts aus die Ohren… Du bist doch ka Warma?«

»Bestimmt nicht, Reserl. Aber wo?«

»Bei mir! I hab a Zimmer, Rü dü Kanal! Und dem Robert sag i, daß die Englända kumma san.«

»What?«

»Daß mei Tant' zu Besuch is! Vastehst des?«

»Sorry, no…«

»Komisches Kindermadl mußt du ghabt ham! Daß i meine Tag' hab, Jessas!«

»You must verzeihen my schlecht Deutsch«, sagte Jakob. »But otherwise you'll be very zufrieden.«

»Wann i mia di so anschau, nachha glaub' i, wir wern an Wecka stellen müssen, damit i'n Zug net vasäum!«

»Mhm!« sagte Jakob Formann. Auf Englisch.

50

Am späten Nachmittag des nächsten Tages kehrte der liebestolle Handelsattaché Amadeo Juarez aus Paris zurück. Vor seiner Abfahrt war als Treff das Astoria-Kino an der Avenue Prince d'Orange ausgemacht worden. Letze Reihe Parkett. Man gab ›Vom Winde verweht‹ mit Vivian Leigh und Clark Gable. Das Publikum war erschüttert, immer wieder klangen Schluchzer auf. Der Film war französisch synchronisiert. Jakob verstand kein Wort. Ich weiß nicht, dachte er, was die Weiber alle an diesem Rhett Butler gefressen haben. Besonders die Scarlett O'Hara! Der müßte ich begegnen – dann wäre der Film zu Ende. Aber sofort! (Er befand sich infolge der letzten Nacht noch in einer Phase männlichen Hochgefühls.)
Amadeo Juarez glitt auf den Sitz neben ihm.
»Bon soir.«
»Ja, ja. Alles in Ordnung?«
»Alles in Ordnung. Das Geld ist längst nach New York unterwegs. Die besten Wünsche von Monsieur Arnusch. Madame liebt Sie unendlich und hält es mit ihrer Sehnsucht kaum noch aus. Vor großem Zuhörerkreis im Speisesaal des HÔTEL DES CINQ CONTINENTS. Wie befohlen. Monsieur Arnusch ist vor Ihrer Abreise noch in das größte Blumengeschäft der Stadt gegangen und hat als Mister Fletcher einen Dauerauftrag gegeben, samt einer Reihe von offenen Briefchen. Madame erhält täglich drei Dutzend herrliche Rosen und jeweils ein Briefchen...«
»Hm«, knurrte Jakob.
»Die Briefchen werden natürlich im Geschäft und im Hotel gelesen...«
»Natürlich.«
»Es sind glühende Liebesbriefe von Ihnen an Madame. Monsieur Arnusch hat sich die größte Mühe damit gegeben. Sie beide sind bereits die Sensation des CINQ CONTINENTS... Verzeihen Sie, wenn ich mich gleich entferne? Claire hat wieder Abenddienst im Hotel...«
»Okay«, sagte Jakob. »Machen Sie's gut, Amadeo. Aber rufen Sie mich morgen abend noch an. Zwanzig Uhr dreißig.«
Der häßliche Handelsattaché hastete davon. Junge, Junge, dachte Jakob schläfrig, jetzt fängt der *wieder* an! Wir sind schon ein feiner Verein! Aber lieber mies und oho als schön und nix. Armer Rouvier.
Der arme Rouvier hatte im PLAZA eine telefonische Nachricht für Jakob hinterlassen. Er bat um Anruf.
Jakob rief an.
Der Menschheit ganzer Jammer schallte gleich darauf an sein Ohr.
»Sie wissen es natürlich noch nicht.«
»Was weiß ich noch nicht?«
»Gloria ist weg.«
»Was heißt weg?«

»Das heißt, was es heißt! Verschwunden! Abgereist!«

»Wohin?«

»Weiß ich nicht. Ich war in der Rue du Canal. Da hat sie ein Zimmer gemietet. Die Concierge sagte, Gloria sei heute ganz zeitig aus dem Haus gegangen. Zusammen mit einem Mann, mit dem sie gestern spät nachts gekommen sei.« Der Unglückliche schrie plötzlich: »Wer war der Hund?«

»Woher soll ich das wissen?« fragte der Hund.

»Wenn ich den *je* erwische, töte ich ihn mit eigener Hand, so wahr mir Gott helfe! Ach, Señor Cortez, ich bin ja so verzweifelt... Gloria weg... Und hat mich betrogen zuletzt noch...«

»Vielleicht immer schon«, gab Jakob freundlich zu bedenken.

Ein Aufstöhnen, dann: »Ich darf heute nicht allein sein! Ich bringe mich um, wenn ich heute allein bin. In der ›Chatte noire‹ tritt eine Neue auf. Bitte, gehen Sie mit mir hin!«

»Nein«, sagte Jakob entschieden. »Ich kann mir nicht jede Nacht um die Ohren schlagen. Ich hatte sehr viel zu arbeiten. Ich gehe früh schlafen. Wenn Sie wollen, kommen Sie noch schnell zu einem Apéritif vorbei. Sie wissen, ich esse abends kaum.« (Das wird auf die Dauer auch nicht ziehen, ich muß mich mal nach jemandem umhören, der mir beibringt, diesen ganzen komplizierten, sündteuren Dreck zu fressen!)

»Ich danke Ihnen, Señor. Allein hätte ich den Abend nicht überstanden.«

Als der Schieber dann eintraf, ging Jakob mit ihm in die Bar. Eine halbe Stunde lang hörte er sich geduldig Rouviers Klagelieder an, dann kam er zur Sache. »Ach ja, meine Lieber... Ich muß zwei, drei Tage in die Provinz, wegen dieses... hrm... Unternehmens. Sie verstehen...«

Rouvier vergaß a tempo sein Leid. Die feurigen Augen wurden feucht. »Ich verstehe. Noch ganz geheim die Sache, wie?«

»Ja.«

»Die böse Steuer, was?«

»Die böse Steuer, ja.«

»Hahaha.«

»Hahaha. Ich brauche noch einmal ein wenig Kleingeld... Sagen wir noch einmal fünftausend Dollar... Wenn Sie Bedenken haben, da sind drei Herren, die mir inzwischen Beträge in jeder Höhe angeboten haben. Ich wollte nur aus Freundschaft zu Ihnen nicht gleich mit anderen...«

»Das ist hochanständig, Señor Cortez! Das werde ich Ihnen nie vergessen! Andere Herren? Ach, das sind doch Schweine! Dreckige Konkurrenz. Wie heißen sie? Ach so, die haben Ihnen natürlich falsche Namen genannt, klar. Weil sie wissen, daß *ich* mit Ihnen arbeite! Sinnlos, mir zu sagen, wie sie sich nannten, die Schweine.«

Es ist wirklich sinnlos, dachte Jakob. Wem Gott will rechte Gunst erweisen, dem nimmt er Antworten auf sinnlose Fragen ab. Ich hätte Namen erfinden müssen, denn natürlich ist kein Mensch an mich herangetreten.

»Folgen Sie mir, bitte, auf die Toilette«, sagte Rouvier atemlos.

»Auf die...«

»Ich kann Ihnen das Geld doch nicht hier vor allen Leuten geben, Señor Cortez! Wie sähe das denn aus?«

»Ach so...«

Auf der Toilette schrieb Jakob dann einen weiteren Scheck über fünftausend Dollar aus, und Rouvier überreichte ihm den Schwarzmarktgegenwert in belgischen Francs. Damit ist die Grenze erreicht, die Rubinstein gesetzt hat, dachte Jakob, als er das Geld verstaute und sich danach die Hände wusch. Mehr Schecks darf ich nicht ausschreiben, sonst wird Rubi böse. Der ist pingelig, hat Laureen mir gesagt, daß der Arnusch Franzl ihr gesagt hat. Er begleitete den Schieber zu dessen Wagen. »Speisen Sie gut«, riet er. »Schauen Sie sich die Neue in der ›Chatte noire‹ an. Vielleicht ist sie noch besser als Gloria.«

»Es gibt nichts Besseres als Gloria«, sagte der Schieber dumpf und ließ sich hinter das Steuerrad fallen. »Wer diesem Zauberwesen einmal begegnet ist – großer Gott, hat die mich Geld gekostet... aber es war's wert, jeden Franc war es wert – den wird sie verfolgen sein Leben lang...«

»Unsinn«, sagte Jakob und ahnte nicht, als wie wahr des Schiebers Prophezeiung sich noch erweisen sollte. »Los, los! Viel Spaß mit der Neuen! Und vor allem: Kopf hoch!« Das war ein geschmackloser Zuruf, dachte er. Den hätte ich vielleicht unterdrücken sollen. Armer Rouvier...

Jakob ging in sein Appartement, setzte sich hinter den Prachtschreibtisch und wartete geduldig. Um 20 Uhr 30 schrillte das Telefon. Der Handelsattaché meldete sich wie verabredet.

»Wir treffen uns in genau einer Stunde, um halb zehn, in der Rue du Chêne«, sagte Jakob. »Sie müssen sofort wieder nach Paris.«

Der Attaché begann zu toben: »Schon wieder? Das können Sie mit mir nicht machen! In Paris hatte ich kaum eine Stunde Zeit für Yvonne, und hier liegt Claire in meinem Bett! Ich komme nicht!«

»Und ob Sie kommen«, sagte Jakob. »Oder ich lasse Sie auffliegen! Neues Geld muß nach Paris – schleunigst. Rue du Chêne! Hinter dem Manneken Pis! Und diesmal sind Sie pünktlich!« Er schmiß den Hörer in die Gabel. Diesmal war der Attaché pünktlich. Aber er platzte fast vor Wut.

»Hier, die belgischen Francs. Sofort nach Paris zu Laureen damit. Und sofort wieder zurück. Sie müssen jetzt jederzeit einsatzbereit sein.«

»Der Teufel soll Sie holen, Sie Hund!« (Irgend jemand hat heute schon mal Hund zu mir gesagt, überlegte Jakob träumerisch und ergebnislos.) »Wenn ich Schwierigkeiten mit meiner Potenz bekomme, lasse ich Sie von ein paar Macros zusammenschlagen!« Amadeo Juarez drückte den Gashebel des laufenden Motors ganz durch. In einem Rennstart schoß der Bentley davon. Ich fürchte, der hat schon Schwierigkeiten mit seiner Potenz, dachte Jakob. Er schlief recht tief in dieser Nacht. Ottakring bleibt Ottakring.

51

»Ich werd' verrückt! Formann! He! Jakob! Jakob Formann!« schrie der deutsche Kriegsgefangene, der mit einer Kolonne anderer Gefangener, bewacht von ein paar gelangweilten Soldaten, da am Hafen arbeitete.

Verflucht, dachte Jakob. Das kommt davon, wenn man ein feiner Mann sein und sich bilden will. Er machte kehrt und versuchte zu türmen. Der Kriegsgefangene aus der Kolonne brüllte: »Mensch, Jakob! Was hast du denn? Ich bin's doch, der Otto Radtke! Schau mich doch an! Orel! Kannst du dich nicht mehr erinnern, wie du mich zum Verbandsplatz geschleppt hast?«

Jetzt kommt der Radtke mir mit Orel, dachte Jakob wütend. Da muß man drei Tage warten, bis die Schecks, die man ausgeschrieben hat, in New York eingetroffen und bestätigt worden sind, damit man endlich diesen Schieber richtig aufs Kreuz schmeißen kann. Da fährt man drei Tage aus Brüssel weg mit einem gemieteten Wagen – nach Gent und Ostende und Zeebrügge und natürlich auch Antwerpen, und weil man doch gar nichts weiß und kann und einem solche Sachen wie die mit der Fingerschale und den Austern passieren und man nichts von Literatur und Malerei und Geschichte versteht, eben darum will man sich bilden und geht in Museen und weiß jetzt, zum Beispiel, daß die Meister der südniederländischen Malerei van Dyck, Matsys, Teniers, Rubens und noch ein paar andere sind, die man jetzt auch kennt, und man schaut sich die Pinseleien in den Kirchen und in der Kunstakademie hier und das Rubenshaus und eine Masse anderes Zeug an (viel zu fett, diese Weiber, die der Rubens gemalt hat!), und dann steht im Stadtführer, den man sich gekauft hat, man muß unbedingt den Hafen besichtigen, neben Hamburg und Rotterdam den bedeutendsten Seehafen Europas, im Scheldebogen gelegen, auswendig lernt man das, gottverflucht, herfahren tut man, herumlaufen tut man in Schnee und Dreck, nahe ran an die Hafenbecken, weil man gesehen hat, da schuften sich arme Landserschweine ab in ihren verdreckten Uniformen, mit dem weißen PW auf dem Mantel- oder Jackenrücken. Und dann!

Natürlich kenne ich diesen Radtke, der so schreit, weil er mich erkannt hat. Als wir wieder mal eine ›Frontbegradigung‹ in Rußland vorgenommen haben, hat's ihn erwischt, nicht sehr gefährlich, Steckschuß im rechten Schenkel, aber er hat nicht laufen können, ich hab' ihn auf den Rücken genommen und zum Verbandsplatz geschleppt, und daran erinnert der Kerl sich, was fällt dem ein, man war und ist immer viel zu gutmütig.

Der Kerl schreit schon wieder. Mensch, halt doch deine dämliche Schnauze. Nix zu machen. Hält sie nicht. Da sind jetzt schon mindestens zwei Dutzend Kameraden aufmerksam geworden, und ein paar von den Wachtposten zeigen auch ein müdes Interesse. Mist verdammter, ich muß zum Radtke, sonst schreit der Kerl so lange, bis ganz Antwerpen zusammenläuft. Wirklich, ich könnte mir selbst in den Hintern treten. Da sieht man es wieder: Wer sich in Kultur und Bildung begibt, kommt darin um! Also jetzt nix wie zum Radtke und gezischt: »Halt's Maul, ich flehe dich an!« Gott sei Dank schneit es, und es ist bereits sehr dämmerig. Kalter Nordwind, richtiges Dreckwetter. Die Posten haben schon wieder jedes Interesse verloren und stapfen herum, weil ihnen kalt ist. Die amerikanischen Soldaten, die alle Waren im Hafen bewachen sollen, hocken in ihren Baracken, die sind nicht so dämlich wie ich.

»Aber...«, begann Radtke, mit großen Augen, treuherzig wie ein Bernhardiner. »Aber... wieso bist du raus? Und so ein feiner Pinkel? Was machste denn hier? Richtig entlassen?«

»Ich hab' mich selber entlassen.« Jakob bemerkte, daß ihn viele unfreundliche Gesichter ansahen. »Meine Herren, es ist ganz unnötig, mich so anzusehen«, sagte er lässig. Das Rasiermessergefühl – da war es wieder. Wohlig fühlte er es den Rücken hinabrieseln. Wird schon schiefgehen! Er sah viele Waggons. Die Waggons wurden mit Kisten und Kartons beladen.

»Wieso bist du in Antwerpen?« fragte Radtke. »Dich haben doch damals die Russen geschnappt!«

»Leise!« sagte Jakob. Weit hinten, auf dem Damm, sah er zwei Amis mit Maschinenpistolen. Die bemerken uns nicht, dachte er. Außerdem haben sie diese pelzgefütterten Windjacken mit Kapuzen. Denen ist alles zum Kotzen, die wollen sich nur warm halten, darum laufen sie so. Es ist doch in allen Armeen dasselbe mit den armen Soldaten. Während er das dachte, hatte er flüsternd von seiner Selbstbefreiung aus russischer Gefangenschaft berichtet. Er schloß bewegt: »Dich haben sie dann noch an die Westfront geschickt, Radtke, du arme Sau.«

»Wir sind alle arme Säue«, ließ sich ein anderer Gefangener vernehmen.

»Das kann ich euch nachfühlen«, sagte Jakob. »Aber ihr seid noch nicht die ärmsten. Ihr seid bei den Amis. Da kriegt ihr wenigstens genug zu fressen und zu rauchen und zu trinken.«

»Schon, aber...«

»...aber eure Familien in Deutschland, ich weiß, ich weiß«, Jakob nickte. »Das ist eine mächtige Scheiße.«

»Kann man wohl sagen«, ertönte eine dritte Stimme. »Was soll das Gequatsche? Wenn du uns hier vielleicht geistlichen Trost spenden willst, dann hau bloß ab! Wir haben den Kanal voll, wir wollen nichts wissen!«

»Vielleicht doch«, sagte Jakob. »Was, zum Beispiel, ist in den Kartons, die ihr da gerade in den Waggon verladet?«

»Präservative.«

»Was?«

»Na, Überzieher, Mensch. Kapierst du das nicht?«

»Ach so«, sagte Jakob. Er multiplizierte und dividierte bereits.

Das war eine Krankheit bei ihm geworden. Wann und wo er sich befand, wann und wo sich auch nur die kleinste Gelegenheit bot, ein Geschäft zu machen, Geld zu verdienen – er mußte dabeisein! Immer tätig, niemals ruhend. Sein Krieg! Sein Krieg! Er mußte doch seinen Krieg gewinnen!

»Nicht so'ne dreckigen Überzieher, die wir hatten«, sagte Radtke. »Mensch, der Ami ist vielleicht ein reinlicher Mensch. Das sind sogenannte Pro-Kits!«

»Kenne ich.«

»Nanu, woher?«

Das Rattern von zwei Maschinenpistolen ließ Jakob zusammenfahren. Die andern blieben gelassen.

»Was war das?«

»Die Doppelwache auf dem Damm. Das machen die um diese Zeit immer. Da ist eine ewige Schießerei im Gange. Immer wenn die Flut kommt.«

»Wieso dann?«

»Dann sind unsere Baracken den Ratten zu feucht«, erklärte Radtke.

»Ihr habt Ratten in euren Baracken?« interessierte sich Jakob.

»Sage ich doch. Woher du Pro-Kits kennst, hab' ich gefragt!«

»Ich hab' für die Amis gearbeitet... als Dolmetscher... in Wien... Kameraden, wie ich euch so sehe, kann ich mir vorstellen, wie euch zumute ist. Ich habe gerade nichts zu tun. Da könnte ich ein kleines Geschäft mitnehmen. Bei so einem Pro-Kit ist einiges in die Stanniolfolie geschweißt. Die Überzieher. Eine Tube Penicillin-Salbe zum Nachher-gleich-Reindrücken, damit's keinen Tripper oder was Schlimmeres gibt. Ein Seifentaschentuch, gefaltet. Wieviel Pro-Kits verladet ihr in diese Waggons?«

»Der wird nur halb gefüllt, wie du siehst, Jakob. Das werden so vielleicht drei Millionen Stück sein.«

»Habe ich ungefähr geschätzt. Mein Vorschlag, Kameraden – und der Radtke weiß, daß ich ein ehrlicher Mensch bin! Ihr stellt mir kurz eure Arbeitskraft zur Verfügung. Jeder gibt mir die Adressen seiner Angehörigen in Deutschland. Ich verspreche, daß jede Familie fünf CARE-Pakete bekommt, und das ist sehr bald.«

»CARE-Pakekte kannst du doch bloß in Amerika bestellen. Die verpacken alles drüben, und wer zehn Dollar zahlt, für den wird in Deutschland so ein CARE-Paket geliefert!«

»Ich habe einen Freund in New York«, sagte Jakob ungerührt. (Die kleine Gefälligkeit wird mir der Rubi doch noch erweisen!)

»Ich mache mit«, sagte Radtke. »Und ihr könnt auch alle mitmachen. Ich kenne den Jakob. Der bescheißt euch nicht!«

»Schreibt alle eure genauen Adressen hier rein. Aber leserlich!«

Jakob gab Radtke ein Notizbuch.

Während ein Gefangener nach dem anderen schrieb, erklärte Jakob das Technische. Der Waggon mußte noch abgefertigt und geschlossen werden, bevor die Gefangenen mit der Arbeit aufhören konnten, erfuhr er von Radtke.

»Dann schreie ich nach dem Corporal, und der kommt mit Draht und Plomben und versiegelt den Waggon. Dann kommt eine Rangierlok und schleppt den Waggon raus auf den Güterbahnhof.«

»Ist der bewacht?«

»Ja. Aber was glaubst du, was da trotzdem geklaut wird? Denn die Waggons – wir entladen ja nicht nur Präser! –, die bleiben bis morgen früh dort stehen. Dann wird eine Zuggarnitur zusammengestellt. Du mußt mir deine Adresse geben, Jakob. Einmal werde ich ja hier rauskommen, und dann such' ich dich vielleicht.«

»Am besten, du wendest dich an die Adresse von Heinrich Himmler in Waldtrudering bei München«, sagte Jakob.

52

Das größte Puff in Antwerpen hieß ›Palais des Nations‹. Die Besitzerin, die eine kleine Brasil rauchte, sagte im Empfangssalon ihres Etablissements in der Beeldhouverstraat, die nahe dem Museum der Schönen Künste an dem Leopold De Waels Plaats liegt: »Also gut, ich übernehme die Pro-Kits.« Sie sprach Deutsch, was natürlich alles ungemein erleichterte.

»Das freut mich, Madame Willemsen.«

Die Dame Willemsen, eine stattliche Person mit vielen Ringen und Ketten und einem gepuderten Teiggesicht, dessen Züge freilich auch stahlhart werden konnten, sagte: »In schweren Zeiten wie diesen ist es gut, einen kleinen Vorrat anzulegen... Und sagen Sie besser Mevrouw zu mir. Das höre ich lieber.«

»Das ist ein lobenswerter Vorsatz, Mevrouw«, sagte Jakob und sah freundlich, die braun-, schwarz-, gelb-, rosa- und weißhäutigen Mädchen an, die nackt oder halbnackt im Salon saßen, strickten, Kreuzworträtsel lösten oder an ihre Kinder schrieben. Es war noch zu früh fürs Geschäft. »Ich möchte aber Dollars.«

»Dollars?«

»Wenn's recht ist, Mevrouw.«

»Da muß ich erst mit Mijnheer Huysman telefonieren.«

»Wer ist Mijnheer Huysman?«

»Mein Steuerberater. Ich habe soviel natürlich nicht in Devisen.«

»Hoffentlich hat Mijnheer Huysman soviel, Mevrouw. Mir liegen drei Angebote von wallonischen Herren vor.«

»Sie werden doch nicht...« Der Busen von Mevrouw Willemsen wogte heftig, sie griff sich an die Kehle. »Die Präservative müssen in flämischer Hand bleiben!«

»Wie Sie meinen, Mevrouw. Aber wenn Mijnheer Huysman, natürlich auch ein Flame, nehme ich an« (Gott segne Österreich), »nicht genügend Dollars hat…«

»Geduld, Mijnheer, ein bißchen Geduld. Dann wird er sich eben mit seinem Kompagnon Mijnheer Vermeylen besprechen. Gemeinsam haben sie genügend Dollars.«

»Wer ist Mijnheer Vermeylen, Mevrouw?«

»Ein reicher Fabrikant hier in Antwerpen, Mijnheer.«

»Aha.«

Mevrouw erhob sich. »Sie wollen die Dollars sofort nach Übernahme durch meine Freunde?«

»Ihre Freunde, Mevrouw, wer ist das?«

»Belgische Polizisten. Die bewachen den Frachtbahnhof, auf dem der Waggon stehen wird.«

»Aha.«

»Es sind natürlich auch amerikanische Posten da. Die werde ich abzulenken wissen, seien Sie beruhigt.«

»Da bin ich ganz beruhigt, Mevrouw.«

»Abtransportieren müssen wir die Dinger in Salatkörben.«

»Salatkörben, eh, hrm?«

»Im Französischen werden die ›Grünen Minnas‹ charmanterweise ›paniers de salade‹ genannt!«

»Wirklich charmant…!«

»Ich werde jetzt schnell telefonieren und alles vorbereiten. Auch meine Knaben muß ich verständigen.«

»Ihre Knaben?«

»Süße Kinderchen. Die helfen mir immer in solchen Fällen. Es sind auch Mädchen darunter. Die Eltern werden von mir natürlich entschädigt.«

»Natürlich.«

»Alle Soldaten – und ganz besonders die Amerikaner – sind doch so kinderliebend, nicht wahr?«

»So ist es, Mevrouw.«

»Ich habe Sie bereits gefragt: Sie benötigen die Dollars sofort, nachdem die Kinderchen und die Polizisten den Waggon geleert haben?«

»Wenn ich darum bitten dürfte, Mevrouw. Sagen wir bis spätestens zwei Uhr nachts. Dann muß ich nämlich abreisen.«

»Es wird klappen, Mijnheer. Auf meine Polizisten ist Verlaß. Die einzigen, auf die man sich in dieser Gangsterstadt noch verlassen kann. Während ich mich umhöre, wollen Sie nicht vielleicht eine kleine Distraktion?… Nein, nein, die Freude müssen Sie mir machen! Wer soll's denn sein? Was hätten Sie denn gerne? Europäisch, afrikanisch…

»Chinesisch, wenn es nicht zu unverschämt ist, Mevrouw. Chinesisch habe ich noch nie.«

»Aber gerne. Yün-Sin, komm her!« Ein zierliches Geschöpf trat heran.
»Yün-Sin heißt Pfirsichblüte, Monsieur. Pfirsichblüte, der Herr will dir die
Ehre erweisen. Zeige ihm deine Spezialität, die ›Schlittenfahrt‹!«
»Gewiß, Mevrouw«, zwitscherte Pfirsichblüte englisch mit Piepsstimme.
Sie kreuzte die Arme über der bloßen Brust und verbeugte sich tief vor Ja-
kob. »Edlel Tai-Pan, dalf ich bitten, mil zu folgen?« Mit wackelndem Popo
ging sie vor Jakob her, die Treppe empor, die zu den Zimmern führte. Die
anderen Mädchen nahmen keine Notiz davon.
»Kennt eine von euch eine Sowjetrepublik mit acht Buchstaben?« fragte
die Mulattin, die Kreuzworträtsel löste.

Um 1 Uhr 30 war alles vorbei.
Jakob saß im Büro der Dame Willemsen und ließ sich fünfundzwanzigtau-
send Dollar vorzählen. Der Steuerberater und der reiche Fabrikant hatten
ihr unter die Arme gegriffen. Die Kondome waren bereits über die ganze
Stadt verteilt. Reizende Kinder hatten die Plomben des von Radtke mit einem verabredeten Zeichen (es stand in deutscher Sprache da: ICH LIEBE
DICH) versehenen Waggons aufgebrochen und die Kartons zu zwei ›Salatkörben‹ getragen, die unentwegt an- und abfuhren.
Es war zu keinerlei Zwischenfall gekommen. Mevrouw Willemsen hatte
Damen aus den Etablissements ›Zum heißen Trichter‹, ›Zur flotten Hen-
drikje‹ und ›Zum roten Stiefel‹ um Mitarbeit gebeten. Die Damen leisteten
ganze Arbeit in den Wachbaracken der amerikanischen Posten, die schon
vor Anlaufen der Aktion nicht mehr stehen konnten – entweder infolge
Suffs oder Erschöpfung oder von beidem. So waren denn alle zufrieden…
Jakob, der mitgezählt hatte, steckte die fünfundzwanzigtausend Dollar ein
und küßte Mevrouw Willemsen die Würstchenfinger.
»Es war mir ein Vergnügen, Mijnheer«, sprach Madame.
Schon eine halbe Stunde später hatte Jakob Antwerpen in seinem Mietwa-
gen verlassen und fuhr durch eine Winternacht Brüssel entgegen. Es
schneite. Jakob fühlte sich sehr wohl. Fünfundzwanzigtausend Dollar sind
besser als in die hohle Hand, dachte er. Und jetzt weiß ich, was eine ›Schlittenfahrt‹ ist, Junge, Junge. Sollten wir unseren nächsten Krieg China erklären, melde ich mich freiwillig!

        53

»Maître«, sagte Señor Miguel Santiago Cortez am Nachmittag darauf,
nicht die Spur ermüdet, gebadet, rasiert, frisch und munter, »wie Ihnen
Monsieur Rouvier schon am Telefon erzählt hat, werde ich in Belgien ein
Industrieunternehmen erwerben. Der Vertrag zwischen mir und den bisherigen Besitzern sieht vor, daß von der Kaufsumme zweihunderttausend

Dollar bar in belgischen Francs bezahlt werden. Ich erlaube mir also, Monsieur Rouvier, meinem Bevollmächtigten für Belgien – ich bin nämlich dauernd unterwegs –, einen Scheck über zweihunderttausend Dollar zu übergeben. Er gibt mir dafür den Gegenwert in belgischen Francs. Das alles wollen wir in einem von Ihnen beglaubigten Vertrag festhalten...«

Maître Jean-Louis Labisse – sein Büro befand sich in dem altehrwürdigen Gebäude 42, Boulevard Leopold II. – war einer der feinsten und angesehensten Notare Brüssels. Das hatte Jakob schon am Vormittag von Rouvier erfahren, als sie miteinander telefonierten, nachdem ihm bei seiner Rückkehr ins PLAZA eine von der Telefonistin aufgenommene Nachricht übergeben worden war: ›Bitte rufen Sie mich gleich an. Herzlichst Rouvier.‹

Also hatte Jakob den Schieber angerufen.

Der guten Ordnung halber (wie Rouvier sagte) berichtete der Schieber zuerst, seine amerikanische Bank habe ihm mitgeteilt, daß die beiden Schecks zu je fünftausend Dollar, die Jakob ihm gegen belgische Francs gegeben hatte, bereits gutgeschrieben seien.

Damit habe ich endgültig sein Vertrauen gewonnen, dachte Jakob und sagte: »Das freut mich! Und sonst?«

Rouvier druckste eine Weile herum. Dann konnte er nicht länger an sich halten: »Hatten Sie Erfolg auf Ihrer Reise, Señor Cortez?«

»Ach ja, doch, doch, ich bin recht zufrieden«, ließ sich Jakob vernehmen. »Ich habe da was sehr Hübsches gefunden.«

»Oh!« Ein leises Keuchen Rouviers war zu hören. Dann stammelte er Unzusammenhängendes. Er brachte einfach nicht heraus, was er sagen wollte.

»Ich will es Ihnen leichter machen, Rouvier«, sagte Jakob väterlich. »Sie haben mir seinerzeit gesagt, daß Sie gerne groß mit mir ins Geschäft kommen wollten...«

»Ja... und?«

»Sehen Sie, ich werde dauernd in der Welt herumgejagt, ich brauche deshalb einen Bevollmächtigten für Belgien. Ich habe noch keinen. Jetzt brauche ich ihn nötiger denn je, weil ich fort muß. Aber da habe ich nun das Ding hier am Hals. Wenn Sie also Zeit und Lust hätten...«

Rouvier stotterte vor Aufregung: »Bi... bi... bin in zehn Minuten bei Ihnen im Hotel, Señor!«

Er war binnen acht Minuten da, wie Jakob zufrieden feststellte. Sie setzten eine Bevollmächtigungserklärung des Señor Miguel Santiago Cortez für Monsieur Robert Rouvier, betreffend das Gebiet Belgien, auf.

»Nun brauchen wir noch einen Notar für das Geld«, sagte Jakob.

»Ich würde Maître Jean-Louis Labisse empfehlen, Señor. Er ist einer der feinsten und angesehensten Notare Brüssels...«

Zwei Stunden später saßen die beiden dann vor dem vornehmen alten Herrn mit dem Silberhaar, und Jakob sprach die Worte, die wir schon niedergeschrieben haben.

Der vornehme alte Herr mit dem Silberhaar rief eine ungemein hübsche Sekretärin herein. Ich könnte schon wieder, dachte Jakob. Diese ›Schlittenfahrt‹... Aus! Seriös, Jakob, seriös jetzt!

Es wurde ein äußerst präziser Vertrag aufgesetzt, der alle Rechte und Pflichten Rouviers sowie die damit zusammenhängenden finanziellen Fragen genauestens klärte. Monsieur Rouvier wies sich mit einer belgischen Identitätskarte, Jakob mit dem argentinischen Reisepaß auf den Namen Cortez aus. Die ungemein hübsche Sekretärin tippte den Vertrag sogleich mit mehreren Kopien. Danach stempelte der vornehme alte Maître Labisse sämtliche Seiten des Vertrages, versah sie mit seinen Initialen und beglaubigte zum Schluß alles mit eigener Unterschrift und Siegel. Der Platz für den Namen des Industrieunternehmens, das Señor Cortez erwerben wollte, war freigelassen worden, denn dieser, so sagte er, hatte sich verpflichtet, den Namen bis nach Abschluß des Vertrages geheimzuhalten.

Der ebenso bildschöne wie impotente Rouvier wuchtete einen Koffer hoch und zählte belgische Franc-Noten auf den Schreibtisch, die dem Gegenwert von zweihunderttausend Dollar entsprachen. Es war ein hübscher Montblanc aus Papier, der da zuletzt aufragte, als Rouvier seinem Partner Jakob auf die Schulter schlug und mit hinreißend verlegerem Lächeln sagte:

»Den Koffer schenke ich Ihnen!«

Sie bezahlten die Gebühren des vornehmen alten Maître Labisse und verließen das Notariat. Beim Abschied vor dem PLAZA, wohin ihn der Schieber zurückgefahren hatte, sagte Jakob, daß er nun für drei bis vier Tage nach Italien reisen müsse. Dann werde er wieder in Brüssel sein. (Er hatte keineswegs die Absicht, so bald wieder in Brüssel zu sein!)

Rouvier wünschte glückliche Wiederkehr und empfahl sich mit tiefen Verbeugungen.

Jakob saß geduldig in seinem Appartement, bis um 18 Uhr der Handelsattaché anrief. »Wir hauen ab«, sagte Jakob.

»Was, schon?«

»Ja. Alles erledigt.«

»Herrgott, und Claire hat morgen Frühdienst, und ich habe mich schon so auf morgen früh gefreut!«

»Freuen Sie sich auf Yvonne. Seien Sie um neunzehn Uhr dreißig bei der Abbaye de la Cambre in der Allée du Cloître, Ecke Avenue Emile De Mot«, sagte Jakob, einen Zeigefinger auf dem Stadtplan.

»Aber ich muß mich doch wenigstens verabschieden...«

Jakob legte einfach auf, packte seine Sachen und fuhr mit dem Lift in die Halle hinunter, um die Rechnung zu bezahlen. Der Hoteldirektor, alle Portiers und Receptionisten, die Dienst taten, bereiteten Jakob einen ergriffenen Abschied. Auch ihnen sagte er, er werde sehr bald wieder da sein. Das linderte ihren Schmerz – von den Trinkgeldern ganz zu schweigen. Jakob sah gern glückliche Menschen.

Der Taxichauffeur war Flame. (Auch in dieser Hinsicht hatte Jakob inzwischen einiges gelernt.) Unglaublich, wie einfach das alles gegangen ist, dachte er. Die menschliche Dummheit kennt keine Grenzen! Sie fuhren zur Gare du Nord. Jakob drehte sich um und blickte durch das Rückfenster. Ein schwarzer Wagen fuhr hinter ihnen her. Der Chauffeur dieses Autos und die drei anderen Herren darin sahen aus wie Catcher.

»Fahren Sie ein bißchen herum«, sagte Jakob. Vielleicht kannte die menschliche Dummheit *doch* Grenzen? Und dabei hatte dieser Schieber Rouvier sich so freundlich verabschiedet!

»Aber Sie wollten doch zur Gare du Nord...«

»Schauen Sie in den Rückspiegel. Der schwarze Wagen. Ich werde verfolgt.«

»Von wem?« fragte der Taxifahrer in flämisch gebrochenem Englisch.

»Von Wallonen.«

»Ah«, sagte der Taxichauffeur.

Sie fuhren zunächst zur Börse.

Das schwarze Auto mit den vier Kerlen folgte.

»Jetzt zum Justizpalast, Sir?«

»Zum... meinetwegen.«

Also fuhren sie zum Justizpalast.

Das schwarze Auto mit den vier Kerlen desgleichen, dicht hinter dem Taxi her.

Das ist aber gar nicht angenehm, dachte Jakob.

»Noch ein bißchen weiter«, sagte er.

»Zum Parc du Cinquantenaire?«

»Zum Parc du Cin... in Ordnung.«

Also fuhren sie über den Boulevard de Waterloo nordostwärts.

Der schwarze Wagen auch.

Jetzt erreichten sie den nach Norden führenden Boulevard du Régent. Der schwarze Wagen mit den vier Kerlen folgte, als wenn sie ihn mit einem unsichtbaren Seil abschleppten.

Ekelhaft, dachte Jakob, wirklich ekelhaft.

Das Taxi bog in die Rue de la Loi ein. Der schwarze Wagen auch. Also, so geht das nicht weiter, entschied Jakob.

»Halten Sie bitte da vorne bei dem Zeitungsstand!«

»Sehr wohl, Sir«, sagte der Taxichauffeur in flämischem Englisch.

Er hielt vor dem Zeitungsstand. Der schwarze Wagen hielt etwa acht Meter hinter ihm.

Jakob stieg aus, erwarb eine Ausgabe von ›La Dernière Heure‹ und trat dann in die Telefonzelle neben dem Zeitungsstand. In vier Sprachen stand hier über dem Apparat etwas auf einer Tafel. Er las ›Notruf Polizei‹ und eine dreistellige Nummer. Jakob wählte diese Nummer. Eine Männerstimme meldete sich französisch.

»Do you speak English?«

»Just a second, Sir.«

Eine andere Männerstimme fragte englisch: »Was kann ich für Sie tun, Sir?«

»Einen schönen guten Abend«, sagte Jakob. »Ich spreche aus der Telefonzelle vor dem Haus Rue de la Loi 48. Hier randaliert ein völlig betrunkener Privatchauffeur mit drei völlig betrunkenen Wageninsassen. Es ist ein Skandal. Die Kerle haben Pistolen. Jeden Moment kann ein Unglück geschehen.«

»Wie ist die Nummer des Wagens?«

Jakob verrenkte sich fast den Kopf, um das festzustellen.

»B 85674«, sagte er dann.

»Wir kommen sofort. Bleiben Sie bei der Telefonzelle. Wir brauchen Sie als Zeugen.«

»Selbstverständlich, Wachtmeister«, sagte Jakob.

Er ging zu seinem Taxi zurück und setzte sich in den Fond.

»Wir warten noch einen Moment.«

»Okay, Sir.«

Vier Minuten später klang das Heulen einer Sirene auf. Ein Streifenwagen der Polizei kam angeschossen und bremste vor dem schwarzen Auto. Bewaffnete Polizisten sprangen heraus, zerrten vier baß erstaunte Herren mit Totschlägergesichtern ins Freie und begannen auf sie einzubrüllen. Die Herren brüllten zurück. Menschen strömten zusammen. Autos hupten. Der Abendverkehr stockte.

»Jetzt«, sagte Jakob, »fahren Sie bitte zur Gare du Nord.«

»Yes, Sir.« Der Chauffeur fuhr los und schüttelte besorgt den Kopf. »Eine Schande«, murmelte er.

»Was?« forschte Jakob.

»Diese dreckigen Wallonen. Was müssen Ausländer da für einen Eindruck von Belgien kriegen!«

»Aber ich bitte Sie«, sagte Jakob. Lieber Fürst Metternich, sei bedankt!

An der Gare du Nord ging er auf ein Postamt und füllte ein Telegrammformular aus. So lautete der Text: + rubinstein associates new york stop happy birthday to you dear rubi stop cordially yours cortez +

Das war ein verabredetes Zeichen: Sobald Rubi diesen Telegrammtext in Händen hatte, löschte er das Konto des Señor Miguel Santiago Cortez. Das bedeutete natürlich, daß der Scheck über zweihunderttausend Dollar, den Jakob dem Schwindler Rouvier gegeben hatte, platzte. Aber das ist ja der Sinn der Veranstaltung, dachte Jakob. Und Rubi hat sogar noch zwanzigtausend Dollar verdient. Fünftausend weniger als ich mit meinen Präservativen.

»Normales Telegramm?« fragte das Fräulein hinter dem Schalter englisch.

»Blitz.«

»Zehnfache Gebühr! Das ist das Teuerste!«

»Manchmal, liebes Kind«, sprach Jakob Formann freundlich, »ist das Teuerste das Billigste.«

54

Sie erreichten die kurze Allée du Cloître erst um 20 Uhr 40. Der Bentley parkte bereits. Jakob stieg aus und begrüßte den Handelsattaché. Der war sauer. »Fast eine Dreiviertelstunde zu spät!«

»Tut mir leid.«

»Da hätte ich Claire noch Lebewohl sagen können.«

»Hören Sie bloß mit Ihren Weibern auf«, sagte Jakob. »Raus, helfen Sie!« Zu dritt schleppten sie Jakobs schwere Koffer vom Taxi in den Bentley. Der Taxifahrer entschuldigte sich noch einmal für die elenden Wallonen.

»Glauben Sie, woanders geht's besser zu?« fragte Jakob milde und stieg in den Bentley. Der Attaché fuhr los. Nach zwei Stunden hatten sie die letzte Bahnstation auf belgischem Gebiet vor der französischen Grenze erreicht. Diese letzte Station hieß Frameries. Juarez hielt.

»Geben Sie mir meinen Paß«, sagte Jakob.

Er bekam den gefälschten Paß auf den Namen Fletcher und gab Juarez dafür den echten Paß auf den Namen Miguel Santiago Cortez. Dann holten sie Jakobs Schweinslederkoffer aus dem Wagen. Der Koffer mit den belgischen Francs blieb natürlich im Wagen.

»Es geht ein Zug um zwei Uhr fünfzehn früh«, sagte Jakob, während sie gemeinsam das Gepäck über den Platz in den Wartesaal des kleinen Bahnhofs schleppten. »Sie fahren schon los nach Paris und zu Monsieur Arnusch. Es ist jetzt keine Zeit zu verlieren.«

»Und was machen Sie bis der Zug kommt?«

»Ich werde ein bißchen lesen«, sagte Jakob und zog ein schmales Buch aus der Tasche. Es war in englischer Sprache abgefaßt und trug den Titel DER SCHICKSALSKAMPF DER WALLONEN UND FLAMEN.

55

»Ach ja«, sagte Mr. Fletcher am nächsten Vormittag, träumerisch Mrs. Fletcher betrachtend, »es ist doch schön, wieder daheim zu sein.«

Er saß neben seiner Gattin auf einer zartgeschwungenen Recamière, im Salon seines Luxusappartements im HÔTEL DES CINQ CONTINENTS in Paris. Große Bodenvasen voller roter Rosen verstellten den Weg. Es roch wie in einer Gärtnerei oder einer Aussegnungshalle. Rechts von Jakob saß der

Handelsattaché Amadeo Juarez, links von ihm sein alter Schulfreund Franzl Arnusch. Jakob küßte Mrs. Fletcher in den Nacken. Sie schnurrte wie eine Katze.

»Schnell noch zum Geschäftlichen«, sagte Franzl. Damit überreichte er Jakob den Diplomatenkoffer aus dem Linzer PX. (Der Hase! Ich muß unbedingt zu ihm, dachte Jakob. Aber nicht jetzt. Erst habe ich noch andere Sachen zu erledigen.) Der vom Alliierten Kontrollrat für das befreite Österreich eingesetzte Devisenfahnder öffnete den Koffer. Liebliche grüne Notenbündel erblickte Jakob.

»Bittschön«, sagte der Franzl. »Das wären also fünfzig Prozent vom Dollar-Gegenwert für die belgischen Francs, die du diesem Rouvier abgenommen hast. Keine hunderttausend Dollar, nur rund achtzigtausend, denn beim Rückwechseln hier haben natürlich die Pariser Schieber wieder verdienen müssen, klar.«

»Klar«, sagte Jakob. »Ihr wart aber ganz schön fleißig, Kinder!«

»Gleich nachdem Amadeo zu mir gekommen ist, sind wir los zu den Schiebern. Zu allen, die ich kenne. Einer oder zwei hätten nie so viel Dollar flüssig gehabt. Trotzdem sind fast hundertfünfzigtausend Dollar in deinem Diplomatenkoffer, denn wir haben uns erlaubt, das Nadelgeld, das du dir privat in Antwerpen verdient hast, auch schon einzuwechseln. Damit wäre das Geschäfterl gelaufen.«

»Franzl, mein Bester, du mußt mir einen Gefallen tun, und zwar schnell!«

»Gerne, mein Lieber. Was soll's denn sein?«

Jakob gab seinem Schulfreund eine Liste mit siebenundfünfzig Adressen in Deutschland und zweitausendachthundertfünfzig Dollar.

»Überweise bitte das Geld sofort an Rubi. Er soll fünfmal siebenundfünfzig CARE-Pakete kaufen und sie an diese Adressen schicken. Natürlich mit erfundenen Absendern.«

»Was sind denn das für Leute?«

»Verwandte von Freunden«, sagte Jakob kurz und gedachte dankbar der Kriegsgefangenen im Antwerpener Hafen.

»Mach' ich noch heute«, versprach der Arnusch Franzl.

»Ich danke auch schön«, sagte Jakob.

»Wir danken dir«, sagte Laureen und der Franzl im Chor.

»Wofür eigentlich?«

Franzl wies auf die Bodenvasen. »Na, für deine Ideen mit dem l'Amour-Schmäh! Der hat vielleicht hingehauen. Ihr zwei seid das Stadtgespräch! *Die* Liebenden von Paris! Jetzt müßt ihr allerdings schleunigst verschwinden, Amadeo und ich können bleiben. Ich muß sogar. Hab' noch was zu erledigen. Wie es so geht im menschlichen Leben.«

»Wir verreisen, Franzl«, sagte Laureen mit ihrer tiefen, rauchigen Stimme und kraulte Jakobs Nacken. (Sie hatte ihn auf der Gare du Nord abgeholt und dabei ein Theater aufgeführt wie noch nie. Auch in der Hotelhalle.)

»Möglichst weit fort, Boß!« sagte Franzl.

»Ich denke, wir gehen an die Côte d'Azur«, sagte Laureen. »Da ist jetzt keine Saison, alle die ordinären Touristen sind noch nicht da, man hat Cannes und Antibes und Monte ganz für sich allein. Gefällt dir ›Eden Roc‹ und das ›Hôtel du Cap‹ auf Cap d'Antibes, Liebling? Ach, entschuldige, du kennst sie ja noch gar nicht.« Sie küßte Jakob leidenschaftlich. »Jetzt wirst du das alles kennenlernen, zusammen mit mir!«

»Hm.«

»Ich möchte, daß wir wirklich heiraten! Du bist der Mann meines Lebens, Jakob – ich empfinde keine Scheu, das vor unseren Freunden auszusprechen.«

»Wie wunderbar von dir.«

»Zwei Schlafwagenplätze im ›Train bleu‹ für heute abend habe ich schon bestellt, Darling.«

»Das ist sehr, sehr lieb, Laureen«, sagte Jakob. Abrupt erhob er sich jetzt. »Wenn ihr mich bitte entschuldigt – ich habe noch etwas zu erledigen.«

56

An diesem Vormittag kaufte ein gewisser Mr. Jerome Howard Fletcher in der Rue de la Paix einen sehr schönen Smaragdring von ungewöhnlicher Reinheit. Der sehr schöne Smaragdring kostete fünfunddreißigtausend Dollar. Ich habe schon immer viel zu große Trinkgelder gegeben, dachte Jakob.

Als er den Ring dann Laureen überreichte, begann diese fassungslos zu weinen.

»Das... das ist das erstemal in meinem Leben, daß ein Mann mir etwas schenkt!« stammelte sie.

»Na, einer muß ja mal anfangen«, erwiderte er freundlich.

Sie sprang ihn an wie eine wilde Bestie. Er kippte fast um. Zwei Minuten später lagen sie im Bett.

Vier Stunden lang waren sie tätig. Am Ende der vierten Stunde sah Jakob auf seine Armbanduhr. Sehr zärtlich. Denn mit dem Arm, an dem sich die Uhr befand, hielt er Laureens Kopf umschlungen. Verflucht, dachte Jakob, schon so spät? Jetzt muß aber Schluß sein, ich versäume ja sonst noch alle Anschlüsse! Wie kriege ich Laureen zum Einpennen? Ach, ich weiß schon, wie ich Laureen zum Einpennen kriege. Er ging ans Werk.

Laureen begann heftig zu keuchen.

»Was soll denn das? Was ist denn das?«

»In China nennt man es die ›Schlittenfahrt‹.«

»Oh... das... das ist verrückt... das halte ich nicht aus!... Weiter, mach weiter!... Wer hat dir das beigebracht, du Wüstling?«

»Mein Kindermädchen.«

Nach dem Ende der ›Schlittenfahrt‹ rutschte Laureen zur Seite und schlief vor Erschöpfung von einer Sekunde zur andern ein. Na also, ich hab's ja gewußt, dachte Jakob. Seine Kraftreserven, wir sagten es bereits, waren unerschöpflich.

Punkt 8 Uhr abends schrillte das Telefon neben dem Bett, Laureen brummte, wälzte sich, erwachte mühevoll, nahm mit zitternder Hand den Hörer ab.

»Es ist zwanzig Uhr, Mrs. Fletcher. Ihr Herr Gemahl hat uns einen Weckauftrag gegeben«, flötete eine Telefonistin.

»Weck...« Laureen ließ den Hörer in die Gabel fallen. Sie stierte entsetzt auf die Kissen. Sie lag allein im Bett.

»Jerome!«

Sie konnte schreien, soviel sie wollte – Jakob blieb verschwunden. Mit ihm sein Geld und alle seine Anzüge und alle seine Koffer...

Etwa um diese Zeit erreichte der CD-Bentley des unfaßbar häßlichen argentinischen Handelsattachés Amadeo Juarez die französisch-deutsche Grenze vor Strasbourg. Hier stieg Jakob aus. Als Jerome Howard Fletcher fuhr er mit allen seinen Koffern bis auf einen über die Grenze. Die Polizisten und Zöllner hatten nichts zu beanstanden.

Auf deutschem Boden zeigte Jakob dann die ›Travel-orders‹, die der liebe Josef Mader für ihn gefälscht hatte und – endlich wieder einmal – seinen richtigen Paß. Alle Papiere waren auf einen gewissen Jakob Formann ausgestellt.

In Kehl, der ersten Station hinter der Grenze, stand ein Bentley mit CD-Nummer vor dem Bahnhof. Der argentinische Handelsattaché wartete schon ein Weilchen. Er gab Jakob nun auch noch den Diplomatenkoffer mit rund hunderttausend Dollar. Die Herren nahmen voneinander Abschied.

»Ich würde ja mit Ihnen warten«, sagte der Handelsattaché, »aber ich muß schleunigst zurück nach Paris.«

»Warum die Eile?«

»Yvonne hat eine jüngere Schwester. Die lebt in Le Havre. Heute ist sie nach Paris zu Besuch gekommen. Yvonne sagt, daß ihre Schwester fast noch besser... und daß wir zu dritt... Muß ich weitersprechen?«

»Absolut nicht«, sagte Jakob. »Viel Glück, Amadeo. Bleiben Sie ein braver Mensch.« Er sah dem Bentley nach, der davonschoß. Und dabei ist der Kerl der häßlichste Mann, den ich je gesehen habe. Also, darauf kommt's *nicht* an! Nun will ich mir aber selbst auch etwas Gutes gönnen. Verdient habe ich es. Und gesehnt habe ich mich schon eine Ewigkeit danach...

Eine kleine Anfrage beim nächsten Polizisten genügte, dann wußte Jakob, wo in Kehl der Schwarzmarkt blühte. Daselbst erwarb er gutes, würziges Graubrot und fünf Schweineschmalz-Konserven. Auf einer Parkbank öffnete Jakob eine Büchse und genehmigte sich mehrere Portionen seiner Lieblingsmahlzeit. Ach ja, dachte er glücklich, so schmeckt das eben. Endlich wieder Schmalzbrot nach diesem ganzen verfluchten Dreck – Austern und Hummer und Langusten und Filet Wellington und Froschschenkel und Birnen auf Eis mit heißer Schokoladensauce, die er hatte hinunterwürgen müssen in den letzten Tagen. Und das war amerikanisches Schmalz! Da waren genügend Zwiebeln drin! Ach, und Grieben! Solche Grieben hatte Jakob noch nie gegessen! Die vier anderen Konserven bekommt der Josef, mein lieber Fälscher in München, dachte er, über sich selbst gerührt. Der hat sie verdient. Für derartig gute Arbeit! Kauend erreichte er den Bahnhof und erwartete ohne Unruhe das Eintreffen des ›Orient-Expreß‹, der ihn nach München zurückbringen sollte.

Zu jener Zeit lag Mrs. Fletcher im Schlafzimmer ihres Salons wild schluchzend bäuchlings auf dem Bett und schlug mit den Fäusten auf die Kissen ein. Ihr Körper bäumte sich immer wieder auf. Es war ein schrecklicher Anblick, den Gott sei Dank niemand sah. Neben ihr lag ein Brief. Laureen hatte ihn nach dem Erwachen gefunden und gelesen. In diesem Brief stand:

Geliebter Schatz!
Ich habe nicht den Mut gehabt, es Dir zu sagen, darum schreibe ich es. Und gebe einen Weckauftrag für 20 Uhr. Damit du Deinen Zug nicht versäumst. Wenn Du also um 20 Uhr geweckt wirst, wirst Du diesen Brief finden. Ich weiß, ich tue Dir sehr weh – aber es geht nicht anders. Natürlich kann ich nicht mit Dir an die Riviera fahren, denn ich muß zurück zu meinen Eiern, und zwar schnell. Verzeih mir. Du erreichst Deinen Zug leicht, er geht erst um 24 Uhr. Ich danke Dir für all Deine Güte. Vielleicht werden wir uns einmal wiedersehen. Wer weiß?
Ganz zärtlich umarmt Dich Dein Jakob,
in dem Du einen Freund fürs Leben gewonnen hast.
Tausend Bussi!
P. S. Dem Portier habe ich gesagt, ich fahre schon voraus an die Riviera. Keine Angst!

57

»Sie verfluchter Hund«, hörte Jakob eine Stimme toben. Es war am 9. Februar 1947. Jakob saß auf einer Kiste in einer der zweckentfremdeten ehemaligen Fabrikhallen nicht weit von Frankfurt am Main. Auf einer anderen Kiste saß Wenzel Prill. An die siebentausend Küken zwitscherten um sie herum. Von draußen donnerte es weiter: »Faule Sau! Glauben Sie, ich sage

Ihnen zehnmal, Sie sollen Ihre Batterien reinigen? Mann, waren Sie vielleicht in der Partei?«

Eine ängstliche Stimme: »Nein, bitte.«

Die tobende Stimme: »Warum nicht?... Eh, ich meine: Wo waren Sie, als die Mörder herrschten?«

»An der Front...«

»SS?«

»Auch nicht. Ga... ganz normaler Schütze Arsch...«

»Zum Kotzen! Wenn Sie in der Partei oder in der SS gewesen wären, dann könnte ich jetzt wenigstens Ihren Ausschluß beantragen... eh, Ihre Bestrafung fordern! Faules Pack! Glaubt wohl alle, ihr seid noch unterm Hitler, was? Habt nicht gemerkt, daß eine neue Zeit angebrochen ist – wie?«

»Wem gehört denn das kräftige Stimmchen?« fragte Jakob.

»Hölzlwimmer heißt der Kerl. Mein Stellvertreter, wenn du willst.«

»War dieser Hölzlwimmer im Gefängnis oder im KZ?«

»KZ! Gefängnis! Mensch, ich lach' mich kaputt! Ein alter Nazi ist er! Hat vor 45 genauso gebrüllt und getobt mit den armen Hunden, die ihm ausgeliefert waren hier.«

»Was heißt hier?«

»Na, hier in dieser Flugzeugfabrik! Der Hölzlwimmer, der war hier Vertrauensmann der Partei für die Deutsche Arbeitsfront!«

Jakob starrte Wenzel an.

»Und so was setzt du als Aufpasser ein?«

»Selbstredend«, sagte Wenzel. »In Waldtrudering und in Bayreuth habe ich das auch getan. Es gibt keinen Besseren. Diese Typen haben es in sich, Junge. Gestern Nazis, heute Superdemokraten! Brüllen und drohen und bescheißen. Funktionäre eben! Das ist kein Beruf. Das ist ein Charakter. Du wirst dich noch wundern, mein Alter, wie das weitergeht mit denen. Wir sind ja nur klein-klein. Aber warte mal die Großkopfeten ab – in der Politik, in der Kultur, in den Parteien, in der Industrie! Gestern: Ein Volk, ein Reich, ein Führer! Heute: Freiheit und Demokratie! Morgen: Rotfront und Arbeitereinheit! Funktionäre! Die Herren der Zukunft!«

»Den Typ muß ich mir ansehen«, sagte Jakob zu Wenzel. Sie gingen ins Freie.

Wenzel machte die Herren miteinander bekannt. Ein Ehrenmann, dieser Ignaz Hölzlwimmer, dachte Jakob. Also wirklich! Das selbstbewußte Auftreten. Die imposante Erscheinung. Die blauen Augen, die so aufrecht, treu und wahr ins Leben blicken, das herzhafte Lachen... Wenn man sich dagegen ansieht, was sonst so zwischen den Flugzeughallen im Schneematsch herumschlurft, könnte man meinen, das sind lauter pervertierte Asoziale, die zu Arbeit und *etwas* Würde angetrieben werden müssen von eben jenem unermüdlichen Ignaz Hölzlwimmer, der allerdings, wie Jakob sehr schnell feststellte, überhaupt nichts arbeitete (und auch im Tausendjährigen Reich niemals gearbeitet, aber seine Haltung offenbar von Napoleon persönlich vermittelt bekommen hatte).

Markig war Hölzlwimmers Händedruck, bewegt waren seine Worte: »Glücklich, Sie endlich kennenzulernen, Herr Formann. Auszeichnung, für Sie arbeiten zu dürfen…«

Hm…

Auszeichnung…

Hmmmm!!!

Da fällt's mir wieder ein! In der Münchner NEUEN ZEITUNG habe ich es gelesen vor drei Tagen. Überschrift: ›Auszeichnung für österreichischen Devisenfahnder‹! Und auch an den Text darunter kann ich mich noch einigermaßen erinnern. So etwa stand es da: ›Den größten Devisenschieber Belgiens, Robert Rouvier, ließ ein österreichischer Fahndungsagent bei der Bekämpfung des illegalen Devisenhandels in Brüssel auffliegen. Zur Entgegennahme einer Auszeichnung wird er am 20. Februar im Bundeskanzleramt Wien von Bundeskanzler Ing. Dr. Leopold Figl persönlich und von vier hohen Beamten empfangen werden.‹

Das war die Meldung. So gefreut habe ich mich, daß der Arnusch Franzl auch noch eine Auszeichnung kriegt dafür, daß ich dem Schieber Rouvier zweihunderttausend Dollar abgeknöpft habe. Und jetzt spricht dieser Hölzlwimmer von der Auszeichnung, für mich arbeiten zu dürfen!

Er klopfte dem forschen Herrn auf die Schulter.

»Die Freude ist ganz auf meiner Seite, Herr Hölzlwimmer.«

»Danke, Herr Formann! Tue mein Bestes! Manche von den Kerlen – wie der eben – haben leider immer noch nicht kapiert, worum es geht. Glauben, daß sie es sich hier gemütlich machen können mit amerikanischen Rationen und Kohlen für die Familien und dem Grundstein einer gesicherten Existenz. Keine Sorge! Werde die Kerle schon auf Vordertrab bringen!«

»Davon bin ich überzeugt, Herr Hölzlwimmer.« Vordertrab – schönes Wort!

»Nur meine Pflicht und Schuldigkeit! Verantwortliche Stellung, die mir Herr Prill da anvertraut hat. Weiß Vertrauen zu schätzen. Wo ein barbarischer Unrechtsstaat das eigene Volk fast vernichtet hat, ist es eine Selbstverständlichkeit für jeden redlich Gesinnten, bis zum Umfallen zu schuften beim Wiederaufbau des Vaterlands – in Frieden, Freiheit und Demokratie. Als Bollwerk gegen den Osten.«

»Gegen wen?«

»Na, die Russen! Wen gibt's denn in Europa noch, der die Rote Flut aufhalten könnte? Italien? Frankreich? Österreich? Lächerlich! Alles Schlappschwänze! Wie schon im Krieg! Nein, diese Aufgabe ist *uns* beschieden, Herr Formann!«

»Nun ja, Herr Hölzlwimmer«, sagte Jakob. »Sagen Sie, Herr Hölzlwimmer« (der Name gefiel Jakob!) »Sie waren schon früher hier?«

»Jawoll, Herr Formann. Hier sind Flugzeuge gebaut worden. Die Zentrale war aber in der Nähe von Berlin! Ist ausgebombt natürlich! Aber Fachleute sind noch da, beiseite gebrachtes Material und Maschinen sind noch da! Ich weiß doch Bescheid! War oft genug dort! Hinbefohlen, verstehen Sie? Um mich anscheißen zu lassen. Besonders von einem solchen Nazi! Hohlweg heißt das Schwein! Ist natürlich ein Superkommunist heute, klar!«

»Klar«, sagte Jakob.

»Ganz mieses Stück! Ist jetzt ganz oben! Brüllt in der Deutschen Verwaltung für Handel und Versorgung herum, so wie er unter den Nazis mit mir herumgebrüllt hat! Versorgung, das ist natürlich vor allem Ernährung... Was schauen Sie so? Ach, weil ich auch mit Ernährung... ja, das ist wirklich komisch, hahaha!«

»Hahaha, Herr Hölzlwimmer.«

»Alle diese Nazis machen jetzt natürlich gemeinsame Sache mit den Russen! Was glauben Sie, was da vorbereitet wird in der Sowjetzone? Was glauben Sie, was da bald losgehen wird? Die Amis sind ja so harmlos! Die werden's erst mitkriegen, wenn's schon fünf vor zwölf ist! Und dann müssen *wir* unsern Mann stehen, Herr Formann! *Wir*! Vertrauen gegen Vertrauen! Demokratie verdient nur der, der sie mit allen Kräften verteidigt!«

»Schön haben Sie das gesagt, Herr Hölzlwimmer.«

»Meine Ansicht eben! Verlaß auf mich, Herr Formann! Bei mir...« – *mir* sagt diese schleimige Sau! dachte Jakob verblüfft – »...werden die Kerle lernen, was Demokratie ist! Und wenn es täglich bis Mitternacht dauert!«

Jakob sah Wenzel fragend an. Der sagte ernst: »Herr Hölzlwimmer veranstaltet regelmäßige Abendkurse für die Belegschaft. Über Rechte und Pflichten des einzelnen in der Demokratie!«

»Lobenswert, lobenswert«, murmelte Jakob, während er dachte: Vor drei Jährchen hast du bestimmt noch Abendkurse über Wesen und Ziele der Deutschen Arbeitsfront gehalten.

»Herr Hölzlwimmer ist auch sonst unermüdlich«, sagte Wenzel. »Er hat da eine Erfindung gemacht, die sich sehen lassen kann.«

Hölzlwimmer errötete. »In ein paar Monaten legen die Hühner, nicht wahr, und dann wird die Sache vonnöten sein.«

»Was für eine Sache?«

»Komm mal mit in mein Büro«, sagte Wenzel.

»Gerne. Der Krach und die Piepserei hier... Wieviel Tierchen haben wir denn?«

»Achtundzwanzigtausend in fünf Hallen, Herr Formann!« meldete Hölzlwimmer stramm. »Alle gesund und munter! Werden hervorragende Ware legen. Und eben deshalb habe ich nachts wach gelegen und mir den Kopf zerbrochen und... Wollen wir nun ins Büro von Herrn Prill gehen?«

Jakob stockte der Atem.

Da stand Hölzlwimmers Erfindung, als Modell gebastelt, auf Wenzels Arbeitstisch. Er hatte sie aus dem Schrank geholt.

»Das Modell haben Sie auch gemacht, Herr Hölzlwimmer?«

»In den Nachtstunden, jawohl! Erlauben Sie, daß ich die Sache kurz erkläre, Herr Formann. Unter allen Legebatterien befinden sich laufende Bänder. Hier, sehen Sie, und hier und hier... Die Eier der Hühner fallen direkt auf diese Förderbänder. Die sind geschützt gegen jeden fremden Zugriff. Kann also nichts geklaut werden von dem Gesindel. Weiches Material, vielleicht Leinenbänder, damit den Eiern nichts passiert. Und hier, sehen Sie, treffen sich die Bänder! Sammelstelle! Die ist, sehen Sie, durch verschiedene Sicherungsvorkehrungen nur durch den Stamm des Führungsstabes zu betreten!«

Jakob holte Luft.

»Ein Ding, wie?« fragte Wenzel.

»Mein Kompliment, Herr Hölzlwimmer.«

»Nur meine Pflicht. In der Sammelstelle gleiten die Eier dann in einen Apparat, der eigentlich sehr einfach ist. Zählwerk. Schiene mit Transportantrieb. An ihrem Ende gabelt sie sich, ein Ei wird durch mechanische Türchen nach links, eines nach rechts geleitet. Und hier geht es wieder ins Freie, zur Abfüllstelle.«

»Aber wieso teilen Sie die Ei...« Jakob hatte gefragt. Jakob hatte sich selbst unterbrochen. Denn Jakob hatte verstanden. »Donnerwetter!«

»Was?« fragte Wenzel strahlend, während Hölzlwimmer stramm dastand, mit blauen Demokraten-Augen. Da war kein Falsch in ihnen. »Die Produktion wird halbiert, ohne daß jemand außer uns das merkt! Bei so vielen Eiern... Wir haben eben keinen größeren Ertrag! Wird so schon groß genug sein.«

Jakob brachte kein Wort heraus.

»Nennen wir die einen fünfzig Prozent weiße und die anderen fünfzig Prozent schwarze Eier«, schlug Hölzlwimmer vor. »Die weißen liefern wir...« – _wir_ hat der Kerl gesagt, dachte Jakob! – »an die zuständigen Erfassungsstellen und so weiter ab, die schwarzen verteilen wir selber.«

»Wir selber...« Jakob sah Wenzel an. »Die kommen auf den Schwarzen Markt. Weißt du, daß du da zehn- bis zwölfmal soviel bekommst?«

»Es ist keine Frage der Bereicherung«, sagte Hölzlwimmer. »Ich habe übrigens als Dank für meine Erfindung von Herrn Prill eine Beteiligung erhalten.«

»Beteiligung?«

»Ist schon okay, Jakob«, sagte der Halbjurist Prill. »Wir haben einen Vertrag mit Herrn Hölzlwimmer. Er stellt uns auch Transportkolonnen und zuverlässiges Personal und sorgt dafür, daß wir bei unseren Lieferungen niemals belästigt werden.«

»Wie... wie wollen Sie das denn machen, Herr Hölzlwimmer?«

»Kameraden von früher! Sitzen hier und in Bayreuth und in München bei der Polizei. Baue diese Organisation gerade auf. Kameraden, treu wie Gold! Herr Prill sagt, Sie haben einen prima Fälscher?« Moment, Moment, das geht mir alles viel zu schnell! dachte Jakob und sagte: »Ja, habe ich.«

»Sehr gut. Kriegt auch seine Eier. Liefert uns Fahrbefehle und falsche Papiere.«

»Falsche Papiere wofür?«

»Na, für die Autos. Sind doch lauter geklaute.«

»Sie haben schon Autos geklaut?«

»Noch nicht«, sagte Hölzlwimmer. »Gibt ja noch keine Eier. Ich gehe da Schritt um Schritt vor. Alles nach genauem Zeitplan. Die Chauffeure suche ich persönlich. Kenne mich im Frankfurter Raum besser aus als Sie, meine Herren. Nummerntafeln machen wir selber. Meine Kameraden bei der Polizei kriegen auch ihren Rebbach – äh, Anteil – und geben stets rechtzeitig bevorstehende Razzien bekannt.«

»Na, *hab'* ich den richtigen Mann ausgesucht, Jakob?« fragte Wenzel. Jakob stand immer noch mit offenem Mund da.

»Man hat seine Verantwortung«, sagte der Funktionär bescheiden. »Bedenken Sie, Herr Formann: Wenn Sie alle Eier abliefern – welch Mißbrauch würde da getrieben! Wie würden die staatlichen und halbstaatlichen Stellen da schieben! Glauben Sie mir, ich spreche aus Erfahrung! Ist das im Sinne unserer jungen Demokratie? Niemals, sage ich! Gemeinnutz geht vor Eigennutz!«

»Sage ich auch!« Wenzel grinste.

»Im Sinne unserer jungen Demokratie, die man pflegen und hegen muß wie ein zartes Pflänzlein, ist es, daß die Eier möglichst weit gestreut werden, daß praktisch jeder sie erwerben kann – ohne Dirigismus und Bürokratismus. Den lehnen wir ab!«

»Entschieden«, sagte Wenzel.

»Es ist nur eine Frage der Investitionen. Diese Abfüllmaschine muß natürlich erst gebaut werden. Auch für die beiden anderen Höfe. Die Autos werden Geld kosten. Die Polizeibehörden desgleichen. Die Verteiler...«

Jakob dachte erschüttert: Wo alles schiebt, kann ich's allein nicht lassen! (Woraus man sieht, daß seine Bemühungen um Bildung bereits erste Früchte getragen hatten, sofern hier nicht sein gutes Gedächtnis mitspielte, denn des Don Carlos' »Wo alles liebt, kann Carl allein nicht hassen« war vielleicht von der Schulzeit her bei dem so liebebedürftigen Jakob hängengeblieben.) Jakob sagte: »Geld ist da. Dollars. So viel Sie brauchen, meine Herren.«

Die Tür war versperrt.

Jakob klopfte. Niemand antwortete. Jakob klopfte nochmals. Nichts. Jakob schüttelte die Klinke. Ganz leicht. Da hatte er schon die Tür in der Hand. Sie entglitt ihm und stürzte ins Dunkel. Wasser platschte. Wieso Wasser? dachte Jakob erstaunt. Diese Tür, dachte er, die ist aber morsch, so etwas! Finster ist es auch noch vollkommen. Die Leuchtziffern seiner Fliegeruhr (auf dem Schwarzen Markt erstanden) zeigten 6 Uhr 58.

Er trat zwei Schritte vorwärts.

Und stürzte in eisigkaltes Wasser. Aber wieso? rätselte er, während er nach Luft schnappte. Wieso Wasser, eisigkaltes? Im nächsten Moment flammte eine schwache elektrische Lampe auf. Sie stand auf einem Nachttischchen. Das Nachttischchen stand auf einem Steg. Wiederum im nächsten Moment (man kommt und kommt nicht zum Überlegen, dachte Jakob) ertönte ein gellender Schrei. Er fuhr herum. Hinter ihm war noch jemand in das eiskalte Wasser gestürzt. Eine junge Frau. Eine sehr aufregende junge Frau, stellte Jakob im Schein der Nachttischlampe fest. (In diser Hinsicht war Jakob ganz besonders schnell.) Eine der aufregendsten Frauen, die er in seinem Leben gesehen hatte. Die Dame ging unter, tauchte wieder auf und schrie um Hilfe. Jakob kraulte zu ihr und nahm sie in die Arme. Eijeijeijeijei! Einen Apparat hatte die Dame – so was von Brüsten! Wenn ich schreiben könnte – ein Buch könnte ich schreiben über diese Brüste. Besonders jetzt, wo sie im eiskalten Wasser ganz hart werden und... und die Dame nur ein Nachthemd anhat, das natürlich völlig durchweicht ist, so daß ich alles sehe, wenn ich an der Dame runtersehe. Er sah runter. Junge, Junge, also über den Rest könnte ich drei Fortsetzungsbände schreiben. Am liebsten würde ich sofort, im eiskalten Wasser... Wie war noch der Vers? ›Die Ente sprach zum Enterich: Im kalten Wasser steht er nicht‹... Und im übrigen stellt man sich erst einmal vor, wenn man gut erzogen ist, nicht wahr?

»Einen recht schönen guten Morgen. Mein Name ist Jakob Formann. Küß die Hand, gnä' Frau.«

»Sind Sie wahnsinnig geworden?« schrie die Dame.

»Aber Sie erwarten mich doch!«

»Ich... Sie?«

»Ich habe doch extra noch einen Mann vor mir her nach Murnau geschickt, der mich für heute angemeldet hat... Hopps, spucken Sie's aus! Fest! Noch mehr!« Er klopfte der Dame auf den Rücken. Sie würgte, hustete und spuckte wieder Wasser, denn sie war kurz untergegangen. »Warum haben Sie mich auch losgelassen, Frau Jaschke? Sie *sind* doch die Frau des Herrn Ingenieur Karl Jaschke aus Niesky von der Firma Christoph und Unmack da in der Lausitz?«

»Nein! Bin ich nicht! Hilfe! Ein Verrückter! Lassen Sie mich augenblicklich los!« schrie die Dame.

»Wenn ich Sie loslasse, gehen Sie mir wieder unter! Also Sie sind nicht die Frau Jaschke?«

»Nein! nein! Nein!« Die Dame wurde hysterisch. Und ihre Brustwarzen wurden immer härter. »Ich heiße Malthus! Doktor Ingeborg Malthus! Die Jaschkes wohnen nebenan. Sie haben sich im Haus geirrt!«

»Jessas, das ist mir aber peinlich...«, stammelte Jakob.

»Wie kommen Sie überhaupt dazu, meine Tür einzuschlagen?«

»Nicht doch. Sie ist mir glatt aus der Hand gefallen. Ich habe geklopft. Und als ich nach langem Klopfen keine Antwort bekam...«

»Ich schlafe sehr tief...«

»Sie müssen wirklich verzeihen... Wieso... Wieso fällt man bei Ihnen gleich mit der Tür ins Wasser?«

»Weil das kein normales Haus... Sagen Sie mal, wollen Sie mir vielleicht freundlicherweise wieder aufs Trockene helfen!«

»Natürlich. Ich hab' in der Aufregung den Kopf verloren. Kommen Sie, ich stemme Sie.« Er tat es. Wasser troff. Einen Popo hat das Weib. Allmächtiger! Und zudem kann man bei der Frau jetzt ganz genau...

Jakob, reiß dich zusammen!

Er wuchtete die Dame hoch und kletterte nach. Auf dem Steg befand sich ein Bett, ein schmaler Schrank und eine große Kleiderkiste, auf der ein Haufen Bücher lag – die länglichen Pocket-books der amerikanischen Armee. Jakob kannte sie. Natürlich hatte er niemals ein einziges gelesen.

»Nachthemd aus!« sagte er besorgt.

»Sie sind... Lassen Sie mich los!... Ich schreie!... Ich schreie!... Sie können mich doch nicht einfach ausziehen, Sie Wahnsinniger!«

»Muß sein. Sie holen sich ja sonst den Tod, und ich muß mich auch ausziehen. Es tut mir wahnsinnig leid, daß ich das muß, aber mein junges Leben...« Jakob tat, was er sagte. Danach frottierte er die Dame, die nun völlig nackt auf dem Bett lag, trocken. Sie schrie nicht. Sie fing nur an, leise zu stöhnen. Jakob frottierte fester. »Das tut gut, wie? Jetzt drehen Sie sich um! Auf den Rücken, bitte...« Sie drehte sich um. O Gott.

»Ich bin aus München hergeradelt... Keine reine Freude ist das bei diesem Wetter. Also, ich habe mich im Haus geirrt... Jetzt die Schenkel... Was sind Sie? Ärztin?«

»Journalistin... Den Unterschenkel auch, bitte.«

»Gerne, Frau Doktor. Und den... den Rest?...«

»Ich bitte darum, Herr... Wie war der Name?«

»Formann. Jakob Formann. Wieso sind Sie... Jetzt die Brust, zuerst die linke... Wieso sind Sie auch ins Wasser geflogen?«

»Weil... Nicht so fest! Zart, Herr Formann, zart...«

»Pardon...«

»Weil ich so erschrocken war, als ich aufgewacht bin und Licht gemacht habe! Und da bin ich auf der falschen Seite... die andere Brust jetzt... aus dem Bett gestiegen... Sie sehen, wenn man das tut, fällt man direkt in den Staffelsee.«

»In den was?«

»In den Staffelsee! Murnau liegt am Staffelsee. Und aus meinem Bett darf ich nur auf der anderen Seite... Uuuuuuhhh!... aussteigen... das ist ein Bootshaus, Herr Formann! Ich glaube, unter den Armen bin ich noch naß...«

»Stimmt. Wieso Bootshaus?«

»Weil es in diesem Murnau keinen anderen Platz für mich... Oh, Sie kitzeln mich!... Nicht, nicht doch! Doch, ja, ja! Weiter!... gegeben hat! Alles überfüllt mit Flüchtlingen... Danke, das Haar mache ich mir selber...«

»Bootshaus«, wiederholte Jakob. »Wo ist denn das Boot?«

»Legen *Sie* sich jetzt auf den Rücken! Jetzt trockne *ich* Sie ab! Gestohlen natürlich.«

»Natürlich... Oh... Oh... Nicht... Ich muß sonst...«

»Was, Herr Formann?«

»Nichts, Frau Doktor... Machen Sie bitte weiter so... Das war nur momentane Überreizung... Gott, tut das gut...«

»Gefällt's Ihnen?«

»Sehr, Frau Doktor.«

»Sind Sie aber kräftig!«

»Ach, ich bin noch viel kräftiger, aber das kalte Wasser...« (›Die Ente sprach...‹)

»Daran habe ich noch gar nicht gedacht! Herr im Himmel!«

»Jetzt bitte aufhören, sonst muß ich doch noch... Was... Was machen Sie denn in Murnau am Staffelsee, Frau Doktor?«

»Eine Illustrierte.«

»Wie bitte?«

»Hören Sie schlecht?«

»Nein... Fester! Da können Sie ruhig fester!... Eine Illustrierte?«

»Ja, das ist nämlich so...«

Er packte sie.

»Nachher! Jetzt müssen wir erst sehen, daß uns warm wird«, sagte Jakob Formann.

60

Die Dame, die gegen 9 Uhr am 15. Februar 1948 eilig durch Murnau radelte, trug einen Pullover, unter dem man muskulöse Arme sah, jedoch nicht die Spur von Busen, einen schottischen Wickelrock, der oben, weil zu eng, mit einer sehr großen Sicherheitsnadel zusammengehalten wurde und unten bei jedem Tritt in die Pedale auseinanderklaffte, wodurch zwei behaarte Männerbeine zum Vorschein kamen und desgleichen ein lachsrotes Spitzenseidenhöschen. Die Herrenschuhe, welche diese Dame trug – Strümpfe hatte sie nicht –, quatschten bei jedem Tritt. Wasser tröpfelte. Die Dame hatte ein großes Bündel und einen Brotbeutel der ehemaligen Deutschen Wehrmacht auf den Gepäckträger geschnallt, war unrasiert, trug die Haare im Herrenschnitt und hatte ein freundliches Lächeln bereit für jedermann, der ihr nachstarrte, und das waren gar viele.

Auf der Hauptstraße versuchte ein amerikanischer Soldat, die Dame anzuhalten. Sie rief: »Leck mich doch am Arsch!« und sauste mit erhöhter Geschwindigkeit weiter. Endlich erreichte die Dame, keineswegs außer Atem, obwohl sie zuletzt steil bergauf gefahren war, das Anwesen des Attinger-Bauern. Im Eingang zum Hauptgebäude, vor dem eisigen Wind geschützt, wartete hier Frau Dr. Ingeborg Malthus.

»Was war?« fragte sie besorgt.

»Was soll gewesen sein?« fragte Jakob Formann, elegant ein Bein schwingend und noch einmal das lachsrote Spitzenhöschen in ganzer Pracht zeigend.

»Ich habe geglaubt, Sie kommen niemals.«

»Jakob Formann kommt immer«, erwiderte er ernst. »Wollen wir vielleicht hineingehen? Dein Höschen ist verflucht eng für mich, Ingelein.«

Sie erstarrte. »Mein Herr«, sagte sie dann mit Eisesklirren in der Stimme, »ich muß doch sehr bitten, nicht derart leutselig zu werden. Ich heiße Frau Doktor Ingeborg Malthus – und immer noch ›Sie‹ für Sie, Herr Formann!«

»Aber...«

»Aber was? Ach so! Reichlich primitiv veranlagt sind Sie, Herr Formann. Eine mehrfache Ausschüttung von Hypophysenhormon rechtfertigt in keiner Weise derart plumpe Vertraulichkeit. Ich muß doch schon sehr bitten.«

»Mehrfache was?«

»Ausschüttung von Hypophysenhormon. Sie werden doch noch wissen, was die Hypophyse ist, Herr Formann.«

»Klar weiß ich das«, sagte Jakob. Keine Ahnung hatte er. Es muß aber irgendwas zu tun haben mit dem, was wir getrieben haben, dachte er voll feinem Instinkt. Du Luder, du elendes, dachte er weiter, und vor zwei Stunden hast du dich gewälzt und gestöhnt und mich in die Schulter gebissen. Das haben wir gerne! Scheint mich nicht zu mögen, die Frau Doktor. *Außerhalb* des Bettes! Verdammt, ich weiß genau: Mit der Person werde ich noch eine Menge Ärger kriegen! Jakob sagte: »Aber gewiß, verehrte Frau Doktor, wenn Sie meinen, es soll beim ›Sie‹ bleiben, dann bleibt es natürlich dabei.«

»Danke.«

»Nichts zu danken, Frau Doktor Malthus.« Mir ist manches schon passiert, aber so etwas noch nie!

»Kommen Sie, Herr Formann«, sagte die Frau Doktor und betrat das Bauernhaus. Hier war es herrlich warm, in der Küche stand ein mächtiger Kachelherd. Der Bauer saß am Tisch und starrte Jakob an. Die Bäuerin stand am Herd und stieß einen Schrei aus.

»Grüß Gott«, sagte Jakob Formann, gewinnend lächelnd. Auch Frau Dr. Malthus – sie trug Pullover, Hosen und einen Schafsfellmantel – entbot einen christlichen Gruß.

»Was is denn nacha dös?« fragte der Bauer. Er war ungeheuer fett und trank angeekelt dünnen, grünlichen Tee.

»Das ist Herr Jakob Formann, Herr Attinger... Herr Attinger, Herr Formann. Und das ist Frau Attinger.«

»Grüß Gott«, sagte Jakob wiederum.

»Er ist in den Staffelsee gefallen«, erklärte Frau Dr. Malthus. »Ich mußte ihm etwas von mir zum Anziehen geben. Seine Sachen will ich bei Frau Kalder trockenbügeln. Dürfen wir hinaufgehen?«

»So kann er fei net weita rumlauffa, der Herr!«

»Ich danke, Herr Attinger.« Jakob verbeugte sich. (Der Schottenrock ging wieder auf bis zum Höschen. Die Attinger-Bäuerin kreischte.) Jakob sah, daß der große Raum mit teuersten Orient-Teppichen ausgelegt war. Im Hintergrund erblickte er einen Bechstein-Flügel und eine Maria-Theresia-Kommode mit wunderschöner Intarsienarbeit. Kultivierte Leute, diese Attingers! Und fett, großer Gott, sind die beiden fett, dachte Jakob und erkundigte sich: »Schmeckt der Tee nicht?«

»Himmikreuzsaggramentglumpvarecktz, i kriag'n kaum nunter. Aber mei Frau sagt, es muaß sei.«

»Worum handelt es sich denn?«

»Dokta Schlichters Frühstücks-Kräutatee! Das Beste, was gibt zum Abmagern, hat der Arzt gesagt.«

»Übergewicht ist stets schlecht für Herz und Kreislauf«, sagte Frau Dr. Malthus.

»Des is ja«, sagte die Attinger-Bäuerin.

Jakob schritt schon, den Rock gelüpft, die knarrende Holztreppe in den ersten Stock empor. Die Schuhe quatschten. Jakob hinterließ eine feuchte Spur.

»Dritte Tür links«, sagte Frau Dr. Malthus. Sie trug ebenfalls ein Bündel. Nun ging sie voraus, klopfte, nannte ihren Namen, und gleich darauf stand sie mit Jakob in einem Raum, in dem es eiskalt war. Jakob sah ein dick zugefrorenes Fenster, einen Schrank, einen Tisch, ein Bett – verrostet das Eisengestell – und Klosetts sowie Waschbecken in enormer Anzahl. Die Becken und Klosetts, hochgestapelt an allen vier Wänden bis hinauf zur

Decke, beanspruchten mehr als zwei Drittel des Raumes – ein wahrhaft bedrohlicher Anblick.

Auf dem Bett saßen ein grauhaariger älterer Mann und eine grauhaarige Frau (aber offenbar jünger als er), beide sehr mager. Sie frühstückten auch gerade. Zwei Blechtassen erblickte Jakob, einen Spirituskocher (man muß ja Strom sparen!) sowie zwei Blechteller, auf denen vier äußerst dünne Scheiben trockenes Brot lagen.

Frau Dr. Malthus stellte Jakob vor. Die Herrschaften auf dem Bett waren Herr und Frau Kalder. Beide hatten Decken um die Schultern geschlungen – der großen Kälte wegen. Beide sprachen lupenreines Hochdeutsch – wie Frau Dr. Malthus. Feines Deutsch, aber nix zum Fressen, dachte Jakob, indessen er hörte, wie Frau Dr. Malthus die Sachlage erklärte und bat, Jakobs Sachen und die eigenen bügeln zu dürfen. Es wurde ihr gestattet. Jakob öffnete sein Bündel und entnahm ihm einen nassen Anzug, nasse Wäsche und den nassen Mantel.

»Sie müssen verzeihen, wenn wir uns nicht erheben, Herr Formann«, sagte Kalder und verbeugte sich im Sitzen. »Es ist wirklich sehr eng hier, wie Sie sehen.«

»Ich sehe«, sagte Jakob. »Was um Himmels willen wollen Sie mit all den Klosetts und Waschbecken?«

Kalder trank einen Schluck – Jakob erkannte eine durchsichtige hellbraun-grünliche Flüssigkeit – und lachte bitter. »Was wir damit wollen, Roxane, hast du gehört? Guter Witz, was?« Roxane, seine Ehefrau, nickte gramvoll. Ein so guter Witz schien es nicht zu sein. »Das ganze Zeug da hat der Bauer 1945 aus einer Fabrik – Industrie-Keramik, ganz in der Nähe – gestohlen, und seitdem bewahrt er es hier auf.«

»Aber wozu?« fragte Jakob.

»Für die neue Währung natürlich, Herr Formann.«

»Was für eine neue Währung?«

»Na, hören Sie! Die R-Mark ist doch überhaupt nichts wert! So kann es doch nicht weitergehen, nicht wahr? Eine Währungsreform muß kommen, wird kommen, jedermann spricht davon!«

»Ach so, natürlich, eine neue Währung muß kommen«, sagte Jakob, den Wickelrock krampfhaft zusammenhaltend, denn Roxane starrte diesen und die darunterliegenden Partien gebannt an wie das Kaninchen die Schlange. »Muß kommen, aber keiner weiß, wann...«

»Eben! Und so wartet der Bauer. Er hat Zeit. Wir sind froh, daß wir in diesem Zimmer eine Bleibe gefunden haben. Es gab nichts anderes mehr in Murnau. Die Bootshäuser am Staffelsee waren auch schon alle überbelegt, als wir kamen. Wir müssen dem Bauern sehr dankbar sein, daß er uns das Zimmer hier für dreihundert Mark vermietet hat.«

»Im Jahr?«

»Im Monat, Herr Formann!«

»Das fette Schwein, das elendige – entschuldigen Sie, meine Damen.« Ich kann mich einfach nicht benehmen, dachte Jakob betrübt.

»Nichts zu entschuldigen, Herr Formann«, sagte Roxane. »Wir sitzen hier in der Kälte und schlafen in Kleidern und Mänteln, und am Morgen ist uns immer das Kinn an die Decke gefroren vom Atem, der zu Eis wird – und die Attingers überheizen ihre Räume unten und nehmen den armen Städtern für ein paar Eier oder ein Stück Schinken Bechstein-Flügel und Smyrna-Teppiche und was weiß ich noch alles ab. Sogar eine Harfe!«

»Wie?«

»Bitte, Roxane…«, murmelte Kalder.

»Ist doch wahr, Jan! Und sind so fett, daß sie Abmagerungstee trinken müssen!«

»Das habe ich gesehen.«

»Ach, Sie haben längst nicht alles gesehen! Im Schweinestall sollten Sie sich mal umschauen! Die Harfe! Ein Harmonium! Und Teppiche und Brücken liegen da einen halben Meter hoch übereinander!«

Jakob konnte diesen Jammer nicht länger ertragen. Er öffnete den zum Platzen vollen Brotbeutel. Den Inhalt hatte er eigentlich dem Ingenieur Jaschke mitbringen wollen. Der muß sich jetzt mit der Hälfte zufriedengeben, dachte Jakob, ich hole noch mehr. Und er häufte seine Gaben auf den Tisch – Speck, Butter, Kaffee, Zucker, Marmelade, Fleischkonserven, dazu Mehl, Kaugummi, Zigaretten und drei Zigarren.

Totenstill war es in dem zum Wohnzimmer umfunktionierten Lagerraum für sanitäre Anlagen geworden. Frau Dr. Malthus und das Ehepaar Kalder starrten die Bescherung an. Jakob wurde es ungemütlich. Roxane begann heftig zu heulen. Das auch noch, dachte Jakob.

»Herr Formann… Herr Formann… Sie sind… sind…«

»Der gute Mensch von Sezuan«, sagten Frau Dr. Malthus und Jan Kalder feierlich im Chor.

»Von wo?« forschte Jakob, mit einem sehr unguten Gefühl im Magen. Die reden alle so gepflegt…

»Von Brecht«, sagte Dr. Malthus.

»Vorher haben Sie was anderes gesagt, Frau Doktor Malthus!«

»Sezuan. ›Der gute Mensch von Sezuan‹ ist ein Theaterstück von Bertolt Brecht«, sagte Frau Dr. Malthus fein lächelnd. Herr und Frau Kalder lächelten auch. Auch fein.

Verflucht, dachte Jakob, ausgerechnet mit so vornehmen und gebildeten Leuten muß ich zusammenkommen hier in Murnau! Hätte ich mich bloß nicht im Bootshaus geirrt. Jetzt bin ich glücklich bei… bei… Es gibt doch da einen Ausdruck… Ach ja, bei *Intellellen* bin ich gelandet, Gott verdammich!

61

Eine halbe Stunde später...

Zwei glückliche Intellelle hatten sich über Jakobs Gaben hergemacht, die dritte bügelte gerade seine Hosen. (Wenigstens ein Reise-Bügeleisen hatten Kalders in ihrem Flüchtlingsgepäck gerettet, und wunderbarerweise gab es in dem Sanitäre-Anlagen-Wohnraum sogar eine Steckdose.) Und aß dazwischen. Den halben Tisch bedeckten verschlissene Bettücher als Unterlage, auf dem Frau Dr. Malthus bügelte. Die andere Hälfte des Tisches bedeckten Jakobs Gaben. Er selbst saß auf einem abgestoßenen Koffer in der Ecke. Könnte ich bloß raus hier, dachte er. Dieses Geschwätz macht mich noch wahnsinnig! Aber ich kann nicht raus, bevor diese Zimtzicke von Ingeborg Malthus meine Sachen trockengebügelt hat. Und das wird noch ein Weilchen dauern! Aber das Bügeln vorhin ist lustiger gewesen...

Sehr viel lustiger war es auch als das unverständliche Geschwätz, dem er jetzt zuhören mußte, ob er wollte oder nicht.

»›Der Mensch‹ – wenn Sie erlauben, daß ich Leo Gabriel zitiere, mein Verehrtester – ›steht vor der Frage nach dem Sinn des Seins, daß er ist, in seiner Verantwortung, denn er ist sich ihr überantwortet‹.«

»Das trifft den Nagel auf den Kopf, Frau Doktor. Lassen Sie mich noch einmal vorlesen: ›Denn der Mensch‹ – mein Gott, schmeckt diese Marmelade gut! – ›ist nicht in abstracto, sondern er ist je-immer in einer konkreten Situation, in der er angesprochen wird. Die Existenz besteht ganz allgemein darin, daß ich je-immer in einer Lage bin, in einem ›Da‹ bin – sagen wir besser ›In-Sein‹ – und im besonderen darin, daß ich da-seiend in der Lage bin, Seiendes zu verstehen, dies aber‹ – Achtung, bitte! – ›weil ich nicht als ein Gegenstand unter anderen Gegenständen, als ein Seiendes unter Seienden da bin, sondern da-seiend ek-sistiere, und das heißt: aus allem heraus-stehe!‹ Wird nicht trocken, die Hose, wie?«

»Nein. Starke Spannungsschwankungen. Sie haben absolut recht, lieber Herr Kalder. Auch bei Husserl tritt dieser Gedanke, daß das faktische Dasein als unwesentlich bei einer Wesens-Erhellung außer Betracht bleiben müsse, deutlich hervor. Gerade diese Ausklammerung des Daseins ist aber nach Heidegger unmöglich, und zwar deshalb, weil eben darin dasjenige liegt, worauf es ankommt.«

»Genau so ist es, Frau Doktor. Wie der Speck riecht! Und wie sagt Heidegger doch so herrlich: ›Das Wesen des Daseins liegt in seiner Existenz!‹ Und noch dies: ›Die Welt ist ebenso unmittelbar da wie das menschliche Dasein selbst!‹«

»Sie dürfen aber auch Kierkegaard nicht unbeachtet lassen, lieber Herr Kalder! Der hat diesen merkwürdigen Sachverhalt der Beziehungen zu sich selbst nicht anders zu verdeutlichen gewußt als durch die paradoxe Bestim-

mung des Geistes als eines Verhältnisses, welches sich zu sich selbst ver-
hält...«

Und so ging das weiter, bis Hose und Jacke endlich trockengebügelt waren.
Jakob hielt sich an dem alten Koffer fest. Alles drehte sich um ihn. Nur
weg hier, weg! Die drei sind doch verrückt! Welcher vernünftige Mensch
erträgt denn so ein Gequatsche?

Das ist kein Gequatsche, Jakob, sagte ihm eine innere Stimme mahnend,
sondern das ist eine intellelle Konversation, und du bist ein ungebildetes
Rindvieh! Und weg kannst du hier nicht, denn dein Hemd und deine Unterhosen und deine Strümpfe und dein Mantel sind noch nicht trockengebügelt.

Frau Dr. Malthus mit dem hinreißenden Popo nahm sich das Hemd vor
(Seidenhemd, Geschenk von Laureen, aus Paris, dachte Jakob) und sagte
mit einem mitleidigen Blick: »Wir langweilen Sie, Herr Formann!«

»Aber überhaupt nicht, liebe Frau Doktor!« Jakob entschloß sich zu einem
tollkühnen Schritt. Ohne mit der Wimper zu zucken, gab er folgendes von
sich: »Die Sache ist doch ganz einfach. Der Mensch ist ein Seiendes, dem
es um das eigene Sein-Können geht. Oder, um mich ganz präzise auszudrücken und nicht mißverstanden zu werden – dessen Sein als Sein zum
Sein-Können aufzufassen ist. Ich finde, damit hat der Ausdruck Sein zum
Sein-Können einen absolut klaren Sinn erhalten.« Und jetzt prügeln sie
mich in den Schnee hinaus, dachte er, entsetzt von sich selbst. Wie kann
bloß solcher Schwachsinn über meine Lippen kommen? Er bemerkte, daß
ihn alle drei Intellellen anstarrten. Schon gut, schon gut, ich hab's nicht
anders verdient, dachte Jakob. Raus mit mir!

Frau Dr. Ingeborg Malthus öffnete die Lippen. Jakob erhob sich bereits
halb, um zu flüchten.

»Bei Gott, faszinierend und brillant formuliert, Herr Formann!« sagte Frau
Dr. Malthus und sah ihn genauso an, wie sie ihn im Bett angesehen hatte,
jedesmal, wenn es bei ihr soweit gewesen war.

Jakob plumpste entgeistert auf den alten Koffer zurück.

62

Von Sekunde an war er ein Gleichberechtigter, ein Freund, ja mehr: der
Mittelpunkt dieser illustren Versammlung! Frau Dr. Malthus und Herr Jan
Kalder zogen ihn ins Vertrauen. Soweit Jakob es mitbekam (es lag zum Teil
an seiner Unbildung, zum Teil daran, daß seine neuen Freunde mit vollem
Munde sprachen, was man gebildetermaßen ja eigentlich auch nicht tun
soll!), war Dr. Malthus Redakteurin bei der ›Berliner Illustrierten‹, Jan
Kalder Verlagsdirektor der ›Kölner Illustrierten‹ gewesen. Zusammen
wollten sie nun eine neue Illustrierte herausgeben. In monatelanger Arbeit

hatte Dr. Malthus eine ›Nullnummer‹ angefertigt. Das war, Jakob wußte es vielleicht nicht, eine Art Prototyp (was ist ein Prototyp?) der zu erwartenden Illustrierten, bereits mit Text und Bildern, alles aufgeklebt auf die einzelnen Seiten und sodann in der Druckerei der NEUEN ZEITUNG in München vollendet.

Mit dieser ›Nullnummer‹, die Jakob zunächst für etwas ganz anderes hatte halten wollen, war Jan Kalder bereits vor Wochen in München gewesen und hatte sie dort dem amerikanischen Presseoffizier bei der Militärregierung übergeben, der verantwortlich für die Lizenzen war. (Lizenzen waren offenbar etwas, was man brauchte, wenn man Zeitschriften oder Zeitungen oder Bücher veröffentlichen wollte.) Da Kalder eine absolut weiße Weste und unter den Nazis ein Jahr im Gefängnis gesessen hatte, besaß er alle Voraussetzungen, eine solche Lizenz auch zu erhalten, es konnte sich jetzt nur noch um kurze Zeit handeln, bis die Entscheidung fiel. Dann wollten Frau Dr. Malthus und er mit der Arbeit beginnen. Als gleichberechtigte Partner.

»Fifty-fifty, Sie verstehen, Herr Formann.«

Na, endlich ist das Hemd fertig. Jetzt die Unterhose.

»In Form einer GmbH.«

»Mhm.«

»Das ist die günstigste Form, wissen Sie, Herr Formann.«

Sicherlich die günstigste Form zum Bescheißen, dachte Jakob. Nun mach schon mit den Socken, Inge Malthus, ich muß rüber zum Jaschke wegen der Fertighäuser!

63

»Alles ist da, was man für Fertighäuser braucht, die Hülle und die Fülle«, sagte am frühen Nachmittag dieses Tages Karl Jaschke zu Jakob. Diesmal war er in das richtige Bootshaus gegangen. Jaschke, als Ingenieur, hatte die Wasserfläche seines Hauses (das Boot war auch hier natürlich längst gestohlen gewesen, als er herkam) mit dicken Brettern zugenagelt. (Die Bretter hatte er nachts aus einem Lager der Bauteile für Fertighäuser geklaut, also gleichsam bei sich selbst.) Seine zwei minderjährigen Söhne schliefen in Kastenbetten übereinander, dem Bett der Eltern gegenüber. Auch die Kastenbetten hatte Ingenieur Jaschke, ein junger Mann mit einer hübschen jungen Frau, selbst gezimmert. Die Bretter für die Betten hatte Jaschke ebenfalls bei sich selbst geklaut. Die beiden Knaben waren in der Murnauer Volksschule. Auch Jaschkes hatten sehr wenig zu essen. Entsprechend groß war die Freude über alles gewesen, was Jakob mitgebracht hatte. Jaschke war Jakob sogleich sehr sympathisch. Mit dem Mann wird man arbeiten können, dachte er.

Seine Kleidung war immer noch klamm. Und bei Jaschkes war es so kalt wie bei Kalders.

»Sämtliche Einzelteile sind da, Herr Formann«, sagte der Ingenieur Jaschke. »Von der Tür bis zum Dachstuhl. Für viele Hunderte Hauseinheiten. Sicher verstaut in Ställen und Scheunen. Ich kontrolliere täglich. Und bloß für mich habe ich ein paar Bretter entnommen.« Er sagte es traurig.

»Warum sind Sie denn so traurig?« fragte Jakob. »Freuen Sie sich doch! Ich bringe Ihnen Leute, ich habe Dollars, wir können sofort anfangen mit dem Bauen!«

»Eben nicht, verflucht.«

»Warum, Herr Ingenieur?«

»Alles habe ich mit den letzten Zügen noch rechtzeitig in den Westen schicken lassen. Ich war selber in Niesky dabei und habe aufgepaßt. Holz, Aluminium, Spanplatten, Eternitplatten... dann alles hier gelagert...«

»Na, hurra doch!«

»Nix hurra doch!«

»Warum nix hurra doch?«

»Weil eines nicht da ist.«

»Was?«

»Die Verbindungsstücke der einzelnen Bauelemente.«

»Die Verbindungsstücke sind nicht da?« wiederholte Jakob idiotisch und dementsprechend langsam.

»Nein, leider! Ich habe das Verladen in die Waggons selber überwacht! Aber kurz vor der Abfahrt der Waggons bin ich nach Berlin befohlen worden. Die Russen waren schon sehr nahe. Und da haben die Trottel in Niesky vergessen, die Waggons mit den Verbindungsstücken an die Züge zu hängen. Ohne die Verbindungsstücke ist nichts zu machen. Es ist ja doch alles genormt und zugepaßt auf den Millimeter.«

»Die Verbindungsstücke sind also noch in Niesky?« fragte Jakob nach einer Pause, die er benötigt hatte, um seine Fassung wiederzugewinnen. Das war in der Tat ein Schicksalsschlag. Jakob fühlte die ihm schon bekannte angenehme Wärme in sich aufsteigen. (Paradoxes Symptom in akuten Fällen seiner Rasiermesserschneiden-Existenz.)

»Sage ich doch, Herr Formann! Wissen Sie, wo Niesky liegt? Weit hinter Dresden! Gar nicht weit von Görlitz! Also ganz, ganz hinten in der Sowjetischen Zone! Und das ist noch nicht alles!«

»Noch nicht alles?«

»Nein! Ich habe immer noch Verbindung mit Christoph und Unmack, wissen Sie. Halten Sie sich fest, Herr Formann: In den letzten Wochen haben die Russen damit begonnen, Christoph und Unmack zu demontieren. Alles, was da noch an Fertigbauhäusern und Bauteilen liegt, aber wirklich alles, wird verladen. Ab in die Sowjetunion! Natürlich, die brauchen in der Sowjetunion auch dringend Häuser, man kann es ihnen nicht übelnehmen!

Aber damit ist für uns Sense. Gleich zweimal Sense! In kurzer Zeit werden die Verbindungsteile nicht mehr in Niesky liegen. Und selbst wenn sie dort liegenbleiben – es kommt doch kein Mensch aus dem Westen so weit in den Osten hinein und holt das Zeug heraus!«

Die junge Frau Jaschke wurde plötzlich von einem Weinkrampf geschüttelt.

Jakob erhob sich hastig.

»Trocknen Sie Ihre Tränen, Frau Jaschke! Und Sie, Herr Ingenieur« (verflucht, ist meine Hose noch feucht!), »trommeln bitte geeignete Leute zusammen und suchen geeignete Werkhallen. Es wird Sonderzuteilungen geben, mehr Essen, mehr Marken, mehr Heizmaterial, für alle...«

»Für... für wen alle?«

»Na, für alle, die die Fertighäuser bauen.«

»Aber die kann doch keiner bauen! Die Verbindungsstücke sind in Niesky...«

»Ja, ja, ja«, unterbrach ihn Jakob Formann. »Das haben Sie mir schon einmal gesagt, Herr Ingenieur. Entschuldigen Sie, wenn ich so schnell aufbreche. Ich bin in ein, zwei Wochen wieder da. Grüß Gott...«

Fassungslos schaute Herr Jaschke dem Davoneilenden nach und murmelte: »Verflucht, sprach Max, und schiß sich in die Hose!«

64

»Herr Hölzlwimmer, Sie haben mir einmal erzählt, daß diese ehemalige Flugzeugfabrik hier bei Frankfurt nur Zweig eines großen Werkes... Mann Gottes, vor mir brauchen Sie doch nicht strammzustehen!« sagte Jakob, schwer irritiert.

Ignaz Hölzlwimmer stand eisern weiter stramm.

»Zucht und Ordnung, Herr Formann! Sie sind der Boß. Man weiß, was sich gehört. Nicht das Gesindel draußen natürlich. Aber ein Mann wie ich!«

Jakob seufzte.

»Na schön, Herr Hölzlwimmer...« Jakob und Wenzel Prill saßen in Prills Baracke auf der Hühnerfarm nahe Frankfurt am Main. Draußen tönten zu ununterbrochenem Gegacker Lieder von Frank Sinatra. Im Moment sang der gerade ›A foggy day in London town...‹ Der Betrieb lief auf Hochtouren. »...also das hier ist nur Zweig eines großen Werkes in der Nähe von Berlin gewesen?«

»Jawoll, ja! Stimmt. Bin immer wieder nach Berlin zitiert worden.«

»Warum?«

»Intrigen! Gemeinheiten! Verleumdungen! Der Mann hat mich gehaßt wie die Pest. Habe ich doch schon erzählt!«

»Erzählen Sie's noch mal!«

»Jawoll, ja! Ist ein ganz hohes Tier da oben gewesen, in der Verwaltung. Ganz hohes Tier auch bei der Arbeitsfront. Was mich diese Sau gepiesackt und bedroht hat – ich habe immer um mein Leben gezittert, Herr Formann, so hat der mich bedroht, dieser Hohlweg.«

»Hohlweg hat er geheißen, richtig.«

»Peter Hohlweg, ja! Das Werk ist ausgebombt, natürlich. Aber der Hohlweg, ich habe Ihnen ja schon erzählt, was der inzwischen drüben für eine phantastische Karriere gemacht hat! In der Deutschen Verwaltung für Handel und Versorgung. Das ist die zentrale Verwaltung, ich hab's schon mal gesagt, Herr Formann, für Versorgung, Herr Formann!«

»Ja, das habe ich gehört.«

»Nicht zu verwechseln mit den verschiedenen Erfassungsstellen für einzelne Lebensmittel! Ist ein kompliziertes System, wissen Sie. Aber die Zentralverwaltung erfaßt alles, was mit Versorgung zu tun hat, also mit dem Fressen!«

»Hübsche Bürokratie, was?«

»Ja. Und eine Stelle kommt mit der andern ins Gedränge. Und ein Bonze haßt den andern... Hohlweg!« Hölzlwimmer lachte, der ersten Silbe dieses Namens entsprechend. »Das ist vielleicht ein charakterloses Schwein, das kann ich Ihnen nur flüstern, Herr Formann!«

»Wieso?«

»Habe natürlich meine Informationen...«

»Natürlich. Und?«

»Na ja, und dieses Mistvieh, dieser Hohlweg, gestern Nazi, heute Kommunist, also der hat sich an die neuen Herren rangeschmissen, daß man nur stundenlang kotzen kann, Herr Formann!«

Genau wie über dich, dachte Jakob und fragte: »Was heißt das: Hat sich rangeschmissen? Wie schmeißt er sich ran?«

»Na, aus Moskau sind doch nach Kriegsende die Männer der ersten Stunde gekommen, nicht wahr? Der Spitzbart Ulbricht und so weiter...«

»My blue heaven...«, sang Frankie-Boy nun, auf daß die Hennen angeregt wurden und noch mehr legten.

»Und?«

»Und bei denen hat er sich sofort unentbehrlich gemacht, erzählen mir Freunde, die aus Berlin kommen. Raus aus dem einen Arsch, rein in den andern!«

Genau wie du, dachte Jakob und sagte: »Hohes Tier in der Zentralverwaltung...?«

»Eines der höchsten!«

»Bedeutender Funktionär«, sagte Wenzel Prill und sah Jakob mit ernster Miene an.

»Kann man wohl sagen!« Hölzlwimmer stand noch strammer. »Ein paar von seinen Freunden haben in den Westen gemacht und sind jetzt hier die Bosse von der KPD!«

»Aha«, sagte Jakob ausdruckslos.

»Persönlich kenne ich nur einen in Frankfurt. Leitet den Landesverband Hessen. Stephan Klahr. Mit a-ha.«

»Aha.«

»Lassen Sie bloß die Finger von dem Kerl! Das ist auch so ein Scheißer wie der Hohlweg! Wie kommen Sie überhaupt auf das ganze Thema?«

»Ach, da hetzen die Kommunisten und nennen mich einen beschissenen kapitalistischen Ausbeuter und drohen mit Sabotage. Nehmen Sie es nicht ernst, Herr Hölzlwimmer.«

»So was kann man gar nicht ernst genug nehmen, Herr Formann! Werde sofort Werkschutzgruppen aufstellen. Empfehle das auch für unsere« – (*unsere!*) – »anderen Höfe!« Hölzlwimmer war aufgeregt.

»Okay, Herr Hölzlwimmer. Ich vertraue Ihnen... wie immer«, sagte jetzt Wenzel Prill. Ganz lässig sagte er es. »Danke. Weggetreten!«

Der Funktionär Hölzlwimmer grüßte militärisch, machte auf dem Hacken kehrt und verließ die Baracke.

»So«, sagte Jakob. »Das klappt ja wie geschmiert. Jetzt kennen wir die Namen. Mit diesem Klahr rede ich allein, Wenzel. Du kannst dich schon mal um die Zugverbindung kümmern. Dann müssen wir runter nach München, zu unserem Fälscherfreund Mader.«

»In Ordnung.«

»Und dann kommst du mit.«

»Natürlich. Ich kann Russisch. Der Hölzlwimmer schmeißt den Laden hier allein. Der stellt uns jetzt ganze Heeresgruppen auf.«

»My blue heaven...«, sang Frank Sinatra.

65

»Ich habe schon von Ihnen gehört, Herr Formann«, sagte Stephan Klahr, vom KP-Landesverband Hessen, höflich, aber sehr förmlich. »Nehmen Sie bitte Platz. Was kann ich für Sie tun?«

Jakob setzte sich auf einen wackligen Stuhl vor einen wackligen Schreibtisch. Herr Klahr setzte sich hinter den Schreibtisch. Ernst blickte Josef Wissarionowitsch Stalin aus einer Fotografie an der Wand auf Jakob herab. Beim Governor van Wagoner hat General Eisenhower auf mich herabgeblickt, dachte Jakob. Mit der Zeit werde ich die Herren schon alle noch kennenlernen.

»Herr Klahr«, sagte unser Freund und sah dem andern fest ins treue Männerauge. »Ich weiß, in Ihren Kreisen halten mich viele für einen Ami-boy, für einen Kapitalisten, für einen Kommunistenfresser, für...«

»Aber nicht doch, Herr Formann«, sagte Klahr, gepreßt höflich.

»Aber ja doch, Herr Klahr«, erwiderte Jakob mit Nachruck. »Ich höre doch auch, was geredet wird. Nur: Das stimmt nicht, Herr Klahr, das ist eine gemeine Verleumdung! Ich bin zu meinen Eiern gekommen wie die Jungfrau zum Kinde. Vorher war ich ein armes Schwein, das Wache geschoben hat vor einem amerikanischen Fliegerhorst.«

»Auch darüber sind wir informiert, Herr Formann.«

»Sie sind…? Na also! Da haben wir's ja! Sie sind informiert über mich! Haben vielleicht schon ein ganzes Dossier angelegt?«

»Ein kleines. Wir haben eben damit begonnen. Wir legen Dossiers über alle potentiellen Klassenfeinde an, um sie bekämpfen zu können. Das ist überhaupt nicht gegen Sie persönlich gerichtet, Herr Formann! Der große Lenin hat gesagt: ›Wenn die Partei nicht Tag und Nacht wachsam ist…‹«

»…ist sie verloren.«

»Woher wissen *Sie* das?« Klahr starrte Jakob mit offenem Mund an.

»Weil ich Lenins Schriften immer wieder lese«, sagte Jakob, der in seinem ganzen Leben kein Dutzend Bücher und ganz bestimmt keines von Lenin gelesen hatte. »Karl Marx, Lenin und die Schreiber der Bibel – das sind doch die einzigen, die durch Schreiben die Welt verändert haben. Meiner Ansicht nach!« (In Wirklichkeit hatte Jakob es wenige Tage vorher in einer Zeitung gelesen.) »Entschuldigen Sie die Erwähnung der Bibel, aber ich komme aus einer bürgerlichen Familie.«

»Nichts zu entschuldigen, Herr Formann. Man kann sich seine Herkunft nicht aussuchen. Ich bin sehr überrascht.«

»Worüber?«

»Über Ihre Offenheit und Natürlichkeit. Ich habe Sie mir ganz anders vorgestellt.« Gott im Himmel, dachte Jakob, sei bedankt. Da bin ich ja auf einen Trottel gestoßen. Die meisten KP-Leute, die ich kennengelernt habe, waren hochintelligent. Aber der hier – das ist ja ein richtiger handfester Trottel! Genau das, was ich brauche. Haargenau. Es scheint Dich also doch zu geben, lieber Gott! »Um was handelt es sich denn?« Himmel, dachte Jakob, der hat sogar äußerlich Ähnlichkeit mit dem anderen Trottel, mit meinem lieben Freund Generalmajor Peter Milhouse Hobson! Erst der Trottel Peter, dann der Trottel Klahr. Trottel gibt's zum Glück überall. Darum sieht es ja so aus auf unserer Welt. Ob Ost oder West, ob Rot oder Schwarz, ob Kapitalist oder Kommunist – es ist wie beim Stricken, einmal links, einmal rechts! Er räusperte sich: »Also, passen Sie mal auf, lieber Peter…«

»Bitte?«

»Äh – entschuldigen Sie! Peter, das ist ein Freund von mir. Der ist Ihnen wie aus dem Gesicht geschnitten! Also, passen Sie auf, lieber Herr Klahr: Es handelt sich um ein ehrliches Geschäft.«

»Ehrliches Geschäft?«

»Schauen Sie: Unser Vaterland ist viergeteilt...«

»Durch die Schuld der Naziverbrecher, die einen Krieg...«

»Sie nehmen mir das Wort aus dem Mund, Herr Klahr.« So blöde ist der auch nicht, verflucht. Was er da eben gesagt hat, stimmt! Also kein Trottel? O Gott!

»...und durch Schuld der amerikanischen Kapitalisten, die infolge ihres Imperialismus und ihrer feindseligen Haltung der glorreichen Sowjetunion gegenüber jede Wiedervereinigung in Frieden und Freiheit verhindern. Die Schuldigen stehen rechts!« Gott sei Dank, doch ein Trottel. Als ob die Sowjets, deren Land wir bis zum Ural zerstört haben, an einer Wiedervereinigung interessiert wären, dachte Jakob, und ein Stein fiel ihm vom Herzen, während er eifrig sagte: »Genauso ist es, Herr Klahr. Und wer hat darunter zu leiden? Wir Deutschen in Ost und West. Vergessen wir jetzt einmal Weltanschauungen. Reden wir Tacheles. Die Deutschen hier und die Deutschen drüben haben zu wenig zu essen, und viel zu wenige haben ein Dach über dem Kopf.«

»Hier haben sie mehr zu essen, weil die Amis sie päppeln! Die große Sowjetunion verfügt nicht über solche Reserven, Herr Formann, weil die Hitlerverbrecher das Land zerstört haben, wie noch nie ein Land zerstört worden ist!«

»Na, aber das sagte ich doch!« Jakob nickte eifrig. Wo der Trottel recht hat, hat er recht. Hoffentlich hat er nicht noch einmal recht!

»Deshalb bin ich hier.«

»Weshalb?«

»Herr Klahr! Die Brüder und Schwestern im Osten haben's nötig, daß man ihnen hilft, und wir hier haben es genauso nötig! Denn was kriegen wir schon von den Drecksamerikanern? Doch nur so viel, daß wir nicht verrekken! Hühnermais sollen wir fressen! Ist doch wahr! Oder leben *Sie* in Saus und Braus? Na also!«

»Ihnen geht's doch aber nicht schlecht, Herr Formann!«

»Sagen *Sie*! Wissen Sie, was ich schuften muß? Wissen Sie, wie sehr ich auf dem Hund bin?«

»Aber Ihre Eier und die Fertigbauhäuser...«

»Was, was, was? Meine Eier muß ich abliefern! Und meine Fertigbauhäuser kann ich nicht bauen!«

»Wieso nicht?«

Jakob gab bekannt, wieso nicht.

»Die Verbindungsstücke liegen in Niesky! Das ist weit hinten in der Sowjetischen Besatzungszone. Bei der Firma Christoph und Unmack! Ihr könnt *mit* ihnen allein keine Häuser bauen, und ich kann *ohne* sie keine Häuser bauen, und die armen Teufel in West und Ost hungern weiter und haben weiter kein Dach überm Kopf. In so einer Situation müssen wir Deutschen doch zusammenhalten – oder nicht?«

»Ich weiß nicht, worauf Sie hinauswollen, Herr Formann!«

»Auf folgendes: Ich will ein Geschäft mit denen drüben machen. Mit dem Osten. Solche Geschäfte sind schon haufenweise gemacht worden, das wissen Sie selber!«

»Sie meinen Tauschgeschäfte?«

»Ja. Tauschgeschäfte. Hilf dir selbst, dann hilft dir... Verzeihung, das ist so ein dummes Sprichwort. Helfen wir einer dem anderen, Herr Klahr!«

»Ich bin nur ein Beauftragter meiner Partei, Herr Formann. Und Sie sind nur ein Büttel der Amerikaner.«

Büttel?

Was ist ein Büttel? dachte Jakob und nickte trübe.

»Sie brauchen erst die Erlaubnis der Amerikaner für so ein Geschäft, und ich muß mich erst mit der SED und der Sowjetischen Militäradministration in Berlin-Karlshorst ins Benehmen setzen.«

»Die Erlaubnis der Amerikaner kriege ich«, verkündete Jakob. (Mein Freund Josef Mader, dieser geniale Fälscher, arbeitet schon an den Papieren.) »Das ist kein Problem. Wir brauchen nur noch die Erlaubnis der Stellen in der SBZ für das Geschäft.«

»Was ist das überhaupt für ein Geschäft, Herr Formann?«

Jakob legte eine kleine Pause ein, blickte zu Josef Stalin auf, sah Klahr ins Gesicht und sagte: »Ich liefere Ihnen Eier, und Sie liefern mir dafür die in Niesky liegenden Verbundstücke für die Fertighäuser und die dazugehörigen Prägemaschinen, damit wir weitere Teile herstellen können.«

»Eier? Wie viele Eier?«

Steh mir bei, weiser Josef Wissarionowitsch, dachte Jakob und sagte mit fester Stimme: »Eine halbe Million!«

66

»Eine halbe Million Eier«, wiederholte KP-Funktionär Stephan Klahr, heiser vor Erregung.

»Eine halbe Million Eier«, antwortete Jakob liebenswürdig.

»Ich werde noch heute einen Kurier nach Berlin schicken«, versprach Klahr, der aufgesprungen war und im Zimmer hin und her lief. »Zu meinem Freund, dem Leiter der Abteilung für Interzonenhandel in der Deutschen Verwaltung für Handel und Versorgung.«

Jakobs Herz klopfte heftig. So viel Massel gibt's doch nicht, dachte er und fragte: »Wie heißt denn der Herr?«

»Genosse Peter Hohlweg.«

Gütiger Josef Wissarionowitsch, hab Dank, dachte Jakob und gab dem Foto des Vaters aller Werktätigen einen langen Blick.

»Genosse Hohlweg wird sich schnellstens mit Karlshorst, dem Sitz der Sowjetischen Militäradministration für Deutschland, in Verbindung setzen, und wenn wir von dort die Erlaubnis haben, kann das Geschäft über die Bühne gehen, Herr Formann. Sie sind Kapitalist, aber ein progressiv denkender Kapitalist. Nicht einer von den Finanzhyänen und Revanchisten, die nur an ihre Profite und an den nächsten Krieg denken.«

»Auch von Ihnen bin ich auf das angenehmste überrascht, Herr Klahr.«

»Ich bin doch das Schreckgespenst hier! Weil keiner mich wirklich kennt! Aber das wird sich ändern, Herr Formann, seien Sie beruhigt!«

»Da bin ich beruhigt. Unser Geschäft könnte ein Meilenstein sein!«

»Da haben Sie recht!« Klahrs Euphorie verschwand plötzlich. »Wenn Sie mich nicht bescheißen!«

»Entschuldigen Sie, diesen Ausdruck kann ich nicht hinnehmen. Vergessen wir das Ganze, Herr Klahr. Guten Tag.« Jakob ging zur Tür.

Klahr rannte ihm nach und hielt ihn fest. »Nicht doch, nicht doch, Herr Formann! Ich hab' doch bloß Spaß gemacht!«

»Solche Späße mag ich nicht.«

»Verdammt, aber Sie verstehen doch, daß wir uns absichern müssen! Gut, Sie sind ein anständiger Mensch – aber wer weiß, was für andere Schweine uns da reinlegen wollen? Wie soll denn der Transport überhaupt vor sich gehen?«

»Per Bahn. Die Eier nach Berlin, Demokratischer Sektor, die Verbindungsstücke von Niesky auf möglichst kurzem Weg in den Westen.«

»Aber zuerst müssen die Eier geliefert werden!«

»Selbstverständlich. Erst die Eier und dann die Verbindungsstücke.«

»Eine halbe Million Eier... Wie viele Waggons brauchen Sie denn da?« Jakob zog einen Zettel aus der Tasche.

»Kann ich Ihnen ganz genau sagen. Habe mich erkundigt.«

»Wo?«

Es gelang Jakob, völlig ernst zu erwidern: »Beim ›Landesverband Hessen des Eier-, Geflügel-, Wild- und Honiggroßhandels‹!«

»Aber die haben doch überhaupt keine Eier, kein Geflügel, kein Wild und keinen Honig!«

»Das nicht, aber eine Dienststelle haben sie. Eine Dienststelle haben sie in Deutschland immer«, sagte Jakob. »Die Zahlen, die ich Ihnen nenne, stammen noch aus einer Zeit, in der es all das, was es jetzt nicht gibt, gegeben hat. Die Eier, hat man mir gesagt, werden in Kisten – nicht in Kartons! – verpackt. Holzwolle dazwischen. In einen Eisenbahnwaggon gehen vierhundert Kisten. In jede Kiste gehen dreihundertsechzig Eier. Das sind pro Waggon einhundertvierundvierzigtausend Eier. Wenn wir also vier Waggons nehmen, dann bringen wir – hier bitte, ich habe es ausgerechnet – sogar fünfhundertfünfundsiebzigtausend Eier rein! Fünfhundertfünfundsiebzigtausend, das ist mehr als eine halbe Million! Das ist *mein* Zeichen für Frieden und Völkerfreundschaft!«

67

Es folgte eine Woche, in welcher der Funktionär Ignaz Hölzlwimmer auf Inspektionsreise geschickt worden war. Zum Himmler-Hof und zu der Hühnerfarm nahe Bayreuth. Von Jakob persönlich. Hölzlwimmer weinte vor Rührung. »Diese Ehre! Werde mich ihrer würdig erweisen, Herr Formann. Vertrauensstellung ist mir heilig! Können sich auf mich verlassen...«

Endlich hatten sie ihn draußen.

»You do something for me«, sang Frankie-Boy...

Folgten vier Nächte, in denen Jakob und Wenzel so hart schufteten wie noch nie im Leben. Es galt, viermal vierhundert Kisten zu laden. So etwas ist kein Honiglecken. Kisten hatten sie genug. Holzwolle auch. Pin-up-Fotos, die gewagtesten, die es zur Zeit gab, hatte Jakob in riesigen Mengen herangebracht. Es konnte einem ganz flau werden bei dem vieltausendfachen Anblick von Beinen, Busen und Popos.

Im Dunkel der Nacht füllten die Herren Formann und Prill Kiste um Kiste. Auf etwas eigenwillige Art. Zuunterst kam Holzwolle. Sehr viel Holzwolle. Darüber kamen Pin-ups. Sehr viele Pin-ups. Über diese wieder Holzwolle. Sodann, voreinander durch Holzwolle geschützt, eine Lage Eier. Neun Stück. Dann – trotz Wenzel Prills anfänglichem Protest – wieder Holzwolle. Und dann noch einmal eine Lage mit neun Eiern und wieder einmal Holzwolle. Deckel drauf, zugenagelt! Auf den Deckel eingebrannt: VORSICHT! OBEN! NICHT STÜRZEN! ZERBRECHLICH! Statt dreihundertsechzig Eiern befanden sich in jeder Kiste somit nur achtzehn. Wenzel hatte überhaupt nur eine Lage, also neun Eier laden wollen, doch Jakob hatte rundweg abgelehnt.

Also packten die beiden Herren von 18 Uhr bis um 6 Uhr am nächsten Morgen, schichteten, hämmerten Deckel fest, brannten die schwarzen Warnstempel ein. Zuletzt spürten sie ihre Knochen nicht mehr. Die Kisten wurden von ahnungslosen GIs auf US-Army-LKWs, die der Provost Marshal in Frankfurt (Jakob unterhielt die besten Beziehungen zu ihm) gestellt hatte, an den Güterbahnhof gefahren. Jakob persönlich überwachte ihre Verladung in vier bereitstehende Waggons. (Hier spielten bereits Maders Papiere eine Rolle. Eines davon wies den Provost Marshal Frankfurt im Namen von General Clay an, vier Güterwaggons für ein Interzonengeschäft bereitstellen zu lassen.)

Dann kam der gefährlichste Moment: die Inspektion der Kisten durch Stephan Klahr. Sie geschah in den Abendstunden und im Schein elektrischer Taschenlampen. Jakob stemmte eine Kiste auf – Klahr sah eine Lage Eier, nickte, und die Kiste wurde wieder vernagelt.

Das ging sechsmal so. Beim siebenten Mal begann der mißtrauische Klahr die erste Lage Eier abzuheben.

»Mal sehen, was drunter ist«, sagte er und lachte scheppernd. »Wir sind nämlich nicht dämlich, klar?«

»Klar, Herr Klahr«, sagte Jakob, während dieser, zufrieden, eine zweite Lage Eier unter der ersten entdeckte.

Jakob sah Prill, der mitgekommen war, bedeutsam an.

Wenzel senkte schuldbewußt das Haupt.

Der Funktionär betrachtete aufmerksam die zweite Lage Eier.

»Na, dann ist ja alles in Ordnung«, sagte er.

»So schnell geht das nicht, Herr Klahr! Das müssen Sie mir schriftlich bestätigen. Achtmal! Tja, der Papierkrieg! Wenn ich bitten darf...«

Der KP-Funktionär bestätigte gern den Inhalt der vier Waggons achtmal durch seine Unterschrift. Funktionäre bestätigen immer gern. Sie sind immer für Korrektheit, und natürlich hatte Genosse Klahr auch ein Stempelkissen und den Stempel des KP-Landesverbandes Hessen dabei. Also noch achtmal ein Stempel auf acht Papiere!

Zuletzt wurden die vier Waggons plombiert und schon am nächsten Tag an einen Interzonenzug angehängt, der nach West-Berlin fuhr. Jakob und Wenzel fuhren mit. In West-Berlin wurden die vier Waggons abgekoppelt. Eine Lok der Reichsbahn (Jakob staunte: Ausgerechnet hier, im Demokratischen Sektor, gab's noch eine Deutsche *Reichs*bahn!) brachte sie über die Sektorengrenze auf das riesige Gelände des Güterbahnhofs zwischen Schlesischem Bahnhof und Warschauer Brücke. Daselbst verteilte Jakob an einige Herren überreichlich amerikanische Lebensmittel und Zigaretten. Die Herren ließen die vier plombierten Waggons daraufhin auf ein ganz entlegenes Nebengleis rangieren. Der Lokomotivführer und der Heizer äußerten ihre Absicht, in den Westen abzuhauen, und taten das auch zu der gleichen Zeit, da Jakob Formann, begleitet von Wenzel Prill, sich gerade im Gespräch mit dem sowjetischen Major Assimow im Hauptquartier der Sowjetischen Militäradministration in Berlin-Karlshorst befand. Ebenfalls anwesend war der Freund des hessischen KP-Häuptlings Klahr, der Chef der Abteilung Interzonenhandel in der Deutschen Verwaltung für Handel und Versorgung, Genosse Peter Hohlweg – vor vier Jährchen noch einer der gefürchtetsten Nazis in einem großen Flugzeugwerk nahe Berlin.

68

Die Anwesenheit eines Dolmetschers (in welcher Eigenschaft Wenzel mitgekommen war) erübrigte sich, denn Major Assimow sprach sehr gut deutsch. Er überreichte Jakob alle nötigen Papiere für den Empfang der Verbindungsstücke in Niesky sowie Rückfahrbefehle via Berlin-Helmstedt mit den Worten: »Ich bin glücklich, Ihre Bekanntschaft gemacht zu haben, Herr Formann. Männer wie Sie und der Genosse Hohlweg zeigen deutlich, daß mit gutem Willen von beiden Seiten eine Koexistenz zwischen zwei verschiedenen Systemen durchaus möglich ist, wie es der große Genosse Stalin immer wieder betont.«

»Und was die Amerikaner nicht glauben wollen«, antwortete Jakob und nickte betrübt.

»Ich hoffe, wir sehen uns wieder«, sagte der Major zum Abschied.

»Das hoffe ich auch, Genosse Major«, sagte Jakob und dachte: bloß das nicht!

In Hohlwegs Dienstwagen fuhren sie in Richtung Stalinallee zurück.

»Und die Waggons mit den Eiern, wo sind die?« fragte der Abteilungsleiter aus der Verwaltung für Handel und Versorgung.

»Auf Ihrem großen Güterbahnhof da in Berlin, Herr Hohlweg«, sagte Jakob, der wieder die angenehme Wärme in sich aufsteigen fühlte wie stets, wenn er sich in Gefahr befand. »Am besten, Sie setzen sich mit der Erfassungsstelle für Eier und Eierprodukte in Verbindung.«

»Wieso mit der Erfassungsstelle?«

»Na, die haben wir doch benachrichtigt.«

»Blödsinn! *Ich* habe über die Eier zu bestimmen!« schimpfte Hohlweg los. »Erfassungsstelle! Die reißen sich doch nur alles unter den Nagel! Das sind doch absolut unzuverlässige Subjekte!«

»Entschuldigen Sie, Herr Hohlweg, aber ist das wirklich wahr?«

»Was, was, was?«

»Daß es bei Ihnen in wichtigen Stellungen unzuverlässige Subjekte gibt?«

»Hrm... äh...«

»Bitte?«

»Sie haben mich falsch verstanden, Herr Formann! Natürlich sind hier alle Funktionäre von hervorragender Tüchtigkeit und Ehrlichkeit! Es ist nur... es gibt nur... eben weil alle so diensteifrig sind! ...andauernd Mißverständnisse, verstehen Sie?«

»Verstehe.«

»Na, da muß ich sehen, was ich machen kann. Wir von der Deutschen Verwaltung für Handel und Versorgung müssen eben versuchen, schneller zu sein als die Erfassungsstelle! Denn die Eier gehören zu uns, nur zu uns, verstehen Sie!«

»Ich verstehe. Und verzeihen Sie. Ich konnte nicht ahnen... Auf den Papieren des Genossen Klahr aus Frankfurt stand...«

»Der Genosse Klahr ist ein Trott... ist völlig überarbeitet, der hat sich geirrt, der liebe Genosse Stephan, hrm!«

Jakob war entzückt. Er warf Wenzel einen Blick zu. Der Hohlweg mit seinen Kumpanen will natürlich ein paar tausend Eier abstauben, besagte der Blick. Besagte des weiteren: Natürlich haben wir *keine* Erfassungsstelle für Eier und Eierprodukte verständigt. Das wird jetzt – toi, toi, toi! – ein wunderbares Durcheinander geben!

69

Von Berlin fuhren die beiden Freunde, in den Brieftaschen hübsche Papiere in deutscher und russischer Sprache, über Lübben und Cottbus bis Horka. Dort mußten sie umsteigen, um nach Niesky zu gelangen. Jakob pfiff sich eins. Wenzel flehte ihn an, mit dem Pfeifen aufzuhören.

»Warum? Seit wann stört dich mein Pfeifen?«

»Mensch, Jakob, bist du von allen guten Geistern verlassen? Wenn die die vier Waggons finden und die Kisten aufmachen, und wir sind noch in der Zone, dann bleiben wir ein Leben lang hier! Wegen Wirtschaftsverbrechen! Wirtschaftssabotage! Darauf gibt's ›Lebenslänglich‹! Weißt du das nicht?«

»Natürlich weiß ich das. Vielleicht auch die Rübe ab. Bei uns sehr wahrscheinlich«, sagte Jakob und pfiff weiter. Sie standen auf dem Gang. Wenzel stöhnte so laut, daß er das Rattern des Zuges übertönte. Ein Mann, der in einiger Entfernung von ihnen stand, sah sie grübelnd an. Jakob schenkte ihm ein sonniges Lächeln. »Mein Freund fühlt sich nicht ganz wohl«, schrie er. »Geht gleich vorüber. Der hat zuviel gegessen!« Und zu Wenzel sprach Jakob, sehr leise, diese Worte: »Wenn du mit mir weiterarbeiten willst, darfst du dir nicht immer gleich in die Hosen scheißen, mein Lieber.«

70

Jakob Formann sagte: »Bitte, übersetze dem Herrn Major, daß ich ihm im Namen aller armen Menschen Westdeutschlands danke.«

Wenzel Prill übersetzte.

Der sowjetische Major Kotikow, der hinter seinem Schreibtisch saß (auch hier natürlich wieder unter einer Fotografie des Genossen Stalin), sprach: »Bitte, Herr Prill, sagen Sie Herrn Formann, daß ich ihm stellvertretend für die deutschen Menschen in der Demokratischen Zone Deutschlands für seine Gabe danke und ihm mit Vergnügen das erbetene Material für die armen Menschen Westdeutschlands übergebe.«

Wenzel übersetzte. (Der Wenzel hat eine widerwärtige Art, andauernd auf die Uhr zu schauen und sich nervös am Kopf zu kratzen, dachte Jakob. Wovor hat der bloß Angst? Vor dieser dämlichen Sowjetischen Militäradministration und davor, daß unsere vier Wagen mit den sehr wenigen Eiern gefunden werden? Der hat ja keine Zivilcourage! Der Major *muß* doch mißtrauisch werden!)

Doch der Major wurde nicht mißtrauisch. Er hatte ein großes, sentimentales russisches Herz und eine große, gütige russische Seele und liebte es, armen Menschen zu helfen. Ihm unterstand der Güterbahnhof von Niesky, der jedem Gebildeten bekannten Kreisstadt der Oberlausitz. Seine Dienststelle befand sich im ersten Stock des Bahnhofsgebäudes. Jakob sah aus einem Fenster, das zum Teil zugenagelt war, über das Bahngelände und hinüber zu den Werkshallen von Christoph und Unmack. In Niesky hatte es eine Fahrzeugbau-, Maschinen-, Glas-, Holz- und Elektroindustrie gegeben. Es gab also entsprechend viel zu demontieren und abzutransportieren, insbesondere natürlich die Maschinen und das Material der Firma Christoph und Unmack! Da sind wir gerade noch rechtzeitig gekommen, dachte Jakob, denn er sah auf den Gleisen mehrere Güterzüge, die beladen wurden. Rotarmisten unter Gewehr bewachten die Arbeiter. Die Lokomotiven aller Züge standen in Richtung Osten. Eine Lok fuhr gerade hin und her, bis sie schließlich Fahrtrichtung West hatte und vier Waggons angekoppelt wurden. Zwei offene Waggons waren randvoll mit Verbindungsstücken für Jaschkes Fertighäuser gefüllt, auf zwei weiteren standen, mit Planen zugedeckt, die Stanzmaschinen, die der Major in seiner übergroßen Güte (und auf Anweisung der Militäradministration) dazugegeben hatte.

Mein Zug! dachte Jakob Formann, angenehm durchwärmt. Er dachte des weiteren: Erstens hat der Fälscher Josef Mader wieder einmal bewiesen, daß er ein Genie ist. Zweitens sind der Wenzel und ich Genies (aber ich hau ihm doch eines hinter die Hörner, wenn er das mit dem Auf-die-Uhr-Sehen nicht läßt, der Trottel!). Drittens sind sie bei der Sowjetischen Militäradministration genauso blöde wie die bei der Amerikanischen Militärregierung und wahrscheinlich so dämlich wie jede andere Militärverwaltung auf der Welt auch!

Major Kotikow war ein pflichtbewußter Mensch. Der hatte selbstverständlich in Karlshorst zurückgerufen, als die beiden Herren hier auftauchten, um sicherzugehen, daß sie keine Schwindler waren. Karlshorst hatte ihn absolut beruhigt. Woraus eindeutig hervorging, daß man auf jenem endlos weiten Güterbahnhof in Berlin die vier Waggons mit den viel zu wenigen Eiern noch nicht gefunden hatte. Es war wirklich ein abgelegenes Gleis, auf dem die standen...

Die Tür ging auf. Zwei Männer kamen herein, ein sowjetischer Feldwebel und ein deutscher Zivilist. Der deutsche Zivilist beachtete Jakob zuerst gar nicht.

Er sagte zu seinem Begleiter: »Übersetzen Sie bitte dem Genossen Major, daß der Zug in Richtung Mücka-Hoyerswerda in einer Stunde abfahrbereit sein wird. Meine Männer haben bis an den Rand des Zusammenbruchs ge...« Den Satz sprach er nicht zu Ende, denn da hatte er Jakob erblickt. Und dieser ihn.

Nein, also so was, dachte Jakob. Das ist ja heiter! Der Zivilist, der da vor mir steht, untersetzt, stiernackig, mit einer Totschlägerfresse im roten Gesicht – das ist doch niemand anderer als der Unteroffizier Bohrer, Adolf Bohrer, der mich bei der Ausbildung halbtot geschliffen hat, der verfluchte Hund! Durch die tiefen Pfützen auf dem Kasernenhof hat er mich robben lassen, bis ich von oben bis unten vollgesaugt war! Ein besonderer Liebhaber von ›Maskenbällen‹ war er: Hopp, hopp! In drei Minuten im Dienstanzug angetreten… Und uns dann gehetzt… Im Arbeitsanzug angetreten… weggetreten… Im Ausgehanzug mit Mantel umgeschnallt angetreten… Singen unter der Gasmaske… Mit der Zahnbürste hat er mich den Stubenboden scheuern lassen. Alles Zeug hat er aus unseren Spinden gerissen, weil sie angeblich unordentlich waren! Stundenlang hat der Schuft uns Betten bauen lassen, weil wir alles angeblich zu schlampig gemacht hatten! Mein Gott, so sehr gehofft habe ich, daß es diese Sau an der Front erwischt. Nix! *Hier* muß ich ihn wiedertreffen. Von allen Orten *hier*! Und ausgerechnet *jetzt*!

»Formann, Sie müdes Arschloch! Was tun denn Sie hier?« schrie der Unteroffizier a. D. Adolf Bohrer, indessen ihm noch mehr Blut in seinen Schweineschädel schoß.

Jakob machte sein dümmstes Gesicht und sah den Brüllenden erstaunt an.

»Was will der Mann? Warum schreit er?« fragte Major Kotikow den nervösen Wenzel auf russisch.

»Keine Ahnung«, sagte der und fragte Jakob auf deutsch: »Was ist mit diesem Scheißer los? Was will er denn von dir?«

»Ich habe keine Ahnung, was der will«, antwortete Jakob sanft. »Ich habe den Kerl nie im Leben gesehen.«

»Nie im Leben gesehen?« tobte Bohrer wiederum los. »Du wirst dich gleich an mich erinnern, du traurige Vogelscheuche!«

»Ich fürchte, es besteht Grund zur Besorgnis«, äußerte Jakob, und Mitleid trat in seine Augen. »Tck, tck, tck. Das scheint doch ein schwerer Fall zu sein. Ist er in ärztlicher Behandlung?«

All das übersetzte Wenzel dem Major Kotikow. Der Leuteschinder a. D. Bohrer lief schwarz-weiß-rot im Gesicht an. Auf seinem Stiernacken sträubte sich jedes einzelne blonde Härchen. »Kerl, ich bringe dich vors Kriegsgericht! Das ist ein Spion, Genosse Major! Ein amerikanischer Spion! Ich kenne das Schwein! Los, los, los, übersetzen Sie, Mann!« schrie Bohrer den Feldwebel an. »Ich kenne ihn! Ich war sein Ausbilder!«

»Wo?« fragte der russische Feldwebel irritiert.

»In der Wehrmacht natürlich, Sie Rindvieh!« Bohrers Stimme kippte. Er keuchte.

Der Feldwebel übersetzte. Wenzel übersetzte. Eine Übersetzung jagte die andere.

»Schlimm, schlimm«, sagte Jakob zuletzt erschüttert (und mit dem intensiven Gefühl innerer Wärme). »Das ist ein akuter Anfall. Da muß sofort ein Arzt her.«

Übersetzung zurück. Major Kotikow nickte erschrocken. »Gospodin Formann hat recht«, sagte er russisch, dann rief er ins Telefon: »Wache! Sanitäter! Doktor! Hier tobt einer!«

»Du Sau!« brüllte Unteroffizier Bohrer wie von Sinnen und drang rasend vor Zorn auf Jakob ein. Der hob gelangweilt ein Knie. Bohrer rannte in dasselbe hinein. Das Knie war hart, wie Knie eben sind, und Bohrer traf sich selbst an seiner empfindlichsten Stelle. Er stieß einen ersten und gleich darauf einen zweiten Schrei aus, denn Major Kotikow hatte ebenfalls eingegriffen und Bohrer wuchtig in den Hintern getreten.

Eine solche Attacke von hinten und von vorn erschwerte dem Unteroffizier a. D. der Deutschen Wehrmacht sel. das rasche Umkippen. Er kippte langsam, man kann sagen, er glitt zu Boden und hielt dabei die eine Hand auf das, was ihm vorne weh tat, und die andere Hand auf das, was ihm hinten weh tat. Er rollte über den Boden hin und her, und zwischen Wehlauten ließ er diese Worte vernehmen: »Spion... abknallen... Verbrecher... Mistvieh, verrecken sollst du... Genosse Stalin...«

Als er das herausgebracht hatte, fielen sämtliche Anwesenden über den Unteroffizier a. D. Adolf Bohrer her. Schließlich hatte er den Vater aller Werktätigen aufs gröblichste beleidigt, und es waren zwei Russen im Raum. Jakob und Wenzel aber konnten einen derart schweren Insult des sowjetischen Weisesten Führers und Generalissimus schon aus Gründen des Selbsterhaltungstriebes nicht hinnehmen. Sie machten mit.

Auf flog die Tür.

Rotarmisten stürzten herein. Sie drängten alle anderen beiseite und nahmen sich Bohrers an, bis er bewußtlos war. Dann erschien eine Ärztin, mit ihr zwei breitschultrige Herren in weißen Pflegerjacken. Jetzt kam Bohrer wieder zu sich. Aber da hatte er schon eine Zwangsjacke an, die Enden der Ärmel waren zusammengebunden, und mit sanfter Gewalt geleiteten die beiden Pfleger den Herrn Unteroffizier a. D. Bohrer, der schon wieder brüllte, hinaus. Die Ärztin – sie war in Uniform – sprach russisch mit dem Major. Wenzel übersetzte ins Deutsche und zurück ins Russische, was Jakob gesagt hatte: »Ich fürchte sehr, die Frau Doktor hat recht. Dies ist ein gemeingefährlicher Fall von Tobsucht.«

Die Ärztin meinte auch, sie halte das für eine schwere manische Exaltation. Sie habe die sofortige Einweisung in das nächste Lazarett veranlaßt. Draußen hörte man Bohrer noch immer brüllen.

»Wohl ein Verlorener, sagt die Frau Doktor«, übersetzte Wenzel Prill.

»Als Ärztin darf man niemals verloren sagen«, äußerte Jakob Formann. (Mariandjosef, ist die hübsch! Wenn ich jetzt Zeit hätte...) »Auch für ärgste Fälle gibt es noch Hoffnung. Wir in Westdeutschland haben erstaunliche Erfolge mit Elektroschocks erzielt.«

Wenzel übersetzte das für alle Anwesenden ins Russische zurück, während Jakob nonchalant eine Hand in die Hosentasche steckte. Gute, alte Hasenpfote...

Die hübsche Ärztin, so übersetzte Wenzel für Jakob, sei auch der Meinung, daß man es nur noch mit Elektroschocks versuchen könne. Jakob nickte.

Elektroschocks... Kameraden, dachte er, Freunde, die der Hund geschunden hat, wie er mich geschunden hat, besonders du, kleiner Swoboda Karli, der du beim fröhlichen Soldatenliedergesang unter der Gasmaske – »Und nun, meine Herren, Dauerlauf marsch, marsch!« – an Herzversagen gestorben bist, und du, Tschuppek Heinrich, der du dich umgebracht hast, weil du die Quälereien von diesem Schwein nicht mehr ertragen hast, und du, Flackerl Thomas, der du abgehauen und erwischt und vor ein Kriegsgericht gekommen und erschossen worden bist wegen Fahnenflucht – euch alle, hoffe ich, habe ich gerächt.

Und mich selber auch.

Elektroschocks...

71

Um 17 Uhr 45 fuhr der Zug mit den Verbindungsstücken und den Stanzmaschinen ab. Die sowjetische Begleitmannschaft grüßte den Major Kotikow, der zur Rampe gekommen war. Die milde Gabe sollte ohne Aufenthalt gen Westen gebracht werden. An der Grenze zur Amerikanischen Zone war die sowjetische Begleitmannschaft durch amerikanische zu ersetzen.

In einem der Bremserhäuschen saßen Jakob und Wenzel, beide dick vermummelt, denn es war immer noch hübsch kalt, lange Zeit stumm dicht beieinander.

Dann sah Wenzel auf seine Uhr.

»Himmelherrgottnocheinmal, laß das sein!« sagte Jakob ärgerlich. »Du machst mich noch wahnsinnig mit deinem Schiß!«

»Mensch, wir fahren über Berlin zurück! Wenn die inzwischen die vier Waggons gefunden haben, bleiben wir in Berlin! In *Ost*-Berlin!«

»Die haben die Waggons noch nicht gefunden!«

»Sagt wer?«

»Ich!«

»Sehr beruhigend.«

»Ach, halt doch dein Maul.«

»Was machst denn *du* für ein Gesicht? Ist dir nicht auch mies?«

»Ja. Mächtig.«

»Warum?«

»Wir haben die armen Hunde doch beschissen. Es sind in jeder Kiste doch bloß achtzehn Eier, nicht dreihundertsechzig.«

»Und deshalb ist dir mies? Versteh' ich nicht.«

»Es ist doch eine Sauerei, die wir da gemacht haben mit den Leuten. Aber du hast eben kein Gewissen.«

»Und *du* hast eines, ja?«

»Ja, leider.«

»Darum hast *du* dir ja die ganze Geschichte ausgedacht! Das hab' ich gern! Zuerst andere bescheißen und dann sich selber.«

»Du sollst dein ungewaschenes Maul...«

»Wenn die nur für fünf Groschen Verstand haben, müssen sie die Waggons schon gefun...«

»Halt's Maul, Wenzel, verflucht!«

Dann blieb es wieder lange Zeit still.

Jakob war beklommen. Wenzel war beklommen. Wenzel weniger. Der sprach endlich wieder.

»Dieser Kerl, der uns in letzter Minute fast noch alles versaut hat, war das wirklich dein Ausbilder?«

»Ja, war er«, sagte Jakob.

Er fügte, in Gedanken versunken, hinzu: »Auch so einer von den Funktionären, wie du sie auf unsern Hühnerfarmen dreimal gefunden hast, Wenzel. Und auch so einer wie dieser KP-Boß Klahr in Frankfurt und wie dieser Oberbonze Hohlweg in Berlin. Funktionäre gibt's überall. Und die funktionieren immer und überall.«

»Da hast du recht. Immer und überall. Dein Ausbilder und der Hohlweg, die beide gestern noch sich aufopfernd dem geliebten Führer Adolf gedient haben, dienen jetzt sich aufopfernd dem geliebten Führer Stalin. Unsere Funktionäre im Westen, die gestern noch dem geliebten Führer gedient haben, dienen heute opferwillig uns, die wir von der Sonne der amerikanischen Besatzungsmacht beschienen werden. Ein Funktionär sein, verstehst du, Jakob, das ist eine Lebenshaltung, die weitgehend unabhängig ist von Parteien und von Weltanschauungen.«

»Ist schon richtig. Aber paß auf, Wenzel«, sagte Jakob, »ich war doch auch noch auf der Farm in Bayreuth und auf dem ehemaligen Himmler-Hof und hab' mir angeschaut, wie es da zugeht und was du dort für Typen eingesetzt hast.«

»Den Kleinhaupt und den Zerensky.« Wenzel nickte trübe. »Wir werden die nicht mehr sehen, die Herren. Wenn sie uns erst aus dem Zug holen...«

»Du sollst die Fresse halten, Mensch! Du machst mich noch ganz verrückt mit deiner Scheißangst! Hör zu, wenn ich mit dir rede! Den Kleinhaupt und den Zerensky habe ich mir angeschaut.«

»Ja, hast du schon mal gesagt. Und?«

»Und dabei ist mir was Komisches aufgefallen. Der Kerl da in Frankfurt, der Hölzlwimmer, der betreibt seine Schiebungen ganz offen und ohne Geheimnistuerei. Die beiden anderen, der Zerensky und der Kleinhaupt – also so was von Getue, daß niemand wissen darf, was sie vorhaben oder wie sie die Polizei bestechen! Wieso sind diese beiden so ganz anders als dein Hölzlwimmer?«

»Das kann ich dir erklären, Jakob«, sagte Wenzel. »Als Psychologe, nicht als Jurist! Die zwei in Bayern sind schwarz und katholisch – im Moment! Mein Hölzlwimmer, der ist gottlos und ein Roter. Auch nur im Moment natürlich!«

»Das verstehe ich nicht.«

»Du wirst es gleich verstehen. Schau: Schieben und raffen und bescheißen tun diese Typen alle! Egal, ob schwarz und katholisch oder gottlos und rot – und dazwischen alle Schattierungen, die du dir denken kannst. Jedoch«, sagte Wenzel bedeutungsvoll, » *ein* Unterschied besteht – wir erleben es im Winzigen, wir werden es aber auch noch im Gigantischen erleben, das prophezeie ich dir! Also: Der Unterschied, der auch dir aufgefallen ist, hat verschiedene Gründe, zum Beispiel religiöse…«

»Ach so, du meinst also, die Katholen haben ein schlechtes Gewissen?«

»Na klar: Die denken doch, man weiß nix Gewisses – es könnt' ja sein, daß es doch eine Hölle gibt und ein Fegefeuer, nicht wahr… Ich möcht' also eher sagen, sie sind tabugehemmt.«

»Sie sind was?«

»*Der Zug!*«

»Was, der Zug?«

»Der Zug fährt langsamer! Merkst du es nicht! Die haben uns, Jakob, die haben uns!«

»Einen Dreck haben sie uns! Das ist eine Baustelle, kannst du das vielleicht noch sehen? Na also. Mensch, wenn du nicht endlich damit aufhörst, kriegst du ein paar gefeuert… Was heißt das, tabugehemmt?«

»Daß ich es dir erklär': Ein Tabu ist etwas, das nicht verletzt werden darf, grob gesprochen. Die Schwarzen machen sich – symbolisch – noch immer in die Hosen, wenn sie betrügen, warum, sie sind religiös und glauben an ihre Tabus, an den lieben Gott. Und ans Fegefeuer und an die Hölle. Deshalb tun sie es also heimlich! Da haben es die Roten leichter! Die glauben den ganzen Salami aus der Bibel von vornherein nicht, und deshalb können sie auch ohne Angst vor einer Tabuverletzung frisch, fröhlich und frei öffentlich bescheißen! Aber *tun* tun sie's natürlich *beide*!«

Nach einer langen Pause murmelte Jakob erschüttert: »Und ich bin um kein Haar besser. Ich habe auch beschissen! Und wie! Arme Leute, kleine Leute!«

»Jakob, wenn *du* jetzt zu spinnen anfängst, kriegst du ein paar von mir gefeuert! Wir gehen ja schon beide auf dem Zahnfleisch!«

So lief das weiter. Vor Berlin hielt der Zug. Wenzel sprang auf.

»Jetzt sind wir in der Falle! Raus, ich will raus hier! Raus!«

»Du bleibst da!«

»Bis sie uns holen, ja? Nicht ums Verrecken!«

»Halt's Maul, ich flehe dich an, halt's Maul! Mit deinem blödsinnigen Geschrei machst du ja noch die Iwans mißtrauisch!«

»Das ist mir scheißegal, ich…« Weiter kam Wenzel nicht, denn Jakob hatte ihn mit einem gezielten Faustschlag zu Boden gestreckt. Als er wieder zu sich kam, erhielt er einen neuen Hieb. Nach einer halben Stunde setzte sich der Zug wieder in Bewegung.

»Was war das?«

»Keine Ahnung.«

»Warum sind wir stehengeblieben?«

»Ich sage dir doch, keine Ahnung, Trottel!«

Hinter Berlin überkam es dann Jakob wieder. Den Kopf in die Hände gestützt, murmelte er erstickt: »Eine halbe Million versprochen… und was haben wir geliefert? Ganze fünfundzwanzigtausendneunhundertundzwanzig Stück! Wir sind ja noch viel schlimmer als diese Funktionäre, Wenzel!«

»Ach, leck mich doch…«

»Du bist ein Zyniker. Dir ist alles egal! Mir nicht! Ich muß an die vielen Eier denken, die jetzt keiner von den armen Leuten hier kriegt. Besonders die Kinder! Die haben vielleicht noch nie ein Ei gesehen! Und hätten sie es sehen können, ihre Augen hätten geleuchtet… Glückliche Kinder, Wenzel… glückliche Kinder! Was können die kleinen Würmer für den ganzen Scheißkrieg? Und ich habe sie betrogen… betrogen… und sie sehen weiter kein Ei…«

»Ich werde noch wahnsinnig!« behauptete Wenzel brüllend. »Ich springe aus dem fahrenden Zug, wenn du nicht aufhörst, Jakob!«

»Das muß ich eben mit mir ganz allein abmachen«, murmelte Jakob gebrochen, »du hast kein Herz im Leib.«

»Ja, ja, ja! Mach's bitte mit dir allein ab! Und halt die Schnauze!«

Jakob hielt die Schnauze, in unglückliches Grübeln versunken. Das nächste Mal konnte sie Wenzel nicht halten. Er schrie und wollte türmen, weil der Zug neuerlich auf freier Strecke gehalten hatte.

»Jetzt haben sie uns! Jetzt haben sie uns! Gleich kommen sie mit ihren Em-Pis…«

Also mußte Jakob ihn wieder k. o. schlagen. Tränen standen ihm in den Augen dabei. Nicht wegen seiner Roheit Wenzel gegenüber. Sondern weil er selbst so seelenlos beschissen hatte…

Jakob blieb während der ganzen Fahrt zerknirscht. Der Zug hielt noch einige Male, und Wenzel wurde noch einige Male hysterisch – mit den entsprechenden Folgen. Dann kamen sie endlich darauf, was schuld war an diesen unvermittelten Stops: Die Strecke verlief eingleisig! Das zweite Gleis war demontiert, und deshalb standen die Signale so oft auf Rot. Danach beruhigte sich Wenzel. Ein wenig. Ganz beruhigt war er erst, als kurz vor Helmstedt die sowjetische Begleitmannschaft ausgestiegen war. Jakob aber grämte sich bis Murnau – eine lange Zeit, wie man zugeben wird. Dann war ihm etwas eingefallen, und seine Miene hellte sich auf…

In Murnau wurden sie von einer großen Menschenmenge erwartet, die in Jubelrufe ausbrach. Es war gegen Abend. Bis in die Nacht hinein feierten die fröhlichen Bayern, und Jakob schwang das Tanzbein mit Frau Dr. Ingeborg Malthus. Erst gegen drei Uhr früh kamen die beiden in das Bootshaus. Diesmal fielen sie nicht ins Wasser. Diesmal zogen sie sich vorsichtig auf dem Steg aus, auf der richtigen Seite. Frau Dr. Malthus war zuerst im Bett. »Kommen Sie, Herr Formann«, flüsterte sie mit vor Erregung heiserer Stimme.

»Ich komme, gnädige Frau!« Jakob glitt neben sie. Während das Blut an seinen Schläfen zu hämmern begann, dachte er: Na schön, du hast einen Hieb, meine Liebe. Aber was ist eine Ausschüttung der Hypophyse?

72

x 14. maerz 1947 x 14.32 uhr x achtung x achtung x hoechste dringlichkeit x von: deutsche vopo kommissariat k 5 x an: alle volkspolizeidienststellen x fall von schwerster wirtschaftssabotage x 1) der oesterreichische staatsbuerger jakob formann x wiederhole jakob formann x wird zur großfahndung ausgeschrieben x formann befindet sich vermutlich gegenwaertig in der bizone x er ist 27 jahre alt x ledig x 1.75 meter groß x schlank x in koerperlich guter verfassung x haare schwarz x augen schwarz x besondere kennzeichen: keine x formann ist bei betreten der sbz sofort zu verhaften und auf schnellstem weg zu ueberstellen an sowjetische militaeradministration karlshorst x ende 1 x 2) dasselbe gilt für den deutschen staatsbuerger wenzel prill x wiederhole wenzel prill, der . . .

73

STRENG GEHEIM
VON: SOWJETISCHE MILITÄRADMINISTRATION FÜR DEUTSCHLAND
AN: PARTEIVORSTAND SOZIALISTISCHE EINHEITSPARTEI DEUTSCHLANDS
BETRIFFT: WIRTSCHAFTSSABOTAGE DURCH WESTAGENTEN JAKOB FORMANN UND WENZEL PRILL SOWIE SKANDALÖSES VERSAGEN ZWEIER DEUTSCHER GENOSSEN

Es liegen die endgültigen Untersuchungsergebnisse zu dem im 1. Bericht geschilderten Verbrechen der US-Kreaturen Jakob Formann und Wenzel Prill vor. Fest steht nun, daß der Genosse Stephan Klahr (KP-Landesverband Hessen) auf das gröblichste fahrlässig, leichtfertig und zum Schaden der deutschen Bevölkerung gehandelt hat. Genosse Klahr gibt in beiliegender schriftlicher Selbstkritik zu, die Kisten mit den Eiern des Formann nur höchst oberflächlich geprüft und damit den Betrug überhaupt erst ermöglicht zu haben.

Der Genosse Peter Hohlweg von der Deutschen Verwaltung für Handel und Versorgung gibt in beiliegender schriftlicher Selbstkritik zu, in einer die Arbeiter-und-Bauern-Macht schädigenden Weise heimtückisch und egoistisch gehandelt zu haben. Genosse Hohlweg gesteht, mit einer Sonderkommission seiner Verwaltung die vier im Bericht 1 erwähnten Güterwaggons nach elftägiger Suche auf dem Gleis 490 des Ostbahnofes in Berlin aufgespürt zu haben – im Wettlauf um die Zeit mit der Erfassungsstelle für Eier und Eierprodukte, welche die Waggons ebenfalls durch eine Sonderkommission suchen ließ. Nach Öffnen der Kisten stellte sich heraus, daß diese (siehe Bericht 1) jeweils nur mit zwei Lagen Eiern (18 Stück) belegt und ansonsten mit Holzwolle und pornographischen Bildern von ekelerregender Schamlosigkeit (Ursprung USA, sogenannte ›Pin-ups‹) gefüllt waren. Die Eier waren nach Einlassung des Genossen Hohlweg fast alle nicht mehr genießbar. Deshalb hat der Genosse Hohlweg (siehe seine Selbstkritik) sie angeblich sämtlich vernichten lassen, welche Behauptung bezweifelt werden muß. Das gleiche gibt der Genosse Hohlweg an, mit den Bildern von unbeschreiblicher Obszönität getan zu haben, was ebenfalls bezweifelt wird. Dem steht nämlich die Aussage des verdienten Genossen Karl Mischewski von der Erfassungsstelle für Eier und Eierprodukte gegenüber (siehe seinen beiliegenden Bericht). Nach den Angaben des Genossen Mischewski traf seine Sonderkommission unmittelbar nach jener des Genossen Hohlweg nachts bei den Waggons ein und konnte beobachten, wie die Kisten geleert wurden. Die Eier waren mitnichten schlecht geworden, sondern alle in bestem Zustand und wurden von den Mitgliedern der Sonderkommission der Deutschen Verwaltung für Handel und Versorgung, der auch der Genosse Hohlweg angehörte, im Dunkel dieser Nacht gestohlen. Das gleiche geschah mit den brechreizerregenden pornographischen Bildern.

Zwei Tage später kam es in mehreren Wohnungen von Angehörigen der Dienststelle des Genossen Hohlweg zu Orgien, die jeder Beschreibung spotten. Weibliche Genossen nahmen an diesen teil. (Siehe Bericht des Genossen Mischewski und beigefügte Fotografien eines eingeschleusten Genossen!) Die sexuellen Ausschreitungen waren nach Angabe des Genossen

Ungern nicht zu überbieten. Die pornographischen Bilder wurden zuletzt versteigert und werden nun im gesamten Gebiet der SBZ heimlich gehandelt.

Nach unserer Meinung darf dieser Skandal keinesfalls weitere Kreise ziehen, weil das keinesfalls im Interesse des Aufbaus der Arbeiter-und-Bauern-Macht im Bereich der Sowjetischen Militäradministration liegt. Aus diesem Grunde ist im Einvernehmen mit den zuständigen Genossen der Sozialistischen Einheitspartei folgendes veranlaßt worden:

Spezialagenten kaufen zur Zeit die ›Pin-ups‹ auf, wo sie solche nur finden können.

Der Genosse Klahr ist sofort nach Berlin beordert worden. Nach Androhung schwerer Bestrafung im Falle eines weiteren Vergehens wurde er zum Leiter der Ausbildungsabteilung für Funktionäre in der westdeutschen Bi-Zone ernannt.

Der Genosse Hohlweg wird mit sofortiger Wirkung aus der Deutschen Verwaltung für Handel und Versorgung entlassen und nach Androhung schwerer Bestrafung im Falle eines weiteren Vergehens an die Hauptstelle Fremdwährungsverwaltung für Devisengeschäfte mit dem Ausland versetzt unter gleichzeitiger Beförderung zum Hauptstellenleiter.

74

Meldung in NEUES DEUTSCHLAND, dem offiziellen Organ des Parteivorstandes der Sozialistischen Einheitspartei Deutschlands:

GROSSHERZIGE SPENDE EINES FREUNDES UNSERER
ARBEITER-UND-BAUERN-MACHT

Die Sowjetische Militäradministration Karlshorst gibt bekannt: Aus der Bundesrepublik Deutschland sind im Demokratischen Sektor von Berlin hundertfünfzig Zentner Trockenmilchpulver und hundertfünfzig Zentner Eipulver aus Beständen der amerikanischen Armee eingetroffen. Der anonyme Absender gab in einem beigefügten Schreiben seine Solidarität mit dem Aufbau der Arbeiter-und-Bauern-Macht unter der ruhmreichen Sowjetischen Militäradministration für Deutschland bekannt und bittet, das Milchpulver und das Eipulver an Kinder zu verteilen. Dies wird die Sowjetische Militäradministration selber tun. Die exemplarische Handlung des Unbekannten bestätigt wieder einmal die Worte des Genossen Walter Ulbricht, der sagte...

75

»Ach, halten Sie doch bitte einen Moment meine Tasche, lieber Herr Formann«, sagte Jan Kalder. »Da drüben ist ein Schwarzhändler mit Kirschen! Kirschen! Du lieber Gott, wann habe ich das letzte Mal Kirschen gegessen!«

Jakob nahm dem Herrn mit den glückstrahlenden Augen und heftig geröteten Backen die Tasche ab und nickte freundlich. Kalder eilte leichtfüßig über das Kopfsteinpflaster der Hauptstraße von Murnau. Es war 16 Uhr 37 am 13. Juni 1947. (Die genaue Zeit stellte später die Polizei fest.) Jakob war mit Kalder gerade aus München gekommen. Winter, Frühling, Frühsommer über hatte es noch gewährt, dann war Nachricht von der Amerikanischen Militärregierung gekommen: Herr Jan Kalder möge erscheinen und sich seine Lizenz für die Illustrierte abholen.

War das eine Aufregung gewesen! Endlich, endlich hatte man es geschafft! Frau Roxane Kalder und Frau Dr. Ingeborg Malthus waren allzu überwältigt, als daß sie den Wunsch des ebenfalls sehr aufgeregten Herrn Kalder hätten erfüllen können, ihn nach München zu begleiten. Sie fühlten sich der Reise einfach nicht gewachsen. Also hatte Jakob sich des älteren Herrn angenommen, war mit der Bahn nach München gefahren, hatte mit Herrn Kalder das Gebäude der Militärregierung aufgesucht, war Zeuge des historischen Augenblicks gewesen, in welchem ein deutschsprechender Presseoffizier Herrn Kalder die Lizenzurkunde überreicht und ihm die Hand geschüttelt hatte.

»Und nun Glück auf für Ihre ORCHIDEE!« hatte der junge Offizier gesagt. Kalder war selbst für eine Antwort zu aufgeregt gewesen.

»Vielen Dank«, hatte statt seiner Jakob geantwortet, während er dachte: ORCHIDEE als Titel für eine Illustrierte! Ich würde ja lieber verrecken, als eine Illustrierte ORCHIDEE nennen. Ach was, ist es meine Orchidee – äh, Illustrierte?

Auf der ganzen langen Rückfahrt in einem anderen Bummelzug hatte Jakob sich dann geduldig Herrn Kalders glückseliges Gestammel angehört und bei sich gedacht, daß auch ihm alles zum besten gedieh. Die Fertighausfabriken arbeiteten bereits auf vollen Touren, wenn die Familie Jaschke auch noch immer in dem Bootshaus schlief. Aber wie optimistisch und selig waren – alle – die Jaschkes und die Arbeiter!

Jaschke entwickelte ununterbrochen Verbesserungen, neue Modelle, größere Typen – jetzt mußte die Währungsreform doch endlich kommen, und dann begann die Neue Zeit!

Jakobs drei Hühnerfarmen arbeiteten prächtig. Überall waren die von Hölzlwimmer erfundenen Förderbänder und Sammelstellen bereits installiert worden.

Die schrecklichen Gewissensbisse und Alpträume wegen des großen Eier-

Betruges, begangen an den unschuldigen Kindern in der Sowjetischen Besatzungszone, plagten ihn nicht mehr, seitdem er hundertfünfzig Zentner Trockenmilchpulver und hundertfünfzig Zentner Eipulver auf dem Schwarzen Markt erstanden und mit Hilfe von weiteren gefälschten Papieren (Mader!) auf die Bahn nach Berlin-Karlshorst gebracht hatte. Sie war mächtig ins Geld gegangen, diese gute Tat. Doch Jakob hätte sonst keine ruhige Minute mehr gehabt. Schließlich hatte es da noch die Sache mit dem Arnusch Franzl gegeben. Der war eines Tages, noch eleganter, noch fetter, in Murnau erschienen, um Jakob zu besuchen. In Erinnerung an die gemeinsam in Paris verbrachte Zeit versunken, gab der Franzl gleich zu Anfang bekannt: »Also mit dem Werwolf, mit der Laureen, da hast du dir was Feines angelacht.«

»Was habe ich mir denn angelacht?«

»Eine Todfeindin fürs Leben, Mensch! Du hast ja keine Ahnung, was die noch aufgeführt hat, bevor wir sie – in letzter Minute! – in den ›Train bleu‹ geschubst haben. Geschrien hat sie! Geflucht! Sie wird sich rächen!«

»Ach, weißt du...«

»Nein, nix ›ach, weißt du!‹ So was ist sehr ernst zu nehmen! Eine verschmähte Frau verzeiht niemals...«

»Aber ich hab' sie doch gar nicht verschmäht! Im Gegenteil! Ich habe doch nur...«

»Du weißt es, und ich weiß es, was du nur hast. Und Laureen weiß es auch. Ich kann dir bloß raten: Sei wachsam!«

»Schön. Werd' ich wachsam sein. Sie ist aber an die Riviera gefahren?«

»Ja.«

»Prima. Vielleicht findet sie da unten einen Kerl mit viel Geld, der sie heiratet. Und du? Was machst du?«

Der Franzl äußerte sich dahingehend, daß er nicht klagen könne. Er arbeitete noch immer als Devisenfahnder – nunmehr geehrt und im Besitz einer Dankesurkunde von den vier Alliierten – aber daneben, so sagte er, mache er in Aktien.

»Wo hinein?« fragte Jakob.

Daraufhin hielt Franzl einen halbstündigen Vortrag über Aktien.

Danach forschte er: »Kapiert?«

»Kein Wort.«

»Mensch, ich könnte dich erschlagen! So blöd darf doch niemand sein!«

»Wie du siehst...«

»Also noch einmal...« Franzl stöhnte. »Ganz kurz und grob verallgemeinert: Viele große Werke sind Aktiengesellschaften. Das heißt, das Grundkapital setzt sich aus Aktien zusammen. So eine Aktie ist ein schönes Papier, das du kaufen kannst.«

»Da muß einer aber schon wirklich sehr blöd sein.«

»Wieso?«

»Weil er ein Stück Papier kauft, bloß weil es schön ist.«

»Idiot! Indem du dieses Papier kaufst, erwirbst du einen gewissen Anteil an dem Werk. Der gehört dann dir. Es kommen natürlich sehr viele Aktien zusammen. Also sehr viel Geld. Damit arbeitet das Werk. Macht Gewinn. Jetzt kannst du Dividenden fordern.«

»Was fordern?«

»Divi... Ich werde wahnsinnig! Geld, Idiot, Geld kannst du fordern!«

»Du machst dich über mich lustig. Das ist nicht nett von dir.«

»Wieso mache ich mich...«

»Zuerst soll ich so blöd sein, daß ich schöne Papiere kaufe, und dann soll ich so frech sein, von lauter Leuten, die ich nicht kenne, auch noch Geld zu verlangen! Das will ich nicht! Das kann ich nicht. Du weißt, ich bin ein anständiger, bescheidener Mensch. Und das, das wäre einfach frech und unanständig!«

Nach einer weiteren Stunde Unterrichtung Jakobs hatte dieser die Sache dann kapiert. Halbwegs.

»Ach, so ist das...«

»Liebe Himmelmutter, ich danke dir! Endlich hat der Kretin das begriffen! Du hast doch noch Dollars?«

»N... ja. Warum?«

»Gib mir, soviel du kannst, und ich kaufe dir Aktien.«

»Was für welche?«

Franzl nannte, schwitzend vor Erschöpfung, die Namen zahlreicher ehemals riesiger Unternehmen, die zur Zeit ausgebombt waren oder mangels Rohstoffen und Material brachlagen.

»Und dafür soll ich dir meine Dollars geben?« lärmte Jakob. »Für lauter solche Pleite-Dinger, die hin sind? Du willst mich bescheißen! Bescheißen willst du mich! Und dich habe ich für einen Freund gehalten! Dir habe ich...«

»Jakob, hör auf, oder ich schlage dich mit einem nassen Fetzen tot, so wahr mir Gott helfe! Ruhe! Hör mir zu! Jetzt liegen alle diese Werke brach! Jetzt produzieren sie nicht! Deshalb kannst du ihre Aktien auch für praktisch Nullkommajosef kaufen! Es ist klar wie nur etwas, daß diese Werke in kurzer Zeit wieder arbeiten, produzieren, zur alten Größe zurückkehren werden! Und dann werden ihre Aktien ungeheuer viel mehr wert sein! Aber du, du wirst dann alle diese Aktien schon haben – ganz billig erworben, und trotzdem wirst du massig Geld bekommen bei jeder Dividendenausschüttung!«

Jakob dachte lange nach. (Er dachte immer lange nach.) Jakob kam zu dem Schluß: »Also ich würde ja die Finger von so etwas lassen. Aber von Geld verstehst du was, das weiß ich. Darum will ich es riskieren. Ich vertraue dir, Franzl!«

»Das kannst du auch, verflucht und zugenäht!«

»Hoffentlich, Franzl. Hoffentlich«, hatte Jakob gesagt und dem andern einen Haufen Dollars gegeben. Kurze Zeit später besaß er einen Haufen Aktien aller möglichen Gesellschaften. Allein die Tatsache, daß auch Franzl sich eingedeckt hatte, beruhigte Jakob ein wenig, wenn er an die Geschichte dachte. Denn bislang waren die fast wertlosen schönen Papiere nicht um einen Pfennig wertvoller geworden. Ach was, dachte Jakob immer, trübe Gedanken verscheuchend, ich habe eben was riskiert! Ich bin schon immer ein Wagehals gewesen! Man wird denn da doch sehen...

Natürlich waren alle diese Anschaffungen und tollkühnen Zukunftskäufe mächtig ins Geld gegangen. Jakob war nicht mehr so reich wie zu der Zeit, da er aus Paris kam, längst nicht mehr! Es ging aber nicht anders! Denn auch die Fertigbauhausfabriken mußten arbeiten, und das konnten sie nur, nachdem die Gebäude instand gesetzt, Maschinen schwarz gekauft und Werkzeuge angeschafft worden waren. Es hat schon alles (hoffentlich – die Aktien!) seine Richtigkeit, dachte Jakob, während er den glücklichen Herrn Kalder mit einer Tüte voller Kirschen wieder zurückkommen sah.

»Schauen Sie sich das an«, sagte Kalder atemlos. »Wie die glänzen... dieses Rot... Niemals habe ich so schöne, glänzende rote Kirschen gesehen.. Wie wird sich Roxane freuen! Das ist doch aber auch ein Festtag heute... oder?«

»Weiß Gott«, sagte Jakob. An Kalders Seite ging er durch die Stadt. Sie erreichten den Hof des Attinger-Bauern. Der saß an einem Tisch neben dem Eingang zum Haus, grüßte brummig und trank erbittert grünlichen Tee. Er war in der Zwischenzeit trotz Doktor Schlichters Tee noch fetter geworden. (So fett wie der Franzl.)

Frau Kalder mußte aus dem Fenster gesehen haben, denn sie kam ihrem Mann aus dem Haus entgegengelaufen.

»Bitte, öffenen Sie meine Aktentasche«, bat Herr Kalder. Er entnahm der Tasche die Lizenzurkunde und hielt sie in der rechten Hand. In der linken Hand hielt er die Tüte mit den Kirschen. So schritt er auf seine Frau zu.

»Oh, Jan, Jan! Du hast die...«

»Lizenz, ja! Und hier, für dich! Kirschen!« rief Herr Kalder. Es waren seine letzten Worte hienieden. Nach ihnen fiel er um und bewegte sich nicht mehr.

»Um Gottes willen, Jan!« rief die unglückliche Frau Kalder.

76

Akutes Herzversagen.

Das stellte eine eiligst herbeigerufene Ärztin fest, nachdem sie als erstes der in ihrem Schmerz hysterisch tobenden Frau Kalder eine Spritze gegeben und sie zu Bett gebracht hatte, wo sie nun schlief. Eine Menge Leute waren zusammengelaufen. Auch Frau Dr. Ingeborg Malthus war da. Bleich und erschüttert stand sie neben Jakob.

»Er hat sich eben zu sehr gefreut«, sagte Frau Dr. Malthus.

»Worüber?« fragte die Ärztin.

»Über die Lizenz... Er hat heute endlich die Lizenz für eine Illustrierte bekommen. Die Lizenzerteilung war einfach zuviel für ihn, Frau Doktor.«

»Oder die Kirschen«, sagte Jakob. Kein Mensch, der diese Zeilen heute liest, vermag sich vorzustellen, was 1947 eine Tüte Kirschen bedeutete.

»Es wird wohl das Zusammentreffen von beidem gewesen sein«, sagte die Ärztin.

»Aber er war kerngesund! Hatte nicht das geringste am Herzen, das weiß ich!«

»Ach«, meinte die Ärztin, während sie schon den Totenschein ausstellte, »das bedeutet gar nichts. Was glauben Sie, wie oft das gerade jetzt vorkommt, Frau Malthus. Früher starben die Menschen an Herzversagen bei zu großem Schmerz, heute sterben sie bei zu großer Freude.« Die Ärztin verstand von derlei Dingen etwas – sie war die Tochter eines bedeutenden Münchner Psychiaters.

Jan Kalder wurde drei Tage später auf dem Friedhof an der Kirche von Murnau beigesetzt. Die Trauergemeinde war klein. Bienen summten, Blumen blühten zwischen den Gräbern, und heftiger Föhn bewegte die Äste. Die Ärztin und der Attinger-Bauer stützten Frau Kalder, die fassungslos schluchzte.

»...der HErr ist mein Hirte, mir wird nichts mangeln...«, sprach der evangelische Pfarrer am Grab, während der Sarg hinabgelassen wurde. Frau Kalder schwankte heftig. Der Attinger-Bauer und die Ärztin hatten alle Mühe mit der Witwe.

»...Er weidet mich auf einer grünen Aue und führet mich zum frischen Wasser...«, sprach der Geistliche.

»Und alles war umsonst«, sagte Frau Dr. Malthus, die neben Jakob stand, leise.

»...Er erquicket meine Seele; Er führet mich auf rechter Straße, um Seines Namens willen...«

»Wieso war alles umsonst?« flüsterte Jakob.

»Die Lizenz galt doch nur für Herrn Kalder!« flüsterte Frau Dr. Malthus.

»...und ob ich schon wanderte im finstern Tal, fürchte ich kein Unglück...«

»Nein«, sagte Jakob leise.

»...denn Du bist bei mir, und Dein Stab tröstet mich...«

»Was, nein?«

»Nein, es war nicht alles umsonst.«

»Was soll das heißen?«

»*Ich* beantrage jetzt die Lizenz.«

»…Du bereitest mir einen Tisch im Angesicht meiner Feinde…«
»Sie? Sie sind ja wahnsinnig! Niemals kriegen Sie eine Lizenz, *niemals*!«
»Wetten, daß? Ich muß nur schnell mal rauf nach Heidelberg«, sprach Jakob Formann.
»…Du salbest mein Haupt mit Öl und schenkest mir voll ein«, sprach der Pfarrer.

77

An einem milden Nachmittag im frühen September 1947 gab Jakob sein Fahrrad an der Garderobe eines Cafés im Münchner Dichter-und-Denker-Viertel Schwabing in Aufbewahrung.
»Ist Herr Kästner da?« fragte er die Dame, die Dienst tat.
»Der Herr Doktor Kästner ist immer da um diese Zeit«, antwortete sie.
Jakob dankte, besah sich im Spiegel, strich das Haar zurecht, zupfte an seinem Krawattenknoten, räusperte sich energisch – er wurde nicht besser, sein Zustand. Jakob hatte Lampenfieber. Ach was, Schiß hatte er vor einer Begegnung mit Erich Kästner, dessentwegen er hierhergekommen war! Weil ihm das, was sein Textchef ihm für die erste Nummer seiner Illustrierten angeboten hatte, äußerst mißfiel und er auf der Suche nach einem Autor war, der seinem Geschmack und, davon war er überzeugt, dem des Publikums entsprach. Schon den Namen dieses großen Schriftstellers zu nennen, hatte ihn alle Mühe gekostet. Das Leben in jeder Façon machte Jakob nur lachen, aber die wahrhaft großen Menschen bescherten ihm weiche Knie und sollten das auch noch lange, lange tun.
Mut, Jakob, sagte er zu sich selbst und betrat das Etablissement, das wunderbarerweise den Krieg überlebt hatte. An etlichen Tischen wurden schwarze Geschäfte abgewickelt, an etlichen anderen führten slawisch aussehende Herren politische Streitgespräche. Dann – Jakobs Narbe an der Schläfe begann zu pochen – sah er bei einem Fenster Erich Kästner.
Es hieß, er schreibe immer in diesem Café. Und in einigen Nachtbars. Da saß er. Jakob starrte ihn an. Umklammmerte die Hasenpfote. Sprach in Gedanken ein Stoßgebet. Doch die Wirkung von all dem war gleich Null. Nein, er hatte nicht den Mut, an den Tisch dieses Mannes zu treten, ihn zu stören, sein Anliegen vorzutragen. Es ging einfach nicht! Verflucht, dachte Jakob, dann muß eben morgen Frau Dr. Malthus her (sie waren immer noch eisern beim ›Sie‹, trotz eifrigen Bumsens), dann soll die mal zeigen, was sie für ein Kerl ist. Ich bin ein solcher Kerl nicht. Und überhaupt: Dieser Kästner – das ist doch auch ein Intelleller! Wenn ich ihn auch verehre. Egal. Frau Dr. Malthus muß her!
Als Jakob sich schon zum Gehen wandte, erblickte er im Hintergrund des Lokals einen Tisch, um den sich ein halbes Dutzend Herren scharte. Am

Tisch saß ein schlechtgekleideter, magerer Mann mit Brille, wie Kästner Papier und Bleistift vor sich – und eine erstaunliche Anzahl leerer Schnapsgläser. Zur Zeit schrieb er. Sodann überreichte er das Geschriebene einem der Herren. Dieser legte ein paar Reichsmarkscheine auf die fleckige Marmorplatte des Tisches und winkte einer alten Kellnerin. Selbige schien ein derartiges Zeichen erwartet zu haben. Mit einem Tablett, auf dem ein gefülltes Schnapsglas stand, eilte sie herbei, kredenzte es dem Mageren, und dieser kippte das Glas. Ohne Pause nahm er sich des nächsten Herrn an. Jakob staunte. Wer war das?

»Wer ist das?« fragte er die Kellnerin. Man sah, daß ihr jeder Schritt weh tat. Arme, alte Frau, dachte Jakob. Wasser in den Füßen. Ein kaputtes Herz wahrscheinlich auch.

»Der?« Die Serviererin sah in die schummrige Ecke. »Das ist der Herr Schreiber.«

»Was macht er?«

»Na, schreiben tut er. Sie sehen's ja.«

»Danke. Eine Portion Tee, bitte«, sagte Jakob und setzte sich an ein leeres Tischchen. Fasziniert starrte er den mageren jungen Mann an, der, über die Brille hinweg, schon die Verhandlungen mit seinem nächsten Kunden beendet hatte und bereits wieder schrieb. Noch bevor Jakob seinen aus undefinierbaren Kräutern aufgebrühten Tee bekam, bekam Herr Schreiber seinen nächsten Schnaps. Um seinen Tisch lichtete es sich.

Junge, Junge, dachte Jakob, schließlich muß es ja nicht immer Kästner sein. Wenn der Schreiber nur halb so gut schreibt, genügt es auch! Vor allem schreibt er schnell, dachte er in der nächsten halben Stunde, seinen dünnen Tee schlürfend. Noch nie im Leben habe ich einen Menschen gesehen, der so schnell schreiben kann! Ein letzter Kunde schüttelte dem erstaunlichen jungen Mann endlich dankbar die Hand, wartete anstandshalber, bis dieser den kredenzten Schnaps gekippt hatte, und empfahl sich mit einer Verbeugung.

Jetzt aber nix wie hin, dachte Jakob und eilte durchs Lokal. Der Magere sah ihn durch seine Brille kühl an. Fast schüchtern. Er hatte viele Pickel im Gesicht, sah Jakob jetzt. Das waren keine Pickel, das war eine blühende Akne, aber solches wußte Jakob natürlich nicht.

»Wa... was soll's denn sein?« fragte er – mit einer verblüffend nüchternen Aussprache. Er zückte schon wieder den Bleistift.

»Ja, also...«, begann Jakob und wurde von der alten Serviererin unterbrochen, welche die Batterie leerer Schnapsgläser wegräumte.

»Einen... was trinken Sie da?«

»Immer da... dasselbe«, sagte der Magere. Stottern tut der auch! dachte Jakob.

»Dasselbe für den Herrn, und noch einen Tee für mich, bitte.«

»Is scho' recht.« Die Kellnerin schlurfte davon.

»Ja, also…«, begann Jakob wieder. Verflucht, wie redet man mit Schriftstellern?

»Hö… Hören Sie, ich habe meine Zeit nicht gestoh… ho… hohlen. Was soll's a… also sein?«

»Soll was also sein?«

»Ich mei… eine: Soll es etwas Kriminelles sein oder etwas Sensationelles oder etwas Tragisches oder etwas Sentimentales oder eine hei… heitere Begebenheit von heute?«

»Ich…«

»Von welcher Zeitung sind Sie überhaupt?«

»Von keiner…«

»Agentur?«

»M-m.«

»Magazin?«

»N-n.«

»Ausländisches Bla… Blatt?«

»Auch nicht, Herr Schreiber. Formann ist mein Name. Jakob Formann.«

»Klaus Mario Schreiber. Also, wa… was benötigen Sie, Herr F… Fo… Formann?«

»Ich benötige einen Schreiber«, sagte Jakob.

Klaus Mario Schreiber starrte ihn brütend an.

»Ich habe hier gesessen und Ihnen zugesehen«, sprach Jakob hastig weiter. »Sie schreiben so schnell! Und für so viele Menschen!«

»Das sind Jour… Journalisten«, erklärte der junge Mann scheu und stotternd.

»Und was wollen die von Ihnen, Herr Schreiber?«

»Na, Geschichten na… natürlich. Entsetzliche, fröhliche, drama… matische, sensationelle, erschütternde, rührende über kl… kleine Hunde und a… alte Damen, alles, was es gibt… am meisten fröhliche, optimistische. In dieser beschissenen Zeit. Die ko… kosten natürlich am m… meisten.«

»Sie… Sie verkaufen hier Geschichten?«

»Jeden Tag von drei bis acht Uhr abends«, sagte Klaus Mario Schreiber fast demütig. »Sonntag geschlossen. Wenn da… das alles war, würde ich Sie ersuchen, mich allein zu lassen. Dann ka… kann ich, bis die nächsten Kunden kommen, an meinem Roman weiterschreiben.«

»Sie schreiben einen Roman?«

»Das ist der dritte. Zwei sind schon er… er… er… – na! – erschienen.«

»Ja und? Es tut mir leid… liegt nur daran, daß ich selber kaum lese… Ich habe Ihren Namen noch nie gehört.«

»Kein Mensch hat meinen Namen je gehört. Nur die Kritiker, weil sie über meine ersten beiden Romane Hymnen geschrieben haben, und die Buchhändler. Die vom We… Weghören.«

»Wieso?«

»Die Kri... Kritiken waren g... glänzend. Aber kein A... Aas kau... kaufte die Romane. Darum habe ich ja meine Story-Börse eingerichtet. Man muß leben. Und ich bin immer so du... durstig...«

»Das habe ich gemerkt. Was ist das eigentlich, was Sie da trinken?« Schreiber machte eine Grimasse des Ekels. »Was wird's schon sein? Wei... Weinbrandverschnitt be... bestenfalls! Was anderes gibt's ja nicht. Man mu... muß bereits froh sein, wenn kein Me... Methylalkohol drin ist und man blind wird. Ist mir auch schon passiert.«

»Sagen Sie, Herr Schreiber, es geht mich ja nichts an...«

»Da ha... haben Sie recht.«

»...aber *warum* saufen Sie so furchtbar?«

»Ö... Ö... Ödipuskomplex. Mi... Mi... Mi... Minderwertigkeitskomplex. De... Depre... Depressionskomplex über den Zustand unserer Welt. Ir... Irgendein Kom... Komplex wird's schon sein. Wissen Sie was, ich fürchte, ich muß meine grauenvollen Komplexe ohne Rücksicht und ohne Mitleid mit mir selbst so... sofort weiter bekämpfen. Sie kön... können mir also noch ein Gl... Gläschen...«

Jakob winkte der alten Serviererin bereits.

»D... Danke.«

»Und obwohl Ihre beiden Romane so erfolglos waren, schreiben Sie einen dritten?«

»Ich w... werde auch noch einen vierten und sechsten und elften schreiben, Herr Formann. Einmal wird einer hi... hinhauen. Bis d... dahin muß ich allerdings mein Geschäft hier weiterführen.«

»Sie... hrm... Seien Sie nicht böse, bitte... Ich meine... Trinken Sie nicht ein bißchen viel?«

»Fi... finden Sie?«

»Nach dem, was ich so gesehen habe. Und das jeden Tag! Ich weiß nicht, ob Sie elf Romane schreiben werden, bis der große Erfolg kommt.«

»Sie meinen, weil ich mich vorher to... totgesoffen habe?«

»So, Herr Schreiber«, sagte die alte Serviererin und stellte ein neues Glas auf den Tisch.

»Ja, das meine ich«, sagte Jakob.

»Danke, Frau Anna. Ich lasse mich regelmäßig untersuchen, Herr Formann. Herz, Kreislauf, Le... Leber besonders – a... alles in bester Ordnung! Ich will Ihnen was verraten: Ich schreibe am besten, wenn ich be... besoffen bin. Das heißt also: Ich ka... kann immer schreiben! Tag und Nacht. Ich kann besoffen einschlafen im Bahnhofsbunker, und wenn einer mich weckt und braucht ganz schnell was Fro... Fro... Frommes oder eine bissige Satire – ich schreib' sie sofort! Ohne Anmaßung, Herr Formann, ich wage zu sagen: Was ich nicht schreibe, das gi... gibt es nicht!«

»Okay! Engagiert«, sagte Jakob begeistert und drückte Klaus Mario Schreiber die Hand. Da habe ich ja pures Gold gefunden, dachte er.

»La… langsam, langsam«, sagte Schreiber, »was heißt: engagiert? Von wem? Von Ihnen? Gut. Wofür? Wie heißt Ihr Blatt? Oder Ihr Verlag? Oder soll ich für die lieben Klei… Kleinen Geschichten zur Er… Erbauung schreiben? Sie müssen schon ein wenig deutlicher werden.«

»Will ich gerne, Herr Schreiber. Sagen Sie: Was halten Sie von Whisky?«

»*Whisky*? Das Pa… Paradies auf Erden! Unerschwinglich teuer. Kann ich mir nicht leisten.«

»Aber ich«, sagte Jakob. »Scotch oder Bourbon?«

»Pfui Teufel, B… Bourbon! Scotch natürlich!«

»Okay. Also Sie kriegen Ihren Scotch. Ich akzeptiere jede Ihrer Forderungen, wenn ich sehe, daß Sie wirklich auch besoffen schreiben können – und schnell. Gut muß es natürlich auch sein.«

»Es *ist* gut«, sagte Schreiber bescheiden. »Sie fi… finden nichts Besseres.«

»Okay. Sie bekommen ein festes Gehalt, wir werden uns einigen. Nicht diese Einzelkunden, nicht diese Quälerei jeden Tag. Aber Sie müssen sofort anfangen!«

»Herrgott, wo?«

»Bei meiner Illustrierten.«

»Sie… Sie haben eine Ill… Illustrierte?«

»Sage ich doch.«

»Ja, aber er… erst jetzt. W… Wo ist sie denn, Ihre Illustrierte?«

»Die erste Nummer soll gerade rauskommen. Hier, bitte, wollen Sie meine Lizenz sehen?« Das kostbare Schriftstück, das er durch Vermittlung seines Freundes Generalmajor Hobson, Chef der Kulturabteilung bei der Amerikanischen Militärregierung im Hauptquartier Heidelberg, knappe vierzehn Tage nach dem Begräbnis des armen Jan Kalder erhalten hatte, trug Jakob stets bei sich.

Der Magere studierte es genau. Auf seiner hohen Stirn blühte die Akne besonders arg.

»Alles okay«, sagte Jakob beschwörend. »Ich hab' da einen Freund in der Army. Wir haben einen Fernschreiber gekriegt – und den hat keiner sonst! – und die Nachrichtendienste von INS und AP und UP, und Fotos aus der ganzen Welt kriegen wir auch, und…«

»Orchidee.«

»Was?«

Der Schreiber tippte auf ein Wort der Urkunde. »*Orchidee* hei… heißt Ihre Illustrierte, steht da.«

»Ja«, sagte Jakob beklommen.

»Das ist kei… kein Name für eine Illustrierte, Herr Formann!«

»Vollkommen meine Meinung, Herr Schreiber!« Jakob lächelte selig. Er hatte ›Orchidee‹ nie leiden können.

»Also, ich bin geneigt, Ihr Angebot anzunehmen«, sagte der Magere,

Schüchterne. »Unter den genannten Bedingungen. Aber nicht, wenn das Ding ›O… Orchidee‹ heißt. Ist das *Ihr* Einfall gewesen?«

»Nein, der meiner Chefredakteurin.«

»Dann lassen Sie sich zunächst einen anderen Namen einfallen, Herr Formann! Oder eine andere Ch… Chefredakteurin!«

»Ich hab' schon einen!«

»Welchen?«

»Eh… verflucht, jetzt habe ich ihn wieder vergessen!«

»Vielleicht sollten *Sie* mal zum Arzt gehen.«

»Unsinn! Die ganzen letzten fünf Minuten hab' ich mir gedacht, *das* ist der Name für meine Illustrierte. Ein kurzes Wort. Ich hab's ein paarmal gebraucht im Gespräch mit Ihnen. O… o… o…«

»*Okay?*«

Jakob schlug auf den Tisch, daß das Geschirr klirrte und die alte Serviererin sogleich mit neuem Tee und neuem Schnaps angeschlurft kam.

»Okay! Das war es! OKAY – ist das ein Name für eine Illustrierte?«

»Da… das ist ein Name für eine Illustrierte, Herr Formann!«

»Okay!« Jakob lächelte selig. Ein solcher Trottel bin ich also auch nicht, dachte er. Frau Dr. Malthus nimmt sich ein bißchen viel heraus, diese elende Intellelle. (Komisch, im Bett ist sie prima.)

»So«, sagte Klaus Mario Schreiber, »und jetzt möchte ich gerne noch wissen, was Sie au… außer der Lizenz und dem Ti… Titel und den Na… Nachrichtendiensten noch haben, Herr Formann.«

»Wir haben alles!«

»Papier? Redakteure? Eine Druckerei? Einen Vertrieb? Journalisten? Zeichner? Fotografen? Techniker? Eine Setzerei? Eine Au… Auslieferung? Eine richtige Redaktion?«

»Hm. Richtige Redaktion… Ich habe da eine Ruine an der Lindwurmstraße gefunden. Das halbe Haus steht noch. Nur das Treppenhaus ist im Eimer. Die Redaktion liegt im dritten Stock. Drei Zimmer mit Bad. Da schlafe ich. In der Wanne. Alles da!«

»Wie ko… kommt ma… man denn in den dri… dritten Stock ohne Tre… Treppenhaus, Herr Formann?«

»Von außen! Man klettert eine Leiter hoch, wissen Sie, und kriecht durch ein Fenster. Das ist der Eingang. Großartig, wie?«

»Gro… großartig, ja. Also Sie ha… haben wi… wirklich alles?«

»Alles!« Jakob strahlte.

»Würde mich interessieren, wie Sie das alles bekommen haben!«

»Das ist eine lange Geschichte…«

»Dann ma… machen Sie sie kurz, Herr Formann.«

»Na schön. Ganz kurz: Ich habe einen Freund. Leiter der Kulturabteilung der amerikanischen Armee in Heidelberg. Der hat mir geholfen.«

»A… a… aha.«

78

»Also wo ist der Whi… Whisky?« fragte Klaus Mario Schreiber. Er saß, in seinen Stuhl zurückgelehnt, an einem langen Tisch, an dem noch etwa ein Dutzend andere Leute saßen, die ihn mit Mienen, deren Ausdrucksskala von Abscheu bis Totschlagnähe reichte, betrachteten. Schreiber nahm das geniert und schüchtern zur Kenntnis.

»Schon da, Herr Schreiber«, ertönte Jakobs Stimme. Er kam aus der Küche gelaufen mit einer Flasche ›Johnnie Walker‹, einem Krug Wasser, einem Glas und einem Krug voller Eiswürfel. »Wir haben sogar einen Kühlschrank!« Jakob trug alles Genannte auf einem abgeschlagenen Emailletablett.

»Was ist das?« fragte Klaus Mario Schreiber.

»Wasser, Herr Schreiber.«

»Wo… wollen Sie mich vergiften? Pu… Pur. Nur mit Eiswürfeln!« Jakob machte einen ersten gewaltigen Drink. Die Würfel plumpsten ins Glas. »Von jetzt an bedienen Sie sich selbst, lieber Herr Schreiber.«
Der Angesprochene nickte scheu, trank und bekam einen entrückten Gesichtsausdruck. Er erinnerte Jakob, der ihn väterlich betrachtete, an das Bildnis dieses Kerls, der ganz still dasteht, sehr viele Vögel auf den ausgebreiteten Armen, den Schultern, den Händen und dem Kopf. Wie heißt der Kerl doch gleich? Egal!

»Ja«, ließ sich Schreiber vernehmen. »Ach Gott, ja…« Er trank wieder. Unmut unter den Versammelten.

»Ein Trunkenbold hat uns gerade noch gefehlt!« rief ein älterer Herr, der an Stelle des linken Unterarms eine Lederprothese trug. Mit dieser schlug er krachend auf den Tisch. Der Herr hieß Dr. Walter Drissen und war Textchef. Den Unterarm hatte er im Ersten Weltkrieg verloren, und wenn er auf sich aufmerksam machen wollte oder zornig war, pflegte er mit der Prothese auf die Tischplatte zu trommeln.

»Ruhe!« sagte Jakob leise und gefährlich. »Herr Schreiber hat das Wort. Wir hören, lieber Herr Schreiber.«
Dieser erleichterte sich durch zartes Rülpsen, trank noch ein Schlückchen und sprach: »Ja, also, verehrte Herrschaften, mit diesem Te… Textteil, entschuldigen Sie bi… bitte vielmals« – Schreiber tippte auf Manuskripte, die vor ihm lagen – »kö… können Sie gleich auf die Titelseite drucken: Wer dieses He… Heft anfaßt, kriegt Ty… Typhus!«
Die Prothese krachte.

»Sie unverschämter, besoffener…«, begann der Textchef Dr. Walter Drissen, aber Schreiber unterbrach ihn: »Ich bi… bin hierhergebeten worden von Ihrem Verleger, um ein Urteil abzugeben. Entschuldigt ha… habe ich mich schon für mei… meine Kri… Kri… na!… Kritik!« Er erhob sich und griff sanft nach der Whiskyflasche. »Viel Glück, a… alle miteinander!«

Jakob, der neben Schreiber saß, stieß ihn in den Sessel zurück.

»Sie bleiben hier und sagen Ihre Ansicht! Ohne Rücksicht auf irgend jemanden.«

»Ich kenne ja überhaupt niemanden hier!«

»Um so einfacher. Los! Und trinken Sie noch etwas!«

»W...Wie Sie wollen. S...Sie sind der Ve...Verleger. Tro...otzdem sehr peinlich...«

Schreiber trank noch etwas, dann war sein Glas leer (Jakob füllte eiligst nach) und sprach weiter: »Sie alle sind ho...hochgebildete, feinsinnige Menschen, hervorra...ragende Kö...Könner, jeder auf seinem Gebiet – ge...gewiß. Die Te...Texte sind ja auch nicht Dreck, das habe ich nicht ge...gesagt! Später einmal wird das alles vielleicht mal herrlich gehen! Nur jetzt und heu...heute – 1947, be...bedenken Sie! – gehen solche Themen und Texte *nicht*, weil sie den Leuten zum Ha...Ha...Hals raushängen! Novellen in diesem ›Du Uhr, du Bett, du Lokomotive, Bruder du!‹-Ton der ganz, ganz großen Menschlichkeit! Flüchtlingsschicksale! Heroische Landsergeschichten! Tiefsinniges über den lie...ieben G...Gott und die We...Welt! Übersetzungen von au...ausländischen Re...Reportagen! G...Glauben Sie mir doch, das ist zur Zeit nicht gefragt! Dafür sollen die Leute – wieviel ko...kostet das D...Ding?«

»Achtzig Reichspfennige.«

»Sollen sie achtzig Reichspfennige au...ausgeben? N...Niemals! L...Lieber d...drei Z...Züge Lucky-Strike als so was. U...und ich bin ein Mann, der es gut mit Ihnen meint.«

»Ein betrunkener Lümmel sind Sie!« schrie der Textchef Dr. Walter Drissen und schlug wieder auf den Tisch.

»Doktor Drissen«, sagte Jakob liebenswürdig, »wenn Sie noch ein einziges Mal mit Ihrem Kaiser-Wilhelm-Gedächtnis-Ärmchen angeben, sind Sie fristlos gekündigt. Fristlos, habe ich gesagt.« Und mit einem um Entschuldigung bittenden Lächeln zu Schreiber: »Bitte, fahren Sie fort.«

»Mu...Mut machen müssen Sie den Menschen. Sie zum *Lachen* bringen! Ihnen zeigen, daß es anderen genauso dreckig gegangen ist und dreckig ge...geht wie ihnen! Daß alles mal bergauf und mal bergab läuft auf dieser We...Welt, und da...daß es nicht nur Schwarz und Weiß, sondern auch noch Zwischentöne gibt!« Schreiber trank, er hatte sich heiser geredet. Jakob goß wieder nach. »Ni...Nicht soviel Eis, bi...bitte«, sagte Schreiber. »Sie haben ausländische Nachrichtendienste. Sie haben Fotos aus der ga...ganzen Welt. So viele interessante und ergreifende und Mu...Mut machende und ko...komische Geschichten passieren jede Minute! Ich weiß, wovon ich rede, ich le...lebe seit einem Jahr davon! In dieser Illustrierten muß *jetzt* stehen, was die Menschen *jetzt* nachfühlen können und was sie *aufrichtet*! O...Ohne Pathos und ›Literatur‹!« (Man hörte Herrn Schreiber die Anführungszeichen deutlich an!) »Ga...Ganz einfach ge...geschrieben! Nicht so fein und schöngeistig und hochgestochen, daß es keiner versteht und keinen interessiert.«

»Und wofür interessiert sich jeder im Moment?«

»Zum Beispiel fürs Fressen«, sagte Schreiber und trank.

»Bravo!« rief Jakob, der andächtig an Schreibers Lippen hing.

»Und zwar fürs ga... ganz ordinäre F... Fressen, darum sage ich auch Fr... Fressen und nicht Essen... Sehen Sie, ich kenne viele Leute... auch einen alten Ganoven. Hat sein halbes Leben lang gesessen. Ist gerade zufällig in Freiheit. Der hat sich die tollsten Dinge erlaubt in den letzten dreißig Jahren – und er erlaubt sie sich heute! Wi... Wissen Sie, wann der jedesmal einen blendenden Einfall für eine neue Gaunerei bekommt?!«

»Wann?« fragte Jakob andächtig.

»Immer wenn er Kuchen ißt«, sagte Schreiber. »Verstehen Sie, wa... was ich meine? Den Kerl kann ich her... herbeischaffen. S... Soll seine Geschichte auf To... Tonband erzählen. W... Wird der Liebling Ihrer Leser werden – erstens, weil er nie *arme* Leute geschädigt hat, zweitens wegen seiner Kuchenfresserei! Sie haben zwei Fliegen auf einen Schlag: Das Interesse des Lesers – des ge... ge... *gegenwärtigen* Lesers! – an Kuchen, an Süßem, an allem, was er *nicht* hat, und *dazu* noch das Interesse an witzigen Gaunereien, das d... die Leser zu a... allen Zeiten gehabt haben.«

»Da ist was dran...«, sagte der Schlußredakteur beeindruckt.

»Und o... ob da was dran ist! Das wäre eins! Das zweite wäre die Langeweile im Blatt. Es ka... kann den Menschen noch so dreckig gehen – immer werden sie sich für Menschen interessieren, denen es *noch* dreckiger geht! Für Verbrechen, Unglücke, Katastrophen.«

»Wir wollen kein Revolverblatt...«, begann der Textchef, aber Schreiber unterbrach ihn: »Wir wo... wollen eine große Illustrierte – oder? Wir wo... wollen Meinungen und Informationen vermitteln. Aber nicht so, wie es hier geschieht. Nicht *gleich* so! Wir brauchen – im Moment! – was sen... sensationell Kri... Kriminelles. Und was sensationell Me... Medizinisches – wird sich ja noch was finden bei drei Diensten!«

»Nur so weiter«, sagte der Textchef Dr. Drissen.

»Weiter... D... Der Roman! Der Ro... Roman, den Sie au... ausgewählt haben, ist literarisch ungeheuer wertvoll. Es wird ihn nur kein Mensch, der so viele Sorgen hat, wie wir alle jetzt, le... lesen. Jetzt brauchen wir etwas, das den Menschen zeigt: A... Andere saßen auch schon mal in der Schei... Verzeihung, Frau Doktor. Und sind herausgekrabbelt. Etwas *Optimistisches*! N... Nicht mä... märchenhaft, unglaubwürdig optimistisch! Sondern so, daß jeder es glaubt, mi... mitgeht und sagt, ja so war das, das hätte so sein können, hoffentlich kommen die armen Leute wieder raus aus dem Dreck, ver... verstehen Sie?«

»So einen Roman gibt's nicht!«

»Und o... ob es so einen Roman gibt! Es ist überhaupt *der* Roman, de...

der als e… erster in Ihrer Z… Zeitschrift erscheinen muß. Der Mann, der ihn geschrieben hat, der hat immer fürs Volk geschrieben. Er heißt Hans Fallada. Und der Roman, an de… den ich denke, heißt KLEINER MANN, WAS NUN?«

»Herrgott, *das* ist ein Titel! Für uns *alle* jetzt«, sagte Jakob begeistert.

»D… Das war schon da… damals, um 1930, ein Ti… Titel für alle, Herr Formann!«

»Aber Fallada ist doch vor kurzem gestorben«, sagte der Textchef. Und fügte gehässig hinzu: »In der Ost-Berliner Charité. An den Folgen von lebenslangem Alkoholmißbrauch.«

»Und die Re… Rechte an seinen B… Büchern liegen beim R… Ro… Rowohlt-Verlag«, sagte Schreiber, die Attacke ignorierend.

»Der gibt sie uns doch nie…«

»Der gi… gibt sie uns *ja*, wenn *ich* darum bitte.«

»Wieso Sie?«

»Weil mein Verleger und Ro… Rowohlt Freunde sind«, sagte Schreiber.

»Sie haben Bücher geschrieben?«

»We… Wenn Sie verzeihen, ja.«

»Noch nie was davon gehört.«

»Wenn Sie was da… davon gehört hätten, säße ich ni… nicht hier.«

»Ja, also wenn Sie glauben…«, begann Frau Dr. Malthus.

»Ich glaube ni… nicht, ich *weiß*«, sagte Schreiber. Und dann sagte er eine Stunde lang, was er noch zu sagen hatte. Zuletzt war die Whiskyflasche zu drei Vierteln leer, und zu drei Vierteln stimmten die Anwesenden auch Schreibers Ansichten zu.

»Aber wer soll das alles schreiben und umschreiben?«

»Ich«, sagte Schreiber schlicht.

»*Sie*? Mit all dem werden Sie doch *nie* rechtzeitig fertig! Wir müssen ganz, ganz schnell raus mit der ersten Nummer!«

»Ich we… werde noch mit v… viel mehr fertig«, sagte Schreiber. »Ich stottere so hu… hurtig, wie ich schrei… eibe. Ich wollte, ich hätte was Anständiges gelernt. Aber ich hab' fünf Jahre lang Leute um… umbringen müssen, die ich nie ge… gesehen hatte, die ich nicht ka… kannte, bloß damit nicht sie mich um… umbringen… Gi… gibt auch noch ein paar sehr gute Romane von Erich Maria Remarque, im E… Ex… na! Exil geschrieben. Und einen H… Ho… Holländer, Jan de Hartog heißt er… Über den Textteil von OKAY ma… machen Sie sich keine Sorgen, Herr Doktor Drissen! We… wenn Sie nur ein bißchen auf mich hören, wird alles ge… gehen wie geschmiert.«

»Was haben Sie da gesagt?« fragte Frau Dr. Malthus. »ORCHIDEE heißt unsere Illustrierte!«

»Da… Das ist kein Name für eine Illustrierte! Herr F… Fo… Formann und i… ich haben uns auf OKAY geeinigt«, sagte Schreiber. Zum ersten und letzten Mal in ihrem Leben sagte Frau Dr. Ingeborg Malthus ›du‹ zu ihrem Verleger, Partner und Bettgenossen.

Sie sagte: »Du verdammtes Schwein.«

Danach erlitt sie einen Schwächeanfall und glitt vom Stuhl.

79

Als sie zu sich kam, hatte sie das Gefühl, ersticken zu müssen. Schreiber kniete neben ihr und flößte ihr Whisky ein. Frau Dr. Malthus spie einen Mundvoll aus.

»Mein Go… Gott, die… diese Verschwendung«, sagte Schreiber erschüttert.

Anschließend gab es dann eine Abstimmung. Demokratisch, nicht geheim. Jeder sagte offen seine Meinung zu dem neuen Titel.

Die offene demokratische Abstimmung ergab achtundzwanzig Stimmen dafür und eine dagegen. Die eine Gegenstimme stammte von Frau Dr. Ingeborg Malthus.

»Bevor ich zustimme, bringe ich mich lieber um!« rief sie.

»Okay«, sagte Jakob angeregt.

Der UP-Fernschreiber begann zu rattern.

Schreiber schlenderte hin.

»Ah, was Neues von den No… No… Nonnen«, sagte er.

In der Nähe von Athen hatte die Polizei vor einer Woche ein Nonnenkloster ausgehoben und festgestellt, daß in diesem zahlreiche Kinder unter grausamen Umständen getötet worden waren. Der UP-Fernschreiber tikkerte weitere Informationen.

»Da… Das ist noch etwas, das wir ei… einführen so… sollten«, sagte Schreiber. »Mi… Mit so vielen Nachrichtendiensten… Wir haben mehr Platz als die Tageszeitungen. Wir kö… könnten jede Woche so eine Se… Se… Sensationsgeschichte, egal, wo… wo in der Welt sie sich zutrug, bringen.«

»Wir brauchen fast drei Wochen zur Produktion einer Nummer! Da sind wir doch längst nicht mehr aktuell!« rief der Layouter.

»Sind wir doch. Wann ist A… Andruck?« fragte Schreiber.

»Jeden Dienstag um Mitternacht.«

»D… Dann k… können wir noch eine S… Sensationsgeschichte vom Di… Dienstag bringen!«

»Nie! Die Dienste kommen in Englisch… in riesigen Mengen… Das muß doch bebildert werden!«

»Fotos gibt's allerdings schon früher«, sagte der Chef der Bildredaktion.

»Da hören Sie's! Eine *lange* Ge… Geschichte mu… muß das immer werden. Z… Zw… Zwölf… Spa… Spa… Spalten *mindestens*!«

»Zwölf Spalten... Das sind *sechsunddreißig* Manuskriptseiten! Wer soll
denn die schreiben von Dienstag früh bis Dienstag mittag – denn am Nach-
mittag muß das Zeug ja schon gesetzt werden, damit wir es in der Nacht
imprimieren und zum Druck geben können! Einen Menschen, der so
schnell und dabei auch noch gut schreibt, einen solchen Menschen gibt's
ja überhaupt nicht!«
»A... Aber ja do... doch«, sagte Schreiber.
»Wo ist er?«
»Er steht vor Ihnen«, sagte Jakob und zeigte auf Klaus Mario Schreiber.
»Vo... Vorausgesetzt, ich kriege W... W... Whisky.«
»Sie kriegen ihn.«
»Na schön«, sagte der Säufer, »da... dann also an die A... Arbeit! I... Ich
schreibe zuerst das um, was blei... bleibt. Dann sind Sie so gut, Herr D...
Do... Doktor Drissen, und kü... kümmern sich um ein paar Herren – ich
gebe Ihnen die Adressen. Die H... Herren haben Interessantes zu berichten. I... Ich schreib's d... dann zusammen. Ro... Rowohlt ru... rufe ich
s... sofort an, damit der Fa... Fallada gesetzt werden kann. Später brauchen wir die M... Maschinen für aktuellste Beiträge – ich bin dafür, mit
den No... No... Nonnen anzufangen bei diesem aktuellen Sensations-
dienst – nennen wir ihn ›H... Hinter den K... Kulissen‹! Werden noch ein,
zwei Tage vergehen, bis die Polizei du... durch ist und wir be... bessere
Fotos haben und die ganze Geschichte kennen. ›Hi... Hinter den Kulissen‹
wäre immer die Vorschlagzeile. Da... dann käme der Haupttitel. Was halten Sie von ›Die teuflischen No... No... Nonnen‹?«
Klaus Mario Schreiber trank einen kräftigen Schluck...

80

Um 23 Uhr 59 am 23. September 1947 – es war ein Dienstag – drückte Jakob
Formann auf den roten Knopf der ersten Rotationsmaschine im Keller des
Gebäudes der SÜDDEUTSCHEN ZEITUNG in der Sendlinger Straße zu München. Er fuhr zusammen von dem tobenden Lärm, der anhub, als sich die
riesige Maschine in Bewegung setzte. Man konnte kein Wort mehr verstehen. Die Arbeiter hatten eine eigene Zeichensprache. Ein Meister signali-
sierte Jakob mit zwei Fingern: Nun Nummer zwei!
Jakob drückte auf einen zweiten roten Knopf. Ein zweites Ungeheuer begann zu toben.
Als Jakob auf einen dritten Knopf gedrück hatte, schwankte der Boden unter ihm. Ergriffen lehnte er sich gegen eine bebende Wand. Im Keller der
SÜDDEUTSCHEN ZEITUNG war die MÜNCHNER ILLUSTRIERTE gedruckt worden.
Als Jakob und Frau Dr. Malthus sich diesen Keller zum ersten Mal ansahen,
hatten sie auf den Rotationsmaschinen noch die Zylinder der letzten Aus-

gabe vorgefunden. Titelblatt: eine V2-Stellung. Unterschrift: DER SIEG IST
ZUM GREIFEN NAHE! Sie hatten alle Zylinder einschmelzen lassen, um Blei
für die erste Nummer *ihrer* Illustrierten zu haben. Die Geburtsstunde der
ersten deutschen Nachkriegs-Illustrierten – nun war sie gekommen! Ergriffen standen auch die Arbeiter. Und ergriffen standen alle Redakteure
und Mitarbeiter. Bis auf einen.

Klaus Mario Schreiber schlief zu dieser Zeit tief und fest auf einem
Schreibtisch in einem der kleinen Zimmer der Redaktion an der Lindwurmstraße. Auf seine Schreibmaschine hatte er ein kleines Kissen gelegt.
Dort ruhte sein Haupt. Ein zufriedenes Lächeln verschönte sein von Akne
übersätes Gesicht. Er hatte DIE TEUFLISCHEN NONNEN am Morgen um 9
Uhr, nach Lektüre des gesamten, sehr umfangreichen Materials, zu schreiben begonnen, direkt in die Maschine, und er hatte seine sechsunddreißig
Seiten, auf die Zeile genau, um 14 Uhr 37 an Dr. Drissen geliefert. Es war
nicht eine einzige Stelle zu verbessern gewesen.

Den Nachmittag über hatte Schreiber, stillvergnügt vor sich hin trinkend,
schon an der nächsten Nummer gearbeitet, und am frühen Abend hatte er
zuerst die Druckfahnen, dann den Umbruch redigiert, den Jakob, mit seinem Fahrrad hin- und hersausend zwischen Sendlinger und Lindwurmstraße, gebracht hatte. Für ›Hinter den Kulissen‹ war ein genau berechneter
Platz freigelassen worden. Der Bleisatz paßte präzise. Nun konnten die Zy-
linderteile für die Rotation gegossen werden. Das geschah gegen 22 Uhr.
Zu dieser Zeit schlief Schreiber bereits tief und friedlich, mit über der Brust
gefalteten Händen, auf seinem Arbeitstisch. Er war ganz allein – alle anderen Mitarbeiter von OKAY ließen sich den feierlichen Augenblick des An-
drucks nicht entgehen, selbst die alte Putzfrau nicht, die bis vor wenigen
Tagen noch Serviererin in dem Café in Schwabing gewesen und auf Jakobs
Betreiben angestellt worden war.

Die erste Nummer der Illustrierten trug ein Bild des amerikanischen Präsidenten Truman, der auf Bitte von Generalmajor Hobson eine Gruß- und
Glückwunschbotschaft an die Leser von OKAY geschickt hatte. (Es war nötig
gewesen, daß Schreiber Trumans Zeilen umschrieb – der Text, den natürlich ein Ghostwriter des Präsidenten verfaßt hatte, war nicht eben umwer-
fend gewesen.) Das Blatt enthielt Bildberichte über Mexiko, Hollywood,
die ›Lebende Wüste‹, eine Modenschau in Rom mit vielen Mannequins und
Modellen (und eingelegte Schnittbogen zum Selbstschneidern!), die erste
Folge des Romans KLEINER MANN, WAS NUN? von Hans Fallada, DIE TEUFLI-
SCHEN NONNEN, eine große internationale Klatschkolumne, Witze und
Zeichnungen von deutschen Karikaturisten, aber auch aus dem PUNCH,
dem NEW YORKER und dem ESQUIRE, die Niederschrift eines Telefoninter-
views mit George Catlett Marshall sowie einen von einem ersten Fachmann
verfaßten (und von Schreiber natürlich auf Verständlichkeit umgeschrie-
benen) fundierten Kommentar zum ›Marshall-Plan‹, der Europa wieder auf

die Beine helfen sollte, den ersten Teile einer Serie über den ›Ameisenstaat‹ und seine verblüffenden Gesetze (nebst Parallelen zu Adolfs ›Totalem Staat‹, Text, versteht sich, von Klaus Mario Schreiber), zwei Kurzgeschichten, die eine heiter, die andere sentimental, beide ›aus unseren Tagen‹, alles geschrieben von Schreiber unter mehreren Pseudonymen. Und, mit seinem richtigen Namen gezeichnet, die große Gauner- und Abenteuergeschichte über den Mann, der die tollsten Dinger gedreht und die Ideen zu ihnen immer dann gehabt hatte, wenn er Kuchen aß.

Von Rosenheim bis Flensburg standen am Tage der Auslieferung die Menschen in langen Schlangen vor den Kiosken, um die erste Nummer von OKAY zu kaufen. Die Auflage von achtzigtausend erwies sich als zu klein. Schleunigst mußte eine zweite Auflage, ebenfalls achtzigtausend, nachgedruckt werden. Die Leute kauften auch die restlos.

81

Mit OKAY ging es aufwärts. Im Juni 1948 hatte die Illustrierte eine Auflage von fünfhunderttausend Exemplaren erreicht.

Die Fertighausfabriken in und bei Murnau liefen auf Hochtouren. Hunderte von Häusern für Flüchtlinge, Ausgebombte und Vertriebene waren bereits gebaut worden – mit tatkräftiger Unterstützung des Gouverneurs van Wagoner. US-Laster transportierten Einzelteile und Montagetrupps.

Jakobs drei Eier-Farmen wurden nun Tag und Nacht mit Sinatra-Musik berieselt; denn wieder waren aus Küken Hennen geworden, und die Hennen legten wie verrückt. Jakob lieferte seine Quote an die Amerikaner, die Hälfte des Restes an die Lebensmittelämter und ließ sich in Altersheimen, Kindergärten und Krankenhäusern sehen, als freudebringender Eier-Weihnachtsmann mit vollen Körben. Die Zeitungen brachten tränentreibende Geschichten und Bilder von diesem wahrhaft guten Menschen. Ein herzzerreißender Artikel erschien in OKAY. Den wahrhaft erschütternden Bericht zu den rührenden Bildern, die Jakob mit Waisenkindern, Lungenkranken oder vor Seligkeit weinenden alten Menschen zeigten, hatte natürlich Klaus Mario Schreiber geschrieben.

Die zweite Hälfte des Ertrags an Eiern kam nach einem wohlausgebauten, ja perfekt funktionierenden System anstandslos auf die Schwarzmärkte der Großstädte. Wieselflink sausten uralte Autos, mit Holzvergasern ausgestattet, durch die Lande und transportierten das zerbrechliche Gut. Wahrlich, es gab genug zu tun. Auf Jakob Formanns drei Höfen in der Bi-Zone legten sechsundsechzigtausend Hennen...

Viele Könige des Schwarzen Marktes wurden ärgerlicher und ärgerlicher. Niemals hielt die Polizei einen einzigen Eiertransport an! Niemals ging ein einziges Formann-Ei bei der Razzia verloren! Die Herren Schwarzhändler konnten sich einfach nicht erklären, wie die Verteiler – offenbar hellseherisch begabt – exakt wußten, wann eine Razzia stattfand, also niemals zu solchen Zeiten auftauchten. Die Polizei, unser aller Freund und Helfer, unterstützte Jakobs Unternehmungen vorbildlich. Es gab nichts Zuverlässigeres als die bestochenen Beamten in den einzelnen Präsidien, und es gab keine einzige Razzia, über die Jakob nicht unterrichtet gewesen wäre – Tage, bevor sie stattfand. Die einzige Ausnahme bildete Nürnberg. Dort saß ein Regierungsrat, seinerzeit in Berlin tätig, vor dem hatten sogar Jakobs ›Funktionäre‹ Angst. Der Mann kam aus Preußen und war die Ehrbarkeit selber. An den wagte sich niemand heran, um ihn zu bestechen. Also mußte Jakob es selber tun. Mit der Bahn fuhr er gen Norden. Nürnberg war zu groß und zu wichtig, als daß man einen Formann-Eier-Markt hätte entbehren können.

Im stinkenden Abteil eines stinkenden Eisenbahnwagens zwischen stinkende Hamsterer gepreßt, überlegte sich Jakob am Vormittag des 17. Juni 1948 all das, was wir eben aufgeschrieben haben. Das Geld floß nur so herein. Und wenn es noch ein paar Monate so hereinfließt und alles so weitergeht, dann habe ich mich sehr schnell zu Tode gesiegt, dachte Jakob, zum erstenmal im Leben Opfer einer depressiven Phase. Er hielt die Hasenpfote umklammert, auf seinen Knien lag der Diplomatenkoffer. Der wurde von Jakob besonders behütet, denn er enthielt zerbrechliche Ware – in Watte gebettet, drei Probeeier, die er aus München mitgenommen und dazu ausersehen hatte, die Schwarzhändler in Nürnberg, nach Umstimmung des gefürchteten Regierungsrats, alle begeistern zu können.

Düster war Jakobs Gemütszustand in diesem Moment, sehr düster. Normalerweise wäre ich längst Millionär, dachte er. Normalerweise! Verflucht, er schwamm in Geld – aber leider eben in wertlosem Reichsmark-Geld, das ihm zudem zwischen den Fingern zerrann, kaum daß er es eingenommen hatte.

Wenn jetzt – aber schnell! – nicht ein Wunder geschieht, dachte Jakob in dem überfüllten Abteil, trauervoll einen mageren Mann ansehend, der seiner Ansicht nach dafür verantwortlich war, daß die bestialische Luft im Abteil von Zeit zu Zeit immer noch ein bißchen bestialischer wurde, wenn das nur eine kleine Weile so weitergeht, dann kann ich zumachen mit meinen Hühnerfarmen, mit OKAY, mit der Fertighausfabrik. Denn dann bin ich pleite.

Schiere Verzweiflung bemächtigte sich des sonst so munteren Jakob. (Übrigens auch aller anderen Menschen in Deutschland, aber das war natürlich kein Trost.) Der Verzweiflung folgte Zorn. War das eine Gerechtigkeit?

Die wirklich großen Schieber wurden fetter und fetter, und ein Mann wie er, der sich halb zu Tode arbeitete (Gott ja, natürlich schob auch er – aber doch nur mit Eiern!), ein solcher Mann stand vor dem Ruin.

Erschütternd! Jakob zerfloß in Selbstmitleid. Drei Minuten lang.

Dann fühlte er, von der Hand ausgehend, welche die Hasenpfote umklammerte, die ihm schon so bekannte wohlige Wärme seinen Körper durchfluten. Der Augenblick der Depression war vorbei. Der bleiche Mann gegenüber hatte es wieder getan (verflucht und zugenäht – offenbar Erbsen!), aber Jakob sah ihn nicht, wie alle anderen im Abteil, empört, böse und strafend an. Nein, er nickte dem Furzer milde zu! Und dachte genau das, was einige Jahre zuvor Zarah Leander gesungen hatte: ›Ich weiß, es wird einmal ein Wunder geschehen!‹

In dieser Hochstimmung machte er zwei Stunden später dem Herrn Regierungsrat Bernt Schneidewind im Polizeipräsidium Nürnberg, gewinnend lächelnd, einen kleinen Vorschlag…

82

»Mann!« schnarrte der Regierungsrat Bernt Schneidewind, schneidend wie sein Zuname, und schlug mit einer preußischen Faust auf einen mittelfränkischen Schreibtisch. »Mann! Von Kindesbeinen auf wurden wir erzogen zu Redlichkeit, Treue, Pflichterfüllung und Disziplin!« (Eijeijeijeijei, dachte Jakob und wäre vor Schreck über den plötzlichen Ausbruch fast von dem wackligen Stuhl gefallen, auf dem er saß. *Du* bist vielleicht erzogen worden zu all dem, *ich* nicht – jetzt verstehe ich, warum sich keiner meiner Funktionäre an dich rangetraut hat!) »Mann!« wiederholte Schneidewind ganz leise zum drittenmal, »sind Sie denn vollkommen wahnsinnig geworden, einem deutschen Beamten einen solchen Vorschlag zu machen?« Und wieder mit der Faust auf den Tisch. So haben wir's gerne, dachte Jakob. »Mann, Sie haben den Mut… Sie können kein Deutscher sein! Was sind Sie?«

»Österreicher.«

»Das erklärt alles! Schlappschwänze! Degeneriert! Kamerad Schnürschuh! Unfähig! Balkanesen! Lumpen und Verbrecher!«

»Wie Hitler.«

»Was?«

»Ich habe gesagt, wie Hitler. Der war auch Österreicher!«

»Der Füh… äh… der Hit… Was unterstehen Sie sich, Mann? Ich lasse Sie auf der Stelle verhaf… Natürlich, Sie haben recht…« Regierungsrat Schneidewind hatte die Kurve wieder gefunden, nachdem er eben beinahe entgleist war. Darum tobte er noch lauter: »Absolut recht haben Sie! Dieser größte Verbrecher aller Zeiten konnte nur aus Österreich kommen! Aber Sie… Sie… Sie…« Schneidewind rang nach Atem. Und wieder mit der Faust auf den Tisch! »…aber Sie wagen es, auch noch diese zynische Bemerkung zu machen! Ungeheuerlich! Kommt hier herein und will mich

1948 – Währungsreform und Luftbrücke

4. Januar: Dr. Johannes Semler, Direktor der Verwaltung für Wirtschaft beim Wirtschaftsrat: »Man hat uns Mais geschickt und Hühnerfutter, und wir zahlen es teuer. Geschenkt wird es uns nicht... Es wird Zeit, daß deutsche Politiker darauf verzichten, sich für diese ›Ernährungszuschüsse‹ zu bedanken.«

24. Januar: Dr. Semler durch die Militärgouverneure Clay (USA) und Robertson (GB) seines Amtes enthoben.

17. Februar: Die »Bank deutscher Länder« in Frankfurt/M. errichtet.

März: Die Papierzuteilung in der US-Zone ist so gering, daß jeder Bewohner im Durchschnitt nur alle 20 Jahre ein Buch kaufen könnte.

Mai: Die Münchner Kammerspiele müssen schließen, da acht Schauspieler infolge Unterernährung zusammengebrochen sind. Die Besatzungsmacht hat zwar Lebensmittelkartenzulagen für Künstler (»For Artists«) genehmigt – die Ämter haben aber daraufhin nur den Artisten (!) Zulagen gewährt.

14. Mai: David Ben Gurion proklamiert die Gründung des Staates Israel.

20. Juni: Währungsreform für die drei Westzonen. DM 40,– als erster »Kopfbetrag«.

23. Juni: Währungsreform für die Sowjetische Besatzungszone. Altes Bargeld wird gegen Reichs- und Rentenmark-Scheine mit aufgeklebten Spezialkupons umgetauscht (»Tapetenmark«). Kopfbetrag 70 Ostmark.

24. Juni: Sowjets beginnen die Blockade West-Berlins. Amerikanische und englische »Rosinenbomber« bilden Luftbrücke.

August: Rente eines zu 70 Prozent Kriegsbeschädigten mit Frau und vier Kindern – pro Tag und Kopf 65 Deutsche Pfennige.

1. September: Der Parlamentarische Rat als verfassunggebende Versammlung tritt in Bonn (ab 1949 »vorläufige Hauptstadt«) zusammen. Vorsitzender: Konrad Adenauer.

September: Erste Anwendung von Cortison, Mayo-Klinik, USA.

20. Oktober: Sowjetzone: HO (staatl. Handels-Organisation) als Träger des Einzelhandels.

2. Dezember: Spaltung von Groß-Berlin in Ost (SED)- und West-Berlin.

4. Dezember: In West-Berlin eröffnet Oberbürgermeister Ernst Reuter die »Freie Universität«.

9. und 10. Dezember: Vereinte Nationen (UN): Entschließung gegen Gruppen- und Massenmord (Genocid) sowie Allgemeine Deklaration der Menschenrechte.

Norbert Wiener: »Cybernetics« – Beginn der Kybernetik.

Erfindung des Transistors.

Bühne: »Kiss me Kate« (US-Musical, Cole Porter).

Schlager: »Der Theodor, der Theodor...«; »I hab' rote Haar...«.

mit zweitausend Dollar bestechen, mich dazu bringen, meine Pflicht zu verletzen, ihn bei seinen Untaten zu unterstützen! Hat wahrhaftig die Unverschämtheit, mir zweitausend Dollar anzubieten! Natürlich lasse ich Sie auf der Stelle verhaften, Mann!«

Wieder dieses wohlige Wärmegefühl...

Hm, dachte Jakob, indessen Schneidewind wie von Sinnen weitertobte, hm. Einen letzten Notgroschen von achttausend Dollar habe ich noch. Zweitausend habe ich diesem teutsch-preußischen Ekel angeboten. Das ist seine Reaktion. Nicht zu fassen. Ich verstehe das nicht, beim Barras habe ich doch haufenweise die nettesten und vernünftigsten Kumpels aus Preußen zu Freunden gehabt.

Schneidewind hatte den Hörer des Telefons hochgerissen und bereits eine Zahl gewählt, als Jakob werbend lächelnd sagte: »Zuwenig, ich sehe es ein, Herr Regierungsrat.« (Ich muß also mein Letztes riskieren.) »Verzeihen Sie, ein Mann wie Sie... Ich wollte Sie nicht beleidigen... Sie sind natürlich andere Summen gewöhnt... Also gut, sagen wir sechstausend.«

Herrn Schneidewind traten die Augen aus dem Kopf. Der Hörer fiel in die Gabel. Herrn Schneidewinds Mund stand offen. So stierte er Jakob eine Minute lang an. Dann krächzte er: »Bar?«

»Auf den Tisch des Hauses, Herr Regierungsrat«, sagte Jakob. Verflucht, jetzt habe ich noch ganze zweitausend Dollar. Aber ich weiß, es wird nun bald ein Wunder geschehen...

Schneidewind erhob sich schwankend, ging schwankend zur Tür und sperrte ab. Schwankend kam er zurück und ließ sich in den Sessel fallen.

»Ha... ha... ha...«

»Herr Regierungsrat?«

»Ha... haben Sie die Dollars bei sich?«

»Selbstredend, Herr Regierungsrat.«

»Also worauf warten Sie dann noch, Mann?« schrie Schneidewind, wiederum schneidend. »Die besten Abnehmer finden Sie in der Winterstraße. Jede Razzia wird Ihnen oder einem Mann, den Sie mir nennen, vierundzwanzig Stunden vorher bekanntgegeben. Los, los, los, Mann, wollen Sie gefälligst die sechstausend Dollar auf den Tisch blättern.!«

»Aber bittschön, freilich«, sagte Jakob und begann zu blättern.

83

Eine halbe Stunde später bereits fand er sich in der Winterstraße, die Regierungsrat Schneidewind ihm als Schwarzmarkt-Umschlagplatz so sehr empfohlen hatte, in Verhandlungen mit drei ›Verteilern‹ und einem ›Grossisten‹. Die drei Probe-Eier wurden angekratzt, leicht beklopft, zwei roh ausgetrunken von Spezialisten, auf deren Urteil sich der dritte

Schwarzhändler (der ›Grossist‹) blind verließ. Die Spezialisten waren begeistert.

»Erste Wahl«, sagte der eine. Da heulten schon Sirenen. Sehr laut. Sehr nahe. Die MPs auf ihren Jeeps und Trucks hatten die Sirenen erst sehr spät eingeschaltet. Praktisch erst, als die Winterstraße vorne und hinten abgeriegelt war und kein Mensch mehr entweichen konnte. (Nebengassen gibt es hier nicht, ausnahmsweise auch keine Ruinengrundstücke, die verfluchten Häuser sind alle stehengeblieben, dachte Jakob erbittert.) Und deutsche Polizei war auf einmal auch da.

Panik kam auf, Geschrei, Gejammer, Fluchen in einem Dutzend Sprachen. Ein kurzer (von vornherein sinnloser, weshalb Jakob auch nicht an ihm teilnahm) Kampf folgte. Die MPs brüllten ununterbrochen, die deutschen Polizisten droschen wacker drein. Jakob setzte sich still auf den Bordstein, legte das eine ihm verbliebene Ei sorgsam zurück in die Watte des Diplomatenkoffers und wirkte klein wie ein Yorkshire-Hündchen. (Die haben sehr oft auch nur eines.) Er dachte: Der Schneidewind hat mich schön hereingelegt! Ein bulliger MP riß ihn hoch. Das letzte, was Jakob sah, waren seine Gesprächspartner, die eben von MPs festgenommen wurden.

»Ich muß schon sehr bitten«, sagte Jakob indigniert.

Der MP schrie ihn an: »Mak snell in truck, you no-good blackmarketeering-bastard, you!«

»Ich wäre Ihnen dankbar, wenn Sie sich einer weniger schmutzigen Ausdrucksweise bedienten«, sagte Jakob dem fassungslosen Militärpolizisten in bestem King's English. Dann schritt er zu einem der Laster, mit denen die Schieber und Schwarzhändler abtransportiert wurden, und zwei Minuten später raste sein Truck los. Eine Viertelstunde später erreichten sie das Gefängnis im Gebäude des Provost Marshal. Es war ein großes Gefängnis, aber zu klein für die vielen Festgenommenen. Sie saßen, bei offenen Zellentüren, dicht gedrängt überall auf dem Boden, auch auf den Gängen, und Jakob bekam die gleichen pestilenzartigen Gerüche in die Nase wie in dem Zug, der ihn nach Nürnberg gebracht hatte. Erbsen, dachte er, nix zu fressen gibt's – offenbar nur noch Erbsen! Samt Würmern!

84

Der amerikanische Offizier, der Jakob vernahm, war ein Brüller. Die Füße, in brauen Combat-Schuhen, hatte er auf seinen Schreibtisch gelegt. Vor den Schuhen sah Jakob den geöffneten Diplomatenkoffer. Darin, in Watte gebettet, das Probe-Ei. Bitternis überkam ihn. Es gab keine zweite Sitzgelegenheit im Büro. Lieutenant John Crawford verhörte seine Häftlinge immer so – er ließ sie stehen. (Psychologische Kriegführung, er hatte eine Menge Bücher darüber gelesen. Man könnte sagen: zu viele.)

»Sie sind also geständig?« brüllte Crawfort.

»Zu was?« fragte Jakob, englisch.

»Schwarzmarkthandel mit einem Ei! Schwerer Verstoß gegen Gesetz Nummer 432 der Militärregierung, Absatz k.«

»Dürfte ich das Gesetz vielleicht einmal lesen?«

»Kerl, wenn Sie mir frech kommen, lasse ich Sie sofort...«

»Nicht frech. Ich möchte nur wissen, ob das Gesetz auf mich zutrifft. Sonst gebe ich Ihnen am Ende die falsche Antwort, Lieutenant. Und dann komme ich auch noch wegen Meineid dran. Oder ich belaste mich sinnlos.«

»Sie sind auf jeden Fall belastet!«

»Das ist noch lange nicht heraus. Ei ist nämlich durchaus nicht Ei.«

»Was soll die Frechheit? Wollen Sie mir jetzt einen Vortrag über die verschiedenen Sorten von Eiern...«

»Nur über die verschiedene Herkunft, Lieutenant. Sehen Sie, es gibt deutsche Eier von deutschen Hennen. Dann gibt es amerikanische Eier von amerikanischen Hennen, die aus amerikanischen Eiern geschlüpft sind, jedoch von den Amerikanern an Deutsche übergeben wurden. Diese würde ich als deutsche Eier bezeichnen. In meinem Falle wäre das so. Und ich denke doch, daß es einem Bewohner Deutschlands freisteht, sein eigenes deutsches Ei... auch wenn es sich um eine Schenkung handelt und insbesondere, wenn er im Besitz der entsprechenden Unterlagen ist...«

»Shut up!«

»Wenn ich um den Paragraphen bitten dürfte, Lieutenant.«

Lange Pause.

Dann fragte Crawford lauernd: »Sie haben amerikanische Schenkungspapiere?«

»Nein.«

»Aha!«

»Ich trage sie doch nicht immer mit mir herum. Was stellen Sie sich vor?«

»Wo sind die Papiere dann, verflucht?«

»In Waldtrudering. Auf dem Hof von Heinrich Himmler.«

»Um Gottes willen.« Die langen Beine mit den Combat-Schuhen verschwanden vom Schreibtisch. Crawford sprang auf. Zu Tode erschrocken wich er gegen die Tür zurück. »Ein Wahnsinniger! Ich muß sofort den Arzt...«

»Nein, Crawford«, sagte Jakob freundlich. »Müssen Sie nicht. Ich würde sagen, Sie müssen jetzt überhaupt nichts. Jedenfalls nichts, was *Sie* wollen. Sondern was *ich* will.«

»You goddamned Kraut...«

»Das ist keine Art, sich auszudrücken. Sie haben ja keine Ahnung, wer ich bin! Wenn Sie eine Ahnung hätten, fielen Sie auf der Stelle um, Mann! Ich habe früher beim Hörsching Airfield, Austria, gearbeitet. Es gab da eine beklagenswerte Affäre, über die ich mich zu schweigen verpflichtet habe, weil der Vertreter des Provost Marshal in Linz mich flehentlich darum ersucht und mir amerikanische Eier zum Geschenk gemacht hat.«

»Wie viele?«

»Vierzigtausend…«

»Viervier…«

»Das war erst der Anfang. Governor van Wagoner in München hat dann im Auftrag der Generale Clay und Clark weitere sechsundsechzigtausend Eier über den Atlantik für mich einfliegen lassen…«

»Sechsundsechs…« Crawford schwankte zu seinem Sessel zurück und fiel schwer hinein. »Aus einer Irrenanstalt entsprungen, Formann?«

»Nein, Crawford.«

»Simulant, was?«

»Auch nicht, Crawford. Bevor Sie einen Herzklaps kriegen, würde ich empfehlen, sofort meinen lieben Freund Murray van Wagoner, den amerikanischen Militärgouverneur für Bayern, anzurufen.«

»Der ist Ihr lie.. lie… lieber Freund?«

»Ja. Er wird Ihnen die ganze Geschichte erklären. Beeilen Sie sich. Ich muß heute noch nach München zurück, und es geht nur noch ein Zug um neunzehn Uhr. Wenn ich den versäume, wenn sich bis dahin nicht alles aufgeklärt hat, und das sagen Sie bitte meinem Freund Murray, wenn ich also bis neunzehn Uhr nicht völlig rehabilitiert und auf freiem Fuß bin, werde ich auspacken, verlassen Sie sich drauf. Was ich zu sagen habe, ist *top secret*. Ich habe versprochen, es für mich zu behalten. Falls man mich allerdings weiter derart behandelt, sehe ich mich an mein Wort nicht länger gebunden und werde reden. Ich habe eine Illustrierte. Die heißt OKAY. Kein Begriff? Ah, ja, doch? Sehen Sie! Ich habe den besten Schreiber. Wenn der meine Geschichte schreibt und die nächste OKAY rauskommt, Crawford, dann wird die ganze Welt über Amerika lachen, dann haben Sie Ihr Gesicht für alle Zeiten verloren, dann sitzt in vierzehn Tagen ein Russe auf Ihrem Platz, weil man Sie aus Europa hinausgelacht hat – oder, was wahrscheinlicher ist, weil Sie sich selber zu einer zweiten Invasion entschlossen haben: zur Invasion Amerikas! Ich sehe direkt schon die Schlagzeilen vor mir: Amerikaner in Amerika gelandet!«

Der Lieutenant schlug auf die Gabel seines Telefons.

Der Lieutenant schrie:

»Vermittlung… Herrgott, was ist los mit Ihnen, Vermittlung? Geben Sie mir das Büro von Governor van Wagoner, Munich! Blitz! Mit jedem Vorrang!…« Pause. »Leitung gestört? Mann Gottes!… Was? Hm… Ja… Gut… Ich komme in die Zentrale!« Crawford schlug den Hörer auf die Gabel. »Leitung gestört, Sie haben es ja gehört. Ich muß ein Fernschreiben absetzen in der Zentrale. Sie bleiben hier. Jeder Fluchtversuch ist zwecklos. Vor der Tür stehen zwei Posten.«

»Hab's gesehen, Crawford«, sagte Jakob.

x dringend x dringend x dringend x
juni 17 1948 x 06 01 pm x von governor van wagoner
munich an provost marshal nuremberg x fs erhalten x
nach telefonaten mit general lucius d clay berlin und
general mark clark vienna und lieutenant john albert
wohlsein linz teile ich ihnen namens oberbefehlshaber
usareur* folgendes mit x der von ihnen verhaftete
mr jakob formann ist amerikanischer geheimnistraeger x
seine eier erhielt er von usareur x vertraglich festgelegt wurde lediglich ablieferungsquote an us army
die formann stets eingehalten hat x uebrige eier sein
privateigentum x formann ist mit entsprechenden
entschuldigungen augenblicklich aus der haft zu entlassen x us command car und fahrer sind fuer rueckweg
zur verfuegung zu stellen x usareur hat mr formann
reise in die usa angeboten x mr formann darf nie wieder von uns oder deutschen dienststellen in seiner
taetigkeit behindert werden x entsprechende fs gehen
an alle zustaendigen dienststellen x mr formann ist
vip** x governor van wagoner x 06 04 pm x ende x
ende x

 * Das rätselhafte Wort USAREUR bedeutet, wie der Autor nach langem Bemühen
festgestellt hat, United States Army in Europe.
** VIP (sprich: ›Wip‹ oder ›Wi Ei Pi‹): Very Important Person = Person von besonderer Bedeutung, mit bevorzugter Abfertigung bei Verkehrsmitteln (insbesondere
Flugzeugen) und Behörden.

»...zuletzt noch die Vorhersage des Osborne-Instituts für das lange Wochenende um den vierten Juli, den amerikanischen Unabhängigkeitstag: In
den Staaten der Union wird es nach der Statistik siebenhundertundzwei-
kommasieben Verkehrstote und -schwerverletzte geben. Das war's, Leute!
Hier ist euer Lieblingssender KLMC, hier ist Ronnie Baldwin, und weiter
geht's mit ›Music in the Miller Mood‹! Zuerst hört ihr ›Moonlight Serenade‹...«
›Moonlight Serenade‹...

Zärtliche Musik ertönte. Jakob Formann saß wie erstarrt. Die siebenhundertzweikommasieben Verkehrstoten und -schwerverletzten des kommenden Wochenendes hatten ihm den Rest gegeben. Man muß diese armen Menschen doch warnen, dachte er verworren. Ich glaube, ich werde verrückt! Da, auf dem Tisch vor mir, liegen zwei Bücher. Die Bestseller des Jahres, hat die blonde Schönheit mit den phantastischen Beinen gesagt, bevor sie mich allein ließ. Das eine ist von einem Herrn Alfred Ch. Kinsey und heißt ›Das sexuelle Verhalten des Mannes‹. Ich habe darin geblättert. Herr Kinsey ist eigentlich Zoologe. Das hat ihn aber nicht gehindert, zwanzigtausend weiße amerikanische Männer und Frauen zu befragen und diese Befragungen über die Gewohnheiten ihres Geschlechtslebens auszuwerten in Kurven und Statistiken, Zahlen und Diagrammen und einer völlig unverständlichen Sprache. Mir dreht sich der Kopf. Sechsundachtzig Prozent der Herrschaften haben voreheliches Geschlechtsverkehr zugegeben, zweiundneunzig Prozent, daß sie onanieren, neunzig Prozent, daß sie fest daran glauben, New York werde im Jahre 1950 – also in zwei Jährchen! – von russischen Atombomben zerstört und nicht mehr zu finden sein, andererseits aber natürlich auch Moskau von amerikanischen Atombomben – nein, das ist aus dem *anderen* Bestseller! ›Welt in Flammen‹ heißt der, von Charles van Dong, und da wird ein Krieg zwischen Rußland und Amerika im Jahre 1950 mit allen Details beschrieben... Die neunzig Prozent gehören zu Kinsey und haben Petting zugegeben, also miteinander aneinander rumfummeln, aber ordentlich, eigentlich fast richtig vö...

»And now ›Pennsylvania Six-Five Thousand‹...«

AMERICAN OVERSEAS AIRLINE hat die Gesellschaft geheißen. In einer viermotorigen ›Constellation‹ bin ich herübergekommen. Zuerst nach New York. Nur anderthalb Prozent treiben es mit Tieren. Und das will eine Kulturnation sein? Abflug Frankfurt am Main 17 Uhr 30, Ankunft am ›La Guardia‹-Flughafen New York 1 Uhr 30 local time. Sechsmal haben wir die Uhren um eine Stunde zurückgestellt. Einen Orgasmus erreichen fast alle Männer, aber sehr wenige Frauen bei normalem Verkehr. Ein Verkehr ist das! Sechstausendsechshundert Kilometer lang war die Flugstrecke. Darum ist auch der Prozentsatz von Lesbierinnen so hoch. Fünf Stunden nach dem Start waren wir in Shannon, Irland. Nächste Zwischenlandung dann Gander, das liegt in Neufundland. Aber es gibt unheimlich viele Homosexuelle! Neun Mann Besatzung, vierzig Passagiere. Junge Männer bis fünfundzwanzig leiden enorm unter Ejaculatio praecox, was immer das ist, hätte der Kinsey auch englisch schreiben können, ich hab' in Latein immer einen Pintsch gehabt. In der Kabine war ein Schild: ›Dies ist der 16972. amerikanische Transatlantikflug.‹ Was macht eine Phimose? Unheimlich viel zu essen hat's gegeben. Und zu saufen. Sehr beliebt sind technische Hilfsmittel beziehungsweise Prothesen. Kaugummis beim Starten und Landen. Und Gliedverlängerer.

»Now let's listen to ›The American Patrol‹…«

Ach, das habe ich schon 1945 gehört, in Wien, in der MP-Station, den ganzen Glenn Miller! Ich habe ja gewußt, es wird einmal ein Wunder geschehen. Am 20. Juni ist es geschehen. Unmittelbar nach meiner versehentlichen Verhaftung und sofortigen ehrenvollen Wiederfreilassung in Nürnberg. Da war ich am Ende. Ja, aber dann kam eben Sonntag, der 20. Juni 1948.

»Die Militärregierung gibt bekannt…«

Na, die Währungsreform, auf die wir alle schon so gewartet hatten! Am 21. Juni 1948 hat's dann die verfluchte Drecks-Reichsmark nicht mehr gegeben. Sondern die D-Mark, die Deutsche Mark! Vierundzwanzig Stunden nur – unfaßbar, Triumph der Technik! – vierundzwanzig Stunden nur sind wir geflogen von Frankfurt am Main bis New York. Zehntausend Meter hoch geflogen sind wir. Auf einmal spüre ich, wie ich naß werde. Nicht da. Auf der Brust. Ich schaue meine Jacke an. Alles mit Tinte versaut. Mein Füllfederhalter! Ausgelaufen. Die ganze Tinte auf dem guten Anzug. Da habe ich vielleicht eine Wut gehabt! Eine süße Stewardeß hat mich gereinigt. Hat mir erklärt, daß Füllfederhalter immer wieder auslaufen. Wegen der Höhe. Und sie hat mir zum Trost was geschenkt. Wenn man oben auf einen Knopf drückt, kommt unten eine Mine raus. Mit Tinte! Und die kann nie ausrinnen! ›Kugelschreiber‹ heißt das, hat die Stewardeß gesagt. Große Mode in den Staaten im Moment. Der ›Kugelschreiber‹ ist aus einer glatten Masse, ähnlich wie Zelluloid, aber besser. Plastic ist das, hat mir die Stewardeß erzählt. Was ist Plastic? Ach, hat sie gesagt, da kann man Teller daraus machen, Schüsseln, Räder, Karosserien, Möbel, Flaschen – einfach alles! Toll. PLASTIC. Muß ich mich auch drum kümmern. Ich hab' so ein Gefühl, diesem Plastic-Zeug gehört die Zukunft. Und die hat schon begonnen.

In West-Deutschland mit vierzig D-Mark auf den Kopf der Bevölkerung. Aber diese D-Mark hat es in sich! Jetzt kann ich ganz groß loslegen. Denn ich habe ja nicht nur DM 40,00 gekriegt. Ich habe meine Höfe, meine Fertighaus-Fabriken, meine Illustrierte! Die kostet jetzt DM 0,20. Einen Moment haben wir alle gedacht, es ist aus mit OKAY. Kalter Schweiß stand mir auf der Stirn. Ich hatte Durchfall. Stand vor dem Nervenzusammenbruch. Aber es gab noch ein Wunder: OKAY hat sich auch mit dem guten neuen Geld weiter verkauft wie verrückt! Warum? Weil wir eben schon bekannt waren aus der Reichsmark-Zeit. Weil wir eben schon einen so guten Ruf gehabt, weil die Menschen uns so gerne gelesen haben. Diesen Mario Schreiber, diesen stotternden Säufer, den adoptiere ich noch mal!

Da strömt jetzt die D-Mark herein! Mit den Eiern, den Häusern, mit OKAY. Weiß Gott, ich bin ein großer Mann. Die werden sich wundern, was für ein großer Mann ich noch werden werde! Die haben ja keine Ahnung. Das war doch nur der erste Sieg in meinem Krieg! Nie hätte ich gedacht, daß es so viele verdammte Kerle in den USA gibt, die mit toten Weibern schlafen wollen ...

»... well, folks, here comes ›String of Pearls‹ ...«

Die Tür des pompösen Wartezimmers mit den goldfarbenen Seidentapeten, in dem Jakob gewartet hatte, öffnete sich. Die ernste Sekretärin erschien.

»Bitte, kommen Sie, Mister Formann! Senator Connelly ist jetzt für Sie zu sprechen!«

Jakob erhob sich. Ihm war schwindlig. Er lächelte die Schöne an. Doch die blieb ernst. Er schwankte leicht beim Gehen. Das ist alles ein bißchen zuviel auf einmal, dachte er. Verflucht, wie Marlene Dietrich – solche Beine können nicht echt sein, also das gibt es einfach nicht!

87

»Willkommen, Mister Formann!«

»Guten Tag, Senator«, sagte Jakob, während er auf den älteren Herrn hinter dem riesenhaften Schreibtisch zuschritt. Der ältere Herr war ein wenig weißhaarig (das heißt: Er hatte nur noch wenige Haare, und die waren weiß), groß, knochig, mit einem an altes Leder gemahnenden verschrumpelten Gesicht. Er trug einen goldgefaßten Zwicker und hatte zu große Ohren und zu kleine Hände.

Die Herren standen nun voreinander. Es folgte eine lange Stille. Senator Connelly musterte Jakob. Jakob musterte des Senators Riesenbüro. Eiweih, dachte er dabei, ich bin bei einem Irren gelandet!

Der Raum glich einem Museum. An den Wänden hingen Fahnen und Standarten der Deutschen Wehrmacht sel. und der SS, Gewehre, Pistolen, Hundepeitschen, Bilder von deutschen Kampf- und Jagdflugzeugen, von Reichsparteitagen und von Adolf Hitler. Auf Tischen sah Jakob flache Vitrinen mit Parteiabzeichen und Koppelschlössern und sämtlichen Orden der Nazis vom Mutterkreuz bis zum Ritterkreuz mit Eichenlaub, Schwertern und Brillanten. Ein langes Regal zeigte weitere deutsche Waffen, von der Eierhandgranate bis zum Sturmgewehr 44. Überall standen kleine Modelle von Flugzeugen der Luftwaffe, von schweren MGs, von allen möglichen Panzern, von der V 2 und anderen Raketen. Auf Bildern (oder in Miniatur) waren zahlreiche Schiffseinheiten der Deutschen Kriegsmarine, vom Einmann-U-Boot bis zur ›Bismarck‹, vertreten. Gasmasken hingen an den Wänden.

Hilf, Himmel!

»Setzen Sie sich«, sagte der Senator. Jakob plumpste in einen Sessel. Der Senator zog sich hinter den Schreibtisch zurück und betrachtete Jakob interessiert, während er geistesabwesend eine schwarze Mütze mit kleinem silbernem Totenkopf, die wohl einem hohen SS-Führer gehört hatte, streichelte.

»Phan… phan… phan…«

»Wie bitte?«

»Phantastisch!«

»Sie sind überwältigt, Mister Formann, geben Sie's zu!«

»Ich geb's zu, Senator, ich bin überwältigt.«

»Ja, das kann man schon sein…« Connelly nickte. Man sah ihm an, wie sehr er in seine Sammlung verliebt war. Er nickte vierzehn Sekunden lang. Jakob zählte mit. Nach vierzehn Sekunden räusperte sich Jakob heftig. So geht das nicht weiter, dachte er, time is money, und wenn ich ihn nicht sofort zur Sache bringe, reißt der alte Trottel noch den Arm hoch und singt das Horst-Wessel-Lied. Das heftige Räuspern wirkte. Connellys Blick kehrte aus weiten Fernen zurück und konzentrierte sich auf Jakob.

»Ah, hm, ja, also… Sie haben da ein Empfehlungsschreiben von Governor van Wagoner mitgebracht. Alter Freund von mir. Großartiger Bursche, wie?«

»Das kann man wohl sagen, Senator!«

»Ich soll Ihnen nach besten Kräften helfen und Sie unterstützen bei Ihren Unternehmungen, schreibt Murray. Was sind das für Unternehmungen, Mister Formann? Worum geht es denn?«

»Um Truppenunterkünfte, Senator.« (Donnerwetter, jetzt flutscht es nur so. Ich bin eben ein Masselmolch.) »Es sind die besten Truppenunterkünfte der Welt! Die Deutsche Wehrmacht hatte sie in Narvik ebenso wie in Libyen! Ich stelle sie in Deutschland her. Governor van Wagoner sagte mir, Sie seien der Mann mit den besten Beziehungen zum Pentagon, zu den Herren im Verteidigungsministerium. Traurig, traurig, das aussprechen zu müssen, Senator: Aber jetzt… die Blockade Berlins, der kalte Krieg… jetzt ist sie schon wieder vorbei, Ihre Waffenbrüderschaft mit den Russen. Wenn das so weitergeht…«

»…und es wird so weitergehen!«

»Ganz meine Meinung, Senator… dann werden Sie wohl sehr schnell sehr viele Truppenunterkünfte brauchen…«

»Es ist eine Tragödie. Da haben wir Schulter an Schulter mit den Russen Hitlerdeutschland besiegt, in einem beispiellosen Ringen – und jetzt sieht die Welt so aus! Mein Sohn ist noch drüben.«

»Wo drüben, Senator?«

»In Europe. Vienna. Bin stolz auf ihn. Braver Junge. Tapferer Junge. Er hat unter Einsatz seines Lebens einen Werwolf gestellt…«

Auch der cleverste Mann, den es gibt, hat manchmal einen totalen Blackout. Rennt blindlings in sein Verderben. Und mit Elan!

»Einen Werwolf!« jubelte Jakob auf. »In eine MP-Station hat er ihn gebracht, ja?«

»Ja. Woher wissen...«

»Moment! Und der Werwolf wurde von der MP verhaftet...«

»Stimmt, aber...«

»...und ins Gefängnis gebracht, richtig?«

»Richtig. Hören Sie, Mister Formann...«

»Aber dann *kenne* ich ihn doch!« Jakob strahlte. (Totaler Black-out eben. Selbst Einstein hatte so was manchmal.) »Mein Gott, ist die Welt klein! So ein hübscher Junge! Blond! Blaue Augen! Nein, so etwas! Also, wenn ich das lesen würde, ich könnte und könnte es nicht glauben! Da heißt es immer, solche Zufälle gibt es nicht! Und ob es sie gibt! Connelly... warten Sie, Senator... Lieutenant ist Ihr Sohn, stimmt's?«

»Stimmt...«

Es entging dem Begeisterten, daß sich des Senators Augen zu Schlitzen verengten. Er jubelte weiter: »...und mit Vornamen heißt er... heißt er... Nicht verraten, ich komme sofort drauf... jetzt habe ich es schon! Robert Jackson heißt er mit Vornamen! Robert Jackson! Genau wie Sie! Genau wie Sie!«

»Genau wie ich, Mister Formann«, sagte der Senator dumpf. »Ich bin Robert Jackson Connelly senior.«

»Also nein, das ist doch wirklich...« Jakob fand keine Worte mehr vor Begeisterung.

Gräßlich langsam fragte der Senator: »Und woher wissen Sie das alles? Woher kennen Sie meinen Sohn?«

»Na, ich war doch dabei, Senator!«

»Sie... waren... dabei...?«

»Ja doch! In der MP-Station! Als Dolmetscher! Ich habe die Meldung getippt! Ich bin mit zum Landesgericht gefahren! Ihr Herr Sohn auch! Wir haben ihn noch nach Hause gebracht und...«

Eiweeh!

Jakob saß da, das Kinn war herabgefallen, so sieht ein Kretin aus.

O Gott. O lieber Himmelvater. Mir wird plötzlich heiß. So heiß wie schon lange nicht. Unangenehm heiß. Und da bin ich immer so stolz auf mein Gedächtnis... ein Gedächtnis wie ein Elefant! Von wegen! Als ich den Namen Connelly hörte – kein Funken Erinnerung. Als der alte Trottel von seinem Sohn erzählte – alles vergessen. Freudestrahlend gerühmt habe ich mich noch damit, daß ich diese männliche Jungfrau kenne.

»Nämlich... ich... das war so, Senator, wissen Sie...«, stammelte Jakob los.

Robert Jackson Connelly senior ließ eine Faust auf den Monsterschreibtisch knallen, daß zwei ›Panther‹-Panzer-Modelle (für bundesdeutsche ›Leoparden‹ war die Zeit noch nicht reif) hoch in die Luft sprangen, und ein dritter, ein ›Tiger‹, der als Briefbeschwerer diente, zu Boden krachte. Jakob erhob sich halb.

»Liegen lassen!« schrie Senator Connelly. »Hinsetzen! Keine Bewegung, Mann! Sie waren der Dolmetscher? Antwort!«

»Ja.. ha, Senator, ich war der Dolmetscher. Aber lassen Sie mich erklären...«

»Ruhe! Es ist... es ist...« Der Senator rang nach Atem und griff sich ans Herz. (Vielleicht fällt er tot um, dachte Jakob hoffnungsvoll.) »Es ist ja einfach nicht zu fassen!« tobte der Senator weiter. (Unsereins hat eben doch kein Glück, dachte Jakob.) »Sie waren damals dabei als Dolmetscher, und jetzt haben Sie den traurigen Mut, ach was, die Tollkühnheit, den Irrwitz, die wahnsinnige Unverschämtheit, hierherzukommen, um mit meiner Hilfe Geschäfte zu machen, Sie... Sie... Sie...«

»Beruhigen Sie sich, Senator! Sie müssen sich beruhigen!«

»Ich muß mich beruhigen? Aufregen muß ich mich! Das schreit ja zum Himmel! Das hat es ja noch nicht gegeben! Sie elender Lump! Sie dreckiger...«

»Senator, ich muß doch schon sehr bitten.«

»...Faschist! Na, Ihnen werde ich es jetzt aber besorgen, Sie Nazi! Ich rufe Murray an! Den haben Sie hineingelegt! Ich rufe Harry an! Ihnen wird der Prozeß gemacht! Sie kommen vor Gericht! Und hinter Gitter!«

»Aber... aber... aber warum denn, Senator?«

»Warum? Das wagen Sie auch noch zu fragen?«

»Da...da...das wage ich au...auch noch zu fra...fragen«, stotterte Jakob und dachte benebelt: Schlimmer geht's dem armen versoffenen Schreiber auch nicht, wenn er spricht!

»Dann will ich Ihnen auch antworten. Ich – keine Bewegung oder ich schieße! –, ich bin damals sofort nach Wien geflogen, zu Mark Clark! Und was mußte ich da erfahren?«

»Wa...was mu...mußten Sie erfah...haren, Sena...nator?« Lieber Gott, Standarten! Stahlhelme! Brotbeutel! Meldetaschen!

»Ich mußte erfahren, daß der Werwolf, der meinem tapferen Sohn fast einen qualvollen Tod bereitet hätte...« Connelly senior schloß die Augen, er rang schwer um Atem. (Na, vielleicht jetzt? Scheiße, wieder nicht!) »...daß diese Bestie in Weibesgestalt nach Deutschland abgeschoben worden war! Und nicht genug damit! Daß alle Männer der Station, in die mein heldenhafter Sohn den Werwolf geschleppt hatte, versetzt, und daß vor allem Sie, Sie... Sie Kreatur, verschwunden waren! Fein haben Sie das gemacht! Abgehauen sind Sie! Im Bunde mit dem Werwolf! Alles Faschisten, selbst meine eigenen Leute! Haben den Werwolf in Freiheit gesetzt! Und sich vermutlich totgelacht darüber!«

»Mitnichten, Senator. Wir...«

»Schweigen Sie!« Schlag auf den Tisch. Ballett kleiner LKWs und Motorräder. »Sie Bandit! Sie brauner Mörder! Sie...«

Telefon.

236

Der rasende Senator knipste einen kleinen Lautsprecher auf dem Schreibtisch an und bellte: »Jill, ich habe doch gesagt, ich bin nicht zu…«

Also Jill heißt die Süße mit den unglaublichen Beinen, dachte Jakob. Er hielt eisern die Hasenpfote in der Hosentasche umklammert.

»Es ist Ihre Frau, Senator. Sie besteht darauf, mit Ihnen verbunden zu werden, ich bitte um Verzeihung«, kam Jills traurige Stimme.

»Gottverflucht, meine… Stellen Sie durch!«

Im nächsten Moment keifte eine weibliche Stimme aus dem Lautsprecher: »Also, wie ist das, Bob? Wann kommst du raus? Ich bin schon seit vorgestern hier und warte auf dich! Und jedesmal, wenn ich anrufe, sagst du, du weißt noch nicht, wann du kommst!«

»Ich komme überhaupt nicht!« brüllte Senator Connelly. (Adolf Bohrer, ob du noch immer Elektroschocks kriegst? Der da könnte auch ein paar brauchen!) In seiner Erregung hatte Connelly vergessen, den Lautsprecher auszuschalten. »Ich bleibe in der Hauptstadt!«

»Aber das lange Wochenende! Der vierte Juli! Der Unabhängigkeitstag!«

»Eben deshalb!« Die Augen des Senators waren jetzt blutunterlaufen. »Bis zum Hals stecke ich in Arbeit! Ich ersticke…!« (Das sagst du so, aber tun tust du's leider doch nicht, dachte Jakob.) »Muß alles aufarbeiten bis nächste Woche!« (Und wirst also nicht einer von den vorhergesagten siebenhundertzweikommasieben Verkehrstoten und -schwerverletzten sein.) »Ich verbitte mir dieses ständige Nachschnüffeln, dieses Mißtrauen, dieses…«

»Robert Jackson!« knallte es aus dem Lautsprecher. Jakob fuhr so sehr zusammen, daß er ein großkalibriges Flakgeschoß umwarf, welches neben seinem Fauteuil stand. Die Stimme der Alten ist ja fürchterlich! Vor der würde sogar der Schinder Bohrer zittern und beben. Der Senator bebt auch. Ganz weiß ist er plötzlich geworden. »Jetzt hör mal zu! Daß du mit deiner Sekretärin, dieser Schlampe, ein Verhältnis hast und mich seit Jahren betrügst nach Strich und Faden…«

»Cindy, ich bitte dich, Cindy…«, flehte der Senator wundermild.

»Nichts Cindy! Nimm meinen guten Namen nicht in deinen schmutzigen Mund! Ich hätte mich längst scheiden lassen… es ist nur der Kinder wegen…« Kurzes Schluchzen aus dem Lautsprecher. Der Senator zog sein Taschentuch. Cindy tobte weiter: »Aber jetzt hast du das Faß zum Überlaufen gebracht! Jetzt ist Schluß! Du kommst raus zu mir. Wenn du bis heute abend acht Uhr nicht da bist, rede ich mit Harry persönlich! Erzähle ich ihm alles! Alles, habe ich gesagt!«

»Jetzt, mitten im Wahlkampf! Ich bin in Harrys Partei. Weißt du, was du ihm damit antust?«

»Und ob ich das weiß! Auf diesen Wahlkampf habe ich nur gewartet! Und deine Hure ertragen. Aber jetzt ist Schluß! Schluß! Schluß!« Die Membran des Lautsprechers klapperte. Grauenvoll, dachte Jakob. Wieso grauenvoll? Wundervoll! »Ich sage es nicht nur Harry! Ich sage es auch den Leuten um Dewey! Das wird ein Skandal! Wir werden ja sehen, wer im Herbst der neue Präsident wird!«

»Cindy... Cindylein... Nimm doch Vernunft an!«

»Ich bin ganz vernünftig, Robert Jackson! So vernünftig wie noch nie! Heute abend! Vor acht Uhr abends. Und das Wochenende über bleibst du bei mir – oder es gibt einen Skandal...!« Ein ferner Hörer krachte in eine ferne Gabel.

Der Senator wischte sich die Augen, sah dann, als sähe er ihn zum erstenmal, Jakob an.

Na, aber jetzt nichts wie drauf! dachte der.

»Sehr schön! Ich werde daheim zu berichten wissen, wie ich hier behandelt worden bin!« (Mit seiner Cindy und mit mir sitzt der nicht mehr lange in diesem Museum des Dritten Reichs!)

»Seien Sie ja nicht auch noch frech!« brüllte Connelly. (Tcktcktck, so leicht ist der also nicht auf den Rücken zu legen.) »Nur weil Sie ein Gespräch mit meiner Frau – ich liebe sie über alles, sie ist nur sehr nervös, bei drei Psychiatern – angehört haben... Glauben Sie bloß nicht, daß ich mir von Ihnen das geringste...« Weiter kam der Senator nicht, denn nun brüllte Jakob auf wie ein wirklich Irrer. Er schlug auf den Tisch, daß ein zweiter ›Tiger‹-Panzer-Briefbeschwerer nur so schaukelte.

»Da kommt man rübergeflogen, obwohl man weiß Gott was anderes zu tun hätte, bloß, um der Freien Welt beizustehen in ihrem Schicksalskampf, und dann muß man sich behandeln lassen wie ein Hund! Warten Sie mal ab, was *ich* Harry Truman erzählen werde!«

»Was *Sie* Harry...«

»Ich gedenke auch Präsident Truman einen Besuch abzustatten!«

Dieser Kerl war viel zäher, als Jakob gedacht hatte. Verflucht, dachte er, als nun dieser Kerl brüllte: »Jetzt habe ich aber die Schnauze voll! Her mit Ihrem Paß!«

»Was?«

»Sie sollen mir Ihren Paß geben!«

»Aber warum?«

»Weil ich Sie am Dienstag früh hier wiederzusehen wünsche! Bis dahin werde ich alles Nötige veranlaßt haben, damit Sie endlich bekommen, was Sie verdienen, Sie... Sie... Sie Kraut!«

»Was ich verdiene?« Lieber Gott, wie komme ich jetzt bloß wieder aus dieser Scheiße raus?

»Den Paß!« tobte Connelly.

Jakob legte ihn zwischen ein Eisernes Kreuz und ein Deutsches Kreuz in Gold vor den Senator. Der drückte auf einen Knopf der Sprechanlage.

Jills triste Stimme erklang: »Senator, Sir?«

»Kommen Sie! Mister Formann will gehen!«

Jakob erhob sich. Im Moment hat das mit dem Irren keinen Sinn, dachte er. Mir ist was Besseres eingefallen.

Die Tür öffnete sich. Jill erschien. Ihr Gesicht war unbewegt, als sie sagte: »Mister Formann?«

Er schritt auf sie zu, an ihr vorbei, sie schloß die Tür. Sie standen in ihrem Büro. Jakob zögerte nicht eine Sekunde. Er legte beide Arme um die Dame, preßte ihren Leib an sich (lange halte ich das nicht aus) und seine Lippen auf die ihren. Sie schlug mit kleinen Fäusten auf ihn ein. Wand sich und stöhnte. Er hielt sie eisern fest. Plötzlich wurde ihr Mund weich, die Lippen öffneten sich, und sie küßte auch ihn. Aber wie. Teufel, Teufel, dachte Jakob, bemüht, dafür zu sorgen, daß er mit Jill nicht gleich auf den Teppich kippte. Und da schreibt dieser Kinsey, viele amerikanische Frauen seien frigide...

Er löste sich und sagte zu der sonst so Tristen, nunmehr Bebenden: »Heute um fünf machst du hier Schluß. Dann fängt das lange Wochenende an. Wir werden es zusammen verbringen. Ich warte im East Potomac Park. Vor dem Jefferson Memorial. Um sechs.«

»Sie haben ja den Verstand verloren!«

»O nein, Darling. Der alte Sack muß zu seiner Cindy! Sonst läßt sie ihn hochgehen! Ich weiß, du bist seine Freundin. Aber die nächsten drei Tage und vier Nächte bist du frei. Und an die wirst du denken – dein Leben lang!«

»Wenn Sie nicht sofort verschwinden, schreie ich um Hilfe!«

»Ich verschwinde schon. Also dann bis sechs!«

»Niemals, Mister Formann«, sagte die platinblonde Jill erbittert, »werde ich um sechs Uhr da sein! Niemals!«

88

Sie war schon um Viertel vor sechs da.

Um Viertel vor sieben war sie mit Jakob in ihrer Wohnung.

Um Viertel vor acht stöhnte sie: »Mein Gott, vorhin wäre ich fast gestorben!« Sie lag nackt auf ihrem breiten Bett. Er kauerte nackt vor ihr. Sie hatten eine ›Chinesische Schlittenfahrt‹ hinter sich. (Ich muß ihr gleich einen guten Eindruck von mir vermitteln, hatte Jakob gedacht.) Nun rauchten beide eine Abregungszigarette. Brüste hat diese Jill, dachte Jakob. Und einen Popo! Und Marlene-Beine. Diese unwahrscheinlichen Marlene-Beine! Wenn ich die Dame noch lange anschaue...

Er drückte seine Zigarette aus, sie die ihre.

»Oh, Jake«, stöhnte Jill, als sie ihn wiederum entgegennahm.

»Oh, Darling«, sagte er, sie zärtlich dabei küssend. (Ich weiß immer noch nicht, wie sie mit dem Nachnamen heißt. Zustände sind das!)

Zwei Stunden später wußte er es dann. Sie saßen, beide äußerst spärlich bekleidet, bei Tisch und stärkten sich. Jill Bennett besaß ein Apartment in einer Wohnwabe der ›Down-town‹, 126, Huston Street, Apt. 1546. Die Down-town von Washington war das typische Geschäftsviertel aller amerikanischen Städte – mit einem Unterschied: Die Hochhäuser durften nicht mehr als dreizehn Stockwerke haben. Jills Apartment lag im dreizehnten. Von der kleinen Terrasse sah man über die Stadt und den Potomac-Fluß. Unten im Hause war ein Drugstore. Jakob hatte eine Riesenbestellung aufgegeben, und die war geliefert worden. Jill und er waren entschlossen, das Apartment in den nächsten drei Tagen nicht zu verlassen. Aber schließlich mußten sie auch bei Kräften bleiben. Also hatte Jakob Kräftigendes en masse bestellt. Dazu Champagner. Champagner, hatte Jakob gefunden, hilft immer. Er lockert die Zunge. Nicht seine eigene. Die seiner Partner, meistens seiner Partnerinnen. Er selbst trank eisern Coca-Cola.

So lebten sie denn selig und in Freuden im Apt. 1546. Am Abend des Nationalfeiertages, nach bereits längerer inniger Bekanntschaft mit Jakob und zwei weiteren Schlittenfahrten, äußerte Jill, sie sei so glücklich wie noch nie im Leben, aber sie könne kein Glied mehr regen. Jede Bewegung schmerze sie. Nicht so Jakob. Der wäre gerne mit einem Rad durch Washington gesaust, um fit zu bleiben. Das ging nicht. Er sah es ein. Statt dessen bewunderte er das Riesenfeuerwerk anläßlich des 4. Juli. Danach wurde ganz Washington mit Musik aus Lautsprecherwagen berieselt. Danach küßte Jakob Jills Hand. Innen. Danach begann Jill bitterlich zu weinen. Er streichelte sie zart. Es half nichts. Er streichelte geduldig weiter und forschte dezent: »Warum weinst du, Liebling?«

»Wei… wei… weil du doch gleich wieder wegfliegst, Jake…«

Er preßte sie an sich und bedeckte ihr tränennasses Gesicht mit Küssen.

»Hier in Washington hatte ich das größte Erlebnis meines Lebens.«

»Wa… as für ein Erlebnis?«

»Dich.«

»Ach, Ja… ake, Ja… ake, Ja… ake! Du bist doch auch meines! Nimm mich mit! Ich gehe mit dir nach Deutschland. Ich gehe überallhin, wo du hingehst! Ich schwöre, ich werde dir eine gute Frau sein…« Er zuckte zusammen. »…keine Angst… du mußt mich nicht heiraten… Nur bei dir sein will ich, bei dir sein…«

»Jill, sei vernünftig, bitte. Es reißt mir ja selbst das Herz aus dem Leibe, daß ich dich verlassen muß. Aber meine Fabriken, meine Illustrierte, die vielen Menschen, für die ich zu sorgen habe…« (Und jetzt, pathetisch:) »Ich werde wohl immer alleinbleiben müssen…«

»O… oooh!« Neues Aufschluchzen. (Hoffentlich protestieren die Nachbarn nicht wieder, dachte Jakob nervös. Bei der zweiten Schlittenfahrt hat so ein ᴀuhund an die Wand neben Jills Bett geklopft. Zugegeben, sie lärmte ein wenig sehr… Ich muß zur Sache kommen.)

Er kam. »Senator Connelly hat mich – mich, der ich nur das Beste für ihn und dieses Land will! – zutiefst beleidigt. Das kann ein Mann wie ich sich nicht bieten lassen!«

»Mein Gott, Jake, sprich nicht so! Bob hat es gewiß nicht so gemeint...«

»Wer?«

»Bob... Robert... der Senator...« Das Schluchzen wurde sehr laut. »O Gott, was wirst du jetzt bloß von mir denken?«

Das pflegen die Mädchen in Deutschland nachher auch immer zu sagen, dachte Jakob und sagte, wobei er Jills Haar und darunterliegende Körperpartien streichelte: »Denken? Was für ein Unsinn! Es war mir vom ersten Moment an klar, daß du seine Geliebte bist!«

»Sprich nicht so!« (Sehr schrill! Die Nachbarn!)

»Leise, Jill, leise! Ich meine... daß euch eine innige Beziehung verbindet. Oder stimmt das nicht?«

»Wenn du wüßtest, wie schwer das oft für mich ist!«

»Nicht doch. Warum denn?«

»Jake! Er ist dreiundsechzig! Ich bin achtundzwanzig!«

»Das ist allerdings schlimm, mein Kind. Aber wenn es so schwer für dich ist, warum um alles in der Welt verläßt du ihn dann nicht?«

»Ver... lassen?«

»Ein Mädchen mit deinem Aussehen! Ein Mädchen mit deiner Intelligenz!«

Sie sah ihn aus riesengroßen blauen Augen an. Die Unterlippe bebte. »Ja, hast du es denn noch nicht bemerkt, Liebster?«

»Was, Schatz?«

»Daß ich doof bin!«

»Daß du was bist?« Er sah sie entgeistert an. Rot und blau und grün wurde ihr Gesicht. (Ein neues Feuerwerk war losgegangen. Die folgende Konversation wurde unter dauernden Blitzen, Farbenspielen und krachenden Detonationen geführt.)

»Doof! Doof! Doof wie ein Ei! Ich bin das, was man hier die ›doofe Blonde‹ nennt! Und das hast du nicht gemerkt?«

»Nein!«

»Du willst mir nur etwas Liebes sagen!« Immer reden lassen jetzt, dachte Jakob, dem eine Idee gekommen war. Nicht widersprechen oder unterbrechen. Immer lassen. Aus der armen Jill brach es heraus: »Deshalb bleibe ich ja bei Bob... entschuldige, bei dem Senator... Weißt du, wie schwer es ist, einen gutbezahlten Job zu bekommen in dieser Stadt, wenn man doof ist? Überall hatte ich es schon versucht, sogar im Pentagon, im Verteidigungsministerium. Da wird es nicht so auffallen, habe ich gedacht... Hast du ein Taschentuch?« Er reichte es ihr. Sie blies hinein, daß es donnerte. »Es *ist* aufgefallen! Sogar im Pentagon! Dann... dann lief mir Bob über den Weg... Verknallte sich in mich... Ich wurde seine Chefsekretärin...

Natürlich habe ich mir dann auch seine Liebe gefallen lassen müssen! Kannst du dir das denn nicht vorstellen? Du... du darfst Bob nicht böse sein! Er ist es auch nicht!«

»Nein. Er hat mich aus lauter Jux und Tollerei angebrüllt und hinausgeworfen, wie?«

»Er – mein Gott –, er ist eben auch kein Geistesriese! Das liegt in der Familie...« Weiß der Himmel, dachte Jakob, indem er sich an den Sohn in Wien erinnerte. »...und dazu jähzornig! Sonst ist er der gütigste Mensch von der Welt. Nur eben ein wenig tralala und jähzornig. Furchtbar manchmal! Aber... aber daran ist nicht er schuld...«

»Sondern wer?«

»Cindy, seine Frau. Die ist wie direkt der Hölle entsprungen! Du machst dir keine Vorstellung, was Bob zu leiden hat! Diese dauernden Drohungen! Immer droht sie ihm! Jetzt mit Truman und Dewey. Hat sie ihm nicht mit Dewey und Truman gedroht?«

»Ja. Wer ist Dewey?«

»Der republikanische Kandidat. Governor des Staats New York. Mein Gott, weißt du denn nicht, daß am zweiten November gewählt wird?«

»Man kann nicht alles wissen, mein Süßes. Hier, noch ein Schlückchen Champagner.« Sie trank brav. Er goß nach. Er fragte, um die Konversation wieder in Schwung zu bringen: »Und?«

»Und da bedroht sie ihn jetzt eben mit der Wahl! Jake, Bob ist kein schlechter Mensch! Er ist herzensgut! Du hast ihn nur in einem unglücklichen Augenblick getroffen.«

»Was heißt das?«

»Als Cindy anrief, da brachen alle seine Dämme unter dem Aggressionsstau...«

»Unter dem was?«

»Er wird von Cindy dauernd gedemütigt und getreten! Also entwickeln sich Aggressionen... die muß er abreagieren... sonst wird er krank! Und ausgerechnet dich hat der Stau treffen müssen...«

Er nickte ernst, dachte: Stau? Aggress... was soll das? und sagte todernst: »Ja, wenn es so um ihn steht...«

»Viel schlimmer. Fünfmal in der Woche geht's auf die Couch!«

»Mit dir? Mein Armes...«

»Auf die Couch von seinem Analytiker!«

»Er – hrm – geht fünfmal in der Woche zum... Nervenarzt?«

»Ja! Sage ich doch!«

»Hrm.« Jakob räusperte sich noch einmal. »Gehst du etwa auch zu einem?«

»Natürlich! Zu demselben. Ich komme immer nach Bob dran...«

Sie sagte erschüttert: »Ich habe ein Frustrationssyndrom!«

»Natürlich... ein Fru... ein ...drom... Er dreiundsechzig... und du...«

»Ach, wenn es nur das wäre...« Jill schluchzte plötzlich herzzerreißend. Nun sind wir ja wohl auf dem rechten Weg, dachte Jakob und forschte behutsam weiter: »Was ist denn noch?«

»Er will doch immer, daß ich...«

»Daß du was, mein Kind?«

»Daß ich... Nein, ich kann es dir nicht sagen, Jake, ich schäme mich so sehr!« Neuer Tränenstrom. Dann: »Ich bin gemein... Ich sollte mich schämen... aber ich habe ein Frustrationssyndrom!«

»Seinetwegen«, murmelte Jakob.

»Ja, seinetwegen!« Jill überkam neuer Seelenschmerz. Sie mußte die Augen schließen. »Und es wird schlimmer! Ist dir aufgefallen, in welchem gereizten Zustand wir zusammenarbeiten? Ist dir aufgefallen, wie traurig ich war?«

»Ja, das ist mir...«

»Immer traurig! Immer verzweifelt! Immer von Bob gequält!«

»Gequält? Inwiefern?«

»Er will, daß ich... nein, ich kann nicht, ich kann nicht!«

»Ein bißchen wird's schon gehen! Na! Nur Mut!«

»Aber du darfst mich nicht anschauen dabei! Dreh dich um... ja, so... Also er... er...«

»Na!«

»Er ist nicht normal, Jake!« brach es hinter seinem Rücken aus der Unglücklichen hervor.

»Das habe ich schon gemerkt. Das Nazi-Museum, das er sich da eingerichtet hat...«

»Ach, wenn's nur ein Museum wäre!«

»Wie?«

»Er war doch in Wien, nicht wahr, wegen seines Sohns! Und wegen dieses... dieses...«

»Werwolfs«, half Jakob dezent.

»Ja... ha! Und damit fing das Unglück an! Seines! Meines! Vor allem meines!«

»Unglück? Deines?«

»Er... er hat sich da was weggeholt, sagte Doktor Watkins.«

»Wer ist Doktor Watkins?«

»Unser Analytiker.«

»Was hat er sich denn weggeholt?«

»Als er zurückkam, brachte er schon einen Haufen von dem Nazi-Zeug mit. Seitdem sammelt er immer weiter und weiter und wird immer verrückter und verrückter.«

»Na, laß ihn doch!«

»Er wird auch mit mir verrückter, Jake! Zuerst war er... war er ganz normal... ein älterer Herr eben... treu-amerikanisch, verstehst du?«

»Ich verstehe…«

»Aber als er aus Europa zurückkam, ging es los. Er… er… mein Gott, ist mir das peinlich…«

»Mir kannst du es doch sagen, Liebste!«

»Ja, dir kann ich… Was seinem Sohn passiert ist, das hat ihn verwandelt! Vollkommen! Er hat von mir verlangt, daß ich eine SS-Kappe aufsetze, so eine mit dem Totenkopf, und solche Schaftstiefel anziehe, wenn… wenn wir es tun… und eine Peitsche nehme und ihm den Hintern vollhaue…«

»Mein lieber Mann!«

»…oder ich muß ihm den Rücken zerkratzen. ›Fester!‹ schreit er dann immer. ›Fester!‹ Bis er blutet. Und mir brechen die Fingernägel ab dabei…«

»Mein armes Kind…«, sagte Jakob erschüttert – und zugleich beglückt über eine Möglichkeit, die er sah.

»Und dazu muß ich ihn noch die ganze Zeit beschimpfen und bedrohen…«

»Was mußt du denn sagen?«

»Imperialistenschwein! Wallstreet-Hyäne! Deine Stunde hat geschlagen! Lauter solchen Blödsinn…«

»Aber warum?«

»Na, weil ich doch ein Werwolf bin!«

»Was bist du?«

»Ein Werwolf! In seiner Phantasie! Was da mit seinem Sohn passiert ist, das muß ihn furchtbar aufgeregt haben… und nun sitzt es im Unterbewußtsein, sagt Doktor Watkins. Er kann nichts dafür, der Arme… Aber ich doch auch nicht! Ich gehe kaputt dabei!«

»Hm…«

»Darum ist er auch so gereizt und so böse auf mich. Weil ich mich weigere… weigere, das zu tun…«

»Seit wann?«

»Seit einem Jahr, eineinhalb Jahren…« Schluchzen. »Doktor Watkins sagt, ich muß fest bleiben… nur so kann man Bobs Manie abbauen… und mein Frustrationssyndrom… Da, sagt Doktor Watkins, müßte ein anderer Mann… Du!… Schüttle nicht den Kopf! Du hast es sofort abgebaut! Sofort! Mein Gott, wie ich dir danke, Jake! Aber jetzt fliegst du weg…«

Er kraulte zärtlich ihren Nacken.

»Vielleicht bleibe ich doch noch ein, zwei Wochen da…«

»Du bleibst?«

»Vielleicht, habe ich gesagt, Jill! Und dein Doktor Watkins hat unrecht.«

»Unrecht?«

»Ja. Du darfst dich einem Mann wie dem Senator nicht von einem Tag zum andern und absolut verweigern. Du siehst ja, wohin das geführt hat. Noch ein paar Monate, und er schmeißt dich raus! Es wird mit ihm doch immer schlimmer und schlimmer! So etwas muß man langsam machen… Mit

Pausen dazwischen... Glaub mir, ich verstehe etwas von solchen Dingen...
Nur so kann man ihn heilen... Und nur so werden zwischen euch wieder
harmonische Zustände herrschen...«
»Was... was willst du denn mit all dem sagen, Jake?«
Jakob sagte ihr, was er ihr mit all dem sagen wollte.

89

»Hier ist Ihr Paß, lieber Mister Formann«, sagte Senator Connelly zwei
Tage später in seinem NS-Museum-Büro. Er hielt Jakob das Dokument mit
einem gelösten Gesichtsausdruck hin. A happy old man. »Und bitte, bitte,
verzeihen Sie mir! Ich... Ich muß von Sinnen gewesen sein... Ich habe
Sie beleidigt... Ich habe Sie gekränkt... Aber Sie waren ja Zeuge des Tele-
fongesprächs mit meiner... hrm... Frau, nicht wahr... Ich habe kein
leichtes Leben, Mister Formann... Bitte, so nehmen Sie doch endlich
Platz...«
Jakobs Gesicht war versteinert.
»Nein, Senator, so einfach geht das nicht. Sie haben sich – ich muß es leider
sagen – skandalös benommen. Ich wäre nie mehr zu Ihnen gekommen,
wenn ich nicht meinen Paß brauchte, um dieses Land augenblicklich zu
verlassen...«
»Nicht augenblicklich, Mister Formann!«
»Ganz bestimmt augenblicklich, Senator!«
»Das dürfen Sie nicht! Das können Sie nicht!«
»Und ob ich es kann. Mir reicht es!«
»Mein Gott, ich sagte Ihnen doch, meine Frau...«
Jajaja, dachte Jakob. Rede du nur. Er hatte beim Kommen Jill Bennett im
Vorzimmer gesehen. Lächelnd und stumm hatte sie ihm beide Hände hin-
gehalten. Die Fingernägel waren gesplittert oder abgebrochen gewesen.
Das ist die wahre Liebe, hatte Jakob gedacht und Jill zärtlich in den Nacken
geküßt.
»Sie können nicht weg jetzt, Mister Formann, denn ich habe mit dem Pen-
tagon gesprochen!«
»Na ja, und?« Jakob hob eine Augenbraue.
»Sie kommen aus Österreich, habe ich gesagt. Fast alle Wirtschaftsberater
des Weißen Hauses sind Österreicher. Österreichische Geschäftsleute wa-
ren zu allen Zeiten bei uns sehr beliebt...«
»Jajaja. Und?«
»Und das Pentagon kauft Ihnen erst mal tausend Fertigbau-Truppenunter-
künfte ab.«
»So. Na, sehr schön.« Jakob ließ sich gelangweilt in einen Sessel fallen.
»Und was zahlen die Herren?«

»Das hängt von Ihrer Tüchtigkeit ab, Mister Formann! Ich habe gesagt, ich kenne Sie als seriösen Geschäftsmann! Die Herren erwarten Sie. Ich habe noch eigens ein weiteres Empfehlungsschreiben an den Verteidigungsminister diktiert... Moment!« In die Sprechanlage: »Liebe Jill, würden Sie wohl bitte den Brief betreffend Mister Formann hereinbringen?«

»Gerne, Senator«, kam Jills Stimme aus dem Lautsprecher. Sanft und ruhig. So erschien sie gleich darauf auch in persona. Sie legte Connelly ein getipptes Schreiben auf den Tisch. Neben das zierliche Modell eines Do-Raketenwerfers. Und sah dabei lächelnd zu Jakob herab, wobei sie ihm einen Zettel in die Hand gleiten ließ. Der Senator las stehend, was er diktiert hatte. (Er stand die ganze Zeit.)

Jakob entfaltete vorsichtig den Zettel und las: ›Heute abend um 8 Uhr wieder bei mir?‹

Er nickte.

In Jills Gesicht ging die Sonne auf.

Der Senator strahlte Jill an.

»Ich danke Ihnen, liebe Jill. Das haben Sie wunderbar getippt.«

»Danke, Senator.« Jills Hüfte streifte Jakobs Schulter, als sie hinausging. So ist es schön, dachte Jakob. Er sah gerne glückliche Menschen.

Der Senator nahm stehend einen besonders schönen Plastic-Kugelschreiber zur Hand, um seine Unterschrift auf dem Brief anzubringen. Der Stift lag ihm schräg in der Hand. Jakob blinzelte. In dieser Lage sah man auf dem Schaft ein nacktes Mädchen – in Farben! Der Senator stellte den Stift gerade – das Mädchen war verschwunden.

»Toll«, sagte Jakob.

»Was? Ach so, das kleine Spielzeug hier! Ja, das ist schon komisch, hahaha! Wollen Sie mal...?«

Jakob wollte mal.

Er bekam den Kugelschreiber und kippte ihn immer wieder. Immer wieder tauchte die Nackte auf und verschwand.

»Ach, das bringt mich auf eine Idee, Senator...«

»Ja?« Connelly überschlug sich vor Herzlichkeit. »Was für eine Idee, lieber Mister Formann?«

»Ich... äh... ich bin auch hier, um Lizenzen für die Fabrikation von Plastics zu kaufen. Das ist ja eine Riesenindustrie bei Ihnen, habe ich gehört.«

»Stimmt.«

»In Deutschland gibt's das überhaupt noch nicht...« (Hier irrte Jakob. Auch in Deutschland gab es Plastics – schon seit langer Zeit. Es war Jakob indessen nie aufgefallen, daß zum Beispiel die Gehäuse der ›Volksempfänger‹-Radios, die der ›geliebte Führer‹ dem deutschen Volke beschert hatte, aus Plastic gewesen waren – nur hieß das in Deutschland ›Kunststoff‹. Und Deutschland hinkte in Sachen ›Kunststoff‹ ganz erheblich hinterher.) »Das ist eine hochinteressante Sache und...«

»Warten Sie!« Der Senator wollte sich setzen, schnellte aber mit einem Wehlaut wieder empor. (Junge, muß Jill den bearbeitet haben, dachte Jakob und drückte herzlich die alte Hasenpfote.) »Da kann ich Ihnen weiterhelfen! Ich bin bestens befreundet mit dem Boß eines der größten Plastic-Konzerne in den Staaten. Rufe ihn gleich mal an...«

»Wirklich, Sie machen sich zuviel Mühe, Senator!«

»Mühe? Es ist mir doch eine Freude!« Connelly stand über die Telefon-Sprechanlage gebeugt und flötete: »Ach, liebe Jill, verbinden Sie mich doch mit Boston. Donald... ja, sehr richtig, Donald Atkinson! Ich danke Ihnen, liebe Jill!«

Drei Minuten später war das Gespräch da. Der Senator führte es im Stehen. Ab und zu massierte er mit seiner freien Hand den Rücken dabei. (Der muß auch hübsch aussehen, dachte Jakob.) Es war ein überaus freundschaftliches Gespräch...

»...Jakob Formann! Österreicher! Großartiger Mann, ganz hervorragend... Werdet euch glänzend verstehen... Hat hier noch so zwei Wochen zu tun... Was?... Geschäfte mit dem Pentagon!... Ich sage dir ja, ein toller Kerl!« Connelly blinzelte Jakob zu. »... Riesenauftrag, ja! ... Muß noch verhandeln... Aber dann kann er zu dir nach Boston kommen... Wie?... Weiß ich nicht... Lizenzen für die verschiedensten Arten von Plastics! Du wirst was... wie?... Ach so, sehr gut, du wirst ihm deine Werke zeigen... Auf diese Weise sieht er halb Amerika, hahaha! Zwanzig Staaten und... Ja... Nein... Ja... Das wäre natürlich äußerst nützlich... einen Experten! Einen erstklassigen Experten, der mit meinem Freund Formann zurück nach Europa fliegt und das ganze Know-how mitbringt! Prima, Don, prima... Bitte?... Nein, da kannst du ganz beruhigt sein! Für den Mann bürge ich! Der ist okay! Hat tadellose Bankverbindungen. Und verdient ja mehr als genug, wenn er vom Pentagon den Riesenauftrag bekommt. Großer Mann in Deutschland! Übrigens, das ist doch klar, Don, alter Junge: zwanzig Prozent für mich!... Na, *ich* bringe dir doch diesen Mann! Dieses Geschäft!... Zehn Prozent? Kommt nicht in Frage! Dann schicke ich meinen Freund woanders hin... Wie? Also meinetwegen, fünfzehn Prozent für mich. Okay, Don, okay! Nichts zu danken...«

90

In Amerika gibt es viele vornehme und feine Städte.

Die vornehmste und feinste Stadt Amerikas heißt Boston, sagen die Bewohner von Boston. So was von vornehm und fein gibt es nur einmal! Am 20. September 1948, abends, traf Jakob Formann, mit dem Flugzeug aus Washington kommend, hier ein. Alle Menschen in Boston sind fein und vornehm.

Jakob war vergnügt und munter. Er hatte einen Riesenauftrag des Pentagon in der Tasche und köstliche Wochen mit Jill Bennett hinter sich. (Jills Frustrationssyndrom war von Jakob völlig zum Verschwinden gebracht worden.)

Natürlich wohnte er im RITZ, dem vornehmsten, feinsten und altehrwürdigsten Hotel von Boston. Die feinen, vornehmen und altehrwürdigen Herren an der Reception und in der Portierloge empfingen ihn hochachtungsvoll. Er hatte reserviert und wurde also erwartet. Der vornehmste und feinste Bostoner Portier sagte zu ihm in dem mit Recht bestaunten feinen und vornehmen Bostoner Englisch: »Wir haben seit Stunden ein Gespräch für Sie, Sir. Der Herr ruft immer wieder an. Wir sind auch im Besitz seiner Nummer. Sie möchten sich bitte sofort bei ihm melden.«

»Was für ein Herr?« fragte Jakob.

»Ein gewisser Jesus Washington Meyer aus Tuscaloosa in Alabama, Sir.«

»Jesus!« Schon rannte Jakob zum Lift. »Verbinden Sie mich in zwei Minuten, wenn ich auf meinem Zimmer bin!«

»Sehr wohl, Sir«, sagte der Portier. Er war erstaunt und ein wenig indigniert. Im RITZ wird niemals gerannt.

Fünf Minuten später – Jakob hatte gerade die Jacke ausgezogen und die Krawatte abgenommen – klingelte der Apparat neben seinem Bett. Er riß den Hörer ans Ohr.

»Hallo, Jesus!« schrie er begeistert und auf Englisch.

»Grüß Gott, Jakob«, sagte eine Männerstimme, deutsch mit stark österreichischem Akzent. Jakobs Hand begann zu zittern. Um ein Haar wäre ihm der Hörer entglitten. »Endlich bist da, Burschi. Was ich mich freu', daß ich deine Stimme hör'!«

»Je... je... Wer sind Sie?«

»Na, der Jesus, Burschi.«

»Du... Sie... Sie sind nicht Jesus! Sie können es nicht sein!«

»Kloa kann ich's sein. Kloa bin ich's. Was hast denn?«

»Jesus Washington Meyer?«

»Sag' i doch!«

»Aus Tus... Tus... Tuscaloosa, Alabama?«

»Sag amal, bist du deppert, Burschi?«

Na also, dachte Jakob, es geht los. Es ist soweit. Ich bin reif für die Klapsmühle. Zuviel Arbeit. Zuviel Liebe. Zuviel Streß. Jetzt hat's mich erwischt.

»Wa... Wa... Waren Sie im Krieg Soldat?«

»Nona!«

»In... in Wien... bei der MP?«

»Zuerst in Wean und nachher in Linz, na, in Hörsching, dem Drecksnest, wo der Fliegerhorst war. Hearst, was ist denn los mit dir? Bist du bsoffn?«

»Tot... tot... tot...«

»Was?«

»Total nüchtern.«

»Des glaub' i dia net.«

Herrgott, hilf! Ich bin verrückt geworden, dachte Jakob verzweifelt.

»Du hast doch mit mir z'samm' gearbeitet, Burschi! Weißt es nimmer? Die Gschicht mit dem depperten Colonel Hobson und unsere Eia?«

»Eier? Ich habe in meinem Leben nur mit *einem* Jesus Eier geklaut!«

»Endlich...«

»Nichts endlich! Das war ein Schwarzer!«

»I bin noch imma a Schwarzer!«

»Der kein Wort Deutsch verstanden hat!«

»Na, jetzt versteh' i halt Deitsch!«

Jakob brüllte los: »Wer macht sich da einen schlechten Witz mit mir? Antworten Sie! Los, antworten Sie!«

Aus dem Hörer kam eine sanfte Stimme: »Mei Hasenpfote hat dir aba Glück gebracht, Jakob!«

»*Jesus!*« schrie Jakob. »Du *mußt* Jesus Washington Meyer sein! Kein anderer Mensch hat mir eine Hasenpfote geschenkt!«

»Nur i!«

»Nur du! Aber wieso sprichst du so österreichisch?«

Tiefes Lachen. Dann: »I hab' mir denkt, ich mach' dir a Freud damit. I hab' nämlich eine Linzerin mitgenommen nach Haus. Geheiratet noch in Linz. Die Fanny.«

»Die Fanny...«, wiederholte Jakob blödsinnig.

»Ein süßes Madl! Die beste Frau von der Welt!«

»Wie... Wieso weißt du, daß ich in Boston bin? Und in diesem Hotel?«

»Napoleon.«

»Was?«

»Napoleon is ana von de Wagenmeister im ›Ritz‹. Der hat g'hört, daß du reserviert hast. I hab' eahm von dir erzählt. Wie die ganze Familie hier bei uns z'sammg'sessen is, nach meina Heimkehr. I hab' dir doch immer g'sagt, wir san a sehr a große Familie, net?«

»Ja...«

»Der Napoleon, des is a Vetter von mir.«

»Aha.«

»Also, wann kummst zu mir?«

»Vorläufig habe ich noch dringend hier zu tun, Jesus. Plastics. Lizenzen kaufen. Ein paar Wochen. Vielleicht drei, vier... aber dann sofort!« Jakob richtete sich auf, wieder der alte Jakob. »Es wird Arbeit geben, wenn ich komme, Jesus.«

»Für wen?«

»Du kannst es noch nicht wissen«, sagte Jakob. »Seit zwei Minuten bist du mein Generalbevollmächtigter für die Vereinigten Staaten.«

91

»Bevollmächtigter für was?« fragte Jesus Washington Meyer. Das war am Nachmittag des 26. Oktober 1948. Bis Birmingham, Alabama, war Jakob geflogen, dann hatte er einen Leihwagen genommen. Einundzwanzig Lizenzen von ›Atkinson's Plastics‹ trug Jakob in seinem Diplomatenkoffer.

»Bevollmächtigter, Punkt«, sagte Jakob zu Jesus. »Zuerst einmal dem Pentagon gegenüber für Fertigbauhäuser nach deutschem Patent, aber sei sicher, da kommt noch ein Haufen dazu! Ich hab' gerade erst angefangen. Ich brauche noch mehr Leute. Wo sind eigentlich Mojshe und Misaras?«

Jesus schüttelte betrübt den Kopf. »Ich bin zuerst aus der Army entlassen worden. Danach ist jede Verbindung abgerissen. Weiß Gott, wo die beiden stecken.«

Sie sprachen englisch miteinander. Zur Begrüßung hatte der baumlange Neger noch österreichisch gealbert. Auf die Dauer ging das nicht. Es wurde ihm zu anstrengend. (Von der Begrüßung am Telefon hatte er das meiste mit Hilfe seiner blonden jungen Frau, der Fanny, auswendig gelernt, um Jakob zu erschrecken, freudig zu erschrecken, versteht sich.)

Die Fanny war dem Jakob sogleich sympathisch gewesen und er ihr. Im übrigen hatten ihn außerdem an die zwanzig Familienangehörige (längst nicht alle, nur jene, die gerade in Tuscaloosa waren!) empfangen wie einen uralten Freund. Sie alle wußten von Jesus, wer Jakob war.

Jakob schwitzte. Hier unten war es mächtig heiß. Die ›Main Street‹ – Sechste Straße hieß sie – sah aus wie alle Hauptstraßen in den kleinen Städten des Südens. Ein- und zweistöckige Häuser, Ziegelbauten der Hotels. Tankstellen. Modegeschäfte. Warenhäuser, Bars, Restaurants. Das Bürgermeisteramt, das Polizeigebäude. Als Jakob in Tuscaloosa einfuhr, hatte er einen Schrecken bekommen.

Jesus wohnte außerhalb der Stadt, in einem geräumigen Haus. Er hatte erstaunlich viel Grundbesitz. Und den größten Hof weit und breit. Auf den Feldern sah Jakob durch die Fenster des Wohnzimmers Menschen arbeiten, gebückt, langsam, in der brütenden Hitze.

»Du mußt raus hier, Jesus!« An der Decke des Zimmers kreiste surrend ein Ventilator.

»Raus, wohin?«

»Nach Norden! In eine Großstadt! Hier, das ist doch...«

»Was?«

»Nichts...« Jakob schämte sich.

»Dreck und Armut meinst du, wie?« Jesus sah ihn an.

Jakob nickte.

»Eben der Arsch der Welt. Weißt du, wie viele Hunderttausende in Wellblechhütten oder überhaupt im Freien leben von uns Negern? Mann, wenn irgendwo Fertighäuser gebraucht werden, dann hier!«

»Ja«, sage Jakob. »Da ist was dran. Überhaupt der ganze Süden.«

»Siehst du! Natürlich müßte ich Büros in einer großen Stadt mieten, das sehe ich ein.«

»Es geht nicht um die Büros«, sagte Jakob leise. »Ich habe Angst! Ich habe in meinem Leben noch nicht solche Angst gehabt! Um euch Schwarze!«

»Unsinn! Die Weißen sind ... na ja, manche natürlich nicht ... aber die meisten sind sehr nett zu uns! Und mir hat noch keiner was getan! Ich habe weiße Freunde und eine weiße Frau.« Jesus lachte.

»Was ist so komisch?«

»Meine weiße Frau.« Jesus hörte auf zu lachen. »Es ist schon eine Schande, was mit uns Negern geschieht, da hast du recht! Die ›Segregation‹ – also die Absonderung der Weißen von den Schwarzen –, hier ist sie komplett! Warum ich gelacht habe? Paß auf: Fanny und ich haben doch noch in Linz geheiratet, nicht?«

»Ja und?«

»Und als ich dann mit ihr hierherkam, haben sie mir sofort erklärt, daß die Heirat ungültig ist.«

»Ungültig?«

»Ja! Im Staat Alabama gibt es ein Gesetz, das eine Ehe zwischen Schwarzen und Weißen verbietet. Natürlich gilt das Gesetz grundsätzlich für weiße Männer und schwarze Mädchen! In meinem Fall war's umgekehrt! Mensch, Jake, ich habe vielleicht einen Wirbel gemacht! Gut genug für die Invasion war ich, gut genug für den ganzen Scheißkrieg! Und dann darf ich nicht mit einer Weißen verheiratet sein? Bis zum Obersten Bundesgerichtshof bin ich gegangen! Dort habe ich die Anerkennung meiner Ehe mit Fanny dann endlich durchgesetzt!«

»Ich finde das gar nicht lustig, Jesus.«

»Aber ich *habe* die Anerkennung erhalten, Jake! Glaub' bloß nicht, daß das so bleiben wird, wie es jetzt ist.«

»Das glaube ich ja nicht. Es wird schlimmer werden«, sagte Jakob.

»Schlimmer?« Jesus lachte wieder. »Besser! Nach der Wahl im nächsten Monat wirst du staunen! Und überhaupt! Wie viele Neger werden von den Weißen vergöttert? Duke Ellington! Lena Horne, die Schauspielerin und Sängerin! Paul Robeson, auch ein Schauspieler! Joe Louis! Doktor Drew, der große Mediziner!«

»Das sind nicht sehr viele, Jesus!«

»Ich kann dir noch ein paar Dutzend andere nennen!«

»Ein paar Dutzend andere sind auch noch nicht sehr viel, Jesus.« Jakob faßte seinen Freund bei der Hand. »Paß auf, mein Alter. Ich bin über den Highway elf hergekommen. Bei der Ortseinfahrt habe ich die vielen Tafeln und Schilder gesehen. Die sieht man überall, ich weiß. Immer heißt es ›Welcome to‹ oder ›Home of‹. Jede Stadt in Amerika ist das ›Heim‹ von irgend etwas. Von Käse. Von Wurst. Von einer Automarke. Einem bestimmten Whiskey. Das meine ich nicht. *Eine* Tafel habe ich gelesen, Jesus, *eine* Tafel, bei der hat mir der Atem gestockt. Es war ein großes Ding, und darauf gemalt war ein vermummter Reiter in Weiß, und darüber hat gestanden: ›Welcome to Tuscaloosa, Home of the Ku-Klux-Klan‹. Der Ku-Klux-Klan hat hier sein Hauptquartier, Jesus! Und das weißt du doch, Mensch! Und du bist doch ein Schwarzer! Ich flehe dich an, verkauf alles und geh nach Norden, bevor es zu spät ist!«

Jesus schüttelte den Kopf. »Dir sitzen noch die Nazis in den Knochen, Jake. Ku-Klux-Klan. Na schön. Aber es gibt auch noch die Polizei und die National Guard und Washington und Gesetze, und ich sage dir, wenn die Wahlen erst vorbei sind, wenn Dewey erst gewonnen hat, dann ist hier Schluß mit dem Ku-Klux-Klan! Dewey räumt auf! Der läßt den Ku-Klux-Klan niemals zu!«

»Und wer sagt dir, daß Dewey gewinnt?«

»Jeder, mit dem du sprichst, Jake! Das ist sicher. Absolut sicher! Mit Truman ist es aus. Alle großen Meinungsforscher sagen das. Das Gallup-Institut! Kommentatoren von Walter Lippmann bis Dorothy Thompson! Der Sieger heißt Dewey! Du kannst darauf wetten! Und wenn erst Dewey da ist, dann wird hier alles genauso wie im Norden, dann gibt es keine Rassendiskriminierung mehr, keinen Ku-Klux-Klan! Und wegen der paar Tage soll ich noch daran denken, wegzuziehen?«

»Tja, wenn ihr so an Dewey glaubt…«

»Er hat ein Herz für die Schwarzen. Er haßt jede Ungerechtigkeit.«

»Woher weißt du das?«

»Das sagt er jeden Tag, und jeden Tag hält er zehn Reden! Die beiden reisen durchs Land, weißt du, der Truman und der Dewey, seit über einem Monat. Ich vertraue Dewey. Wir alle hier vertrauen Dewey!«

Jakob gab es auf.

»Ja dann… Was hast du vorhin gesagt?« In seinem Kopf arbeitete es schon wieder. »Man kann darauf wetten?«

»In diesem Land kannst du auf alles wetten, Jake! Auf Truman wetten ist reiner Wahnsinn. Auf Dewey mußt du schon sehr hoch setzen, denn die Quoten werden niedrig sein. Das heißt: Ich müßte für dich setzen! Weil ich Amerikaner bin. Du darfst nicht. Ich müßte mit dir zu einem Buchmacher nach Phoenix fahren. Da kriegst du ein Formular und füllst es aus, und es wird verschlossen, und mein Name mit meiner Adresse kommt drauf, ich kriege den Kontrollschein, und du zahlst das Geld ein. Du kommst doch jetzt bestimmt bald wieder in die Staaten…«

»Da kannst du Gift drauf nehmen, Jesus.«

»…und dann habe ich das Geld schon für dich! Wie gesagt aber: Bei einem so sicheren Sieg von Dewey mußt du schon was ausspucken, damit bei der niederen Quote überhaupt noch was rauskommt!«

92

In der Nacht des 2. zum 3. November 1948 flog Jakob vom ›La Guardia‹-Flughafen in New York zurück nach Frankfurt. Mit ihm flog des Plastic-Experte von ›Atkinson's Plastics‹, Dr. Addams Jones, ein smarter, gutaus-sehender junger Herr. Er stand nun bei Jakob unter Vertrag.

Zwischen Gander und Shannon kam der Copilot aus dem Cockpit und sagte etwas zu einem Mann, der in der ersten Reihe saß. Der sagte es seinem Nachbarn. Der Nachbar sagte es der Dame, die hinter ihm saß. In drei Mi-nuten wußte das ganze Flugzeug Bescheid. Angenehm warm fühlte Jakob sich – wie stets in solchen Situationen. Die Piloten hatten über Funk Nach-richt vom Ausgang der amerikanischen Wahlen erhalten. Der war eine einzige Sensation! Die Passagiere betrugen sich wie irre. Nur Jakob nicht. Jakob saß ganz still und summte ein kleines Liedchen vor sich hin. Entge-gen den Voraussagen aller Meinungsforschungsinstitute, entgegen den Prognosen der berühmtesten politischen Kommentatoren war nicht Dewey Sieger der Wahl – sondern Harry S. Truman!

Na ja, dachte Jakob, so ein kleiner Tritt in den Hintern war bei mir eigent-lich schon überfällig. Schade um das viele schöne Geld, das ich auf Dewey gesetzt habe. Jesus kann was erleben, wenn ich ihn nächstes Mal sehe!

Als sie dann auf dem Rhein-Main-Flughafen landeten, hörten alle eine weibliche Stimme aus den Lautsprechern: »Herr Jakob Formann... Herr Jakob Formann... soeben gelandet mit PAN AMERICAN AIRWAYS aus New York... Bitte, kommen Sie zum Informationsschalter! Wir haben eine Nachricht für Sie! Herr Jakob Formann aus New York, bitte...«

»Warten Sie einen Moment«, sagte Jakob zu seinem Experten. Übernäch-tigt, unrasiert und mit schmerzenden Knochen ging er zum Informations-schalter. Das wird Jesus sein, dachte er. Hat mir vermutlich ein Telegramm geschickt. Entschuldigt sich.

Eine Blondine lächelte ihm entgegen. »Herr Jakob Formann?«

»Ja.«

»Wir haben ein Telegramm für Sie.«

»Ich weiß. Danke.« Jakob nahm den Unschlag und riß ihn auf, zog das Te-legramm heraus und las. Danach mußte er sich ganz schnell auf eine Bank setzen, sonst wäre er umgefallen. Der Text des Telegramms lautete:

```
x lieber jakob du gluecklicher hund stop du musst
besoffen oder verrueckt gewesen sein als du in
phoenix den wettschein ausgefuellt hast stop hast
versehentlich auf truman gewettet stop gewinn von
dollar 234.587 wiederhole 234.587 dollar liegt bei
mir zu deiner verfuegung stop gott segne dich jesus x
```

93

x 3. nov. 1948 x 20.41 x jesus washington meyer sixth
street tuscaloosa state of alabama usa x hebe geld
fuer mich auf und ueberweise sofort dollar 50.000 an
miss jill bennett 126 huston street washington besten
dank und herzliche gruesse stop dein lieber freund
jake x

94

»E... E... Es ist so we... weit... Zwölfter Mai neunzehnhundertneunund-
vierzig... Nu... null Uhr eins... D... Der Schlagbaum hebt sich hier am
Kontrollpunkt Helmstedt... D... Die Blockade ist zu Ende... B... Be...
Berlin ist kei... keine Insel mehr...«
Der Mann, der diese Worte, langsam und stotternd, keineswegs lallend,
obwohl seit Stunden trinkend, in ein Handmikrofon sprach, war Klaus Mario Schreiber. Seine Akne blühte, daß es eine Freude war! Das Mikrofon
war verbunden mit einem Tonbandkoffer, der sich auf dem Wagenboden
eines brandneuen Porsche hinter den Vordersitzen befand. Die Spulen des
Apparates drehten sich langsam, grün glühte das magische Auge des batte-
riegespeisten Magnetofons, das ebenfalls brandneu war und lächerliche
zweiundzwanzig Kilogramm wog.
»...so also sieht das E... Ende aus«, sprach Schreiber. »Und so der A...
Anfang! Keine Fa... Fackelzüge vermutlich in Berlin, kein Freudengeheul!
Ein Knipsen am Schalter nach zehn Mo... Monaten Finsternis – und es
wird Licht!... Verflucht, Chef, fa... fahren Sie nicht so nervös! Jetzt ha...
habe ich mir das Hemd mit Whi... Whisky versau... saut!... Fliedersträuße... Fliedersträuße fliegen in die Wagen, die sich vom We... Westen
aus nach Berlin auf den We... Weg machen... OKAY ist na... natürlich dabei...«
Jakob Formann, neben Schreiber am Steuer des Porsche, spuckte fluchend
Fliederblüten aus, während er sich mühte, im Feuer von blitzenden Fotografen und gleißenden Scheinwerfern der Wochenschauleute in keinen anderen Wagen hineinzufahren und gleichzeitig zu verhindern, daß ein anderer Wagen in ihn hineinfuhr.
Klaus Mario Schreiber nahm abermals einen kräftigen Schluck, bevor er
Stichworte für seinen großen Bericht über das Ende der Blockade in das
Mikrofon sprach: »...viele Hu... Hunderte von Journalisten aus der ga...
ganzen Welt... Funkreporter... alliierte Offiziere... Neugierige... Der
Schla... lagbaum... wir fahren unter ihm durch... Ha... Haben wir noch

1949 – BRD und DDR

4. April: Nordatlantikpakt (NATO) (Bundesrepublik tritt 1955 bei).

5. Mai: Europarat in Straßburg gegründet (Bundesrepublik tritt 1951 bei).

8. Mai: Der Parlamentarische Rat nimmt das (vorläufige) Grundgesetz für die Bundesrepublik Deutschland (BR) an.

12. Mai: 00.01 Uhr: Aufhebung der Berliner Blockade. In 274718 Flügen kamen 2 Millionen Tonnen Konsumgüter über die Luftbrücke.

24. Mai: Grundgesetz tritt in Kraft.

30. Mai: Sowjetzone: Wahl des »Deutschen Volksrats« durch den »Deutschen Volkskongreß«.

14. August: Wahl des ersten Bundestages.

7. September: Bundestag tritt in Bonn zusammen. Damit ist die BR konstituiert.

12. September: Bundesversammlung wählt Theodor Heuss (FDP) zum Bundespräsidenten (Wiederwahl am 17. 7. 54).

15. September: Heuss schlägt Konrad Adenauer (CDU) zum Bundeskanzler vor. Im ersten Kabinett Adenauer ist Wirtschaftsminister Ludwig Erhard (ab 1950: »Soziale Marktwirtschaft«).

1. Oktober: Mao Tse-tung gibt die Gründung der Volksrepublik China bekannt.

7. Oktober: Verfassung der Deutschen Demokratischen Republik (DDR) in Kraft getreten. Wilhelm Pieck Präsident der Republik, Otto Grotewohl bildet die Regierung.

13. Oktober: Deutscher Gewerkschaftsbund (DGB) gegründet. Beim ersten Empfang des Bundespräsidenten Heuss auf Schloß Brühl wurden pro Kopf für jeden der 1500 Gäste DM 3,50 ausgegeben – für 1/8 Liter Wein, 2 Tassen Tee und etwas Gebäck.

Eine Trambahnfahrt kostet in München 20 D-Pfennige.

»Germans free to travel« – Deutsche dürfen (mit erheblichen behördlichen Schwierigkeiten bei der Genehmigung) ins Ausland reisen.

J. C. E. Shannon u. W. Weaver: »The mathematical theory of communication« – Begründung der Informationstheorie.

Bühne: Werner Egks Ballett »Abraxas« hat Skandale und behördliches Einschreiten (Bayer. Kultusminister Hundhammer) zur Folge.

Erste Buchmesse in Frankfurt am Main.

Bücher: Graham Greene: »Der dritte Mann«; George Orwell: »1984«; C. W. Ceram (Kurt Marek): »Götter, Gräber und Gelehrte«.

Filme: »Der dritte Mann« (USA, Orson Welles, Regie Carol Reed); »Der Engel mit der Posaune« (Österr., Paula Wessely).

eine P... Pulle Whisky? Go... Gott sei Dank. Die ist fast leer. Und wir haben noch ein ordentliches Stück Weg vo... vor uns... Wir fahren... fahren... Fi... Finsternis... Wald... Zwei Kilometer Niemandsland... Jetzt ha... haben wir den sowjetischen Kontrollpunkt erreicht... Nur schwach beleuchtet... Ein paar sowjetische Offiziere, ein paar Volkspolizisten, sehr höflich, aber reserviert... K... Kein P... Publikum... Kei... Keine Freudenstimmung... M... Moment, ich steige aus... Sinnlos... bi... bin schon wieder im Wagen... In den Ko... Kontrollräumen der drei W... Westmächte und der Polizei gibt es nur vier Telefone... Die Journalisten, die ihren Bericht du... durchte... telefonieren wollen, p... prügeln sich... Die Schlagbäume hier sind geöffnet... Wir fahren in die Zo... Zone... Na... Nacht und Finsternis hüllen uns ein... Prima Wa... Wagen, Chef! Das ha... haben wir fein gemacht...!«

»Saufen Sie nicht soviel, Schreiber«, sagte Jakob, angestrengt in die Nacht starrend, während er in der Kolonne der anderen Wagen über die reichlich schadhafte Autobahn sauste.

Er dachte nach.

Seine Gedanken wanderten, wanderten...

Ich muß mit Schreiber nach Berlin, klar. Für OKAY. Senkmann, unser Starfotograf, ist mit einem amerikanischen Offizier gefahren. In dessen Jeep. In meinem Porsche ist kein Platz für drei Leute. Senkmann hat wie ein Verrückter fotografiert da in Helmstedt. Wird wie ein Verrückter fotografieren, wenn wir den Kontrollpunkt Dreilinden von Berlin erreichen... die Avus... den Funkturm... die wieder freie Stadt!

»Verflucht noch mal, ge... geht denn diese Drecksflasche überha... haupt nicht auf?... Ah, jetzt! Endlich...« Schreiber genehmigte sich einen großen Schluck und plauderte weiter: »Die Berliner ha... haben durchgehalten... Da brau... brauchen wir Angaben über die Lu... Luftbrücke... Sucht mir unser Ar... Archiv raus... wie... wie viele Flüge... Abstürze... To... Tonnen befördert... Ta... Tag und Nacht... Sommer und Winter... bei Ge... Gewitter, Schneestürmen und Hagelschauern... in Hi... Hitze und K... Kälte... Wo... Woche für Woche... Monat für Monat... Alle d... drei Minuten ist eine M... Maschine in Tempelhof gelandet, alle drei M... Minuten ist eine zum Rückflug gestartet... Ein K... Krach war das, Chef! Ich wa... war doch dreimal oben! Ihr eigenes Wort haben Sie nicht gehört! Alle drei Minuten ein R... Rosinenbomber! Z... Zehn Monate lang! Prost, Chef!«

»Sie sollen nicht so viel saufen, Schreiber!«

»Jawohl, Chef. N... Nicht s... so viel s... saufen!... Auf Ihr ganz Spezielles, Chef!«

Jakob brummte nur. Er versank wieder in Gedanken. Kinder, wie die Zeit vergeht! Am 3. November war ich wieder in München. Voriges Jahr! November, Dezember... sieben Monate ist das schon her! Hat sich allerhand getan in diesen sieben Monaten. Mit okay sind wir weit über der Halbmillionengrenze. Wir arbeiten nicht länger in der Ruine. Ich habe ein Haus am Karolinenplatz gekauft, das stehengeblieben ist. Einem Schieber hat es gehört, der nach der Währungsreform plötzlich am Ende war und unbedingt weg wollte aus München. Vielleicht nach Frankfurt, wo es noch ein bißchen zu schieben gab. Zwei Millionen D-Mark hat er verlangt für das Riesenhaus. Die habe ich anstandslos als Kredit von der Bank bekommen. Wohnungen für die wichtigsten Mitarbeiter habe ich gekauft. Ich schlafe im Redaktionsgebäude. Zwei Zimmer mit Küche habe ich da. Mir genügt's! Was soll ich mit mehr? Das Pentagon-Geschäft ist fast abgewickelt. Ingenieur Jaschke macht draußen in Murnau Überschichten mit seinen Leuten. Natürlich hat er auch eine Wohnung gefunden und braucht kein Bootshaus mehr. Der Attinger-Bauer hat das Geschäft seines Lebens mit den Klo-Muscheln und Waschbecken gemacht. Alle haben sie ihr Geschäft gemacht. Und machen es weiter!

Der Plastics-Mann, dieser Dr. Addams Jones, den ich in den USA eingekauft habe, der baut drei Werke zur gleichen Zeit aus Ruinen auf! Ein toller Bursche! Glänzend deutsch spricht er. Aber eine Villa an der Elbchaussee in Hamburg habe ich für ihn mieten müssen. Er hat einfach darauf bestanden. Und auf einem VW. Und auf einem Diener. Und... dieser Kerl verlangt dauernd was Neues, mit dem werde ich noch Ärger kriegen, das spüre ich! Und dabei ist er so ein toller Kerl...

Trotzdem, es ist einfach nicht zu fassen, daß mich der Bau aller dieser Werke nicht nur nichts kostet, sondern daß ich daran sogar verdiene! Selber wäre ich nie draufgekommen. Aber der Franzl! Ach, der Franzl...

95

Der Franzl sagte unmittelbar nach Jakobs Rückkehr aus den Vereinigten Staaten, eine dicke Havanna rauchend, noch fetter geworden, in der Ruinen-Redaktion von okay eines Nachts zu Jakob: »Ist dir eigentlich klar, daß du jetzt bauen mußt, bauen, bauen wie ein Verrückter, mein Bester?«

»Soviel Geld, wie ich für alle meine Werke brauche, gibt mir keine Bank, mein Lieber«, sagte Jakob beklommen.

»Stimmt«, sagte Franzl heiter. »Die einfachste Lösung in deiner Lage ist die Selbstfinanzierung von neuen Unternehmen. Und zwar eine Selbstfinanzierung über die Preise und über die Steuer.«

»Was für Preise?«

»Deine natürlich, du Rindvieh! Die Illustrierte *darf* nicht mehr kosten... Die brauchen wir stabil, um die Bankkredite zurückzuzahlen... Aber die Eier, Jakob! Die Fertigbauhäuser! Die, die du für Deutschland baust! Das muß jetzt alles einfach teurer werden, kapierst du?«

»Nein.«

»Gott, gib mir Geduld«, flehte Franzl. »Was wir jetzt nach der Währungs-reform haben, das ist ein sogenannter Verkäufermarkt. Wie es so geht im menschlichen Leben. Auf einem solchen Markt ist nicht der Kunde der Kö-nig, sondern der Verkäufer! Wegen der großen Knappheit kannst du jetzt deine Preise diktieren. Motto: Friß, Vogel, oder stirb. Er wird schon fres-sen.«

»Ach so…«

»Gar nichts mit ach so! Das war erst die Einleitung! Junge, Junge, alles muß ich für dich tun! Schau: Es gibt in der Bi-Zone so etwas wie eine zentrale Wirtschaftspolitik – davon hast du natürlich auch noch nie gehört –, deren oberstes Ziel ist es – und muß es sein! –, einen raschen Ausbau und Aufbau – Aufbau, hab' ich gesagt! – der Produktionskapazitäten zu fördern. Na, und das tut sie.«

»Da hab' ich aber noch nichts von gemerkt, mein Lieber«, sagte Jakob un-schuldig.

»Hast du schon deine Steuererklärung abgegeben?«

»Nein.«

»Drum!« Der schwere Franzl schüttelte erschüttert von soviel Unverstand seinen dicken Quadratschädel. »Der Staat gewährt allen Unternehmen hohe Steuervergünstigungen für Investitionen. Du, als Unternehmer, kannst Riesenbeträge abschreiben. Das ist das Beste und Wirkungsvollste. Und besonders beliebt.«

»Ja, aber…«

»Aber was?«

»Aber… Schau mich nicht so bös an, Franzl… Aber ist das nicht sehr un-sozial?«

»Unsozial? Inwiefern?«

»Na ja, ich meine: Ich, ich habe zufällig Werke und Sachkapital. Die mei-sten Menschen haben das nicht. Die kriegen keine Steuervergünstigungen, die armen Hunde…«

»Verflucht«, schrie Franzl, »mach' mich nicht wahnsinnig! Die armen Hunde müssen in Unternehmen arbeiten, nicht wahr? Dazu müssen aber erst Unternehmen dasein, nicht wahr? Dazu mußt du sie erst bauen, nicht wahr?«

»Ja, wenn man es so sieht«, murmelte Jakob.

»Besonders beliebt ist die Methode, weil bei den Abschreibungen – im Ge-gensatz zum Beispiel dazu, wenn man dich subventionieren würde – ver-borgen bleibt, welche Summen du für dich behältst!«

Der Franzl, dachte Jakob, über die nächtliche Autobahn Berlin entgegenra-send, träumerisch. Ach ja, der Franzl…

Das war vielleicht ein Trick!

So hat er funktioniert: Bei der Ermittlung des Jahresgewinns darf ich als

Unternehmer und Besitzer einer Fabrik auch die zum Teil ›unsichtbaren‹ Kosten berücksichtigen. Also zum Beispiel Wertminderung und Verschleiß der Anlagen, die ich zur Produktion brauche. Das ist noch verständlich. Da man diese Wertminderung von der Steuer her aber niemals einschätzen kann, tut es die liebe Steuer auch nicht, sondern überläßt das mir, dem Besitzer! Und erkennt die Summen, die ich nenne – ohne Widerspruch – an! Was war das? Einen Hasen überfahren werde ich haben. (Gott, mein geliebter Hase, meine über alles geliebte Julia in Theresienkron! Noch immer war ich nicht bei ihr! Die Geschäfte fressen mich auf. Jetzt, gleich wenn Berlin vorbei ist, fahre ich aber zu Julia. Bestimmt!) Wo war ich? Ach ja: ohne Widerspruch! Ich kann also meine Abschreibungen in irrsinnige Höhen treiben, und der Staat sagt kein Wort dazu. Das heißt: einen einigermaßen richtigen Staat, eine einigermaßen richtige Regierung haben wir ja überhaupt bloß in den Ländern. Im Freistaat Bayern. In Niedersachsen. In Württemberg-Hohenzollern. In Württemberg-Baden, und in Baden ohne Württemberg auch noch. Und dann haben wir noch einen ›Parlamentarischen Rat‹. In Bonn. Der soll eine neue Verfassung machen. Und die Staaten in den Ländern haben Regierungen. Und die Regierungen haben Kindermädchen. Das sind die Westalliierten. Die passen schön auf.
Immerhin: Arbeiten tun die Regierungen in den Ländern schon. Besonders auf den Gebieten, die mich interessieren. Auf dem Gebiet der Steuer zum Beispiel...
Ach, glorreicher, wunderbarer Franzl!
Ich habe also meine Abschreibungen abgesetzt in einer Höhe, die fast bis zum Himmel gereicht hat – und das Finanzamt hat keinen Mucks gemacht. Nicht einen einzigen! Dadurch war mein angeblicher ›Gewinn‹ sehr, sehr klein geworden. Obwohl er irrsinnig hoch war! Und nur für den klitzekleinen ›Gewinn‹ habe ich Steuern zahlen müssen...
Na, und so ist mir mein Geld geblieben, und ich habe damit die neuen Werke aufbauen können. *Verdient* habe ich daran, daß ich angeblich *verloren* habe. Meine Eierfarmen und Fertighausfabriken werden mir schon im ersten kompletten Steuerjahr, weil sie Sachkapital sind, mehr als eine Viertelmillion D-Mark einbringen. Dazu habe ich die Preise erhöht! Noch mehr Geld! Also, ich darf mich wirklich nicht beklagen. Das kann doch eben nicht schon der zweite Hase gewesen sein!
Unsinn, diese Autobahn ist kaputt, aber mächtig. Schlagloch nach Schlagloch. Und ich immer feste rein. Krach! Hoffentlich hält der Porsche das alles aus. Mein Porsche. Der erste Porsche, den es überhaupt gibt in Deutschland. Klar, daß ich den haben mußte! War ganz einfach, ihn zu kriegen. Das Volkswagenwerk hat wieder zu produzieren begonnen. Und dann hat der Porsche angefangen. Na ja, und wir haben schon eine ›Auto-Test‹-Seite in OKAY. Schreibt natürlich auch der Schreiber. Es gibt doch nichts, was der nicht schreibt, der alte Säufer, Gott erhalte ihm seine Leber. Jetzt, wo das

Geld was wert ist, sind die Menschen anders geworden. Sie achten auf ihr gutes Geld. ›Marktbewußt‹ heißt das Wort. Marktbewußter sind alle geworden. Das habe ich den Herren von Porsche auch gesagt. Und das mit unserem ›Autotest‹ – und im Handumdrehen hatte ich meinen Porsche. Der Test ist aber auch ausgezeichnet ausgefallen...

96

»Was ist los?« Jakob fuhr aus tiefen Träumereien auf.
»Berlin, Che... Chef«, sagte Schreiber.
»Tatsächlich? Das ging aber schnell... Mensch, wird das hell da vorne beim Kontrollpunkt!« rief Jakob. »Langsam... Ich muß doch sehen, ob der Senkmann schon... Gott sei Dank, ja! Schauen Sie sich an, was sich da tut, Schreiber!«
Der sprach in sein Handmikrofon: »Tau... Tausende von Berlinern... La... Lachen... Winken... Ein Wa... Wagen nach dem andern p... passiert die Sperren, die alle geöffnet sind... Wir... eh... Moment... wir werden gerade von hü... hübschen Mädchen geküßt, die die K... Köpfe in die Wagenfenster stecken... Wieder F... Flieder... Kla... klarer Himmel... Schon hell... Auf der Gegenbahn sehe ich einen Interzo... zonenbus... Zum erstenmal nach zehn Mo... Monaten fährt er wieder in den We... Westen... Da... Darf er wieder fahren. An den K... Kühler geheftet ein Schild, da... darauf steht... steht... ›HURRA, WIR LEBEN NOCH!‹ steht darauf... und da... daneben... ich kann nicht... ka... kann nicht... Zwei Mädchen knu... knutschen... m... mich ab... Da... Das wird ein Tag werden heute, Allmächtiger...«
Vor dem Schöneberger Rathaus feierten sie dann alle: die Militärgouverneure, die Kommandeure der amerikanischen, britischen, französischen Truppenteile, die Delegation des Bonner ›Parlamentarischen Rates‹. Schreiber kam nicht einmal richtig zum Saufen, soviel hatte er zu tun. Und Senkmann wurden die Kameras heiß. Weiter ging's drinnen im festlich geschmückten Saal des Stadtparlaments. Hier dankte das offizielle Berlin dem in wenigen Tagen scheidenden General Clay, dem Schöpfer der ›Luftbrücke‹.
Dann wurden wieder Reden gehalten – drinnen. Draußen standen Tausende von Berlinern und vernahmen, über Lautsprecher, gerührt und verlegen, das Lob, das man ihnen allen spendete.
Festessen. Weitere Toasts.
Am Nachmittag verstopften Hunderttausende dann die Straßen rings um das Schöneberger Rathaus. Viele waren auf Bäume und Dächer geklettert, um die Männer zu sehen, die zu ihnen sprachen, zum Beispiel Konrad Adenauer und Carlo Schmid.

Die Berliner hörten den Herren aus dem Westen geduldig zu. Aber dann riefen sie nach ihrem geliebten ›Lieschen‹, der zierlichen Louise Schröder, die als amtierende Oberbürgermeisterin während der Blockade das Herz und das Rückgrat dieser Stadt gewesen war. Und alle jubelten, als ihr ›Lieschen‹ endlich auf den Balkon des Rathauses trat, klein und sehr verlegen...

Und wiederum Toasts! Und Abendessen! Mit noch mehr Toasts! Gegen 22 Uhr konnte Jakob nicht mehr. Er, der in täglichen Freiübungen Gestählte, der nicht zu Besiegende, der allem und jedem Gewachsene, hatte nur noch einen Wunsch: im Bett seines Hotels zu liegen. Er verdrückte sich heimlich, niemand bemerkte es.

Jakob suchte und fand seinen brandneuen Porsche. Jakob kletterte – mühsam – hinter das Steuer. Jakob fuhr, reichlich abenteuerlich, los. Er hatte sich den Weg zum Hotel genau gemerkt. Da kann gar nichts passieren, dachte er, schwer alkoholisiert. Ich finde wieder zurück, klar finde ich.

Nachdem er das eine Stunde lang gedacht und immer wieder neue Straßenecken umkurvt und Kreuzungen überquert hatte, wurde er nachdenklich. So weit ist das doch nicht gewesen? Und die Gegend kommt mir vollkommen fremd vor! Was ist das für ein Tor, durch das ich fahre? Was ist das für eine Riesenstraße? Vielleicht ist es doch besser, ich drehe wieder um...

Bevor es dazu kam, erklang eine Sirene. Jakob stoppte und sah in den Rückspiegel. Mit aufgeblendeten Scheinwerfern kam ihm ein Streifenwagen nachgeschossen. Na schön, dachte Jakob. Mit kreischenden Pneus hielt der Wagen neben seinem. Zwei Volkspolizisten sprangen heraus. Noch schöner, dachte Jakob.

Beide Vopos begannen sofort, ihn anzuschnauzen. Sächsisch. Schöner geht's nicht, dachte Jakob.

»Steichen Se aus!«

Er stieg aus und schwankte.

»Se sinn ja bedrunken!«

»Tat... tatsächlich, meine Herren?«

»Bedrunken am Steuer! Was is das für 'ne Audonummer?«

»B - 427654. München.«

»Se gomm' aus dr *Ameriganischen* Zone?«

»Wenn Sie gestatten.«

»Mann, wissen Se denn nich, wo Se sinn?«

»Leider nicht. Wo bin ich denn?«

»Dief im Demogradschen Segdor!«

»Aha. Vielleicht können Sie mir erklären, wie ich zurückfinde. Ich weiß es nämlich nicht. Ich habe mich verfahren.«

»Das kann jeder sachen! Wer sinn Sie eechentlich? Zeichen Se mal Ihre Babiere.«

Jakob zeigte sie.

Die beiden Vopos studierten sie im Schein einer Taschenlampe lange und verblüfft. Dann flüsterten sie miteinander.

Dann sagte der eine: »Sie heeßen Jagob Formann?«

»Steht in den Papieren, glaube ich.«

»Nicht frech wärn, gelle? Formann... Formann...« Der zweite Vopo holte ein Fahndungsbuch aus dem Streifenwagen und begann zu blättern.

Ich habe eine dramatische Beziehung zu Alkohol, dachte Jakob. Und Alkohol zu mir. Hochdramatisch! Immer, wenn ich besoffen bin, passiert mir was. Manchmal was Gutes, manchmal was Schlimmes. Sehr selten was Gutes. Sehr häufig was Schlimmes. Ich bin eine tragische Gestalt, bin ich.

»Jagob Formann! Mann, Se sinn ja zur Fahndung ausgeschriem! Weechen Wirtschaftssabotaasche!« schrie der zweite Vopo. Sächsisch.

»Mhm.«

»Sonst ham Se nischt zu saachen?«

»Nein, eigentlich nichts. Vielleicht könnten die Herren freundlicherweise ein Auge zudrücken und...«

»Keen Wort weider! Se steichen zu dem Gameraden in den Streefenwaachn. Ich fahre den Borsche...«

»Aber passen Sie gut auf, der ist ganz neu, kaum eingefahren! Die Kupplung...«

»Schnauze! 's wird Ihrm lieben Borsche schon nischt bassiern! Los, los, rin in dn Streefenwaachn! Und denken Se immer dran: Wir sind beede bewaffnet. Und iche bin dichte hintr Ihn'. Beim kleensten Fluchtversuch schieße ich. Und nich in de Luft!« sagte der erste Sachse. So etwas klingt auch sächsisch nicht komisch, fand Jakob und kletterte in den Streifenwagen.

»Wohin?« erkundigte sich dessen Fahrer bei dem Kameraden.

»Wirtschaftssabotaasche, Mensch! Sofort nach Garlshorsd zu de Sowjets! Steht im Fahndungsbuch! Also raus nach Garlshorsd mit ihm!«

»In Ordnung!«

Jakob wurde im Sitz zurückgeworfen, als der Vopo am Steuer losfuhr. Raus nach Karlshorst, dachte er idiotisch. Raus nach Karlshorst. Er dachte immer wieder dasselbe. Zwanzig Minuten lang. Karlshorst... Er konnte nichts anderes denken. Karlshorst... Mächtig warm war ihm nun wieder einmal...

Nach zwanzig Minuten waren sie dann in Karlshorst, dem Sitz der Sowjetischen Militäradministration für Deutschland und Hauptquartier der Sowjetischen Streitkräfte dortselbst.

»Aussteichen!« schnauzte ihn der Vopo an, der neben ihm saß.

Jakob stieg aus.

Also da wären wir wieder, dachte er, das Gebäude betrachtend, vor dem sie gehalten hatten. Hat sich nicht das geringste verändert, seit ich das

letzte Mal hier war mit dem Wenzel. Hm, das ist aber wirklich unangenehm.

Das große Gebäude war angestrahlt. Schwerbewaffnete Posten öffneten
und schlossen Gitter und Türen. Dann kamen Treppen. Dann Gänge. Dann
wurde Jakob in ein Zimmer mit vergittertem Fenster gestoßen. Sehr kahl
eingerichtet war das Zimmer.

»Hinsetzen!«

Jakob setzte sich auf einen Schemel.

Die Vopos ließen ihn allein. Die Tür hatten sie von draußen abgesperrt.

Jakob wartete etwa zehn Minuten.

Dann wurde die Tür aufgesperrt.

Einer der Vopos erschien und brüllte: »Aufstehen! Der Major kommt!«

Eiweh, dachte Jakob, wenn das der Major Assimow von damals ist! Er erhob
sich, die Hose voll Mut.

Der Major trat in die Türöffnung.

Jakob schnappte nach Luft und plumpste auf seinen Hocker zurück.

»Du ... du ... du?« stammelte er.

»Ja, ich«, sagte der Major. Es war nicht Assimow. Er war überhaupt kein
Mann. Er war eine bildschöne junge Frau. Jakob kannte ihren Namen.
Jelena Wanderowa heißt dieser Major, dachte er benommen. Als wir ein-
ander zuletzt sahen, war sie noch Sergeant. Gott, haben wir es getrieben
miteinander in diesem Gefangenenlager! So was von Liebe! Jetzt ist Jelena
Major geworden. Da hat sie also Karriere gemacht. Genau wie ich.

97

»Ach neiche, du Schmerzensreiche, dein Antlitz gnädig meiner Not!«
flehte Faustens Gretchen inbrünstig und reimgerecht. Das Gretchen trug
eine Perücke aus Stroh und einen Mantel, der ihm zu klein und geliehen
worden war von einer Dame, die in der ersten Reihe vor der improvisierten
Freilichtbühne saß. Es handelte sich bei der Dame um den Sergeanten der
Roten Armee Jelena Wanderowa, eine junge blonde Frau mit blauen Augen, die fließend Deutsch sprach. Das kam, weil sie die Tochter eines Hamburger Zimmermanns namens Wanderer war, der mit Frau und Tochter
hatte fliehen müssen, als 1933 die Nazis an die Macht kamen. Wanderer
war nämlich Kommunist. Die Familie flüchtete nach Moskau. Hier starben
Vater und Mutter innerhalb von zwei Jahren. Jelena kam in ein Waisen-
heim, eine Schule, eine Hochschule, in die Rote Armee und in den Großen
Krieg. Sie wurde Fahrerin und bald Geliebte des Majors Jurij Blaschenko,
mit dem sie Seite an Seite gegen die Deutschen kämpfte. Seit dem 30. Mai
1945 war sie auch die Geliebte des Schützen Jakob Formann der Deutschen
Wehrmacht sel. ...

Den Major liebte Jelena, weil er sich seit Jahren um sie gekümmert und immer gut zu ihr gewesen war. Den Jakob liebte Jelena aus Heimweh und anderen Gründen, die hier zu erwähnen geschmacklos wäre. Ihre wirkliche, wahre Liebe gehörte einem englischen Corporal, von dem Jakob nur wußte, daß er Harry hieß. Harry und Jelena hatten einander bei dem historischen Treffen der Alliierten an der Elbe kennengelernt und drei Tage und Nächte zusammen verbracht. Die hatten genügt. Harry war als Besatzungssoldat nach Hamburg geschickt worden, Jelena in das Kriegsgefangenenlager für deutsche Soldaten vor der winzigen Stadt Opalenica, welche südwestlich der großen Stadt Poznan (ehem. Posen) lag. Nur etwa fünfundzwanzigtausend Gefangene saßen in diesem Lager.

Am 2. April 1945 hatte Schütze Jakob Formann sich aus der Schlacht um Berlin mit ein paar Kameraden zu den Russen ›hinübergerettet‹, wie er es nannte. Am 14. Mai war er in obenerwähntem Lager gelandet. Nun begann es sich herumzusprechen, daß alle kleineren Lager aufgelöst und ihre Insassen in große Lager weit hinten in die Sowjetunion geschafft werden sollten. Jakob wollte nicht nach weit hinten in die Sowjetunion. Er fand, daß es nun genug war. Und Jelena wollte nach Hamburg zu ihrem Harry. Obwohl doch der Major Jurij Blaschenko so gut zu ihr war. Auf d℈e Dauer wollte Jelena, eine anständige Frau, ihren geliebten Harry nicht gleich mit zwei anderen Männern betrügen.

»...das Schwert im Herzen, mit tausend Schmerzen, blickst auf zu deines Sohnes Tod!« sprach Gretchen Formann voll tiefem Gefühl. Das Publikum – russische Offiziere, Jelena und Wachmannschaften – verstand kein Wort und war schon ganz schwach vor Lachen. Die lachen sich noch kaputt über den ›Faust‹, dachte Jakob. Klar. Die müssen das für ›Charleys Tante‹ halten. Wenn sie lachen, steigen ihnen allen Atemwolken aus den Mündern, ich kann es sehen. Wir haben Anfang November, und es ist immerhin schon saukalt.

Gott, die brüllen ja vor Lachen! Nach jedem Satz, dachte Jakob, und zog die Perücke fest, die ins Rutschen geraten war. Aber es ist ja auch komisch. Wahnsinnig komisch. Wenn Goethe vielleicht auch nicht so begeistert gewesen wäre. Aber ich spiele dieses dämliche Gretchen ja auch nicht, um dieses dämliche Gretchen zu spielen und den deutschen Dichterfürsten zu ehren, sondern weil ich mit Jelena und rund hundertfünfzig Kumpeln heute nacht abhauen will. Das ist nicht mein Krieg! Ist es nie gewesen! Ich will endlich nach Hause. Darum spiele ich. Mir ist da nämlich vor drei Monaten eine Idee gekommen...

»...zum Vater blickst du und Seufzer schickst du...«, deklamierte Jakob und dachte, weil er wegen des Aufbrüllens der Zuschauer wieder einmal pausieren mußte: Lacht nur, Genossen! Macht euch in die Hosen vor Lachen, Genossen! Ganz schlecht werden soll euch vor Gelächter! Leute, die lachen, können nicht schießen.

Die Idee, die unserem Jakob vor drei Monaten gekommen war, hatte er damals in einem Birkenwäldchen, gerade als sie es, in einer sanften Kuhle liegend, wieder einmal hinter sich hatten, dem Sergeanten Jelena anvertraut: »Ich will hier raus, Jelena. Ich habe die Schnauze voll.«

»Ich möchte auch gerne zu Harry«, flüsterte sie, an seiner Schulter. Es war noch sommerlich warm in dem Birkenwäldchen. Und sie waren beide nackt. »Was für eine Idee ist dir gekommen, Jakob?«

»Wir werden Theater spielen«, sagte er.

Sie sah ihn mit offenem Munde an.

»Sieh mich nicht mit offenem Munde an, Liebste«, sagte Jakob. »Natürlich werden wir nicht nur Theater spielen.«

»Was noch?«

Er sagte ihr, was noch. Sie stieß einen Freudenschrei aus.

Jakob hatte lange nachgedacht über seinen Plan.

In Europa und Asien wurde zu jener Zeit noch immer viel gestorben, und auch in dem vergleichsweise kleinen Lager nahe der vergleichsweise sehr kleinen Stadt Opalenica war das Sterben reichlich im Schwange. Es starben nach dem Ende des Tausendjährigen Reiches noch viele, viele Hunderttausende. Im Lager, so hatte Jakob festgestellt, waren jene, die starben, fast immer solche, die sich selbst aufgegeben hatten und einfach überhaupt nichts mehr taten, um zu überleben. Indessen: *Überleben*, das hatte sich Jakob Formann eisern vorgenommen, und er erkannte, daß die Voraussetzung dazu fortwährende Beschäftigung körperlicher wie geschäftlicher Art war. Mit allen ihm zur Verfügung stehenden Mitteln betrieb er regelmäßige, fast übertriebene Körperpflege. Er stand als erster auf (lange vor dem Herausschreien zum Zählappell), um seine Freiübungen und seinen Langlauf zu machen, hinter Stacheldraht. Er arbeitete willig und freiwillig, ja, er drängte sich zur Arbeit, wo andere versuchten, sich zu drücken, weil sie zu erschöpft waren, denn es gab sehr wenig zu essen – nicht viel weniger als für die sowjetischen Sieger.

»Dich nehme ich natürlich mit«, sagte Jakob zu Jelena. »Ich will nach Wien, du kommst zu deinem Harry nach Hamburg. Du mußt halt einen kleinen Umweg machen.«

»Was für einen kleinen Umweg?«

»Über Wien.«

»Du bist verrückt!«

»Hoffentlich verrückt genug«, sagte er und klopfte gegen einen Baum.

In den folgenden Wochen und Monaten ging er methodisch vor. Geschickt erbrachte er Beweise seiner Russisch-Kenntnisse, so oft ein Sowjetmensch in der Nähe war – mit der Folge, daß er zum Lagersprecher ernannt wurde. Als solcher avancierte Jakob zum Leiter der Lagerbibliothek.

Hier machte er (absolut verständnis- und interesselos natürlich) Bekanntschaft mit sowjetischen, aber auch mit deutschen Klassikern, über deren

Werken er einst in der Schule sanft geschlummert hatte. Vom Bibliothekar wechselte er dann auf Wunsch des guten Lagerkommandanten Blaschenko, der ein weicher, schwerblütiger Mensch war, hinüber in die Schreibstube, und schließlich wurde er aufgefordert, Kulturabende zu veranstalten.

Nachdem er dem guten Lagerkommandanten Major Blaschenko gewisse Sonderzuteilungen an Grundnahrungsmitteln abgerungen hatte, übergab Jakob einem Kameraden, der vor dem Krieg im Stadttheater von Teplitz-Schönau den Jugendlichen Helden gespielt hatte, den Befehl des Lagerkommandanten, Goethes ›Faust, Erster Teil‹ zu inszenieren, wobei er ihm einschärfte, so viele Gefangene wie möglich als Arbeiter für eine noch zu errichtende Bühne, als Darsteller und als Komparsen zu beschäftigen. Es fand sich ein Düsseldorfer für die Marthe Schwerdtlein, das Gretchen behielt Jakob sich vor...

»...zum Vater blickst du«, betete er nun, am Abend des 5. November 1945, während die Strohperücke wiederum verrutschte, mit dröhnender Stimme, »und Seufzer schickst du hinauf um sein und deine Not...«

Manche Russen rangen vor Lachen nach Atem.

»Wer fühlet«, steigerte Jakob sich immer mehr, »wie wühlet der Schmerz mir im Gebein...«

Der ehemalige Jugendliche Held vom Stadttheater zu Teplitz-Schönau und nunmehrige Regisseur wurde vor Wut tobsüchtig. Die Vorstellung aber war ein ungeheurer Erfolg!

Da es schon so kalt geworden war, hatten die Gefangenen wenigstens alte Decken erhalten. Nun erhielten sie alle eine, wenn auch sehr kleine Portion Wodka. Und der gute Lagerkommandant Major Jurij Blaschenko veranstaltete eine Feier in der Wachbaracke. Ehrengast war Jakob Formann. Zwischen ihm und Blaschenko saß Jelena. Hier gab es dann mehr Wodka. Hier gab es viel mehr Wodka. Hier gab es unglaublich viel Wodka.

98

»Auf das herrliche Lustspiel ›Faust‹ und auf den genialen deutschen Dichter Wolfgang Schiller, der es geschrieben hat!« rief, lichterloh begeistert, der sonst so stille Major Blaschenko.

»Auf den werten Genossen Major Blaschenko!« rief Jakob.

»Auf Wolfgang Schiller, den deutschen Lieblingsschriftsteller des genialen Genossen Stalin!« konterte Blaschenko.

Wer da seinen Wodka nicht hinunterkippte, spielte mit seinem Leben. Also kippte jedermann schnellstens.

»Der weise Genosse Stalin hat gesagt: ›Die Hitler kommen und gehen. Aber das deutsche Volk bleibt bestehen‹«, revanchierte sich Jakob.

Da capo!

Solche Saufereien um Leben und Tod sollten Jakob in späterer Zeit noch häufig widerfahren. Dies war die erste. Er hatte, klug und vorsichtig (in Jakobs Vokabular zwei Wörter für den gleichen Begriff) einen Viertelliter Sonnenblumenöl getrunken, bevor die Feier begann, und Jelena dringendst geraten, ein Gleiches zu tun. Auf diese Weise ertrugen die beiden das Stunden während Fest und unzählige weitere Toasts, indessen die Gastgeber selig entschlummerten, einer nach dem anderen. Als letzter rutschte der gute Major Blaschenko unter den Tisch. Schon ein toller Kerl, dachte Jakob, hab' ihn wirklich liebgewonnen. Allein was sein muß, muß sein.

Zusammen mit Jelena schleppte er den schnarchenden Major in dessen Baracke. Dort zogen sie ihm die Uniform und die Stiefel aus. Jakob legte seine verdreckte Uniform der Deutschen Wehrmacht sel. ab. Dann zog er die Uniform des Majors Blaschenko und dessen Stiefel an. In der Uniformjacke befanden sich, wie es die Dienstvorschrift befahl, alle militärischen Personalpapiere des Lagerkommandanten.

Eine Viertelstunde später chauffierte Jelena den Jeep des Kommandanten zum Lagertor, wo zwei – mächtig angetrunkene – Wachen mit Maschinenpistolen standen. Jelena überreichte den Herren einen Fahrbefehl für den neben ihr sitzenden Major und einen für sich, beide ausgestellt nach Wien. Der Major rauchte gelangweilt eine überlange Papirossa. Die Mütze hatte er tief in die Stirn gezogen. Er schnauzte ein paar russische Brocken. Die besoffenen Wachen salutierten. Der Schlagbaum ging hoch. Jelena trat den Gashebel hinunter. Der Jeep schoß auf einen vereisten Feldweg hinaus.

Anläßlich seiner Tätigkeit in der Schreibstube hatte Jakob reichlich Muße und Gelegenheit gehabt, alle erforderlichen Dokumente für Jelena und sich auszufüllen, zu stempeln und mit dem Namen des Majors Blaschenko zu unterschreiben. In Voraussicht auf das Ende der Reise lagen in der Ledertasche neben ihm nun auch absolut echte Entlassungs-, Heimkehrererlaubnis- und andere Papiere auf den Namen Jakob Formann, Schütze. Er hatte Muße und Gelegenheit genug gehabt, um für etwas mehr als hundertfünfzig Kameraden alle diese Papiere in den vergangenen Wochen auszustellen. Manche Kameraden waren aus Österreich, die meisten aus Deutschland.

Zu der Zeit, da die beiden besoffenen Wachen am Haupttor des Lagers die Insassen des Jeeps kontrollierten, kletterten die hundertfünfzig Gefangenen der Deutschen Wehrmacht unseligen Angedenkens über die Drahtumzäunung des Lagers und machten sich teils in Gruppen, teils allein, nach allen Himmelsrichtungen hin auf den Heimweg. Jelena hatte zum Glück alle ihre alten Papiere aufbewahrt, die sie als Deutsche auswiesen, zuletzt wohnhaft in der Hansestadt Hamburg, daselbst im Hause Adolfstraße 81.

»Vorwärts, Sergeant«, sagte er nun, in tiefer Nacht. »Ein bißchen Beeilung, wenn ich bitten darf!«

»Jawohl, Genosse Major«, erwiderte Jelena.

Sie sprachen deutsch miteinander.

Ihre Reise währte sieben Tage, und siehe, es war eine sentimentale Reise. Sie fuhren nämlich nur durch polnisches und tschechisches Gebiet, also solches, das die Russen freigekämpft hatten. Infolgedessen wurden sie immer wieder umarmt, geküßt und mit Einladungen aufgehalten. Wo es nur ging, fuhren sie abseits der größeren Städte über Nebenstraßen. Es gab viele Kontrollen durch sowjetische Militärpolizei. Alle verliefen ohne Ärger. Die Rotarmisten sahen die (sowjetischen) Papiere an, grüßten und wünschten gute Weiterreise. Mit einem feinen Lächeln salutierte dann jedesmal Jakob, und oft hatte er ein lobendes Wort für die tapferen Genossen der glorreichen Roten Armee bereit. Sein Sergeant saß in solchen Fällen ernst am Steuer. Sie fuhren am liebsten nachts und schliefen am Tag, oder sie fuhren abwechselnd. So ging natürlich Zeit verloren. Aber sie kamen voran. Ihr Weg führte sie immer weiter südwärts. In den großen Städten, denen sie nicht ausweichen konnten, wurden sie von glücklichen, befreiten Bürgern gefeiert. Hausfrauen holten letzte Reserven aus den Verstecken und bereiteten köstliche Mahlzeiten. In Pardubice verdarb sich Jakob, an vieles Essen nicht mehr gewöhnt, zum erstenmal den Magen. Er sollte ihn sich noch einige Male verderben, so in Chrudim und Brno (früher Brünn).

In Pohorelice, einem Nest nahe der österreichischen Grenze, blieb Jakob und Jelena nichts anderes übrig, als im Beisein aller Dorfbewohner eine Dankes- und Liebeserklärung des Bürgermeisters über sich ergehen zu lassen. (Gottlob lagen in Pohorelice keine Rotarmisten.) Jakob ertrug des Bürgermeisters Worte mit Fassung, jedoch unruhig und sagte mit wenigen Worten (viele hatte er nicht), er müsse trotz aller Freude über einen solchen Empfang sofort weiter. Der Dienst...

Jelena und Jakob wurden zu ihrem Jeep begleitet. Diesen hatten die dankbaren Bewohner von Pohorelice mit Lebensmitteln aller Art derartig gefüllt, daß Jakob sorgenvoll darüber nachdachte, wie stark wohl die Radachsen eines Jeeps waren.

»Fahren Sie, Sergeant«, sagte Jakob zu Jelena, auf russisch. »Die Zeit drängt!«

Jelena fuhr los. Die Menschen wichen nur zögernd zurück. Jakob stand aufrecht im Jeep, eine Hand zur Faust geballt. Die Zurückbleibenden sangen die tschechische Nationalhymne. Eine halbe Stunde später sagte Jakob, nun wieder deutsch, zu Jelena: »Die Zeit drängt wirklich. Noch eine sowjetische Kontrolle riskiere ich nicht. Die Nachrichtenverbindungen sind zwar sehr schlecht, und der arme Jurij wird sich zuerst auch sehr geschämt und Angst gehabt haben, als er aufgewacht ist, aber irgendwann hat er doch verlauten lassen müssen, daß ihm hundertfünfzig Gefangene und sein eigener Fahrer abgehauen sind.«

In Mukulow, einem Ort unmittelbar an der österreichischen Grenze, hielt

Jelena darum vor einem verlassenen Haus. Mit Jakob ging sie in das verlassene Haus hinein. Sie suchten Zivilkleidung. Sie fanden Zivilkleidung. Als sie sich auszogen, um sich umzuziehen, führte Jakob seinen Sergeanten Jelena zu einer Bettstatt.

»Bist du verrückt geworden«, protestierte sie. »Jetzt? Du hast doch selber gesagt, daß wir keine Zeit haben!«

»Dafür hat man immer Zeit«, sagte er, sich über sie neigend.

Eine Stunde später verließen eine Frau und ein Mann das Haus – es war inzwischen dunkel geworden. Die Frau trug ein Wollkleid von blauer und weißer Farbe, einen alten Regenmantel und Stiefel. Der Mann trug einen grauen Anzug, dessen Hose und Jackenärmel ihm zu kurz waren, einen grauen Mantel, der ihm zu lang war, ein weißorange gestreiftes Hemd ohne Krawatte (ausgerechnet eine solche hatte sich nicht finden lassen!), klobige Schuhe und Strümpfe, von denen der linke ein Loch über der Ferse zeigte. Auch mit Strümpfen war es ein Jammer in diesem Haus gewesen.

Den Jeep (made in USA) fuhr Jakob in dichtes Gebüsch. Seine Uniformstücke und die des Sergeanten Jelena trug er sodann zu einem romantischen Fluß, beschwerte die Taschen der Uniformen mit Steinen und versenkte sie mitsamt allen sowjetischen Militärpapieren just zu einem Zeitpunkt, an dem gerade viele Pferdeleichen den romantischen Fluß heruntergeschwommen kamen.

Ohne Zwischenfall erreichten die beiden dann in einem Tag Wien. Hier war die Zeit des Abschieds gekommen. Jelena mußte sich schnellstens um eine Reisegenehmigung kümmern, die sie berechtigte, mit einem DP-Zug nach Hamburg zu fahren, wobei DP die Abkürzung für ›Displaced Persons‹ (›Verschleppte Personen‹) und ein Zug nach Hamburg natürlich nicht ein Zug nach Hamburg bedeutete. Jeder Zug fuhr nur Teilstrecken, die unzerstört geblieben waren, dann mußten die Reisenden Anschluß an andere Züge suchen, welche sie ihrem Ziel näherbrachten. Hauptsache, sagten die österreichischen Behörden, sie hatten die Ausländer aus dem Land.

»In drei, vier Wochen bist du gewiß in Hamburg«, erklärte Jakob. »Und bei deinem Harry.«

»Ach, Jakob«, seufzte Jelena, und Tränen schossen in ihre wunderschönen blauen Augen.

»Warum weinst du, mein Herz?« forschte er behutsam.

»Du weißt, ich liebe Harry...«

»Na ja doch!«

»...aber niemals, niemals, hörst du, werde ich vergessen, was du mir Gutes getan hast!« rief Jelena Wanderowa.

»Nein, also das ist aber eine Überraschung!« rief Jakob Formann dreieinhalb Jahre später, exakt: am 12. Mai 1949, erfreut in der kahlen, vergitter-
ten Zelle in einem der Gebäude der Sowjetischen Militäradministration zu
Berlin-Karlshorst, als er Jelena Wanderowa in der Uniform eines Majors
der Roten Armee erblickte. Die schwere Eisentür hinter ihr krachte ins
Schloß. Einer der Posten hatte sie zugeworfen.

»Guten Abend«, sagte Jelena, und stahlhart blickten ihre schönen blauen
Augen.

»Aber was ist denn los?« wunderte sich Jakob. »Freust du dich gar nicht?
Das war doch schon eine tolle Sache mit uns beiden in diesem Lager! So
was von Liebe…«

»Schweig!«

»Hör mal, das ist aber eine komische Art, einen alten Freund zu begrü…«

»Jakob Formann«, sprach der Major Jelena Wanderowa, und ihre Stimme
war dazu angetan, Blut gefrieren und Glas zerspringen zu lassen, »Sie sind
wohl wahnsinnig geworden, wie? Sie haben vor mir strammzustehen und
mich mit ›Sie‹ und ›Genossin Major‹ anzusprechen!«

»Strammgestanden… bin ich oft genug vor dir, du Miststück«, sagte er,
»und den Rest kannst du dir auf deine hübsche Tellerkappe stecken. Ich
denke nicht daran.«

»Formann, der Ernst Ihrer Lage scheint Ihnen nicht klar zu sein!« sagte
Jelena, gefährlich leise, und stemmte eine Hand auf ihre Pistolentasche.

»Reizend siehst du aus, mein liebes Kind! Die Uniform steht dir prächtig!
Ich bleibe doch vermutlich länger, nicht wahr? Und du hast ganz gewiß dein
eigenes Zimmer, wie? Meinst du, wir könnten uns da wieder einmal richtig
guten Tag sagen? Ich weiß ja, daß du dieses Böse-Mädi-Theater machen
mußt, weil da oben an der Decke ein Mikrofon angebracht ist. Sei beruhigt,
liebes Kind, aller Wahrscheinlichkeit nach funktioniert es nicht.«

»Woher haben Sie die traurige Unverschämtheit, etwas Derartiges zu behaupten?«

»Ich war ja doch einige Jahre in Rußland! Und dabei habe ich feststellen
können, daß russische technische Anlagen nicht immer so funktionieren,
wie sie sollen.«

»Dieses Mikrofon funktioniert, seien Sie versichert, Formann!«

»Wenn du es sagst, bitteschön. Also dann mach dein Theater weiter, damit
ein paar Kerle, die irgendwo sitzen und uns abhören, auch wirklich zugeben
müssen, daß du eine prächtige Rotarmistin bist und…«

»Halt das Maul!« schrie Jelena plötzlich verzweifelt.

»Warum plötzlich so verzweifelt, liebes Kind?«

Sie keuchte: »Mach so weiter, und man wird dich gleich hier in der Zelle
erschießen, du Idiot, du verfluchter…«

»Erschießen?« Jakob war erstaunt. »Und in dieser Zelle?«

»Laß das Theater! Erschossen wirst du auf alle Fälle – nach dem Spruch eines Militärgerichts!«

»Na also, doch erst später! Da könnten wir doch wirklich noch eine wunderschöne Num...« Der Schock kam mit Spätzündung: »*Erschossen?*«

»Erschossen.«

»Aber weshalb denn, um Himmels willen?«

»Ja, bist du dir denn nicht einmal der Schwere deines Delikts bewußt?«

»Ach, du meinst den Beschiß mit den Eiern? Mein liebes Kind, rate mal, wer die hundertfünfzig Zentner Milchpulver und die hundertfünfzig Zentner Eipulver geschickt hat!«

»Ich weiß nichts von Milchpulver und von Eipulver.«

»Na, aber ich hab' es doch geschickt! Als Wiedergutmachung sozusagen. Was kann ich denn dafür, wenn hier solche Trottel in den Behörden sitzen?«

»Nur weiter so, du Wallstreet-Ratte.«

»Und so was habe ich zur Freiheit verholfen, tck, tck, tck«, wunderte sich Jakob.

»Ich bin erst seit kurzem hier. Hatte noch einen Auftrag in Hamburg zu erledigen.«

(Die Unterhaltung wurde nun ein bißchen verworren.)

»Was für einen Auftrag?«

»Wirtschaftsverbrechen! Das Schlimmste, was du tun konntest!«

»Was für einen Auftrag in Hamburg?«

»Einen Geheimauftrag.«

»Für wen?«

»Dieses Schwein Harry! Der war verheiratet! Zwei Kinder! *Zwei!*«

»Also, das tut mir aufrichtig leid, Jelena.«

»Für mein Vaterland.«

»Dein Vaterland?«

»Die Sowjetunion. Ich bin nun endgültig sowjetische Bürgerin geworden.«

»Was für ein Auftrag das war, meine ich!«

»Sie haben mich verfolgt und gefunden. Sie finden jeden. Keiner entkommt ihnen.«

»Wem?«

»Dem sowjetischen Geheimdienst.«

»Der hat dich erwischt?«

»Aber das sage ich doch.«

»In Hamburg?«

»In Hamburg. Und mich umgedreht.«

»Aha.«

»Kapiert?«

»Nein.«

»Ich war angewidert von Harry. Angewidert vom Westen. Angewidert von diesem dreckigen kapitalistischen System. Sie hatten es also nicht schwer mit mir.«

»Dich umzudrehen.«

»Jetzt verstehst du.«

»Jetzt verstehe ich. Und als du deinen Auftrag erledigt hattest, bist du hierhergekommen und Major geworden.«

»So ist es.« Sie hob den Kopf und rief mit kräftiger Stimme an die Decke, wo sich das Mikrofon befand: »Ich habe allen ja sofort gesagt, du bist ein kluger Kopf! Das war nur der Schock des Wiedersehens, der dich zum Kretin werden ließ. In Wirklichkeit wirst du erstklassige Arbeit leisten und einer unserer Besten werden.«

»Einer eurer Besten... wovon?«

»Von unseren Agenten im Westen«, sagte Jelena, und jetzt kehrten Leben, Wärme und Freundlichkeit in ihre blauen Augen zurück. »Wir drehen auch dich um, und du gehst in den Westen für uns und bekommst deine Aufträge und erfüllst sie und sühnst so dein Verbrechen! Ist doch ganz einfach. Nach einer Weile wirst du zurückgezogen und befördert wie ich. Wir tauschen dauernd unsere Leute aus. Auf diese Weise kommst du vielleicht demnächst nach Amerika...«

»Da komme ich gerade her.«

»Ich weiß. Das ist ja das Feine. Niemand schöpft Verdacht, wenn du wieder hinfliegst – in unserem Auftrag.«

»Nein, so etwas tue ich nicht, Jelena«, sagte Jakob. Sie sah beschwörend zuerst ihn an und dann hinauf zu dem Mikrofon an der Zimmerdecke. Aber nun schrie Jakob: »Zum Teufel mit dem Mikrofon! So hören sie es wenigstens gleich! Ich mache für niemanden einen Agenten! Ich übernehme von niemandem Aufträge!«

»Schrei nicht so!«

»Ich schreie, so laut ich will!« tobte Jakob. (Jetzt geht's nur noch mit Gebrüll. Ach, ist mir wohlig warm!) »Ich bin für so was nicht gebaut!«

»Wofür?«

»Für Einschleichen und Abhören und Beschatten und diese ganze blödsinnige Agentenspielerei!«

»Dann wird man dich wirklich erschießen!«

»Dann wird man mich wirklich erschießen!« brüllte Jakob. (Also jetzt ist es richtig heiß, ganz wie manchmal im Krieg.)

»Ich habe ihnen doch gesagt, daß ich dich dazu bringen werde, für uns zu arbeiten«, flüsterte sie, und jetzt – stellte er mit Genugtuung fest – schossen Tränen in ihre wunderschönen Augen. »Ich habe ihnen doch gesagt, du wirst den Ernst der Lage, in der du dich befindest, sofort begreifen.«

»Ich begreife ihn durchaus, mein liebes Kind.«

»Nenn mich nicht immer mein liebes Kind, du Scheißkerl!« brüllte der Major Wanderowa.

»Nicht brüllen, Genossin Major«, sagte Jakob, stand stramm und lächelte charmant. »Was soll überhaupt diese Heulerei? Wirst *du* erschossen oder ich? Na also!«

Sie trat ganz nahe an ihn heran.

»Ach, wollen wir also doch noch schnell…?« erkundigte sich Jakob, sehr schnell sehr begeistert.

»Laß den Blödsinn! Hör mir zu! Das große dialektische Weltgesetz gilt auch für die Gesellschaftsordnung. Jedes sozioökonomische System als These gebiert zwangsläufig eine Antithese.«

»Kein Wort verstehe ich!«

»O Gott im Himmel. Es kippt um, das System! Es verwandelt sich in sein Gegenteil!«

»Tatsächlich?« fragte Jakob, ohne das geringste zu verstehen.

»Tatsächlich! Und zwar liegt das an den Produktionsverhältnissen. Und am Überbau. Die Tage des Westens sind gezählt. Und wenn du darüber noch so viele Witze machst! Und wenn es im Westen jetzt einen scheinbar noch so blühenden Wiederaufbau geben wird, weil ihr von den Amis aufgepäppelt werdet! Es ist eine kapitalistische Scheinblüte! Es kommt die Zeit… und wir erleben sie noch, verlaß dich drauf…«

»Du vielleicht. Ich werde jetzt erschossen.«

Jelena überging das. »…da bricht alles zusammen in Europa, da ist alles zu Ende, die Wirtschaft, die Sicherheit, der Wohlstand, alles. Der Untergang des Abendlandes – er ist unaufhaltsam!«

Na, dachte Jakob, Jelena war ja immer eine recht gescheite Person, aber das da, das ist ja nun bloß propagandistischer Quatsch! (Ach, ein Vierteljahrhundert später dachte er nicht mehr so.) Und ach, ein Vierteljahrhundert später hätte er auch niemals mehr gesagt, was er jetzt lachend sagte: »Untergang des Abendlandes, aber natürlich, aber klar! Wegen der Produktionsverhältnisse! Weil wir alle rangehen! Weil wir keinen Überbau machen, sondern einen Aufbau! Darum kann es ganz einfach nicht immer besser und besser werden und den Menschen immer besser und besser gehen, und wenn sie noch so hart arbeiten und sich noch so sehr bemühen, nein, darum muß es zu einem Rückschlag kommen, aber natürlich! Und zu was für einem Rückschlag es kommen muß! Politisch! Wirtschaftlich, was, mein liebes Kind! Arbeitslose wird es wieder geben in die Millionen! Und Elend und Fanatismus, wenn's erst mal wieder hübsch bergab geht im Westen, so wie ihr es euch wünscht, nicht wahr? Und wenn's schon bergab geht, dann auch noch Mord und Totschlag und…« Jakob prustete vor Lachen. »…und Banküberfälle und Menschenraub und Erpressung! So wie im kapitalistischen Amerika, was?« Jakob schnappte nach Luft, er konnte nur noch ächzen: »Oijoijoij…!«

»Jakob«, sagte Jelena Wanderowa, »du bist ein ganz großer Narr!«
»Natürlich bin ich ein ganz großer Narr! Jeder, der nicht das glaubt, was
ihr glaubt, ist ein ganz großer Narr! Muß es sein, da gibt's keine Würsch-
teln, mein liebes Kind!«
»Du sollst nicht immer mein liebes Kind...«
»Aber wie ist es denn bei euch?«
»Wo?«
»Na hier, im Osten! In den autoritären Staaten? So ein autoritärer Staat
– da staunst du, daß ich das Wort kenne, was? Erinnere dich, ich war Leiter
der Bücherei in dem Gefangenenlager, da habe ich doch eine ganze Menge
gelesen. Nicht nur Rilke, diesen Spinner, der gedichtet hat ›Armut ist ein
großer Glanz von innen!‹ Dafür allein hätte man ihn in das treten sollen,
was er ist... Ich irre ab. Nein, nicht nur Rilke habe ich gelesen! Also, wie
ist das? Der autoritäre Staat, der alles plant und alles regelt und anordnet
und befiehlt – muß der nicht auch eines Tages seine Anti... Anti...«
»Antithese.«
»Danke. Muß der nicht auch eines Tages seine Antithese gebären und zu-
sammenbrechen?«
Jelena schwieg und sah ihn bloß an.
»Siehst du«, lärmte Jakob fröhlich, »das Ding geht nach beiden Seiten los!
Es ist aus mit uns – und es ist aus mit euch! Warte, warte nur ein Weil-
chen!« Und er lachte wieder herzinniglich.
»Jakob«, sagte Jelena traurig, »du bist ein noch viel größerer Narr, als ich
gedacht habe.«
Jäh hörte er zu lachen auf.
Und wenn sie recht hat? durchzuckte es ihn. Und wenn es wahrlich keinen
Grund gibt, sich lustig zu machen? Und wenn es tatsächlich so kommt, wie
sie sagt? Was ist dann mit meinem Krieg? Ach was, den führe *ich*...
»Ich muß mich korrigieren«, sagte Jelena. »Du bist nicht ein Riesennarr.
Du bist das Produkt deiner Umwelt, einer zum Untergang verdammten
Welt. Und also wirst du einen sehr, sehr nützlichen Narren abgeben. Denn
du bist, wenn man dir nur alles richtig erklärt, natürlich ein sehr gescheiter
Narr. Und mit deiner Umwelterziehung werden sie dich auch niemals im
Verdacht haben! Du bist auch ein...« Jelenas Stimme wurde weich. »...ein
sehr guter Narr. Und es war... es war sehr schön mit dir. Und... und du
hast mir sehr geholfen, damals...«
»Eh, eh, eh! Das Mikrofon!«
»Ach was, sollen sie es hören! Sehr geholfen hast du mir damals, jawohl!«
»Das war doch selbstverständlich, mein liebes Kind!«
»Das war gar nicht selbstverständlich! Deshalb will ich doch auch dir jetzt
helfen! Deshalb habe ich gesagt: Laßt mich mit ihm reden! Jakob! Du mußt
für uns arbeiten!«
»Ich will aber nicht. Nicht für euch und nicht für die andern!«

»Du hast keine Wahl! Ich lasse dich jetzt allein, damit du dir alles ganz genau überlegst. Bitte, bitte, bitte, lieber Jakob, sei kein vertrottelter Held! Sei vernünftig! Wenn du es nicht bist, kann... kann ich nichts mehr für dich tun. Hier sind Zigaretten. Und wenn du... wenn du, o Gott... noch einen Wunsch hast, einen letzten...«

»Hätte ich, ja.«

»Nämlich was?«

»Nämlich, wenn ich ein paar Schmalzbrote bekommen könnte«, sagte Jakob. »Mit Grieben!«

101

Fünf dick bestrichene Griebenschmalzbrote brachte ihm sehr bald nach Jelenas Abgang ein Posten in die Zelle.

Und mit den Grieben kehrten Jakobs optimistische Lebensgeister zurück. Der Posten, der draußen auf dem Gang durch ein Guckloch in der Tür Jakob immer wieder beobachtete, auf daß dieser sich kein Leid antat, sah einen kauenden, schmatzenden, die Lippen mit dem Handrücken abwischenden Mann und war beruhigt. Natürlich konnte er nicht auch noch sehen, was Jakob dachte.

Jakob dachte an eine alte Geschichte, die er als Landser mit den Kameraden unzählige Male durchgespielt hatte – in unzähligen Variationen.

Also fangen wir in Herrgotts Namen schon wieder damit an, dachte er: Ich fürchte mich nicht! Denn es gibt immer zwei Möglichkeiten! Entweder sie erschießen mich wirklich gleich, oder sie lassen mich noch ein bißchen hier, damit sie mich weiter bedrohen können und ich es mir vielleicht doch noch überlege. Das sind ja keine Trottel. Wenn sie mich auf der Stelle erschießen, kann ich auf keinen Fall für sie arbeiten. Also werden sie mich wohl noch ein bißchen hier piesacken. Gut. Dann gibt's wieder zwei Möglichkeiten. Entweder ich fall' doch um und mach' ihnen den Wurschtl (ich kenne doch meinen Charakter!), oder ich falle nicht um. Wenn ich ihnen doch den Agentenwurschtl mache, ist es gut. Wenn ich ihnen den Agentenwurschtl nicht mache, verurteilen sie mich zu Lebenslänglich und stecken mich in ein Zuchthaus. Und da gibt es wieder zwei Möglichkeiten: Entweder es ist ein anständiges, gepflegtes Zuchthaus oder ein verdrecktes, stinkendes, nasses, mit Ratten. Stecken sie mich in ein anständiges, gepflegtes Zuchthaus, dann ist es gut. Stecken sie mich in ein mieses, stinkendes, dann gibt es zwei Möglichkeiten. Entweder ich bleibe dank meiner ausgezeichneten Kondition selbst dort gesund. Bleib' ich gesund, ist es gut. Oder wir haben schon wieder einen Weltkrieg angefangen, und sie brauchen mich für'n Krieg und holen mich aus dem stinkenden Gefängnis. Da gibt es wieder zwei Möglichkeiten: Entweder ich komm' zum Roten Kreuz. Dann ist es gut. Oder ich werde schießen müssen. Gibt es zwei Möglichkeiten. Entweder ich schieß' immer rechtzeitig auf den bösen Feind (keine Ahnung, wer das sein wird, aber irgendeinen Feind haben wir immer), dann ist es gut. Oder der böse Feind schießt rechtzeitig auf mich. Dann ist es schlimm. Aber es gibt zwei Möglichkeiten. Entweder die Wunde ist leicht. Dann ist es gut. Oder sie ist schwer. Scheiße. Aber es gibt zwei Möglichkeiten. Entweder ich werde trotzdem wieder gesund. Dann ist es gut. Oder ich bin tot. Na, und wenn ich tot bin, brauche ich mich doch erst recht nicht zu fürchten! Aber wo steht geschrieben, daß ich tot sein werde? Vielleicht komme ich wieder mit dem Leben davon wie gerade eben erst! Dann gibt es zwei Möglichkeiten! Entweder es gelingt mir beim neuen Anlauf, endlich meinen privaten Krieg zu gewinnen. Dann ist es gut. Oder es gelingt mir beim neuen Anlauf nicht, dann gibt es...

Die Tür wurde aufgesperrt.

Der Posten von vorhin erschien und brüllte: »Aufstehen! Genosse Major kommt!«

Das ist aber lieb von der Jelena, daß sie nach mir schaut, dachte Jakob, den Mund voller Schmalzbrot. Braves Mädchen. Noch hübscher ist sie geworden!

In der Tür erschien Major Assimow, der nämliche, der Jakob und Wenzel, als sie die Verbindungsstücke für die Fertighäuser von Christoph und Unmack aus Niesky holen wollten, alle nötigen Papiere ausgestellt hatte. Jakob verschluckte sich, würgte nach Luft, spie ein Stückchen Schmalzbrot aus und sagte mit gewinnendem Lächeln: »Da freu' ich mich aber, daß wir uns endlich wiedersehen, Genosse Major!« (Wo ist die Hasenpfote, verdammt, drücken, fest drücken!)

Der Major Assimow sah Jakob grimmig an. Er sprach kein Wort. Jakob kaute wie ein Verrückter. Er versuchte, noch so viel Schmalzbrot in sich hineinzustopfen wie möglich. Der Major Assimow wartete. Jakob schluckte den letzten Bissen. (Anständig von dem Genossen, dachte er.)

»Sind Sie fertig?« fragte Assimow.

»Melde gehorsamst, daß ich fertig bin, Herr Major«, sagte Jakob.

»Dann kommen Sie mit mir. Los, los, los!«

»Zum Erschießen?« fragte Jakob. Wie gesagt, dachte er, es gibt immer zwei Möglichkeiten...

»Erschießen, lächerlich«, sagte der Major Assimow. »Sie kommen mit mir nach Moskau.«

1950–1951 – Korea und die Wiederaufrüstung

1950

25. Juni: Nordkoreaner fallen in Südkorea ein.

27. Juni: UN beschließen Hilfe für Südkorea (16 Staaten unter US-Oberbefehl). Korea-Krieg bis 1953.

26. Oktober: »Amt Blank« in Bonn: Beginn der Wiederaufrüstung.

Lebensmittel-Rationierung in der BR aufgehoben.

»Managerkrankheit«.

Bühne: Arthur Miller: »Tod eines Handlungsreisenden«; Peter Ustinov: »Die Liebe der vier Obersten«.

Bücher: rororo-Taschenbuch 1: Hans Fallada: »Kleiner Mann, was nun?«; A. de Saint-Exupéry: »Der kleine Prinz«; Bruno E. Werner: »Die Galeere«; Martin Heidegger: »Holzwege«; Ernest Hemingway: »Über den Fluß…«; »Das Tagebuch der Anne Frank«.

Filme: »Die Sünderin« (Hildegard Knef; Skandal); »Nachtwache« (Harald Braun).

Schlager: »Auf Wiedersehen«.

1951

BR: Mitbestimmung der Arbeitnehmer in der Kohle-, Stahl- und Eisenindustrie.

Europäische Gemeinschaft für Kohle und Stahl (Montanunion).

Bundesverfassungsgericht in Karlsruhe.

BRD Mitglied der UNESCO und der WHO.

Psychosomatische Medizin (Viktor v. Weizsäcker).

Vergleichende Verhaltensforschung (Konrad Lorenz u. N. Tinbergen).

Bühne: Wiederaufnahme der Bayreuther Festspiele.

Bücher: James Jones: »Verdammt in alle Ewigkeit«; Heimito v. Doderer: »Die Strudlhofstiege«; Thomas Mann: »Der Erwählte«; Jean Paul Sartre: »Der Teufel und der liebe Gott«; Simone de Beauvoir: »Das andere Geschlecht«; Annemarie Selinko: »Desirée«.

Filme: »Nachts auf den Straßen« (BR; Eric Pommer); »Rebecca« (USA, L. Olivier); »Endstation Sehnsucht« (USA, Elia Kazan); »Der Untertan« (DDR, W. Staudte).

Schlager: »Wer soll das bezahlen?«; »Schau mich bitte nicht so an!«

1952 – Deutschlandvertrag und H-Bombe

Erhöhte Spannungen im Verhältnis BR–DDR.

6. Februar: Elizabeth II. Königin von Großbritannien und Nordirland.

26. Mai: BR: Deutschlandvertrag mit den drei Westmächten.

14. August: Lastenausgleichsgesetz (Leistung bis 31. 12. 1968: 70,9 Milliarden DM).

31. Oktober: In den USA erste Wasserstoffbombe erprobt (UdSSR 1953).

5. Dezember: Tägliches Fernsehprogramm im Sendebereich des NWDR, bei ARD seit 1. November 1954.

DDR: Kollektivierung der Landwirtschaft (LPG). – Kasernierte Volkspolizei als Vorbereitung der Nationalen Volksarmee.

Blue Jeans werden in Europa populär.

Beate Uhse gründet ihre Erotica-Versandfirma als »Ein-Frau-Betrieb«.

Bühne: Samuel Beckett: »Warten auf Godot«.

Bücher: Ernest Hemingway: »Der alte Mann und das Meer«; Peter Bamm: »Die unsichtbare Flagge«; Vern Sneider: »Die Geishas des Captain Fisby«; Herman Wouk: »Die Caine war ihr Schicksal«.

Filme: »Rampenlicht« (USA, Chaplin); »Ein Amerikaner in Paris« (USA, Gene Kelly); »Sie tanzte nur einen Sommer« (Schweden, Ulla Jacobsson).

Schlager: »Ich hab' mich so an dich gewöhnt«.

1953 – »Pack die Badehose ein...«

2. März: 6000 DDR-Flüchtlinge in West-Berlin.

5. März: Josef Wissarionowitsch Stalin gestorben.

17. Juni: Aufstand in Ost-Berlin und in der DDR durch Einsatz sowjetischer Panzer niedergeschlagen.

28. Juli: Walter Ulbricht Erster Sekretär des ZK der SED.

13. September: Nikita Chruschtschow Erster Sekretär des ZK der KPdSU.

B. Frederic Skinner begründet behavioristische Lerntheorie als Grundlage des »Programmierten Lernens«.

James D. Watson und Francis H. C. Crick.: Nukleinsäure-Doppelwendel als Träger der Vererbung (Nobelpreis 1962).

Bücher: Heinrich Böll: »Und sagte kein einziges Wort«; Wolfgang Koeppen: »Das Treibhaus«; Marcel Proust: »Auf der Suche nach der verlorenen Zeit«.

Filme: »Vom Winde verweht« (USA); »Königliche Hoheit« (BR); »Ein Herz und eine Krone« (USA); »Moulin Rouge« (Engl.).

Schlager: »Pack die Badehose ein«; »Ach, Egon, Egon, Egon«.

1954 – Und immer weiter Krieg, Aufstand, Gewalt...

März: Beginn des Algerien-Aufstandes (1. Juli 1962 Unabhängigkeit).

7. Mai: Mit der Kapitulation der Dschungelfestung Dien-Bien-Phu im nördlichen Vietnam endet die französische Kolonialherrschaft in Indochina.

20. September: Mao Tse-tung Staatspräsident der Volksrepublik China.

19.–23. Oktober: Pariser Verträge: BR im westeuropäischen Militärbündnis.

USA-Atom-U-Boot »Nautilus«. – In der UdSSR erstes Kernkraftwerk.

Richard Wright: »Black Power«. – Oberstes Gericht der USA ordnet Aufhebung der Rassentrennung in den Schulen an.

Paul Niehans: »Die Zellulartherapie«.

BR Weltmeister im Fußball.

Elvis Presley († 1977): Rock 'n' Roll.

Bücher: Ernst Bloch: »Das Prinzip Hoffnung«; Hugo Hartung: »Ich denke oft an Piroschka«; Thomas Mann: »Felix Krull«; François Mauriac: »Das Lamm«; Theodor Plivier: »Berlin«.

Filme: »Feuerwerk« (BR, Lilli Palmer); »Die letzte Brücke« (BR, Käutner); »La Strada« (Ital., Fellini); »Die Faust im Nacken« (USA, Elia Kazan, Marlon Brando); »Brot, Liebe und Phantasie« (Frankr.-Ital., Lollobrigida, de Sica); »Madame de...« (Frankr.-Ital., Max Ophüls, Danielle Darrieux, Charles Boyer, de Sica).

Schlager: »Geb'nse dem Mann am Klavier«; »Ganz Paris träumt von der Liebe«.

1955 – Österreich neutral – Bundesrepublik in der NATO

5. April: Winston Churchill (seit 1951 Premierminister) tritt zurück.

9. Mai: Aufnahme der BR in die NATO.

14. Mai: Warschauer Militärpakt der Ostblockstaaten (DDR 28. 1. 1956).

15. Mai: Österreich: Staatsvertrag (26. Okt.: Immerwährende Neutralität).

8.–14. September: Adenauer in Moskau: Aufnahme diplomatischer Beziehungen; Freilassung der letzten Kriegsgefangenen zugesagt.

12. Oktober: Franz Josef Strauß Bundesminister für Atomfragen.

Wasserstoffbomben-Luftschutzübung in den USA: 16 Millionen »Manövertote«.

Bruttowochenverdienst in der BR 1951: 68,52 DM; 1955: 86,85 DM.

Jährl. Alkohol- u. Tabakkonsum i. d. BR: 12 Milliarden DM.

Jonas E. Salk: Schutzimpfung gegen Kinderlähmung.

Internationale Konferenz über Automation.

Erste »documenta«-Kunstausstellung in Kassel.

Bertelsmann-Lesering GmbH in Gütersloh (Bücher, Schallplatten, Möbel usw.).

Bücher: Ilja Ehrenburg: »Tauwetter«; Françoise Sagan: »Bonjour Tristesse«; Hans Egon Holthusen: »Der unbehauste Mensch«; Siegfried Lenz: »So zärtlich war Suleyken«; Hans H. Kirst: »Null-acht-fünfzehn«; Vladimir Nobokov: »Lolita«; Henry Miller: »Plexus« (1949); (»Nexus«, 1949, dt. 1961; »Sexus« 1945, dt. 1970); Werner Keller: »Und die Bibel hat doch recht«.

Filme: »Wenn es Nacht wird in Paris« (Frankr.-Ital., Jean Gabin); »Sabrina« (USA, Audrey Hepburn); »Jenseits von Eden« (USA, E. Kazan, James Dean); »Die tätowierte Rose« (USA, Anna Magnani); »Rififi« (Frankr.).

Schlager: »Arrivederci, Roma!«. »High Noon«.

1956

Wo einmal nichts war,
war plötzlich alles,
wovon der Mensch hat
so lang geträumt.
Und als das Große
auf ihn so zukam,
hat er das Kleine
dabei versäumt...

Wo gestern nichts war,
stehn heut Fabriken.
Das Wunder Ehrgeiz
hat sie gebaut.
Doch die sie bauten,
die sich was trauten,
haben dieses Wunder
noch nicht verdaut...

Aus einem Chanson der HILDEGARD KNEF

1

»Da ist also dieser Leonardo so ein Riesengenie gewesen – mit Abendmahl und U-Boot und Dampf-Maschinengewehr –, aber das, was irgendein kleiner Japaner fertigbringt, das hat er nicht fertiggebracht, Frau Baronin.«
»Ich habe Ihnen schon tausendmal gesagt, es heißt *nur* ›Baronin‹ und nicht ›Frau Baronin‹, Herr Formann!«
»Entschuldigen Sie, Baronin, daß ich Frau Baronin gesagt habe, ich denke immer, Frau Baronin ist noch feiner.«
»Was hat der kleine Japaner fertiggebracht, Herr Formann?«
»Na, das da.«
»Wo haben Sie denn diese Postkarte her?«
»Das ist keine Postkarte, Baronin, das ist eine Künstlerkarte! Aus einem Bistro in der Rue Rivoli, bei der Place du Carrousel. Die haben noch haufenweise andere solche Künstlerkarten. Und Sie wissen doch, ich kauf' mir überall, wo wir hinkommen, Karten von den berühmten Bildern, die Sie mir zeigen, damit ich nichts durcheinanderbringe bei diesen Massen.«
»Also, das ist doch... Das hat doch... Das muß doch verbo...«
»Warum verboten? Ich find' es lieb. Schauen Sie sich die Künstlerkarte genau an, Baronin! Von vorn, da lächelt die Mona Lisa selig wie eine, die ein großartiges Abführmittel genommen hat, aber wenn Sie sie von rechts oder von links anschauen, dann kneift sie ein Auge zu wie die hübschen Huren hier in Paris!«
»Es ist unfaßbar...«

»Nicht wahr, Frau... eh, Baronin? Und so plastisch! Dieser Busen von der Person! Wie der aus der Künstlerkarte herausknallt! Übrigens, im Vertrauen: Einer von den Portiers im Hotel hat mir gesagt, daß der Leonardo ein Warmer gewesen ist, und die Mona Lisa war gar keine Frau, sondern dem Leonardo sein Lieblingsknäblein.«

»Herr Formann!«

»'tschuldigen Sie, gnädigste Frau Baronin, aber der Portier hat's wirklich gesagt. Nach neuesten Forschungen soll es feststehen, daß...«

»Und der Busen?«

»Den hat der Vintschi aus dem Gedächtnis gemalt, stell' ich mir vor, Baronin. Als Maler wird er ja Gott behüte schon einmal einen gesehen haben, auch wenn er ein Warm... pardon... auch wenn er andersrum gewesen ist. Vielleicht in Erinnerung an seine liebe Frau Mama...«

Diese Unterhaltung fand am Nachmittag des 28. Oktober 1956 im weltberühmten Louvre, vor dem Bildnis der Mona Lisa, zwischen Jakob und der Baronin von Lardiac statt. Unter ihrer Leitung absolvierte Jakob seit längerer Zeit Kurse in Malerei, Literatur, Konversation, Geschichte, Musik, Bildhauerei und vor allem in gutem Benehmen.

Die Freifrau hatte ihm der Fertigbauhaus-Ingenieur Karl Jaschke aus Murnau besorgt. Dort war die Aristokratin eines Tages erschienen und hatte sich um den Posten einer Public-Relations-Managerin beworben. Jaschke, in lebhafter Erinnerung an verschiedene peinsame Begebenheiten, die allesamt mit Jakobs universeller Unbildung zusammenhingen, war ans Telefon geeilt und hatte seinen Chef aus einer Konferenz in Hamburg rufen lassen...

»Jakob, hier ist Karl! Ich hab' was für dich... Paß auf: Da ist gerade eine Baronin bei mir... Ich weiß, du willst von Baroninnen nichts wissen, aber du mußt!... Halt den Mund und hör zu! Also beschäftigen kann ich die Baronin bei mir natürlich nicht... Werbeabteilung wollte sie... aber die hat in ihrem Leben nie einen Finger krumm gemacht... Hat keine Ahnung, was das ist, Arbeit... Nein, eben nicht sofort rausschmeißen, ich habe sie engagiert... Für dich!... Na, wegen deiner Ungebildetheit und deinem schlechten Benehmen... Sei ruhig, jetzt rede *ich*! Bis zur Währungsreform, und noch ein bißchen danach, da hast du ungebildet sein können noch und noch, und Manieren brauchtest du überhaupt keine zu haben. Das hat sich jetzt aber geändert! Du weißt es selber. Denk an die vielen Leute, die dir vorn ins Gesicht schöntun, und hinten... Wir wissen doch, was die feinen Leute von dir sagen: Emporkömmling... Pülcher... Mit dem Mann kann man nicht verkehren... Der frißt wie ein Schwein... Der redet so ordinär... Na, ist doch aber auch wahr – oder?... So geht das nicht weiter mit dir, Jakob! Du brauchst eine Dame, die dir Benimm und Bildung beibringt! Und die schick' ich dir jetzt. Hat zwar bloß ein einziges Hemd auf dem Hintern, aber einen Stammbaum, der geht zurück bis zu Kaiser Friedrich Lobesam… Hast natürlich keine Ahnung, wer das war… Ach, Mensch, mach kein Theater, ich kenn' dich doch! Bis zu diesem Friedrich also! Oder in der Gegend da… Warte, sie hat mir ihre Papiere mitgebracht. Ich lese dir mal was vor… Also, sie nennt sich Très noble et très puissante Dame Baronesse de Lardiac, Dame Haute-Justicière… Ach so, du kannst ja nur zehn Wörter Französisch… Ruhe!… Hör dir mal diesen Titel an, ich übersetze: Sehr Edle und Sehr Mächtige Frau Baronin von Lardiac, Edle Frau und Gerichtsherrin von Valtentante, erbliche Palastdame am Hof von Jerusalem zufolge des Privilegs, verliehen der sehr ruhmreichen Familie Lardiac durch Kaiser Friedrich den Zweiten, späterhin König von Jerusalem… Was?… Wie… Nein, ich bin nicht meschugge! Du, du machst mich meschugge, Mensch! Weißt du, wann der Lobesam König von Jerusalem gewesen ist? Zwölfhundertungerade, sagt *sie*!… *Nach* Christi Geburt, Trottel! Jetzt steht dir deine Schlabberschnauze still, was?… Wie?… Was heißt: Wieso König von Jerusalem?… Junge, hast du vielleicht schon mal was von den Kreuzzügen gehört?… Ja? Na, ich glaube es ja nicht, aber bitte… Also der Lobesam, der hat so einen Kreuzzug gemacht… was weiß ich der wievielte, und er hat sich selber zum König von Jerusalem gekrönt! Sagt *sie*!… So eine finden wir nie wieder! Ich habe sie ganz preiswert geschossen, Jakob! Monatsgehalt und Spesen… Herrgott, ja, Krankenkasse und Angestelltenversicherung, alles klar… Aber die wird ja nicht ewig bei dir… Was?… Wie?… *Ich* bin ganz normal!… Entlassen? Kannst du ja gar nicht! Wir sind Fifty-fifty-Partner! Hör auf zu brüllen, Mensch!… Die Edle Frau kommt heute abend um zweiundzwanzig Uhr sechsundzwanzig am Dammtor-Bahnhof in Hamburg an. D-Zug aus München! Mach bloß, daß du zum Empfang da bist. Was?… Ja… Nein… Ja… Nein… Ja! Danke könntest du auch wirklich mal sagen, verflucht!«

An jenem Abend war die Edle Frau dann am Hamburger Dammtor-Bahnhof eingetroffen. Jaschke hatte sie noch genau beschrieben, und Jakob erkannte sie gleich. Lautlos wüst fluchend machte er einen tiefen Diener, als er ihr gegenüberstand.

»Habe die Ehre, Frau Baronin…«

Können wir wieder mal ein Weib vollkommen neu einkleiden, dachte er. Und tat es. Danach blinzelte er ungläubig. Die sah prima aus! Groß, schlank, gut gewachsen, schwarzes Haar und schwarze Augen, Anfang der Vierzig, also einfach edel! So etwas von edel hatte die Welt noch nicht gesehen! Nach ein paar Wochen rief Jakob seinen Freund Jaschke an und bedankte sich…

»Alle bewundern die Edle!«

»Na bitte! Und daß du sie mir ja immer überall mit hinnimmst!«

»Klar. Glaubst du, daß man so was, wo bis zwölfhundertleipzig und einundleipzig zurückgeht, aufs Kreuz… Ich meine… Denkst du, sie hätte was dagegen?«

»Frag sie doch.«

Jakob hatte gefragt. Die Edle hatte etwas dagegen. Sie wollten nur gute Freunde sein, sagte sie. Und begleitete Jakob fortan auf allen Reisen, um ihm Benimm und Bildung beizubringen. Und das war wirklich nötig. Jakob sah es ein.

Früher, 1946, als abgerissener Civilian Guard und Ia-Nebbich, hatte man sich doch ganz anders aufführen können als jetzt, zehn Jahre später, besonders wenn man Jakob Formann hieß, weltbekannt war und Multimillionär. Da mußte man schon anständig essen und trinken können und wissen, wer Baruch de Spinoza gewesen war und wer Sigmund Freud und wer Debussy! Und reden können mußte man auch über all dies, und zwar so verblasen und idiotisch unverständlich wie möglich. Denn man kam immer wieder mit den Großen dieser Erde zusammen und immer wieder mit denen aus der ach so provisorischen Hauptstadt Bonn, wo Ludwig Erhard als Wirtschaftsminister bestaunt wurde, der mit der ›Sozialen Marktwirtschaft‹, der jetzt schon einen geradezu legendären Ruf als ›Vater des deutschen Wirtschaftswunders‹ besaß.

»Und jetzt, Baronin«, sagte Jakob, mit dem Zeigefinger weisend (was man nicht tun soll), »schauen Sie sich den Schinken da an der Wand an! Den Unterschied möchte ich Lessing spielen können! Der kleine Japaner ja, aber der große Leonardo da Vinci, nein, der hat das nicht fertiggebracht, daß die Mona Lisa auch gleich so plastisch ausschaut und so bewegliche Gesichtszüge hat! Ich will Ihnen mal sagen, was ich glaube: Diese ganzen alten Meister werden irrsinnig überschätzt! Und mir tun die Füße weh!«

Das ignorierte die Edle.

»Geben Sie mir sofort die Karte, Herr Formann«, sagte sie energisch.

»Ich denke nicht daran!«

»Sie werden sie mir auf der Stelle geben!«

»Wenn Sie weiter so mit mir rummachen, schmeiße ich Sie raus, Baronin«, murrte Jakob. »Wie reden Sie denn mit mir! Bin ich bei Ihnen angestellt, oder sind Sie bei mir angestellt?«

Die Edle maß ihn von oben bis unten, sehr langsam, mit einem unendlich verachtungsvollen Blick. Palastdame am Königlichen Hof zu Jerusalem... Eiweh!

»Wie oft haben Sie schon gesagt, daß Sie mich entlassen werden, Herr Formann? Und wie oft haben Sie es dann nicht getan?«

Jakob senkte das Haupt.

Das stimmt, dachte er. Weiß Gott, wie oft habe ich es gesagt! Getan? Getan habe ich es nie! Warum nicht? Also, ganz ehrlich: Weil mir das Weib imponiert! Diese Haltung! Diese Würde! Dieses – na, eben dieses Edle einfach. Jawohl, das alles imponiert mir! Und ich würde die Edle doch so gerne flirten. Aber das läßt sie sich nicht. Verflucht, und das imponiert mir auch!

»Hier, bitte«, sagte Jakob Formann, charmant lächelnd, und überreichte die Karte. Mir selber kann ich es ja gestehen, dachte er dabei: Ich bin nicht mehr der alte Jakob, der ich einmal gewesen bin. Langsam und immer mehr werde ich sogar stolz auf den Umgang mit den feinen Leuten!

Die Baronin nahm die Karte.

»Das ist obszön«, sprach sie dazu. »Das ist ein Sakrileg, Herr Formann. Das ist... Lästerung! Wenn wir fortgehen, werde ich dieses... Ding vernichten. Das geheimnisvolle Lächeln der Mona Lisa bewegt seit Jahrhunderten die größten Geister der Welt.«

Entweder etwas ist ein Sakrileg bei ihr, oder es ist obszön, dachte Jakob. Ihre Lieblingsausdrücke. Ich habe nachgeschaut im Wörterbuch (auf einmal habe ich einen Haufen Wörterbücher, den ich mit mir herumschleppe), was das heißt.

Also ein Sakrileg ist ein Vergehen gegen geweihte Personen und Dinge der katholischen Kirche (aber der Edlen ist es piepegal, ob es sich da um was Katholisches oder Evangelisches oder Jüdisches oder Kommunistisches oder um Austern handelt), und obszön ist lateinisch und heißt soviel wie unanständig, schmutzig oder schamlos.

Der Jaschke hat ganz recht gehabt. Es ging nicht so weiter mit mir! Ich weiß genau, was die Hunde, mit denen ich arbeite, hinter meinem Rücken reden! Neidisch sind sie! Neidisch, ja, diese Scheißbankiers und Wirtschaftskapitäne. Die können eine so edle Dame nicht mit sich führen! Das ist schon was, was ich da habe an der Baronin, ah ja!

»...der Sinn des Bildes«, klang der Edlen Stimme an Jakobs Ohr, »ist begreifbar, wenn man sich mit Leonardos figurativen Motiven im Zusammenhang mit seinen wissenschaftlichen Studien befaßt...«

Herrgott, meine Füße. Aber ich muß aufmerksam zuhören. Schließlich geht es um meinen Krieg! Und den gewinne ich nur mit Bildung und mit den feinen Leuten als Freunden, nicht ohne Bildung und nicht mit den feinen Leuten als Feinden. Ein Jammer, daß meine Edle sich nicht flirten läßt. Weil, die ist nämlich lesbisch.

»...zu der Zeit, als Meister Leonardo seine Mona Lisa malte, wandte er sich gegen die im fünfzehnten Jahrhundert vorherrschende Raumauffassung...« Verflucht, tun mir die Füße weh von dieser Herumrennerei. Gleich zieh' ich mir die Schuhe aus! Das ist ja ein Mordsding, der Louvre! Immer das gleiche mit diesen elenden Museen. Um die halbe Welt bin ich mit der Edlen geflogen, auf meinen Geschäftsreisen. Petöfi-Irodalmi-Museum in Budapest, Walker Art Center, Minneapolis. Die Albertina in Wien. Metropolitan Museum, New York. Uffizien, Florenz. Grünes Gewölbe, Dresden. Corcoran Gallery of Art in Washington. (Da bin ich besonders oft hingekommen.) Eremitage in Leningrad. Sixtinische Kapelle im Vatikan. Großer Gott, bin ich herumgeflogen in diesen letzten Monaten! Allein die Museen, in die mich die Edle geschleppt hat! Soviel Kultura! Das hat sie gar nicht fassen können, hehe, meine Edle, wie freundlich sie mich mit ihr in die Sowjetunion reingelassen haben und nach Dresden. Uns Westler! Und sie noch dazu eine Aristokratische von anno Dutt. Jakob Formann kommt überall rein! Überall ist man freundlich zu Jakob Formann, in West und Ost! Sie hat natürlich wissen wollen, was ich mit Rußland für Geschäfte mache, die Edle. Habe ich ihr natürlich nicht verraten. Habe nur leichthin geantwortet: »Jakob Formann ist seiner Zeit immer um zwei Schritte voraus, Baronin.« Na, und das stimmt aber auch wirklich! Ich bin immer zwei Schritte voraus. Nicht nur der Zeit! Auch allen anderen Menschen!

In der Sixtinischen hat sie einen Verwandten getroffen, so einen Violetten. Ein ganz hohes Tier...

»...ließ Leonardo schon die traditionelle Aufteilung der Horizontalen durch strahlenförmig konvergierende Linien« (Ich verstehe kein einziges Wort, aber konvergierend, das muß ich mir merken, so was macht immer starken Eindruck!) »beiseite, desgleichen die Unterordnung der einzelnen Elemente unter einen Fluchtpunkt...«

Apropos Fluchtpunkt, dachte er. Da habe ich doch von der Edlen ein Buch verpaßt gekriegt von einem gewissen Poe, da steht eine Geschichte drin, in der suchen Polizisten wie verrückt einen Gegenstand in einem Zimmer. Sie finden ihn nicht, weil er nämlich mitten auf dem Tisch liegt, überhaupt nicht versteckt. Die hat mir großen Eindruck gemacht, diese Story. Seither wohne ich wieder im HÔTEL DES CINQ CONTINENTS. Wie vor neun Jahren mit der Laureen, dem süßen Werwolf. Wäre ich woanders hingegangen, wäre vielleicht was passiert, einer hätte mich angesprochen, daß ich einem Mr. Fletcher so ähnlich sehe oder so. Im HÔTEL DES CINQ CONTINENTS? Keine Spur. Haben den Fletcher und seine Frau längst vergessen! Niemand hat mich wiedererkannt. Großer Mann, dieser Poe. Immer mitten auf den Tisch! Und ich finde das HÔTEL DES CINQ CONTINENTS so gemütlich. Sie gibt mir einen Haufen Bücher, meine Edle. Da ist viel Interessantes darunter, ach ja...

»...und setzte an ihre Stelle die Abstufungen durch Licht und Farbe...«

2

Es war schon dunkel, als die Edle Frau und Jakob den Louvre verließen. (Und zwar natürlich durch den Haupteingang im Pavillon Denon, wie jeder Gebildete weiß.) Ein dunkelblauer Rolls-Royce wartete hier. Der livrierte Chauffeur riß die Mütze vom Kopf und den Schlag auf. Jakob schüttelte ihm die Hand.

»Tut mir leid, daß es so spät geworden ist. Aber wir sind beim Raffael hängengeblieben. Raffael scheint im Louvre die Majorität zu besitzen.«

»Macht doch nichts, Jakob, ich bitt' dich!« sagte der Chauffeur Otto Radtke aus Duisburg, verstaute behutsam seine Fracht, setzte sich hinter das Steuer und wandte den Kopf.

»Ins Ssäng Kongtinangs?«

»Ins CINQ CONTINENTS, ja«, sagte die Edle eisig und drückte auf einen Knopf. Summend glitt eine dicke Glasscheibe zwischen dem Fahrer und den von ihm Gefahrenen hoch.

»Was ist jetzt wieder los?« fragte Jakob.

»Ihr Benehmen.«

»Was, mein Benehmen?« Der Rolls fuhr an.

»Ist unmöglich, Herr Formann. Wie oft soll ich Ihnen noch sagen, daß Sie Ihren Angestellten nicht die Hand geben und sich nicht plump-vertraulich mit ihnen duzen dürfen?«

»Und wie oft soll ich Ihnen noch sagen, daß ich den Otto seit dem Scheiß-krieg…«

»Herr Formann! Ich muß doch sehr bitten! Keine obszönen Ausdrücke in meiner Gegenwart!«

Das ist vielleicht ein Spielchen zwischen uns beiden, dachte Jakob und fuhr aggressiv fort: »…seit dem Scheißkrieg kenne und ich ihm geholfen habe, wie er…«

»Als er!«

»Als er, wie bitte?«

»Es heißt nicht ›wie er‹, sondern ›als er‹.«

»…als er bei Orel verwundet worden ist, und wie er mir dann nach dem Krieg im Hafen von Antwerpen geholfen hat, wie wir die Präservative ver-schoben haben…«

»*Herr Formann!*« sagte die Edle noch eisiger (so eisig, wie es in Orel gewe-sen ist, dachte Jakob), »wenn Sie noch ein einziges Mal ein derart schmut-ziges Wort in den Mund nehmen, kündige *ich* auf der Stelle!«

Jakob erlitt einen kurzen Lachkrampf.

»Hahaha… komisch!«

»Was finden Sie denn so komisch, Herr Formann?«

»Einmal kündigen Sie, einmal kündige ich! Konsequenzen ziehen Sie nicht und ich nicht. Also wenn das nicht komisch ist, hahaha… Sie finden es nicht komisch, wie?«

»Nein«, sagte die Edle.

Na ja, dachte Jakob, das ist eben jahrhundertealte Kultur. Wenn ich es mir recht überlege: Es ist ja auch wirklich nicht komisch, sondern ich bin nur leicht zu erheitern. Zu leicht! Schon ein Glück, daß ich die Edle habe, wahr-haftig, dachte er, und lenkte schnellstens ab. »Rolls-Royce, Baronin – der beste Wagen, wo gibt!«

»Den es gibt!«

»Also, ich werde doch noch wissen, wo es Rolls-Royce gibt!«

»Es heißt nicht ›wo es gibt‹, sondern, ›den‹ oder ›die‹ oder ›das es gibt‹, Herr Formann.«

»Natürlich. Reine Nervosität von mir. Ich schwöre Ihnen, das habe ich gewußt! Sind wir wieder gut?«

»Es sei«, sagte die Edle kühl.

»Ich habe natürlich den ersten Rolls gekriegt, wo nach Deutschland geliefert wurde!« schwärmte Jakob.

»Der!«

»Ja, natürlich der da! Habe auch den ersten Porsche gekriegt! Den fährt jetzt mein amerikanischer Plastik-Experte, Frau Baronin!«

»›*Frau* Baronin‹ sagen die Domestiken. Sind Sie ein Domestike, Herr Formann?«

»Was ist ein Domestike?«

»Sie wissen nicht, was ein Domestike ist?«

»Sonst würde ich Sie nicht fragen!«

»Ein subalternes Geschöpf. Ein Hausangestellter!«

»Ich danke, Baronin.«

»Im Ernst, Herr Formann: Wenn Sie wenigstens bessere Manieren bekommen und ein halbwegs intaktes Savoir-vivre...«

»Perfektes Sa...«

»Savoir-vivre!« kreischte die Edle. »Wenn Sie das nicht kriegen – ich habe Ihnen fünfzigmal erklärt, was das ist, zum einundfünfzigsten Mal erkläre ich es Ihnen nicht –, dann nützt Ihnen Ihr ganzes Geld nichts, dann sind Sie in kürzester Zeit bei allen wirklich seriösen Leuten unten durch!« Die Baronin seufzte abgrundtief.

»Was haben Sie denn? Warum seufzen Sie denn so, Baronin?«

»Wann werden Sie wenigstens endlich anständig essen gelernt haben? Damit quäle ich mich nun auch schon eine Ewigkeit herum! Und Ihre Fortschritte, Herr Formann, sind kläglich! Wir essen im CINQ CONTINENTS natürlich im Salon unserer Appartements. Im Restaurant kann man Sie immer noch nicht vorzeigen.«

Bumms, da haben wir es. Fressen im Salon.

3

Saumon fumé d'Écosse
Toast Réjane
*
Oxtail en tasse
Paillettes dorées
*
Pojarski de Veau ›Princesse‹
*
Haricots verts Fine Fleurs
*
Soufflé Glacé aux Framboises et Sa Garniture
Plâteau de Friandises
*
Demi-tasse Moka
*
Champagne
Pommery & Greno Brut

Tja, das liest sich, was? Schick liest sich das, wie? Schaut auch schick aus. Dickes gelbes Bütten. Erstklassiger Druck. Was Sie wollen. Das Wasser läuft Ihnen im Munde zusammen, wenn Sie das lesen! Mir auch. (Jakob Formann denkt.) Wenn ich auch nur Räucherlachs und Ochsenschwanzsuppe verstehe. Abendmenu des HÔTEL DES CINQ CONTINENTS vom 28. Oktober 1956. Und hier beginnt die Tragödie, verflucht und zugenäht. Nämlich:

Ich komme also vom Louvre zurück ins Hotel. In der Halle können sie sich alle wieder nicht fassen, die bei der Reception, die Portiers. (Wie seinerzeit, als ich Mr. Fletcher war und mit Laureen herkam.) Diesmal noch mehr. Inzwischen kennt mich nämlich wirklich die ganze Welt, und von der Edlen Ahnengalerie wissen sie alle, daß es die schon zwölfhundertlobesam und so weiter. Haben sie im Gotha nachgelesen. (Ich finde mich mit dem Ding nicht ums Verrecken zurecht – die Portiers schon!) Ein Geschisse ist das...

Mir hängt der Magen bis zu den Knien. (Jakob Formann denkt noch immer.)

Wenn Sie aber glauben, es gibt gleich was zu fressen, dann haben Sie sich geirrt. Also zunächst mal rauf in unsere Appartements. Die teuersten und größten und feinsten natürlich. Die Dings, die Edle, hat eines, Bad, Umkleideraum, Schlafzimmer, kleiner Salon. Ich dasselbe. Dazwischen: ein Riesensalon! Bei mir alles in Nachtblau, bei der Dings alles in Kaisergelb. Seidentapeten, Lüster, na ja.

»Wir dinieren oben…«

»Sehr wohl, gnädigste Frau Baronin…« (Der da, der darf ›Frau‹ sagen, der Staubgeborene. Ich nicht. Nicht mehr! Obwohl ich auch ein Staubgeborener bin – äh, war!)

Also rauf. Zuerst nimmt man natürlich ein Bad. Das ließe sich zur Not noch ertragen. Ab und zu nehme ich so auch eines. Man muß sich hin und wieder waschen, dazu brauche ich keine Edle. Aber nicht gerade vor dem Fressen, wenn mir der Magen knurrt! Ich nehme also eines, sie nimmt eines. Jeder in seinem Appartement.

Tenue de soirée hat sie befohlen. Was willst du machen? Ein Mann wie ich *muß* sich umziehen vorm Fressen! Aber nicht etwa, daß ein anderes Hemd und ein anderer Schlips und ein anderer Anzug genügte. Haha! (klingt hohl, mein Gelächter, wie?) Ein Smoking muß her! Jawohl! Jeden verfluchten Abend, den Gott werden läßt, muß ich mich in einen Smoking schmeißen. Fünfe habe ich. Lackschuhe. Seidensocke. So ein Dreckshemd mit Rüschen vorn und an den Manschetten, wo man die Knöpfe fast nicht zukriegt. Jaja, wir Großen! Wenn die Kleinen nur wüßten, wie gut es ihnen geht. Keinen Schimmer haben sie! In die Manschetten natürlich Brillantknöpfe. Die habe ich erst aus dem Hotelsafe raufholen müssen. Und der Edlen ihre Klunker auch. Die Fliege. Schwarz. Hinten zum Zuhaken. Würgen einem die Luft ab. Vor dem Anziehen natürlich noch rasieren. So vergeht denn ein Stündlein. Bei der Edlen vergehen zwei. Mir knurrt der Magen. Ich habe schon Halluzinationen. Dauernd sehe ich ein Wiener Schnitzel. Dann sitze ich endlich in meinem kleinen Salon (›klein‹ ist gut!) und blättere in einer Zeitung. LE MONDE. Ich verstehe kein Wort. Aber es lenkt ab. Einen Dreck lenkt es ab! Jeden Abend dasselbe. Nebenan, im großen Salon, rumpeln sie jetzt alles zurecht. Drei Mann. Ein Maître d'Hôtel. Zwei Kellner. Tür auf.

Da steht die Edle. Abendkleid aus rotem Seidenchiffon. Geschminkt. Gepudert. Aufgedonnert. Familienschmuck. Tinnef, wenn Sie mich fragen. Aber überall kleine Kronen drauf. (Das Schnitzel, das es nicht gibt außer in meinem Hirn, wird immer größer.)

Na also, dann wollen wir mal.

Drei Lüster im großen Salon. Sechs Wandleuchter. Alles strahlt. Eine Verschwendung ist das! Und in China haben sie zuwenig Reis. Begrüßungsballett der Kellner. Nette Kerle. Möchte ihnen so gern die Hand geben oder ein Wort mit ihnen wechseln. Darf ich aber nicht. Keine einzige Hand. Kein einziges Wort. Die Edle ist auch stumm. Sie gibt nur Zeichen.

Der Tisch, den sie hereingerollt haben, die armen Hunde, sieht aus wie jeden Abend. Schwere Damastdecke. Silberne Unterteller, funkelnd. Darauf Spitzendeckchen. Sogenannte ›Klapperdeckchen‹. Damit die anderen Teller auf ihnen nicht klappern. Das Besteck auch aus Silber, auch funkelnd. Zwei Silberleuchter, jeder dreiarmig, am meisten funkelnd. Tür auf. Kommt noch eine Schöne im Abendkleid herein. Schmuckbehangen. Geschminkt. Fünfundzwanzig. Blond. Rosig. Kulleraugen. Mensch, immer diese Brustwarzen! Überall stechen sie durch. Auch jetzt.

Alles dienert. Madame la Contessa...

Die zieht mit uns herum. Wohnt immer im selben Hotel. Frißt immer mit uns. Das hat die Edle im Vertrag zur Bedingung gemacht. Weil dies ihre Nichte ist. Eine Italienerin. Claudia Contessa della Cattacasa. Auch uralter Adel. Der ihre Vorfahren haben, höre ich, schon die Schlacht von San Romano gewonnen. Oder verloren. Im Jahre... Vergessen. Ich kann mir doch nicht alles merken! Nur: So etwas schmückt unsereinen natürlich ungeheuerlich. Gleich zwei Aristokratinnen an meiner Seite! Ich sehe doch täglich, wie die blöden Hunde alle fast zerspringen und ganz gelb werden vor Neid! Und Mercedes-Benz sind um sieben Punkte gestiegen, und Pharma-Aktien blühen.

Handküsse. Nur angedeutete! Haben wir wochenlang geübt, die Edle und ich. Man darf nicht steif in der Mitte durchknicken und so eine Damenhand einfach abschlecken. Die Dame muß sie einem ein wenig entgegenheben. Diese Claudia aber auch! Manchmal tut sie's, manchmal tut sie's nicht. Die kann mich nicht leiden. Immer ist dieses kleine Aas dabei. Sie flirten trau ich mich nicht, obwohl die mich absichtlich quält mit ihren Brustwarzen. Aber *bezahlen* darf ich. Alles. Na also, nicht die Hand zart entgegengehoben. Mußte ich ganz tief runter. Strafender Blick von meiner Edlen. Wieder den Rücken zu tief geknickt, ich weiß, ich weiß. Wie soll ich denn an die Hand von der Contessa rankommen, wenn die sie unten läßt. Herrgott, ist das ein Affentheater! Aber es muß sein, es muß sein. Wir Großen leben eben in einer anderen Welt. Der Edlen schiebe ich den vergoldeten Sessel unter den Hintern, der Comtesse schiebt einer von den Kellnern einen unter. Und wie gern tät' ich der noch ganz was anderes unterschieben! Dann darf ich mich setzen. Und jetzt geht's los!

Augenzeichen von der Edlen. Der Maître d'Hôtel dreht nach und nach alles elektrische Licht ab. Einer der Kellner zündet alle Kerzen in den Leuchtern an. Kitschiger geht's nicht. Ob die nach der Schlacht von San Romano, als der Lobesam sich selber zum König von Jerusalem krönte (eine Chuzpe!), auch schon so gefressen haben? Bestimmt nicht! Alles mit die Finger. Hrm. *Den* Fingern, Jakob!

Der Maître d'Hôtel gibt Anweisungen, leise, kurz, scharf. Die Kellner kommen auf Touren. Sie haben weiße Jacketts und schwarze Hosen und schwarze Fliegen. Der Maître ist im Frack und macht ein Gesicht, als ob ich gerade gestorben wäre. Oder er.

Teller wieder weg! Neue Teller.

Der Lachs wird serviert. Gott sei Dank. Brötchen und Butter auf dem Tisch. Will mir eins greifen. Blick der Edlen. Herrje. Darf ich nicht. Wozu liegen die Brötchen dann aber da? Ah, ich muß den ›Toast Réjane‹ nehmen, den sie mir offerieren! Ich mag aber keinen Toast. Doch ich muß! Ich mag auch keine Zitrone auf'n Lachs. Ich muß aber. Na, dann fangen wir also an! Das Elend, das jetzt kommt, kenne ich. Nach ein paar Bissen nimmt mir ein Kellner auf einen Wink von der Edlen den Teller wieder weg. Nur ein paar Bissen darf man von jeder Speise essen. Mehr essen, sagt die Edle, ist obszön. Na, da stopfe ich mir eben Riesenbissen ins Maul. Prompt trifft mich der angeekelte Blick von der Edlen. Und noch ein zweiter angeekelter. Von der Contessa. Also, du kleines Biest, dich würde ich ja liebend gerne einmal, daß du die Engelein singen hörst...

Wusch – weg der Lachs. Brötchen und Toast gleich mit. Da hätte ich mir wenigstens etwas den Magen füllen können. Nix zu machen. Die hat wieder ein Zeichen gegeben, die Edle. Abräumen!

Verdammte Sauerei!

Fast unhörbar befiehlt der Maître. Der steckt, das könnt' ich schwören, unter einer Decke mit der Edlen. Nachher frißt er all die guten Sachen ganz alleine. Die Kerzen flackern. Natürlich kriege ich einen Tropfen heißes Wachs auf die Hand. Geschieht mir ganz recht. Ich habe ja mit Gewalt ein feiner Mann werden wollen! Ich habe ja auch meinen Krieg gewinnen wollen! Und das will ich noch immer! Und so darf ich mich nicht beklagen. So muß denn alles so sein...

Von dem Champagner habe ich natürlich auch nichts. Den saufen die Weiber. Meine Edle hat ihn gekostet und für gut befunden. Gerne weist sie auch Flaschen zurück. Wegen dem Kork. Sagt sie. Die schwindelt! Die Pullen säuft auch der Maître, davon bin ich überzeugt. Ich darf mein Perrier saufen. Eisstückchen drin. Die Damen haben ihren Pommery. Das kluckert vielleicht bei denen. Und nun unterhalten sie sich.

Eine Unterhaltung ist das...!

»Dior kann man heuer nicht tragen, Liebste. Ihm ist aber überhaupt nichts eingefallen.«

»Nur Emilio Schuberth!«

»Da hast du recht, liebste Claudia. Aber: In Italien sind die Stoffe so schlecht.«

»Leider, Tantchen, leider. Die Stoffe sind in Paris besser. Aber Schuhe! Schuhe nur aus Italien!«

»Selbstverständlich, Claudia! Seit Jahren! Bei Ferragamo in Florenz. Der hat meine Gipsfüße. Ich brauche nie zur Anprobe, er schickt mir die fertigen Schuhe. Und die passen wie angegossen.«

»Ferragamo ist einsame Spitze. Meine Gipsfüße stehen natürlich auch bei ihm. Direkt neben denen der Herzogin von Windsor.«

»Meine zwischen der Prinzessin Trubetzkoj und Lady Vanderbilt! Und Herrn Formanns Gipsfüße stehen unter Winston Churchill und über Frank Sinatra.«

»Nein!«

»Aber ja doch!«

»Nein! Nein! Nein! Sag, daß das nicht wahr ist, liebstes Tantchen!«

»Es *ist* wahr, Claudia. Wie, Herr Formann?«

Ich habe keine Zeit zu antworten. Ich muß sehen, daß ich wenigstens von der Ochsenschwanzsuppe ordentlich... Aber unsereins hat kein Glück. Ein Wink der Edlen. Ein Zischen des Maître. Weg die Schale. Mensch, und das war eine Terrine voll! Da kann der seine ganze Familie sattkriegen. Und die Schuhe von dem berühmten Ferragamo drücken mich. Zuviel rumgelaufen heute.

Pojarski de Veau ›Princesse‹.

Ja, einen Dreck! Sechs Bissen, von den Haricots verts nicht mal vier Gabeln voll. Wink. Zischen. Weg!

Die Edle lächelt dem Maître zu. Die beiden verstehen sich, das hab' ich ja gewußt.

Dieselbe Gemeinheit mit dem Soufflé aux Framboises! Wo ich so gerne Himbeeren esse!

»...also wenn das keine Mesalliance ist, Liebste! Ich bitte dich: Er direkt vom Sonnenkönig, und sie eine ehemalige Barfrau!«

»Obszön! Du wirst sehen, wie man die Person schneidet, Claudia!«

»Liebesheirat! Lachhaft! Er hat doch keinen müden Franc mehr...«

»Aber die ehemalige Barfrau, die hat geerbt! Und wie! Und jetzt die beiden... Ein Sakrileg...«

»Du sagst es! Also, für mich ist Jocelyn gestorben!«

Von dem winzigen Mokka werde ich auch nicht mehr satt...

»In Longchamps, beim Rennen, *hat* man sie beide schon geschnitten!«

»In der Tat, Claudia?«

»In der Tat! Und weißt du, wo sie jetzt arbeiten läßt? Ich habe es herausbekommen! Aber du darfst es keiner Sterbensseele... Ich kann es dir nur ins Ohr... Hören Sie weg, Herr Formann...«

Einen Charakter wie eine Klosettschüssel hat diese italienische Contessa! Wahrscheinlich ist die nicht mal gut zu stemmen. Aber blaublütig eben, blaublütig!

Rrrrmmmm!

»Herr Formann!«

»Das war nicht ich, Baronin! Das war bloß mein Magen...«

»Das... das ist ja... Wie konnten Sie bloß...«

Ach was, leckt mich doch alle miteinander...!

Jetzt noch eine halbe Stunde durchhalten und dann...

Es gibt für alles eine Grenze! Ich werde Otto mitnehmen. Nein, heute nicht. Heute gehe ich allein. Heute fühle ich mich in der Einzahl. Ich werde ein Taxi nehmen. O Gott, schon wieder mein Magen!

4

Die Kellnerin Claudine Aubert war eine gesunde, bildhübsche Person von bäuerlicher Herkunft, aus dem Departement Maine-et-Loire. Niemals in ihrem bewegten Leben war sie auch nur einen einzigen Tag lang krank gewesen. Eines Nachts allerdings hatte sie geglaubt, verrückt zu sein. Das war die Nacht vom 14. April 1956 gewesen.

In der Nacht vom 14. April 1956 – die glutäugige Claudine mit dem Katzengesicht und dem aufregend-üppigen Körper dachte, sie würde das Datum nie vergessen (sie war eben noch sehr jung und wußte nicht, daß alle Dinge vergessen werden nach einer kleinen Weile) – hatte ein Mann die Boîte de cul betreten, in der sie arbeitete.

Boîte heißt im Französischen soviel wie Schachtel, Büchse, Dose, Kapsel, kleines Theater, Briefkasten, Penne, Bude, Kasten, Lokal. Boîte de nuit ist durchaus nichts Ehrenrühriges. Boîte allein kann nämlich auch Stampe, Beisel, Stehbierausschank, Kneipe heißen; folglich ist Boîte de nuit ein Nachtlokal. Boîte de cul hingegen *ist* ehrenrührig, wird aber nicht immer so empfunden. Cul heißt nämlich Arsch. Man kann auch sehr freundlich Arsch sagen.

Die Boîte de cul AU JAUNE CHIEN (›Zum Gelben Hund‹) liegt im Zwanzigsten Arrondissement von Paris. Dieser zwanzigste Bezirk heißt Belleville, und dieser Name ist reiner Hohn, denn Belleville ist sozusagen das Arrondissement de cul von Paris. Was man so Nachtjackenviertel nennt oder Glasscherbenviertel. Das Letzte. Das Allerletzte. Das Häßlichste. Der Arsch von Paris. Natürlich, wie es so der Brauch ist, reserviert für Proletarier, alte Leute, kranke Leute, arme Leute, Schwarze, Juden und Araber.

Den Namen der Straße, in welcher sich der ›Gelbe Hund‹ befindet, verschweigen wir – man hat uns innig darum gebeten. Wir wollen nicht noch mehr Unglück über die armen Teufel von Belleville bringen, auf keinen Fall!

Mit ihren fünfundzwanzig Jahren war Claudine Aubert eine Frau von großer Erfahrung und mit einem großen Herzen. Deshalb nahm sie sich auch sogleich des Mannes in dem viel zu feinen Anzug (er trug sogar eine Krawatte) an, der in der Nacht vom 14. April 1956, gegen 23 Uhr, in den ›Gelben Hund‹ kam. Hier ging es zu wie immer. Die Huren plauderten mit ihren Luden, ein paar Araber mit ein paar Arabern und ein Jude mit einem andern Juden. Es waren auch ein paar ältere Arbeiter da. Sie standen an der Theke und tranken billigen Rotwein oder einen ›Kleinen Weißen‹, sie saßen an grob zusammengehauenen Holztischen auf grob zusammengehauenen Bänken und aßen Saucisses avec pommes frites. Das war das Billigste. Saucisses sind Würstchen.

Der viel zu feine Mann war Ausländer, das erkannte die erfahrene Claudine auf den ersten Blick. Er lächelte hilflos, grüßte nach allen Seiten, setzte sich dann und hielt einen Zeigefinger auf die Seite eines aufgeschlagenen Wörterbuchs.

Claudine las laut und verständnislos: »Graisse...«

»Oui«, sagte der junge Mann. (Netter Kerl, dachte Claudine, was der hier wohl macht?) »Oui, oui! Avec pain... Pain de graisse... viel... beaucoup... compris?« Claudine verstand nicht und gab das durch Kopfschütteln bekannt. »Brot! Pain! Nicht verstehen?« Kopfschütteln. »Mais oui, mais oui, mais oui!« rief der Herr, nun schon in gelinder Verzweiflung.

»Mais non, mais non, Monsieur«, antwortete Claudine. Andere Gäste mischten sich ein. Die Araber fragten den Herrn, ob er an Vierzehnjährigen interessiert sei. Garantiert jungfräulich, männlich oder weiblich oder beides. Die Huren schminkten die Lippen und schoben die Röcke zurück. Ein Jude fragte angstvoll: »Du Deutscher?«

Jakob Formann antwortete: »Österreicher!«

»La même chose«, sagte der Jude. Dann sagte er noch allerhand (Jakob glaubte das Wort ›Gestapo‹ zu verstehen) und verließ mit seinem Freund in Hast den ›Gelben Hund‹.

Der Fremdling wies auf ein anderes Wort in seinem Dictionnaire. Geradezu flehend sah er Claudine an, neben der jetzt auch der verfettete Wirt aufgetaucht war.

Wirt und Claudine lasen: ›creton‹. Das heißt: Der Wirt, der weitsichtig war und Kleingedrucktes schwer lesen konnte, las zuerst ›cretin‹, geriet in Wut, wollte den Herrn hinauswerfen und mußte erst von Claudine und ein paar vernünftigen Arbeitern, die ihre Würstchen aßen, besänftigt werden.

Einer der Arbeiter hatte endlich eine vernünftige Idee.

»So kommen wir nicht weiter, Louis«, sagte er zu dem fetten Wirt. »Geh nebenan und läute Emile raus.«

»Um die Zeit? Mensch, der haut mir die Fresse ein!«

»Sag ihm, ein Deutscher ist da. Dann wird er kommen. Er ist doch auch Deutscher.«

»Merde alors«, sagte Louis, der Fette, und ging auf die Straße.

Nebenan gab es einen kleinen Metzgerladen. Nach fünf Minuten kam der fette Louis mit einem dünnen Mann im Schlafanzug und einem Mantel darüber zurück.

»Was ist los?« fragte der im Schlafanzug mißmutig und deutsch.

Der Fremdling strahlte. »Sie sprechen deutsch?«

»Ungern.«

»Aber Sie *sind* Deutscher!«

»Auch ungern. Darum bin ich nach dem Krieg ja auch hiergeblieben. Ich habe die Tochter vom Metzger nebenan geheiratet. Der Alte ist inzwischen hinüber. Emile Drucker heiße ich. Und Sie?«

»Ja... Ich bin ein Tourist«, sagte Jakob. (Die Araber sprachen noch leiser und noch schneller.)

»Waren Sie auch Soldat?«

»So ungern wie Sie.«

»Wo?«

»Rußland, Norwegen, hauptsächlich Rußland. Saukrieg, verfluchter.«

Die Sonne ging auf in Emile Druckers Gesicht. Er haute Jakob auf die Schulter. »Du bist in Ordnung, Junge. Abgebrannt, was?«

»Ja. Nein!« Jakob sah die Araber an. Die Araber sahen ihn an. »Ja, doch! Ich habe mein Geld verloren. Übersetzen Sie das, bitte.«

Emile übersetzte.

»Merde alors«, sagte der fette Louis.

»Nicht alles! Ein bißchen habe ich noch. Ich möchte was essen, Herr Drukker.«

»Sag Emile zu mir, Kamerad!«

»Nur wenn du Jakob zu mir sagst.«

»D'accord, Jakob«, sagte Emile. »Wenn du was essen willst, warum gehst du dann nicht in die Hallen? Da ist es sehr billig. Eine Zwiebelsuppe haben die... Na ja, aber erst gegen Morgen, da müßtest du noch warten... Aber ein choucroute... Sauerkraut!«

»Mag ich nicht. Macht mir beides Sodbrennen. Pain de graisse will ich... avec viele cretons... Sag bloß, das gibt's nicht hier.«

»Das heißt nicht graisse, Jakob. Das heißt saindoux. Mußt du dir merken. Sprich mir nach. Saindoux.«

»Säindu.«

»Weicher, Jakob, weicher. Sain-doux.«

»Säinduuu...«

»Ah!« Claudine strahlte Jakob an. Dann wurde sie ernst und sagte etwas.

»Was sagt sie?« fragte Jakob.

»So tief sind sie selbst im ›Gelben Hund‹ und in Belleville noch nicht gesunken, daß sie eine solche Sauerei fressen. Tut mir leid, Jakob, aber das hat sie gesagt.«

»Wieso Sauerei? Mit Grieben, Emile! Auf Graubrot! Mit Salz! Das ist doch das Beste, was es überhaupt gibt!«

»Ich bin schon zu lange hier. Ich kann mich nicht erinnern. Du bist ein bißchen verrückt, was, Jakob?«

Jakob nickte.

Der Metzger wandte sich an alle Anwesenden. Er hielt eine längere Ansprache, von der Jakob kein Wort verstand. Dem Sinne nach sagte Emile, der Kerl da sei zwar ein Deutscher wie er, aber ein anständiger Kerl. Wie er. Und ihn würden doch wohl alle als anständigen Kerl kennen – oder? Alle nickten. Sie hielten hier gute Nachbarschaft, denn sie waren alle arm. Emile sagte, wenn auch der ›Gelbe Hund‹ keine Schmalzbrote herzustellen imstande sei, weil es hier kein Schmalz und keine Grieben gebe – er, Emile, habe beides. Und er werde stets ausreichende Quantitäten zur Verfügung stellen. Denn der Fremdling – eben ein bißchen verrückt – habe die Absicht geäußert, wiederzukommen, wann immer er nur könne. Seiner Meinung nach, sagte Emile, sei das ein sehr wohlhabender und bekannter Mann. Aber, fügte er mit einem ernsten Blick auf die Huren und die Araber hinzu, dieser Verrückte stehe nun unter seinem und des Wirtes Schutz, n'est ce pas, Louis?

Der Fette nickte gramvoll. Die fehlte ihm gerade noch, die Polizei...

Und zum Vögeln sei der Herr auch nicht hergekommen, sagte Emile, das sollten sich die Huren mal hinter die Ohren schreiben und ihn nicht belästigen. Emile sagte ›poules‹, was Hure, aber auch ›Hühnchen‹ heißt, ein Wort, welches Jakob kannte. In der feinen Form. Der da, sagte Emile, könnte sich ganz andere Poules leisten, nicht solche wie hier, mit ihren ausgeleierten...

»Ich hab' wirklich genug«, sagte Jakob.

»Was?«

»Poules.«

»Wie viele hast du denn?«

»Ungefähr eine halbe Million«, gab Jakob bekannt.

Maßloses Erstaunen allerseits.

Sobald indessen das kleine Mißverständnis aufgeklärt war, erholten sich alle schnell von ihrem Schreck in der Abendstunde, und nun herrschte muntere Herzlichkeit. Man plauderte, man lachte. Lauter nette Leute, dachte Jakob. Huren, Juden, Neger, Araber, Arbeiter, Zuhälter – arm, verfemt, voller Sorgen, verachtet – immer noch das Beste, was es gibt!

Er sagte Emile, er solle allen sagen, daß er für alle eine Runde ausgebe. Hochrufe. Sämtliche Gäste Jakobs wollten Weißwein, Blanc de blanc. Nur Claudine nicht. Die bekam immer Kopfweh vom Blanc de blanc, und sie hatte das Gefühl, daß sie in dieser Nacht noch vonnöten sein werde. Was sie dann auch war. Zuletzt – nach der dritten Chinesischen Schlittenfahrt – hatte sie Kopfweh, ohne Blanc de blanc getrunken zu haben. Aber es war ein angenehmes, sanft drückendes Kopfweh, kein böse stechendes.

Emile rannte in seinen Metzgerladen und holte Schmalz und Grieben. Graubrot gab es nicht, nur die langen weißen Stangenbrote, die ›Flutes‹. Aber dann trieben sie in der Nachbarschaft sogar noch Graubrot für Jakob auf, bei dem Vertreter eines Begräbnisinstituts. Der milde Herr versprach gleichfalls, in jedem Bedarfsfall zu liefern: Emile schmierte Jakob die Brote persönlich, dick und mit viel Grieben und Salz drauf. Alle sahen gebannt zu. Von Zeit zu Zeit gab Jakob dem Wirt einen Wink. Dann war wieder eine Lokalrunde fällig. Alle betrachteten Jakob wie ein Wesen von einem anderen Stern, als er begann, das erste Schmalzbrot zu essen. Er bekam dabei einen ganz entrückten Gesichtsausdruck und mußte die Augen schließen vor so viel Glückseligkeit...

Eine Poule mußte weinen vor Rührung.

Zuletzt hatte Jakob sechs Schmalzbrote gegessen, und alle waren besoffen, der Wirt, der Metzger, der Begräbnisinstitutsvertreter inbegriffen. Claudine hatte ein Zimmer im Hause. Da wachte Jakob dann am nächsten Morgen auf – gegen neun Uhr. Claudine lag nackt neben ihm. Jakob wurde sofort sehr munter. Also dauerte es noch eine weitere Stunde, bis Claudine das Frühstück brachte. Jakob küßte ihr die Hand, als er das Tablett sah – es lagen drei Schmalzbrote neben der Boule mit dem Café au lait. Claudine sagte, sie liebe Jakob (sie sagte ›Jacques‹), und das verstand er sogar. »Ich aussi«, sagte er. »Komme immer wieder zu toi. Toujours.«

Claudine schmiegte sich an ihn.

»Merde alors«, sprach Claudine (sie arbeitete schon längere Zeit hier, und die nicht eben feine Art des fetten Wirtes Louis hatte auf sie abgefärbt). »Pourquoi toujours maken Krieg français et deutsch? Warum nicht sein des amis? Nous sommes alle des frères et des sœurs devant le Bon Dieu.«

»Da hast du recht«, sagte Jakob. »Vor Gott sind wir alle Brüder und Schwestern. Aber die Industriebosse und die Scheißgeneräle, weißt du... lieber nicht davon reden... Komm noch einmal, meine kleine Schwester...«

Die kleine Schwester kam noch einmal.

Beim nächsten Besuch war Jakob dann schon wie das Kind im Haus. Die beiden alten Juden entschuldigten sich dafür, daß sie aus Angst weggelaufen waren, und deuteten zart an, sie würden auch sehr gerne einmal Schmalzbrote essen. Aber natürlich nur koscher, nur mit Gänseschmalz.

»Das ist aber ein Pech«, sagte Jakob.

»Was ist ein Pech?«

»Dem Emile sind die Gänse ausgegangen.«

»Ach...«

»Gestern hat er noch welche gehabt, sagt Louis.«

»Gerechter Gott«, sagte der erste Jude erschüttert. Und erkundigte sich, um Fassung ringend: »Waren sie wenigstens richtig fett?«

In anderen Städten, anderen Erdteilen, die er mit der Edlen besuchte, hatte Jakob sich das ähnlich eingerichtet. Hier in Paris ging er abends nach dem feierlichen Mahl, im HÔTEL DES CINQ CONTINENTS häufig in den ›Gelben Hund‹ essen. Richtig essen. Die Edle und ihre Nichte, die Contessa, hatten einander immer so viel zu erzählen, zum Glück. Also sagte Jakob, er sei todmüde, und zog sich zurück in sein Schlafgemach. Dort dann aber nichts wie raus aus dem Smoking und rein in seine älteste Kluft! (Die allerdings in Belleville immer noch sehr bewundert wurde.) Er fuhr mit dem Lift bis in die Hotelgarage hinunter und verschwand durch einen Seitenausgang. Ein Taxi brachte ihn quer durch die Stadt. Nachts waren die Straßen leer.

In der Nacht des 28. Oktober 1956 war Jakob Formann wieder einmal im JAUNE CHIEN. Er kam um 22 Uhr 30 an. Die Versammelten begrüßten ihn lärmend, mit Schulter- und Handschlag. Sofort schmiß Jakob wieder Runden. Claudine servierte ihm liebevoll seine Schmalzbrote und zum Trinken

›Perrier‹. Jakob war müde und doch hellwach. Es wurde ein Abend des In-sich-Gehens. Die Erinnerung überkam ihn an manches, das geschehen war in diesen letzten Jahren. Er hatte ein gutes Gedächtnis. Und die Schallplatten, die der Wirt auflegte, halfen ihm, in Erinnerung zu versinken, mehr und mehr, während seine Kiefer mahlten.

Musik. Eine Stimme. Eine berühmte Stimme. Sie gehörte Edith Piaf, dem ›Spatz von Paris‹, dieser wunderbaren Sängerin, die es nur einmal gab, nur einmal geben würde.

»Non, non, je ne regrette rien…«

Ich auch nicht, dachte Jakob, nein, auch ich bedaure nichts, nichts, was ich getan habe seit damals, seit jener Nacht im Mai 1949, als der Major Assimow in meine Zelle getreten ist und gesagt hat: »Erschießen, lächerlich! Sie kommen mit mir nach Moskau!«

5

»Das kann doch nicht wahr sein!« rief Jakob Formann, als er, begleitet von Major Assimow, den Mann erblickte, der aus der Tür der Datscha trat und ihnen durch einen verwilderten Garten entgegenkam.

Sehr viele Blumen blühten im Garten dieser Datscha, die etwa vierzig Kilometer von Moskau entfernt am Rande eines idyllischen Wäldchens lag. Sie war aus Holz gebaut, zum Eingang führte eine Treppe aus ein paar Brettern empor. Es war schon sehr warm an diesem 14. Mai 1949 in Moskau und Umgebung.

»Das ist ja nicht zu glauben!« rief Jakob, während der Mann die Holztür des Holzzaunes öffnete. Der Mann war der ehemalige Kommandant jenes Lagers bei Opalenica, aus dem Jakob sich und Jelena Wanderowa 1945 ›befreit‹ hatte, zusammen mit hundertfünfzig Kumpeln. »Was ich mich freu', Sie wiederzusehen, Herr Major!«

»Ja, man sieht es Ihnen an«, sagte, so sanft wie einstens, der Besitzer der Datscha, indem er zunächst Jakob und dann Assimow die Hand reichte. »Kommen Sie cherrein. Ich chabbe chinten im Garten kleinen Imbiß chergerichtet.« Die russische Gastfreundschaft sucht ihresgleichen, dachte Jakob ergriffen. »Major bin ich nicht mehr«, fuhr Blaschenko fort. »Ich arbeite in einem Ministerstwo. Wir treffen uns chierr, weil es niemand angeht, was wir chabben zu besprechen.«

Jakob nickte. »In der Stadt ist es auch so stickig! Ein schönes Landhäuschen haben Sie hier, Gospodin Blaschenko, nein, also wirklich.« Er konnte noch immer russisch radebrechen, und Blaschenko hatte in der Zwischenzeit zu Jakobs Erstaunen sehr gut Deutsch gelernt. So verlief die folgende Unterhaltung in einem fließenden Zweisprachengestotter. Hinter der Datscha stand das Gras hoch. Unter einer Gruppe von hellen Birken hatte der Exmajor einen Tisch gedeckt. Jakob sah eine große Karaffe mit Orangensaft und einen ganzen Berg Kirschkuchen. »Das wäre aber wirklich nicht nötig gewesen, Gospodin Blaschenko«, sagte er gerührt. »So viele Umstände!«

»Aber ich bitte Sie, es macht mir doch Freude, Cherr Formann. Bitte, setzen, ist gefällig.«

Man setzte sich.

Der Exmajor servierte und goß Saft in die Gläser.

»Wunderbar«, sagte Jakob, der ohne zu warten als erster ein Stück Kirschkuchen in sich hineinschlang, mit vollem Mund.

»Selber gemacht! Chabbe ich doch keinen, der machen könnte. Apropos, wie geht es unserer Jelena?«

»Ich glaube, gut. Sie hat schlimme Erfahrungen im Westen gehabt, aber jetzt ist alles okay. Pardon, in Ordnung.«

»Ist sie immer noch so schönn?«

»Immer noch. Noch schöner. Wirklich, Gospodin Blaschenko, es tut mir ehrlich leid, daß ich damals im Lager mit ihr... daß ich... daß sie... daß wir beide...«

»Nemmen Sie noch Stück Kuchen.«

»...und daß wir ausgerissen sind. Sicher haben Sie Unannehmlichkeiten gehabt unseretwegen.«

»Sicher.«

»Große?«

»Serr große. Aber jetzt nicht mehr, Sie sehen. Gett mir gutt. Wohnung in Moskau, Büro in Ministerstwo, Datscha chierr.«

»Und ganz allein?«

»Ganz allein. Werde auch bleiben allein. Frau wie Jelena kriege ich nie zweites Mal. Gibt nur einmal. Und sie ist weit weg...«

Ganz plötzlich überfiel es Jakob: Nur einmal... weit weg...

Der Hase! Jakob mußte die Augen schließen vor übergroßer Bewegtheit. Der Hase! Immer noch nicht habe ich... Ich bin ein Schwein, wahrhaftig! Eine Frau wie den Hasen gibt es auch kein zweites Mal! Und wie weit ist die weg! Nein, also, wenn ich hier lebend rauskomme, dann muß ich nach Theresienkron...

»Sie sind mir nicht böse, Gospodin Blaschenko?«

»Überchaupt nicht. Nurr Menschen, wenn schwach sind, werden böse. Ich bin nicht schwach, Cherr Formann.«

»Da haben Sie recht«, sagte Jakob und dachte betrübt: der arme, einsame Kerl. Der glaubt das in seiner Schwerblütigkeit wirklich, was er da sagt. Weil es ihm guttut. Wahrscheinlich glauben alle Menschen, und auch ich, immer das, was ihnen am meisten nützt und am meisten guttut. Das ist wahrscheinlich die Erklärung dafür, warum ich nie habe glauben können, daß einer ein ganz und gar vollkommener Lump ist. Noch nicht einmal ein Politiker.

Der Major Assimow räusperte sich und sah Blaschenko an. Der nickte.

»Komme schon zur Sache, ist gefällig. Sie sind auch nicht schwach, Cherr Formann. Chutt ab. Was Sie geleistet chabben letzte Jahre!«

»Was ich geleistet habe… Woher wissen Sie…«

Sanft rauschte der Wind in den Kronen der Birken.

»Sind wir keine Idioten, Cherr Formann. Chabben unsere Leute. Überall. Amerika. Pentagon. Schmeckt Ihnen derr Kuchen nicht?«

»Do… doch, wunderbar. Pentagon auch?«

»Auch. Große Geschäfte Sie machen mit Pentagon! Fertighäuser für Soldatten. Besser als Baracken. Viel besser. Deutsche Qualitätt. Verkaufen an Amerikaner. Nun, Sie verkaufen auch an uns, gutt?«

»Wissen Sie, da gibt es gewisse Schwierigkeiten…«

»Also nein? Sie nicht verkaufen an uns? Schade, wirklich schade. Essen Sie schnell noch ein paar Kirschkuchen, Cherr Formann. Damit Sie mich in gutte Erinnerung bechalten.«

»Schnell… in guter…« Jakob wurde es warm. Wo war die Hasenpfote?

»Trifft sich, daß zufällig Soldatten gerade chier üben«, sagte der Major Assimow. »Sie essen den Kuchen, und dann werden die Rotarmisten Sie erschießen da in dem Wäldchen. Ist verbottenes Gebiet. Wer betritt, wird erschossen.«

»Da… in… dem… Wäldchen?« Der Nerv an Jakobs Schläfe zuckte.

»Können sich auch aussuchen andern Platz, wenn Sie Wäldchen nicht mögen. Serr einsam chier. Essen Sie, Cherr Formann, essen Sie doch«, sagte Blaschenko schwerblütig und sanft. »Auf große Wiese da drübben vielleicht, ist gefällig? Gutt Orangensaft? Kalifornien.«

»Kalifornien?«

»Der Orangensaft. Chabben die Amerikaner in Büchsen geliefert im Krieg an uns. Ist viel übriggeblieben. Auch andere Sachen. Panzer, zum Beispiel, Cherr Formann. ›Lend and lease‹-Abkommen, Sie kennen sicherlich. Wollen, daß wir jetzt zurückgeben oder bezahlen. Wir sind arm, serr arm, chabben viel verlorren durch Deutsche. Kein Geld für Amerikanjezki. Außerdemm, wir brrauchen Panzer und schwerre Waffen und leichte Waffen und Jeeps und Lastwagen und Raketten. Wollen nicht wieder überfallen werden, Sie verstehn?«

»Die Deutschen stecken doch so in der Scheiße, die können Sie ja gar nicht überfallen!«

»Ja, aber nur darum und solange sitzen in Scheiße. Denke auch nicht àn Deutsche. Denke an Amerikanjezki. Sehen Sie, was los ist. Vielleicht Amerikanjezki mit Deutsche zusammen. Deutsche-West. Deutsche-Ost nicht! Da passen wir auf. Sie sehen, wie notwendig gewesen ist Teilung.«

»Aber…«

»Aber was? Nicht erschrecken. Sind gutte Scharfschützen da in Wäldchen. Treffen gennau ins Auge. Noch ein Kuchen? Aber was, Cherr Formann?«

Jakob wurde es wärmer und wärmer. Er massierte die Hasenpfote in seiner Tasche derartig, daß ihn die beiden Russen ganz verwundert betrachteten.

»Aber... Gospodin Blaschenko... Ich sehe ja alles ein. Und ich würde Ihnen gern sofort Fertigunterkünfte liefern. Nur: Die lassen die Amis doch nie aus der Westzone raus. Wie stellen Sie sich denn den Transport vor?«

»Da soll überhaupt nichts transportiert werden«, sagte Major Assimow lächelnd. »Das sagt Ihnen doch jeder: Wir sind Höhlenmenschen. Zurückgeblieben. Ohne die Erfindungen des Westens, der da einen ungeheuren Fortschritt hat, kommen wir vor die Hunde. Wir stehlen alle Patente, nicht wahr? Wir klauen westliches – wie heißt da jetzt gleich, Jurij?«

»Know-how.«

»Danke, Jurij. Ja, Know-how klauen wir auch, wo wir können. Lesen Sie doch jeden Tag in Ihren Zeitungen, Herr Formann! Westliches ›Gewußt wie‹ – ohne das sind wir verloren! Sie sollen uns keine Fertigunterkünfte liefern für Truppen, sondern nur das Know-how, sagen, wie diese Art Fertighäuser gemacht wird.«

»Deshalb haben Sie mich hergebracht?«

»Ja, deshalb. Gospodin Blaschenko ist Chef der zuständigen Planungsstelle. Und Sie sind alte Bekannte, nicht wahr? Gemeinsame Liebe. Der Sinn für Gerechtigkeit, den Sie haben, Herr Formann. All das und noch vieles andere...« Der Major Assimow lächelte.

»Noch ein Kuchen, ist gefällig?« fragte der schwerblütige Jurij Blaschenko.

Vögel tirilierten, daß es eine Lust war.

Die Sonne schien. So viele Blumen blühten.

Im Wäldchen bellten Schüsse.

»Ja, wenn es weiter nichts ist«, sagte Jakob. »Ich bin schließlich Österreicher. Österreich ist eine befreite Nation, die völlig neutral bleiben will. Es wäre ein Unrecht von mir, meine Herren, die Amerikaner zu bevorzugen.«

»Unfair«, sagte Blaschenko.

»Unfair, ja«, sagte Jakob.

»Na also, ich chabbe immer gesagt, Cherr Formann ist anständiger Mensch«, erklärte Blaschenko. »Selbstverständlich Sie liefern Know-how.«

»Selbstverständlich. Nur: Das muß ich Fachleuten erklären! Das ist kompliziert. Ich habe alles im Kopf, aber...«

»Wie Zufall es will, kommen mich cheutte abbend besuchen drei unserer besten Spezialisten für Fertigbau«, sagte Blaschenko. »Bleiben zu Besuch eine Woche. Datscha ist groß genug für alle. Christoph und Unmack chabben wirklich erstklassige Truppenunterkünfte gebaut. Leider Material ist verrottet irgendwo. Nicht alles. Aber das meiste. Leitende Cherren geflüchtet alle in Westen – wie Ihr Freund Jaschke.«

»Jaschke?«

Jakob hob die Brauen.

»Wir tun ihm ja nichts, Cherr Formann. Wissen nurr, daß er im Westen die Leitung chat für den Bau. Zentrale in Murnau. Aber wozu ihn entführen, wenn Sie uns in die Arme laufen sozusagen...«

»Das ist richtig. Also, Sie wollen auch Truppenunterkünfte bauen. An wie viele haben Sie denn gedacht?«

»Wissen wir noch nicht, Cherr Formann. Noch etwas kalifornisch Orangensaft? Aber ja doch, ja doch! Ist richtig cheiß cheute. Für chalbe Million Mann, vielleicht für ganze Million, für zwei Millionen vielleicht.«

»Z... Zwei Millionen?«

»Niemand weiß, wie groß der Krieg noch wird. Und in eine solche Baracke gehen trotz aller Qualität nur fünfzig Mann.«

»Ach so. Natürlich. Und was zahlen Sie?« fragte Jakob.

»Nichts natürrlich. Wir chabben nichts«, sagte Blaschenko.

»Das stimmt nicht«, sagte der Major Assimow. »Wir haben *Sie*! Sie werden sicherlich wieder heim wollen, nicht wahr?«

Hier hilft nur Tollkühnheit, dachte Jakob – wer braucht denn die Qualitätstruppenunterkünfte, ich oder die Russen? – und antwortete: »Mitnichten, meine Herren. Ich hätte nie gedacht, daß der Große Arbeiter-und-Bauern-Staat, die Heimat aller Werktätigen, solche kapitalistischen Erpressermethoden anwendet. Ich bin erschüttert. Denn auch ich bin nur ein Werktätiger. Bitteschön, erschießen Sie mich also. Erpressen lasse ich mich nicht!« Kleine Pause. »Dreißig Prozent für mich müssen drin sein.«

»Fünf!«

»Fünfundzwanzig!«

Sie einigten sich auf fünfzehn Prozent. Danach war Jakob des guten Willens voll, den sowjetischen Technikern das ganze Know-how beizubringen – unter der Voraussetzung, daß er danach wieder in den Westen geflogen wurde.

»In Ordnung, mein Liebber«, sagte Blaschenko. »Vielleicht bauen wir auch für drei Millionen.«

»Drei... Mi... Millionen?«

»Noch einmal überfällt uns niemand und tötet unsere Menschen und zerstört unser Land, Herr Formann«, sagte der Major Assimow.

»Wer kann sagen, vielleicht drei Millionen? Für vier Millionen vielleicht«, sagte Blaschenko melancholisch.

»Vie... vi... vier Millionen?«

»Um zu liefern in Krisengebiete. Verstehen nicht?«

»Nein.«

»Aber, aber! Schauen sich Welt an cheutte! Überall Gefahrr von Krieg, überall Gebiette von Krisen! Einflußsphären müssen gesichert werden. Was saggen Sie dazu?«

»Wozu?«

»Daß ich sagen kann Einflußsphären! Schwieriges Wort. Aber wichtiges, serr wichtiges! Sehen Sie, wenn Sowjetunion liefert Fertighäuser – und viele andere schöne Sachen – in Gebiette von Elend, in Gebiette von Krisen, Sowjetunion sichert sich politische Freunde, nicht wahr? Politische Freunde wichtig für Sowjetunion. Kann gar nicht genug chabben. Ist gefällig und nehmen orrdentlich Zucker auf Kuchen. Sind doch ein wenig cherb, die Kirschen.«

»Danke, sehr liebenswürdig. Aber... aber...«

»Cherr Formann?«

»...aber für vier Millionen!«

»Vielleicht fünf, sechs, sieben. Wer kann cheute schon saggen? Man wird sehen, Cherr Formann...«

Jakob bekam ein Stück Kuchen in die falsche Kehle. Und keine Luft. Und einen Erstickungsanfall. Er würgte, er lief rot an, er lief violett an, er bemühte sich verzweifelt, durchzuatmen, aber...

6

...es ging nicht. Es ging nicht!

Ich kriege keine Luft! Ich muß schon ganz blau sein im Gesicht! Ich sterbe! Hilfe, Hilfe, ich sterbe! Ich bin noch so jung! Ich will noch nicht sterben! Hasenpfote! Ich finde sie nicht! Luft! Luft! Aaaaahhhh... Eh... eh... eh... Grauenvoll. Grauenvoll. Ersticke. Ich erstick... stick... stick... Ein Pieken im Arm.

»So, jetzt wird sofort alles wieder gut sein.«

Eine Stimme. Eine Männerstimme. Eine fremde. Eine englisch sprechende. Wieso? Wieso eine fremde, englisch sprechende Männerstimme? Wo bin ich überhaupt? Was ist das für ein kleines Zimmer? Nackt! Ich bin ja total nackt! Total nackt liege ich auf einem zerwühlten Bett. Wieso? Haben die Herren in der Datscha mir etwas eingegeben? War etwas in dem guten Kirschkuchen, dem selbergemachten? Wer steht da zu meiner Linken? Ein kleiner Mann mit Glatze und Zwicker. »Sehen Sie«, sagt die Glatze mit Zwicker, »Sie können schon wieder atmen, was?« Er sagt es englisch. Ich nicke ihm englisch zu. Wer steht da zu meiner Rechten in einem dünnen Morgenmantel? Das ist doch meine süße Claudine, das brave Mädel! Wie kommt die auf eine Datscha bei Moskau? Warum heult die so! Also, wenn die Russen ihr was getan haben, dann sage ich ihnen aber auch nicht ein einziges Wort über eine einzige Schraube von meinen Fertighäu...

Das ist doch Claudines Zimmer über dem Lokal vom JAUNE CHIEN! Wo ich Schmal- rote... und dann mit ihr hier rauf... und sie dann ausgezogen, langsam und mit Genuß... und mich selber auch... bis auf die Armband-

uhr... 2 Uhr 50? Herrgott, welchen Tag haben wir denn heute? Der...
achtundzwanzigste Oktober... müßte es sein... 2 Uhr 50? Es *muß* 2 Uhr
50 sein, die Uhr geht nie falsch, die ist von ›Piaget‹! Das Feinste vom Feinsten! Herrgott, ich bin doch spätestens um Mitternacht mit Claudine raufgegangen! Als wir anfingen, war es eine halbe Stunde später. Und jetzt ist
es 2 Uhr 50? Also der neunundzwanzigste. Was ist in der Zwischenzeit geschehen? Hoffentlich habe ich nicht ausgequatscht, wer ich bin, lieber
Gott... Aber wie gut, daß es der neunundzwanzigste Oktober 1956 ist!
»Ich bin Docteur Baudelet, Monsieur«, sagte der mit der Glatze und dem
Zwicker.
»Angenehm, Doktor.« (Alles in Englisch, dazwischen redet Claudine französisch.)
»Was ist... was war denn los mit mir?«
»Monsieur le Docteur ist der einzige hier. Er macht alles, weißt du. Bei mir
schon zweimal.«
»Man hilft, wo man kann«, sagte Dr. Baudelet. »Um ein Haar wären Sie
mir hopsgegangen, Monsieur... Sie wollen mir nicht sagen, wie Sie heißen?«
»Will ich nicht, nein.«
»Tut mir leid, dann muß ich die Polizei...« Im nächsten Moment war der
nackte Jakob hochgefahren und hatte sich dermaßen in den Doktor verkrallt, daß nun der in Todesangst geriet.
»Loslassen! Loslassen!«
»Das könnte Ihnen so passen! Damit Sie die Polente rufen!«
»Und Sie? Kein Name, was? Damit Sie nicht bezahlen müssen!«
»Was bezahlen?«
»Mein Honorar.«
»Das zahle ich gleich. In bar.«
»In bar. Na, dann ist es gut. Legen Sie sich hin, Monsieur. Entspannen Sie
sich. Ganz locker, bitte! Sie sind momentan nicht der Kräftigste...«
Jakob ließ sich zurückfallen. Claudine schluchzte.
»Hör auf, Claudine!«
»Ach, Jacques, Jacques... Es war doch alles ganz normal... die erste Nummer wundervoll wie immer... und dann, plötzlich, bei der zweiten...«
»Ja? Ja? Herrgott, was war bei der zweiten?«
»Bist du von mir runtergerollt und hast gekeucht, und ich habe gedacht,
du erstickst, du nibbelst mir ab, und da habe ich nach dem Wirt geschrien,
und Monsieur Louis und Monsieur Emile und ein paar Männer und ein
paar Poules sind heraufgekommen...«
»Die waren alle da?«
Jakob verstand nur jedes sechste Wort in Claudines Französisch, aber was
wichtig für ihn war, hörte er schon heraus, und so wurde ihm mies. So viele
Leute!

»Ja! Chochotte ist zuletzt losgerannt und hat den guten Docteur Baudelet geholt, und der ist gleich gekommen…«

»Danke, Doktor.«

»Nur meine Pflicht, Monsieur. Fünfhundert Francs.«

»Wieviel?«

»Monsieur, ich bin Armenarzt. Ich lebe selber kümmerlich genug. Wissen Sie, was für eine Gegend das hier ist, Belleville?«

»Ja, ich weiß. Aber fünfhundert Francs! Finden Sie das nicht ein wenig übertrieben?«

Dr. Baudelet kratzte beschämt seine Glatze. »Man muß leben, Monsieur Jacques, der nicht sagen will, wie er heißt.«

Für einen Nachtbesuch und für Errettung aus Todesgefahr in Belleville – na schön, dachte Jakob, man soll nicht so sein, vielleicht macht er dafür einem armen Mädchen, ich meine, vielleicht entfernt er etwas. Die Mandeln zum Beispiel. Er angelte nach seiner Hose, die auf der Erde lag (Ich muß es ja mächtig eilig gehabt haben! dachte er) und erledigte die Forderung des Mediziners.

»Und jetzt sagen Sie mir, was das war?«

Dr. Baudelet betrachtete nachdenklich die fünf Hundert-Francs-Scheine, die Jakob ihm gereicht hatte, und sein Gesicht wurde plötzlich sehr ernst.

»Ich will Sie weiß Gott nicht erschrecken, Monsieur Jacques…«

»Dann tun Sie's nicht!«

Dr. Baudelet räusperte sich. Er räusperte sich noch einmal.

»Na!«

»Dieser… hm… Erstickungsanfall…« Der Arzt wählte seine Worte jetzt mit Bedacht und Umsicht. »…hatte… äh… multifaktorielle Entstehungsbedingungen…«

»Multifak… was?«

»…wobei eine gewisse Herzschwäche…«

»In meinem Alter? Herz? Herr Doktor!«

»…sowie ein Reizzustand des Magens…«

»O Gott…«

»…vielleicht eine diabetische Stoffwechsellage…«

»O Gott, o Gott…«

»…eine Schwächung der Nierenfunktionen…«

»Doktor!«

»…aber auch Veränderungen des Gehirns…«

»Doktor, ich flehe Sie an!«

»…einige der auslösenden Faktoren gewesen sein können.«

»Wie lange habe ich noch zu leben?«

»Akute Lebensgefahr besteht nicht. Im Moment nicht! Ich schreibe Ihnen hier meine Adresse auf. Die Visitenkarten habe ich leider nicht bei mir… und Sie kommen so schnell wie möglich, damit ich Sie eingehend untersuchen und dann eventuell zu einer weiteren Behandlung ins Hôpital Saint-Antoine bringen lassen kann.«

»Also ich werde nicht sterben?«

»Zuerst müssen Sie gründlich untersucht werden. Jetzt bleiben Sie noch eine halbe Stunde liegen – ganz entspannt, und daß Sie mir ja nicht wieder mit Claudine anfangen! –, dann können Sie aufstehen. Ich sehe Sie morgen um fünfzehn Uhr. Guten Abend, Monsieur Jacques.« Dr. Baudelet steckte sein nicht sehr chromblinkendes Instrumentarium in eine ärmliche Ärztetasche, verschloß diese und ging mit Claudine zur Tür.

Also hat's mich erwischt, dachte Jakob. Rasch tritt... und so weiter. Ich habe aber auch Raubbau getrieben. Morgen um 15 Uhr. Doch nicht zu diesem Armleuchter! Die ersten Spezialisten Frankreichs müssen gleich morgen früh, heute früh... Jakob angelte nach seiner Hose. Suchte. Und fand die Hasenpfote, die ihm die ganze Zeit gefehlt hatte. Im nächsten Moment atmete er erleichtert durch. Denn im nächsten Moment wirkte die Pfote bereits. Während Dr. Baudelet nämlich die Tür hinter sich schloß, fragte er leise (aber Jakob konnte ihn deutlich hören): »Was hat der denn gefressen, bevor ihr raufgegangen seid?«

Die Tür blieb einen Spalt offen. So unvorsichtig kann einer sein und sich ums eigene Glück bringen, dachte Jakob selig und blätterte fieberhaft in seinem französischen Wörterbuch, das er in Frankreich stets bei sich trug, hin und her, weshalb es ihm möglich war, auch noch die folgenden Sätze zu verstehen:

»Schmalzbrote, Monsieur le Docteur.«

Der Arzt sah Claudine angeekelt an.

»Was? Das ist ja grauenhaft! Wie viele Schmalzbrote?«

»An die zwölf, Monsieur le Docteur.«

»Nom de Dieu! Dann ist es wahrhaftig kein Wunder, daß er den Anfall bekommen hat. Zwölf Schmalzbrote auf einen Sitz und danach vö... coitieren... das hält ja kein Schwein aus!«

Kein Schwein...! Dieser Doktor!

»Ja, aber was war das denn wirklich, Monsieur le Docteur?«

Rasend schnell blätterte Jakob in seinem Wörterbuch.

»Bouffer...« Das heißt Fressen. »...asthme...« Das heißt Asthma. Was, was, was? Freßasthma? »...estomac...« Magen heißt das. »...diaphragme...« Das wäre Zwerchfell. »...contre le cœur...« Gegen das Herz. O du meine Hasenpfote! Ich habe einfach zuviel gefressen, das Zwerchfell hat sich mir gegen das Herz geschoben! Das war alles. »...eh bien, voila, et après avoir fait l'amour il manquait de respiration...« Bum, da haben wir's: Und nachdem ich Liebe gemacht habe, hat's mir den Atem abgeschnürt!

Wenn Dr. Baudelet die Tür geschlossen hätte, wäre er ein reicher Mann an mir geworden.

7

Ein Taxi brachte Jakob zurück zum HÔTEL DES CINQ CONTINENTS.
Er ließ das Taxi in die Garage fahren. Von dort fuhr er im Aufzug zu seinem
Appartement empor. Den Schlüssel hatte er. Er trat ein. Er knipste das
Licht im mittleren Salon an. Um keinen Lärm zu machen, hatte er die
Schuhe ausgezogen. Mit den Schuhen in der Hand stand er auf einem ech-
ten Riesen-Smyrna und sah sich vis-à-vis der Edlen. Die Edle saß auf einem
edlen Stuhl, gefesselt: die edlen Füße an den beiden vorderen Stuhlbeinen,
die edlen Hände auf dem edlen Rücken, hinter der Stuhllehne des edlen
Stuhles. Mitten im Salon saß sie. Und das entsetzlichste: Sie hatte kein Ge-
sicht mehr!
Jakob schwankte.
Das Gesicht der Edlen war vollkommen von einer weißen Masse bedeckt.
Das Haar wurde von einem Band hochgehalten.
»Um Gottes willen, Baronin, was ist geschehen?«
Unter der weißen Masse bewegte die Edle die edlen Lippen. Es war nicht
zu verstehen, was sie sagte. Nur einzelne Stückchen der eingetrockneten
Masse bröckelten ab und fielen auf das Kleid der Edlen, auf den Teppich.
Jakob raste zu einem Tischchen.
Aufschrei, jetzt verständlich, wenn auch schwer: »Was wollen Sie tun?«
»Den Portier anrufen! Polizei muß her! Funkstreife! Wer waren die Ver-
brecher? Wie sind sie hereingekommen? Was haben sie geklaut?«
»Nicht!«
»Was nicht?«
»Sie werden nicht telefonieren!« Noch mehr Bröckchen…
»Warum nicht?«
»Weil es keine Einbrecher waren.« Die Edle sprach so vorsichtig, wie es
ging. Es ging nicht genügend. Bröckchen, Bröckchen…
»Keine Ein… Wer denn, Baronin?«
»Meine Nichte Claudia.«
»Das elende Biest! Die fliegt aber jetzt! Erlauben Sie, daß ich…«
»Nein!« Das war ein Donnerwort. Voller Würde und Haltung. Edel eben.
Mit Bröckchen…
»Was nein?«
»Rühren Sie mich nicht an!« Der edle Mund war jetzt frei, die Edle konnte
besser (und verständlicher) sprechen. »Das ist eine Schönheitsmaske, Herr
Formann. Man darf das Gesicht nicht bewegen, wenn man eine aufgelegt
bekommt. Ich habe meine von Claudia aufgelegt bekommen.«
Das ist vielleicht eine Nacht…
»Hören Sie, kann es sein, daß Sie… äh… verrückt geworden sind, Baro-
nin? Ich meine, ein Nervenarzt ist gleich da, wenn ich… Manchmal ist da
höchste Eile geboten…« (Wie vorhin bei mir.)

»Schweigen Sie, Herr Formann! Was verstehen Sie davon! Ich bin vollkommen normal! Das ist meine Strafe! Ich habe Strafe verdient, um eine selbe solche gebeten und eine selbe solche bekommen!«

»Von dieser Claudia?«

»Für Sie immer noch Mademoiselle la Comtesse!«

»Das war Clau... Mademoiselle la Comtesse, die Sie hier festgebunden und eingepappt hat?«

»Ja doch!« Das Kleid der Edlen, der Teppich um sie herum, ihr Schoß waren jetzt schon weiß. Die Maske hatte Risse bekommen.

»Wann?«

»Gleich nachdem wir auseinandergingen...«

»Aber warum?«

»Sie sagte, ich hätte den Maître d'Hôtel verlangend angesehen.«

»Sie hätten den...« Jakob stand mit offenem Mund und einem unsagbar blöden Gesichtsausdruck da.

»Ja, ja, ja! Und es stimmt auch! Aber nur einen Moment! Einen winzigen Moment! Doch Claudia hat es gesehen. Sie sieht alles. Immer. Und dann bestraft sie mich. Mit Recht. Ich verdiene es nicht anders.« Die edlen Augen hielt die Edle immer weiter geschlossen. Da herum war die Schönheitsmaske auch noch einigermaßen in Ordnung. Aber sonst. Eine Sauerei...!

»Immer... so... bestraft... sie... Sie?«

»Wo denken Sie hin? Sie tut es ganz verschieden.«

Na, jedenfalls nicht im Salon oder dort, wo auch ich hinkomme, dachte Jakob. Sonst wären wir einander nachts wohl schon häufiger begegnet.

»Diesmal war sie besonders einfallsreich.«

»Warum?«

»Weil sie mich im Salon gefesselt hat – und mir die Schönheitsmaske gemacht hat. Damit ich noch mehr leide und büße. Damit ich davor zittere und bebe, daß *Sie* mich sehen könnten! Dabei, ich weiß es, hätte sie mich natürlich rechtzeitig losgebunden – vor dem Frühstück.«

»Natürlich. Nur manchmal machen Sie's auch anders... Wie denn anders, Baronin?«

»Herr Formann, Sie sind widerwärtig obszön! Und überhaupt...« Die Edle empörte sich. »Was suchen Sie zu dieser Zeit im Salon?«

»Ich war... ich bin... nämlich...«

»Antwort!«

Jakob stotterte empört: »Ich habe... ich war... ich bin noch mal weggegangen.«

»Lügen Sie nicht so unverschämt! Ich sitze hier seit Stunden! Wann sind Sie weggegangen?«

»Auch vor Stunden!«

»Wer hat Ihnen das gestattet, Herr Formann? Wo haben Sie sich herumgetrieben? Wenn man einen einzigen Moment nicht auf Sie achtgibt... In welchen Kaschemmen, bei welchen schlechten Mädchen waren Sie? Antwort!«

Ich wüßte schon eine Antwort, dachte Jakob, aber ich darf ja nicht. Ich brauche die Edle – welch grandiose Haltung die Person hat, selbst in dieser Situation! –, ich brauche die Edle doch wie einen Bissen Brot! Wo ich hinkomme, quatschen sie jetzt gerade kariert über Existentialismus. Ich weiß nicht mal, wie man das schreibt. Begreife kein Wort. Ab morgen haben wir Sartre auf dem Stundenplan. Also sagte Jakob mühsam beherrscht: »Es tut mir leid, Baronin, sehr leid, daß ich hier zur Unzeit eingetreten bin. Ich betreibe ständiges Körpertraining, wissen Sie. Jetzt kann ich nicht mehr so oft radfahren wie früher. Also mache ich, wenn's geht, ein paar Stunden Dauerlauf in der Nacht. Das muß ich einfach haben. Natürlich wäre mir ein Rad lieber. Meinen Sie, daß das möglich...«

»Nur in einem Institut! Ein Home-Trainer! Oder in einer Halle! Und niemals nachts! Ich verbiete Ihnen mit allem Nachdruck, nachts noch einmal Ihr Quartier zu verlassen, ohne daß ich es weiß.«

Herrgott, wenn du wüßtest, wie sehr du mich kannst, dachte Jakob und sagte: »Gewiß, Baronin. Von nun an werde ich mich allabendlich immer abmelden. Am besten, Sie sagen Mademoiselle la Comtesse überhaupt nichts... Ich komme zum Frühstück sehr spät, sagen wir: halb zehn? Bis dahin wird Mademoiselle la Comtesse doch die Güte gehabt haben, Sie loszubinden, hoffe ich.«

»Das hoffe ich auch.«

»Zur Sicherheit werde ich auch noch laut husten und pfeifen, bevor ich in den Salon trete, Baronin. Wenn Sie nicht antworten, heißt das, daß man Sie befreit hat.«

»Sie wissen ja nicht, wie ich Claudia liebe«, ächzte die Edle.

»Oh, ich bin überzeugt darüber.«

»Davon.«

»Wovon?«

»Es heißt überzeugt davon. Nicht darüber.«

»Verzeihen Sie, Baronin, ein Versprecher. Ich sage sonst immer ›davon‹! Nun will ich aber nicht länger stören. Schlafen Sie gut. Und ich pfeife und huste!«

8

»Geben Sie mir Herrn Prill, verflucht noch mal!« lärmte er eine Viertelstunde später, im Pyjama auf seinem Prunkbett sitzend, einen Telefonhörer am Ohr.

»Hören Sie, Mann, wissen Sie, wie spät es ist? Halb vier!«

Jakob tobte los: »Ich spreche aus Paris! Erkennen Sie meine Stimme nicht?

1956 – Alle wollen nur den Frieden

1. Januar: Bundeswehr beginnt mit 6000 Freiwilligen.

18. Januar: Kasernierte Volkspolizei der DDR wird Nationale Volksarmee.

14.–25. Februar: XX. Parteitag der KPdSU; Chruschtschow leitet Entstalinisierung ein.

30.–31. März: Ein Münchner Verlag (50 Beschäftigte) macht Betriebsausflug im Flugzeug nach Venedig.

23. Juni: Gamal Abdel Nasser ägyptischer Staatspräsident.

28. Juni: Polen: Posener Arbeiteraufstand von Militär niedergeschlagen.

7. Juli: Gottfried Benn †

21. Juli: BR: Wehrpflichtgesetz.

26. Juli: Nasser verstaatlicht den Suezkanal.

14. August: Bert Brecht †

16. Oktober: Franz Josef Strauß Bundesverteidigungsminister (Mai 1961 »Fibag-Affäre«, Oktober 1962 »SPIEGEL-Affäre«, Ablösung durch K.-U. v. Hassel).

17. Oktober: Erstes Groß-Kernkraftwerk im Betrieb (Calder Hall, Großbrit.).

23. Oktober–11. November: Ungarn: Aufstand unter Imre Nagy von Sowjettruppen niedergeschlagen. Imre Nagy später hingerichtet.

29. Oktober: Israel besetzt Sinaihalbinsel.

31. Oktober: Englische und französische Luftangriffe auf Ägypten.

Netto-Einkommen der Privathaushalte i. d. BR: 108,4 Milliarden DM (1951: 67,8 Milliarden DM).

In der »Märkischen Volksstimme« (DDR) wird eine Bekanntmachung für Krebskranke unterschrieben vom Kreisgeschwulstbeauftragten.

Wolfgang de Boor: »Pharmakopsychologie und Psychopathologie«.

Konsum von »Tranquilizern« (beruhigende Psychopharmaka) in den USA: 1 Milliarde Pillen pro Jahr.

Bühne: Erstmals seit 1876 Pfiffe im Bayreuther Festspielhaus zu Wieland Wagners schockierender »Meistersinger«-Inszenierung. Friedrich Dürrenmatt: »Der Besuch der alten Dame«; John Osborne: »Blick zurück im Zorn«.

Bücher: H. v. Doderer: »Die Dämonen«; Wladimir Dudinzew: »Der Mensch lebt nicht vom Brot allein«; Jürgen Thorwald: »Das Jahrhundert der Chirurgen«; »Die Welt in der wir leben – Die Naturgeschichte unserer Erde« (LIFE), deutsche Gesamtauflage von drei Versionen über 1 Million; Anne Golon: »Angélique«.

Filme: »Krieg und Frieden« (USA); »Baby Doll« (USA, E. Kazan); »Der rote Ballon« (Frankr.); »Der Hauptmann von Köpenick« (BR, Helmut Käutner).

Schlager: »Heimweh« (Freddy). »Love me tender« (E. Presley).

Ich bin Jakob Formann! Herr Prill ist mein Eier-Generalbevollmächtigter! Wer sind Sie denn?«

Die andere Stimme wurde plötzlich zittrig: »Josef, Herr Formann. Ich bin der Josef Röder, der Chauffeur von Herrn Prill. Bitte tausendmal um Verzeihung... Ich wußte doch nicht... Ich ahnte doch nicht... Bitte, lassen Sie Gnade vor Recht ergehen... Ich bin noch halb verschlafen... Ich... Ich schalte um, Herr Formann. Gute Nacht, Herr Formann...«

Acht Sekunden Rauschen in der offenen Verbindung. Der hat einen gesunden Schlaf, der Wenzel, dachte Jakob, ein Bein über das andere geschlagen, seinen Bauch kratzend. Und eine bildschöne Villa da oben im Taunus. Chauffeur. Großer Mercedes. Hat's verdient, der Gute. Nach all der Rackerei. Ich habe schließlich auch mein Schloß in Bayern...

»Jakob?«

»Ich hab' dich geweckt, was?«

»Du blödes A...«

»Entschuldige! Aber ich muß dich anrufen! Ganz wichtig! Gestattet keinen Aufschub! Du mußt dich sofort mit den Leuten in Verbindung setzen, die uns den Bau dieses Großklinikums vorgeschlagen haben...«

»Den hast du doch abgelehnt!«

»Jetzt lehne ich ihn eben nicht mehr ab! Ich werde ja wohl noch meine Meinung ändern dürfen! Nur ein Idiot hat immer die gleiche Meinung. Du nimmst die Verhandlungen auf. Wir bauen ein Großklinikum für alles, was es gibt!«

»Warum?«

»Ich wäre gerade eben beinahe gestorben. Nichts Ernstes, reg dich nicht auf. Aber ich will so was haben. Für den Fall, daß einem von uns einmal wirklich was Ernstes... alle Abteilungen... nur erste Fachleute... Finanzierung besprichst du mit dem Arnusch Franzl... Sieben-d-Gelder, denke ich... So wie bei den Schiffen...«

»Mensch, ein Großklinikum! Weißt du, was das kostet?«

»Klar. Massig. Ich will dir mal was sagen, Wenzel. Hör aufmerksam zu und vergiß es nie: Jakob Formann ist seiner Zeit immer um zwei Schritte voraus. Hast du das gehört?«

»Immer um zwei Schritte voraus. Und?«

»In einigen Jahren werden alle nach solchen Großkliniken schreien! Wir haben eine Verantwortung der Allgemeinheit gegenüber!«

»Seit wann?«

»Was soll denn das heißen? Hast du kein soziales Gewissen?«

»Okay, reg dich ab. Großklinikum also. Ganz wie du wünschst.«

»Wer is'n das, Süßer?« Eine Mädchenstimme!

»Was war'n das?«

»Nix. Hab' geniest.«

»Schwindel doch nicht! Ein Mädchen hast du bei dir!«

»Na und?«

»Um Gottes willen, sei bloß vorsichtig!«

»Hör mal, das ist ein anständiges Mädchen!«

»Nicht deshalb. Hast du sehr viel zu Abend gefressen?«

»Jakob, du bist auch ganz sicher in Ordnung?«

»Ich spreche als dein Freund, Trottel! *Ich*, ich hab' zuviel gefressen und dann gebumst. Und dabei wäre ich fast hops…«

»Wiesohderdenn?«

»Freßasthma. Das ist gar nicht zum Lachen. Mensch, paß bloß auf! Sachen gibt's! Ach, in diesem Zusammenhang: In unserm Klinikum müssen wir auch ein Institut zur Erforschung aller Arten und Abarten von Vögel…«

»Eh?«

»Von Sex, du Trottel… Sexualpraktiken… Sexualstörungen… Homos… Lesben… Normale… Zwitter… Bi… Es gibt einen solchen Haufen… Und ist so ungeheuer wichtig.«

»Bei dir ist es also losgegangen. Armer Jakob…«

»Mensch, wenn du wüßtest, was ich gerade erlebt habe! Mir wackeln noch immer die Knie… Wie heißt der berühmte Professor in England, der sich auf Sex geworfen hat… jetzt habe ich den Namen vergessen… Fergusson! Den Fergusson mußt du sofort engagieren! Jakob ist seiner Zeit immer um zwei…«

»Mensch, der Fergusson ist eine Berühmtheit! Der hat den Nobelpreis! Der kriegt ein Vermögen bezahlt!«

»Dann bezahlen wir ihm das Doppelte! Widersprich nicht! Tu, was ich sage! Kauf ihn ein, ich verlasse mich auf dich! Wir kaufen alles! Alle anderen Ärzte müßten auch immer die Besten sein! Jakob Formann kauft nur das Beste! Immer! Kapiert?«

»Süßer, wer ist denn dieses Ekel, das uns da mitten in…«

»Halt den Mund! Nein, nicht du, Jakob!«

»Also ich verlasse mich auf dich! Jetzt muß ich nach Hamburg! Hotel ›Atlantic‹! Erwarte Vo… Vo… Vollzugsmeldung!«

»Burschi, leg dich bloß hin! Du kannst ja kaum noch reden, so müde bist du!«

»Müde? Ich? Nicht die Spur! Ich bin so taufrisch wie schon lange…« Jakob konnte gerade noch den Hörer in die Gabel fallen lassen, da sackte er auf dem Bett zusammen, in tiefsten Tiefschlaf. Das elektrische Licht brannte weiter. Jakob schnarchte ohrenbetäubend. Er träumte von den ›Verkehrsbeschränkungen‹…

9

»Hier ist RIAS Berlin, eine Freie Stimme der Freien Welt! Guten Tag, meine Damen und Herren. Mit dem Gongschlag war es vierzehn Uhr. RIAS Berlin bringt Nachrichten... Nach Aufhebung der Berliner Blockade behindert die Volkspolizei der SBZ ab heute, Mitternacht, durch neue Schikanen das Leben in der geteilten Stadt. Zu Wasser, zu Lande und in der Luft sind sogenannte Verkehrsbeschränkungen...«

Das war das erste, was Jakob Formann hörte, als er, aus der Sowjetunion heimkehrend, auf eine Villa im Grunewald, West-Berlin, zuging. Laut hallte die Stimme des RIAS-Sprechers durch den großen Garten. Er berichtete von Autobahnkontrollen, von zurückgewiesenen Fahrern großer Laster mit Lebensmitteln, von Störungen im Flugverkehr durch die drei ›Luftkorridore‹, von Schleppern, die auf der Spree gestoppt worden waren...

Jakob betrat die Villa, deren Adresse man ihm gegeben hatte. Er fand seinen Chefschreiber in einer Bibliothek im ersten Stock. Hier stand, am offenen Fenster, das Radio, aus dem die Stimme kam. Es war ein schöner Junitag des Jahres 1949.

Seitdem Jakob zum letzten Mal in Berlin gewesen war – an jenem Tag vor etwa vier Wochen, an dem die Blockade beendigt wurde –, hatte sich einiges verändert, wenn auch nicht in Berlin: Aus dem westdeutschen Trizonesien war die Bundesrepublik Deutschland geworden – aber viel geändert hatte sich dadurch eigentlich nicht.

Klaus Mario Schreiber tippte wie ein Irrer auf einer Reiseschreibmaschine. Natürlich stand neben ihm eine Flasche Whisky. Halbleer.

»Tag, Schreiber!« sagte Jakob laut.

»Hallo, Che... Chef. Wo wa... waren Sie denn bloß? Hier gi... gibt's 'ne... 'ne G... Gro... Großfahndung nach Ihnen!«

»Idioten! Wozu eigentlich? Mich haben die Russen erwischt. Sehr nette Leute übrigens. Ich bin nur aus Versehen in den Demokratischen Sektor gefahren. Absolut nichts Schlimmes, die vier Wochen. Aber was machen Sie denn da?«

»Neue Serie. Ga... Ganz eilig. ›Per... Persil bleibt...‹, pardon: ›B... Ber... Berlin bleibt d... doch Ber... Berlin‹. He... Heldenmut und Lobgesang auf... auf die Inselstadt, die... Fro... Frontstadt mi... mit zahlreichen herz... herzrührenden Einzelschicksalen. Ich habe das O... Ohr am H... Herzen des Volkes! Unsere Au... Auflage in Berlin ist no... noch sehr mau. Da... Das da jetzt wird hinhauen. Als n... nächstes mü... müssen wir uns auf unsere na... namenlosen Helden besinnen. Die ta... ta... tapferen T... Trümmerfrauen! Da... dann, ge... genia... geniale Männer. Sch... Schau... Schauen Sie s... *sich* an, Che... Chef! Da... Das W... *Wunder!* Ich p... plane au... auf lange Sicht. Sehe schon alle The... Themen vor meinem gei... geistigen Auge. Ja!... Ü... Über a... alles in der We... Welt!«

»Wer? Was?«

»Na, wi... wir! K... Kaiser Wi... Wilhelm und der Hi... Hitlinger haben's versprochen – nu... nun ist es soweit: W... Wir gehen herr... herrlichen Zeiten entgegen! Je... Jetzt ge... geht's los! Wi... Wir ha... haben ja soviel n... nachzuholen. F... Fressen. Richtig fre... fressen. Bi... bis die Sch... Schnauze sch... schäumt. S... Saufen. Richtig saufen... Na, u... und dann B... Bauen. Bauen. Bauen. U... und die B... Buden a... anständig ein... einrichten. M... Möbel und Te... Teppiche und Bi... Bilder an die W... Wände. U... und Au... Autos! Richtige Dinger. Sch... Schicke. Ni... nicht solche Ho... Holzvergaser... Solche wie die Amis ha... haben. A... Aber d... deutsche Wa... Wagen. Jedem Deu... Deutschen ein d... deutscher Wagen... Und dann, Che... Chef, dann geht's erst r... richtig los!« Jakob stierte sprachlos auf seinen Klaus Mario Schreiber, der überhaupt nicht mehr zu bremsen war.

»Wie... wie... viele Länder ha... haben wir überfallen? Ju... Jugoslawien! G... Griechenland! F... Frankreich! Wer... werden wir alle n... nochmal überfallen! *Friedlich!* Mit schicken Au... Autos! Mi... mit schicken F... Flugzeugen! An der R... R... Riviera werden sie Deu... Deutsch lernen, passen Sie auf, Che... Chef! Ich sehe sch... schon die Ta... Tafeln vor den Re... Restaurants: Hie... Hier spricht man deu... deutsch! Hie... Hier gibt's deu... deutsches Bier! Und deu... deutsches Ei... Ei... Eisbein! Ich hö... höre sch... schon den s... sehnsüchtigen G... Gesang ru... rund um die Welt: Wa... Warum ist es am Rhein so s... schön!«

»Bleiben Sie auf dem Teppich, Schreiber!«

»Ich sage doch, ich pla... plane voraus. Mu... Muß man! Na... Natürlich der Rei... Rei... Reihe nach. D... Die E... Erinne... Erinnerungen, die w... werden auch k... kommen. D... Dauert nicht m... mehr lange. U... unsere tapferen Jungs! Ga... Ganz menschlich... aber pack... packend... ›D... Die Ärztin von Stalingrad!‹ Gu... guter Titel, wa... was? Ich sammle sch... schon Titel für die nächsten zehn Jah... Jahre. U... Unsere w... wackeren Flieger! Werra! ›Einer ka... kam durch!‹ A... Aber immer fair! Auch t... tapfere Gegner! ›Taiga, Taiga!‹ So... Sogar die Ru... Russen waren Menschen! Jawohl, doch! Me... Menschlich, Chef, me... menschlich! U... Und die U... die U-Boot Fahrer! Und n... natürlich hätten wir den K... Krieg ge... gewonnen, wenn nicht...«

»Wenn nicht was?«

»Wei... Weiß ich im Moment noch ni... nicht. Fä... Fällt mir n... natürlich was ga... ganz Hervorragendes ein. Ni... Nicht verzagen, Sch... Schreiber fragen. Die Tragödie de... des s... siegreichen Un... Untergangs... ›Sprung au... auf, K... Kameraden, wir mü... müssen zurück!‹ U... Und die Mö... Mörder – n... nein, nicht die, die... die je... jetzt morden in Z... Zivil! De... Der mit den F... Frauen da an der Z... Zonengrenze! No... Noch ein Titel! ›Immer, wenn die Ne... Nebel fallen‹. Pri... Prima, was? ›Immer wenn‹ ist immer schön. Eine gute Story enthält ste... stets dreier... dreierlei: Blut, V... Vagina und Nationalfla... flagge.«

Der Sprecher im RIAS: »...würdigen alle Zeitungen der Bundesrepublik in Kommentaren und Berichten die hervorragenden Leistungen des verstorbenen Flugzeugkonstrukteurs Professor Donner, der, wie berichtet, gestern in seiner Vaterstadt Düsseldorf beigesetzt wurde...«

Jakob fuhr auf.

»Donner ist tot?«

»Ja. W... Wußten Sie das nicht, Che... Chef? Si... Sie sehen s... so gr... grün aus. Whi... Whisky, neh... nehmen Sie so... so... sofort einen großen Sch... Schluck...«

»Halten Sie's Maul, Schreiber!«

»Da... Das ist a... aber da... das Be... Beste, wa... was es gi... gibt bei... bei Sch... Schwächeanfällen...«

»Sie sollen das Maul halten!« brüllte Jakob.

Donner tot.

Donner tot...

Donner tot!

»...zur Vorbereitung der Unterzeichnung eines französisch-italienischen Zollunionsvertrages...«

Vorbei. Jetzt habe ich nichts weiter gehört, weil der verdammte Trottel dazwischengeredet hat.

»Sie verdammter Trottel! Jetzt habe ich nichts weiter hören können! Sie wissen ja nicht, wer Professor Donner für mich war! Was er für mich getan hat!«

»Na... Na... Natürlich weiß ich alles, Ch... Chef. Re... Regen Sie s... sich nicht auf. We... werden Sie alles in de... der nächsten N... Nummer lesen. Ich war mit Se... Senkmann drüben, beim B... Begräbnis. Gro... Großer Bi... Bild- und T... Textbericht sch... schon in Pro... Produktion! Erschütternde Szenen am Familiengrab. Rede von einem Ja... J... Jagdflieger. Ein Ge... Genie, dieser Do... Donner. Na, ich sag's do... doch: Kl... Klar hätten wir den K... Krieg gewo... wonnen. Aber wie! We... Wenn die... die andern sich nicht ge... gewe... wehrt und zu... zurückgeschossen hä... hätten. Ein Genie! Lauter Genies! Lau... Lauter geniale Generäle! U... Und we... wenn der Hitlinger den Ge... Generälen ni... nicht a... alles vermasselt hätte! Wa... War übrigens auch eine Da... Dame da. Aus Österreich.« Schreiber pfiff.

»Was soll das?«

»Pardon, Ch... Chef. Ein Zei... Zeichen der A... Anerkennung. To... Tolle Biene. Wa... Warten Sie mal... wie hat die gleich... Julia Martens ha... hat die geheißen. Gesagt, Sie kennen sie.«

»Das stimmt! Ja! Und! Mensch, Schreiber, machen Sie's Maul ein bißchen schneller auf gefälligst! Haben Sie mit Frau Martens geredet?«

»Ja, Sie ha... haben mal zusammen was mit Ei... Eiern geha... habt, n... nicht? Die D... Dame hat nach Ihnen gefragt. Und mir ihre Adresse gegeben.«

»Die kenne ich. Theresienkron bei Linz.«

»Kei... Keine Spur. Dü... D... Düsseldorf.«

»Was?«

»Übersiedelt! Sch... Schon seit längerem.« Schreiber förderte aus seinen Taschen Unmengen der verschiedensten Gegenstände hervor und legte sie auf den Tisch. »Wo... Wo ist jetzt die Adresse, ver... verflucht?«

Jakob erblickte ein schwarzes Damenseidenhöschen mit zarten roten Bordüren, das Schreiber gleichfalls aus einer Tasche gezogen und auf den Tisch gelegt hatte.

»Was ist denn das?«

Schreiber sah das Höschen kaum an.

»Da... Das ist ein Papagei.«

»Und ich denke, Sie arbeiten!«

»T... Tu ich ja. Bis zu... zum Umfallen, Ch... Chef! A... Aber wenn es der K... Körper verlangt... Au... Außerdem betrüge ich alle F... Frauen mit meiner Sch... Schreibmaschine!«

»Trotzdem, Sie sind ganz hübsch eifrig, was?«

»O ja, ja. A... Aber nur D... Damen der be... besten Gesellschaft.«

»Und Ihre Akne stört die Damen nicht?«

»Auf dem P... Pimmel hab' ich keine! Also, das ist doch zu blöd...«

Jakob ließ seinen Blick über den Tisch schweifen. Er sah drei Bücher, Schreibers Namen darauf, nahm sie mechanisch und las: ›MICH WUNDERT, DASS ICH SO FRÖHLICH BIN‹. ›DAS UNSICHTBARE BROT‹. ›ICH BEICHTE ALLES‹.

»Das haben Sie auch geschrieben?«

»Wa... Was heißt auch? D... Das sind meine e... ersten R... Romane, die nicht gingen. Ei... Eines Tages wer... werden sie gehen, reine Geduldsfrage. Bei meinem Talent. Sch... Schreibe gerade einen neuen Roman.«

»Sie schreiben auch noch *Romane*?«

»Mu... Muß ich doch, Ch... Chef. OKAY alleine, und ich würde total verblö... den. Eines Ta... Tages, passen Sie auf...«

»Wie heißt denn Ihr neuer Roman?«

»›WER SCHÜTZT DIE LIEBENDEN?‹ Guter Tit... Titel, was? V... Verdammt guter R... Roman. Wie gesagt, ei... eines Ta... Tages... Da! Hier, neh... nehmen Sie den Z... Zettel! G... Graf-Adolf-Straße 312. Schrei... reiber verliert nie was!«

»Telefon?« Jakob war aufgeregt.

»Ha... Hat sie noch k... keines. K... Kriegt erst ei... eines. Wa... Was

ist denn? Ch... Chef! Che... Chef! Wa... Was rennen Sie denn so – we...
weg ist er. Ha... Handelt sich ohne Z... Zweifel um Li... Liebe.« Schreiber
trank aus der Flasche, weil er einen grauenvollen Anfall von Nüchternheit
im Anzug spürte, den er sofort bekämpfen mußte. Das kommt davon, wenn
man zu lange quasselt und nicht auf sich achtet und nichts getrunken hat
seit zehn Minuten. Unverantwortlich. Nach einem kräftigen Schluck strich
er über eines der Bücher und sagte, traurig und absolut fließend: »Mich
wundert, daß ich so fröhlich bin...«

10

JULIA-MODELLE.
Das stand in großen Neonbuchstaben über der Auslage des Geschäfts. Es
war ein schönes Geschäft. Fassungslos sah Jakob die Kleider im Schaufenster an. Im Laden arbeiteten zwei Verkäuferinnen. Drei Kundinnen waren
da. Menschen stießen gegen Jakob, der ein quadratisches, dünnes und
schön verpacktes Geschenk trug. Die Graf-Adolf-Straße war schon wieder
eine sehr belebte Straße, hervorragende Gegend für Geschäfte.
JULIA-MODELLE.
Nicht zu fassen. Der Hase ist aus Theresienkron weggezogen und hat hier
ein Geschäft aufgemacht! Schickes Geschäft! Tolle Kleider. Na ja, Geschmack hat Julia immer gehabt. Aber die Eier! Die Eier in Theresienkron!
Wie hat sie die Eier im Stich lassen können? Das hätte ich dem Hasen niemals zugetraut! Wieder wurde Jakob angerempelt. Das brachte ihn ein wenig zu vernünftigerer Betrachtung. Ich selbst habe die Eier in Theresienkron ja auch im Stich gelassen! Ich bin ja auch weggegangen und habe
andere Geschäfte gemacht! Und was für andere! Wo bin ich überall gewesen! Und immer habe ich nach Theresienkron zurückwollen in all den Jahren. Oder wenigstens einen Brief schreiben oder anrufen. Hab ich's getan?
Nein. Ich war und bin immer noch zu sehr mit meinem Krieg beschäftigt.
Quatsch, sei mal ehrlich, Jakob: Du bist ein Schwein. Ein Riesenschwein.
Ein Schweineschwein. Das Kotzen kann einem kommen, wenn man so
sieht, wie du dich gegen den guten Hasen betragen hast...
»Herrgott, passen Sie doch auf...«
»Passe Se selwer op! Steht allen em Weg, kiekt wie 'ne Jeck on süht on
höht nix!«
Jakob ballte die Fäuste. In seiner Wut gegen sich selbst ging er auf den jun-
gen Mann los, der eine helmartige Frisur, ein langes kaffeebraunes Sakko,
geringelte Socken und Wildlederschuhe trug.
»Sie werden jetzt gleich Ihre Zähne suchen...«
»Huch! Lasse Se de Fote weg! Helf! Helf! Detlev! Kurt! Karl-Heinz! Die
Type jrieft mech aan!«

Jakob sah sich plötzlich umringt von vier jungen Männern, die ihm das heftige Gefühl vermittelten, daß sie allesamt die Absichten, die den lieben Gott bei der Erschaffung des Weibes geleitet hatten, völlig mißverstanden...

Die Herren Päderasten standen vor, neben und hinter Jakob, außerdem war ein Alter hinzugekommen. Der trug Ringe und Kettchen und wallendes Haar und regte sich am meisten auf: »Halt bloß de Klapp, du, ja? Jliech wehste wat erlewe! Stänkern on Rabbatz make, hee, dat hamm'o geen! Treck Leine! Mer hannt ooch unser Ehr! Wat häste jejen ons?«

Jakob blinzelte.

»Ich habe gar nichts gegen Sie! Gar nichts! Der Strolch da ist in mich reingerannt...«

»Wat häste dem jesaht? Strolch?« schrie der Alte.

»Habe ich«, antwortete Jakob, außer sich, aber nicht etwa wegen der seidenweichen Knaben oder des alten Trottels, sondern wegen des Schildes JULIA-MODELLE. JULIA-MODELLE! »Na los«, schrie Jakob den ersten Knaben an. »Sie wollten doch was von mir! *Ich* schlage nicht zuerst! *Ich* warte! *Sie* sind dran! Danach könnt ihr was erleben, alle miteinander!«

»Dem hannt'se en et Jehirn jeschisse«, jaulte der Alte mit den Ketten.

Ein Mann, der aussah wie ein Ringer, war stehengeblieben.

»Wat löpt denn hee? Well de wat von üch?« fragte er freundlich.

»Ech hann dem nix jedonn!« kreischte der Alte.

»Schnauze, du Aalwärmsau«, sprach der Ringer gemütvoll. Er holte aus und knallte dem ersten der vorlauten Knaben eine. Ganz zart. Der taumelte zurück, in die Arme seiner Freunde, und brach in Tränen aus.

»Oh! Oh! He hät mech wieh jedonn...« Die anderen Herren redeten tröstend auf ihn ein.

»Vielen Dank«, sagte Jakob zu dem Ringer.

»Wor mech 'ne Jenoß, Herr Formann.«

»Sie kennen mich?«

Der Riese strahlte.

»No klor!«

»Woher?«

»Minsch, kannste dech net mieh an mech erennere? Ne, ech seh schon, du kanns net. Esch ben doch eene von de Kriegsjefangene, die met dinnem Kumpel Otto do em Hawe von Antwerpen jebrasselt hannt, als mir dat Deng met die Pariser jedrieht hannt...«

»Ach, daher!«

»Ja. On du häß min Motter tatsächlich CARE-Pakete jescheckt. Bis' 'ne berühmte Mann hütt, weeß ech, weeß ech. Domols worsde noch 'ne Schiewer. Jetzt beste us'm Schnieder. Wors knorke domols. Dat verjiß ech nie. Wenn de mech mol bruchst – ech ben emmer do für dech.«

»Danke. Wo?«

»Kennste Düsseldorf net, wat? Fremd hee, wie? Seh ech sofort. Wat moßte eijentlech denke von ons Düsseldorf, mien Jott? Diese verfluchte Hinterlader! Usjerechnet Jraf-Adolf on Kö loofese röm en Rudeln. On Kö-Jrabe, wo de Schwän sen! All Stühl hennt'se do mit Beschlach jenomme. En Schand so wat! Moßt onbedengt en'n ›Eskwaja‹ komme. Hier, Jraf-Adolf-Stroß. Is ne jemötliche Scheff, der Carlo! Do arbeed ech. Jede Nacht. Do es emmer Ruh und Freede, Herr Formann. Wenn de Carlo dech emol näher kennt, moßte met dem eene süffe.«

»Sagen Sie, wissen Sie vielleicht, was der Otto Radtke macht und wo er wohnt?«

»Emmer noch en Duisburg, Herr Formann. Ech ben en ständige Verbindong met em. De wehd ooch nit heirode – jenau wie ech. Schön doof, heirode, wat? Pardong. Du bes doch nit etwa…«

»Nein. Nein. Könnten Sie den Otto fragen, ob er für mich arbeiten will?«

»Für dech? Na klar! Wehd ech sofort donn! Als wat denn arbeede?«

»Chauffeur. Ich kann sehr gut selber fahren, aber…«

»Awer du bes ne zu jroße Mann, klar. Jeht nit. 'türlich bruchste ne Chauffeur, eene mendestens! Wo kann d'r Otto dech denn erreiche, Herr Formann?«

»Am besten über die Redaktion von OKAY in München, da weiß man immer, wo ich bin.«

»Wehd prompt erledigt, Herr Formann, on… wie es dat… kömmst en'n ›Eskwaja‹?«

»Wohin?«

»Ahso. Mi Düsseldorfer Platt verstehste net. Paß op: E-es-kuh-i-er-e!«

»Esquire?!«

»Jo doch! Also kömmst'?«

»Ich werde es versuchen. Ihr werter Name? Ich habe Sie ja damals nicht persönlich kennenlernen können.«

»Klor. Theo.«

»Theo wer?«

»Theo jenüct, Herr Formann, Eskwaja-Theo. Dat es'n Bejreff.« Und nun wandte sich Esquire-Theo an die immer noch etwas betroffen herumstehenden Süßen: »Ihr Aps, haut bloß af en' et Motterhuus! Versaut onser Düsseldorf net! Ihr weßt, dat es ›Klein-Paris‹, hee!« brüllte er die Knaben und den Alten an. Die flüchteten kreischend. »Also dann im ›Eskwaja‹, Herr Formann. Wor mer eine Ehr, üch jeholfe zu hann.« Er zog seine Mütze. Jakob schüttelte ihm herzlich die Hand, dann betrat er das Geschäft. Wieder versank er in Grübeln. Ach, ist das wunderbar hier! Das hat er sicher alles selbst eingerichtet, der Hase. Der hat schon immer so viel Geschmack gehabt. Das ist doch die beste Frau von allen. Und was hab' ich getan, ich blöder Hund?

»…wünschen, mein Herr?«

Jakob schrak auf. Eine der hübschen Verkäuferinnen hatte ihn angesprochen. Sie lächelte.

Jakob sprach mit Mühe: »Ist Frau Martens da? Ich bin... ein alter Bekannter von ihr. Habe sie lange nicht gesehen...«

»Frau Martens ist vor einer Viertelstunde hinaufgegangen.«

»Wo hinauf?«

»Sie wohnt im Haus. Vierter Stock links.«

11

»Ja?«

Es gibt Menschen, die sind einem vom ersten Moment an zum Kotzen. Wie der junge Mann da, der die Wohnungstür geöffnet hat, nachdem ich geläutet habe.

»Tag. Hier wohnt doch Frau Martens, nicht?«

»Sicherlich. Warum?«

»Weil ich sie sprechen möchte.«

»In welcher Angelegenheit?«

»Das geht Sie doch einen Dreck an«, sagte Jakob unwillkürlich, die Fäuste ballend. Sein neuer Freund Theo hatte ihn sehr mutig gemacht.

Was ist das bloß für ein Kerl? Groß, schlank, Mandelaugen, ganz dunkelbraun – wie das allzu sorgfältig frisierte Haar. Prima in Schale. Kommt sich vor wie König Koks von der Gasfabrik! Dem werde ich gleich mal kurz an den Schlips gehen. Jakob trat einen Schritt vor. Im selben Moment ertönte eine Stimme: »Wer ist denn das, Erich?«

Ach Gott, ach Gott, die Stimme vom Hasen! Und da war der Hase auch schon selber, achgottachgottachgott. Julia kam aus einem Zimmer in die Diele. Ist ja noch schöner geworden, dachte Jakob bitter.

»Guten Tag, Julia«, sagte er munter. (Hase lassen wir besser, vielleicht ist sie mit dem Scheißer da verheiratet, was weiß man?)

Keine Antwort.

»Julia! Ich bin's! Der Jakob!«

Immer noch keine Antwort.

»Ich glaube, Frau Martens möchte Sie nicht empfangen«, sagte der junge Herr. Er hatte einen blauen Zweireiher mit Nadelstreifen, die Schultern waren mächtig ausgestopft.

»Kusch!« Jakob schob ihn beiseite und ging auf Julia zu. Mit einer ganz kleinen, ganz schrecklich leisen (Jakob brach fast das Herz entzwei) Stimme sagte der Hase: »Guten Tag, Jakob.«

»Ich komme aus Berlin. Dort habe ich gehört, daß der arme Professor Donner gestorben ist und hier begraben wurde. Habe auch gehört, daß du jetzt hier bist, und da hab' ich gedacht, nix wie her – mit einer PAA! Wie ich mich freue, dich wiederzusehen, Julia! Ich weiß schon, was du sagen willst! Ja, ich hab' mich benommen wie eine Sau, eine gesengte, und es tut mir leid. Sehr leid. Wirklich leid, Ha... äh, Julia! Weißt du, ich war dauernd unterwegs, immer, die Geschäfte...« Jetzt war ihm endgültig die Puste ausgegangen.

»Ich weiß«, sagte der Hase still und traurig. »Ich weiß, was du alles getan hast in den letzten Jahren, Jakob. Es stand ja in den Zeitungen. Du bist ein großer Mann geworden. Ich gratuliere dir zu deiner großen Karriere! Und die wird noch viel größer werden, denk an meine Worte.« Der Lackel räusperte sich. »Verzeih, Erich. Das ist Herr Jakob Formann, von dem ich dir so viel erzählt habe. Jakob, das ist Herr Erich Fromm. Na, was ist, wollt ihr euch nicht die Hände geben?«

Sie wollten beide nicht, aber sie taten es, sehr zögernd und schwach. Und Jakob mußte dabei *sehr* an sich halten, um nicht zu sagen: »Ach so, Herr Fromm – der Erfinder des Aktes.«

»Ich habe nicht gedacht, daß wir uns je wiedersehen werden, Jakob«, sagte der Hase, in ein Wohnzimmer tretend. »Nimm Platz, bitte.«

Jakob plumpste auf eine breite moderne Couch. Alles war modern hier – die Möbel, eine kleine Hausbar, ein Plattenspieler...

»Wie hast du so etwas bloß denken können?«

»Ach, Jakob. Wollen wir das doch sein lassen, bitte!«

»Nein, das wollen wir nicht sein lassen. Ich... du... diese ganzen Jahre... Verflucht, warum setzt ihr euch nicht?«

»Du mußt ins Atelier, Erich«, mahnte der Hase und sah den Widerling verliebt an.

»Ich habe noch ein bißchen Zeit«, sagte Herr Fromm und setzte sich. Julia ließ sich in einen Sessel sinken. Stille. Gräßlich, dachte Jakob. Ich bin an allem schuld...

»Erich ist Schauspieler, Jakob. Beim Film. Am meisten spielt er bei der CYRIO. Kennst du doch!«

»Nie gehört«, log Jakob.

»Eine der ganz großen Filmgesellschaften.«

»Aha. Und da spielt der Herr Fromm.«

»Wenn Sie nichts dagegen haben, Herr Formann.«

»Was soll denn das heißen, Herr Fromm?«

»Es gibt Leute, die melden sich an, wenn sie zu Besuch kommen, wissen Sie?«

»Frau Martens hat noch kein Telefon.«

»Man kann Postkarten schreiben.«

»Ich bin so schnell wie möglich hergekommen, um meinem Freund Professor Donner einen Kranz zu bringen.«

»Der ist längst begraben. Auf dem Nordfriedhof.«

»Das weiß ich. Ich will einen Kranz auf das Grab legen.«

»Da liegen schon genug drauf. Was glauben Sie, was da für Honoratioren erschienen sind! Das war eine ganz feierliche Sache. Wir haben natürlich auch einen besonders großen Kranz...«

»Was heißt wir?« Jakobs Narbe begann zu pochen.

»Na, Julia und ich«, sagte Herr Fromm.

»Haben Sie den Professor denn gekannt?«

»Erst im Sarg.«

»Und wieso sagen Sie Julia zu Julia?«

»Weil sie so heißt, Herr Formann.«

»Herrgott, sind Sie verwandt mit Julia?«

»Bis jetzt noch nicht. Aber...«

»Was soll das heißen?«

»Ihr Verlobter bin ich«, sagte Herr Fromm. Mit Betonung.

Allmächtiger Vater.

Jakob sah den Hasen an. Der Hase senkte hilflos den Kopf. Herr Fromm klopfte mit einem Fingernagel gegen seine sehr weißen Zähne. Also, in meinem Leben habe ich kein widerwärtigeres Geräusch gehört, dachte Jakob. Schönling, verdammter.

Der Schönling sah ihn unfreundlich an. Sehr unfreundlich.

12

Eine qualvolle Viertelstunde später.

»Also, Erich, nun mußt du aber wirklich gehen«, sagte der Hase. »Direktor Mühsam ist im Atelier. Du weißt, ihm liegt dieser neue Film besonders am Herzen.« Der Hase sah Jakob an. »Sogar bei den Kostümproben ist er dabei, und er nimmt sich vor allem des Herrn Fromm an.«

»Wie interessant«, sagte Jakob, in einem Tonfall, den er für sarkastisch hielt.

Erich erhob sich.

»Ja, du hast recht, ich muß wirklich...« Herr Fromm sah Jakob an. »Und was ist mit dem da?«

»Der da bleibt noch ein Weilchen«, sagte Jakob, sehr leise.

»Sie! Werden Sie bloß nicht auch noch frech! Erst unangemeldet hier hereinschneien, und dann...«

»Erich, bitte! Sei nicht kindisch. Ich kann einen so alten Bekannten wie Herrn Formann nicht hinauswerfen, bloß weil du ins Atelier mußt.«

»Eben«, sagte Jakob.

Der jugendliche Held sah ihn an wie ein bissiger Terrier. Fehlt bloß noch, daß er knurrt, dachte Jakob. Dann zuckte der widerliche Schönling die Schultern. Und küßte Julia vor Jakobs Augen. Lange und innig. Er strich über ihr Haar. Er küßte ihre Hände. Außen und innen.

Jakob saß da und litt. Endlich war der schöne Widerling draußen. Abermals Stille. Nur von unten drang gedämpft Verkehrslärm herauf.

»Vielleicht ist es doch besser, ich gehe auch!« überlegte Jakob laut.

»Nein!« Julia gab sich einen Ruck. »Jetzt lassen wir endlich dieses Theater und benehmen uns nicht wie kleine Kinder, ja? Du bist enttäuscht. Du bist wütend darüber, daß ein anderer Mann bei mir lebt…«

»Richtig! Apropos: Lebt er nur *bei* dir, oder lebt er auch *von* dir?«

»Du bist reichlich geschmacklos, Jakob.«

»Es gab eine Zeit, da war ich dein Bär!«

»Die ist lange vorbei, diese Zeit, Jakob. Es gab auch eine Zeit, da war ich dein Hase.« Plötzlich sprang Julia auf und stemmte die Hände in die Hüften. »Das ist ja herrlich! Du saust in der Welt herum und machst Millionen und schläfst mit hundert Frauen…«

»Hundert waren es nie!«

»Unterbrich mich nicht! Schläfst mit hundert Frauen und läßt nie wieder ein einziges Wort von dir hören. Kein Anruf, kein Brief, keine Zeile, keine Nachricht, nichts, nichts, nichts. Der Professor stirbt. Ja, *da* kommst du! Du sollst mich nicht unterbrechen! Und hast das gleich mit einem Besuch bei mir verbinden wollen, wie? Sehr praktisch! Nur keine Zeit verlieren. Und jetzt bist du da und nimmst übel. Fehlt bloß noch, daß du sagst, ich betrüge dich!«

»Mein liebes Kind, um mich zu betrügen, müßtest du schon mit Stalin schlafen – und nicht mit so 'ner halben Portion.«

Julia empörte sich. »Erich ist keine halbe Portion! Erich ist… ist… ist…«

»Ja, ja, ja, was ist er denn? Siehst du, du weißt es selber nicht!«

»Natürlich weiß ich es! Ein wunderbarer Mensch ist Erich, der mich aufrichtig liebt – das ist er!«

»Haha.«

»Mach noch einmal haha, und ich schmeiße dich raus! Ich habe genug gelitten in der langen Zeit, in der ich auf dich gewartet habe in Theresienkron.« Sie brach in Tränen aus. Jakob sprang auf und wollte sie an sich ziehen. »Rühr mich nicht an! Ich schreie!« Er trat zurück. »Hast du ein Taschentuch?«

Er gab es ihr. »Danke.« Sie blies hinein. Und nun saßen beide wieder. »Hase und Bär gehören zusammen – hast du gesagt, damals, als es uns allen noch dreckig ging. Als du nichts hattest, und ich nichts hatte. Als wir uns aus dem Dreck rackern mußten. Und gerackert haben! Als du mich gebraucht hast!«

»Hase, sag noch ein solches Wort, und, wahrhaftig, ich habe in meinem ganzen Leben noch keine Frau geschlagen, aber dann schmiere ich dir eine!«

»Schlag mich doch! Schlag mich doch! So ist es recht! Jetzt zeigst du dein wahres Gesicht!«

»Entschuldige…«

»Nichts zu entschuldigen. Du ahnst gar nicht, was für einen großen Dienst du mir da erwiesen hast! In der ersten Zeit habe ich gedacht, ich muß sterben ohne dich. Jawohl, sterben! Die gute Frau Pröschl, die war genauso verzweifelt wie ich. Gib mir das Taschentuch!«

»Hase, mein geliebter Hase…«

»Zuletzt bin ich sogar in die Kirche gelaufen und habe gebetet…« Der Hase nickte, erschüttert über sich selbst. »Ja, gebetet! *So* weit kannst du eine Frau treiben!«

»Furchtbar! Du bist in die Kirche?«

»Aber genützt hat es nichts! Der liebe Gott funktioniert bei mir nie, wenn es um dich geht.«

»Bei diesem Lackaffen, da funktioniert er, was?«

»Hast du Lackaffen gesagt?«

»Jawohl, habe ich. Der ist doch nichts anderes. Einer? Drei! Der nimmt dich doch nur aus. Der… benützt dich doch nur, Hase! Daß eine so kluge Frau wie du das nicht merkt!«

»Halt den Mund!«

»Ich denke nicht daran! Man muß sich doch bloß seine verschlagenen Augen ansehen und diese dünnen Lippen…«

»Er hat keine verschlagenen! Und dünne auch nicht!«

»Doch!«

»Nein!«

»Doch!«

13

Zehn Minuten später hatten sich beide so weit beruhigt, daß sie normal miteinander reden konnten. Die meiste Zeit redete Julia. Sachlich. Betont neutral. Professor Donner hatte unentwegt experimentiert, erfuhr Jakob. Julia hatte zuletzt alle Hoffnung verloren und einen Rat des Professors befolgt. Sie gehe ja zugrunde, wenn sie in Theresienkron bliebe und immer weiter ihrem Jakob nachtrauere – diesem Jakob, von dem sie in den Zeitungen las und im Radio hörte. Sie müsse fort, hatte Donner gesagt. Weit fort! Unter andere Menschen! Jakob vergessen! Seine Eier vergessen! Aber wie? Aber wohin?

Ins Rheinland! Dorthin müsse Julia jetzt gehen, hatte Professor Donner geraten. Dort sei was los jetzt! Und Donner habe gedonnert: Die großen und kleinen Industriellen und die großen und die kleinen Kaufleute hätten wieder Boden unter den Füßen gefunden. Während die Engländer und die Franzosen auf der einen Seite noch lustig demontierten, pumpten die Amerikaner auf der anderen Seite heftigst Milliarden in die westdeutsche

Industrie und sorgten sich um deren Wiederaufbau. Kein Wunder: Denn westdeutsche Politiker hätten den Amerikanern versprochen, dieses neue Deutschland werde ihr bester Verbündeter gegen den Kommunismus und gegen die Russen sein, falls es wieder losgehen sollte. Die Herren Industriellen fanden sehr schnell, daß Düsseldorf ein prächtiger Platz für repräsentative Büros und angenehme Vergnügungen war. Ihre Frauen fanden das auch. Solches war das Resultat westdeutscher Steuergesetze. Wenn man Geld hatte, konnte man nach Düsseldorf fahren und dort Spesen machen – und das hieß: unversteuertes Einkommen in einer für das Finanzamt nicht nachzukontrollierenden Weise ausgeben.

»Früher war die Konfektion zu neunzig Prozent in Berlin«, berichtete der Hase, ernst und gefaßt. »Mit Berlin ist es vorbei. Also sind sehr, sehr viele Unternehmen der Bekleidungsbranche nach Düsseldorf abgewandert. Große Firmen haben sich zur IGEDO zusammengeschlossen...«

»Zur was?« (Und ich krieg' sie doch herum, das wäre ja lächerlich.)

»Abkürzung von: Interessengemeinschaft des Damen-Oberbekleidungs-Gewerbes. Der Erfolg der ersten Verkaufsausstellung war großartig...«

»Weiß ich, weiß ich«, sagte Jakob. (Und dachte: Ich weiß auch schon, wie ich den Hasen bändige. Der Widerling ist doch bestimmt zwei Stunden im Atelier festgehalten.)

»Professor Donner hat mir Kredite verschafft, der gute alte Mann. Ich zahle noch immer ab. Eigenes Geld hatte ich ja auch... na, und so bin ich also hergezogen vor einem halben Jahr und habe den Laden da unten aufgemacht. Er geht phantastisch«, berichtete Julia.

»Das freut mich. Das freut mich wirklich, Hase.« (Diese Beine. Und diese Brüste. Das leichte Kleid läßt den ganzen Körper ahnen. Ich kenne ihn ja schon... Und ob ich ihn kenne! Es war doch schlau von mir, daß ich das Geschenk mitgebracht habe. Wenn der Hase erst einmal das Geschenk... da hat er noch niemals Widerstand leisten können!)

»Jetzt, nach Donners Tod, leitet die gute Frau Pröschl den Theresienkroner Betrieb mit einem Nachfolger für den Professor, den er noch selbst bestimmt hat. Ach, das habe ich ja ganz vergessen. Es ist doch gut, daß du gekommen bist.«

»Nicht wahr?« (Noch ein kleines Weilchen, dann fange ich an.)

»Ich rede rein geschäftlich, Jakob! Wir müssen jetzt die Statuten ändern! Alle Filialen und Werke außerhalb Theresienkrons, die dem Professor und dir gehört haben, gehören nun djr allein!«

»Und du?«

»Ich will nichts davon haben! Ich habe genug! Im Gegenteil – ich muß dir noch etwas geben!«

»Was?«

»Die Forschungsergebnisse des Professors! Er hat sensationelle Entdekkungen gemacht! Unsere Hennen legen jetzt die besten Eier der Welt!« Julia sprang auf und lief zu einem zierlichen Schreibtisch. »Ich habe die ganzen Unterlagen hier drin, ich gebe sie dir gleich mit! Es ist ein Haufen Papiere! Die Erfindungen habe ich schon zum Patent angemeldet – in deinem und in Donners Namen. Nutzungslizenz für Theresienkron ist auch erledigt. Da ist zum Beispiel die Sache mit dem ›Gacker-Blocker‹…« Julia öffnete und schloß Schubladen, sie suchte.

»Hase, ich flehe dich an! Nach so langer Zeit sehe ich dich wieder… Ich liebe dich… Ich werde immer nur dich lieben! Ich nehme dich mit mir! Auf der Stelle! Hinaus in die Welt! Wir bleiben zusammen! Das haben wir doch immer gewollt!«

»›Gacker-Blocker‹ hat Professor Donner seine Entdeckung genannt«, sprach der Hase kühl und belehrend, als hätte Jakob nicht soeben seine Herzensnot herausgeschrien. »Dem ist er nach langer Zeit dahintergekommen. Dem Gegacker der Hennen, meine ich…«

»Herrgott, ich sch… ich pfeife auf alle Hennen, wenn du mich nur wieder lieb hast! Wenn du mich heiratest!«

»Ich werde dich nie heiraten, mein lieber Jakob. Ich werde Erich heiraten!«

»Diesen miesen Vogel? Das verbiete ich dir!«

»Du hast mir gar nichts zu verbieten, Jakob«, sprach der Hase, in Papieren wühlend. »Das Gackern der Hennen, hat der Professor herausgefunden, hemmt ihren Legeeifer.«

»Ich liebe dich doch, Hase! Bitte, verzeih mir!«

»Darauf ist der Professor nach langen Versuchen gekommen! Daß das Gackern der Hennen ihren Legeeifer hemmt, meine ich. Schau, natürlich ist Erich noch kein Star. Natürlich hat er noch sehr wenig Geld. Natürlich lebt er von mir. Na und? Wen geht das etwas an? Ich kann mit meinem Geld machen, was ich will!« Julia sammelte weiter Papiere aus den Schubladen. »Der Professor hat Reihenversuche angestellt, jahrelang. So kompliziert, daß er es mir niemals erklären konnte.«

»Ich liebe dich, Hase, verflucht noch mal, hörst du nicht?«

»Mit Hormonen. Erich ist hochbegabt. Er macht seine Karriere! Und dieser Direktor Mühsam hat Erich so gern! Auch Edda…«

»Hase!«

»…das ist die Tochter von Direktor Mühsam, die Edda. Dreizehn. Erich hilft ihr bei den Schulaufgaben. Also wirklich, die ganze Familie ist geradezu verrückt nach Erich! Der hat einen prima Start! Bestimmt gibt ihm Direktor Mühsam jede Chance. Bald wird er eine Hauptrolle bekommen.«

»Das ist ja zum Wahnsinnigwerden! Ich kann dir die Welt zu Füßen legen! Ich kaufe dir, was du willst! Was willst du? Sag es! Sag es, und du hast es!«

»Mit halbsynthetischen Hormonen, weißt du. Ich habe es nie verstanden, aber es steht alles präzise in den Patentschriften. Erich ist so gut. Er wird viel Geld verdienen. Und dann heiraten wir!« Immer noch wühlte Julia in einer Schublade.

Jakob erhob sich. Geräuschlos packte er sein Geschenk aus. Man wird ja sehen, dachte er.

»Tut mir leid, wenn ich dir wehtun muß, Jakob. Und mit den halbsynthetischen Hormonen hat Professor Donner alle unsere Hennen behandelt!«

»Dieser widerliche Kerl ist doch der Dreck vom letzten Dreck. Der stürzt dich doch noch ins Unglück! Das ist ein ganz gewöhnlicher...« Nein, das hätte ich nicht sagen sollen. Gerade noch konnte ich das Geschenk hinter meinem Rücken verstecken, bevor Julia herumfuhr. Ist die aufgeregt! Wieviel Platz liegt zwischen Liebe und Haß? Ein Millimeter? Zwei Millimeter? überlegte Jakob, während Julia schrie: »Ich liebe Erich! Ich liebe ihn, und wenn du platzt! Er ist ein prachtvoller Mensch, der mich verwöhnen und auf Händen tragen wird, sobald er kann! Ein Haus werden wir haben, nicht protzig, gemütlich, und drei Kinder.«

»Kinder...«

»Ja, drei! Soviel will ich! Und stell dir vor, alle behandelten Hennen sind verstummt und haben nie mehr gegackert!«

»Hase! Schau dir das an! Was ist das? Das ist die alte Hasenpfote, die mir Jesus geschenkt hat, damals in Linz, als ich abfuhr! Die Hasenpfote hat mir immer nur Glück gebracht, wirklich! Und warum? Doch nur darum, weil sie von einem Hasen ist, Hase!«

»Und sie haben ihr Plan-Soll weit überzogen! Jeweils dreitausend Hennen um hundertzwanzigtausend Eier! Stell dir das vor! Und es waren nicht nur viel mehr Eier, es waren auch noch viel bessere Eier! Die besten! Die Schalenqualität! Der Dotter! Die Spurenelemente! Und Erich ist der beste Mann von der Welt, damit du es weißt!«

An der Wand entlangschleichend hatte Jakob ein modernes Möbelstück fast erreicht. Indessen der Hase immer noch mehr Papiere zusammenraffte, sagte er: »Der beste Mann von der Welt! Daß ich nicht ohnmächtig werde vor Lachen! Wenn diese Tochter von seinem Direktor fünfzehn ist, wirst du was erleben! Von wegen bei Schulaufgaben helfen! Der hat sich das fein zurechtgelegt! Und glaube ja nicht, daß du die einzige bist! Der feine Herr Fromm betrügt dich nach Strich und Faden!«

»Was hast du gesagt? Nach Strich und Faden?«

»Jawohl!«

Sie stürzte sich auf ihn. Die Papiere flatterten auf den Boden.

»Du...! Du... was ist *das*?«

Musik erklang.

Jakob hatte sein Geschenk blitzschnell auf den Teller des Plattenspielers gelegt und diesen eingeschaltet.

Lena Hornes Stimme erklang: »Don't know why, there's no sun in the sky...«

Der Hase starrte Jakob mit offenem Mund an. Der Hase begann zu zittern und zu beben.

Na, habe ich es nicht gewußt? dachte Jakob.

»Unser... unser Lied...«

»Mhm.« Das wäre doch gelacht, wenn ich sie nicht wiederkriegte, meine Julia.

»...since my man and I ain't together...«

So, und jetzt nichts wie los, dachte Jakob, packte den schwankenden Hasen, preßte ihn an sich und küßte ihn leidenschaftlich.

»...it keeps raining all the ti-ime...«

Plötzlich öffneten sich Julias zusammengepreßte Lippen, sie stöhnte, und ihre Hände fuhren wild durch Jakobs Haar.

»›Stormy weather‹«, flüsterte der Hase.

»Unser ›Stormy weather‹!«

»Ach, Bär, mein Gott, wie glücklich hätten wir sein können...«

»Werden wir gleich sein«, sagte Jakob Formann.

14

Sie waren gerade zum drittenmal glücklich gewesen, als der Hase verschämt auf eine Uhr blickte, die neben dem breiten Bett stand, und meinte, nun müßten sie sich aber wieder anziehen.

Jakob vernahm es mit Schmerz, doch er sah es ein. Ewig kann dieser Widerling von einem Schönling wirklich nicht wegbleiben wegen dieser blöden Kostümprobe, dachte er. Und er dachte ganz richtig.

Der Hase saß erst eine halbe Minute wieder im Sessel, und der Bär zog sich gerade die Krawatte zurecht, als sich die Wohnungstür öffnete und Herr Erich Fromm in die Diele trat.

Also gerade noch geschafft, dachte Jakob. Gebadet haben wir, Julias Haare sind in Ordnung, die Krawatte sitzt richtig. Nun sehen wir mal weiter!

Er war ungemein erstaunt über das, was nun geschah. Mit einem wahrhaft tierischen Schrei stürzte sich Herr Fromm auf Jakob, der sich höflich erhoben hatte, und trat ihm mit einem sehr harten Schuh sehr hart in die Garnitur. Daraufhin setzte sich Jakob wieder.

Das tut ja verdammt weh. Ach herrje, jetzt sehe ich es erst! Ich habe einen Toilettefehler, einen kleinen. Ich habe vergessen, den Reißverschluß zuzumachen, als ich aus dem Badezimmer kam. Schmerz, laß nach. Der eine Schmerz ließ nach, aber ein anderer quälte Jakob, weil Herr Fromm jetzt auf seinen Schädel eindrosch, während der Hase sich laut schreiend an den Film-Weltstar in spe klammerte.

»Erich! Erich! Was ist denn los? Deine Eifersucht ist ja nicht auszuhalten! Hör auf! Hör auf, du sollst aufhören, Herrn Formann zu schlagen, Erich!«

»Meine Eifersucht? Und deine Augen?«

»Was ist mit meinen Augen?«

»Die glänzen! Und wie! Und du weißt genau, wann die immer so glänzen. Du hast mit diesem elenden Lumpen…«

Herr Fromm sprach den Satz nicht zu Ende, denn Jakob hatte sich von seinem Schock erholt und war aufgestanden. Bedächtig schüttelte er den Kopf, schob Julia beiseite, zerrte den rasenden Mimen näher heran, stellte ihn sich so zurecht, wie er ihn haben wollte, und ließ dann seine Rechte vorschießen. Sie traf genau Herrn Fromms Kinnspitze. Jakobs Linke folgte allsogleich in die Magengrube.

Schauspieler Fromm ging zu Boden. Aber schon zog Jakob ihn wieder hoch.

»Wehr dich, du Sauhund!«

Und obgleich auch Jakob noch einiges abbekam, schlug er den zukünftigen Superstar nun sachlich, präzise, man könnte fast sagen: emotionslos, zusammen.

Rechts, links, links, rechts trafen den schönen Herrn Fromm Jakobs Haken, und rechts und links, und wieder mal in den Magen, und dazu kreischte der Hase wie von Sinnen. Und immer noch lief die Schallplatte, sie drehte sich seit fast zwei Stunden auf dem automatischen Gerät. Und sie drehte sich weiter.

»…stormy weather! It keeps raining all the ti-ime…«

Und rechts und links. Und links und rechts.

Der schöne Herr Fromm ging endgültig zu Boden. Es erstaunte Jakob ungemein, daß er plötzlich zwei Ohrfeigen von Julia bekam.

»Nanu…«

»Was fällt dir ein!« schrie der Hase wild. »Jetzt sehe ich dich endlich, wie du wirklich bist! Infam und brutal! Verschwinde!«

»Wie bitte?«

»Raus! Raus! Raus!« Außer sich vor Zorn, packte der Hase die kreisende Platte, riß sie vom Teller, und im nächsten Moment knackte es sehr laut und sehr häßlich.

»Hase!« schrie Jakob.

»Julia«, stöhnte Herr Fromm.

Julia stand keuchend neben dem Apparat, eine halbe Schallplatte in jeder Hand. Sie hatte sie über einer Sessellehne zerbrochen.

»Unser Lied, Hase…«

»Weg! Verschwinde! Und laß dich nie mehr sehen! Nie mehr! Ich hasse, hasse, hasse dich!« schrie Julia. Und dann, Jakob sah es mit Beben, kniete sie neben Herrn Fromm nieder, wischte ihm Blut vom Gesicht, streichelte ihn, sprach sanft auf ihn ein. Jakob dachte: Jetzt ist sie mir böse dafür, daß sie gegen ihren so festen Vorsatz schwach geworden ist. Jetzt ist die Lage vollkommen verkorkst. Jetzt ist alles sinnlos.

Ohne ein Wort verließ er des Hasen Wohnung, schloß behutsam die Tür und ging die Treppen hinunter. Dabei übermannte ihn von neuem rasender Zorn. Sie hat unser Lied kaputtgemacht, dachte er, wirr im Kopf. Sie haßt mich wirklich, weil sie gezeigt hat, daß sie mich wirklich liebt. Ach, die Frauen! Wie soll einer aus den Frauen schlau werden? Aber diesem Sauhund, diesem Fromm, dem habe ich es gegeben! Der hat wenigstens sein Fett weg. So habe ich zugeschlagen. Und so. Und so. Jakob begann schattenzuboxen, während er weiter die Treppen hinabschritt. Und eine Linke! Und eine Rechte! Und eine Linke…

15

…und eine Rech…

Moment mal, bitteschön. Ein kleines Momentchen.

Jakob öffnete blinzelnd ein Auge. Danach das zweite. Wo war er?

Ach, verflucht! Im Bett des Appartements im CINQ CONTINENTS in Paris. Im Bett lag er, geträumt hatte er das alles, und in seinem Traum hatte er auf Kissen eingeschlagen, eines war geplatzt. Federn rieselten heraus, er lag auf dem Bauch, die Decke war zu Boden gerutscht, er keuchte vor Anstrengung. Den beiden Kissen, denen hatte er es aber gegeben! Die waren erledigt. Nicht mehr zu gebrauchen.

Jakob setzte sich auf. Er schüttelte den Kopf wie ein Hund, der aus dem Wasser kommt. Kratzte sich am Kinn. Betrachtete den zerdrückten Pyjama, die nackten Zehen. Das ist ja zum Kotzen. Die Uhr auf dem Nachttisch: 10 Uhr. Also habe ich verschlafen. Gründlich verschlafen. Und was für ein Schlaf das wieder gewesen ist! 1956 habe ich geträumt, was 1949 passiert ist. Draußen in Belleville bei der lieben Claudine, wo ich gedacht habe, ich ersticke (und es war doch nur Freßasthma), habe ich ebenfalls von der Vergangenheit geträumt. Ich träume überhaupt immer von der Vergangenheit, und immer so lebhaft, so genau, so anstrengend!

Ist das ein Träumen? Das ist kein Träumen! Ich bin ja vollkommen erschöpft. Mein Puls rast. Schweiß rinnt mir vom Hals über die Brust, so aufgeregt habe ich mich bei der Prügelei mit den Hunden, den Kissen, äh, dem Hund, dem Herrn Erich Fromm, also nein, so geht das nicht weiter! Ich muß zu einem… Püsch… Püsch… Na! Der Senator Connelly und die liebe Jill waren auch bei einem!… Püscho – Püschoanalytiker! Zu einem Püschoanalytiker muß ich, zum besten, wo es gibt!

Er erhob sich, seltsam schwankend. Nahm ein Bad, seltsam benommen (wie immer nach diesen Träumen, und die kamen wieder und wieder und wieder). Rasieren, Zähneputzen. Anziehen. Halb elf! Ich hab' zu arbeiten, Herrgott! Ich muß nach Hamburg. Das Flugzeug…

Er ging zur Tür, die in den großen Salon führte, und hielt jäh inne. Moment mal, die Edle. Der habe ich doch versprochen, zu husten und zu pfeifen und zu klopfen, bevor ich eintrete, damit ich sie nicht beschäme, falls ihre große Liebe sie vielleicht gerade mal an der Türklinke hängen läßt, Zustände sind das, das ist ja ein Irrenhaus hier! Aber schön, husten wir. Noch mal. Noch mal, ganz laut! Klopfen. Laut klopfen. Klopfen und Husten und Pfeifen. Nichts.

Jakob öffnete die Tür zum großen Salon. Der war leer. Jakob ging zur Tür, die in das Appartement der Edlen führte. Klopfte wieder. Nichts. Keine Antwort. Verflucht, was haben die beiden Weiber jetzt wieder angestellt? Oder ist die Edle abgenibbelt, während ich geschlafen habe, und die andere, die Claudia, ist getürmt? Jakob bekam einen Schreck. Bei diesen meschuggenen Lesben soll man wissen! Er nahm einen Telefonhörer ans Ohr und bat – ach Gott, was sind wir vornehm! –, ihn mit den Gemächern der Edlen zu verbinden. Nichts. Keine Antwort. Also der Portier. Nein, die gnädige Frau Baronin sei nicht in der Halle oder fortgegangen. Jakob, immer noch etwas benommen und unter dem Eindruck seines Erinnerungstraumes, riß die Geduld.

Scheiß auf das ganze vornehme Getue! Die Edle weiß genau, daß wir wegmüssen! Die kann doch nicht einfach machen, was sie will! Er ging entschlossen zu ihr hinein. Niemand im kleinen Salon. Im Schlafzimmer niemand. Aus dem Badezimmer kam ein Stöhnen.

Jakob erstarrte. Um Himmels willen. Wenn die Edle sich die Pulsadern...

Wieder ein Stöhnen, tief und lang. Stöhnen wie ein Tier...

Unterlassene Hilfeleistung...

Das Tier stöhnte wieder...

Das Tier hörte überhaupt nicht mehr auf zu stöhnen.

Entsetzt riß Jakob die Badezimmertür auf und blieb erstarrt stehen. Sie saß nackt in der Badewanne, die Edle.

Ihre Nichte saß auch in der Badewanne. Der Edlen gegenüber. Sie hatte Tantchen mit Seife eingerieben und massierte nun.

Donnerwetter, ist die Edle eine Wucht, durchzuckte es Jakob. Donnerwetter, aber die Nichte ist ja noch eine viel tollere Wucht... Mensch, diese...

»Herr Formann!« Die Edle fuhr in der Wanne zurück, daß das Wasser spritzte. »Was unterstehen Sie sich?« schrie sie in höchstem Diskant.

Die Nichte wandte den Kopf, langsam und lässig, und sah Jakob ironisch an.

Ach so. Die Damen haben gerade Versöhnung gefeiert. Und ich bin mitten in die Versöhnung hineingeplatzt.

Jakob packte die Wut.

Erst dieser Scheißtraum, und dann so etwas!

So etwas will mir, mir, Jakob Formann, Bildung und Benimm beibringen! So etwas wagt dauernd an mir herumzunörgeln! Auf der Stelle fliegt die jetzt, auf der... Eijeijei, die kleine Nichte, jetzt hat sie sich ganz umgedreht und ist in der Wanne aufgestanden. Also, so etwas Bezauberndes habe ich ja wohl noch nie… Die Pfote, was macht denn die Hasenpfote in der Hosentasche?… Das ist ja gar nicht die Pfote! Und die Nichte sieht es. Und grinst sich eins. Na warte, dir werde ich es besorgen, du Luder, du kleines, dir werde ich jetzt gleich einen ver…

»Stehen Sie hier nicht so herum!« kreischte die Edle. »Was wollen Sie?« Die Dame brachte sogar einen so großen Mann wie Jakob aus der Fassung. Er stotterte, dabei gebannt die wunderschöne… Nase der Nichte betrachtend, von der Wasser tropfte und die sie provokant vorschob: »Es ist… elf… Uhr… Wir haben doch vereinbart, daß ich…«

»Was kann ich dafür, wenn Sie verschlafen?« wütete die Edle. »Claudia, bedecke dich! Herr Formann, verlassen Sie augenblicklich das Badezimmer!«

Jakob mahnte: »Und Sie beeilen sich, sonst versäumen wir das Flugzeug!« Er ging in den Salon zurück.

Warum lasse ich mir das eigentlich gefallen? Ich schmeiße sie raus! Scheiß auf Bildung und Benimm! Wem ich nicht fein genug bin, der soll nicht mit mir verkehren! Ein Riesengehalt kriegt die dämliche Arschkuh noch dazu! Fein tun und mich verachten und selber Sauereien machen noch und noch! Schluß! Aus! Fini! Ich bin schließlich kein Kretin! Ich bin ein Mann! Ich bin Jakob Formann! Sobald die angezogen ist und hier rauskommt, feuere ich sie.

Eine halbe Stunde später kam die Edle dann, hinter ihr die jugendliche Contessa, Mademoiselle la Comtesse. Angezogen, tadellos geschminkt, edler denn je. Jakob erhob sich. Jakob ging auf die Edle zu, einen Zeigefinger vorgestreckt, als wollte er die Blaublütlerin durchbohren. Jakob sagte: »Sie…«

Und hier stockte er schon, und Gedanken jagten sich in seinem Kopf. Diese Gedanken: Ich kann die ja gar nicht feuern, gottverdammich. Ich brauche sie doch wie das liebe Brot, diese Bestie. Ich gebe doch mit ihr an! Mit ihr und mit ihrer Nichte! Vor all diesen Arschgesichtern von feinen Leuten! Immer wieder lasse ich durchblicken, daß ich etwas mit der Edlen habe, oder mit der Contessa… oder mit beiden… Das hebt doch mein Prestige so ungeheuerlich! Und außerdem – es braucht ja keiner zu wissen – bin ich wirklich stolz auf meine zwei so aristokratischen Damen! Da kann man ja auch stolz und gebläht sein noch und noch mit zwei solchen Damen, jawohl, Damen! Sollen sie doch treiben, was sie wollen! Welche Würde bewahren sie dabei! Welche Haltung! Und ich, mit meinem Laden, der größer und immer größer wird, ich, Besitzer einer Flotte von fünfundvierzig modernen Hochseeschiffen mit einer Gesamttonnage von dreihundertzweiundachtzigtausend Tonnen, ich brauche die beiden Damen einfach! Besonders jetzt, vor diesen ganz wichtigen Verhandlungen in Hamburg!

»Ja?« Die Edle hatte sich zu ihrer ganzen Größe aufgerichtet und funkelte Jakob an.

Der lächelte charmant (das konnte er ja wirklich!) und erkundigte sich: »Nehmen Sie Eier zum Frühstück, Baronin?«

»Zwei«, sagte die Edle. »Claudia auch zwei.«

»Das wollte ich nur wissen«, sagte Jakob. Dann nahm er den Telefonhörer ab und verlangte den Room-Service. Dem gab er die Frühstücksbestellung auf. Wenn die kleinen Leute wüßten, dachte er dabei wieder, wenn die Kleinen auch nur einen Schimmer davon hätten, in welcher Welt wir Großen eben leben! Wir Großen!

Wenn ich denke, wie schnell das gegangen ist und wie leicht es war! Wer heute in Deutschland noch nicht Millionär ist, der ist selbst dran schuld. Das habe nicht ich gesagt, das hat der Arnusch Franzl gesagt. Vor fünfeinhalb Jahren ist das gewesen, 1951, im Haus vom Jaschke, in Murnau...

16

»Adolf Hitler ist ein großer Deutscher, der bald wiederkommen wird, um das deutsche Volk zu befreien«, sagte Thomas Jaschke, dreizehn Jahre alt. Da hatte er schon eine Ohrfeige von seinem Vater weg. Er heulte los. Frau Jaschke fuhr dazwischen: »Du wirst meinen Sohn nicht schlagen, Karl, verstehst du, du nicht!«

»Glaubst du, ich höre mir solche Blödheiten an?« schrie der Ingenieur Jaschke so laut, daß die vielen alten Zinnteller und Zinnkrüge in dem Wohnraum des schönen Hauses schepperten, das die Jaschkes sich hatten bauen lassen.

»Kleb doch Onkel Heinrich eine, Vati!« rief Thomas. »Der hat uns das gesagt.«

»Jawohl!« rief sein Bruder Dieter. »Der hat uns genau das gesagt! Und außerdem hat der Thomas nur dem Onkel Jakob geantwortet!«

»Der hat uns gefragt, ob wir wissen, wer Adolf Hitler war.«

»Das stimmt, Karl«, sagte Jakob Formann. Er war mit Wenzel zu den Jaschkes auf Besuch gekommen. »Ich wollte mal sehen, ob das wirklich wahr ist, was man mir erzählt hat, was die Kinder über Hitler zu hören bekommen.«

»Na, eben das!« rief Thomas.

Die Mutter schob sie beide aus dem Wohnzimmer. »Kommt«, sagte sie, »wir gehen in unseren Hobby-Keller und spielen Pingpong. Schäm dich«, sagte sie noch zu ihrem Mann, dann fiel die Tür zu.

»Ist das nicht eine Sauerei?« empörte sich Jakob. »Die einen von uns trauen sich nicht, weil sie glauben, daß sie vielleicht Krach kriegen oder Ärger im Beruf, wenn sie die Wahrheit erzählen, und die anderen waren selber Nazis, wie dieser Onkel Heinrich...«

»Und in zwanzig Jahren werden sie den Hitler feiern als den tapfersten

Kämpfer gegen die Gefahr aus dem Osten, das prophezeie ich euch«, sagte Wenzel. »Ich gehe jede Wette ein: Da wird es wunderbare Biographien über diesen großen Mann geben und wunderbare Filme – alles ganz, ganz objektiv und kritisch natürlich –, und dann hat er bereits einen Heiligenschein und ist ein so großer Mann wie Napoleon, ach was, größer, wir Deutschen haben immer die größten Männer gehabt!«

Das war am Nachmittag des 13. Februar 1951 gewesen, und im Kamin brannte ein fröhliches Feuerchen, während draußen ein Schneesturm tobte. Jakob hatte seine Mitarbeiter nach Murnau gerufen, weil es galt, die nächsten Schritte zu besprechen. Sie waren mit ihren neuen Wagen gekommen, Mann für Mann im schmucken Mercedes. Es ging ihnen allen ausgezeichnet. Der Arnusch Franzl war Jakobs Wirtschaftsberater geworden und so fett, daß er auch die Kragenknöpfe der eigens für ihn geschneiderten Spezialhemden nicht mehr schließen konnte. Der Ingenieur Karl Jaschke führte eine vorbildliche Ehe, ging des Sonntags zur Kirche, wo er ehrerbietigst als der große Mann von Murnau hofiert wurde, und hatte eine ebenso bildhübsche wie junge Freundin in Garmisch-Partenkirchen. Der hatte er eine Wohnung eingerichtet, einen Wagen geschenkt und Schmuck natürlich auch, von den Pelzen ganz zu schweigen. Und Jaschke hatte oft in Garmisch zu tun, das angenehm nahe lag. Sein Haus war mit dem größten Geschmack (seiner Frau) auf das teuerste eingerichtet, und neben seiner Leidenschaft für Zwanzigjährige hatte Jaschke noch eine Leidenschaft für das Sammeln von alten Zinnkrügen und -tellern entdeckt. Wenzel Prill war seit längerem Leiter der Rechtsabteilung, die für alle Betriebe Jakobs arbeitete. Außerdem studierte er an der Johann-Wolfgang-Goethe-Universität zu Frankfurt am Main Jus, in der Hoffnung, in etlichen Jährchen ein richtiger Rechtsanwalt zu sein. Seine schöne Villa stand im Taunus, unweit von Frankfurt, nahe der zentralen Hühnerfarm. Des Erwähnens wert ist auch, daß er Expressionisten und gleichfalls Zwanzigjährige sammelte; sie, die Zwanzigjährigen, mußten aber alle rothaarig sein, echt rothaarig. Das war sein Tick.

Die Herren rauchten dicke Zigarren und tranken Scotch Whisky. Amerikanischen Whiskey mochten sie nicht mehr so recht. Sie waren mittlerweile alle eng miteinander befreundet, was unseren Jakob sehr erfreute.

»Franzl, du hast das Wort«, sagte er nun, sanft lächelnd.

»Die Lage, meine Herren«, sagte der Arnusch Franzl, »erfordert sofortige Maßnahmen, wenn wir nicht das von uns so mühsam Geschaffene gefährden wollen.«

»Was soll das heißen?« fragte Jakob.

»Wir, nein, *du*, Jakob, mein alter Freund, du warst *zu* tüchtig! Du hast allzuviel auf die Beine gestellt! Deine Betriebe blühen allzusehr. Sie werden in diesem Steuerjahr einen Gewinn ausweisen, den wir vor dem Finanzamt einfach verstecken *müssen*. Die Eierfarmen, die Fertighäuser, OKAY bei achthunderttausend Exemplaren Woche für Woche, die Plastikwerke vor dem Einsatz, unsere Eierlikör-Busse – mein lieber Jakob, so geht das einfach nicht weiter!«

Mit der Erwähnung der Eierlikör-Busse hatte Franzl Arnusch auf eine weitere Akquisition Jakobs angespielt. Als noch alles in Schutt und Trümmern lag, hatte Jakob doch mit Franzls Hilfe Aktien der verschiedensten Unternehmen zu lächerlichen Spottpreisen gekauft. Inzwischen produzierten alle diese Unternehmen wieder, die Kurse der Aktien waren emporgeschnellt, und allein mit seinen Aktien war Jakob bereits mehrfacher Millionär. Aber auch sonst hatte er allerlei erworben, zum Beispiel eine pleite gegangene Likörfabrik bei Mainz; dort wurde jetzt der FORMANN-EIERLIKÖR gebraut und mit Bussen in das letzte Provinznest gebracht.

Nun, am 13. Februar 1951, sprach der Arnusch Franzl diese Worte: »Der lange gestaute Hunger der Deutschen auf Nahrhaftes, auf Süßes und auf Alkohol, in unserem Fall diese drei Dinge geradezu ideal integriert als Eierlikör, hat der Formann-Eier GmbH – zum Glück habe ich daraus noch rechtzeitig eine GmbH gemacht! – einen ungeheuren Gewinn zusätzlich gebracht.« (Gesellschaften mit beschränkter Haftung unterlagen laut westdeutschen Steuergesetzen nach der Währungsreform mit ihren Gewinnen nicht mehr den hohen Sätzen der Einkommensteuer – damals bis zu neunzig Prozent! –, sondern nur noch der Körperschaftssteuer mit sechzig, später sogar nur höchstens fünfundvierzig Prozent!)

»Mit diesem naheliegenden Trick«, fuhr Franzl fort, sich behaglich in seinem Sessel wälzend, »ist die Gefahr, daß wir uns an Steuern blöd zahlen, indessen noch lange nicht gebannt. Wir müssen schnellstens zu neuen Abwehrmaßnahmen Zuflucht nehmen.« (Der Arnusch Franzl redete gern so geschwollen daher.)

»Nämlich zu welchen?« fragte Jakob.

»Du bist doch ein begeisterter Schwimmer, nicht? Du hast doch immer Schiffe geliebt, was?«

»Ja. Wieso?«

»Weil du jetzt Schiffe bauen mußt, mein Guter«, sagte der Arnusch Franzl und streifte die Aschenkrone seiner Zigarre in einen schweren Bronze-Aschenbecher. »Viele große Schiffe, viele schöne Schiffe.«

Es war so still geworden, daß man aus dem Hobbyraum im Keller das Schlagen der Pingpongbälle hören konnte.

17

Der Paragraph 7 d des Einkommensteuergesetzes und das Gesetz über Darlehen zum Bau oder Erwerb von Handelsschiffen besagte in jenen Jahren: ›Wer Darlehen zum Bau oder Kauf von Handelsschiffen vergibt, darf den gesamten Darlehensbetrag von seinem steuerpflichtigen Gewinn absetzen.‹

Nachdem alle Herren den vom Arnusch Franzl auf mehreren Blättern hektographierten Paragraphen 7 d zur Kenntnis genommen hatten, fuhr der fette Exschieber und nunmehrige Wirtschaftsberater feierlich fort: »Du wirst also jetzt von deinen Eier-Betrieben, von den Fertighausfabriken und von der OKAY die Gewinne an eine Reederei überweisen – wahrscheinlich werden es sogar zwei sein müssen! – und sie beauftragen, Schiffe für dich zu bauen. Damit hast du deine Millionen vor der Besteuerung gerettet, und die Bilanzen deiner Betriebe und des Verlages werden rechnerisch leider, leider, einen nicht unbeträchtlichen Verlust aufweisen.«

Wieder die Kirchenstille. Wieder das Klack-Klack der Pingpongbälle.

»Franzl«, sagte Jakob zuletzt mit erstickter Stimme, »du bist ein Genie.«

»Ich weiß«, antwortete dieser bescheiden. »Doch um fortzufahren: Zwar müssen die Rückflüsse aus den 7 d-Darlehen, das heißt, also die Tilgungsbeträge, später wieder als Einnahme versteuert werden, aber das macht uns nichts, weil ich aus absolut sicherer Quelle weiß, daß in den kommenden Jahren der deutsche Steuertarif nicht einmal, sondern zweimal gesenkt werden und – Achtung, meine Herren! – es drei Jahre lang die Möglichkeit geben wird, diese 7 d-Gelder in Form eines verlorenen Zuschusses von der Steuer endgültig abzusetzen. Endgültig, sage ich!«

»Das heißt«, flüsterte Jakob ganz aufgeregt, »wenn ich in dieser Zeit vierzig oder achtzig oder hundert Millionen als einen solchen 7 d-Zuschuß an eine Reederei – oder an zwei – transferiere und dafür Schiffe bauen lasse oder Schiffe kaufe, dann brauche ich diese Millionen überhaupt niemals zu versteuern?«

»So ist es, mein Bester, wie es so geht im menschlichen Leben. Und es kommt noch besser! Einer Reederei, die dein Geld nimmt, schlagen unsere für die Reichen so prachtvollen Steuergesetze noch einmal zum Wohle aus! In den beiden Jahren nach dem Bau eines Schiffes darf die Reederei nämlich dreißig Prozent der Baukosten vom steuerpflichtigen Gewinn absetzen!«

Da konnte der Ingenieur Jaschke, der mit der Zwanzigjährigen in Garmisch-Partenkirchen, nicht mehr an sich halten. Voller Begeisterung schrie er: »Verflucht, sprach Max, und schiß sich in die Hose!«

Und der werdende Doktor der Rechte, Wenzel Prill, der mit der Leidenschaft für Rothaarige, rief geradezu verzückt: »Das soll uns Deutschen erst einmal einer nachmachen!«

»So etwas *kann* uns keiner nachmachen«, belehrte ihn der Arnusch Franzl. »Ich habe bei einem Wirtschaftsinstitut eine Überschlagswahrscheinlichkeitsrechnung anstellen lassen. Danach werden 1965/66, also in fünfzehn Jahren, einskommasieben Prozent der Bevölkerung der Bundesrepublik siebzig Prozent des Produktivvermögens der deutschen Wirtschaft besitzen.«

»Mir wird schwindlig«, sagte Jakob. »So tüchtig *können* die einskomma-sieben Prozent unserer Bevölkerung doch gar nicht sein!«

»Müssen sie auch gar nicht«, konterte Franzl rülpsend. »Ich will dir einmal etwas sagen, lieber Freund: Aus einer Million zwei Millionen machen, das ist eine bemerkenswerte Leistung. Wenn du hingegen erst einmal hundert Millionen besitzest, was ich dir, du weißt es, von Herzen wünsche, dann kannst du, und wenn du dich bis zum Herzinfarkt anstrengst, es einfach nicht verhindern, daß daraus hundertzehn Millionen werden, wie es so geht im menschlichen Leben. Im übrigen bin ich noch nicht am Ende meiner lichtvollen Ausführungen. Zweierlei habe ich zu bemerken: Erstens, es gibt einen Haufen Reedereien im Norden, nicht wahr, mein Lieber?« Jakob nickte verträumt. »Wir könnten sie die Schiffe für uns bauen lassen, nicht wahr?« Wieder nickte Jakob verträumt. »Muß ich noch weiterreden, oder…«

»Durchaus nicht«, sagte Jakob mit samtener Stimme. »Oder wir kaufen die Reedereien und bauen uns unsere Schiffe selber und haben den Rebbach mit den 7 d-Geldern und der dreißigprozentigen Abschreibung beim Bau eines Schiffes!«

»Ich habe ja gewußt, daß du mich verstehen wirst«, sagte der Arnusch Franzl und sog an seiner Zigarre.

»Jakob Formann ist seiner Zeit immer um zwei Schritte voraus«, sagte dieser heiter.

18

In den Jahren 1951 bis 1956 kaufte Jakob Formann mit 7 d-Geldern zunächst zwei Hamburger Reedereien auf und baute sodann auf diesen, ebenfalls mit 7 d-Geldern, eine Flotte von insgesamt fünfundvierzig modernen Hochseeschiffen mit einer Gesamttonnage von dreihundertzweiundachtzigtausend Bruttoregistertonnen.

Die Baukosten für Schiffe sind nun allerdings so groß, daß für dieses Riesenprojekt Jakobs Millionen nicht reichten. Doch fiel es ihm keinen einzigen Moment schwer, die fehlenden Summen aufzutreiben. Dabei wandte er einen ebenso einfachen wie genialen Trick an, auf den er selbst gekommen (und deshalb sehr stolz) war: Er sammelte 7 d-Gelder von anderen Firmen ein, die gleichfalls das brennende Bedürfnis empfanden, im Boom der deutschen Nachkriegswirtschaft ›Gewinne wegzudrücken‹, wie der Fachausdruck lautete. Er kassierte von nahezu zweihundert Firmen. Unter diesen befanden sich viele Werke, bei denen er auch Riesenpakete von Aktien besaß. Die meisten der zweihundert Firmen, die er solcherart zu ihrer grenzenlosen Erleichterung erleichterte, erzeugten Güter, die sie dann später mit Jakob-Formann-Schiffen nach Übersee, insbesondere nach

Nord-, Mittel- und Südamerika verfrachteten. Und daran verdiente Jakob Formann zum drittenmal!
Eine solche Hasenpfote hingegen gab es nur einmal auf der großen, weiten Welt!

19

Die Außenstelle Seefahrt des Bundesverkehrsministeriums in Hamburg wurde geleitet von einem Staatssekretär. Der ließ Jakob monatelang ohne Antwort auf seine Bitte um eine Audienz. Dann erhielt Jakob endlich einen Termin für ein Gespräch mit dem Herrn Staatssekretär Bredendorff: Hamburg, Mittwoch, der 29. Oktober 1956, 17 Uhr präzise. Der Herr Staatssekretär habe an diesem Abend noch nach den USA zu fliegen...
Es ist jetzt – Blick auf die Uhr! – 14 Uhr 42, und Jakob verläßt mit seinen zwei Begleiterinnen soeben das HÔTEL DES CINQ CONTINENTS in Paris. Das Gepäck ist in den Rolls geladen. Monsieur le Président-Directeur Général des CINQ CONTINENTS küßt den Damen die Hand und schüttelt Jakobs Pranke in herzlicher Verbundenheit.
»Mensch, Otto, nun tritt aber auf den Stempel«, sagte Jakob zu seinem Freund und Kumpel, dem Chauffeur Otto Radtke. »Unsere Maschine geht um fünfzehn fünfundvierzig, und ich muß sie kriegen!«
»Stempel ist gut, Jakob, du siehst doch: fast stehender Verkehr!«
»Herrgott, wenn ich ihn heute nicht erwische, läßt der Staatssekretär Bredendorff mich wieder ein Jahr warten! Oder empfängt mich überhaupt nicht mehr!«
»Ich tu, was ich kann«, sagte Otto. Er tat wirklich, was er konnte.
Bis zum Flughafen Orly hinaus war es ein hübsches Stück Weg. Und der Verkehr war wirklich abenteuerlich. Sie erreichten den Airport deshalb auch erst um 15 Uhr 51.
Jakobs Maschine, eine Caravelle der AIR FRANCE, war abgeflogen. Flugplanmäßig. Einen weiteren Direktflug nach Hamburg gab es an diesem Tag nicht mehr.
»Ohne mich abfliegen!« tobte Jakob, purpurn im Gesicht. »Na wartet, jetzt werdet ihr was erleben!«

20

Um 15 Uhr 51 schrie Jakob Formann das.
Um 16 Uhr 16 bereits raste er, hinter dem Piloten sitzend, in einem T-33-Düsenjagdflugzeug mit einer Geschwindigkeit von etwa siebenhundert Kilometer in der Stunde und in einer Höhe von achttausend Meter Hamburg

entgegen. Der Pilot drehte sich immer wieder mit scheuer Hochachtung zu Jakob um. Das muß ja ein ganz großes Tier sein, dachte er, wenn man den Mann mit einem US-Air-Force-Trainer der NATO von Paris nach Hamburg zu bringen hat. Noch dazu einen Deutschen! (Der allerdings fließend Englisch spricht.)

Sie durchflogen eine Sturmfront, die Maschine wurde nach oben und unten geschleudert, trudelte, fing sich, trudelte... Na, wann kotzt diese Very Important Person endlich? dachte der Pilot.

Die VIP kotzte nicht. Sie lachte dem Piloten zu.

»Viele Schlaglöcher!« rief Jakob in bester Laune durch das Kehlkopfmikrofon. (Da sieht man, was ein regelmäßiges Körpertraining ausmacht, dachte er.)

Und, dachte er weiter, es steht nun also eindeutig fest, daß ich jemand bin, vor dem sogar die Vereinigten Staaten von Amerika strammstehen. Jakob Formann – ein Welt-Begriff eben!

Der Welt-Begriff war sofort nach Ankunft in Orly zum Chef des Flughafens gespurtet und hatte eine Blitzverbindung mit dem Weißen Haus in Washington gefordert.

»Hören Sie, Monsieur – ah, Sie sprechen nicht Französisch, hören Sie, Mister, Sie sind wohl ein wenig... äääh... wie?« Der Chef von Orly hatte auf einen Alarmknopf gedrückt und war hinter seinen Schreibtisch retiriert.

Drei wahre Gorillas kamen hereingestürmt, im Begriff, den zweifellos Irren in den Griff zu bekommen. Doch der eine, die Faust schon erhoben, stoppte entgeistert.

»Was ist?« schrie der Chef des Flughafens, der inzwischen unter Bergen von Papier eine Pistole gefunden hatte und mit ihr herumfuchtelte. »Wollen Sie warten, bis er uns alle umbringt, dieser Wahnsinnige?«

»Sie... sind... Monsieur... Formann, nicht wahr?« stammelte der entgeisterte Gorilla erbleichend.

»Ja. Und wenn ich nicht schnellstens...«

»Ich bin ein paarmal im selben Flugzeug wie Sie nach drüben geflogen. Als Begleitschutz für die Maschine. Ich kenne Ihr Gesicht!«

»Rollandeau, ich schieße Sie über den Haufen!« brüllte der Chef.

Die beiden anderen Gorillas hatten Jakob gepackt und hielten ihn eisern fest.

Rollandeaus Worte überstürzten sich: »Nicht doch, Chef, nicht doch! Ich flehe Sie an! Das ist Monsieur Formann! Ein ganz berühmter Mann! Arbeitet mit dem Pentagon zusammen!«

»Das ist mir egal! Schafft ihn raus hier und bringt ihn zur Polizei! Und ruft einen Arzt!«

»Machen Sie sich nicht unglücklich, Chef! Wir kriegen die ärgsten diplomatischen Verwicklungen, wenn wir nicht tun, was Monsieur Formann verlangt! Was verlangt er denn?«

Jakob verstand nur jedes fünfte Wort. Jedes fünfte Wort genügte ihm. Es ist schon eine Freude, einem vernünftigen Mann zu begegnen. Und ein Glück dazu, dachte er, während der Chef dem vernünftigen Gorilla sagte, was Jakob verlangt hatte.

»Dann geben Sie ihm eine Blitzverbindung mit dem Weißen Haus, Monsieur! Ich flehe Sie an! Tun Sie, was ich sage, sonst sind Sie Ihren Posten hier los!«

Ein Mädchen in der Telefonzentrale hatte es auszubaden.

»Washington... Weißes Haus... Blitz... Höchste Dringlichkeit... Schnell, Sie Kuh!« wütete der Flughafenchef, nun erst in richtiger Panik.

»Staatsgespräch, bitte!« sagte Jakob liebenswürdig.

»Staatsgespräch!« schrie der Chef. »Jeden Vorrang, los, los, los!« Er ließ sich erschöpft in seinen Sessel fallen, nachdem er Jakob den Hörer gereicht hatte. Der lächelte ihm freundlich zu. Eine knappe Minute später meldete sich das Weiße Haus. Jakob hatte die blonde Jill Bennett mit den Marlene-Beinen am Apparat.

»Jake! Mein Gott, Jake! Deine Stimme... Geht es dir gut?«

»Ausgezeichnet. Ich muß nur schnell nach Hamburg. Ich...«

»Mir auch, Jake. Ich bin wieder normal, absolut normal!«

»Wieso? Eh... Ich meine: Was soll das heißen?«

»Doktor Watkins ist ein Genie...«

»Wer ist Doktor Watkins?«

»Erinnerst du dich nicht mehr? Mein Psychoanalytiker.«

»O ja, natürlich. Wegen deinem...«

»Frustrationssyndrom! Zuerst mal hast du es weggebracht, Liebster! Aber du bist nicht bei mir geblieben. Und so ist es noch heftiger als vorher wiedergekommen. Und da hat es dann Doktor Watkins weggebracht – absolut und für immer! Ich empfinde jetzt wie jede normale Frau, nur schneller und mehr so.«

»Phantastisch. Ich brauche nämlich auch einen guten Püschoanalytiker. Ich werde also zu Doktor Watkins gehen...«

»Mußt du. Er ist wirklich der Größte! Es hat sich jetzt alles umgekehrt!«

»Umgekehrt?«

»Ja, auch für den Senator! Der ist auch ge... Ich kann nicht offen sprechen... Er tut jetzt das, was ich früher getan habe, und ich tue, was er früher getan hat. Natürlich kratzt er mich nicht... auch keine Peit... o Gott, das ist ein Staatsgespräch... aber Doktor Watkins ist doch genial, wie?«

»Genial, Süße! Zu dem muß ich auch! Aber jetzt gib mir den Senator, ich habe es furchtbar eilig!«

Der Chef des Flughafens Orly und zwei der drei Gorillas betrachteten Jakob wie eine Geistererscheinung. Das, was sie da hörten, konnte doch nicht wahr sein! Der dritte Gorilla lächelte mit dem Gesichtsausdruck »Na, was habe ich gesagt?« seinen Chef an.

»Hallo, Jake!« Die Stimme des Senators Connelly: »Sie haben Ärger?«
»Großen, Senator. Sie müssen mir helfen. So schnell es geht.«
»Ich tue, was ich kann, Jake! Sie... Sie haben uns ja auch geholfen, sehr
geholfen!«

21

Das kann man wohl sagen, daß ich den Amis sehr geholfen habe, verflucht
noch mal!
1950 im Mai war das, da ist einer vom amerikanischen Geheimdienst in
München angekommen und hat gesagt, der Senator bittet mich, umgehend
nach Key Largo zu fliegen. Das ist nicht bloß der Name von dem herrlichen
Gangsterfilm mit Humphrey Bogart, die Key-Inseln, das ist auch eine In-
selgruppe im Atlantik, ganz unten im Süden des Staates Florida. (Der Ge-
heime hat mir alles genau erklärt.) Key Largo besteht wie die anderen Inseln aus Korallenkalk und Korallensand. Sehr romantisch. Es wäre ein
ganzer Roman, wenn ich erzählen wollte, wie ich dahin kam. Überall hatten
sie Posten und Sperren, und ich mußte die blödsinnigsten Erkennungs-
worte sagen (ein kleiner Sturm tobte damals übrigens, nicht so ein ganz
großer Hurrikan wie in dem Film!), und ich landete zuletzt in genauso einem Haus wie im Film. Dort haben Senator Connelly (der mit dem Nazi-
Museum, dem Werwolf-Sohn und Jill) und drei Zivilisten auf mich gewartet, die sagten, ich solle sie Jim, Joe und Jack nennen. Kurz und klein – all
dieses blödsinnige Geschisse wie in den dämlichen Agentenfilmen.
Was sie gewollt haben, hat mir der liebe Senator Connelly gesagt. Die drei
Herren waren ganz große Bosse aus dem Pentagon. Sagte der Senator,
während draußen, wie bei Humphrey Bogart, nur viel weniger, der Sturm
tobte...
»Ganz Key Largo ist gesichert. Hier kommt keine Maus durch.«
»Warum, Senator?«
»Militärisch-politische Zusammenkunft!«
»Aber weshalb ausgerechnet hier? Auf der Brücke von Key West herüber
bin ich fast ins Meer gepustet worden!«
»Eben deshalb! Ihre Fertighäuser, Jake.«
»Was, meine Fertighäuser?«
Da hat der, der sich Jim nannte, gesagt: »Schon mal was von Krisengebie-
ten gehört, Mister Formann?«
Ach, du liebes bißchen, habe ich gedacht, vor einem Jahr haben bereits die
lieben Russen, der liebe Major Assimow und der liebe Gospodin Jurij Bla-
schenko auf dieser Datscha mir so ein Angebot gemacht!
»Nein«, habe ich natürlich gesagt, da auf Key Largo. Das ging die doch einen Dreck an, was ich mit den Russen... nicht wahr?

»Kann ich nicht glauben!« hat der, der sich Joe nannte, gebrummt. »Bei Ihrer weltumspannenden Tätigkeit! Sie *wollen* nicht, sagen Sie's doch gleich! Ich habe auch gleich gesagt, er wird nicht wollen, habe ich es euch nicht gleich gesagt?«

Und da hat der, der sich Jack genannt hat, gesagt: »Joe, du verstehst nichts von püschologischer Kriegführung! Das macht man ganz anders. Paß mal auf... *Lieber* Mister Formann, schauen Sie, die Welt ist schon wieder in Aufruhr! Die Kommunisten, nicht wahr? Bitte, Korea! Da steht doch ein neuer Krieg unmittelbar bevor – oder vielleicht nicht?«

»Das ist wohl nicht zu bestreiten, Jack.«

»Sehen Sie, Mister Formann! Unsere tapferen Jungs sind dort. Schützen die Freiheit. Geben ihr Leben für Freiheit und Demokratie. Da müssen wir ihnen doch wenigstens anständige Unterkünfte bieten, erstklassige – oder? Und wer hat die erstklassigsten? *Sie*, Mister Formann, nicht wahr?«

»Stimmt«, habe ich gesagt und gedacht: Mensch, Korea! Da unten ein Krieg! Steht unmittelbar bevor, hat dieser Jack gesagt! Ob ich das überhaupt schaffe, so viele Truppenunterkünfte – und so schnell? Und dann wird's gleich auch anderswo losgehen. So wie es fünf Jahre nach dem Ende des Zweiten Weltkriegs aussieht. Und jetzt wird der todsicher von Krisengebieten sprechen...

»Und dann all die Krisengebiete, Mister Formann!« (Na bitte, habe ich richtig gedacht?) »Da haben die Kommunisten ihre größte Chance, klar?«

»Klar«, habe ich gesagt und gedacht: Seid ihr also auch schon draufgekommen!

»Na«, hat der, der sich Jack genannt hat, väterlich zu mir gesagt, »wer nichts zu fressen hat und kein Dach über dem Kopf, der wird natürlich Kommunist!« (Natürlich. Das habe ich aber schon ein Jahr früher gehört.) »Besonders schnell würde er natürlich Kommunist, wenn ihm die Russen was zu fressen und ein Dach über den Kopf geben würden.« (Also, ich muß aufpassen, daß ich nicht loslache. Die wollen genau denselben Dreh wie die Sowjets... mit einjähriger Verspätung!) »Klar?«

»Klar, Jack.«

»Deshalb müssen wir amerikanische Hilfslieferungen in die Krisengebiete schicken! Fertighäuser zum Beispiel! Dann werden die armen Leute dort sagen: Amerika ist unser Freund, nicht Rußland!« (Sie werden sagen: Amerika *und* Rußland sind *nicht* unsere Freunde, die interessieren sich für uns nur, weil sie uns als Einflußsphäre haben wollen! Nehmen tun wir natürlich von beiden, dann sehen wir weiter.) »Und auf diese Weise werden alle Krisengebiete für Amerika sein und nicht für Rußland, wenn es zur großen Auseinandersetzung kommt!«

(Dasselbe haben mir Blaschenko und Assimow im Garten hinter der Datscha vor Moskau erklärt vor einem Jahr. West oder Ost – sie wollen beide wirklich nur das Beste für die Menschen!)

»Lebensmittel werden wir natürlich auch in alle Krisengebiete liefern«, hat der gesagt, der gesagt hat, er heißt Joe. »Und Fertighäuser! Ihre Fertighäuser, Mister Formann! Weil es die besten sind!« (Ja, ja, das haben die Russen auch gesagt.) »Amerika ist voller russischer Agenten! Wenn die melden, daß wir von Amerika aus Fertighäuser in Krisengebiete schicken, tun die Russen das auch, und alles ist umsonst. Klar, wie?«

»Klar, Joe«, habe ich gesagt.

»Wenn wir aber«, hat der, der sich Jim genannt hat, gesagt, »die Häuser nehmen, die Sie in *Deutschland* bauen – natürlich bezahlt das Pentagon alles! –, und sie verschiffen über Hamburg oder Bremerhaven, ist jede Gefahr gebannt. Das sehen Sie doch ein – wie?«

»Das sehe ich ein«, habe ich gesagt.

»Wenn Sie uns jetzt helfen, werden wir auch Ihnen helfen, wo immer wir nur können«, hat der Senator gesagt. »Wann immer Sie was brauchen. Sie kriegen alles, wenn Sie uns jetzt diesen Dienst erweisen. Mein Büro ist die Anlaufstelle. Sie telefonieren mit mir, wo immer in der Welt Sie sind – und schon kriegen Sie Hilfe von uns, wenn Sie uns jetzt helfen. Denn das ist *unsere* Idee mit der Hilfe für Krisengebiete! Auf so was kommen die Russen *nie*!«

Ogottogottogott, habe ich gedacht, und gesagt habe ich: »Nein, Senator, auf so was kommen die Russen nie, da haben Sie ganz recht!«

»Natürlich habe ich ganz recht. Also?«

Also:

»Aber das ist doch selbstverständlich, meine Herren«, habe ich gesagt. »Die Häuser kommen aus Westdeutschland. Aber ich bin Österreicher. Und Österreich ist neutral. Okay, meine Herren, ich liefere, was Sie brauchen!«

22

Ja, und da stehe ich nun im Büro des Flughafenchefs von Orly und führe ein Staatsgespräch mit dem lieben alten Senator Connelly, und er sagt atemlos: »Ich tue, was ich nur kann, Jake!«

»Sie können blitzschnell die NATO hier bei Paris anrufen und sagen, daß ich dringend eine amerikanische Jagdmaschine brauche, denn ich muß um siebzehn Uhr präzise in Hamburg sein, und meine Linienmaschine ist mir vor der Nase davongeflogen, Senator!«

»Wenn's weiter nichts ist, lieber Jake. Ist doch eine Freude für mich! Sofort rufe ich das NATO-Hauptquartier an, und in einer Viertelstunde spätestens ist ein ›Trainer‹, den die gerade startbereit haben, in Orly. Ich bin ja so froh, Ihnen auch mal einen Dienst erweisen zu dürfen...«

Na ja, elf Minuten später ist dann so eine T-33 auf dem großen Flughafen Orly gelandet. Ich nix wie rein und dem Piloten gesagt: Fuhlsbüttel-Hamburg – und los ging's! Aber wie! Das fliegt sich vielleicht. Also jetzt habe ich aber die Schnauze voll von Linienmaschinen! Ein Mann wie ich braucht seine eigene Maschine! Der wird ja dauernd hin und her gejagt! Wieder eine Sturmfront. Ach, ist das hübsch, dieses Fallen und Steigen, das macht mir richtig Spaß. Ich muß eine Privatmaschine kaufen, damit ich absolut unabhängig bin. Zunächst mal eine. Dann wird man weitersehen...

Was? Wie? Ist doch nicht möglich! Wir gehen schon zur Landung runter? Wir sind schon da? Noch vor der Maschine, die mir davongeflogen ist? Phantastisch! Händeschütteln. Danke sagen. Der Ami reißt die Hand an die Mütze, tja, ich bin ein großer Mann, denkt Jakob, während er durch die Flughafenhalle rast, sich in ein Taxi fallen läßt, die Adresse der Außenstelle Seefahrt angibt.

In Hamburg scheint die Sonne. Der Chauffeur legt eine Zeitung beiseite. Jakob kann gerade noch die Schlagzeile erkennen.

DEUTSCHE WIDERSETZEN SICH DER REDUZIERUNG BRITISCHER STREITKRÄFTE!

Also ernst nehmen kann man diese Welt wirklich nicht mehr! Wenn das nicht die Schlagzeile ist, auf die die Engländer ihr Leben lang gewartet haben!

23

»Jakob Formann mein Name, Fräulein. Ich bin Punkt siebzehn Uhr mit dem Herrn Staatssekretär Bredendorff verabredet. Es ist Punkt siebzehn Uhr.«

»Tut mir leid, Herr Formann, der Herr S-taatssekretär Bredendorff mußte schon fort! Seine Maschine ging früher!«

»Hören Sie, er hat mich eigens für heute herbestellt! Das ist doch eine Sauerei, das kann man mit mir nicht machen, das...«

»Beruhigen Sie sich, Herr Formann, ich bitte, beruhigen Sie sich. Der Herr S-taatssekretär hat einen Persönlichen Referenten. Der ist über alles informiert. Der erwartet Sie. Der wird mit Ihnen reden.«

»Na schön, wo ist er?«

»Im Moment hat er gerade Besuch. Bitte gedulden Sie sich ein wenig, Herr Formann.«

»Hören Sie, ich war um Punkt siebzehn Uhr...«

»Ja, ja, gewiß, Herr Formann. Aber Sie können sich bes-timmt vors-tellen, daß der Herr Persönliche Referent vor Arbeit kaum aus den Augen zu schauen vermag, jetzt, da der Herr S-taatssekretär nach Amerika geflogen ist.«

»Also schön, liebes Fräulein, ich warte…«

Jakob wartete eine halbe Stunde in einem eleganten Vorraum. Er blätterte in einer Gazette. In dieser ersten halben Stunde bildete er sich. Er las eine Würdigung des Dichters Bertolt Brecht, der im August dieses Jahres gestorben war, sowie Kritiken der Bücher ›Die Wurzeln des Himmels‹ von Romain Gary (da geht es um einen Mann, der will die Ausrottung der Elefanten in Afrika verhindern, ich muß unbedingt auf eine Safari, meinen Elefanten schießen! dachte Jakob), sowie ›Die Dämonen‹ von Heimito von Doderer (eine Hymne, diese Besprechung, ein wirklicher Dichter, na ja, ein Wiener natürlich!) und des Theaterstücks ›Blick zurück im Zorn‹ von John Osborne. (Ich weiß nicht, ich kann nicht im Zorn zurückblicken, er kann es offenbar, dachte Jakob.)

In der zweiten halben Stunde las er Kinoprogramme. Angelaufen waren ›Baby Doll‹, ›Der Hauptmann von Köpenick‹ (mit dem Heinz Rühmann, den sehe ich so gerne!), ›Ich denke oft an Piroschka‹ (und ich an den Hasen, ach, verloren, verloren, die wird jetzt die Frau eines Filmschönlings! Was soll mir Glück, was soll mir Geld, wozu hetze ich mich überhaupt ab wie ein Irrer und hocke jetzt da? Für die Edle vielleicht? Einsam ist der Mensch, allein, ausgesetzt dem Leben, der hat doch ganz recht, dieser Dings, dieser Osborne, und ich blicke *auch* zurück im Zorn! Jetzt warte ich eine Stunde, jetzt reicht's mir!).

Jakob ging in das Zimmer der Sekretärin des Persönlichen Referenten. Hier lief leise ein Radio, Jakob hörte einen Schmalztenor: »Arrivederci, Roma…«.

Der Schlager des Jahres.

»Hören Sie, liebe Dame, ich warte jetzt…«

»Es tut mir leid, Herr Formann, aber der Herr Persönliche Referent hat noch etwas ganz Dringliches zu erledigen…«

»Dann soll man mich nicht um siebzehn Uhr bestellen!« lärmte Jakob. »Ich habe meine Zeit nicht gestohlen! Das ist ein Skandal!«

»Whatever will be, will be…«

Ein anderer Schlager des Jahres.

Eine dick gepolsterte Tür ging auf.

»Was ist ein Skandal? Wer schreit denn hier so herum?« fragte gereizt ein Hüne von Mann, tadellos gekleidet, mit unmutig hochgezogenen Augenbrauen.

»Also, das ist doch nicht wahr«, sagte Jakob entgeistert. Pfote, wo bist du?

»Was ist nicht wahr, Herr Formann?« fragte der tadellos gekleidete Hüne. Er war ein alter Bekannter von Jakob. Es war der ehemalige Wehrwirtschaftsführer Herr von Herresheim, den Jakob mit seinen Saufkumpanen und blonden Buben aus der NIBELUNGENTREUE am Tegernsee vertrieben hatte.

»…the future's not our's to see, que serra, serra…«

24

»Haben Sie sich denn jetzt über unser Wiedersehen beruhigt, Herr Formann?«

Fünf Minuten später, in dem prachtvoll holzgetäfelten Büro des Persönlichen Referenten Herrn von Herresheim. Derselbe saß hinter einem riesigen Schreibtisch, Jakob davor.

»Nein!«

»Nein?«

»Jetzt kapiere ich, warum man meinem Ersuchen jahrelang nicht stattgegeben hat, warum hier jahrelang für mich niemand zu sprechen gewesen ist, warum niemand meine Briefe beantwortet hat, wenn einer wie Sie hinter so einem Schreibtisch sitzt.«

»Donnerwetter, Herr Formann, Sie kapieren aber schnell.«

»Sie haben auch überhaupt keinen Besuch oder zu tun gehabt! Sie haben mich einfach so eine Stunde lang warten lassen! Absichtlich!«

»Herr Formann, Sie überschlagen sich, Sie sind ein Genie, wie können Sie das alles so rasch begreifen?« Der von Herresheim lehnte sich in seinem schönen geschnitzten Lehnstuhl zurück und betrachtete Jakob lächelnd, die Fingerspitzen aneinandergepreßt.

»Wozu haben Sie mich hergebeten? Nur um mir zu zeigen, daß mein Ersuchen abgelehnt ist?« fragte Jakob lauernd.

»Können Sie Gedanken lesen, Herr Formann?«

»Herresheim…«

»*Herr* von Herresheim bitte.«

»Herresheim!« Gott, wird mir warm! Pfote. Pfote drücken. Drücken. Was ist das? Das ist meine Narbe an der Schläfe. Die pocht. Mit Recht. Ich poche…äh, koche auch! »Mit mir kann man so was nicht machen, verstehen Sie? Ich bin nicht irgendwer, Herresheim! Ich bin ein Mann, den die ganze Welt kennt und achtet!«

»Sie haben eine sehr gute Meinung von sich, Herr Formann.«

»Habe ich auch! Und Millionen Menschen haben die gleiche, sie bewundern mich, danken mir!«

»Wie schön. Ich nicht.«

»Was Sie nicht?«

»Ich bewundere Sie nicht. Ich danke Ihnen nicht.«

»Ach, so läuft das! Rache, wie?«

»Rache? Welch absurder Gedanke, Herr Formann! Nur Pflichtbewußtsein. Ich bin meinem Staatssekretär gegenüber verantwortlich. Er hat meine Ansicht zu Ihrer Bitte eingeholt. Ich mußte Ihre Bitte nach reiflicher Überlegung ablehnen.«

»Und warum?«

»Herr Formann, das Bundesverkehrsministerium teilt meine Besorgnis,

Sie könnten Ihre bereits steuerbegünstigt angelegten Millionen jederzeit wieder aus der Schiffahrt herausziehen und anderswo anlegen.«

»Hören Sie…«

»Einen Moment, ja, wenn Sie mich gütigst aussprechen lassen wollen. Ein solches von mir, vom Herrn Staatssekretär und vom Bundesverkehrsministerium in Bonn befürchtetes Verhalten Ihrerseits kann und darf nicht auch noch durch eine Finanzhilfe des Bundes beim Bau eines modernen Passagierschiffs, wie Sie es sich wünschen, sozusagen honoriert werden, Herr Formann. Im Interesse der Bundesrepublik, unserer jungen Demokratie…«

»Sie… Sie…« Etwas sehr Seltsames geschah: Jakob brachte kein Wort heraus. Um ihn drehte sich alles, rote Schleier wehten vor seinen Augen. Jetzt weiß ich, wem ich alle nur möglichen Schwierigkeiten beim Aufbau meiner Flotte zu verdanken habe!

Alle nur möglichen Schwierigkeiten hatte man Jakob in der Tat von Anfang an gemacht. Das war ihm so sehr auf die Nerven gegangen, daß er beschlossen hatte, mit Bankgeld zu arbeiten.

Die Banken boten Jakob zu diesem Zeitpunkt bereits Millionen mit aufgehobenen Händen an: Nimm, großer Jakob, o, nimm doch von uns! (Man bedenke, was die Banken da an Zinsen bekamen! Im übrigen: Zinsen nehmen und den Emporkömmling verachten, das war etwa ihre Grundeinstellung.)

Warum brauchte Jakob so viele Millionen zusätzlich?

Nun: Er betrachtete sein See-Imperium als unvollständig, solange ihm ein modernes Flaggschiff fehlte! Indessen, so ein modernes großes Fahrgastschiff kostete an die hundert bis hundertfünfzig Millionen D-Mark. Einen derartigen Betrag besaß Jakob 1956 nicht. Noch nicht. Die Banken hätten ihn liebend gerne zur Verfügung gestellt, aber da war der Arnusch Franzl gewesen, der hatte protestiert: »Bist du deppert, Jakob? Da zahlst du dich ja blöd an Zinsen! Das verbiete ich dir! Da muß die Bundesregierung einspringen!«

»Muß? Warum muß sie?«

»Laß mich nur machen«, hatte der Arnusch Franzl gesagt. »Schweineglück, wo wir haben.«

» *Das* wir haben«, korrigierte ihn Jakob, was die Edle erfreut hätte. »Wieso haben wir ein Schweineglück?«

»Na, lieber Freund, die ›Andrea Doria‹ ist doch gerade abgesoffen!« hatte der Arnusch Franzl gesagt.

Die ›Andrea Doria‹, ein italienisches Prachtschiff, war mit dem schwedischen Ozeandampfer ›Stockholm‹ vor der nordamerikanischen Küste zusammengestoßen und gesunken.

»Und die Italiener haben nicht nur ein Schiff, sondern ein nationales Aushängeschild verloren«, hatte der Arnusch Franzl damals erläutert. »Darauf mußt du jetzt herumreiten, mein Bester. Jedes Land *braucht* nationale Aushängeschilder, wie es so geht im menschlichen Leben.«

Daraufhin hatte Jakob herzbewegende Briefe an das Bundesverkehrsministerium in Bonn geschrieben: ›...und verweise ich auf die ungeheuer werbende Wirkung, die ein solches Schiff für die gesamte Volkswirtschaft der Bundesrepublik und für unser Ansehen im Ausland haben wird...‹

Diese süße Lockung hatte er Dutzende von Malen variiert. Natürlich war Klaus Mario Schreiber der Schreiber dieser Lockbriefe gewesen, wozu gab es ihn? Und wer hätte es besser gekonnt?

Es erwies sich leider, daß nicht einmal ein so guter Schreiber wie Klaus Mario es gut genug konnte.

Aus Bonn hatte Jakob einen höflichen Brief nach dem anderen bekommen. In allen diesen höflichen Briefen wurde seine Bitte, die Bundesregierung möge so ein Schiff mitfinanzieren, weder positiv noch negativ beantwortet. Dann, plötzlich, schien das Bundesverkehrsministerium sich entschieden zu haben, denn es teilte Jakob (höflich) mit, daß die für die ganze Affäre zuständige Außenstelle, eben die für Seefahrt in Hamburg, den Sachverhalt noch einmal überprüft habe und Jakob doch am 29. Oktober 1956 pünktlich um 17 Uhr beim Leiter dieses Amtes, Herrn Staatssekretär Bredendorff, erscheinen möge.

Es ist jetzt 18 Uhr am 29. Oktober 1956, und Jakob hat soeben zwar nicht von Staatssekretär Bredendorff, jedoch von dessen Persönlichem Referenten, Herrn von Herresheim, erfahren, daß sein Ersuchen endgültig abgelehnt worden ist. Nach reiflicher Abwägung aller Gründe, die dafür und dagegen sprechen, durch den Herrn Persönlichen Referenten des Herrn Staatssekretärs...

Jakob Formann hat kapiert. Hier, das sieht ein Blinder, kommt er nicht weiter. Nicht bei diesem Sauhund, der auf solch ein Wiedersehen gewartet, gewartet, sicherlich fieberhaft gewartet hat. Um es mir zu geben, um es mir zu zeigen, denkt Jakob und sagt: »Herr von Herresheim...«

»So ist es endlich richtig, Herr Formann!«

»...ich gehe.«

»Tja, ich denke, das wird wohl das beste sein.«

»Aber ich gebe nicht auf, Herresheim! Ich gebe niemals auf! Ich bekomme mein Flaggschiff! *Mit* Hilfe der Bundesregierung! Da können Sie Gift drauf nehmen, Herresheim! Ich werde mich jetzt an die Bundesregierung in Bonn wenden!«

»Das bleibt Ihnen natürlich unbenommen.«

»Bleibt es mir, ja. Ach, und noch etwas, mein lieber Herr von Herresheim...«

»Ja? Was denn?«

»Sie können mich am Arsch lecken, und zwar kreuzweise, da kommen Sie öfter durch die Mitte!«

25

Die Edle wäre in Ohnmacht gefallen ob dieses Betragens ihres Schülers. Auch wir sind entsetzt. So benimmt man sich einfach nicht. Und wenn man sich so benimmt, darf man sich nicht darüber wundern, wenn man daraufhin aufgefordert wird, augenblicks den Raum zu verlassen.

Was Jakob wurde.

Er verließ den Raum, in welchem der Herr Persönliche Referent des Herrn Staatssekretärs Bredendorff arbeitete, knallte ein paar Türen zu, fluchte im Fahrstuhl unmäßig und ertappte sich, als er die Straße betrat, dabei, daß er vor Wut zitterte. Sofort wurde er streng selbstkritisch: Ein Jakob Formann zittert nicht! Auch nicht vor Wut. Das ist unwürdig. Und zudem sinnlos. Geduld, Jakob Formann, sagte Jakob Formann zu sich selbst. Du kriegst dein Schiff, und das Herresheim-Schwein kriegt sein Fett. Es wird eine Weile dauern, aber Sieger wirst zuletzt du sein, Jakob Formann. Das sagt dir Jakob Formann, denn er weiß schon, wie er es richtig anfangen muß. Danach stellte er fest, daß er noch immer vor Wut zitterte. Dagegen mußte man augenblicklich etwas unternehmen!

Schmalzbro...

Nein. Er war zu wütend. Selbst Schmalzbrote halfen da nichts.

Bewegung! Bewegung! Bewegung!

Das wäre jetzt angebracht!

Radfahren!

Ein Rad! Ein Rad! Ein Königreich für ein Rad!

In der Nähe gab es keine Geschäfte, in denen man Fahrräder hätte kaufen können, und dort, wo es solche Geschäfte gab, waren sie schon geschlossen.

Was tun?

Dreizehn Autos sausten an Jakob vorbei. Dann nahte ein Bürger auf einem Rad. Jakob lief ihm buchstäblich in die Speichen. Der Bürger kippte, stand, schrie: »Besoffen, was?«

»Mitnichten, mein Herr. Leihen Sie mir bitte Ihr Rad.«

»Wahnsinnig geworden?«

»Mitnichten, mein Herr.«

Der Bürger wollte sich aufs Fahrrad schwingen und flüchten. Jakob schubste ihn zurück. »Sie wollen es mir nicht leihen? Nur für zwei, drei Stündchen?«

»Nicht für eine Sekunde! Lassen Sie mich los, oder ich schreie!«

»Ich kaufe Ihnen das Rad ab.«

»Ich verkaufe mein Rad nicht! Es ist ein ganz neues Rad, ein gutes Rad.«

»Das sehe ich. Fünfhundert Mark?«

»Nie! Nie! Niemals!«

»Was kostet es, daß Sie sagen, es ist ein altes, schlechtes Rad?«

»Sie sollen mich loslassen, verflucht!«

»Sechshundert?«

»Sie... Sie...«

»Siebenhundert, meinetwegen.«

Jetzt zitterte der Bürger.

Jakob zählte ihm sieben Hundertmarkscheine auf die Hand.

»Das wär's«, sagte er sodann, schwang sich in den Sattel und radelte davon.

Siebenhundert Piepen sind siebenhundert Piepen! Der Bürger beruhigte sich.

Jakob hatte sich bereits beruhigt.

Regelmäßig und schnell trat er die Pedale, sauste über Kreuzungen, um Ekken, ein friedliches Lächeln im Gesicht, sanft vor sich hin pfeifend. Gott, hatte er sich nach einer Radpartie gesehnt!

Diese Radpartie brachte ihn hinaus zur Elbchaussee und zu jener Luxusvilla, die sich sein Experte in Plastikfragen, der smarte, gutaussehende Dr. Addams Jones im Vertrag ausdrücklich – ebenso wie Diener und Firmenwagen – ausbedungen hatte.

Wenn du schon hier bist, dachte Jakob, kannst du gleich mal sehen, wie es mit den Plastikwerken geht.

Das Parktor stand offen.

(Eingebrochen wurde 1956 in dieser feinen Gegend nicht – das waren noch Zeiten!)

Jakob radelte bis an die Haustür und klingelte.

Der von Jones zur Bedingung gemachte Diener öffnete.

»Tag«, sagte Jakob.

»Guten Tag, mein Herr«, antwortete langsam und feierlich der Diener, und sein Gesicht nahm dabei einen Ausdruck grenzenloser Verachtung und unsäglichen Hochmuts an. »Was wünschen Sie?«

»Ich will mit Doktor Jones sprechen.«

»Sind Sie angemeldet?«

»Nein.«

»Bedaure, dann ist es nicht möglich...«

»Es wird schon möglich sein. Hier, nehmen Sie mir das Rad ab.«

»Sagen Sie einmal, wer sind Sie überhaupt?«

»Jakob Formann.«

»So eine Unverschämtheit! Verschwinden Sie jetzt, oder...«

»Sie glauben mir nicht, daß ich Jakob Formann bin?«

»In diesem Aufzug? Mit einem Fahrrad? Wollen Sie mich auf den Arm nehmen?«

Immer noch hielt Jakob an sich. »Wir kennen uns nicht, lieber Mann.«

»Gott sei Dank«, sagte der Diener.

»Sie haben Jakob Formann noch nie im Leben gesehen?«

»Bedaure. Noch nie im Leben.«

»Auch nicht auf Fotos?«

»Auch nicht auf Fotos.«

»Dann erlauben Sie, daß ich mich Ihnen vorstelle: Ich bin Jakob Formann.«

Der Diener hatte noch einen hellen Moment. »Tut mir leid, aber da kann ja jeder kommen und sagen, er ist Herr Jakob Formann.«

»Ich bin Jakob Formann, der Mann, der Jones und Sie und das alles hier bezahlt!«

»Jetzt hauen Sie aber ab!« Bei dem Diener war der helle Moment vorbei. Er packte die Fahrradstange und versuchte, sie umzudrehen und Jakob fortzudrängen.

»Tck, tck, tck, so etwas tut ein guter Diener aber nicht«, sagte Jakob und drehte die Fahrradstange energisch zurück. Der Diener rutschte aus und flog zu Boden. Jakob lehnte das Rad an die Hauswand und schritt über den Gestrauchelten hinweg in die Halle der Villa.

Die Treppe aus dem ersten Stock herunter kam Dr. Addams Jones gerannt.

»Was ist? Was geht hier vor?«

»Dieser Mann...«, begann der vornehme Diener, noch im Liegen, und verstummte erschüttert.

»Haben Sie das getan, Mister Formann?« Dr. Jones sah Jakob entsetzt an.

»Ich habe gar nichts getan. Ihr Diener hat den Halt verloren.«

»Wobei?«

»Er hat versucht, mich... egal. Wirklich, Jones, Sie müssen diesem Mann beibringen, sich höflich auch gegen Menschen zu betragen, die ihm fremd sind. Sonst feuere *ich* ihn!«

»Sie... ich... er... Ich wußte gar nicht, daß Sie in Hamburg sind, Mister Formann!«

»Ich komme gerade aus Paris.«

»Mit dem Fahrrad?«

»Haben Sie etwas dagegen?«

»Nein, nein, natürlich nicht! Was kann ich für Sie tun, Mister Formann?«

»Sie können mich über Ihre Arbeit unterrichten, Jones«, sagte Jakob und trat einen Schritt vor. Danach stoppte er abrupt. Er stoppte immer abrupt, wenn er ein schönes weibliches Wesen sah. Das weibliche Wesen, das Jakob sah, war eine ganz besondere Schönheit – schlank und grazil wie ein Reh, mit langen Beinen, braunen Augen und braunem Haar. Jung. Sehr jung noch. Das Reh war, durch den Lärm beunruhigt, aus einem Zimmer in die Halle getreten. Es sah Jakob, es sah den Diener auf dem Boden, es sah Dr. Addams Jones. Der Blick irrte im Dreieck.

»Oh!« rief das Reh erschrocken und flüchtete in das Zimmer zurück, aus dem es gekommen war. Die Tür fiel hinter ihm zu. Dr. Addams Jones war bekannt dafür, daß er stets die schönsten Mädchen Hamburgs zu Freundinnen hatte. Nicht nur Hamburgs.

»Hübsch, hübsch«, sagte Jakob, nachdem er anerkennend gepfiffen hatte. »Also was ist, kann ich nun mit Ihnen reden oder nicht, Jones?«

»Aber natürlich, Mister Formann, aber selbstverständlich, Mister Formann, es wird mir eine Freude sein, Sie zu unterrichten, Mister Formann. Fred! Fred, zum Teufel, stehen Sie endlich auf und nehmen Sie Mister Formann seinen Mantel ab!«

Der Diener Fred erhob sich taumelnd, schwankte auf Jakob zu und lallte, wobei sich die Wörter überschlugen: »Ihren-Mantel-mein-Herr-ich-bitte-sehr-und-verzeihen-Sie-mir-mein-Benehmen-ich-konnte-doch-nicht-wissen-wie-konnte-ich-denn-ahnen…«

»Sie müssen noch eine Menge lernen, Fred. Und schnell«, sagte Jakob und warf dem Diener seinen Mantel in die Arme. »Und bringen Sie mein Fahrrad in die Garage!«

26

Eine Stunde später, in Dr. Jones' Arbeitszimmer…

…war Jakob Formann vollkommen über die bereits angelaufene Produktion der drei (mit 7 d-Geldern erbauten) Plastikwerke unterrichtet. Im Detail. Dr. Jones hatte wie ein Pferd geschuftet, das muß man zugeben, dachte Jakob. Der Kerl stellt unverschämte Forderungen noch und noch – aber er leistet auch was.

»Hm… Ist das Ihre neue Freundin, Jones? Die Braune, Hübsche?«

»Ja, Mister Formann. Ein Top-Mannequin.«

»Wirklich süß.«

»Nicht wahr?«

»Gratuliere, Jones.«

»Danke, Mister Formann. O, was ich noch sagen wollte…«

»Ja?«

Dr. Addams Jones sagte, was er noch sagen wollte. Er hätte es besser nicht getan. Nicht gerade an diesem Tag jedenfalls! Er verstimmte Jakob außerordentlich mit dem, was er sagte. Er verstimmte Jakob so sehr, daß dieser bat, ein Telefongespräch führen zu dürfen. Natürlich durfte er. Es dauerte ziemlich lange, bis er zu Dr. Jones zurückkam, und er hatte einige Wünsche, die Dr. Jones sofort erledigen mußte, denn Jakob brauchte gewisse Unterlagen und Berichte – sofort! Sagte er jedenfalls. Er war nun wieder besserer Laune.

»Also, machen Sie mir das alles fertig, Jones, ja? Tut mir leid, muß aber sein. Ich gehe solange hinunter und unterhalte mich mit Ihrer Freundin – wie heißt sie?«

»BAMBI«, erwiderte Jones mit einem unguten Gefühl.

»Wie?«

»BAMBI. Sie schreibt sich mit lauter Großbuchstaben. Das tun alle Mannequins, wenigstens die guten, bekannten, begehrten.«

»Aha.«

»In Wirklichkeit heißt sie Schalke, Brigitte Schalke.«

»Aha.« Jakob grübelte. »Sagen Sie, war die nicht Fisch? Oder Käse?«

»Vor einem Jahr«, antwortete Dr. Jones. »Vor einem Jahr hat sie noch Reklame für Fisch und Käse gemacht. Jetzt nicht mehr. Jetzt macht sie in Wäsche…«

27

»…und das«, sagte BAMBI am Abend des 29. Oktober 1956, »hat mir schon eine Masse Ärger gebracht.«

Sie warf ihr braunes Haar zurück und zog die Unterschenkel elegant auf der Couch vor dem englischen Kamin unter den Leib. Wirklich eine Wucht, dachte Jakob, diese Beine, diese Beine… BAMBIs Beine halten mühelos den Vergleich mit denen von Jill und Marlene aus – und das will was heißen! Ich bin eben doch ein Bein-Fetischist! (Und ich weiß sogar, was ein Fetischist ist – die Edle hat es mir erklärt.)

»Ärger, wieso?« fragte Jakob und lächelte gewinnend.

»Also wissen Sie, Herr Formann, in Deutschland können Sie den langweiligsten Fummel vorführen oder in der blödesten Filmplünne mitmimen, Reklame machen für Brusttee oder Ssahnpulver, reine Wolle, Lopsodent, Nährbier, Nagellack, Konfekt und Konfektion, für die gute Sama, für Senfgurken oder Vorderradantrieb…« Sie sprach sehr ernsthaft und lispelte ein ganz klein wenig, was Jakob begeisterte. Er stellte sich bereits vor, wie… Das ist das Verfluchte bei mir, dachte er: Immer muß ich mir die Hübschen gleich dabei vorstellen! »…aber eines ist ungeschriebenes Gesetz: Niemals in Wäsche machen! Ich ßage Ihnen, ßo wahr ich hier vor Ihnen ßitße, Herr Formann« (wie hübsch sie mit der Zungenspitze anstieß!), »man ßoll's nicht glauben, aber ßo ist das bei uns: Schon ein Bikini bringt einen oft um. Und der kleinste Bikini ist noch die englische Königinnenrobe im Vergleich mit einer Korsage, besonders einer schwarzen, und wenn die noch ßo ßtabil ist! Ein deutsches Vorurteil, Herr Formann: Wer Wäsche ßeigt, gilt hier als leicht!«

»Hmhmhm.« Der Rock rutscht immer höher. Macht sie das absichtlich? Klar!

»Das war bei mir nur gemeine Hetze von Kolleginnen! Ich swöre es Ihnen, und wenn Sie wer weiß was gehört haben, alles Lüge, ich habe nur für *Tisch*wäsche…! Was anderes würde ich schon wegen meinem Charakter

354

nicht. Ich bin nicht leicht. Oder glauben Sie etwa, daß ich leicht bin, Herr Formann?«

»Um Himmels willen, Fräulein BAMBI, das würde ich mir niemals erlauben zu glauben.«

»Natürlich«, sprach BAMBI (der Rock rutschte noch höher), ernst und in ihr Thema vertieft, »gibt es auch welche unter uns, die ßrecken vor nichts zurück. ULLA ßum Beißpiel. Miederbranche. Haben Sie ßicherlich schon geßehen, Herr Formann. Mieder jeder Art. Oder nur Beha und Hüftgürtel. Also ich würde ja ßterben! Aber die Honorare ßind die höchsten. Und ULLA trägt ja auch immer ßo einen offenen Morgenmantel. Das entschärft. MAXI macht auch ßo was, und USCHI auch. Sind Freundinnen von mir. Das Solideste, was es gibt!« BAMBI rief erregt: »Überhaupt, wir ßind nicht ßo, wie viele glauben, Herr Formann!«

»Ich bitte Sie. Sie haben doch nicht nötig, sich zu rechtfertigen, Fräulein BAMBI! Ich kenne bedeutende Männer, die bedeutende Mannequins verehren. Die meisten von ihnen werden, sagen sie, ihre Freundinnen heiraten! Denken Sie nur an Ernst Wilhelm Sachs oder seinen Bruder Gunter – beide lieben Mannequins! Und Thyssen! Und Karajan!« (Und das schönste Mannequin wird Jakob Formann haben, euch Burschen wird Jakob es jetzt zeigen!)

»Ja, das ist richtig. Ein Mann von Welt ßieht ßofort unsern Wert. Unsern inneren Wert, meine ich, Herr Formann.«

»Inneren und äußeren, Fräulein BAMBI. Als ich Sie sah, genügte ein Blick, ein einziger Blick, um zu wissen, daß Sie etwas ganz Besonderes, Außerordentliches, Edles« (eiweh, nur nicht an die Edle denken!) »sind. Ich wäre glücklich, wenn wir Freunde werden könnten.«

»Auch ich wäre es, Herr Formann. Warum ßtarren Sie meine Beine ßo an?«

»Ich... eh... hrm... Sie haben wundervolle Beine, Fräulein BAMBI, verzeihen Sie meine Unverschämtheit...«
Noch höher der Rock!

»Das ist doch keine Unverschämtheit! Das weiß ich ßelber. Und diese Reifenfirma weiß es auch!«

»Was für eine Reifenfirma?«

»Ich habe gerade einen Vertrag mit ihr geschlossen, nächstes Jahr ßoll es losgehen. Die haben einen Einfall gehabt. Auf dem Inserat das Foto von einem Auto, ja? Und ßwar ßo, daß man wenigstens *einen* Reifen ßieht, ja? Na, und ich ßteige gerade ein. So fotografiert, daß man nur meine Beine sieht. Von unten, ja? Und der Texter hat eine herrliche Sseile: ›Die Beine Ihres Autos...‹. Damit ßoll natürlich auf die Reifen hingewiesen werden. Aber meine Beine sind der Blickfang. Sie verstehen.«

»Ich verstehe.«

»Und ich wette, Sie glauben, ich trage Strümpfe.«

»Das tue ich nicht.«

»Das tun Sie nicht, Herr Formann?«

»Nein. Was Sie tragen, das ist eine Strumpfhose aus Nylon. Ich wette, Sie wissen nicht, was Nylon ist.«

»Sie haben die Wette verloren, Herr Formann«, antwortete BAMBI lachend.

»Natürlich weiß ich, was Nylon ist!«

»Ja, aber wie es gemacht wird, das wissen Sie nicht!«

»N... nein, Herr Formann.«

Sanft sprach Jakob: »Durch Polykondensation von Adipinsäure mit Hexa-methylendiamin.«

»Mein Gott! Aber woher wissen *Sie* das?«

»Ich befasse mich eben mit Kunststoffen aller Art, mein liebes Kind.«

»Ach.«

»Bitte?«

»Ach, und ich habe gedacht, Doktor Jones tut das.«

»Er ist mein Angestellter, liebes Kind.«

»Das... das habe ich nicht gewußt, Herr Formann. Er hat es mir nie gesagt. Ich habe geglaubt, er ist der Besitzer von all den Fabriken.« Dieser Schuft von einem Jones! Also auch noch angeben mit meinen Werken und sich Mannequins aufreißen auf meine Kosten! Dieser smarte Jones wird dem Faß noch die Krone ins Gesicht setzen und zum Überlaufen bringen! Aber jetzt soll er sich erst einmal wundern! Vor einer Stunde hat er einen zwei-ten Diener und einen geheizten Swimming-pool innen und einen dicken Mercedes verlangt. In seiner Stellung braucht er das, hat er gesagt. Sonst muß er leider kündigen. Also habe ich ihm alles in den Rachen geschmis-sen, weil ich ihn doch brauche, jetzt, wo die Produktion von Plastik der ver-schiedensten Art ganz groß losgeht und eben auch von Chemiefasern!

»Sie... Sie haben Herrn Jones alle diese Kunststoffwerke aufbauen *lassen*, Herr Formann?« hauchte BAMBI. Höher kann so ein Rock kaum rutschen. Mensch, Beine sind das, die hören ja überhaupt nicht auf! (Elender Schuft, dieser Jones. Angeber. Frech auch noch. Kriegt den Hals nicht voll genug. Als nächstes will er einen Rolls. Und eine Tennishalle, für den Fall, daß es regnet. Was mache ich mit dem Sack? Ohne ihn bin ich aufgeschmissen. Na, erst mal habe ich telefoniert! Kleine Genugtuung wenigstens...)

»Habe ich Jones aufbauen lassen, ja. Habe ihn mir neunundvierzig aus den Staaten rübergeholt als Experten.«

»Schon damals...«, hauchte BAMBI. Nun hatte sie hektische rote Flecken auf den Wangen.

»Jakob Formann ist seiner Zeit immer um zwei Schritte voraus, mein liebes Kind«, sprach Jakob milde. »Sehen Sie, ich habe gewußt, daß es etwa zwei-undzwanzig Millionen Frauen und Mädchen in der Bundesrepublik gibt. Ich habe gewußt, daß Halter und Straps aus der Mode kommen werden. Gewiß kommen sie wieder, sind ja – pardon! – sehr aufregend, nicht wahr.

Aber mir war klar: Die Strumpfhose wird die Strümpfe ablösen. Also habe ich rechtzeitig geschaltet. In den nächsten Monaten werde ich Chemiefasern für Strumpfhosen in allen Farben liefern – rot, violett, gelb, grün, blau.«

BAMBI sah ihn mit aufgerissenen Rehaugen an. Sie war sprachlos.

»Da sind Sie sprachlos, was?« sagte Jakob Formann leichthin und liebenswürdig lächelnd. (Was der Karajan und der Thyssen können, kann ich alleweil noch!) »Ganz bezaubernd sehen Sie aus, mein liebes Kind.«

»Ach, Herr Formann...« BAMBI schluckte.

»Ja«, forschte er dezent.

Wie in einem englischen Lustspiel kam in diesem Moment Dr. Addams Jones die Treppe aus dem ersten Stock in die Halle herab.

»Zum Kotzen«, sagte Dr. Addams Jones.

»Addy! Wie sprichst du?« rief BAMBI.

»Entschuldige, aber es ist wirklich...«

»Was ist wirklich?«

»Ein Anruf. Soeben. Ich muß nach Boston. Sofort. Heute noch. Verdammte Schei... entschuldige, BAMBI.«

»Aber wieso mußt du nach Boston, Addy?« (Tja, wieso, dachte Jakob.)

»Atkinson hat angerufen, der Alte. Eben jetzt.« (Schau an, schau an, dachte Jakob.)

»Atkinson Plastics ist eines der größten Kunststoffunternehmen der Welt«, erläuterte Jakob. »Von dort habe ich meine Lizenzen gekauft, wissen Sie, BAMBI. Und auch den Doktor Jones... eh, nicht gekauft, mitgebracht, als Fachman. Was will denn Donald, Jones?«

»Man hat völlig neue Methoden auf dem Gebiet von Plastikrohrleitungen gefunden. Wir müssen das zweite Werk entsprechend modernisieren.« (Also genau, wie ich Atkinson zu sagen gebeten habe, als ich ihn anrief vorhin. Das ist ein feiner Kerl, dieser Atkinson.) »Nicht einen Moment hat man Ruhe! Tut mir wirklich leid, BAMBI, aber jetzt kann ich wieder nicht mit dir nach Spanien fliegen.«

»Spanien?« fragte Jakob, unschuldig erstaunt.

»Costa Brava. Etwas ausspannen! Ich habe es BAMBI schon so oft versprochen, immer ist etwas dazwischengekommen.«

»Tja, das ist schlimm. Tut mir leid für Sie, Jones. Aber natürlich müssen Sie nach Boston, die Arbeit geht vor«, sagte Jakob ernst. »Ich glaube, es fliegt noch eine PAN AM über New York kurz nach zweiundzwanzig Uhr.« Er sah seinen Experten mitfühlend an. »Wirklich scheußlich, Jones, aber such ist life.«

Die Maschine der PAA ging tatsächlich um 22 Uhr 30. BAMBI und Jakob brachten den unwirschen Dr. Jones zum Flughafen nach Fuhlsbüttel. Sie standen auf dem Besucherbalkon und sahen der Maschine nach, bis sie mit ihren rot und weiß blinkenden Lichtern in den Wolken verschwunden war.

Ich bin ein geplagter, vielbeschäftigter Mann, ich habe keine Minute zu verlieren, dachte Jakob, packte BAMBI, drückte sie an sich und küßte sie leidenschaftlich. Es war außer ihnen kein Mensch mehr auf dem Balkon. BAMBI küßte Jakob noch leidenschaftlicher.

»Das ist mir noch nie passiert«, sagte sie sodann.

»Was, liebes Kind?«

»Daß ich einen Mann... daß ich ßo schnell... daß ich ßofort... Herr Formann, es ist ßo peinlich für mich... Was müssen Sie von mir denken?« (Na also, da haben wir es wieder einmal!) »Aber ich... ich...«

»Ja, mein liebes Kind?«

»...ich fürchte, ich habe mich wahnsinnig in Sie verliebt!«

»Und ich mich in dich, BAMBI. Auf Anhieb!«

»Wirklich? Wie wundervoll... Da ist es ja soßusagen direkt ein Glück, daß Addy wegfliegen mußte!«

»Sozusagen ja, nicht wahr?«

»Ssufälle gibt es im Leben! Also, wenn man das in einem Roman liest, ßagt man, ßo was gibt's nicht, was, Herr Formann?«

»Jakob, bitte. Und wie du siehst, so was gibt es. Wo wolltet ihr hin? Costa Brava, Spanien?« Jakob verzog sein Gesicht zu einer Grimasse des Ekels. »Da kann man doch jetzt nicht mehr hin, mein liebes Kind. Da wimmelt es doch jetzt von Deutschen. Wie die Heuschrecken sind die über Spanien hergefallen. Genauso wie über Italien oder Jugoslawien oder Frankreich. Da darf ein Mächen wie du oder ein Mann wie ich sich einfach nicht mehr sehen lassen! Ich habe zufällig ein wenig freie Zeit. Wollen wir zusammen Urlaub machen?«

»Oh...«, hauchte BAMBI.

»Also ja?«

»Ja...« Ein weiterer Hauch. »Wohin denn, Jakob?«

»Auf die Seychellen, mein liebes Kind!«

»Auf die See... wie?«

»Seychellen. Noch nie gehört?«

»N...nein, Jakob.«

»Ein Paradies im Indischen Ozean... Ich habe es entdeckt... In ein paar Jahren wird es auch kein Paradies mehr sein... Aber jetzt!... Ein Kleinod, BAMBI, ein Kleinod!... Du wirst niemals im Leben etwas Wunderbareres sehen... Mahé!«

»Bitte?«

»Mahé. So heißt die größte dieser Trauminseln. Dort fliegen wir hin. In ein paar Tagen.«

»O Jakob, du bist... du bist genial, wunderbar, einmalig!«

»Ach nein, gar nicht. Ich bin ein ganz einfacher Mensch, weißt du. Nur schneller als die andern. Jakob Formann ist seiner Zeit immer um zwei Schritte voraus.«

28

»Mein lieber, alter Freund«, sprach Jakob Formann ganz leise im Salon seines Appartements im Hotel ATLANTIC, einen Telefonhörer am Ohr. »Ich mache mir solche Sorgen um Sie, Sie können sich das nicht vorstellen. Fühlen Sie sich krank?« Sein Gesprächspartner befand sich auf der anderen Seite des Atlantischen Ozeans. Es war der Präsident eines der größten Flugzeugwerke der Welt. Jakob hatte zwar eine Frage gestellt, forschte jedoch, behutsam wie ein Priester, sofort weiter: »Sind es die Nerven? Das Herz? Wächst Ihnen alles über den Kopf?« Der Herr aus Übersee wollte wieder etwas sagen, doch der Menschenfreund Jakob Formann ließ ihn nicht. »Es gibt Momente – besonders nach einem so arbeitsreichen Leben wie dem Ihren –, in denen möchte man am liebsten in Pension gehen. Nein, nein, nein, so ist es, das habe ich schon oft bei meinen liebsten Geschäftsfreunden gesehen! Und zu denen zähle ich Sie doch, nicht wahr – wirklich nicht nur, weil ich einer Ihrer Großaktionäre bin, sondern aus menschlichen, tief menschlichen Gründen... Niemand«, fuhr Jakob fort und schnurrte dabei fast wie eine Katze, »ist diesem ungeheuren Streß gewachsen, dem Sie, mein Bester, nun schon seit so langer Zeit ausgesetzt sind, nein, nein, nein, ich weiß, was ich rede! Oder arbeitet hier Ihr Unterbewußtsein? *Wollen* Sie Ihren Posten los sein? Der Seele dunkle Pfade, ach ja, ach ja... Wie ich das meine? Nun schauen Sie, mein Bester, es macht den Eindruck, als wäre es so, wirklich... Ein Beispiel: Sie haben zwei Ihrer neuesten Düsenflugzeuge bereits an Deutsche verkauft. Natürlich weiß ich, wer die beiden Herren sind.« (Er wußte es seit einer halben Stunde.) »Sie haben ja eine ›Learstar‹ verkauft an die Herren... Jaja, ich verstehe, man könnte mithören. Aber überarbeitet, wie Sie sind, haben Sie vollkommen vergessen, auch mir eine ›Learstar‹ zum Kauf anzubieten. Das ist kein Vorwurf, mein Freund! Das ist nur Sorge um Sie, die mich so sprechen läßt. Denn wenn einem Mann in Ihrer Spitzenposition eine derartige Gedankenlosigkeit unterläuft, dann muß man doch – und das ist nur Christenpflicht! – besorgt um diesen Mann sein... Entschuldigen? Ich bitte Sie, ich habe doch nichts zu entschuldigen! Und vor allem: *Sie* haben sich nicht zu entschuldigen. Ein so großer Mann... Einer meiner Besten, jawohl! Darum mein Anruf, darum meine tiefe, tiefe Besorgnis: Schaffen Sie es noch? Ist es nicht zuviel für Sie geworden? Wäre es nicht nur human, Sie von so viel schwerer Verantwortung, von so gewaltigen Belastungen zu entbinden? Was für einen schönen Lebensabend könnten Sie noch haben, bedenken Sie das einmal! Ein Haus in Vermont... Golf spielen... Spazierengehen... Das Leben ist doch so schnell vorbei. Nur darum rufe ich an, lieber Freund. Weil mir Ihr Wohlergehen am Herzen, so sehr am Herzen liegt... Bitte?... Was sagen Sie?... Selbstverständlich benötige auch ich eine ›Learstar‹... Nein, nein, nicht in einem Monat! Wenn überhaupt, dann sofort. Aber das ist für Sie wieder mit soviel Aufwendungen verbunden, daß ich es nicht verantworten kann, wirklich nicht… Bitte?… Sagten Sie, in *zwei* Tagen ist die ›Learstar‹ hier in Hamburg?… Und zugelassen, mit allen Papieren? Übermorgen nachmittag? Fünfzehn Uhr Lokalzeit? Mein Freund, das ist mehr als freundschaftlich, daß Sie das machen wollen, aber ich flehe Sie an, achten Sie auf Ihre Gesundheit…«

Zwei Tage später, pünktlich um 15 Uhr, landete eine fabrikneue ›Learstar‹ dann in Fuhlsbüttel. Sie war die teuerste damals in Deutschland zugelassene Privatmaschine. Preis: über eine Million Dollar. Jakob zahlte auf der Stelle per Scheck. (Nachdem er drei Prozent Skonto abgezogen hatte.)

Daß die ›Learstar‹ das Beste und Schönste war, was es im Moment gab, hatte ihm der US-Air-Force-Pilot der T-33 gesagt, mit dem er von Paris nach Hamburg geflogen war. Nun kletterte Jakob in das Innere der luxuriösen Maschine. Beseligt atmete er das Duftgemisch ein: Leder, Metall, Parfum und Benzin. Der Parfumduft kam von BAMBI, die mit nach Fuhlsbüttel gekommen war. (Die Edle war Jakob losgeworden, indem er ihr etwas von einer höchst dringenden Konferenz erzählt hatte.) BAMBI bekam kein Wort heraus, als sie den Salon sah, in dem vierzehn – nicht zu fassen! – Gäste Platz hatten.

BAMBI trug ein sandfarbenes Kostüm in Christian Diors ›Ligne Fuseau‹, der Spindellinie. Die Jacke hatte einen Gürtel. Nur die Hüften wurden sanft vom Stoff berührt, sonst war alles weich und weit und locker, auch der Kragen der Jacke. Dazu einen Schäferinnenhut, mit Rebhuhnfedern garniert. Als Parfum ›Miss Dior‹. Und eine ›Belle Amie‹-Frisur (mit besonderer Betonung der Stirn durch eine Art Hahnenkamm und großzügige weiche Seitenpartien). Jakob trug ›englisch‹: einen Einreiher aus Tweed, leicht tailliert und mit abfallenden Schultern, sowie eine in der Farbe dazu abgestimmte Weste.

Otto hatte den Rolls auf das Flugfeld gefahren – bei einem so großen Mann wie Jakob Formann erlaubte das die Polizei. Otto und die beiden Piloten luden nun Gepäck in die Maschine. Die beiden Piloten waren von Jakob aus einer Gruppe von siebenundsechzig Bewerbern ausgewählt worden. Der eine hieß Jack Cardiff und hatte vor zwei Jahren mit einer ›Convair 440‹ im Ärmelkanal notwassern müssen, weil er vergessen hatte, in München vollzutanken.

Begründung Jakobs für die Wahl ausgerechnet dieses Piloten: »Der vergißt in seinem Leben nie mehr vollzutanken, auf den kann ich mich verlassen.«

Der zweite Pilot hieß Jean Collero. Der war einmal mit einer Verkehrsmaschine losgeflogen, deren Tragflächen nicht genügend enteist waren, weil Collero nicht achtgegeben hatte. Absturz. Fünfunddreißig Tote. Jakobs Begründung für die Wahl ausgerechnet dieses Piloten: »Der gibt den Rest seines Lebens acht wie ein Schießhund darauf, ob auch nur ein Gramm Eis auf den Tragflächen ist. Auf den kann ich mich genauso verlassen.«

Sie flogen zuerst noch kurz nach München. Dort traf Jakob im Flughafen-restaurant seinen Schreiber Schreiber und gab ihm Anweisungen für eine sofort zu schreibende Serie mit dem Titel ›DIE NAZIS SIND UNTER UNS‹. Hier sollten eklatante Fälle von Besetzung wichtiger Stellen in Staat, Gemein-den und Wirtschaft durch alte Nazis aufgedeckt werden.

Eine halbleere Flasche ›Johnnie Walker Gold Label‹ vor sich, erhob der sonst doch zu allem bereite Klaus Mario Schreiber erstaunlicherweise Ein-spruch.

»Da... Das hau... haut nie hin, Ch... Chef! Da... Das ist ge... gen mein Ko... Konzept. N... Nach meinem Ko... Konzept ist das Thema N... Na-zismus ein A... *Anti*-Thema. Das w... weiß man, aber man w... will es nicht w... wissen. Und schon gar nicht l... le... lesen! So was g... geht ins Au... Auge. *M... Muß* i... ins Auge gehen!«

»Aber warum? fragte Jakob.

»W... Weil w... wir w... wieder w... wer sind, Ch... Chef! Wei... Weil w... wir im Begriff sind, w... wieder mal die G... Grö... Größten zu wer... werden. Wei... Weil k... keiner hier an s... seine V... Ver... Ver-gangenheit erinnert werden will. W... Wenn Sie ein a... alter N... Nazi gewesen wären, wü... würden *Sie* jetzt, w... wo alles blüht und gedeiht, g... gerne daran er... erinnert w... werden, wa... was Sie angestellt ha-ben?«

»Ich war aber kein alter Nazi!« sagte Jakob milde.

»Da... Dann können S... Sie da nicht m... mitreden. D... Dann können S... Sie sich da g... ga... gar nicht reinfühlen.«

»Aber *Sie* schon!«

»Ich schon!«

»Obwohl auch Sie kein alter Nazi gewesen sind.«

»O... Obwohl auch ich... Ich ka... kann mich in a... alle Men... Men-schen hineinfühlen, Ch... Chef. So... Sonst wä... wären meine Serien Sch... Scheiße, und Sie hä... hätten mich längst gefeuert. Ich bi... bin ein Ke... Kenner der Me... Menschen!«

»Und ich bin Ihr Chef! Sie schreiben, was ich anordne!«

»I... Ich schrei... schreibe da... dann a... aber gegen da... das V... Ver-drängte einer ga... ganzen N... Nation, Chef. Da... Das will do... doch wirklich n... niemand wi... wissen. Ha... hat doch gar keine Na... Nazis bei uns ge... gegeben. Je... Jetzt schon gar nicht mehr. W... Wir sind a... alle P... Pa... Patentdemokraten, christlich a... a... abendländische... Ga... Gar nicht zu reden von der Ka... Katastrophe für die In... Inseraten-abteilung...«

»Was soll das wieder heißen?«

»Wa... was glauben Sie, Ch... Chef, we... wer uns alles mi... mit Anzei-genentzug d... dro... drohen wird, we... wenn diese Serie nicht a... abge-brochen wi... wird? Und von A... Anzeigen lebt jede Illustrierte!«

»Sie schreiben!«

»Mei... Meinetwegen. Aber ich ha... habe Sie g... gewarnt«, sagte Schreiber und kippte sorgenvoll sein Glas.

Sorgenvoll hat er sein Glas gekippt, dachte Jakob, als er auf das Flugfeld hinauseilte. Sind das seine Sorgen oder meine? Ich kriege dich schon noch, Herresheim!

Und jetzt denken wir nicht mehr daran. Jetzt machen wir Urlaub. Ach, meine ›Learstar‹! Ach, meine BAMBI!

Sie empfing ihn mit Küssen.

Die Maschine rollte zum Take-off-point.

Erhielt Starterlaubnis. »Los!«

BAMBI fand noch immer keine Worte. Und sagte es.

»Ich finde noch immer keine Worte...«

»Wofür, mein liebes Kind?«

»Einen Mann wie dich...«

»Ja, mein liebes Kind?« forschte er.

»...habe ich noch nicht erlebt! So etwas gibt es nur einmal«, flüsterte sie an seiner Brust.

»Ich bin ein Mann wie jeder andere. Nur meiner Zeit immer um zwei Schritte...«

»Ach, Jakob...«

»Ach, BAMBI...«

Schöner großer Salon mit genug Platz, dachte Jakob, während die ›Learstar‹ vornehm, leise und ohne auch nur zu vibrieren, geschweige denn im geringsten zu schwanken, eine Wolkenwand durchschnitt und in den österreichischen Luftraum eindrang. Nette Kerle, die Piloten. Die kommen niemals in den Salon. Ganz zur Sicherheit kann ich ja noch die Tür zum Cockpit zuriegeln.

Zwischen Salzburg und Neapel frohlockte BAMBI während der ersten Chinesischen Schlittenfahrt ihres Lebens. Jakob hatte es immer eilig. Bei einer einzigen Sache ließ er sich Zeit.

And it's a long, long way zum Indischen Ozean, zu den Seychellen daselbst und im speziellen zur Insel Mahé – der größten und schönsten von den zweiundneunzig Inseln der Seychellen...

29

Ach, Mahé...

Ach, eines der letzten Paradiese dieser Erde! Ein tropisches Eiland. Korallen und Granit, weißer Sandstrand, Palmenhaine, in denen die phantastischsten Orchideen in zahllosen Bündeln von den Ästen der Bäume hängen. Die schönen Vögel. Die riesigen Schildkröten. Die unendliche See. Die PI-

RATE'S ARMS, das ›Seeräuberhotel‹ im kolonialseligen Victoria. Pittoresk außen, innen voller Komfort des zwanzigsten Jahrhunderts, anno 1957. Da wohnen wir, BAMBI und ich. Die PIRATE'S ARMS gehören mir. Ich habe sie, zusammen mit dem Jaschke natürlich, aufgebaut, als wir hierher Fertighäuser und Truppenunterkünfte und einen Behelfsflugplatz lieferten, für die Amerikaner. Nicht viele. Nur für die Befehlsstelle da oben auf dem höchsten Hügel von Mahé. La Misère, der ›Elendshügel‹, heißt er. Hundertvierzig Amerikaner – Offiziere und Wissenschaftler – leben dort. Basteln seit einer Ewigkeit an einer Sache herum, die sie ›Tracking Station‹ nennen. Haben mir oft erklärt, was das ist. Kontrollstation. Es scheint, die Amis wollen so ein Ding – ›Satellit‹ nennen sie es – entwickeln und in den Weltraum schießen, und dieser ›Satellit‹ soll dann dauernd die Erde umkreisen und Nachrichten und Bilder speichern und zur Erde zurückfunken – total meschugge, aber das waren die Amis schon immer, nicht zu fassen so ein Blösinn, das kann es doch nicht geben, das wird es doch nicht geben, nie, die schmeißen auch mit den Millionen rum, Junge, Junge, Junge! Aber: Sind's meine Millionen? Prima bezahlt haben sie mich. Prompt wie immer. Ich habe gleich gewußt, das wird hier nicht mehr lange ein Paradies bleiben, auch hierher werden die Touristen kommen! Die kommen überallhin! Also habe ich PIRATE'S ARMS bauen lassen. Es sind oft Amerikaner vom Hügel da. Touristen noch keine, die Zimmer stehen leer. Nicht mehr lange, das weiß ich. Jakob Formann ist seiner Zeit immer um zwei… Darum habe ich auch den ganzen riesigen Strand von Beau Vallon gekauft – spottbillig, in ein paar Jahren wird hier jeder Quadratmeter ein Vermögen kosten.

Bestimmt ein goldrichtig angelegtes Vermögen. Das da wird mal eine Spielwiese für die Superreichen werden. Die Brandung schäumt, die Palmen rauschen leise. Ich mache mir ja nichts aus Natur. Überhaupt nichts. Natur – die ist mir immer ganz egal gewesen. Aber die Einsamkeit hier! Nackt können wir rumrennen, BAMBI und ich. Ein Temperament hat die – also, die ist nach drei Chinesischen Schlittenfahrten nicht zufrieden. Will eine vierte! Bei der sind wir gerade. Auf dem weißen Sand von Beau Vallon. Ach, ist diese BAMBI süß. Ach, ist diese BAMBI wild. Ich fühle, ich fühle, dieses vierte Mal wird es ein besonders wunderbares Ende geben. Wir nähern uns ihm, mit jeder Bewegung mehr, jetzt! BAMBI bäumt sich auf, mein Körper spannt sich, jetzt, jetzt, jetzt…

»Herr Formann!«

Verflucht und zugenäht!

Das gibt's doch nicht. Das ist doch unmöglich.

»Herr Formann, wollen Sie nicht gefälligst aufhören, wenn ich mit Ihnen spreche?«

Ich bin hinüber, es ist soweit, ich habe nicht mehr alle Tassen im Schrank, ich bin reif für die Klapsmühle. Mein schönes, junges Leben. Mein schöner

Krieg. Alles aus und zu Ende. Wahrscheinlich war das bereits ein Irren-haustraum, und wenn ich jetzt die Augen aufmache, werde ich mich in ei-nem Gitterbett finden, vielleicht in einer Zwangsjacke. Gott, es muß ja ent-setzlich um mich stehen.

Jakob öffnete ein Auge. Jakob öffnete das zweite.

Jakob fuhr in grauenvollem Entsetzen empor, stand schwankend auf dem weißen, heißen Sand von Beau Vallon.

Er hielt sich den Kopf.

Die Brandung schäumte, die Palmen rauschten, die langflügeligen Vögel flogen schreiend hoch über ihm. BAMBI entfloh kreischend, nackt, wie Gott sie geschaffen hatte. Und nackt, wie Gott ihn geschaffen hatte, stand Jakob Formann vor der sehr ergrimmten ›Sehr Edlen und Sehr Mächtigen Frau‹, Baronin von Lardiac, Edle Frau und Gerichtsherrin von Valtentante, erbli-che Palastdame am Hof von Jerusalem zufolge des Privilegs, verliehen der sehr ruhmreichen Familie Lardiac durch Kaiser Friedrich den Zweiten, spä-terhin König von Jerusalem.

»Baronin...«, lallte Jakob.

»Was fällt Ihnen ein, mich so zu hintergehen und auszureißen und sich hier mit einem Mädchen... Ich kann nicht mehr, das ist der Gipfel der Ob-szönität... Das ist zuviel... Ich sterbe vor Scham...« Und sie kippte rück-wärts.

Immer laß sie kippen, die verfluchte Bestie, dachte Jakob. Doch dann bekam er einen zweiten Schreck. Hinter der Edlen hatte die schöne Claudia ge-standen. Jakob sah das erst jetzt. Die schöne Claudia fing das kippende Tantchen gerade noch rechtzeitig in ihren Armen auf und hielt die Ohn-mächtige dann reglos, den Blick gebannt auf den splitternackten Jakob ge-richtet. Auf einen Teil des splitternackten Jakob.

30

»Ich habe sie natürlich Knall und Fall gefeuert«, sagte Jakob Formann. Er lag auf einer Ledercouch und starrte die Zimmerdecke an. Die Zimmer-decke befand sich in dem Ordinationsraum des Dr. Jerome Watkins, des großartigsten Psychoanalytikers von Washington.

Knall und Fall hatte Jakob die Sehr Edle und Sehr Mächtige an jenem 3. Januar 1957 gefeuert, und noch am gleichen Tag war er von den Seychellen nach Washington geflogen. Zu diesem wundervollsten aller Analytiker.

Dr. Watkins, fett, kahlköpfig und kurzbeinig, saß hinter Jakobs Kopf in ei-nem bequemen Lehnstuhl, lächelnd die Händchen über dem Bauch gefaltet wie ein Buddha.

Die Stille wurde unerträglich.

»Warum sagen Sie denn nichts, Doktor? War das nicht richtig von mir?«

»Hm«, machte Dr. Watkins.

»Was heißt hm?«

»Was meinen *Sie? War* es richtig?«

»Ich weiß es nicht, Doktor. Darum habe ich ja alles stehen und liegen lassen und bin sofort zu Ihnen geflogen.«

»Hm.«

»Warum machen Sie immer ›hm‹, Doktor?«

»Weil ich *immer* ›hm‹ mache. Wie alle guten Analytiker. Das ist ein ermunterndes ›hm‹, Mister Formann. Es soll Sie ermuntern, weiter aus sich herauszugehen. Nur so kann ich Ihnen helfen!«

»Ich verstehe. Ja, also was fange ich jetzt ohne die Edle an, die mir Benimm und Bildung beibringt? Ich meine Essen kann ich schon halbwegs nach der Art der feinen Leute. Aber sonst... Kunst...«

»Hm.«

»...Malerei...«

»Hm.«

»...Literatur...«

»Hm. Sagen Sie, Mister Formann, wie war es überhaupt möglich, daß die Baronin Ihnen auf die Seychellen folgte?«

»Sie hat mir nachspioniert und herausgefunden, wo ich bin.«

»Das ist mir klar. Aber woher hatte sie das Geld? Sie sagten, die Dame sei ziemlich mittellos.«

»Das ist sie auch.«

»Und da fliegt sie – noch dazu in Begleitung! – von Hamburg aus auf eine Insel im Indischen Ozean?«

»Na ja, das war eben auch falsch von mir, Doktor.« Jakob seufzte.

»Hm?«

»Daß ich der Edlen Vollmacht für eines meiner Spesenkonten gegeben habe. So hat sie einfach einen Scheck ausgeschrieben und ist zur Bank gegangen und – muß ich weitersprechen?«

»Nein, danke! Das genügt«, sagte der Doktor und dachte: Mit *dem* eine Psychoanalyse? Eine große Analyse? Kommt ja gar nicht in Frage! Geld genug für eine große Analyse hat er ja zwar ganz offensichtlich. Aber so, wie der redet über das, was er tut und läßt – so blöd, wie der ist, da lassen wir das hübsch sein. Gewiß, eigentlich... eine große Analyse... Aber der Kerl ist ja dauernd in der ganzen Welt unterwegs... Wie er das nur macht mit seiner Blödheit? Also keine Analyse! Wir können ja auch anders! Und das bringt auch sein Stückchen Geld... und außerdem schneller... Also sagte er zu Jakob: »Hm. Behaviour Therapy.«

»Bitte, was?«

»Verhaltenstherapie. Seien Sie ganz ohne Sorge. Sie bekommen wir mit Behaviour Therapy hin, auch ohne Ihre Baronin.«

»Dem Himmel sei Dank. Behaviour Therapy!«

»Sie haben natürlich keine Ahnung, was das ist, obwohl es weltweit prakti-
ziert wird, wie?«

»Nein.«

»Hm.«

»Was ist es, Doktor?«

»Hm. Ich glaube nicht, daß ich es Ihnen erklären kann. Der Großvater der
Behaviour Therapy, so darf man wohl sagen, war der Professor Iwan Petro-
witsch Pawlow. Nobelpreis 1904 für seine Arbeiten zur Physiologie der
Verdauung…«

»Entschuldigen Sie, Doktor, aber mit meiner Verdauung ist alles in Ordnung!«

»Hm.«

»Bitte?«

»Nichts, nichts. Ihre Reaktion auf meine Worte.«

»Wie war die? Falsch? Frech? Meine Verdauung ist aber wirklich…«

»Hm. Passen Sie auf, ich erzähle Ihnen jetzt eine Geschichte. Genauso, wie
ich sie erzähle, ist sie sicher nicht passiert. Aber bei Ihrer… primitiven
Grundstruktur… Hm… Also: Pawlow experimentierte mit Hunden, wissen Sie. In Sankt Petersburg… Hm… Hunde in einem Zwinger… Das
Futter brachte ein Wärter immer auf einem Wägelchen. Wenn er die Tür
aufstieß, ertönte ein Bimmeln.«

»Ein was?«

»Ein Bimmeln. An der Tür oben war eine Klingel.«

»Ach so. Und nun, Doktor?«

»Und wenn also der Wärter mit dem Fressen für die Hunde hereinkam,
dann, so bemerkte Pawlow, fingen die bereits zu sabbern an! Neunzehn-
hundertzwölf gab es eine große Sturmflut in Sankt Petersburg. Alle Kir-
chenglocken läuteten Katastrophenalarm. Professor Pawlow war bei seinen
Hunden. Was soll ich Ihnen sagen? Pawlow staunte nicht schlecht, als alle
seine Hunde zu sabbern anfingen! Weit und breit kein Futter! Nur die
Glocken – wie die Bimmel! Das genügte ihnen schon! Toll, wie?«

»Hm«, machte Jakob. »Pardon, das Hm ist Ihr Hm!«

»Jetzt ging Pawlow systematisch vor. Wenn die Hunde schon beim Bimmeln und beim Glockenläuten sabbern, ohne daß sie das Futter auch nur
sehen oder schnuppern – vielleicht läuft ihnen beim Bimmeln das Wasser
nicht nur im Maul zusammen, sondern auch im Magen. Also legte er Magenfisteln an.«

»Magenfisteln…«

»An den Hunden…« Dieser Watkins stinkt wie eine ganze Parfümerie,
dachte Jakob benommen. Parfümiert der sich? Oder hat der die junge
Dame, die vor mir da war…? Auf seinem Hemdkragen habe ich jedenfalls
einen Lippenstiftfleck gesehen. »Also, Pawlow ließ jetzt nur noch die Bimmel ertönen, indem er die Tür auf und zu machte – und alle Hunde sabber-

ten und sonderten durch die Fistel Magensaft ab – wie gesagt, das Wasser, das ihnen im Magen zusammenlief. Und diese Ursachenverkettung: erst Futter und Bimmeln und Sabbern, und dann Bimmeln und Sabbern *ohne* Futter, die nannte Pawlow einen Bedingten Reflex. Ich hoffe, Sie haben das einigermaßen verstanden.«

»Hören Sie, Doktor, wollen Sie mir vielleicht auch Magensaft abzapfen und mich sabbern lassen?«

»Hm.«

»Was, hm?«

»Aggressiv noch und noch.« Und nun murmelte der fette Doktor vor sich hin: »Übel, übel. Ist schon eine Charakterneurose ... Nein, Magensaft nicht, Mister For ...« Das Telefon läutete. Der parfümierte Seelenkundige hob ab und bellte in den Hörer: »Sind Sie wahnsinnig geworden, Eileen? Sie wissen doch, daß Sie nicht verbinden dürfen, wenn ich einen Patienten ... Fernge- spräch? ... New York? Ja, natürlich, stellen Sie durch, Eileen.« Dr. Watkins sagte, nach Block und Bleistift greifend: »Mein Broker. Nur einen Moment, Mister Formann. Er gibt mir die letzten Börsenkurse aus Wallstreet durch. Sie verzeihen.«

»Aber selbstverständlich«, knurrte Jakob.

»Hallo ... Hallo ... Oh, hallo, Rod! Also, wie steht's? ... Hm ... Hm ... Ja, ich schreibe mit ... Philips sechs Punkte plus, steigend ... Unilever unver- ändert ... Royal Dutch drei Punkte, zögernd ...«

Jakob nahm einen Notizblock aus der Tasche und schrieb eifrig im Liegen mit. Das ging so eine ganze Weile, bis Sperry Rand kamen. Dr. Watkins wurde aufgeregt: »Sperry Rand zweihundertachtundachtzig? Das gibt es doch nicht! Das ist ja unglaublich!«

»Wirklich unglaublich«, attestierte Jakob verblüfft.

»... ja, Rod, natürlich ist das der Höhepunkt! Morgen sausen Sperry Rand runter, aber wie! Da hat einer dran gedreht, damit die Doofen ... Aber wir sind nicht doof, Rod, wir nicht! ... Na klar, verkaufen! Weg damit! Alles! Weg. Weg. Weg! ... Okeydokey, Rod, ich danke Ihnen. Sie rufen morgen um diese Zeit ... Sehr gut, sehr gut ... bye, Rod.« Dr. Watkins legte den Hörer in die Gabel. »Hm. Solche Bedingten Reflexe kann man nun ausbil- den, Mister Formann. Ein Unbedingter Reflex – das ist eine angeborene, vom Willen unbeeinflußte Reaktion – wird durch einen natürlichen Reiz ausgelöst, also zum Beispiel: Ihre Lider schließen sich blitzschnell, wenn sich dem Augen etwas nähert.« Und dabei stieß dieser quasselnde Doktor mit dem Finger in Richtung auf Jakobs rechtes Auge, dessen Lid natürlich herunterklappte.

»Und was hat das mit mir zu tun?« fragte Jakob mürrisch.

»Man kann einen solchen Unbedingten Reflex – das Sabbern, wenn der Hund Futter riecht oder sieht – jedoch mit einem zunächst unwirksamen, neutralen Reiz, zum Beispiel mit einem Ton – die Bimmel! – koppeln, wir sagen ›konditionieren‹. Was machen Sie denn da die ganze Zeit für wilde Bewegungen, Mister Formann? Es scheint mir sehr schlimm um Sie zu stehen...«

»Ich... ich... Sperry Rand zweihundertachtundachtzig! Doktor, darf ich ganz schnell mit meinem Broker in Wallstreet telefonieren? Ich habe eine Masse Sperry Rand, und mein Broker weiß nicht, wo ich bin!«

»Natürlich. Geben Sie mir seine Nummer, Mister Formann.«

Jakob gab sie. Dr. Watkins wählte die Nummer von Schwester Eileen und gab ihr die Nummer. »Legen Sie das Gespräch dann herein, bitte. Hm. Ja, also ganz vereinfacht: Wir werden auch Sie konditionieren, Mister Formann. Essen wie die feinen Leute können Sie schon, gut. Bei allen anderen Fällen wollen wir Sie auf Reizworte trimmen. Also Wagner, Hemingway, Einstein, Stalin, Christian Dior, Eisenhower, Politik, abstrakte Malerei, Zwölftonmusik... Sie verstehen? Haha! Hmhm. Wenn Sie das Reizwort hören, reagieren Sie wie die Hunde in Sankt Petersburg beim Bimmeln. Sie fangen an zu sabbern. Sie sabbern die mit dem Reizwort als Bedingtem Reflex gekoppelten Worte, ganze Sätze. Die prägen sich Ihrem Gehirn unauslöschlich ein, Sie haben sogleich so einen Satz zur Hand und sind gerettet. Verstanden?«

»Nein.«

»Hm.«

»Wenn Sie mir vielleicht ein Beispiel geben könnten, Doktor?«

»Hm. Kennen Sie Meyerbeer? Natürlich nicht.«

»Natürlich nicht. Dazu hatte ich ja die Edle.«

»Die brauchen Sie nicht mehr. Ich konditioniere Sie, daß Sie über sich selber staunen werden. Hm. Schauen Sie: Wagner – ein Komponist. Meyerbeer – auch ein Komponist! Nur so, aus dem Handgelenk geschüttelt, als Beispiel: Sie hören den Namen Richard Wagner. Ich habe Sie für dieses Reizwort mit Meyerbeer konditioniert. Also: Man spricht über Richard Wagner, und Sie sabbern automatisch: ›Wagner kann ich nur dort folgen, wo er von Meyerbeer beeinflußt ist!‹ Umgekehrt geht's genauso: Auf das Wort Meyerbeer sagen Sie: ›Ja, der Meyerbeer! Wagner kann ich nur dort folgen, wo er von Meyerbeer kondi... äh... beeinflußt ist... Man wird Sie für einen phantastischen Wagner- oder Meyerbeer-Kenner halten und nicht wagen, weitere Fragen an Sie zu richten. Apodiktisch sagen Sie den Sabbersatz natürlich. Und sind aus dem Schneider.«

»Apo...«

»O Gott, natürlich. Sie wissen nicht, was apodiktisch heißt. Unwiderleglich. So, daß sich keiner traut, noch etwas zu sagen, klar?«

»Das klingt verdammt gut, Doktor!«

»Es wird aber eine Menge Arbeit geben, Mister Formann, viele Sitzungen. Doch wir werden es schon schaffen.« Das Telefon läutete. »Ja?... Einen Moment... Für Sie, Mister Formann, Ihr Broker.«

Liegend nahm Jakob den ihm gereichten Hörer ans Ohr.

Eine Stimme erklang hastig, die Worte überschlugen sich. Das war Jakobs Broker. Er erhielt gleichfalls den Auftrag, Sperry Rand sofort abzustoßen. Jakob sprach nur kurz, dann hielt er den Hörer in die Luft. Der hinter ihm sitzende Analytiker legte den Hörer in die Gabel zurück. »Danke, Doktor. ›Wagner kann ich nur dort folgen, wo er von Meyerbeer beeinflußt ist...‹ Großartig! Da traut sich wirklich keiner, noch das Maul aufzumachen.«

»Hm.«

»Bitte?«

»Sie sagten, Sie leiden auch darunter, daß Sie von einer bestimmten Gruppe Menschen verachtet werden, daß es Ihnen nicht gelingt, in gewisse Kreise einzudringen, dort Freunde und Anerkennung zu finden – trotz Ihres Namens, trotz Ihres Geldes...«

»Ja, Doktor. Darunter leide ich wirklich. Das geht nun schon seit vielen Jahren so. Da kriege ich Minderwertigkeitsgefühle. Was ist das bloß? Warum, Doktor, warum? Ich habe doch so vieles geschaffen! Ich habe doch so unheimlich viel geleistet! Und trotzdem...«

»Nicht trotzdem. *Deshalb*, Mister Formann. Hm.«

»Deshalb?«

»Sehen Sie, hm, lieber Freund, hm, Sie haben Allmachtsphantasien, haben ein Streben nach Macht, und damit wollen Sie Ihre Minderwertigkeitsgefühle neutralisieren. *Darum* haben Sie soviel geschaffen, *darum* haben Sie soviel geleistet! Die Minderwertigkeitsgefühle waren zuerst da, deshalb die Leistung. Nicht, wie Sie meinen, zuerst die Leistung und dann die Minderwertigkeitsgefühle.«

»Aber...«

»Bitte, unterbrechen Sie mich nicht! Und diese Minderwertigkeitsgefühle sind natürlich durch sexuelle Störungen entstanden.«

»Sexuelle...?«

»Selbstverständlich. Sehen Sie: Sie können nicht, und deshalb versuchen Sie immer, das durch ständige Betriebsamkeit zu kompensieren.«

»Aber hören Sie...«

»Da haben Sie es: Machtstreben zur Abwehr der Angst. Der Sexualangst in Ihrem Fall natürlich, Mister Formann. Haben Sie auch schweinische Vorstellungen?«

»Und ob, Doktor!«

»Und Sie leiden unter ihnen.«

»Leiden? Ich genieße sie!«

»Entschuldigen Sie, wenn ich auf diese Frech...äh...Antwort hin deutlich werden muß. Wie ist Ihre Stellung zur Vagina?«

»Na, schräg nach oben, Doktor, wie denn sonst?«

»Mister Formann, wollen Sie sich über mich lustig machen?«

»Keinesfalls, Doktor, ich...«

»Hm! Also ganz brutal: Wann haben Sie zum letzten Mal?«

»Vor zwei Stunden, bevor ich zu Ihnen kam. Im Hotel. Ich sagte Ihnen doch, BAMBI ist mit mir geflogen...«

»Was?«

»Tut mir leid, ja.«

»Hm, hm, und seit wie langer Zeit war das wieder einmal? Ich meine: Welcher Durchschnittswert ergibt sich wohl bei Ihnen, Mister Formann?«

Jakob durchlebte gerade das letzte Treffen mit BAMBI im Detail. Mechanisch antwortete er: »Na, so ein- bis zweimal am Tag...«

»Wie oft?«

»Im Durchschnitt! Danach haben Sie ja gefragt! Es gibt natürlich auch Tage oder ganze Wochen ohne. Dafür dann wieder viel, viel öfter. Aber im Durchschnitt, also: ein- bis zweimal täglich.«

»Ein- bis zweimal... Was ist denn *das*?«

»Was bitte?«

»Sehen Sie sich an! Nicht so! An sich herunter, Mister Formann!«

»An mir herunter... O Gott, das ist mir aber peinlich. Verzeihen Sie, ich habe gerade an BAMBI gedacht, und da passiert das ganz von selber...«

Der Seelenarzt war erschüttert.

»Hm, hm, hm. Mein armer Freund. Das ist ja noch schlimmer, als ich dachte. Don Juanismus.«

»Don... Bitte schauen Sie ihn nicht immer an, Doktor, dann geht er nie wieder weg! Don... was sagten Sie da eben?«

»Don Juanismus. Diese zügellose Erregbarkeit. Eine schwere Störung, mein lieber Freund, hm, hm.«

»Schwere Störung?«

»Sie sehen es ja selber... Das ist übrigens ein absolut eindeutiges Zeichen für Sexual*schwäche*, dieser Don Juanismus!«

Also gestört bin ich auch. Grauenvoll. Und das alles doch wohl nur, weil ich den Hasen verlassen habe, dachte Jakob, da sagte der Analytiker schon:

»In diesem Zusammenhang: Was Sie mir da von Ihren Träumen erzählen, in denen Sie immer von vergangenen Taten und Erlebnissen träumen, insbesondere von diesem Kaninchen...«

»Hasen, bitte, Herr Doktor! Mein geliebter Hase. Die beste Frau von allen! Ich habe sie verlassen... verraten... alles falsch gemacht! Nie, nie, nie mehr kommt sie zu mir zurück. Das quält mich am meisten in diesen verfluchten Träumen!«

»Sehen Sie, lieber Freund, und das ist das einzige, aber wirklich auch das einzig Erfreuliche an Ihnen.«

»Wieso, bitte?«

»Ein Mann mit einem solchen Don Juanismus, einer solchen Charakterneurose *muß* so träumen, Mister Formann! Sein Unterbewußtsein versucht auf diese Weise die Schlacken seiner Psyche zu entfernen. Sie leisten

Trauerarbeit mit Ihren Erinnerungsträumen. Das ist Ihre letzte Chance, mein lieber Freund, noch einmal vielleicht – vielleicht, sage ich, und das bedeutet Schwerstarbeit für mich – normal zu werden und ein erfülltes Leben zu führen.«

»Und... und den Hasen zurückzubekommen?«

»Und den Hasen zurückzubekommen, Mister Formann.«

Jakob fühlte sich plötzlich ganz prächtig wohl.

»Die fünfundvierzig Minuten sind um, Mister Formann, erheben Sie sich.«

»Ich danke Ihnen, Doktor. Sie sind wahrhaftig der Größte, also wirklich!«

»Seien Sie ganz ohne Sorge. Sie stellen einen meiner kompliziertesten Fälle dar – aber ich hoffe, ich werde auch aus Ihnen wieder einen gesunden, glücklichen Menschen machen können. Die Honorarfrage regeln Sie draußen im Vorzimmer. Ich nehme immer pro Sitzung. Das ist einfacher so. Für Sie. Und für mich. Sie kommen... kommen...« Dr. Watkins blätterte in einem Terminkalender. »...Nein, früher geht es nicht, ich bin überlastet. Sie kommen am nächsten Freitag um drei Uhr nachmittags wieder.«

»Gewiß, Doktor. Nächsten Freitag, drei Uhr.«

Am nächsten Freitag um 3 Uhr p. m. US-Eastern Time war Jakob Formann dann schon einen ganzen Tag rund tausend Kilometer Luftlinie südlich von Moskau, in Rostow am Don, Hauptstadt (650000 Einwohner) des gleichnamigen Gebietes der Russischen Sozialistischen Föderativen Sowjetrepublik, im Büro des dorthin kommandierten Genossen Jurij Blaschenko von GOSPLAN, der Zentralen Planungsbehörde für die gesamte Sowjetunion.

31

»Ich danke dir, Jakob, ich danke dir, daß du so schnell gekommen bist«, sagte Jurij herzlich und schlug Jakob mit Bärenkraft auf die Schulter. »Wir brauchen dich wie der Verdurstende einen Schluck Wodka. Denn wir sitzen in der Scheiße.« Im Gegensatz zu Jakob, der immer noch kein Französisch konnte, sprach Blaschenko mittlerweile ein fast akzentfreies Deutsch. Auf ein herzliches ›Du‹ hatten sie sich schon beim letzten Treffen geeinigt. »War der Flug gut?«

»Ausgezeichnet. Diese ›Learstar‹...« Jakob schwärmte ein bißchen. »Wir sind über Österreich geflogen, weißt du, Jurij, die Deutschen hätten da doch nur Schwierigkeiten gemacht.«

»Wir?«

»Meine Freundin habe ich mitgenommen. Ein Mannequin. Ein süßes Mädchen. Du mußt sie unbedingt kennenlernen. Wie die mich liebt! Und sie war noch nie in der Sowjetunion! Also, setz dich hin und sag deinem alten Freund Jakob, was du jetzt brauchst.«

Blaschenko kratzte sich verlegen den Nacken.

»Was hast du denn? Warum kratzt du dich so im Genick, Jurij?« fragte Jakob.

»Ich sag' dir gleich, was wir jetzt brauchen, Jakob«, antwortete Jurij Blaschenko und blickte schwermütig durch das Fenster seines Büros auf den großen Hafen hinab. »Erlaubst du zuerst eine Frage?«

»Natürlich!« Jakob wunderte sich. »Was ist denn los mit dir?«

»Ich mache mir Gedanken. Über dich, Jakob.«

»Über mich?«

»Ja. Darüber, was du für ein Mensch bist.«

»Was für ein Mensch... Weißt du, ich glaube, der Kern ist gut.«

»Nein, ich meine, wie es in dir aussieht. Ich habe noch nie einen Menschen getroffen wie dich. Einen, der so bedenkenlos und ohne Hemmungen vor sich selbst oder anderen Geschäfte mit dem Westen *und* dem Osten macht, mit dem Norden *und* dem Süden, mit Kommunisten *und* Kapitalisten, mit Juden *und* Katholiken, mit Schwarzen *und* Weißen. Ich kann das nicht begreifen!«

»Das ist ganz einfach, Jurij: Ich bin ein ganz einfacher Mensch«, sagte Jakob bescheiden. »Schau, du sagst: Bedenkenlos und ohne Hemmungen mache ich Geschäfte mit allen. Das stimmt. Aber warum fällt mir das nicht schwer? Warum habe ich keine Hemmungen? Weil ich ein Charakterschwein bin? Nein, lieber Jurij. Das ist alles neu gebaut, die Wohnhäuser und die Fabriken um die Stadt, nicht?«

»Ja, mein Freund«, sagte Blaschenko leise und traurig wie immer. »Im Krieg...«

»...haben wir das alles kurz und klein gemacht, ich weiß. Ich war schon einmal hier. Aber weiß Gott nicht freiwillig. Damals habe ich noch anders gedacht als heute. Heute, Jurij, habe ich so viel erlebt, daß ich eine ganz andere Einstellung zu dieser Welt und ihren Menschen habe. Ich habe Freunde, und ich habe Feinde. Ich arbeite, wie du sagst, für die eine Seite, und ich arbeite für die andere Seite. Ohne Skrupel! Warum? Ich kann mich in beide Seiten hineindenken, siehst du? Ich kann für beide Seiten Entschuldigungen oder Empfehlungen finden. Ich schätze beide Seiten gleich. Wenn ich die eine Seite und die andere Seite lobe und verstehe und entschuldige, dann kommen natürlich immer mehr Für und Wider.« (Vor ein paar Jahren, an einem Abend im HÔTEL DES CINQ CONTINENTS in Paris, hatte er in einer Vision ganz anders gesprochen!) »Für und Wider, und Wider und Für in unserer so gescheiten und so verdrehten und so blödsinnigen Welt... Weißt du, Jurij, ich glaube, eine solche Welt könnte ohne das Für und ohne das Wider überhaupt nicht bestehen! Für und Wider gehören zusammen, das eine wie das andere hat die gleichen Rechte und die gleiche Berechtigung, und erst zusammen ergeben beide das Ganze – unsere Welt! Und es ist nur unsere Dummheit oder unsere Zerstörungswut oder unsere angeborene Schlechtigkeit, die uns zwingt, die eine Seite zu verehren, anzubeten, zu vergöttern und die andere zu verachten, zu bekämpfen, zu verteufeln. Denn diese Welt ist nur eine ganze Welt mit *beiden* Hälften, also mit dem Für *und* dem Wider. Und ich glaube eben, daß nur das *Ganze* recht hat!«

»Aber du mußt doch eine eigene Ansicht haben!« rief Jurij.

»Warum?« fragte Jakob erstaunt.

»Jeder anständige Mensch hat eine ganz bestimmte eigene Ansicht!«

»Da muß ich dir aber widersprechen, Jurij. Die meisten Menschen haben überhaupt keine Ansichten – und das sind weiß Gott nicht die schlechtesten.«

»Heilige Schwarze Muttergottes von Kasan, aber du mußt doch an irgend etwas glauben, Jakob!«

»Warum muß ich?«

»Weil kein Mensch leben kann, ohne an etwas zu glauben.«

»Na, ich weiß nicht«, sagte Jakob, »ich leb' ganz gut so.«

»Verflucht, irgendeine Meinung von dieser Welt mußt du doch haben, Jakob!«

»Meinung... Also wenn du unbedingt darauf bestehst, bitte. Natürlich bin ich der Meinung, daß der Sozialismus das Beste für die ganze Welt wäre...«

»Na endlich!«

»Nein, nicht na endlich! Denn den Sozialismus, den ich mir vorstelle, den gibt es nicht, und den wird es auch sehr wahrscheinlich nie geben«, sagte Jakob. »Schade. Denn es wäre schön, wenn es ihn geben würde.«

»Dann sag mir doch wenigstens, was dann so schön wäre, sag mir wenigstens, wie dein Sozialismus ausschaut, den es sehr wahrscheinlich nie geben wird!«

»Jurij, mein Alter«, sagte Jakob. »Da haben sie einmal einen Juden ärgern wollen und ihn gefragt – du weißt, am Sabbath dürfen die Juden kein Geld und kein Gold anrühren –, also sie haben ihn gefragt: ›Stell dir vor, es ist Schabbes, und du gehst auf der Straße, und da siehst du ein Goldstück. Was würdest du machen?‹«

»Ja?« Jurij wurde sehr aufmerksam. Vom Hafen herauf dröhnte das Kreischen riesiger Kräne. »Und was hat er gesagt?«

»Er hat gesagt: ›Es *ist* nicht Schabbes, und es *gibt* kein Goldstück, und also antworte ich nicht auf diese Frage.‹ Siehst du, Jurij, dasselbe antworte ich dir, wenn du mich fragst, was unter dem Sozialismus, den es vielleicht nie geben wird, so schön wäre. Ich kann dir nicht anders antworten, denn ich kann mich in keine Situation hineindenken, die es nicht gibt.« Jurij Blaschenko seufzte. »Seufze nicht, Towarischtsch, sondern sag mir endlich, was ihr diesmal braucht«, sagte Jakob sanft lächelnd.

Blaschenko seufzte noch einmal.

»Sprühgeräte«, sagte er dann. »Aus Plastik«, fügte er hinzu. »Und du hast doch Plastikfabriken, Jakob, mein Freund.« Ein Frachter fuhr eben in den Hafen ein.

»Was für Sprühgeräte?« fragte Jakob.

»Du weißt, daß wir in den letzten Jahren erhebliche Mißernten gehabt haben, nicht wahr?«

»Ja. Schlechtes Wetter, was?«

»Nur sehr bedingt schlechtes Wetter. Die Hauptursache war Unkraut!«

»Na, aber gegen Unkraut gibt es doch herrliche chemische Mittel, Jurij.«

»Die haben wir ja auch entwickelt, Jakob.« Jurij seufzte nun abgrundtief. »Herrliche chemische Mittel! Das Beste, was du dir vorstellen kannst!«

»Aber?«

»Aber... Jakob, mein Freund, du weißt, daß bei uns alles genau geplant wird...«

»Ganz genau, Jurij.«

»Ganz genau eben nicht, Jakob. Leider. Eine andere Planungskommission hat vergessen, daß man die Chemikalien versprühen muß, und deshalb sind keine Anlagen gebaut worden, die solche Sprühgeräte herstellen, und jetzt liegen die wunderbaren Chemikalien da, und das Unkraut wächst weiter und weiter, es ist eine Katastrophe! Wir brauchen ein Werk, das solche Sprüher herstellt! Und Rohrleitungen dazu, viele Tausende Kilometer Rohrleitungen! Damit wir die Chemikalien auf weit entfernte Felder leiten können, über viele Tausende von Kilometern. Und wir werden viele Tausende von Plastik-Sprühern brauchen, die auf den Feldern aufgestellt werden! Das wird ein ungeheuer großes Werk nötig machen! Denn wir müssen die Chemikalien auch aus Flugzeugen absprühen! Und aus Plastik-Tanks auf LKWs, die durch die Felder rollen! Und noch auf viele andere Arten! Wenn wir mit dem Unkraut nicht fertig werden, verhungern unsere Menschen! Da drüben, auf dem Hügel hinter dem Universitätsviertel, da haben wir Platz, genügend Platz! Dort soll das Werk entstehen! Dort soll die Zentrale sein, verstehst du, mit Rohrleitungen überall hier im Gebiet hin, mit Pumpstationen hier auf der Strecke. Und mit großen Verlade-Anlagen zum Verschicken überall hin in die Sowjetunion. Wir brauchen also das größte Werk dieser Art, das je in Rußland gebaut worden ist! Und in kürzester Zeit! Die Lage ist verzweifelt, Jakob! Wirst du uns helfen?«

»Klar werde ich euch helfen«, sagte Jakob freundlich. »Jetzt verstehe ich, warum du mich gefragt hast, wie ich es mir zurechtgelegt habe, daß ich für beide Seiten, für alle, arbeiten kann. Du hast Angst gehabt, ich sage, ich arbeite nur für die eine Seite, was, mein Alter?«

»Also ganz ehrlich, ja, ich habe Angst gehabt!«

»Aber grundlos! Schau mal, Jurij, mein Freund: Du sagst, das Unkraut vernichtet eure Ernten. Und ich glaube dir und will dir helfen. Was denn?

Wo kommen wir denn hin, wenn einer dem andern überhaupt nichts mehr glaubt? Zum Teufel, wenn ein Kommunist kommt und behauptet, zwei mal zwei ist vier, dann muß ich den Mut haben, zu sagen: Das stimmt! Obwohl ein Kommunist das behauptet hat!«

»Ach Jakob.« Blaschenko seufzte. »Es müßte mehr Menschen wie dich geben! Viel mehr! Millionen Jakob Formanns!«

»Um Gottes willen«, sagte der. »Willst du mir das Geschäft verderben? *Ein* Jakob Formann genügt mir vollkommen! Das habe ich schon dem Oberst Assimow gesagt, drüben in Washington, als er mich gebeten hat, sofort zu dir zu fliegen!«

32

»Ich kann Ihnen flüstern, Oberst Assimow, ich habe alle Hände voll mit mir selber zu tun«, hatte Jakob gesagt. Auf der Commonwealth Avenue. Als er am 7. Januar 1957 aus dem Haus trat, in dem der große Psychoanalytiker Dr. Watkins seine Praxis hatte. Da war er nämlich mit einem Zivilisten zusammengeprallt, der das Haus gerade betreten wollte.

»Na!« hatte Jakob ärgerlich ausgestoßen, um sogleich die Sonne in seinem Gesicht aufgehen zu lassen. »Nein, Herr Major, das ist aber eine Freude! Wie kommen Sie denn hierher? Was machen Sie in Amerika?«

»Ich bin inzwischen Oberst geworden und jetzt Militärattaché an der Sowjetischen Botschaft«, hatte Assimow geantwortet. Er sah elend aus. Bleich, mager, mit tiefen Ringen unter den Augen. »Ich habe eine Verabredung mit einem Psychoanalytiker. Doktor...«

»Watkins, stimmt's?«

»Stimmt«, sagte der Attaché.

»Bei dem bin ich auch in Behandlung!« gab Jakob fröhlich bekannt.

»Ich weiß.«

»Sie wissen? Obwohl ich erst gestern angekommen bin?«

»Wir wissen alles über Sie, Herr Formann. Wir kümmern uns um Sie. Sie haben uns einmal sehr geholfen. Um solche Leute kümmern wir uns. Damit sie uns wieder helfen.« Assimow trug den Mantelkragen hochgeschlagen und den Hut tief ins Gesicht gezogen. Er blickte sich dauernd ängstlich um. »Kommen Sie in den Hausflur.«

»Warum?«

»Es braucht niemand zu sehen, daß ein Mitglied der Sowjetbotschaft zu einem amerikanischen Analytiker geht. Sie werden uns wieder helfen! Alle, die wir beobachten, weil sie es einmal getan haben, tun es wieder. Keine Ausrede! Ich weiß, wie beschäftigt Sie sind...«

»Vor allem mit mir selber, Herr Oberst«, flüsterte Jakob, in Erinnerung an die letzte Stunde auf der Couch. »Mir geht es gar nicht gut. Darum bin ich ja zu Doktor Watkins gegangen. Ich habe eine Charakterneurose, und ich bin ein Don Pawlow, dem der Doktor hofft das Sabbern beizubringen, damit ich in der Gesellschaft anerkannt werde. Nein, da stimmt irgend etwas nicht, aber Sie verstehen schon...«

»Ich verstehe vollkommen, Herr Formann. Glauben Sie, mir geht es besser? Sexualschwäche, wie? Die ist der Grund von all dem!«

»Woher wissen Sie?«

»Bei mir ist auch Sexualschwäche der Grund.«

»Wofür?«

»Dafür, daß ich derartige Depressionen habe. Ich habe mir eingeredet – Idiot, der ich bin! –, die Depressionen kommen daher, daß wir schon in den kältesten Krieg hineinrodeln und ich bereits immer vom nächsten heißen Krieg träumen muß...«

»*Sie* träumen auch?«

»Natürlich. Und das ist das einzig Normale an mir. Das Unterbewußtsein arbeitet diesen Angstkomplex auf. Die einzige Hoffnung, die ich habe, daß es besser wird. Ursache: Sexualschwäche. Wie bei Ihnen, Herr Formann.«

»Wie bei mir.« Jakob nickte trübe. »Einst war ich ein so fröhlicher Mensch.«

»Ich auch! Erinnern Sie sich noch an Karlshorst? Gott, waren wir beide da fröhlich! Was, Herr Formann?«

»Ach ja«, sagte Jakob, immer trauriger. »Und noch vorher! Der Hase...«

»Welcher Hase?«

»Na, der, den ich so sehr liebe?«

»Sie lieben einen Hasen?«

Der Oberst erschrak.

»Ja! Und es gibt nur eine winzige kleine Chance für mich, ihn jemals wiederzubekommen. Trauerarbeit. In meinen Träumen.«

»Genau wie bei mir! Ich komme schon zu spät für die heutige Sitzung. Bleiben Sie in Washington? Dann melden Sie sich doch bitte. Kommen Sie einfach in die Botschaft. Mein Gott, waren das noch Zeiten, als wir zusammen nach Moskau geflogen sind. Zum Teufel, jetzt hätte ich ja fast das Wichtigste vergessen! Jurij Blaschenko braucht Sie ganz dringend. Er braucht Sie wie einen Bissen Brot. Sie werden uns doch nicht im Stich lassen, Herr Formann?«

»Worum handelt es sich denn?«

»Das muß Ihnen Blaschenko selber erzählen! Fliegen Sie sofort zu ihm – Sie haben eine ›Learstar‹, weiß ich, weiß ich – und helfen Sie ihm.«

»Ich habe wahnsinnig viel zu tun, lieber Major... Oberst...«

»Bitte, zwingen Sie mich doch nicht, zu veranlassen, daß Major Jelena Wanderowa nach Sibirien kommt – Ihretwegen! Die hat einen so schönen Posten an der Botschaft in Rom! Die Sonne! Die südliche Lebensart! Sie haben Jelena doch einmal geliebt – genau wie der arme Jurij, was?«

»Ja – hm.«

»Und das wollen Sie Ihrer Liebe antun? Hätte ich nie von Ihnen erwartet, Herr Formann. Eine so wunderbare Frau…«

»Hören Sie schon auf! Wer hat denn gesagt, daß ich nicht zu Blaschenko fliege?«

»Also Sie fliegen?«

»Natürlich. Wohin, bitte? Wenn Sie mir das freundlicherweise auch noch sagen würden, Herr Oberst!«

»Ach so, natürlich. Was für ein Wrack bin ich! Nach Rostow am Don. Das liegt…«

»Ich weiß, ich weiß.«

»Ich kann also Blaschenko mitteilen, daß Sie schnellstens kommen? Wenn Sie nicht kommen, muß ich jetzt ein Telegramm nach Rom schicken. Wegen Jelena. Sibirien hat ja auch seine landschaftlichen Schönheiten. Das Amurland… Aber… ob Sie ihr das antun wollen…«

»Herrgott, ich fliege, so schnell ich kann!« lärmte Jakob.

»Wunderbar, ich telegrafiere Jurij nach… *wohin* habe ich gesagt?«

»Rostow, Herr Oberst.«

»Da sehen Sie, wie es um mich steht. Rostow!« Assimow schlug Jakob krachend auf die Schulter und eilte bereits zu einem der fünf Lifte. Über die Schulter rief er zurück: »Auch Don Juanismus?«

»Auch, ja«, sagte Jakob bitter.

Die Tür des Aufzugs schloß sich hinter Oberst Assimow. Der Lift glitt summend nach oben.

»Das werden wir jetzt gleich einmal sehen, wie schwach mein Sex ist«, murmelte Jakob zwischen den Zähnen und schritt hinaus auf die Straße, wo der livrierte Chauffeur eines Rolls-Royce den Schlag aufriß und die Kappe zog. Inzwischen hatte Jakob einen zweiten Rolls-Royce erworben. Nur für Amerika. Er ließ sich in den Schlag fallen.

»Ins Hotel, Sir?« fragte der Fahrer.

»Ja. Nein, warten Sie!« Jakob fuhr herum. Im Hotel wartet die süße BAMBI. Die will ich jetzt nicht als Versuchskaninchen hernehmen. Mein Don Watkinismus geht sie nichts an! Jakob sagte: »Fahren Sie mich down-town. Wie spät ist es jetzt? Halb sieben? Sehr gut. Hundertsechsundzwanzig, Huston Street.«

33

Eine Stunde später, als Jill Bennet ihm mit Tränen in den Augen sagte, er sollte bitte, bitte aufhören, sie könne nicht mehr, fühlte Jakob sich ein bißchen besser.

Er saß auf dem Bett der platinblonden Jill, die fast so schöne Beine hatte wie BAMBI, rauchte eine Zigarette und sah über die Stadt und den Potomac-Fluß. Er sah auch eine Menge Peitschen und Handschellen und SS-Mützen im Zimmer.

Die durch Dr. Watkins von ihrem Frustrationssyndrom absolut geheilte Jill hatte ihn (nach einer rührenden Wiedersehensszene) flehentlich gebeten, ihr die Kleider vom Leib zu reißen, sich so eine Totenkopfmütze aufzusetzen und sie mit Handschellen ans Bett zu fesseln. (Auf diese Weise waren sie und der Senator doch geheilt worden – durch Tausch ihrer Rollen!) Jakob hatte sich empört geweigert.

»Du bist wohl verrückt? Nie und nimmer tue ich das!«

»Ich bin eine Verrätersau, eine kommunistische Agentin, eine…«

»Laß den Blödsinn, Jill!«

»Ich flehe dich an, Jake. Wenn du nur noch einen Funken Liebe für mich empfindest, dann beschimpfe und bedrohe mich, bis ich vor Angst fast ohnmächtig bin. Bitte, bitte, bitte.«

»Kommt überhaupt nicht in Frage.«

»Aber Doktor Watkins…«

»Eben. Von dem komme ich gerade. Ich muß etwas kontrollieren.«

»Was mußt du kontrollieren?«

»Meine Sexualschwäche. Los, leg dich hin und nimm das rechte Knie…«

»Oh… oh… Die Chinesische Schlittenfahrt!«

»Jawohl, die Chinesische Schlittenfahrt! Jetzt will ich doch wissen, ob ich die noch fertigbringe. Und ob du etwas hast davon!«

Er hatte es fertiggebracht. Sie hatte etwas gehabt davon! (Immer noch derselbe Dreckskerl von Nachbar, dachte Jakob. Haut schon wieder gegen die Wand, bloß weil Jill ein bißchen lärmt.) Ich weiß nicht, ist dieser Dr. Watkins vielleicht doch nicht so ein großer Mann? grübelte Jakob zuletzt. Er saß auf Jills Bett, rauchte eine Zigarette und betrachtete tiefsinnig den Potomac und die geschmackvollen Coca-Cola-Reklamen. Hinter sich hörte er ein langgezogenes Stöhnen. Dann spürte er Jills Hände. Dann ihre Lippen auf seinem Rücken. Dann bekam er viele heiße Küsse, den ganzen Rücken hinunter. Jill keuchte.

»Ist was?« fragte er und drückte die Zigarette aus, denn er bemerkte, daß – jedenfalls bei ihm – schon wieder etwas da war. »Hast du noch einen Wunsch, Liebste?«

Sie hatte beiläufig noch drei.

34

»Jetzt ins Hotel, Sir?« fragte Jakobs amerikanischer Chauffeur und riß die Tür des zweiten Rolls auf. Es war schon dunkel an diesem 7. Januar 1957.

»Jetzt ins Hotel, ja«, sagte Jakob.

Der Schlüssel seines Appartements (natürlich des schönsten und teuersten) hing nicht beim Portier. BAMBI, die Brave, erwartet mich. Wenn die nun auch noch Wünsche hat? Hat sie doch immer. Ach was, werden wir auch noch schaffen, dieser Dr. Watkins ist ein Trottel!

»Mister Formann! Mister Formann!« Einer der Portiers hatte ihm nachgerufen.

Schon fast im Lift, drehte er sich um.

»Gespräch für Sie! Transatlantik! München!«

»Legen Sie es aufs Appartement!«

»Verzeihen Sie, Sir! Aber darf ich Sie bitten, hier in der Halle, aus einer Zelle zu sprechen. Die Leitungen sind heute derart überlastet. Der Anrufer bemüht sich schon seit Stunden, wie er sagt. Wenn die Verbindung zusammenbricht…«

»Okay, okay.« Jakob betrat eine der vielen Telefonzellen im Hintergrund der Halle und nahm den Hörer ans Ohr. »Formann.«

»Sch…Sch…Schrei…Schreiber«, tönte eine bekannte Stimme an Jakobs Ohr. »E…Endlich haben wir Sie, Ch…Chef! G…Gott sei Dank. Hier sind a…alle am R…Rand des W…Wa…Wahnsinns.«

»Was ist denn passiert?«

»A…Also wir s…sind mit dem e…e…ersten T…Teil von DIE NAZIS SIND UNTER UNS seit d…drei Tagen auf dem M…Markt, Ch…Chef. Mei…meine sch…schlimmsten Be…Befürchtungen sind eingetroffen. So…So ma…machen Sie Ihren F…Feind, diesen Herresheim nie f…fertig, das habe ich Ihnen g…gleich gesagt! Je…Jetzt sitzen w…wir in der Sch…Scheiße.«

»Wieso?«

»Ich ha…habe den Ch…Chef der I…In…Inseratenabteilung n…neben mir. D…Der soll es I…Ihnen sagen. Ge…Geht schneller als b…bei mir. Ich überge…ge…gebe…«

Der Inseratenchef ließ seine Stimme ertönen: »Katastrophe, Herr Formann. Wir sind ruiniert, wenn wir nicht sofort…«

»Wieso ruiniert?«

»Vier unserer größten Stammkunden haben nach Erscheinen des ersten Teils angerufen.«

»Und?«

»Und alle dasselbe gesagt.«

»Was?«

»In der Bundesrepublik leben wir in einer idealen Demokratie, die wir uns selbst geschaffen haben. Es gibt hier keine Nazis. Wer so was behauptet, wird vom Osten gesteuert oder ist Kommunist! Seltsam, sehr seltsam, daß Sie so etwas in Ihrem Blatt dulden!«

»Was fällt Ihnen ein, Mann?« sagte Jakob, gefährlich leise. »Wie sprechen Sie mit mir?«

379

»Das sind nicht *meine* Worte, Herr Formann. Das sind die Worte unserer Inserenten. Unserer Großinserenten! Unserer größten Großinserenten! Diese Firmen haben nicht die Absicht, kommunistischer Verleumdung und Wühlarbeit Vorschub zu leisten. Wenn diese – ich zitiere jetzt wörtlich – Dreckserie nicht sofort abgebrochen wird, ziehen die Großunternehmen ihre wöchentlichen Inseratenaufträge zurück. Und zwar für immer. Wenn die ihre Drohung in die Tat umsetzen, können wir unsern Laden zumachen!«

»Also was?«

»Abbrechen, Herr Formann! Abbrechen! Das ist hier im ganzen Haus die Meinung! Bedenken Sie, wie viele Existenzen, auf dem Spiel stehen! Abbrechen auf der Stelle, wir hauen ein Stück Satz von der ersten Fortsetzung raus, und Schreiber schreibt, warum wir die Serie nicht fortsetzen...«

»Weil wir Schiß vor unseren Inserenten haben? Das soll er schreiben?«

»Das natürlich nicht, Herr Formann.«

»Was dann?«

»Was ganz Gerissenes. Dem Schreiber fällt bestimmt was ganz Gerissenes ein... Wie?... Schreiber sagt, es ist ihm schon eingefallen. Und zur Wiedergutmachung bringen wir jetzt eine Landser-Serie. IN DER HÖLLE DES BEWÄHRUNGS-BATAILLONS. Hat Schreiber schon vorbereitet, sagt er, als Sie ihm den Auftrag für die Anti-Naziserie gegeben haben. Wußte, was kommt. Nun können wir nur hoffen, daß wir die Großunternehmen damit versöhnen. Jedem einzelnen in den Arsch kriechen – das ist das einzig Senkrechte! Die Preise für die Inserate senken wir auch, um zu locken. So etwas darf uns nie wieder passieren. Herr Formann! Moment, Schreiber will Ihnen noch etwas sagen...«

Dann hörte Jakob Schreibers Stimme: »D... Da ha... haben Sie es gehö... hört, Ch... Chef!«

»Schon gut, Schreiber, immer noch feste rauf aufs Schlimme!«

»Da... Das wollte ich nicht, Ch... Chef. Ich ha... habe w... was anderes für S... Sie. A... Auch eine w... wahre Geschichte über N... Nazis, die j... jetzt wieder g... ganz oben sind.«

»Na also!« Jakob wurde hellwach.

»A... aber v... ver... verschlüsselt, Ch... Chef, v... verschlüsselt! Ka... Kann k... keiner der B... Be... Betroffenen, de... der sich angesprochen fühlt, wa... was machen! G... gar nichts! He... Herrlicher Fall. Ha... Habe ihn schon zum T... Teil geschrieben als R... Roman.«

»Nicht für OKAY?« Jakob war verwundert. »Hören Sie, Schreiber, Sie werden von *mir* bezahlt, Sie haben für *mich* zu schreiben! Ihre Romane gehen nicht! Dabei könnten Sie verhungern, das wissen Sie doch selbst am besten!«

»W... Wei... Weiß ich. Ei... Ei... Eines Tages we... werden sie g... gehen, auch die e... er... ersten. We... Wenn der da jetzt auch als B... Buch

nicht g… geht, m… m… meinetwegen Abdruck in OKAY. T… Titel ha…
habe ich auch schon.«
»Wie heißt er denn?«
»SKANDAL NINA B. Wird sich der W… We… Wehrwirtschaftsführer f…
freuen – und no… noch ganz andere hohe Tiere.«
»Den Vordruck *muß* ich haben, Schreiber! Ich bezahle Ihnen das Doppelte
für eine Folge!«
»Da… Das wäre denn ja w… wohl au… auch das M… Min… Mindeste.
L… Lä… Längst wieder ei… eine Ho… Ho… Honorarerhöhung fällig,
Ch… Chef. O… Ohne mich sind S… Sie d… doch aufgeschmissen!«
»Sie sind ein Erpresser… Aber schön, ich rufe Buchhaltung und Rechtsab-
teilung an, damit Ihr Vertrag geändert wird. Ich bin jetzt viel unterwegs.
Sie beginnen schon mit dem Abdruck!«
»Bu… Buch ist aber e… e… erst zu einem k… kn… knappen D… Drittel
fe… fertig, Ch… Chef!«
»Na und? Waren Ihre Serien je fertig, wenn wir mit dem Abdruck begon-
nen haben? Nie! Höchstens einen einzigen Teil haben Sie im voraus ge-
schrieben – einige Male, Sie faules Stück! Rein mit der NINA! Mit dem
Herresheim werde ich auf andere Weise fertig!«
»S… Sie ve… verrennen sich, Ch… Chef! Mi… Mit diesen a… alten
N… Nazis wird k… keiner fertig!«
»Jakob Formann schon!« sagte Jakob. »Falls ihr mich sucht – in den nächsten Tagen bin ich in Rostow, da in der Sowjetunion, am Don. Wenn was
Ernstes vorliegt, was ihr nicht allein entscheiden könnt, ruft dort das Kulturhaus an. Da werde ich hinterlassen, wo ich bin!« Jakobs Herz klopfte
plötzlich heftig. Das war wirklich ein prima Einfall, den ich da soeben gehabt habe! Blitzidee. Meine Blitzideen sind immer die besten.
»K… Kulturhaus von R… R… Ro… Rostow am D… Don ha… hat er
gesagt…«, hörte er Schreiber stammeln. Dieser informierte in München
offenbar die Umstehenden. »…Ü… Über… Übergeschnappt, der arme
Kerl…«.
Ach, wie ist es warm geworden, dachte Jakob beseligt, als er den Hörer niederlegte und die Zelle verließ. Ich habe doch einen Schutzengel, wahrhaftig! Daß mir gerade heute mein alter, zum Oberst beförderter Major Assimow über den Weg laufen muß! Und daß die Russen mich brauchen!…
Ich brauche auch was von den Russen!… Na warte, Herresheim, jetzt hat
deine Stunde geschlagen!
Mit dem Lift fuhr Jakob in sein Appartement empor.
Die Eingangstür war unversperrt. Ach, BAMBI, dachte er gerührt, du war-
test auf mich. Das ist Liebe! Wenn ich daran denke, wie der Hase mich behandelt hat in Düsseldorf… Jakob war ein bißchen durcheinander.
Er trat ein. Niemand war im Salon. Er ging weiter in das Schlafzimmer.
Da war jemand. Da waren sogar zwei. Die braunhaarige BAMBI und die

blonde Claudia Contessa della Cattacasa. Sie waren beide auf dem Bett, und er fand sie in einer Stellung und in einem Zustand, die zu beschreiben uns unmöglich ist, weil wir uns keinesfalls selbst in den Geruch zu bringen gedenken, pornographischerweise geschlechtliche Lust erregen zu wollen.

35

»O hallo, Herr Formann«, sagte die sehr jugendliche Claudia Contessa della Cattacasa zu dem sprachlosen Jakob. »Ist das eine Pistole in Ihrer Tasche, oder freuen Sie sich nur so, mich wiederzusehen?«

Währenddessen angelte die sehr jugendliche BAMBI ergebnislos nach der Decke, die vom Bett geglitten war. Sie lächelte Jakob an und sagte: »Das ist aber schön, daß du schon nach Hause kommst.«

»Ja wirklich«, sagte Claudia. »Jetzt wären wir drei.«

»Wie kommen Sie eigentlich nach Washington, Sie Luder?« erkundigte sich Jakob freundlich.

»Ein Gentleman sagt nicht Luder.«

»Ich bin kein Gentleman!«

»Würden aber gerne einer sein. Hätten Sie sonst mein Tantchen engagiert?«

»Wen?«

»Die Baronin Lardiac. Übrigens ist die gar nicht mein Tantchen.«

»Sie ist nicht…« Jakob erschauerte ob soviel jugendlicher Verderbtheit. Und aus einigen anderen Gründen.

»Nein«, sagte Claudia freundlich. »In keiner Weise. Wir sind nur immer so zusammen herumgezogen. Es war einfacher so. Du kannst du zu mir sagen, Jakob.«

Jakob schnappte nach Luft. Die Narbe pochte.

»Da können Sie lange warten, bis ich du zu Ihnen sage!«

»Gut.« Claudia räkelte sich. »Warten wir noch die drei Minuten.«

»Hören Sie, ich habe die Edle rausgeschmissen, das wissen Sie! Jetzt werde ich Sie rausschmeißen!«

»Das glaube ich nicht«, sagte Claudia freundlich und zeigte ihre Nase im besten Licht. »Ich weiß, daß du die Edle rausgeschmissen hast, ich war schließlich dabei. Du hingegen warst mit der süßen BAMBI beschäftigt. BAMBI ist wirklich süß – das habe ich damals sofort gesehen. Und du bist auch oho, Jakob! Habe ich auf Mahé auch gleich gesehen. Deutlich. Er ist doch oho, was, BAMBI?« Das Rehlein kicherte verschämt. »Ich habe doch kein Geld, Jakob! Du schmeißt die Edle raus. Ich stehe da, auf den Seychellen. Man muß leben, nicht wahr? Also habe ich der Edlen Geld geklaut und bin dir nachgeflogen. Weil du gefragt hast, wie ich nach Washington komme.«

Jakob mußte die Augen schließen.

Ein Radio neben dem Bett war eingeschaltet. Jakob hörte Musik.

»The wayward wind…«, sang Doris Day gerade.

Die Damen hatten es sich gemütlich gemacht. Jakob sah Fruchtschalen, Schokolade, Zigaretten und Champagner.

»Das hätte ich niemals von dir gedacht, BAMBI!« sagte Jakob in klagendem Ton. Die Empörung war ihm bereits vergangen. Diese Claudia hat aber auch eine zu aufregende… Ich muß mich endlich aufs Bett setzen mit meiner Pistole.

Die rehbraune BAMBI stellte sich – allerdings ohne jede Schwierigkeit – dumm und fragte: »Was hast du denn, Liebling? Ich war ßo allein… und mir war ßo… du verstehst schon… und da hat der Portier angerufen und gesagt, eine alte Bekannte von dir ist in der Halle, ob ßie heraufkommen darf. Sie war müde von dem weiten Flug und hat gebeten, baden zu dürfen. Das habe ich ihr natürlich erlaubt. Es wäre doch unhöflich gewesen, es ihr nicht zu erlauben – oder, Liebster? Dann habe ich auch gebadet. Ich bade jeden Tag ßweimal, das weißt du ja. Und das Weitere…«

»Ja? Und das Weitere?«

»…hat ßich dann halt ßo ergeben, Jakob. Ganz natürlich! Du bist doch nicht etwa böse auf deine kleine BAMBI? Da ist doch nichts dabei?«

»Natürlich ist er nicht böse, Süße«, sagte die Contessa und langte Jakob an. »Siehst du, daß er nicht böse ist? Nicht die Spur! Großer Gott, schau dir das an, nicht die Spur einer Spur!«

»Vielleicht willst du auch baden?« fragte BAMBI.

»Mit uns zusammen natürlich«, offerierte die Contessa.

»Wir ßeifen dich ein!« rief BAMBI und lachte wie ein unschuldiges Kind. Und so was hat deutschen Hausfrauen Tischwäsche angepriesen, dachte Jakob. Ich, ich kann einfach nichts dafür. »Ich kann einfach nichts dafür«, sagte er, leise keuchend, während beide Mädchen sich das nun ansahen.

»Du mußt dich doch nicht entschuldigen, Jakob«, sagte die Aristokratin. »Los, zieh dich schon aus!«

»Niemals!«

»Willst du mit dem schönen Anzug in die Wanne?«

»Ich will überhaupt nicht in die Wanne!«

Zwei Minuten später war er drin. Zusammen mit BAMBI und Claudia. Und wurde geseift und geschrubbt und geseift, daß…

»Nicht! Halt! Hört auf! Aufhören, sage ich! Sonst…«

»Ja, stimmt«, sagte die Contessa. »Und das wäre ein Jammer. Also zurück ins Bett, marsch!«

An die nächste Stunde bewahrte Jakob zeit seines Lebens die angenehmsten Erinnerungen. Nach dem, was er zu leisten vermochte, stand für ihn nun eisern fest: Und meine ersten Eindrücke sind doch immer richtig! Dieser Dr. Watkins ist ein aufgeblasener Idiot! Ein Trottel, dachte Jakob, während

er sich abwechselnd beiden Damen widmete, ein Trottel, der alles im Leben auf sexuelle Ursachen zurückführt – mit Ausnahme seiner eigenen Beschäftigung. Nie mehr gehe ich zu dem blöden Hund! Das viele Geld! Von wegen Sexualschwäche! Hier liege ich mit zwei Mädchen und tue dies und tue das und tue es schon seit einer Stunde, und die Mädchen schwimmen weg vor Entzücken und... Von einer Sekunde zur andern erstarrte er.
Die Stimme aus dem Radio...
Die Musik aus dem Radio...
Ogottogott...!
»Don't know why, there's no sun in the sky...«
Lena Horne. Das ist Lena Hornes Stimme!
»...since my man and I ain't together...«
Unser Lieblingslied!
Dem Hasen und mein Lieblingslied.
Der Hase! Der Hase! Verloren, verloren! Ich kriege den Hasen nie und nimmermehr. Jakob fühlte sich plötzlich schlapp und schlaff. Und so sah er auch aus.
»Was hast du denn? Warum hörst du denn plötzlich auf?« erkundigte sich BAMBI besorgt. »Hast du uns denn kein bißchen mehr lieb?«
»Es ist nicht an dem. Er kann nicht mehr«, konstatierte die Contessa, nachdem sie Jakob untersucht hatte wie ein Kassenarzt. »Aus. Schluß. That's the end, folks.«
»...it keeps raining all the time...«
»Entschuldigt, bitte... Das... das ist mir noch nie passiert!«
»Aber das macht doch nichts, Jakob!« sagte BAMBI.
»Nein, nein, das ist ganz anders, als ihr denkt! Das war einmal das Lieblingslied von einem Mädchen und mir, und das Mädchen habe ich verloren, und jetzt dieses Lied...«
»Jajaja«, sagte die kesse Contessa. »Setz dich da rüber und schau uns zu, Pappi.«
Pappi sagt das Luder zu mir, dachte Jakob, ganz schwach vor Wut und Kummer. Aber er setzte sich da rüber und sah zu. Und Lena Horne sang weiter ›Stormy Weather‹, und alles, was Jakob denken konnte, war: Hase! Hase! Hase!

36

»Also meinetwegen«, sagte Jakob vier Stunden später. Sie hatten inzwischen im Restaurant gegessen (In Amerika gab es für Jakob überhaupt keine Hemmungen beim Essen, die Amerikaner hatten einen so individuellen Stil, da konnte gar nichts passieren!) und saßen nun im Salon des Appartements. Die Damen tranken ›Dom Perignon‹, Jakob trank Coca-

Cola. »Also meinetwegen, du kannst bleiben, Claudia. Denn ich bin kein Unmensch. Ich helfe, wo ich kann.«

»Entschuldige, das war taktlos«, sagte Claudia. »Natürlich ist es nur das Lied gewesen, dieses verfluchte ›Stormy Weather‹. Mein Gott, mußt du diese Frau lieben...«

»Halt sofort den Mund, oder ich schmeiß dich doch noch raus!«

»Entschuldige, Jakob. Das habe ich doch voll Sehnsucht gesagt. Wenn mich doch einmal eine Frau so lieben könnte! Oder ein Mann, wenn es denn gar nicht anders geht. Die Höhe meines Gehalts festzusetzen überlasse ich dir, du bist doch ein Gentleman. Du mußt doch zugeben, daß zwei Mädchen einen Mann ungemein schmücken. Hast du alle die Kerle im Speisesaal gesehen? Denen sind ja die Augen aus dem Kopf gefallen. *Ein* Mädchen, na schön. Aber *zwei*! Da wird jeder neidisch!«

»Das ist ja auch einer der Gründe, warum ich dich engagiere, Claudia.«

»Und die anderen?«

»Es geht so nicht weiter mit mir.« Jakob seufzte.

»Aber natürlich geht es weiter! Paß auf, morgen bist du wieder wie neu!«

»Es geht nicht so weiter mit mir *gesellschaftlich*«, sagte Jakob erbittert.

»Bildung? Benehmen? Da hat mich heute ein Arzt auf eine Idee gebracht! Das bißchen, was man braucht, um als intellell zu gelten in den feinen Kreisen, das bringe ich mir *selber* bei. Pawlow! Bedingte Reflexe! Alle seine Hunde haben gesabbert, wenn's gebimmelt hat! Das kann ich auch! Ich werde auch sabbern! Das ist alles wissenschaftlich!«

»Wenn man das so genau wüßte«, sagte die Contessa.

»Mit der Erfindung von diesem Pawlow kann ich mir selber helfen bei Benimm und Bildung. Staunen werdet ihr, was ich von mir gebe!« Jakob wurde ernst. »Nur diese Scheißgesellschaft, die wirklich feine.«

»Was ist mit der?« fragte BAMBI, gleichfalls ängstlich geworden nach Jakobs Ausbruch.

»Na, die erkennt ihn nicht an, die lacht über ihn und macht sich lustig oder verachtet ihn«, sagte Claudia. »Stimmt doch, Jakob, nicht?« Der nickte düster. »Ich würde ja drauf scheißen – zuckt nicht so zusammen, wenn man eine Contessa ist, darf man scheißen sagen, da darf man noch ganz andere Sachen sagen –, aber Jakob will unbedingt von diesen Leuten geliebt werden. Ich habe ja nie verstanden, warum. Dabei hat er ein Schloß in Bayern!«

»Du hast ein...« BAMBI versagte die Stimme.

»Ja«, sagte er böse.

»Wo?«

»Da irgendwo am Starnberger See. Einen Riesenkasten in einem Riesenpark. Fünfzig Zimmer. Zwanzig Angestellte. Direkt am Wasser.«

»Und davon hast du mir nichts erzählt! Da hast du mich noch nie hingebracht?« BAMBI war erschüttert. »Mein Leben lang habe ich mir gewünscht, einmal in einem Schloß zu wohnen! Und du hast eines und nimmst mich nicht mit auf dein Schloß, sondern fliegst mit mir um die halbe Welt zu diesen blöden Seetsch… Seetsch… du weißt schon! Warum nicht auf dein Schloß?«

»Er ist nur selten dort«, sagte Claudia. »Es ist nicht fein genug für ihn.«

»Ein Schloß?«

»Wir haben es für ihn gekauft, weißt du, liebste BAMBI.«

»Wer wir?«

»Na, ich und die Edle. Gleich am Anfang, bald nachdem wir ihn kennengelernt haben. Ein Mann wie Jakob muß ein Schloß haben, das ist doch klar – oder?« BAMBI nickte entschlossen. »Also haben wir ihm eines ausgesucht, von einem verkrachten Aristokraten. Und dann haben wir ihm eine Menge Blaublütler geliefert, die da unten ein fröhliches Leben führen.«

»Ja, und? Die mag er nicht?«

»Nein, BAMBI. Es sind nämlich eben nicht die *ganz* Feinen, Edlen, die er sich so sehr wünscht.«

»Was für welche denn?«

»Na, solche wie mich und die Edle. Die laufen in Rudeln von einer großen Einladung zur andern! Haben tun sie einen Dreck, nur ihren Titel! Arbeiten können sie nicht, faul sind sie, degeneriert sind sie, verkommen sind sie!«

»Schau dir doch Claudia an«, sagte Jakob zu BAMBI.

Claudia war nicht im geringsten beleidigt.

»Ja, schau mich an, BAMBI! Wir – solche wie ich oder die Edle –, die haben ihr Vermögen verspielt oder verhurt oder versoffen – wirklich gut, der ›Dom Perignon‹, mach bitte noch eine Flasche auf, Jakob, Darling, also ich sterbe ja für ›Dom Perignon‹…! Wo war ich? Ach ja: Also diese ganze Blase kenne ich in- und auswendig. Solche wie mich und die Edle kann der Jakob so viele haben, wie er will – er will bloß mehr und Besseres. *Besseres*!«

Jakob kratzte sich den Kopf.

»Herrgott, aber ein Mann wie ich muß sich doch umgeben… umgeben, weißt du, Claudia…«

»Weiß schon. Kroppzeug wie mich schaffe ich dir ja auch ran! Die haben daraus einen richtigen Beruf gemacht! Schnorren, so sehr sie können. Wie ich! Bei allen und jedem. Sie können natürlich auch Kontakte zu den ganz guten Leuten herstellen.«

»Wer? Wer kann solche Kontakte herstellen?«

»Das ist nicht so einfach, weißt du, Jakob. Eines steht fest: Wenn du einen einzigen wirklich guten Namen für dich gewinnst, dann bist du drin. Dann glauben auch alle andern wirklich guten Leute, daß sie unbedingt zu dir kommen müssen – und regelmäßig! Und du wirst regelmäßig von ihnen eingeladen werden!«

»Claudia, du kennst doch Gott und die Welt! Kannst du mir nicht eine Einladung zu einem einzigen wirklich Guten verschaffen?«

»Das ist schwer.« Die Contessa wiegte den Kopf. »Verdammt schwer. Natürlich kann ich es versuchen. Aber das wird Zeit kosten. Du wirst Geduld haben müssen, Jakob.«

»Ich laß dir Zeit, ich fliege jetzt nach Rußland.«

»Wohin?« BAMBI fuhr auf.

»Geschäfte, liebes Kind. Willst du mitkommen?«

»Mitkom... o ja, ja, ja! Das wäre toll! Ich war noch nie in Rußland! Du bist doch nicht böse, Claudia?«

»Ach wo, Ihr kommt ja zurück. Und ich tue inzwischen, was ich kann. Versprechen... versprechen tu ich dir nichts. Diese Leute sind grauenhaft exklusiv!«

»Na schön. Aber wenn es klappt, dann irgendwas ganz Tolles! In einer ganz tollen Gegend! Santa Monica! Acapulco! Monte Carlo! Glaubst du... Mein Gott, Claudia, süße Claudia, daß du es schaffen wirst?«

»Ich denke schon«, versprach die süße Claudia.

»Wirst du uns nicht ßehr vermissen? Und eifersüchtig sein?« fragte die süße BAMBI.

»Eifersüchtig vielleicht. Aber das wird sich aushalten lassen. Es gibt ja auch noch andere, nicht wahr? Mein lieber Jakob, du mußt jetzt arbeiten, arbeiten, wenn du all das da willst, denn das alles kostet einen Haufen Geld, und ich will auch gut leben!«

»Was ist Geld? Laß dich umarmen, Claudia, laß dich küssen!« Er umarmte und küßte sie.

Bleich, undeutlich, schemenhaft und weit entfernt glaubte er dabei das Bild des Hasen zu sehen, der über diese so fürchterliche Veränderung des Bären todtraurig den Kopf hängen ließ.

Der Hase...

Ach was!

37

»Wie lange wird es dauern, bis das Werk gebaut ist, Jakob, mein Freund?« fragte der schwerblütige ehemalige Major Jurij Blaschenko, nunmehr einer der höchsten Beamten der höchsten Planungsstellen der UdSSR am Freitag, dem 11. Januar 1957. Die Sonne sank. Rot färbten sich die Wasser des Don.

»Jurij, das ist ein Riesenauftrag, den du mir da gibst! Mit vier, fünf Jahren mußt du schon rechnen!«

»In vier Jahren muß das Werk arbeiten, sonst schickt Chruschtschow mich nach Kasakstan zum Wüstenbewässern!«

»Wenn nicht er schon vorher dorthin verschickt worden ist, Jurij. Bei euch geht das so abrupt.«

»Nikita bleibt noch eine Weile. Jedenfalls länger als vier, fünf Jahre. Ich flehe dich an, Jakob, halte diese Frist ein. Wird das gehen?«

Jakob überlegte und sah, wie nicht nur das Wasser, sondern auch die Schiffe, die Häuser, Fabriken und Museen blutrot wurden im Abendsonnenschein.

»Wir werden uns verflucht anstrengen! Dann müßte es hinhauen!« Jakob neigte sich vor, nun kam er mit seiner Blitzidee. »Du mußt mir aber auch helfen, Jurij!«

»Was soll es denn sein, mein Alter?« Jetzt senkten sich schon die Schatten der Dämmerung über die Stadt am Strom, die Farben wechselten von Rot zu Violett und Grau und Gelb und Grün, und die ersten Sterne erschienen am Himmel, als Jakob seinem Freund Jurij erklärt hatte, was es denn sein sollte und warum. Es war eine ziemlich lange Erklärung.

»Wenn's weiter nichts ist, Jakob«, sagte Jurij Blaschenko zuletzt.

Nämlich:

Da gab es in dem großen Russenland eine Stelle (Vorsicht, es gibt sie noch immer!), in der ist belastendes Material über viele führende Politiker und Wirtschaftler der Bundesrepublik gesammelt – auch über solche, von denen man annehmen konnte, daß sie erst noch in führende Positionen aufsteigen würden –, und zwar über ihre Tätigkeiten im Nazi-Reich. Falls sie etwas Übles angestellt haben in Hitlers Reich, pflegt die Sowjetunion bei gegebenem Anlaß derlei Material über diese oder jene Persönlichkeit an die Bundesregierung zu senden. Und zugleich auch noch an ein paar andere Regierungen.

Jurij Blaschenko hatte sich Notizen gemacht, während Jakob sprach. Jetzt schüttelte er den Kopf. »Und der hat dich aufs Kreuz gelegt, Jakob? Mit dem wirst du nicht fertig? Du, der große Jakob Formann?«

»Jeder von uns hat seine schwachen Stellen, Jurij«, sagte Jakob.

38

Das Werk da bei Rostow wurde in einer Bauzeit von drei Jahren und zehn Monaten gebaut. Es war eine der ersten großen deutsch-sowjetischen Gemeinschaftsarbeiten in der schönen (und kurzen) Epoche des Tauwetters. Vor seiner Einweihung kam es allerdings fast zu einer Katastrophe, über die wir noch ausführlich berichten werden.

Während der Bauzeit erhielt Jakob dringende Bitten um Besuche aus Tokio, Warschau, Belgrad und Peking – jawohl, Sie haben richtig gelesen, auch aus Peking, Rotchina.

Jakob hatte nun eine große Verkehrsmaschine erworben.

Der Bau der Plastikfabrik bei Rostow ließ sich natürlich nicht geheimhalten. Polen, Japaner, Jugoslawen und Rotchinesen hörten davon. Sie alle brauchten Kunststoffe. Sie alle (besonders die Rotchinesen) brauchten auch noch Fertighäuser, denn ihre Menschen waren sehr arm, und viele Hunderttausende hatten kein Dach über dem Kopf. Jakob baute, lieferte und arbeitete für alle. Das waren die Jahre, in denen er unablässig von Land zu Land, von Kontinent zu Kontinent hetzte, in denen er sein Riesenimperium aufbaute.

Wegen seiner Aktivitäten in Rotchina sah Jakob sich erregten Protesten besonders in der amerikanischen Öffentlichkeit ausgesetzt. Die Sache kam sogar vor den Senat, ohne daß sein Freund, der liebe Senator Connelly, es verhindern konnte. An dessen Stelle sprang ihm Senator Wayne Morse bei, der sich heftig für Jakob und seine Projekte in der Volksrepublik China einsetzte und den Durchbruch mit einem Donnerruf vor vollbesetztem Haus erzielte, den wir hier wortwörtlich wiedergeben: »Handel mit Rotchina ist die einzige christliche Sache, die Amerika tun kann. Man kann den Glauben an Gott nicht mit einer Politik vereinbaren, die Menschen gelber Hautfarbe in Armut und Entbehrung halten will, weil sie nicht unsere politischen Auffassungen teilen!«

39

»Wir werden«, sagte Jakob an einem schönen Junitag des Jahres 1957, »bald Übermenschliches leisten müssen, liebe Freunde, das ist euch doch klar?«
Seine lieben Freunde nickten ernst. Es waren der Wenzel Prill, der Karl Jaschke und der fette Arnusch Franzl. Alle saßen, nur der Franzl stand. Er hatte seit längerer Zeit Schwierigkeiten beim Sitzen und stand gerne – sagte er jedenfalls.
Alle Abmagerungskuren blieben beim Franzl nur ganz kurze Zeit wirksam, und zwar deshalb, weil er sogleich nach ihrer Beendigung alles nachfraß, was er hatte entbehren müssen. Auch Hypnose und Akupunktur führten zu nichts bei ihm.
»Wir haben die moralische Pflicht«, sagte Jakob, »zu produzieren, soviel wir nur können, das ist klar. Unsere Produktionsstätten sind zu klein, wir müssen schnellstens größere, neue, bessere und vor allem mehr, viel, viel mehr bauen. Unsere Himmler-Eierfarm in Waldtrudering ist doch nur noch ein Witz! Frankfurt ist fast schon zu klein geworden. Wir müssen übersiedeln! Das Fertighaus-Zentrum in Murnau schafft es auch nicht mehr, das weißt du am besten, Karl. Meinetwegen bleibt dort wohnen wegen deiner Freundin in Garmisch-Partenkirchen, aber ich habe schon die Gelände für ein Werk bei München, eines bei Bremen und eines bei Nürnberg gekauft. Jakob Formann hat sehr viel Grund und Boden gekauft von

diesen verfluchten Hunden, die Grund und Boden besitzen und jetzt die Preise hinauftreiben wie die Irren.« (Er hatte es sich, wie wir uns erinnern, in letzter Zeit angewöhnt, von sich selber häufig in der dritten Person zu sprechen.) »Wozu braucht Jakob Formann soviel Grund und Boden? Weil er Siedlungen für seine Arbeiter und Angestellten rund um jedes Werk anlegen will. Hochhäuser, aber auch Häuschen mit Gärten, alles mit allem Komfort. Supermärkte. Kinos. Ärzte. Und so weiter, und so weiter. Jakob Formann denkt stets an alle, die für ihn schuften! Er hat eine beispielhafte soziale Einstellung! Das ist wahrer Sozialismus!«

»Du kannst ihnen auch noch japanische Seidentapeten und Klos aus Gold schenken, und sie werden doch ›dreckiger Ausbeuter‹ und ›Er tut's ja nur aus schlechtem Gewissen‹ sagen und auf dich scheißen«, sagte dazu der Arnusch Franzl, schnaufend an einer Hornbrille rückend, die er sich zugelegt hatte, um noch seriöser auszusehen.

»Du bist und bleibst ein Zyniker!« sagte Jakob mit Betonung und sah seine Stabsmannschaft erwartungsvoll an. In der Tat zeigten alle ein erfreutes Erstaunen darüber, daß er das Wort kannte.

»Wie es so geht im menschlichen Leben! Lehr mich die Menschen kennen«, brummte der Arnusch Franzl.

Die Zusammenkunft fand in der Bibliothek von Jakob Formanns Schloß am Starnberger See statt, das er seit einiger Zeit wieder ohne Hemmungen bewohnte, wenn er in der Nähe war. Die zentrale Verwaltung aller seiner Unternehmen befand sich in Frankfurt am Main. Jakob hatte seine ältesten und engsten Mitarbeiter über ein Wochenende zu Gast gebeten. Infolge der vielen neuen Freunde, die er hatte, wurde dieses Wochenende kein großer Erfolg.

So zum Beispiel gab es jetzt, mitten in der Besprechung, eine Unterbrechung von etwa zehn Minuten, weil Jakob einige neue Barone, Gräfinnen, Grafen und eine leibhaftige Hoheit begrüßen mußte. Die Herrschaften waren soeben eingetroffen. Das Schloß war seit langem voll mit Blaublütlern. Sie wohnten hier, sie aßen und tranken hier nach Herzenslust, sie benutzten Jakobs drei Motorboote für Rennen auf dem See und seine schönen großen Wagen für Freundschafts-Rallyes über besonders schwierige Strecken in den nahen Alpen. Sie hatten ununterbrochen ›neue hochinteressante Projekte‹ zu offerieren, die natürlich Geld kosteten. Jakob gab es ihnen. Aus den ›Projekten‹ wurde niemals etwas. Die meisten dieser Parasiten schnorrten Jakob an, ohne jede Hemmung und bar jeder Scham. Er spendete stets reichlich. Dafür durfte er die Erlauchten aber auch mit ›Du‹ anreden, und sie redeten ihn mit ›Du‹ an, denn wie ein österreichischer Fürst sagte: »Wir sind alle Menschen, keiner soll sich besser vorkommen als der andere. Du bist genauso wertvoll wie wir, auch wenn du aus der Hefe des Volkes kommst.«

Das hatte Jakob, als er es hörte, nur grimmig belustigen können.

Als er zu seinen ältesten und engsten Mitarbeitern in die Bibliothek zurückkehrte, sahen ihm die drei ernst entgegen.

»Was habt ihr denn? Warum schaut ihr mich so ernst an?« fragte Jakob.

»Wir haben gerade darüber gesprochen, wie sehr du dich verändert hast«, antwortete Fertighaus-Jaschke.

»Ich mich verändert? Lächerlich!«

»Leider gar nicht lächerlich«, sagte Wenzel Prill. Er sah elend aus vor Überarbeitung – neben seiner Tätigkeit als Leiter aller Rechtsabteilungen von Jakobs Betrieben und als unermüdlicher Jäger von Rothaarigen studierte der nunmehr zweiundvierzigjährige noch immer Jus an der Frankfurter Universität. Mit fünfzig, zweiundfünfzig Jahren konnte er hoffen, seinen Doktor zu machen. So spät erst, weil er sein Studium natürlich dauernd unterbrechen mußte. »Leider gar nicht lächerlich, Jakob«, wiederholte Wenzel beklommen. »Und *wie* du dich verändert hast! Du merkst es nicht. Wir merken es wohl. Und viele andere Leute leider auch. Okay, okay, wir werden dir natürlich weiter mit allen unseren Kräften zur Verfügung stehen, wenn du jetzt auch bereits wahnsinnig, ja lebensgefährlich übertreibst!«

»Wieso übertreibe ich?« fragte Jakob. Draußen brannte die Sonne, die Fenster standen offen, und man hörte das Aufschlagen von Bällen auf den beiden Tennisplätzen hinter dem Haus, Stimmen und Gelächter. Ab und zu raste auf dem See ein Motorboot vorbei. »Du bist Multimillionär. Mehr als ein Steak auf einmal kannst du nicht fressen«, sagte Karl Jaschke aus Murnau. »Mehr als mit einem Mädchen kannst auch du nicht auf einmal schlafen.«

»Hast du eine Ahnung!« rief Jakob stolz.

»Unterbrich mich nicht. In mehr als einen Rolls kannst du deinen Arsch zur gleichen Zeit nicht setzen! Auch nicht in zwei Flugzeuge zur gleichen Zeit! Auch nicht mehr als einen Anzug von Cardin kannst du auf einmal tragen.«

»Jajaja. Was soll das heißen, bitte?«

Jetzt war die Reihe wieder an Franzl Arnusch: »Das soll heißen, daß du furchtbare Fehler begehst.«

»Jakob Formann begeht keine furchtbaren Fehler.«

Und das Ping und Pong und Ping und Pong von den Tennisplätzen.

»Du begehst drei furchtbare Fehler, mein Bester«, sagte der Arnusch Franzl. »Wir haben gerade über sie gesprochen. Der erste ist, daß du dein Imperium immer weiter vergrößerst, anstatt es zu sichern. Das ist gegen jede unternehmerische Vernunft. Wie es so geht im menschlichen Leben.«

»Blödsinn«, konterte Jakob, lachend zu den erlauchten Bildern der Ahnen aufsehend, die nicht die seinen waren. »Das ist das erste Gesetz jedes Unternehmers! Expandieren! Expandieren! Es tut mir leid, daß ich das ausgerechnet dem Chef des Rechnungswesens meiner Gesellschaften sagen muß! Ich weiß schon, was ich tue. Erlegt euch keinen Zwang auf! Und nun, bitte, den zweiten ›furchtbaren Fehler‹«, sagte Jakob ironisch. »Also bitte!«

»Schön, also zweitens: Du bist bereits soweit, alle anderen Menschen für blöd zu halten«, sagte Wenzel anklagend.

»Na, das sind sie doch auch!«

»Wenn alle Menschen blöd sind, dann bist du es auch. Das ginge noch. Lebensgefährlich wird es, wenn du davon überzeugt bist, der einzig Gescheite zu sein.«

»Ich habe ja euch zur Seite!« Jakob wurde grob. »Wenn es wirklich mal lebensgefährlich wird, entschärft ihr die Lage. Ihr seid nicht blödsinnig. Sonst hätte ich euch nicht engagiert.«

»Sehr liebenswürdig«, sagte Karl Jaschke leise.

»War doch nicht bös gemeint!« Jakob haute ihm auf die Schulter. »Aber wenn ihr schon damit angefangen habt, dann will ich auch wissen, welchem dritten ›furchtbaren Fehler‹ ich im Laufe meiner so entsetzlich verfehlten Entwicklung verfallen bin.«

»Du willst unbedingt in diese beschissene High Society«, sagte Wenzel, und er sprach, als hielte er bereits die Grabrede für Jakob. »Du willst, daß die Großen – nebbich – dieser Welt dich achten und lieben und fürchten – fürchten, ja, das kommt auch noch, warte nur ein Weilchen – und dich anerkennen als ihresgleichen. Nicht das Gesocks hier. Nein, das genügt dir nicht! Es müssen ganz feine Grafen und Fürsten sein und ganz gediegene Millionäre und Rothschilds und Rockefellers und Agnellis! Erst wenn du in ihre Welt eingebrochen bist, wirst du zufrieden sein! Wenn diese Großen nicht mehr hinter deinem Rücken über dich lachen werden – oder dir sogar mitten ins Gesicht!«

»Ihr habt ja Kompott im Hirn!« antwortete Jakob mit ärgerlich erhobener Stimme. »Ich scheiße auf diese ganzen Idioten! Es ist mir doch völlig egal, ob sie über mich lachen oder nicht! Also, da irrt ihr euch aber gewaltig, wenn ihr glaubt, daß ich mich nach Anerkennung durch dieses Pack sehne...«

»Nun beruhige dich, Jakob«, sagte Wenzel. »Wir meinen es doch nur gut mit dir! Wir machen uns doch nur Sorgen um dich!«

»Um mich braucht ihr euch keine Sorgen zu machen!« rief Jakob. »Um euch, um euch könnt ihr euch meinetwegen Sorgen machen! Und mit Recht! Daß ihr so lange mit mir zusammenarbeitet, ist noch keine Lebensversicherung, kapiert?« Er erschrak heftig über sich selbst, wechselte die Farbe und stammelte: »Das habe ich nicht so gemeint... Das ist mir nur so herausgerutscht... Meine alten Freunde! Meine besten Freunde! Die mit mir im Dreck angefangen haben! Mit nichts! Niemals würde ich einen von euch fallenlassen, niemals!«

Die drei saßen reglos.

»So sagt doch was!«

»Klar«, sagte Wenzel endlich, und die anderen nickten. »Du hast das in deiner Wut gesagt, wie ein unartiges Kind. Aber bald wirst du es nicht nur in Wut sagen und wie ein Kind, sondern du wirst es wirklich glauben!«

»Das werde ich nie! Natürlich habe ich viele fröhliche Huren hier und Burschen, die sich damit brüsten, keinen Verstand zu haben! Aber gönnt ihr mir nicht das Recht auf ein wenig Spaß? Wenn ich schon so schwer schufte? Schaut doch euch an! Ihr habt doch auch jeder was! Der Wenzel seine Rothaarigen! Der Jaschke seine Süße in Garmisch! Der Franzl sein Fressen! Und ich darf nichts haben, womit ich mich amüsiere, worüber ich lachen kann? Ich weiß doch genau, was ich von diesen Kaschperln zu halten habe! Ich leiste mir eben mein Kaschperltheater! Aber ich nehme es doch nicht im Traum ernst!« Das Telefon, das vor ihm stand, läutete. Jakob hob ab.

»Ferngespräch, Herr Formann«, sagte ein Mädchen in der Telefonzentrale des Schlosses. (Drei Mädchen taten da Dienst rund um die Uhr.) »Comtesse della Cattacasa verlangt Sie. Aus Cannes.«

»Bitte, verbinden Sie, liebe Anni.« Jakob sagte zu seinen Freunden: »Nur einen Moment. Das ist Claudia … Claudia? … Ja, ich bin's, dein Jakob …«

An dieser Stelle sagte Karl Jaschke laut und vernehmlich: »Verflucht, sprach Max und schiß sich in die Hose.« Aber keiner lachte. Alle hörten, was Jakob nun am Telefon sagte.

Dies:

»Nein, ich bin nicht mehr in Tokio! Tut mir leid, daß du es dort versucht hast … Was gibt's denn? … Was hast du geschafft? … Was? … Verdammt noch mal, gerade jetzt, wo ich soviel zu tun habe! Und soviel im Kopf! … Ja, ja, ja, ich weiß, ich habe dich darum gebeten, aber so wichtig ist das nun auch wieder nicht gewesen, mein liebes Kind … Natürlich ist mir bekannt, daß der Mann einer der drei größten Reeder Englands ist! Na wenn schon! Ich bin auch wer! … Wie? … Klar, man kann nicht mehr gut absagen, wenn er uns schon eine Einladung geschickt hat … Hm, hm, hm … Nein, so habe ich es nicht gemeint, Claudia! Ich bin dir auch sehr, sehr dankbar für deine Bemühungen! Aber gerade jetzt … Es soll bloß nicht der Eindruck entstehen, daß ich mich aus lauter Geltungssucht darum reiße, verstehst du? … Klar, es ist eine Sache der Höflichkeit! Also meinetwegen, werden wir halt hingehen … Wo ist das? Saint-Jean-Cap-Ferrat? … Selbstverständlich weiß ich, wo Saint-Jean-Cap-Ferrat liegt, liebes Kind, ich komme ja nicht gerade aus dem Kohlenkeller, wie? … Natürlich Tenue de soirée … Ja, kauf dir neue Kleider … Nein, da nicht! Bei Emilio in Rom! … Was? BAMBI ist auch eingeladen? Tck! Wieso BAMBI? Wird das gutgehen? Ich meine: Wird BAMBI nicht aus dem Rahmen fallen? … Na schön, wenn du meinst, Claudia … Also kleidest du auch BAMBI neu ein … Ach, wenn wir schon dabei sind: Mit euerm Schmuck könnt ihr da natürlich nicht hingehen in meiner

393

Gesellschaft. Diesen Schmuck hat man schon zu oft gesehen... Neuen, natürlich neuen!... Ja, geh zu ›Cartier‹! Und nimm BAMBI mit!... Werde ich sie dir halt noch heute mit einer ›Learstar‹ nach Cannes schicken... Das weiß ich, daß sie in Nizza landen muß... Du hast doch den Mercedes Sport, den ich dir zum Geburtstag geschenkt habe, unten... oder?... Gut, dann hol BAMBI ab... Ach ja, wo bist du abgestiegen?... Natürlich, Hotel MAJESTIC... Am fünfundzwanzigsten ist die Gala? Da habe ich ja noch elf Tage Zeit... Da kann ich noch in Ruhe nach Peking fliegen!... Wie viele Gäste? ...Zweiundachtzig? Großer Gott, ein Gedränge wird das werden... Tja, Claudia... ich muß jetzt Schluß machen. Ich habe eine wichtige Besprechung. In einer Stunde rufe ich dich an! Ciao, Claudia, Ciao...«

Jakob ließ den Hörer fallen.

Er saß da, als sei er im Sitzen gestorben. Mit einem idiotischen Lächeln des Triumphes auf den Lippen. Seine Freunde hatten sich, während er sprach, erhoben und waren in der Bibliothek auf und ab gegangen. Sie standen nun neben ihm, der langsam wieder zum Leben erwachte.

Jakobs Lächeln verschwand. Ernst und gefaßt wurde sein Gesichtsausdruck.

»Verzeiht die blöde Störung«, sagte er. »Ich bin da bei Sir Alexander Mills eingeladen. Auch noch alle diese Einladungen! Und all das Gequatsche mit all diesen Hocharistokraten und berühmten Schriftstellern und Malern und Bankiers... Als ob man nicht schon genug zu tun hätte!«

Das einzige, was er nicht beherrschen konnte, waren seine Hände. Die zitterten. Seine Freunde sahen es wohl. Über Jakob Formanns Kopf hinweg blickten sie einander sorgenvoll an.

40

Jakob Formann war vollkommen verzweifelt.

Sein Rolls-Royce, den er nach Cannes hatte fahren lassen, war nicht in Bewegung zu setzen. Der Verteiler sei im Eimer, sagte ihm Otto, einer der drei Chauffeure, die er mittlerweile beschäftigte.

»Tut mir leid, Jakob, aber da ist nichts zu machen. Bis ein Mechaniker aus London kommt und das Zeug repariert, vergehen zehn Tage. Es gibt aber in der Rue d'Antibes eine Großgarage, da kann man alle Arten von Luxusautos leihen.«

»Leihen!« sagte Jakob im Salon seiner Suite im Hotel MAJESTIC dumpf. »Bist du wahnsinnig geworden, Otto? Willst du mich ruinieren? Ich kann doch nicht mit einem geliehenen Rolls nach Saint-Jean-Cap-Ferrat fahren!«

Natürlich. Gerade am fünfundzwanzigsten, dem Tag der Gala, die Sir Alexander gab, mußte der verfluchte Rolls kaputt sein.

»Nehmen wir eben den großen Merßedes«, sagte BAMBI. »Den hast du doch auch herkommen lassen, Jakob. Herr Emil hat ihn gefahren.«

»Mercedes? Wie stellst du dir das vor, BAMBI? Ich kann doch unmöglich mit einem Mercedes vorfahren! Die glauben ja, ich stehe vor der Pleite!« So ging das stundenlang. Am Ende waren es dann doch Otto Radtke und der Mercedes. Nichts zu machen.

Sie fuhren von Cannes nach Nizza. Saint-Jean-Cap-Ferrat liegt zwischen Nizza und Villefranche-sur-Mer. Es war ein heißer Sommerabend. Im Wagen war es angenehm kühl. Otto trug eine etwas übertriebene Uniform. Er sah aus wie ein Operettengeneral. Und die beiden Damen, die mit Jakob fuhren, sahen erst aus! Also schöner konnten Damen nicht aussehen! Die braune BAMBI trug ein hautenges, direkt auf ihren Körper gearbeitetes Kleid aus einem goldenen Glitzerstoff, sie hatte es von Emilio Schubert, und auch gesagt, wie der Stoff hieß, aber Jakob hatte es vergessen. Dazu Schuhe, die wie aus Gold gemacht aussahen. Und nur Rubinschmuck – rot, rot, rot! Der Riesenring, die Ohrringe, die Handgelenk-Geschmeide, das Collier. BAMBI saß neben Otto vorne. Sie sagte zu wiederholten Malen: »Der Wahlspruch von uns Mannequins ist: Man muß ßein Bestes geben. Ich werde mein Bestes geben, ßeid ganz beruhigt.«

Otto antwortete jedesmal, daß er ganz beruhigt sei.

Jakob hingegen war nervös. Trotz der drei Beruhigungstabletten. Jakob schwitzte in seinem weißen Smoking, an dessen linkem Revers die Spangen von allerlei hübschen Orden und Ehrenzeichen prangten. Rot war die Fliege, das Smokinghemd vielfach gefältelt, die Manschetten hatten richtige Rüschen. Die glänzenden Lackslipper kniffen die in schwarzen Seidensocken steckenden Füße.

Sie fuhren am abendlichen Mittelmeer vorbei.

»Das Mittelmeer kennt weder Ebbe noch Flut«, dozierte Jakob. O ja, er hatte sich informiert. Er war gewappnet. Für jede Art von Konversation! Da hatte er seit seinem Besuch bei dem Psychoanalytiker Dr. Watkins an sich selbst gearbeitet, hart und unablässig. Claudia hatte ihm geholfen. Noch in Cannes war sie mit ihm das ganze Alphabet durchgegangen. Für jeden der vierundzwanzig Buchstaben kannte Jakob eine Anzahl von Begriffen oder Wörtern, mit deren Hilfe er seine Meinung zu den verschiedensten Themen (eigentlich zu beinahe allen denkbaren!) in Formulierungen äußern konnte, ähnlich der über Wagner und Meyerbeer, die ihm Dr. Watkins als Beispiel gegeben hatte.

Claudia, die blonde Contessa della Cattacasa, saß neben ihm. Sie trug ein Abendkleid aus hellblauem Chiffon, raffiniert gerafft. Dazu war sie behängt mit einer Ladung Saphirschmuck – auch eine ganze Garnitur. Im Mercedes roch es wie in einer Parfümerie, die ausschließlich ›Jean Patou‹-Parfums vertrieb.

Beide Damen zeigten bloße Schultern und erregende Dekolletés.

Otto bog nun rechts ab.

Saint-Jean-Cap-Ferrat: 1,5 km, stand auf einer Tafel.

Der Mercedes rollte auf die kleine Halbinsel hinaus.

»Dies«, gab Jakob bekannt, »war einmal ein Fischerdorf. Nun hat es sich zu einem Paradies der Reichsten der Reichen entwickelt – in der Mitte der Ostküste. Wer hier wohnt, kann sich sowohl in Nizza wie in Cannes wie in Monte Carlo vergnügen. Ein Kleinod.«

»Wie die Seetschellen?« fragte BAMBI.

»Wie die Seychellen, mein liebes Kind.«

»Wir ßollten auch hier ein Haus haben«, meinte BAMBI.

»Werden wir, werden wir«, murmelte Jakob, seine schweißnassen Hände reibend, verzweifelt immer wieder die Hasenpfote in der Smokingtasche pressend. »Vergiß nicht, BAMBI, du hast mir versprochen, schön zu sein und den Mund zu halten!«

»Willst du damit vielleicht ßagen, daß ich doof bin?« BAMBI regte sich auf.

»Um Himmels willen! Nur, du bist so schön... so schön... Die schönen Frauen sprechen kaum. Sie lächeln nur geheimnisvoll.«

»Sso?« fragte BAMBI und gab eine Kostprobe.

»Genau so, mein liebes Kind!«

»Wenn ich das nicht kann! Jahrelang habe ich das trainiert bei den Fotografen!« BAMBI war wieder besänftigt. Jakob warf Claudia einen Blick zu. Diese nickte dem Erschöpften aufmunternd zu. Ihr Blick sagte: Mut, nur Mut, es wird schon schiefgehen.

Wenn man etwas verschreit...

41

Natürlich war es noch zu früh.

»Man kommt nicht zu früh«, sagte die Contessa. »Zu spät ja, aber nicht zu früh. Das ist nicht fein. Wir müssen noch ein bißchen herumfahren, Otto. Zuerst zur Midi-Plage.« Claudia kannte sich hier aus. Sie sprachen alle Englisch miteinander, ganz blödsinnig, denn sie alle konnten deutsch. Mit Französisch war das so eine Sache. Jakob sprach es jetzt halbwegs, Claudia natürlich fließend, BAMBI kein Wort, Otto etwa so gut wie Jakob. Claudia hatte gesagt, daß hier unten jeder zweite Englisch verstehe und spreche. Ja, und was macht man mit jedem ersten?

Otto hatte den Mittelpunkt des Ortes, die Place Clemenceau, erreicht und bog nun, wie Claudia ihn geheißen hatte, zur Midi-Plage nach links ab. Rot färbte die sinkende Sonne das Meer. (Genauso rot wie den Don bei Rostow, dachte Jakob. Bei Rostow tut sie das freilich mit viel mehr Berechtigung! Wagner kann ich nur folgen, solange er von Meyerbeer beeinflußt ist.)

»Immer noch zu früh«, sagte Claudia. »Otto, fahren Sie jetzt zum kleinen Hafen und zur Kirche.«

»Jawohl, Frau Gräfin.«

Schließlich war es an der Zeit. Die Halbinsel bevölkerte sich mit Rolls-Royces, Bentleys, Cadillacs. Und ich mit meinem Mercedes, dachte Jakob voll Bitterkeit. In der Erde würde ich am liebsten versinken.

»So, Otto, nun können wir«, sagte Claudia. (Sie waren am Badestrand Anse de la Scalette angekommen. Die Straße folgte ihm eine Weile, dann führte sie in Kurven zur Spitze der Halbinsel. Da oben sah Jakob einen alten Wachtturm, eine Kapelle, einen Friedhof und eine riesige Statue.)

»Die Statue ist aus Bronze, die Madonna von Galbusieri«, gab Claudia bekannt, die seinen Blicken gefolgt war.

Verflucht, Galbusieri, dachte Jakob. Nie gehört. Da geht kein Sabbern. Nix. Hoffentlich kommt nicht die Rede auf diesen Galsowieso.

Zu seiner Überraschung hielt Otto plötzlich.

»Was ist los?«

»Wir sind da, Jakob.«

»Das gehört schon Sir Alexander?«

»Das gehört schon Sir Alexander«, sagte Claudia, kühl bis ans Herz hinan. »Rund um die ganze Inselspitze. Habe ich dir doch gesagt, Jakob. Ein ungeheurer Besitz, du wirst sehen.«

Otto war ausgestiegen, öffnete die vordere und die hintere Wagentür und war den Herrschaften beim Aussteigen behilflich.

Jakob hatte weiche Knie.

Er stand auf einem Parkplatz, der so groß war wie ein halbes Fußballfeld. Weißer Schotter. Ein Wagen nach dem andern kam angeglitten. Hielt. Chauffeure oder Diener rissen Schläge auf. Jakob sah gebannt, was da so alles aus den Wagen quoll – Herren mit Silberhaar oder ganz ohne, Damen sehr jung, sehr alt, allesamt unirdisch kostbar gekleidet, mit so viel Schmuck behängt, daß es Jakob schwindlig wurde. Zum Glück sind meine Sachen von ›Cartier‹ auch nicht ohne, dachte er. Mies... so mies sind viele von den Weibern! Je mieser, um so mehr Klunker. Donnerwetter, aber da gibt es ja auch einen Haufen junge Dinger, bei deren Anblick wird dir gleich freundlich in der Hose, da muß ich an den idiotischen Dr. Watkins und meine angebliche Sexualschwäche denken! Junge, Junge, sind das Puppen! Ganz Hollywood. Aber nicht auf Tinnef, sondern echt.

Jakob sah, daß sehr viele der Ankommenden einander kannten, sich umarmten, auf beide Wangen küßten. Tja, und ich gehöre jetzt auch dazu, sinnierte er benommen. Wer hätte das gedacht vor zehn Jahren, als ich noch Civilian Guard am Fliegerhorst Hörsching war, ein armer Hund in einer gefärbten Ami-Uniform und mit durchgelatschten Schuhen! Als ich noch bei der Pröschl-Bäuerin lebte mit dem Hasen...

Dem Hasen! durchschoß es ihn siedend heiß.

Ach was, dachte er sofort trotzig. Du solltest mich jetzt sehen, Hase, mich und meine beiden Schönen, hier bei der Welt zu Gast, und du mit deinem Kleiderladen und deinem Strizzi, diesem Schmierenkomödianten. Na ja, du hast ja nicht mir mir kommen wollen, damals in Düsseldorf. Warst böse auf mich. Hast meine Liebe nicht haben wollen. Wer nicht will, der hat schon.

Gott, was ich mich wegen dem Mercedes geniere!

Jakob war sofort mit seinen Begleiterinnen von dem Wagen fortgeeilt, so weit es ging. Da stand der Mercedes nun, erbärmlich hineingequetscht zwischen zwei Rolls-Royces. Dabei habe ich auch zwei solche, dachte Jakob, und der Schmerz ließ seine Lider flattern. Was denn, zwei Rolls? Auch eine ›Superconstellation‹ habe ich und zwei ›Learstars‹! In einer ›Learstar‹ hätte ich kommen müssen, da ist Platz für vierzehn Gäste, bequem. Das wäre standesgemäß gewesen. Nur daß man auf so einem verfluchten Autoparkplatz nicht landen kann. Zum Kotzen. Man hat und hat und kann's nicht zeigen! Reden darf man auch nicht darüber, sonst glauben die hier, ich bin ein Neureicher, der nur angibt.

Leger, Jakob, vornehm, Jakob, lässig, Jakob!

Okay.

Gehen wir also leger, vornehm und lässig auf das geöffnete Tor zum Park, meine Schönen und ich, als Gleiche unter Gleichen. (Ich habe dafür gesorgt, daß mich im Laufe des Abends ein paar Leute anrufen werden, weil es ganz dringend ist – aus Tokio und Washington und aus Belgrad und... und...)

Jakob schritt, rechts eine Beauty, links eine Beauty, in den Park hinein.

Er schritt zwölf Minuten.

Wirklich und wahrhaftig zwölf Minuten.

Was für ein Park, lieber Gott!

Der weiße Kiesweg, auf dem vor und hinter Jakob und seinen zwei Hübschen nun sehr viele andere Gäste wandelten, war zu beiden Seiten gesäumt mit riesigen Palmen, Kiefern, Eukalyptus-, Zitronen- und Orangenbäumen. Im letzten Tageslicht sah Jakob mächtige Blumenbeete, kunstvoll angelegt, sah er Rosen, Mimosen, Oleander. Sah er Marmorstatuen, Marmorbänke, Pavillons und helle Lichtungen, auf denen weiße Gartenmöbel standen. Doch nicht nur phantastische Bäume säumten den langen Weg. Da stand auch eine nicht zu zählende Schar von Dienern. Reglos. Schwarze Hosen, weiße Jacketts, weiße Fliegen, weiße Handschuhe. Ungeheuer nonchalant paradierte eine große Anzahl von Herren, die alle aussahen wie erstklassige Ringer. Sie trugen erstklassige Smokings. Nur unter den Achseln waren sie seltsam ausgebeult. Schulterhalfter! Pistolen! durchzuckte es Jakob. Donnerwetter, und so eine Masse! Leibwächter hat Sir Alexander also für sich und seine Gäste, Gorillas! Mit denen möchte nicht mal ich mich anlegen, und ich bin doch weiß Gott kein Schwächling.

Der Kiesweg machte eine Biegung, Jakob sah plötzlich das Meer. Rund um das Cap lagen sieben Polizeiboote. Ab und zu blinkten sie einander Lichtsignale zu. Jakob erschauerte. Das alles gab es! Na ja, bei dem Schmuck, der sich hier versammelte... Und dann auch noch die Herren mit den Sprechfunkgeräten, da im Hintergrund, dezent verteilt! Ich, ich würde ja so was ablehnen. Niemals Leibwächter für mich! Aber für meine Gäste! Jakob überlegte: Sir Alexander ist gewiß auch kein Feigling, der kann sich gewiß auch selbst verteidigen. Das alles hier geschieht nur zum Heil und Segen seiner Gäste. Dann muß ich mir so was natürlich auch zulegen, so eine Gorilla-Truppe – für *meine* Gäste!

Wieder eine Biegung des Wegs. Und da verschlug es Jakob derart den Atem, daß er nach Luft schnappte. Da stand das Haus, Sir Alexanders Haus. Marmor, Marmor, Marmor, Säulen, Säulen, Säulen. Angestrahlt von im Gras verborgenen Scheinwerfern. Eine monströse Terrasse. Seitenflügel, niedriger, aber so lang, daß sie sich in der Dunkelheit des Parks verloren.

Auf der Woge der Großen, Schönen und Reichen, die nun auch ihn und seine Begleiterinnen trug, wurde Jakob hochgeschwemmt bis zur Terrasse. Plötzlich standen Sir Alexander und Lady Jane vor ihm, er ein braungebrannter, breitschultriger Riese mit blitzenden blauen Augen, sie eine herbe Schönheit mit silbern gefärbtem Haar.

»Mister Formann«, sprach der Gastgeber in bestem King's English, »wie freue ich mich!«

»Sie wissen, wer ich...« Jakob stoppte gerade noch rechtzeitig. Natürlich weiß der. Er hat genug Bilder von mir gesehen. Und außerdem steht so ein Ausgebeulter halb hinter ihm und flüstert ihm dauernd was ins Ohr, wahrscheinlich die Namen der Leute, die da ankommen!

»Die Freude ist ganz auf meiner...« Jetzt kam der ganze Quatsch. Achtgeben! Wie hat die Edle mir das beigebracht? Zuerst der Lady die Hand küssen. Nicht den Rücken zu tief krümmen, sie muß mit der Hand etwas hochkommen. Sie kommt. Sie lächelt. Angedeuteter Handkuß. Kurzer, markiger Händedruck mit Sir Alexander. Darf ich bekanntmachen... Jetzt die zwei Mädchen. Ja, so ist es richtig. BAMBI benimmt sich wie eine Fürstin!

Und gar erst Claudia. Die küßt die Lady und den Sir und wird wiedergeküßt.

Alex... Jane... Claudia.

Natürlich, die kennen sich. Claudia hat das ja auch nur deshalb einfädeln können. Die hat so was schon hundertmal, tausendmal mitgemacht. Für die ist das ein Honiglecken. Ein kleines Scherzwort. Ein kleines Lachen. Und schon geht es weiter, denn neue Große, Berühmte, Gewaltige drängen nach.

Wollen wir uns das einen Moment anschauen, bevor wir uns zwanglos, ganz zwanglos über die Terrasse auf die von Flutlicht übergossenen englischen Rasenflächen begeben, wo schon viele Erlauchte herumstehen, plaudernd, rauchend, trinkend, denn Rudel von Dienern (weiße Jacke, weiße Handschuhe, alle!) eilen mit Silbertabletts voller Gläser herum und offerieren, was das Herz begehrt. Dazu – großer Gott, jetzt sehe ich es erst! – in der Ecke einer erhöhten Tanzfläche, die in wechselnden Farben angestrahlt wird, eine Kapelle – mindestens ein Dutzend Mann, mit Flügel und allem –, die leise und unaufdringlich sanfte Musik spielt.

Was ist das?

›Donau, so blau, so blau‹ ist das. Phantastisch. Und was für Namen…
…Prince et Princesse di Carano… Le Grand-Duc de Cottalény… Son Excellence, le Ministre d'Etat José de Santis et Madame… Monsieur le Président Directeur Général de la… Seine Exzellenz, der Außerordentliche und Bevollmächtigte Minister… Son Altesse… La Marquise de… Le Consul Général de… Comte et Comtesse de… Seine Durchlaucht… Franzosen… Engländer… Tunesier… Scheichs aus Arabien… deutsche Edelleute, bestimmt direkt von jenem Friedrich Lobesam abstammend… Präsidenten der größten amerikanischen Banken, der größten französischen Banken… die größten Nobelpreisträger für Literatur… die größten Filmstars… die größten Maler… die größten Komponisten… die größten Dirigenten… DIE GRÖSSTEN! Ein Diener trat an Jakob und seine schönen Begleiterinnen heran, das Silbertablett voll herrlicher Gläser. Die Damen akzeptierten Champagner. Jakob brauchte etwas Kräftigeres. Whisky!

Na was denn, ich werde doch noch einen Whisky vertragen! Schließlich bin ich ja auch weltberühmt. Können wir ruhig einen Schluck trinken, einen großen, bevor das Sich-Vorstellen und das mit Recht so beliebte, ach so zwanglose Cocktail-Geplauder beginnt.

Jakob trank sein Glas aus. Vom nächsten Diener, der vorüberkam, nahm er ein zweites. Und damit – wir kennen seine dramatische Beziehung zum Alkohol! – war er bereits rettungslos verloren.

42

Natürlich nicht gleich.

Immerhin plauderte man zuerst fast eine Stunde, bevor zu Tisch gebeten wurde. Immerhin huschten eine Stunde lächelnde Kellner mit Silbertabletts vorbei. Immerhin, immerhin.

In dieser einen Stunde machte Jakob die Bekanntschaft von Politikern, Militärs, Wissenschaftlern, Künstlern, Wirtschaftlern und Mitgliedern der ganzganzganz hohen High Society. Und er machte eine Stunde lang Konversation à la Pawlow (Sabbern).

Unmöglich, alle seine Repliken, seine Axiome, seine Bedingten Reflexe wiederzugeben!

Apropos Axiom: Das ist ein unmittelbar einleuchtender, nicht mehr zu beweisender Grundsatz – haben Sie vielleicht gedacht, Jakob weiß nicht, was ein Axiom ist?

Hier eine (ganz) kurze Auswahl dessen, was er, nach Eigenerziehung, zusammensabberte:

»Atombombe? Ich bitte Sie, Exzellenz! Die Menschheit wird nicht durch die Atombombe untergehen. Nein, nein, die große Gefahr, die ich sehe, ist der Untergang der Menschheit durch die Maschine. Natürlich wäre es schwachsinnig, sich nach der Welt der Postkutschen und Petroleumlampen zurückzusehnen – aber ich behaupte: Das Bedürfnis der Massen nach Auto, Kühlschrank und Fernsehapparat ist gefährlicher als die Bedrohung durch die Kobaltbombe.«

Und: »Wissen Sie, verehrter Professor, Jaspers hat mir schon immer mehr gegeben als Jung.«

Und: »Lassen Sie mir mein ›Warten auf Godot‹! Ob das nun der Bauer im nächsten Dorf ist, auf den die beiden warten, weil er ihnen Brot und Lohn geben könnte, oder wer immer – aber *nicht* Gott, Teuerste, *nicht* Gott! Das bleibt belanglos! Das sinnentleerte Dasein wird zur Analyse der menschlichen Seele und ihrer Beziehungen zum Kosmos überhaupt – ausgehend von der Leere, vom Ende, vom Nichts und, weitergehend, in die Hoffnung, in den Glauben an *nichts*!« (Ausnahmefall: nicht ein Bedingter Reflex, sondern schlicht und einfach auswendig gelernt, aus einer Kritik.)

Und: »Krebsheilung? Allein eine Sache der perfekten Organisation! In zwanzig Jahren werden achtzig Prozent der Kranken geheilt werden können. Voraussetzung: Omnipotentes Spezialistentum an *einem* Punkt gebündelt! Ach, darf ich Ihnen die Adresse meines Großklinikums in Berlin geben, ja, ja, ich betätige mich auch auf diesem Gebiet, zufällig habe ich eine Karte bei mir...«

Und: »Gewiß, gewiß, ein Genie, dieser Picasso. Verehrungswürdig. Nur seine Rosa Periode ist *mir* einfach unerträglich.«

Und: »Koexistenz? Ich werde Ihnen sagen, was Koexistenz ist, Your Royal Higness: *Sie* geben mir Ihre Uhr, und *ich* sage Ihnen, wie spät es ist!«

Und: »Marcel Proust, lieber Freund. Marcel Proust, ›Auf der Suche nach der verlorenen Zeit‹. Ich sage nur: Die Bibel der Literatur. Die Bibel! Mehr sage ich nicht.«

Und weiter und weiter gesabbert. Alles hübsch vorher einstudiert. A, B, C, D, E, F... mir kann keiner mehr!

»Monsieur Formann... Monsieur Formann... Ich bitte vielmals um Vergebung, wenn ich zu stören wage, aber wir haben ein Ferngespräch für Sie aus Tokio, ganz dringend...«

Na, funktioniert das? Und wie das funktioniert!

Können wir ruhig noch einen Schluck...

Ein verflucht großer Mann, dieser Pawlow, Iwan Petrowitsch!

43

Er war nicht direkt besoffen, unser Jakob, als das Mahl dann endlich begann, aber beschwipst war er, reichlich beschwipst. Das, was man ›schicker‹ nennt. Und voll geschwätziger Bewunderung für all die Herrlichkeiten, die Sir Alexander vorzuweisen hatte.

Da gab es zum Beispiel – das Wetter war schön (wie auch könnte es anders sein als schön – für DIE GRÖSSTEN?) – zwei prächtigst gedeckte Tafeln im Freien! Herrlich!

Ein phantastischer Speisesaal in der Natur! Man sah den Himmel, sah die Sterne, sah den Mond (o Hase, Hase, das alles könntest du jetzt auch sehen, an meiner Seite könntest du sitzen als Julia Formann, gekleidet und geschmückt wie eine Königin aus Tausendundeiner Nacht, wie alle diese Tausendundeine-Nacht-Königinnen hier, auch die schiachen, wenn du dich bloß nicht so blödsinnig benommen hättest!), sah den Park, die weiten Rasenflächen im flutenden Licht, an ihren Rändern die Palmen, weit hinten das glitzernde Meer, das geschmückte Podium mit dem Orchester, einen gewaltigen Swimming-pool... ach! Ein Wirklichkeit gewordener Traum! Und diese Traum-Damastdecken. Und dieses Traum-Geschirr. Und diese Traum-Champagnergläser. Und diese Traum-Kellner, die lächelnd, lautlos, überhöflich servieren, indessen ich Traum-Konversation mache (geistreiche, versteht sich, Pawlow sei Dank). Hochinteressant, was der Comte de Lestranges schräg gegenüber da von Wirtschaftshilfe erzählt. Man hilft armen Menschen und hat dabei so unglaubliche Möglichkeiten... Muß ich auch machen, unbedingt! À la vôtre, liebste Claudia, à la vôtre, liebste BAMBI. Ich sitze zwischen den beiden. Auch ein Zeichen von größter Kultur: Hier werden Leute, die zusammengehören, nicht wild auseinandergerissen wie bei diesen widerlichen Neureichen, nein, hier bleibt beieinander, was zusammengehört, damit es zu Schwierigkeiten in der Konversation mit Fremden gar nicht erst kommen kann. An jeder dieser Tafeln sitzen rund vierzig Menschen. Was für Traum-Tafeln! An der Spitze der einen Tafel sitzt der Hausherr, Sir Alexander, an der Spitze der anderen (an die sie uns hingeführt haben) sitzt Lady Jane. Uns hat man etwa in die Mitte gesetzt. Candlelight. Mensch, was für traumhaft goldene Leuchter! Und wie der Traum-Schmuck der Damen funkelt, wie die Traum-Ordensspangen all der Herren Gäste glitzern! Wie wir uns alle verstehen! Wie wir uns alle sympathisch sind! Ich bin wirklich ein Demokrat. Aber es muß einfach eine Elite geben! Die gibt es ja im Westen genauso wie im Osten, nicht wahr? Alle Menschen sind gleich. Aber manche Menschen sind eben ein bißchen gleicher als die andern. Und es gibt sie: DIE GRÖSSTEN!

Kaviar. Persischer natürlich. Die klacksen einem ja gleich ein paar Suppenlöffel auf den Teller. Na, ich weiß, was ich gelernt habe. Riskieren wir drei, vier Gabeln voll. Wo ich besonders persischen so gerne habe. Mit dem Auftauchen des Kaviars verschwinden die Musiker in der Tiefe. Und aus der Tiefe empor, an einer Hammond-Orgel sitzend, kommt eine wunderschöne Frau, eine Traum-Frau, in einem Traum-Abendkleid heraufgefahren, die ist so fein wie die Damen an den beiden Tischen, obwohl sie nur eine Künstlerin ist. Und nun beginnt sie zu spielen, ach, was für wunderbare Melodien: Traum-Melodien. Nur Evergreens. Unsterbliche Evergreens, Traum-Evergreens. ›Blue Moon‹. ›La vie en rose‹. ›Night and day...‹ Traumhafter Traum!

Grandios.

Im Augenblick, da die Dame zu spielen beginnt, schießen weit entfernt, auf dem englischen Rasen, Wasserstrahlen hoch, werden niedriger, werden höher, wiegen sich, werden angestrahlt von allen Farben, die man sich denken kann – gemalte Musik, einmalig, wirklich einmalig! So was muß ich auch haben! Wie bitte? Die Frau des südamerikanischen Rindermilliardärs gegenüber hat etwas gesagt. Ob es mir nicht schmeckt, läßt mich Lady Jane fragen.

»Wieso nicht schmeckt, liebste gnädige Frau, ich bitte recht herzlich?«

»Weil Sie nur so wenig Kaviar essen, meint Lady Jane.«

Diese Lady Jane, die sieht auch alles!

Was heißt: So wenig Kaviar? Mehr darf man doch nicht, hat mir die Edle beigebracht. Nie mehr als ein paar Bissen von einer Speise. Sonst frißt man wie ein Prolet. Hat sie gesagt. Das da, das sind keine Proleten, und jetzt sehe ich erst, wie sie alle futtern, die letzte Kaviarperle mit einem Stückchen Toast aufnehmen und in den Mund schieben!

»Ich...oh...ach... Es schmeckt mir herrlich... wunderbar... Bester Kaviar, den ich je... Ich bin nur so beeindruckt von dem Spiel der Dame an der Hammond-Orgel und den phantastischen Wasserträumereien, ma très chère Madame...«

Sie nickt mir lächelnd zu. Sie sagt es weiter die Tafel hinauf. Lady Jane nickt mir liebevoll zu. Ich nicke ihr auch liebevoll zu. Ich wußte doch: Wir werden einander auf Anhieb verstehen!

Aber diese verfluchte Edle! Was für einen Quatsch hat die mir beigebracht? Man darf nicht mehr als ein paar Bissen...? Die hat wohl nicht alle bei sich gehabt? Lange genug habe ich diese Bestie ertragen! Viel früher hätte ich sie rausschmeißen sollen.

Na, aber jetzt nichts wie ran!

Und Jakob ging ran. Er aß, was das Zeug hielt. Schlürfte eine Riesenschale Schildkrötensuppe (recht laut) leer. Fiel über die delikaten kleinen gefüllten Hühnchen mit Beilagen her wie ein reißender Wolf. Gott, schmeckt das. Wo ist der zweite Schenkel? Wieso habe ich nur einen linken Hühnerschenkel? Jakob sah die Tafel hinauf und hinab. Alle Erlauchten hatten nur linke Hühnerschenkel! Wieso? Was sollte das bedeuten? Zum Glück verfügte Jakob über ein sehr feines Gehör. Und vernahm also das Gespräch irgendeiner italienischen Prinzessin mit dem italienischen Filmregisseur in seiner Nähe:

»...wirklich aufmerksam, muß ich sagen!«

»Ja, sehen Sie, liebste Prinzessin, die Köche sind von ›Maxim's‹ in Paris eingeflogen. Sie haben alle rechten Schenkel entfernt. Weil, wie ich schon sagte, Hühner beim Schlafen gemeinhin auf dem rechten Bein stehen und deshalb die linken Schenkel wesentlich zarter sind als die rechten...« Donnerwetter.

Und ich, mit meiner halben Million Hühner, habe das nicht gewußt. Habe die Tiere, als ihre Lege-Hoch-Zeit vorbei war, mit beiden Schenkeln an Großabnehmer verkauft! Habe selber viele solche Hühner gegessen – mit beiden Schenkeln! Weil ich eben doch ein Prolet geblieben bin. Schande über mich. Das hier, das, ja, das ist eben jahrhundertealte Kultur, das ist eben wirkliche Größe!

Ab sofort – ich muß meine Zentrale anrufen! – wird einem Teil der Verkaufshühner das rechte Bein entfernt! Für die *guten* Leute. Das bin ich meinem Namen schuldig, sagte sich Jakob und ergriff sein Champagnerglas jedesmal, wenn es von einem der Sommeliers neu gefüllt wurde, und das war oft. Er trank und aß, was in ihn reinging. Diese verfluchte Edle! Schau mich bloß nicht so an, Claudia, schau all die anderen an! Wie die fressen! Mich hat die Edle versaut!

Noch bei den gefüllten einschenkeligen Hühnchen wurde Jakob dann mit allen Zeichen der Ehrerbietung von einem Maître de Maison zum zweitenmal ans Telefon gerufen. Ferngespräch. Moskau. Von allergrößter Wichtigkeit.

Jakob erhob sich kerzengerade und stocknüchtern (glaubte er), entschuldigte sich bei den Damen auf das artigste und fließendste (glaubte er auch) und schritt dann selbstbewußt, eben wie ein Herr (selbst das glaubte er, obwohl ihm sein Stolpern doch hätte auffallen müssen) in das Innere des Hauses, mit dem verglichen der Louvre eine triste Höhle war. Ich kann mich verlassen auf meine Leute rund um die Welt, dachte er. Wenn ich sage ›Anrufen!‹, dann rufen sie an. Vom Nordpol, wenn's sein muß!

Er kam an den Tisch zurück, fröhlich lächelnd. Sprach gescheit (glaubte er) und machte sich zuerst über Käse, sodann über den Nachtisch her: drei Riesenkugeln Eis, darüber etwas gegossen, was Jakob für Erdbeersirup hielt. Hei, wie das schmeckte! Auf dem Podium war inzwischen die Hammond-Orglerin in die Tiefe und das Orchester wieder in die Höhe gefahren. Nun also Jazz. Glenn Miller. Cole Porter. Gershwin. (Geschieht dir recht, Hase, daß du das nicht miterleben kannst. Warum hast du mich auch verlassen? Jetzt sitzt du in diesem Nest Düsseldorf mit diesem Miesling, der dich doch bloß ausnimmt. Gut, dann mußt du eben auf diese Ehre, auf dieses Glück an meiner Seite verzichten!)

Sir Alexander steht jetzt oben auf der Tanzfläche im Scheinwerferkegel

und sagt, er habe noch eine kleine Überraschung für seine lieben
Freunde…

»…und zwar habe ich mir die Freude gemacht, Ihnen die Freude zu machen, die weltberühmten, die wunderschönen Mädchen mit den herrlich-
sten Beinen der Welt aus Paris einfliegen zu lassen. Meine Damen und
Herren, aus dem ›Lido‹: Die ›Blue Bells‹!«

Begeisterung.

Beifall.

Trommelwirbel.

Dunkel für einen Moment.

Und dann kreisende bunte Lichter, das Orchester spielt wieder, und wie
durch Zauber stehen auf der Bühne plötzlich eins, zwei, drei… kann gar
nicht richtig zählen… Tänzerinnen in prächtigen Kostümen, und los
geht's!

Die ›Blue Bells‹ tanzen!

Sie schmeißen die Beine! Sie wirbeln über die Bühne in verwegenen Posen,
hauteng die Kostüme, die Beine, diese Beine… wo ich doch so auf Beine
stehe. Ogottogottogott, sind das Beauties! Die müßte man *alle* flirten können! Alle auf einmal! Ein Jammer, daß man das nicht kann. Wahrscheinlich schafft man es auch der Reihe nach nicht. Eine sexyer als die andere.
Wie sie lächeln. Wie sie lüstern blicken. Wie sie… Herrlich! Herrlich! Und
extra eingeflogen aus Paris – wie die Köche! – hat sie Sir Alexander! Muß
ich auch haben. Muß was Besseres haben. Wenn es was Besseres gibt. Nein,
also ist das toll!

Jakob Formann saß mit offenem Mund da. Viele Herren, bemerkte er, machen ernste, nachdenkliche Gesichter. Die denken an ihre Alten, überlegte
Jakob. Tja, da kann man schon ins Nachdenken kommen…

Der Applaus, als die ›Blue Bells‹ endlich nach einer halben Stunde ihre Darbietung beendet hatten, dauerte viele Minuten lang. Natürlich da capo!
Und noch ein da capo. Für ein drittes waren dise Göttinnen dann allerdings
nicht mehr zu haben, sie blieben verschwunden.

Wieder gingen Paare zur Tanzfläche, das Orchester spielte die neuesten
Rhythmen, eine hinreißende Sängerin stöhnte in ein Mikrofon, die Damen
und Herren hopsten die neuesten Tänze. Jakob konnte nicht tanzen, nicht
ums Verrecken…

Was war das?

Habe ich recht gehört?

Hat der Kultusminister drei Sitze weiter ›bumsen‹ gesagt?

Auf Englisch? Ja, hat er! Da berichten ein paar Herren, offenbar angeregt
duch die ›Blue Bells‹, einander Ferkeleien. Und lachen sich krumm und
schief – mitsamt ihren Damen. Na, wenn's weiter nichts ist! Da kann ich
mit Besserem dienen. Jakob neigte sich vor.

»Weil Sie gerade diese Geschichte erzählt haben, Exzellenz«, sagte Jakob, der Mann von Welt, der homme à femmes, »da fällt mir auch was ein. Es ist kein Geheimnis, ich kann ruhig darüber reden, Sie wissen es ohnedies alle, daß ich ein Selfmademan bin. Nach dem Krieg keinen Groschen. Dolmetscher bei den Amerikanern in Wien. Da hat eines Nachts ein junger Lieutenant einen Werwolf hereingebracht...«

Es wird sehr still an dem langen Tisch, die Musik spielt jetzt leise, so können es alle auch richtig hören, was Jakob da erzählt von dem weiblichen Werwolf, dem so schönen, ganz jungen, der doch diesem ganz jungen, unschuldigen Lieutnant, dieser Jungfrau, also, der hielt sie doch für einen Werwolf, hahaha, weil sie ihm, hahahaha, nein, also bitte nicht böse sein, daß ich das erzähle, aber es ist doch zu komisch, hahahaha, weil sie ihm im Bett den... das... in das...

Ach, Jakob, ach.

Du und Alkohol. Wir wissen es, was geschieht, wenn du zuviel davon genießt, du weißt es – und doch hast du dich wieder einmal vollaufen lassen und spürst nicht die Tritte, die dir Claudia gegen das Schienbein gibt, und bemerkst nicht, wie alles um dich vereist, wie die feinen Leute dich ansehen, als wärest du ein ekelerregendes Insekt, nein, du siehst es nicht, du merkst es nicht, du erzählst, nunmehr röhrend vor Lachen, in allen Details die Werwolf-Geschichte, obwohl sich Claudia fast den Fuß verstaucht beim Treten, du erzählst und erzählst, und dann fällt dir Brüssel ein und die ›Chatte noire‹ und der so schöne, so impotente Schieber Rouvier und die so schöne, so phantastische Stripperin, wie hieß sie doch gleich, egal, wichtig ist, was sie machte, nämlich...

»Monsieur Formann...« Stimme an Jakobs Ohr.

Dritter Anruf, höchste Dringlichkeit, Washington, Pentagon. Jakob hatte erst die Hälfte der köstlichen Eisspeise verzehrt. Doch was einer der Großen dieser Erde ist, der hat seine Verpflichtungen, der muß Tag und Nacht im Einsatz stehen, nicht wahr? Und dieser Maître de Maison hat ›Washington‹ genau so schön laut gesagt wie zuvor ›Moskau‹. Also wieder ins Haus. Wieder mit einem getreuen Freund geplaudert, der auf die Minute pünktlich war. Aufgelegt. Ein menschliches Rühren verspürt. Na, der viele Champagner muß einmal wieder raus, nicht wahr? Wo ist denn hier... Ah, da. Großer Gott, das ist ja ein Palast! Na, nun wollen wir uns mal erleichtern...

Als Jakob erleichtert an den Tisch zurückkam, sang eine Chansonnière. Wunderschön, dachte er benommen, wunderschön.

»Mm...«, machte Claudia und sah ihn mahnend an.

»Was gibt es denn, mein liebes Kind?«

»Mmmm...mmm...« Claudia sah jetzt auf Jakobs Hose. Ach so. Na, hab dich nicht so, liebes Kind. Der Reißverschluß der Hose ist offen. Hab's vergessen, ihn zu schließen. Peinlich. Werde ich mich lieber schnell setzen... Jakob setzte sich schnell.

Es war nur kein Sessel da.

Ein überhöflicher Kellner hatte ihn zurückgezogen.

Belustigt fiel Jakob zu Boden.

Im nächsten Moment war er gar nicht mehr belustigt.

Im nächsten Moment rutschte nämlich das herrliche Damast-Tischtuch mit allem, was sich darauf befand, von der Tafel. Im Fallen hatte Jakob sich daran festgehalten und damit eine Katastrophe verursacht.

Als erschüttere ein plötzliches Erdbeben Saint-Jean-Cap-Ferrat, so schwankte plötzlich, wie es schien, die endlos lange Tafel. Und es stürzten um Gläser und Tassen und Terrinen, es krachten zu Boden Kerzenleuchter mit brennenden Kerzen, Teller, Tassen, Unterteller, Silberteller, Petit-fours-Platten, Flaschen, Aschenbecher (gefüllt), Zigarren, Zigaretten, Pfeifen, Gläser, Bestecke, es ergoß sich auf die kostbaren Roben der Damen und auf die Smokings der Herren Champagner und Mokka, Sahne und Zucker, das herrliche Speiseeis mit dem herrlichen Erdbeersirup, dem roten, klebrigen, dickflüssigen, und Tabakasche.

Am ärgsten hatte es Lady Jane erwischt. Ihr war durch den von Jakob verursachten plötzlichen Ruck das meiste entgegengeflossen, entgegengeflogen, entgegengerollt. Sie sah aus wie ein Clown. Bis ins Gesicht waren ihr Mokka, Champagner, Eiscreme und Erdbeersauce gespritzt und tropften nun langsam ab oder zogen endlose Fäden.

Niemand sprach ein Wort. Das Orchester spielte weiter. Und was spielte das Orchester? Was sang die liebliche Chansonnière?

»Don't know why, there's no sun in the sky... Since my man and I ain't together, it keeps raining all the time. Stormy weather...«

Nein.

Nein. Nein. Nein.

Das war gemein von dir, Hase!

Das hättest du nicht tun sollen. Das nicht. Nicht das. Jetzt ist es aus. Alles ist aus.

Nein, es war noch nicht alles aus.

Jakob verlor die Nerven. Mühsam erhob er sich, und dann trat er die Flucht an – über den englischen Rasen, an Palmen, Eukalyptus-, Orangen- und Zitronenbäumen vorbei, davon, auf den weißleuchtenden Kiesweg zu.

Nach einem kurzen Blickwechsel erhoben sich auch Claudia und BAMBI. Siruptropfend eilten sie Jakob nach. Sie wollten jetzt nicht sitzenbleiben. Und außerdem lebten sie beide von Jakob. So etwas bindet.

Immer noch rührte sich niemand der verbleibenden neunundsiebzig Gäste.

Der Saxophonist der Kapelle setzte zu einem Solo an.

Die Chansonnière hielt mit.

»...Stormy weather!« hallte ihr Schrei Jakob und seinen beiden Damen nach.

44

Schweigen herrschte im Innern des Mercedes, während er von der Spitze der Halbinsel herabkurvte zur Anse de la Scalette, jener Straße, die den Badestrand entlanglief.

Niemand wagte zu sprechen, nicht ein Wort.

Dann, auf der Straße am Meer, wagte es Claudia.

»Das hast du ja fein gemacht«, sagte Claudia Contessa della Cattacasa.

»Halt den Mund!« sagte Jakob, mühsam beherrscht.

»Glaubst du, du wirst von diesen Leuten jemals wieder eingeladen?«

»Das ist mir völlig wurscht!«

»Ja, jetzt!« Nun wurde auch BAMBI lebhaft, die, ebenso wie Claudia, verzweifelt an sich herumwischte, um wenigstens das Ärgste zu entfernen (das Ärgste tropfte auf den Boden des Mercedes). »Vorher hast du dir sämtliche Beine ausgerissen, um eine Einladung zu bekommen!«

»Du halt auch den Mund, verflucht!«

»Ich denke nicht daran! Wer bist du denn? Der Hitler? Ich, ich habe auch einen internationalen Namen! Und Claudia erst! Was hat die für einen Namen?«

»Herrgott noch mal, warum nehmen die auch so beschissene Damast-Tischtücher?«

»Vorher haben dir die Tischtücher ungeheuer imponiert!«

»Ja, da bist du fast in die Knie gegangen! Äähh, das ist ja eklig, jetzt habe ich das klebrige Zeug auch noch an den Beinen und an der…«

»*Du* hast das Tischtuch runtergerissen!«

»Sehr richtig! Weil du nämlich blau warst!«

»Was war ich?«

»Blau! Und nicht nur warst, immer noch bist! Eine Schande!«

»Hört mal, ihr Schlampen, es ist euch doch klar, daß ihr von mir lebt und nicht in euch hinein, was?«

»Du hast«, schrie Claudia Contessa della Cattacasa in maßlosem Zorn, »nach allem, was ich für dich getan habe, die Stirn, uns Schlampen zu nennen?«

»Jawohl! Und überhaupt: Jetzt reicht es mir endgültig! Otto!«

»Jakob?«

»Bleib stehen.«

Der Mercedes hielt an der Uferstraße, die Stelle war besonders idyllisch vom Mond beschienen. Über Claudia glitschend, riß Jakob einen Schlag auf. »Raus!«

»Was?«

Jakob glitschte über BAMBI und riß den zweiten Schlag auf. »Du auch! Raus!«

»Sag mal, du bist wohl wahnsinnig geworden!«

»Ich lasse mich von euch Schlampen doch nicht beschimpfen! Aussteigen habe ich gesagt!« Das brüllte Jakob mit so fürchterlicher Stimme, daß die beiden Mädchen schluchzend ins Freie stolperten. Es war fast zwei Uhr früh und kein Mensch zu sehen.

»Du bist ja irre!« schrie BAMBI. »Du ßetzt uns hier aus? Um diese Sseit?«

»Jawohl, um diese Zeit setze ich euch hier aus!«

»Und wie, stellst du dir vor, sollen wir nach Cannes kommen?«

»Das interessiert mich einen Dreck! Lauft!«

»Bis Cannes? Weißt du, wie weit das ist?«

»Ich weiß es nicht, und es ist mir auch scheißegal! Ihr werdet schon heimkommen!« Jakob schlug die beiden Wagentüren zu und brüllte Otto an: »Fahr los!«

»Mit mir brauchst du nicht zu brüllen, Mensch«, sagte der Chauffeur Otto Radtke und gab Gas. Der Mercedes schoß davon. Weinend blieben die beiden Mädchen zurück. Sie stolperten auf ihren hohen Stöckelschuhen und in ihren besudelten Abendkleidern dem Wagen nach. Otto nahm eine kleine Biegung. Die Mädchen waren verschwunden.

Jakob begann zu fluchen. Er fluchte sich halbtot. Otto ließ ihn. Immer lassen, das war Otto Radtkes Devise. Endlich schwieg Jakob erschöpft. Auf der zum Festland führenden Straße sprach er dann endlich weiter.

»Bleib stehen!«

»Ist dir schlecht?«

»Nein.«

»Warum soll ich dann stehenbleiben? Willst du auf die beiden Gören warten?«

»Ich denke nicht daran!«

»Also warum dann?«

»Weil ich endlich aus diesen verdreckten Klamotten raus will, Mensch! Weil mir das große Kotzen kommt, wenn ich den Erdbeersirup noch lange überall an mir habe! Weil ich mich ausziehen will!«

»Kannst du ja auch gleich sagen.« Otto hielt. Jakob kletterte ins Freie, nahm Geld und Personaldokumente aus seiner Smokingjacke und schleuderte diese dann ins Gebüsch. Die Smokingsfliege folgte als nächstes. Jakob riß den Hemdkragen auf. Das Hemd hatte noch am wenigsten abbekommen.

»Die Hose rinnt nur so«, konstatierte Otto, der ebenfalls ausgestiegen war.

»Warte, ich habe einen Monteuranzug im Kofferraum. Nicht ganz sauber, aber...«

»Hol ihn!« Jakob zog bereits die Smokinghose aus und feuerte sie in das stachelige Gebüsch. Der Monteuranzug, den Otto dem Kofferraum entnahm, war blau, ölverschmiert und ein bißchen zu klein für Jakob. Die Hosen zum Beispiel gingen ihm nur bis über die Knöchel. Das machte ihm nicht das geringste. Selig knöpfte er sich zu.

»So, jetzt fühle ich mich schon viel besser. Fahr weiter, Otto.«

»Okay, Kamerad, fahren wir weiter.«

Kurze Zeit später erreichten sie Nizza.

»In die Altstadt.«

»Was?«

»Du sollst in die Altstadt fahren!«

»Was willst du in der Altstadt?«

»Da gibt es so Kneipen, die haben noch offen! In die gehen die Musiker und die Kellner und die Huren aus anderen Lokalen, wenn sie mit ihrer Arbeit fertig sind und essen noch was und trinken noch was.«

»Sag mal, hast du noch immer nicht genug gegessen und getrunken?«

»Ich will noch was! Fahr schon!«

»Mensch, mit diesem dicken Mercedes in die Altstadt, und dann in so eine Stampe, in deinem Aufzug!«

»Das ist mir alles scheißegal!« behauptete Jakob. »Ich muß mich beruhigen! Ich muß mich abreagieren! Ich muß wieder zu mir selber finden! In diesen Kneipen kriege ich sie, das weiß ich!«

»Kriegst du was?«

»Schmalzbrote!« flüsterte Jakob.

45

»Meine Herren, ich kann mich ganz kurz fassen«, sagte Jakob Formann. »Also: Doppelt so prächtig, doppelt so teuer und in der halben Bauzeit.«

Da war es elf Uhr am Tag nach der Katastrophe von Saint-Jean-Cap-Ferrat, und Jakob saß mit neun Herren in einem der luftgekühlten Konferenzräume des schönen Hotels MAJESTIC, wie frisch aus dem Ei gepellt, in einem weißen Anzug, mit weißen Schuhen und weißen Socken, ein Bein über das andere geschlagen, lässig zurückgelehnt, die Spitzen der Finger beider Hände aneinandergepreßt.

»Aber Monsieur Formann, das ist doch Wahnsinn...«

»Aber Monsieur Formann, das geht doch nicht...«

Die neun Herren sprachen alle auf einmal. Jakob schnitt ihnen mit einer knappen Handbewegung das Wort ab.

»Ich kriege es, es muß so etwas geben, und es muß gehen, und es ist kein Wahnsinn. Es ist alles glasklar überlegt. Meine Herren, Jakob Formann ist seiner Zeit immer um zwei Schritte voraus.«

Unter den neun Herren befanden sich die größten Architekten, Grundstücksmakler, Chefs von Baufirmen und Innendekorateure der Côte d'Azur zwischen Marseille und Menton. Was Jakob von ihnen wünschte, das war, daß sie ihm an der schönsten Stelle der Küste ein Ding hinstellten, das doppelt so protzig und ergo doppelt so teuer werden sollte wie Sir Alexanders Traumhaus, und dies in der halben Bauzeit. Nachts, in einer verdreckten Kneipe der Altstadt von Nizza, hatte er, angetan mit einem ölverschmierten Mechanikeranzug, zu seinem Chauffeur Otto Radtke, angetan mit einer Uniform, die der eines Operettengenerals glich, vor einem sprachlosen Publikum, bestehend aus Huren, Kellnern, Taxichauffeuren und Croupiers, einen Schwur getan. Da er den Schwur deutsch tat und beim Schwören Schmalzbrote kaute, war sein Publikum nur noch um so faszinierter – es war völlig sprachlos.

Der Schwur: »Und ich sage dir, Otto, hier baue ich denen jetzt ein Ding hin, da wird ihnen das Lachen über mich vergehen! Die Augen aus dem Kopf werden ihnen fallen, den Lackaffen und ihren angemalten Weibern! Betteln, mit erhobenen Händen betteln werden sie, flehen werden sie, einmal eingeladen zu werden von mir, Otto!«

Otto, ein ruhiger und ausgeglichener Mensch, hatte schweigend genickt, denn er hatte den Mund gleichfalls voller Schmalzbrot. Mein einziger Freund, hatte Jakob erschüttert gedacht...

»Ich kenne da ein Grundstück in Cap d'Antibes...«, begann nun zögernd einer der Makler. »Aber das ist wirklich irrsinnig groß! Und ein Riesenhaus steht drauf...«

»Das können Sie abreißen. Oder umbauen. Hauptsache, es ist doppelt so prächtig.«

»Gewiß, Monsieur. Aber der Preis...« Der Makler verdrehte die Augen und nannte ihn.

»Gekauft«, sagte Jakob. »Sie nehmen sofort Verhandlungen mit den Besitzern auf. Das Ding muß so schnell wie möglich stehen. Sie kriegen Ihre übliche Provision, die anderen Herren Prämien, wenn sie ihre Termine einhalten.«

Das Telefon vor ihm klingelte. Jakob hob den Hörer ab.

»Mister Formann?« fragte eine hochmütige Männerstimme.

»Ja. Wer spricht?«

»Ich bin der Butler von Lady Jane. Lady Jane möchte Sie sprechen...« Jakob schluckte schwer. Jetzt kommt's, dachte er. Es kam. Aber ganz anders, als er gedacht hatte.

»Oh, guten Morgen, Mister Formann«, erklang die liebenswürdige Stimme der Lady Jane.

»Guten Morgen, Lady Jane...«

»Mister Formann, ich bitte tausendmal um Entschuldigung für das, was in der letzten Nacht passiert ist.«

»*Sie* bitten um Entschuldigung?«

»Gewiß. Ich hatte einfach keine Gelegenheit, mich von Ihnen und Ihren beiden bezaubernden Begleiterinnen zu verabschieden.«

Also, das ist doch eine Perifidie sondergleichen, dachte Jakob. (Perfidie – dieses Wort hatte er in fleißigem Wörtertraining auch bereits gelernt!) Er suchte nach einer passenden Antwort. Natürlich fand er keine. Lady Jane indessen sprach weiter, leicht, heiter, souverän: »Verzeihen Sie also bitte meinen Fauxpas, Mister Formann. Und, was ich noch sagen wollte: Ich kenne ein ganz ausgezeichnetes Sanatorium in der Schweiz, zur Durchführung von Entziehungskuren...«

»Entziehungskuren... Schweiz...«

»Ja, lieber Mister Formann. Verfallen Sie jetzt um Himmels willen nicht in Depressionen über Ihren Zustand! Die Medizin ist ja schon sooo weit fortgeschritten! Vielen Freunden von uns ist in diesem Sanatorium hundertprozentig geholfen worden. Wenn ich Ihnen die Adresse geben darf...«

Sanft legte Jakob den Hörer wieder in die Gabel. Er atmete tief. Er nahm sich mächtig zusammen. Er sprach, an die Herren vor ihm gewandt: »Wie gesagt, wenn Sie Ihre Termine einhalten. Das Geld wird hier bei einem Anwalt auf ein Sonderkonto hinterlegt. Der Anwalt bezahlt, was anfällt. Wo sind da noch Schwierigkeiten, meine Herren? Jakob Formann ist es nicht gewöhnt, sich lange mit einem Problem zu beschäftigen, das so einfach ist wie dieses!«

So einfach wie dieses...

Jakob mußte plötzlich an ein Problem denken, das zwar auch nicht schwieriger war, jedoch delikater als dieser Grund- und Bodenerwerb und der Bau eines Hauses. Das etwas delikatere Problem waren Claudia und BAMBI. Da wird sich natürlich alles wieder einrenken, dachte er, während die Experten miteinander zu streiten begannen. Aber ich muß mir jetzt etwas Mühe geben mit den beiden. War nicht sehr fein, was ich da in der letzten Nacht gemacht habe.

Claudia und BAMBI... Es war schon peinlich, was ich mir habe anhören müssen, heute um fünf Uhr früh. Da sind die beiden nämlich in mein Schlafzimmer geplatzt. Verdreckt. Mit verschmierten Gesichtern, barfuß, mit dreckigen und wundgelaufenen Füßen, die schönen Schuhe in der Hand, die schönen Haare wild im Gesicht...

46

»He... he... he...« Jakob fuhr erschrocken in seinem Bett hoch. Das elektrische Licht brannte. Die beiden Hübschen (jetzt waren sie gar nicht mehr hübsch) standen vor ihm. BAMBI heulte, daß die Reste des Make-up nur so unter dem Dreck zerflossen. Nicht so Claudia. Die Contessa della Cattacasa war es gewesen, die ihn wachgerüttelt hatte. Ihr Gesicht war vor Wut verzerrt, ihr Kleid oben und unten zerrissen. »Was fällt dir... Bist du verrückt... Was wollt ihr beide hier? Warum weckst du mich, Claudia?«

»Du Hund, du elender«, sagte die Contessa.

»Was hast du gesagt?« Er war noch nicht richtig wach.

»Hund, elender, habe ich gesagt! Das wirst du mir büßen!«

»Und mir auch!« stammelte BAMBI und heulte los.

Danach verstand Jakob eine Weile kein Wort, weil beide Mädchen gleichzeitig sprachen.

»Ruhe!« donnerte er schließlich. »Hinsetzen!« Die Mädchen ließen sich in Sessel fallen, teils vor Schreck, teils vor Erschöpfung. »Hier wird nicht geschrien! Nebenan schlafen andere Gäste! Wieso bin ich ein Hund, und wie seht ihr aus? Was ist passiert?«

Claudia Contessa della Cattacasa sprach jetzt leise, ihre Augen waren zu Schlitzen verengt, die Worte kamen mit einem beständigen Zischen aus ihrem Mund: »Ein Hund bist du, weil du uns aus deinem Wagen geschmissen und gesagt hast, wir sollen sehen, wie wir nach Cannes zurückkommen – nachdem du uns vor allen lächerlich gemacht hast, du Hund, du…«

»Du wiederholst dich. Was ist passiert?« sagte Jakob, und als die Damen wieder beide gleichzeitig zu zetern begannen, fuhr er fort: »Immer der Reihe nach!«

Der Reihe nach war folgendes passiert: Die beiden unglücklichen Mädchen waren – was blieb ihnen übrig? – losgestolpert auf der Halbinsel Saint-Jean-Cap-Ferrat. In ihren hochhackigen Schuhen konnten sie kaum gehen. Darum zogen sie diese aus und liefen in Strumpfhosen. (Aus Jakobs Fabrikation. Er hatte sie überreichlich mit denselben eingedeckt.) Das Blöde ist nur: Strumpfhosen kann man nicht so einfach ausziehen wie normale Strümpfe, nicht wahr? Also stolperten die Unglücklichen in ihren an den Füßen zerfetzten Strumpfhosen weiter und erreichten unter Aufbietung letzter Kräfte die Route Nationale 7 vor Nizza.

Hier blieben sie stehen und machten Auto-Stop. Eine halbe Stunde lang erfolglos. Dann hatten sie Erfolg. Ein Zehntonner, der vermutlich nachts fuhr, weil er bei seiner Größe am Tag nicht schnell genug weiterkam, hielt mit kreischenden Bremsen. Der Mitfahrer sprang auf die Straße. Ja, sie fuhren über Cannes. Bis Saint Tropez. Aber Cannes lag am Wege. Also, meine Damen, es ist uns ein Vergnügen…

Das glaube ich gern, dachte Jakob an dieser Stelle von Claudias Bericht, daß es den beiden Kerlen ein Vergnügen gewesen ist. Ach was, den beiden Mädchen doch auch, wie ich die kenne.

Die Abendkleider der Süßen waren so eng, daß der zweite Fahrer sie in den Wagen hinaufstemmen mußte. Dabei bekam er natürlich zwei süße Popos hintereinander in die Pfoten. Na ja, und dann ging es gleich los. So ein Riesenlaster, der hat eine komfortable Schlafkoje mit Bett hinter den Vordersitzen. Der Beifahrer machte sich zuerst ans Werk.

Der Chauffeur fuhr, eine Gauloise im Mundwinkel, weiter und weiter, die leere Route Nationale 7 entlang, während sein Freund sich hinter ihm betätigte. Lange und ausgiebig. Dann fuhr der Zehntonner an den Straßenrand. Jetzt zog der erste Chauffeur die Hosen aus und kletterte seinerseits in die Kabine. Nun betätigte er sich. Dann betätigten sich beide Herren noch einmal. Für sie hatte das Entfernen der zerfetzten Strumpfhosen kein Problem bedeutet. Es waren Schränke von Chauffeuren. Anständige Kerle! Sie klauten nicht ein einziges Stück Schmuck. Vor der Einfahrt in Cannes hielt der Laster wieder. Die Mädchen, etwas durcheinander, kletterten ins Freie. Diesmal half ihnen niemand. Die Herren ließen sie springen. Kaum waren Claudia und BAMBI auf die Nationale 7 geknallt, da riefen die Herren Fahrer ein fröhliches »Au revoir!«, und der Laster fuhr auch schon weiter – ohne Licht, man konnte sein Nummernschild nicht sehen. BAMBI und Claudia mußten zu Fuß gehen, besser gesagt: wanken, denn jeder Knochen tat ihnen weh, nicht nur die Füße.

»…die ganze Croisette herauf«, sagte Claudia. Ihre Augen konnte man überhaupt nicht mehr sehen, sie bewegte kaum die Lippen. »Und barfuß. Unsere Strumpfhosen liegen im Laster.« BAMBI schluchzte wieder. »Bis hierher, ins Hotel. Der Nachtportier hat uns gesehen. Der mußte ja aufschließen. In meinem ganzen Leben habe ich mich nicht so geschämt…«

»Ich mich auch nicht…« (BAMBI)

»Ob wir überfallen worden sind, hat der Portier gefragt.«

»Und?« Jakob war jetzt sehr nervös. Und es wurde ihm sehr warm.

»Was und? Du Saustück! Natürlich sind wir überfallen worden, haben wir ihm gesagt! Und daß uns die Füße weh tun! Und daß es völlig sinnlos ist, nach den Gangstern zu suchen.«

»Auch… auch… auch… daß ihr vergewaltigt worden seid?«

Claudia lachte heiser.

»Davon natürlich kein Wort! Warum auch? Die beiden Fahrer, die haben was von Vergewaltigungen verstanden! Dafür müßten wir dir eigentlich dankbar sein!«

»Ja, eigentlich dankbar ßein…« (BAMBI)

»Aber unsere Füße! Schau dir die Sauerei mit unseren Füßen an!«

»Meine Füße haben in Rußland noch ganz anders ausgesehen! Habt euch bloß nicht so! Wenn es schon so prima Vergewaltigungen gewesen sind!«

»Das eine hat mit dem andern überhaupt nichts zu tun!« erklärte Claudia.

»Deine Füße in Rußland interessieren uns einen Dreck! Unsere interessieren uns! Unsere sind wund!«

»Ich werde den Hausarzt rufen, meine Süßen. Im übrigen tut es mir leid, daß ich mich so benommen habe…«

Claudia fuhr hoch.

»Es tut dir leid, du Scheißkerl, ja? Leid tut es dir? Weißt du, was du mich kannst? Du kannst…«

»Claudia! Leise!«

»Ich habe genug von dir, du Hund«, tobte Claudia leise. »Du glaubst, damit ist alles gut, wie? Weil du uns mitschleppst und einpuppst und mit Schmuck behängst! Ich pfeife auf deinen Schmuck!« Sie zerrte an ihren

Ohrclips und warf sie auf Jakobs Bett. »Da hast du den Dreck!« Sie riß sich den Ring vom Finger. »Und da!« Das Bracelet. »Und da!«

BAMBI, ein wenig schwer von Begriff, war aufgesprungen und montierte sich gleichfalls ab. Geschmeide um Geschmeide flog auf Jakobs Linnen.

»So, da hast du alles! Ich will es nicht!«

»Ich auch nicht!« (BAMBI)

»Da hast du es zurück! Gib es deinen Weibern! Mach, was du willst damit! Ich rühre kein Stück von dir mehr an, du Schuft!«

»Ich auch nicht!« (BAMBI)

Plötzlich erstarrte Claudia. Ihr Blick wurde stier.

»Wieso eigentlich nicht?« lallte sie. »Ich bin doch nicht blöd!« Und in rasender Eile sammelte sie ihren Schmuck wieder ein.

»Und ich bin auch nicht blöd!« BAMBI sammelte ebenfalls.

Danach stürzten sie aus Jakobs Schlafgemach. Türen knallten. Zehn Minuten später kam der Hotelarzt. Er untersuchte die beiden jungen Damen, versorgte ihre wunden Füße, gab ihnen Beruhigungsmittel und kehrte in Jakobs Salon zurück.

»Was ist, Doktor?« (Sobald die beiden wieder okay sind, muß ich sie halt noch einmal zu ›Cartier‹ schicken. Da kann sich jede etwas besonders Schönes und Teures aussuchen. Ich hätte sie nicht rausschmeißen dürfen aus meinem Wagen. Ich bin ein Schwein. Na ja, aber ›Cartier‹ wird alles wieder gutmachen. Heile, heile Segen. Mit so zehn bis zwanzig Karat.) »Doktor! Reden Sie doch! Etwas Ernstes?«

»Nein, ernst überhaupt nicht. Ich habe die jungen Damen gründlich untersucht...« Bum! dachte Jakob. »...das war ja ein... sehr schlimmer Marsch... hrm... Monsieur Formann!«

Hat der Kerl etwa ein Auge zugekniffen?

47

Hat der Kerl etwa ein Auge zugekniffen? überlegte Jakob nun, am Vormittag, indessen neun Herren um ihn lauter und lauter diskutierten, wie und wann und zu welchen Bedingungen man das Phantasiehaus da auf Cap d'Antibes, das Jakob Formann wünschte, erstellen konnte.

Jakob hörte schon nicht mehr aufmerksam zu. Nach einer weiteren halben Stunde der atemlos vorgebrachten Vorschläge, Kostenberechnungen, Bedenken und Versprechen sagte er: »Ich überlasse das alles absolut Ihrem Geschmack und Ihrer Initiative, meine Herren. Ich habe, das sehen Sie, die ersten Männer genommen, die ich kriegen konnte. Ich habe vollstes Vertrauen zu Ihnen. Ich bin überzeugt, daß...« Weiter kam er nicht, denn das Telefon vor ihm läutete wieder. Er hob ab und meldete sich.

»Gespräch für Sie, Monsieur Formann. Übersee. Washington ruft.«

Da hörte er schon eine bekannte Stimme: »Jake! Jake! Gott sei Dank!«
Er fuhr zusammen. Das war Jill Bennett, die Sekretärin seines Freundes, des Senators Connelly.

»Was ist passiert, Jill?«

Die neun Herren schwiegen respektvoll.

»Du mußt sofort herüberkommen, Jake!« Jills Stimme klang gehetzt, es hörte sich an, als ob sie weinte. »Du hast doch dein Flugzeug in Nizza, wie?«

»Ja. Was ist los?«

»Ich habe mich seit Stunden bemüht, herauszukriegen, wo du steckst. OKAY hat's gewußt und mir gesagt. *Sofort* mußt du kommen, es ist keine Minute zu verlieren...«

»Was ist los, Jill?«

»Ich verbinde mit dem Senator, Jake...«

Klick.

Da war Connellys Stimme, ebenfalls gehetzt, ebenfalls außer sich: »Jake! Kommen Sie schnellstens! Schnellstens, hören Sie!«

»Herrgott, ja, ich höre! Will mir vielleicht endlich einer sagen, was passiert ist?«

»Ihr Freund Jesus Washington Meyer.«

»Mein Freund Jesus...« Jakob fühlte glühende Hitze in sich aufsteigen. Schweiß brach ihm aus. Fast entglitt der Hörer seiner Hand. »Jesus? Ist ihm was passiert? Ist... ist er tot?«

»Noch nicht.«

»Was heißt noch nicht?«

»Schwere Rassenunruhen sind ausgebrochen, im Süden, in Birmingham. Die schwersten, die wir jemals hatten...«

»Mein Gott!«

»Wegen der Segregation... Aus Protest dagegen, daß Schwarze in Bussen für Weiße fahren dürfen... daß farbige Studenten die Universität für Weiße besuchen dürfen... Wir haben es so angeordnet, das wissen Sie doch!«

»Ja, ja, ja... Was ist mit Jesus?«

»Unter Polizeischutz haben wir die Studenten auch hin und her transportiert! Dasselbe galt für die Busse, die Straßenbahnen, die Snack-Bars...«

Du bist doch ein verfluchter alter Trottel, dachte Jakob und unterbrach rüde: »Was mit Jesus ist, will ich wissen!«

»Er ist doch Ihr Generalbevollmächtigter für die Fertighäuser, nicht wahr? Er sitzt im Gefängnis. Mit ein paar hundert anderen. Doktor Martin Luther King ist auch darunter... Der Ku-Klux-Klan hat angefangen... Überfälle... Bomben... Häuser wurden angezündet... Neger umgebracht...«

»Mein Gott!«

»Daraufhin haben sich die Schwarzen gewehrt. Schlugen die Weißen zu-

sammen…Selbst Luther King konnte sie nicht mehr beruhigen…Sie haben keine Ahnung, was da los ist in Birmingham…Der Präsident hat dreitausend Mann von der Zweiten Infanteriedivision einfliegen lassen…«
»Herrgott, und Jesus?«
»Ihr Freund Jesus hat Tuscaloosa verlassen und ist nach Birmingham gefahren, um mit seinen Freunden zu kämpfen. Er ist verhaftet worden, wie gesagt. Aber jetzt beherrscht der weiße Mob wieder die Stadt…Versucht, das große Gefängnis zu stürmen und die Neger rauszuholen.«
»Ich komme sofort!«
»Aber über Washington! Landen! Zwei Leibwächter steigen ins Flugzeug und fliegen mit Ihnen weiter!«
»Ich brauche keine Leibwächter!«
»Sie müssen welche haben! Befehl des Präsidenten! Sonst bekommen Sie nirgends Landeerlaubnis. Sie müssen die zwei Leibwächter mitnehmen, haben Sie verstanden? Das ist ein Befehl!«

48

»Kill them! Kill them!«
Der Schrei des rasenden Mobs von Birmingham drang bis in die weißgekachelte, nach Lysol stinkende Leichenhalle der Stadt.
»Schlagt sie tot! Schlagt sie tot!«
Jakob stand mit herabhängenden Armen neben einem Angestellten der Morgue. Die Narbe an seiner Schläfe zuckte ununterbrochen. Draußen krachten Bomben, heulten Sirenen vorbeirasender Polizeiwagen, ertönte das irre Gekreische einer entfesselten Menge, Pfiffe, Schreie, Flüche…
»Kill them! Kill them!«
Der Angestellte, ein kleiner Mann in weißem Mantel, mit dicker Brille, schwitzte vor Angst, obwohl es kalt war in der Leichenhalle. Unter seinen Augen lagen schwarze Ringe. Er hatte auf Jakobs Geheiß aus einer großen Wand eine Bahre herausgerollt. Die Bahre war zuvor hinter einer weißgestrichenen, versperrten Eisentür verborgen gewesen. Erst nachdem der Polizeichef von Birmingham auf Jakobs zornige Drohungen am Telefon dem kleinen Mann befohlen hatte, Mister Formann in die Leichenhalle zu führen, waren sie beide in den Keller hinuntergestiegen, in welchem Neonröhren ein scheußlich kaltes Licht verbreiteten. Dort hatte der kleine Mann, vor sich hinmurmelnd (Gebete? Flüche?) eine der Eisentüren in der großen Wand aufgesperrt und die Bahre herausgerollt.
»Er…er…er sieht aber furchtbar aus, Sir…Sie werden den Anblick nicht ertragen…Er ist doch…Er ist doch buchstäblich erschlagen worden!«
Jakob würgte. Jakob sagte, den Blick auf das weiße Tuch gerichtet, das die Last der Bahre verdeckte: »Nehmen Sie das Tuch zurück.«

417

»Wirklich, Sir, ich bitte Sie…«

»Sie sollen das Tuch zurückschlagen!«

Der kleine Mann hatte murmelnd und schwitzend das Tuch angehoben. So stand er nun da, zitternd und bebend, und wartete offensichtlich darauf, daß dieser fremde Mann ihm sagte, er solle das Tuch endlich wieder senken und die Bahre zurückrollen. Doch Jakob Formann sagte das nicht. Jakob Formann stand reglos da und sah auf den blutigen Haufen Fleisch, der einmal ein Mensch, der einmal Jesus Washington Meyer, der einmal sein Freund gewesen war.

»Totschlagen! Totschlagen!« kreischten draußen Stimmen. Motoren heulten, Stiefel trampelten.

Jakob fühlte, wie ihm Tränen aus den Augen schossen, über die Wangen liefen, auf den Anzug tropften. Er fühlte sich zum Sterben elend. Er hatte Angst, umzukippen. Er hielt sich an dem Eisenrahmen der Bahre fest.

Jesus…

Mein Kamerad.

Mein Freund.

Mein alter, guter Freund.

Ich kann dich nicht mehr erkennen. Ich kann dein Gesicht nicht mehr sehen, denn du hast kein Gesicht mehr, keine Augen, keinen Mund, keine Nase. Sie haben dir den Schädel eingeschlagen, die weißen Hunde…

»Schlagt sie tot! Schlagt sie tot!«

Das Gebrüll hörte nicht auf. Eine besonders heftige Explosion erschütterte die Morgue. Der Boden schwankte leicht.

»Wie ist das passiert?« fragte Jakob. Jedes Wort bereitete ihm Qual.

»Sie haben die Schwarzen aus dem Gefängnis geholt… nicht alle… nur etwa fünfzig… Dann kämpften sich die Soldaten durch und schlugen die Lumpen nieder oder nahmen sie fest…« Der kleine Mann sprach stockend und langsam. »Aber für viele von denen, die sie vorher herausgeholt hatten, war es zu spät… Sie haben sie vor dem Gefängnis niedergeschlagen… Mit Fahrradketten. Mit Eisenstangen. Mit Hämmern… Vor dem Gefängnis und anderswo… Viele Schwarze haben zu flüchten versucht… Die Weißen haben sie durch die Stadt gejagt… gesteinigt… erschlagen… erschossen…« Der kleine Mann konnte nicht mehr. Sein Blick hob sich hilflos. Er sah Jakob an. Jakob sah ihn an. Der kleine Mann bewegte den Kopf. Sie sahen beide die große weiße Wand mit ihren vielen, vielen Eisentüren.

»Es ist eine solche Schande«, sagte der kleine Mann.

Jakob schwieg.

Jesus, dachte er, mein Freund Jesus. Wie lange haben wir einander gekannt. Wien. Die MP-Station. Hörsching. Der Fliegerhorst. Theresienkron. Wie oft warst du bei uns, bei mir und dem Hasen. Wie oft kamst du mit Kartons, mit Kisten, mit Lastwagen voller Geschenke. Und hast mit uns gelacht und gesungen und gegessen und getrunken. Wie alt warst du, Jesus? So alt wie ich. Sie haben dir eine Uniform angezogen und dich nach Europa geschickt. Du warst gut genug, am D-Day die steile Normandieküste hinaufzuklettern auf Seilleitern, rechts und links von dir stürzten Kameraden in die Tiefe, in den Tod, die deutsche Artillerie deckte euch ein. Du hast es überlebt. Du hast dich durch halb Europa gekämpft. Du hast es überlebt. So vieles hast du überlebt. Jetzt bist du tot. Erschlagen von Weißen.

Und deine Frau Fanny aus Linz, Austria, Jesus. Ich war in Tuscaloosa. Sie haben Feuer an viele Häuser gelegt. Auch an deines. Deine Frau ist verbrannt, man hat nur noch Knochen und etwas verbranntes Fleisch gefunden. Ich war draußen in Tuscaloosa mit den zwei Leibwächtern, die in Washington in mein Flugzeug gestiegen sind. Ich habe das Grauen in Tuscaloosa gesehen. Deine Frau war eine Weiße. Weiße haben sie ermordet. Deine Frau ist aus Linz mit dir nach Tuscaloosa gekommen, um von Weißen getötet zu werden.

Jakob schwankte.

»Was ist, Sir...«

»Nichts. Lassen Sie das Tuch fallen. Rollen Sie die Bahre zurück.«

Der kleine Mann befolgte die Worte so schnell er konnte. Dumpf fiel die Eisentür zu. Kreischend drehte sich ein Schlüssel. Als der kleine Mann sich umwandte, erschrak er. Der Fremde war nicht mehr da.

»Mister! He, Mister!«

Keine Antwort.

49

»Niggerlover! Niggerlover! Niggerlover!«

Im Eingang des Leichenschauhauses stürzten sie sich dann auf Jakob, zehn, zwölf, fünfzehn. Sie hatten ihn kommen sehen mit den beiden Leibwächtern. Sie hatten gewartet.

»Kill him! Kill him! Kill him!«

Sie fielen über ihn her. Es war ein Kräfteverhältnis, das ihnen Vertrauen verlieh. Jakob bekam eine Fahrradkette quer über das Gesicht. Dem Schlag mit einer Eisenstange auf seinen Schädel entging er durch eine blitzschnelle Bewegung. Er ließ sich über den dreckigen Boden rollen. Er erwischte eine andere Eisenstange. Er sprang hoch, den Rücken zur Wand. Und nun verlor er jede Beherrschung. Sein Haß, seine Trauer, sein Zorn brachen durch. Jakob schlug mit der Eisenstange zu – auf Schädel, Schultern, Arme. Wie ein Rasender kämpfte er.

Die Stange wirbelte durch die Luft. Blut rann über Jakobs Stirn. Blut spritzte von anderen Stirnen. Die ersten vom ›White trash‹ (›Weißen Abschaum‹) lagen bereits zu seinen Füßen. Aber er schlug weiter und weiter und weiter, wie eine Maschine, er wollte nun selber töten, töten, töten!

Er war von Sinnen. Sie versuchten zu flüchten. Er rannte ihnen nach. Er schlug sie im Laufen zusammen.

Eine Sirene erklang ganz laut.

Ein Laster mit schwerbewaffneten Soldaten hielt neben ihm. Der Mob raste davon. Soldaten sprangen vom Verdeck. Fünf Mann waren nötig, um Jakob festzuhalten, um ihm die Eisenstange zu entwinden, um ihn auf das Verdeck zu werfen. Der Schmerz, den er dabei empfand, brachte ihn wieder ein wenig zu sich. Er sah sich um. Rauch. Flammen. Die ganze Stadt schien zu brennen. Wagen mit aufgeblendeten Scheinwerfern rasten vorbei.

»Was wollt ihr von mir?« brüllte Jakob.

»Wir bringen Sie ins Hotel! Da sind Sie sicher! Da ist ein Arzt! Der muß Sie behandeln! In das Hotel kommt keiner rein...«

»Ich will nicht ins Hotel!« schrie Jakob. »Ich will... Ich will... Laßt mich los!« Sie ließen ihn nicht los. Der Motor des Lasters heulte auf, er schoß vorwärts über die verwüstete Straße, vorbei an brennenden Häusern und geplünderten Läden.

»Wo sind die beiden Männer, die mit mir ins Leichenschauhaus fuhren?«

»Ihre Leibwächter?«

»Ja. Wo sind die?«

»Die haben wir schon vor einer Viertelstunde ins Krankenhaus gebracht.«

»Krankenhaus?«

»Sie wurden zusammengeschlagen... schwer verletzt... alle beide... Der ›White trash‹ hat sie zuerst überfallen...«

Meine Leibwächter im Krankenhaus. Ich habe doch gleich gesagt, ich brauche keine.

O Jesus, Jesus, Jesus.

Die Sirene des Armeelasters heulte.

50

»Ich weiß, wie erregt ihr seid und wie müde wir sind und wie sehr unsere Empörung brennt. Aber wir müssen den Negern von Birmingham verständlich machen, daß Gewalt nicht unser Weg ist...« Die Stimme klang aus einem Radio in Jakobs Hotelzimmer. Er lag mit einem Kopfverband auf dem Bett und starrte die Decke an. Es war dunkel geworden. Von draußen leuchtete noch das düstere Rot einzelner Brände, doch auf der Straße war es still. Armee, Nationalgarde und Polizei hatten den Terror der Weißen und den dadurch ausgelösten Aufstand der Neger gebrochen. Ruhe herrschte in Birmingham. Friedhofsruhe.

Der herrische Ton des Sprechers – es war Dr. Martin Luther King, Jakob wußte es – wich jetzt dem feierlichen Singsang des Südstaaten-Prediger-Englisch: »Ihr werdet sehen die rassisch integrierten Lokale und Imbißstuben. Ihr werdet sehen die integrierten Warteräume der Geschäfte. Ihr werdet Neger sehen, die Positionen bekleiden wie nie zuvor. Ihr werdet sehen, daß der Neger in dieser Gemeinschaft als Mensch integriert ist. In fünf Jahren wird Birmingham auf dem Gebiet der Rassenpolitik eine der schönsten Städte des Südens sein!« psalmodierte Dr. Martin Luther Kings Stimme, die Stimme dieses Negerführers und Theologen, der in fünf Jahren den Friedensnobelpreis erhalten und in acht Jahren ermordet werden sollte – von Weißen, am 4. April 1968. Dieser Mann, der für einen Sieg durch Gewaltlosigkeit kämpfte wie Gandhi, brachte die Masse der Schwarzen wieder zur Ruhe. Wie in Trance, gebannt durch die Weissagungen ihres Apostels, lauschten sie nun einer anderen Stimme – der von Ralph Abernathy, einem Mitarbeiter Kings, der die Neger von Birmingham zu Gehorsam gegenüber ihrem Apostel verpflichtete.

Aus dem Radio hörte Jakob, auf dem Bett liegend, die Decke anstarrend, Abernathys Stimme: »Nicht jeder kann Führer sein!«

Ein Chor von vielen tausend Stimmen antwortete: »Nein! Nein!«

»Doktor Martin Luther King ist unser Führer, und was fordert er von uns?«

Wieder die vielen tausend Stimmen im Chor: »Übe keine Gewaltsamkeit!«

Jemand klopfte laut gegen Jakobs Zimmertür.

»Übe keine Gewaltsamkeit!«

Das Klopfen wurde hektisch. Jemand trommelte mit beiden Fäusten gegen die Tür.

»Übe keine Gewaltsamkeit!«

Der Singsang aus dem Radio war so laut, daß Jakob nicht verstand, was der Mann auf dem Gang draußen schrie. Nun trat er mit den Schuhen gegen die Tür. Das war der Moment, in welchem Jakob jede Besinnung, jede Beherrschung verlor. Rasend vor Empörung sprang er auf, torkelte durch das dunkle Zimmer. Genug, genug, genug, dröhnte das Blut in seinem Schädel. Das ist zuviel, zuviel, zuviel! Jakob erreichte die Tür. Der Mann draußen brüllte wie ein Verrückter. Jakob verstand kein Wort. Er sperrte die Tür auf. Er riß sie zurück. Im Gang brannte elektrisches Licht. Ein Mann stand da, hob eine Hand…

…und Jakob schlug ihm die Faust mit solcher Gewalt ins Gesicht, daß der Mann lautlos nach hinten stürzte und sich überschlug. Jakob fiel über ihn. Der Mann lag reglos auf dem Bauch. Das Schwein, das Schwein, das gottverfluchte Schwein, hämmerte es in Jakobs Schädel. Er keuchte. Er ließ sich zur Seite rollen. Er erhob sich halb. Laß mich dein Schweinegesicht sehen, du Schwein!

Er drehte den Bewußtlosen auf den Rücken.

Er sah in das Gesicht seines Freundes George Misaras.

1957–1965 – Die Welt wandelt sich schnell – aber schöner wird sie nicht.

Einberufen vom großen Papst Johannes XXIII. († 3. Juni 1963), tagt von 1962 bis 1965 das Zweite Vatikanische Konzil. Die Kirche stellt sich der Zeit. Aber die Enzyklika Pauls VI. »Humanae vitae« von 1968, vorwiegend gegen die Geburtenkontrolle und die (in der BR seit 1962 gebrauchte Antibaby-)»Pille«, zeigt, daß das nicht so einfach ist. – 1957 wird die Europäische Wirtschaftsgemeinschaft (EWG) und die Europäische Atomgemeinschaft (AEG) gegründet. Das Saarland kommt zur BR, in der es weniger als 100000 Arbeitslose gibt und die Frauen den Männern gleichberechtigt werden. In Berlin wird Willy Brandt Regierender Bürgermeister, und Mao läßt »tausend Blumen blühen«, während in östlichen und westlichen Tiefbunkern Interkontinentalraketen mit Mehrfach-Atom-Sprengkörpern zum »Overkilling« paratstehen. Die Menschheit setzt ihre Hoffnungen auf den »Heißen Draht« zwischen Washington und Moskau (1967). 1958 wird Heinrich Lübke Bundespräsident, und die SPD verabschiedet das »Godesberger Programm«. 1959 übernimmt Fidel Castro in Kuba die Macht; ein Jahr später wird John F. Kennedy Präsident der USA und das Idol des Westens (am 22. November 1963 ermordet). 1961 wird Eichmann in Jerusalem gehenkt. Breschnew wird Staatspräsident der Sowjetunion (bis 1964, dann löst er den entmachteten Chruschtschow ab). Alljährlich kommen 200000 Flüchtlinge aus der DDR in den Westen. Allein im Juli 1961 sind es 30000. Ab 13. August 1961 entstehen die Berliner Mauer und der Todeszaun.

In der BR gibt es jetzt das Farbfernsehen, aus Stalingrad wird Wolgograd, und immer mehr ehemalige Kolonien in Afrika werden selbständig.

General de Gaulle (franzöz. Staatspräsident 1959 bis 1969, 1970 †) fordert ein »europäisches Europa« und baut eine Atom-»Force de frappe« auf. 1962 zitterte die Welt: Sowjet-Mittelstreckenraketen auf Kuba! Kennedy und Chruschtschow bereinigen die Krise am 27. 10. In der BR gibt es die Notstandsgesetzgebung. 1963 wird Wirtschaftswunder-Erhard Bundeskanzler, was seinem Vorgänger Adenauer gar nicht sehr recht ist. In den USA ist (und bleibt durch Wahl 1965 bis 1969) Lyndon B. Johnson Präsident. 1964 wird Willy Brandt 1. Vorsitzender der SPD, Jasir Arafat Führer der anti-israelischen terroristischen Al-Fatah-Palästinenser-Organisation, später der PLO. China hat die Atombombe und (1965) die Kulturrevolution. Die BR kauft politische DDR-Häftlinge frei (so tut sie es bis heute), und in den USA toben Rassenunruhen. Der Krieg zwischen Nord- und Süd-Vietnam eskaliert, die US-Luftwaffe bombardiert seit 1965 (bis 30. April 1975) Nord-Vietnam und entlaubt die Wälder dort. In der BR fallen ständig Starfighter der Luftwaffe vom Himmel. In der DDR begeht Erich Apel, stellv. Ministerpräsident und Vorsitzender der Plankommission, Selbtmord. Bei der Bundestagswahl 1965 erhält die CDU/CSU 47,6 Prozent der Stimmen, die SPD 36,2, die FDP 9,5 und die NPD 2,0.

Mit Rachel Carsons »Stummer Frühling« (dt. 1963) beginnt die Bewegung für den Umweltschutz.

»Gesellschaft im Überfluß« heißt das aufsehenerregende Buch des amerikanischen Wirtschaftswissenschaftlers John Kenneth Galbraith (dt. 1959). 1961 haben in der BR 2532 Aktiengesellschaften ein Grundkapital von 35,5 Milliarden DM. Die BR hat Vollbeschäftigung (1960: 270000 Gastarbeiter, 1965: 1,2 Millionen).

Von 1950 bis 1962 ist das Bruttosozialprodukt um das Dreieinhalbfache gestiegen, man ist 1961 bei der 45-Stunden-Woche angekommen und steuert auf die 40-Stunden-Woche zu. Damals beträgt das Pro-Kopf-Jahreseinkommen in den USA 11354 DM, in der Schweiz 6775, in der BR 5746, in der UdSSR 2967, in Indien 272. Der Sektverbrauch in der BR ist gegenüber 1950 auf das Elffache gestiegen, die Heizölproduktion hat sich gegenüber 1955 versiebenfacht.

Nach der Freßwelle (von 1948 bis 1964 sinkt der Kartoffelkonsum um zwei Drittel, der von Brot um 12 Prozent), der Bauwelle (1957 Internationale Bauausstellung in Berlin: die Hochhäuser des »Hansaviertels«) und der Textilwelle folgt die Reisewelle. Groß- und Größtmärkte mit Selbstbedienung (aus Konsumreiz wird »Konsumzwang«!) verdrängen die guten alten »Tante-Emma-Läden«. Auf 1000 Einwohner gibt es 1961 in der BR 112 Pkw, in USA 344, in der DDR 9. Schon träumt man von der »autogerechten Stadt«. – 1961 erhält die BR das erste Kernkraftwerk (Kahl, 15000 kW Leistung).

Futurologie ist »in«: Der dicke Amerikaner Herman Kahn prophezeit teils Fürchterliches, teils Tröstliches. Man erwartet für 1978 perfekte Fremdsprachenübersetzungen aus dem Computer, für 1989 künstliches Leben und für 2000 eine Welt-Einheitssprache. (Robert Jungk hat bereits 1952 festgestellt: »Die Zukunft hat schon begonnen«). Bei den Biologen wird es ernst; 1963 diskutieren sie molekularbiologische Eingriffe in die menschliche Erbsubstanz und Manipulation von Embryonen im Sinne einer an die Nazi-Theorien und -Praktiken erinnernden »Eugenik«.

Begonnen hat die Zukunft wirklich bei der Weltraumfahrt: Am 4. Oktober 1957 piept der sowjetische »Sputnik I«. Die Schockwirkung in den USA hat die Forderung zur Folge: Amerika muß eine Nation von Mathematikern, Wissenschaftlern und Technikern werden, was zur Einführung der »New Math(ematics)« und mit ihr der Mengenlehre (bis in die letzten deutschen Kindergarten) führt. Am 1. Februar 1958 haben die USA ihren »Explorer I« am Himmel, am 3. Januar 1959 umkreist der erste Satellit (UdSSR: »Luna I«) die Erde, am 3. März 1959 folgt »Pioneer IV«, USA. Den Mond trifft am 12. September 1959 »Luna II« (UdSSR). Erster bemannter Raumflug (Gagarin, UdSSR) 12. April 1961, 16. bis 21. Juli 1969 erste Mondlandung (USA, Armstrong, Aldrin, Collins). Bis 1975 gibt es rund 5000 Forschungs-, Wetter-, Nachrichten-, Spionage- und militärische Satelliten – z. T. mit Kernreaktoren und Laserstrahl-Batterien.

Technischer Fortschritt muß nicht immer ungut sein: Seit 1957 setzt sich in der BR die Tiefkühltechnik für den Haushalt durch.

Seit 1957 gibt es das »unschädliche« Schlafmittel Contergan. Ein Jahrzehnt später beginnt ein Riesenprozeß: Contergan verursacht in den ersten Schwangerschaftsmonaten schwerste Wachstumsstörungen bei Ungeborenen, und bei Erwachsenen kommt es zu Nervenschäden. – Erster Triumph der Unmenschlichkeit einer hochtechnisierten Medizin: Christiaan Barnard transplantiert am 3. Dezember 1967 ein menschliches Herz.

Über die Jugend schreibt Helmut Schelsky 1957 sein Buch »Die skeptische Generation«. Skepsis allein prägt das Bild einer Jugend nicht, die weder die Nazivergangenheit ihrer Väter noch die Hektik des Wiederaufbaus begreifen kann und will (»Trau keinem über dreißig!«).

Protesthaltung und Umweltbedingungen lassen aus »Halbstarken« und »Rabatzbanden« erst »Gammler« (1962) werden, dann »Provos« und »Rocker« (1965). Nur vorübergehend beherrschen die Hippies als »Blumenkinder« der »Flower Power« die Szene der »Wohnkommunen« und »Happenings«. Seit Elvis »the pelvis« (»das Becken«) Presley (1954) und den Beatles (1964) werden Rock- und Beat-Festivals zu Kollektiv-Ekstasen oder Kollektiv-Aggressionen mit Totalzertrümmerung des Konzertsaals. Äußerst bedenklich ist die unaufhaltsam steigende Drogensucht (Haschisch, Meskalin, LSD und Heroin). Prophet der »Bewußtseinserweiterung« durch »psychedelische« Drogen ist der 1922 geborene Harvard-Psychologe Timothy Leary (1970 in USA zweimal zu 10 Jahren Gefängnis verurteilt, Flucht nach Algerien).

Die Jugend steht im Vordergrund aller Reformprogramme. »Alle Macht den Kindern!«, fort mit »Pression« und »Repression«! Mit Hilfe »antiautoritärer Erziehung« (nach A. S. Neill – Summerhill 1921! – und Wilhelm Reichs orgon-trächtigem »Dialektischer Materialismus und Psychoanalyse« von 1934) sollen aus Kindergärten »Kinderläden« werden. Der »Bildungsnotstand« wird ausgerufen. Die Reformprogramme für Schulen und Hochschulen aller Kategorien überschlagen sich geradezu.

Studentenproteste gegen veraltete Strukturen an den Universitäten (»Unter den Talaren der Muff von tausend Jahren!«) werden zum Anstoß für die Formation einer »Neuen Linken« als Außerparlamentarischer Opposition (APO). Die »Roten Zellen« veranstalten, immer amerikanischen Mustern folgend (insbesondere University of California in Berkeley, 1964), »gewaltlose« »Sit-in's« und »Go-in's«. Bei den »Diskussionen« der »Teach-in's« wird der Gegner bereits durch Drohungen »verunsichert« und niedergeschrien. Von Toleranz ist entsprechend Herbert Marcuses »Kritik der reinen Toleranz« und dem Leninschen Prinzip der »Parteilichkeit« keine Rede mehr. Bald heißt die Parole beim »Langen Marsch durch die Institutionen«: »Subversive Aktion«, eine Zeitschrift nennt sich »Anschläge«, und es ist soweit: Es gibt Gewalt auch »gegen Sachen«: In Frankfurt brennt das erste Kaufhaus. Bei Demonstrationen fliegen Molotow-Cocktails. Und zur gleichen Zeit kommt es nun zur Gewalt auch gegen Personen: Mißliebige Professoren werden verprügelt, im Ganoven-Jargon als »Bullen« diskriminierte Polizisten niedergeschlagen. Bei der Befreiung des Kaufhausbrandstifters Andreas Baader kommt es am 14. März 1970 zum ersten Mordanschlag. (Im gleichen Jahr 1970 erhalten die Achtzehnjährigen – mit den Stimmen aller Parteien – das aktive und passive Wahlrecht, 1975 die Volljährigkeit.)

Der durch die »Pille« geförderten Enttabuisierung des Sexus (deutsches Modell: Oswalt Kolle »Deine Frau – das unbekannte Wesen«, 1965 in »Quick«, dann als Buch und Film) folgen die ersten Wellen der von Schweden und Dänemark ausgehenden Pornoflut: Sex-Shops, Pornofilme und -leihfilme, Gruppensex, für feinere Leute »Schwarze Messen« (überhaupt wird Satanismus die große Mode – Ira Levin: »Rosemary's Baby«, 1966), für Literaten feiert der Marquis de Sade, der größte Porno-Langweiler aller Zeiten, fröhliche Urständ (dt. 1962), auf der Bühne durch Peter Weiss' »Die Verfolgung und Ermordung Jean Paul Marats, dargestellt durch die Schauspielgruppe des Hospizes zu Charenton unter Anleitung des Herrn de Sade« (1964).

Um 1960 verstärkt sich das Interesse für Parapsychologie (»Okkult-Welle«), in die man auch die Deutungsversuche für die seit den fünfziger Jahren immer wieder angeblich beobachteten »Fliegenden Untertassen = UFOs« einbezieht.

Die »Subkultur« der Jugend findet die ihr entsprechende Kunst: Mit Andy Warhol (1962) beginnt die »Pop-Art«.

Auf der Bühne sieht man Jean Genets »Balkon« (1957) und J. M. Simmels »Schulfreund« (1959), Max Frischs »Andorra« (1961) und das Musical »My Fair Lady« (1961), Rolf Hochhuths »Stellvertreter« (1963) und Peter Hacks' »Polly« (1964).

Von Büchern ist zu nennen: 1957 Max Frisch: »Homo faber«; Hugo Hartung: »Wir Wunderkinder«; Arno Schmidt: »Die Gelehrtenrepublik«; (noch nicht im Faksimile des Typoskripts). – 1958: Truman Capote: »Frühstück bei Tiffany«; Leon Uris: »Exodus«; Boris Pasternak: »Dr. Schiwago«. – 1959: Pierre Theilhard de Chardin: »Der Mensch im Kosmos«; Heinrich Böll: »Billard um halb zehn«; Günter Grass: »Die Blechtrommel«. – 1960: Martin Walser: »Halbzeit«; Hans Habe: »Ilona«; Anne Golon: »Angelique«. – 1961 (C. G. Jung u. Ernest Hemingway †): Helmut Qualtinger: »Der Herr Karl«; das »Deutsche Wörterbuch« der Gebr. Grimm wird beendet; die Zeitschrift »Sprache im technischen Zeitalter«. – 1962 (Hermann Hesse †): Joseph Breitbach: »Bericht über Bruno«; Uwe Johnson: »Das dritte Buch über Achim«; Jerome D. Salinger: »Der Fänger im Roggen«. – 1963: Aleksander Solschenizyn: »Ein Tag im Leben des Iwan Denissowitsch«; Mary McCarthy: »Die Clique«; Peter Huchel: »Chausseen, Chausseen«; Katherine Anne Porter: »Das Narrenschiff«; Max von der Grün: »Irrlicht und Feuer«. – 1964: Herbert Marcuse: »Der eindimensionale Mensch«; Thomas Bernhard: »Amras«. – 1965: Walter Robert Fuchs: »Knaurs Buch der modernen Physik« (neuer Typ des farbig illustrierten Sachbuchs); Wolf Biermann: »Die Drahtharfe«.

Die großen Filme: »In 80 Tagen um die Welt« (USA, Mike Todd); »Die Brücke am Kwai« (USA, Alec Guiness); »Die Zwölf Geschworenen« (USA). – 1958: »Das Mädchen Rosemarie« (nach dem Mordfall Nitribitt; Titel anfangs: »Venus vulgivaga [mot.]«); »Wenn die Kraniche ziehen« (UdSSR). – 1959: »Sonntags nie« (Frankr., Melina Mercouri); »Manche mögen's heiß« (USA, Billy Wilder, Marilyn Monroe). – 1960: »Außer Atem« (Frankr., Jean-Luc Godard, »Neue Welle«); »Wir Kellerkinder« (BR, Wolfg. Neuss); »Psycho« (Engl., A. Hitchcock); »Frühstück bei Tiffany« (USA, Audrey Hepburn). – 1961: »Das Wunder des Malachias« (Schweiz, B. Wicki); »West Side Story« (USA); »Telefon Butterfield 8« (USA, Elizabeth Taylor). – 1962: »Die Eingeschlossenen« (Frankr.); »Das schwarz-weiß-rote Himmelbett« (BR); »Der Prozeß« (USA, Orson Welles). – 1963: »Das Schweigen« (Schweden, Ingmar Bergman); »Die Vögel« (Engl., A. Hitchcock). – 1964: »Alexis Sorbas« (Griechenl.); »Mary Poppins« (USA). – 1965: »Der junge Törless« (BR); »Es« (BR); »Wer hat Angst vor Virginia Woolf?« (USA).

Nicht wenige Schlager sind bis heute beliebt geblieben: »True love« (1957); der »River-Kwai-Marsch« (1958); »Am Tag, als der Regen kam« (1959); »Wir wollen niemals auseinandergehn« (1960); »Pigalle« (1961); »Junge, komm bald wieder«; »Mit siebzehn hat man noch Träume« (1964) und »Yesterday« (Die Beatles, 1965).

In diesem Sinne geht's dann weiter (mit manchen Dingen freilich abwärts).

1966: »Deutschmark, Deutschmark über alles« (The Daily Telegraph)

Seit 1959 ist Heinrich Lübke (CDU) Bundespräsident als Nachfolger von Theodor Heuss († 12. 12. 1963).

5. Januar: Altbundeskanzler Konrad Adenauer 90 Jahre alt († 19. 4. 1967).

30. November: Ludwig Erhard tritt als Bundeskanzler der CDU/CSU-FDP-Regierung zurück.

1. Dezember: Bundeskanzler der neuen CDU/CSU-SPD-Regierung: Kurt Georg Kiesinger; Vizekanzler und Außenminister Willy Brandt (Entspannungspolitik), Wirtschaftsminister Karl Schiller (Antizyklische Finanzpolitik zur Konjunkturbelebung).

Arbeitslose in der BR: 160 000 (Jahresdurchschnitt).

Weltweite Demonstrationen gegen Eskalation des Vietnamkrieges durch die USA; dort außerdem wieder schwere Rassenunruhen (1963: Martin Luther King ermordet).

Die »Kulturrevolution« in China wird in der Sowjetunion als »Entehrung des Marxismus-Leninismus« gebrandmarkt.

DDR: Erstes Atomkraftwerk mit 70 000 kW Leistung.

Atomwissenschaftlicher Kongreß in China: »Zur Theorie der Elementarteilchen aufgrund der Erleuchtung durch den Großen Vorsitzenden Mao Tse-tung«.

China hat die Atombombe seit 16. 10. 1964.

In Spanien stürzt ein US-Kampfflugzeug mit Atombomben ab, die gottlob nicht zünden.

Infolge »Bildungsnotstands« wird seit 1961 (Bochum) eine Universität nach der anderen gegründet. In diesem Jahr ist es Düsseldorf. – Es bleibt bei den Studentenkrawallen – (»Schweigende Mehrheit«: 60 bis 85 Prozent). 1968 führen Studentendemonstrationen in Paris zur »Mai-Revolte« mit Generalstreik.

Mary Quant kreiert im »Swinging London« den Minirock.

Bühne: Peter Handke: »Publikumsbeschimpfung«.

Bücher: Günter Eich: »Anlässe und Steingärten«; Lose-Blatt-Lyrik im Verlag Luchterhand; Gerhard Zwerenz: »Casanova oder der kleine Herr in Krieg und Frieden«; Jürgen Thorwald: »Die Stunde der Detektive«; Werner Keller: »Und wurden zerstreut unter alle Völker«; James A. Michener: »Die Quelle«.

Filme: »Grieche sucht Griechin« (BR, Heinz Rühmann); »Abschied von gestern« (BR, Alexander Kluge); »Blow up« (Engl., Michelangelo Antonioni); »Fahrenheit 451« (Engl., François Truffaut); »Africa addio« (Ital.); »Wenn Katelbach kommt« (Engl., Roman Polanski).

Schlager: »Stranger in the Night« (Frank Sinatra); »Natalie« (Gilbert Bécaud).

1976: Dreißig Jahre nach den Eiern von Hörsching oder: »Wohin treibt die Bundesrepublik?« (der Philosoph Karl Jaspers 1966)

1969 wird nach Heinrich Lübke († 1972) Gustav Heinemann (bis 1952 CDU, dann Gesamtdeutsche Volkspartei, seit 1957 SPD) Bundespräsident (bis 1974, † 1976). Er erfindet das Wort vom »mündigen Bürger«. Auf Heinemann folgt 1974 Walter Scheel (FDP).

Willy Brandt ist seit 1969 Bundeskanzler; 1971 erhält er den Friedens-Nobelpreis.

Bei der Bundestagswahl von 1972 bekommt die CDU/CSU 225 Sitze, die SPD 230, die FDP 41: »Sozialliberale Koalition« mit sozial-, bildungs-, rechts- und innenpolitischem Reform- und außenpolitischem Entspannungsprogramm. Im September 1973 werden BR und DDR als 133. und 134. Staat in die UN aufgenommen. Brandt tritt am 6. Mai 1974 wegen der Spionageaffäre Guillaume zurück. 1976 wird er Präsident der Sozialistischen Internationale.

Sein Nachfolger als Bundeskanzler ist Helmut Schmidt (SPD, 1969–72 Bundesverteidigungsminister, 1972 Bundeswirtschafts- und Finanzminister, 1972–74 Bundesfinanzminister). Sein Vizekanzler und Außenminister ist Hans-Dietrich Genscher (FDP). Bei der Bundestagswahl vom 3. Oktober 1976 (Wahlbeteiligung 90,7 %) wird die CDU/CSU mit 243 Sitzen stärkste Fraktion, die SPD erhält 214, die FDP 39 Sitze. Fortsetzung der »Sozialliberalen Koalition«.

In der SPD zunehmend Radikalisierung auf dem linken Flügel, insbesondere bei den Jungsozialisten (»Jusos«), ebenso bei der FDP (Jungdemokraten, »Judos«). Bei der CDU/CSU kriselt es im Verhältnis der Partner und der Vorsitzenden Helmuth Kohl (seit 1973)/Franz Josef Strauß, doch einigt man sich immer wieder bis zum nächsten »Kreuth«.

Politische Gewaltanwendung ist von der gegen Sachen zu der gegen Personen eskaliert: Auf Brandstiftung folgen Morde, Geiselnahmen und Flugzeugentführungen zu politischer Erpressung. Dazu 1972 der evangelische Theologe Helmut Gollwitzer: »1968 haben Gudrun Ensslin und ihre Freunde in ihrer Verzweiflung über die moralische Dickfelligkeit der bundesrepublikanischen Bevölkerung und ihrer offiziellen Repräsentanten mit einem Kaufhausbrand als sinnlich anschauliches Zeichen die Menschen aufrütteln wollen.« Der Prozeß gegen den harten Kern der »Roten Armee Fraktion« in Stammheim wurde zur Farce und endet 1977 mit Selbstmorden. Der Terror wird international. Massive Gegenschläge führen Israel 1976 in Entebbe (Uganda) und die BR 1978 in Mogadischu (Somalia).

Mit Terror greifen Polit-Rocker auch in die Auseinandersetzungen für und gegen die Kernenergie ein. (Der Bau des Kernkraftwerks Brockdorf wird daraufhin auf Gerichtsbeschluß eingestellt.)

In den durch die Watergate-Affäre (1972–74, Sturz Nixons) erschütterten USA, die am 30. April 1975 Vietnam endgültig geräumt haben (die letzten GIs mußten auf den Flugplätzen von Saigon um ihr Leben rennen), folgt auf den Präsidenten Gerald Ford (Republikaner) der Erdnußfarmer und Demokrat Jimmy Carter. – am 9. September 1976 stirbt Mao Tse-tung.

Die am 3. Juli 1977 in Helsinki eröffnete Konferenz über Sicherheit und Zusammenarbeit in Europa (KSZE, Fortsetzung 1977 in Belgrad) soll vor allem Entspannung zwischen Ost und West bringen. Doch bleibt es angesichts nur bescheidener Erfolge und nicht weniger Rückschläge beim Hoffen. Von Truppenreduzierung und Abrüstung ist entgegen feierlichen Konferenzerklärungen in Wien weit und breit nichts zu merken.

Die KSZE hat in vielen Ländern des »Sozialistischen Lagers« eine lebhafte Bürgerrechtsbewegung zur Folge (Ausbürgerungen aus der UdSSR – z. B. Aleksander Solschenizyn: »Archipel GULAG« – und der DDR – z. B. Liedermacher Wolf Biermann – oder Totalisolation – z. B. Altkommunist Professor Robert Havemann). Von einem »Prager Frühling« kann keine Rede sein – er endete im August 1968 mit dem Einmarsch der Panzer des Warschauer Pakts. Ob der »Eurokommunismus« (insbesondere Italien und Frankreich) ernstgemeint ist oder nur Taktik, bleibt abzuwarten. In der DDR gibt es keine Selbstmorde mehr: 1970 weist die Statistik auf 100 000 Einwohner noch 30,5 Selbstmorde und 0,5 Todesfälle durch »sonstige Gewalteinwirkung« aus – in der BR 19,8 bzw. 3,1. Seit 1972 (noch zu Walter Ulbrichts Zeit, er starb 1973) meldet die Statistik 0,0 Selbstmorde, in diesem Jahr dann allerdings 32,7 Todesfälle durch »sonstige Gewalteinwirkung«.

In der BR, aber auch im Ausland, wird erbittert diskutiert, ob der Ausschluß erklärter Gegner des Grundgesetzes vom öffentlichen Dienst ein »Berufsverbot« sei (DKP 42 000 Mitglieder, Kommunistischer Bund Westdeutschlands weit über 2500, KPD 7000, KPD/Marxisten-Leninisten angeblich 1000, NPD 15 000 – zum Vergleich SPD 1 000 000, CDU und CSU 850 000, FDP 78 000).

Von 1950 bis 1976 hat die BR an (staatlicher und privater) Entwicklungshilfe 107 550 000 000,– DM geleistet. Die Dritte und Vierte Welt hungert weiter. In Uganda ist seit 1971 Idi Amin Diktator. Ende 1976 wird Angola dank sowjetischer Militärberater und kubanischer Truppen Volksrepublik. Die Weißen in Südwestafrika, Rhodesien und Südafrika (wo man starr an der Politik der Apartheid festhält) bereiten sich auf den Endkampf vor. Im Nahen Osten herrscht seit dem Jom-Kippur-Krieg Oktober 1973 zwischen Israel und den arabischen Staaten »Waffenstillstand« mit Gewehr bei Fuß.

Während in Nordirland katholische und protestantische Frauen sich gegen den Wahnsinn des Bürgerkrieges wehren, erheben sich, als späte Erbinnen der Suffragetten von 1913 (man denke an die entsprechende Folge der britischen Fernsehserie »Das Haus am Eaton Place«!) und motiviert durch »Women's Lib« in USA, die Feministinnen der BR unter Alice Schwarzer (Zeitung »Emma«).

In der BR gibt es 877 328 Studenten, »Schulreform«-, »Hochschulreform«- und »Numerus-clausus«-Chaos, 18 000 Jugendliche ohne Ausbildungsstelle, 1 060 000 Arbeitslose und 1 800 000 Gastarbeiter sowie einen Schaden von 5 000 000 000 DM durch Wirtschaftskriminalität.

Die 1957 eingeführte »Dynamische Rente« ist und bleibt gefährdet.

Bei den Olympischen Spielen in Montreal lassen die Sportler der UdSSR und der DDR alle anderen weit hinter sich.

Die amerikanische Raumsonde »Viking I« sendet präzise Fotos von der Oberfläche des Planeten Mars.

In Seveso (Italien) gibt es eine Giftkatastrophe.

Pablo Picasso starb am 8. April 1973. Jetzt, 1976, hüllt »Verpackungskünstler« Christo in Kalifornien 40 Kilometer Zaun in Plastikfolie – ein Anblick, der verzweifelt an den Gitterzaun der DDR gegen die BR erinnert: Walter de Maria sucht nach einer Borstelle für sein »Denkloch«.

Erfolgreiche Bücher sind in der BR u. a.: Carl Friedrich von Weizsäcker (Physiker, Philosoph, Friedensforscher und Direktor des Max-Planck-Instituts zur Erforschung der Lebensbedingungen in der wissenschaftlich-technischen Welt [gegr. 1969]: »Wege in der Gefahr – Eine Studie über Wirtschaft, Gesellschaft und Kriegsverhütung«; Saul Bellow: »Humboldts Vermächtnis«; Ephraim Kishon: »In Sachen Kain und Abel«; Reiner Kunze (früher DDR): »Die wunderbaren Jahre«; Hoimar von Ditfurth: »Der Geist fiel nicht vom Himmel«; Erica Jong: »Angst vorm Fliegen«; Curd Jürgens: »…und kein bißchen weise.«

Von Filmen seien genannt: »Lina Braake« (BR); »Sommergäste« (BR); »Von Angesicht zu Angesicht« (Schweden); »Einer flog über das Kuckucksnest« (USA); »Der weiße Hai« (USA); »Taxidriver« (USA).

Gesungen wurden, neben Karnevals-Schunkelweisen, des Bundespräsidenten Walter Scheel Lieblingslied »Hoch auf dem gelben Wagen«, vor allem »Theo, wir fahr'n nach Lodz«, »Mein Gott, Walter«, und »Wenn du denkst, du denkst…«.

Was bleibt? Zwischen Nostalgie und Terror das große Unbehagen an der Leistungs-, Konsum-, Wegwerf- und Wohlfahrtsgesellschaft mit ihrer Freizeit-, Fernseh- und Fußballkultur. Blickt man allerdings in die rustikal renovierten Gaststätten und sieht den wacker Schmausenden zu, erfreut man sich am Anblick der Urlauber in Mallorca oder auf den Bahamas, staunt man über den Kraftaufwand der Politiker bei ihren Reden, dann ruft man wohl trotz aller Bedenken:

HURRA – WIR LEBEN NOCH!

1966

Weil ein Nagel verlorenging,
ging ein Eisen verloren.
Weil ein Eisen verlorenging,
ging ein Huf verloren.
Weil ein Huf verlorenging,
ging ein Pferd verloren.
Weil ein Pferd verlorenging,
ging ein Reiter verloren.
Weil ein Reiter verlorenging,
ging eine Botschaft verloren.
Weil eine Botschaft verlorenging,
ging ein ganzes Königreich verloren.
Und alles nur, weil ein Nagel verlorenging.

ABRAHAM LINCOLN (1809–1865)

1

»I... Im... Immer wenn d... du glaubst, e... es ge... geht nicht me...
mehr, k... ko... kommt ein m... mildtätiger M... Mord daher«, hatte
Klaus Mario Schreiber am 6. November 1957 gesagt. Am 27. April 1961
sagte er es wieder.

Wegen der Hartnäckigkeit, mit der Schreiber an diesem seinem Diktum
festhielt, hatte Jakob Formann die Grundsteinlegung eines Plastikwerkes
bei Tokio vorzeitig abbrechen und nach München zurückfliegen müssen.
Er flog zu dieser Zeit ununterbrochen von einem Krisenherd seines Imperiums zum andern. Diesmal gab es in München Ärger. Großen Ärger. Die
gesamte Redaktionsleitung, allen voran Frau Dr. Ingeborg Malthus, hatte
den Aufstand geprobt, der schon seit Jahren fällig war: den Aufstand gegen
den von allen am heftigsten benötigten und am heftigsten befehdeten Klaus
Mario Schreiber.

Das Jakob nach Japan übermittelte Ultimatum besagte: Entweder alle verantwortlichen Redakteure legen sofort die Arbeit nieder – oder Klaus Mario
Schreiber wird sofort gefeuert. Niemand der Verantwortlichen in der Redaktion (Auflage zu dieser Zeit wöchentlich 1,7 Millionen Exemplare) war
willens, sich die Eigenmächtigkeiten, die Frechheiten, den Zynismus, das
Saufen und den Dünkel Schreibers noch länger gefallen zu lassen. Also
entweder oder!

Direkt vom Flughafen Riem hatte Chauffeur Otto seinen Chef Jakob
Formann in das imposante OKAY-Verlagshaus gefahren. Da saß er nun in

dem großen Konferenzsaal mit seinen Mahagoni-Paneelen, an der Spitze eines langen Tisches, und alle Verantwortlichen saßen zu seinen Seiten, viele, die schon dabeigewesen waren, als man noch in einer halbzerstörten Wohnung an der Lindwurmstraße, die nur durch eine Leiter zu erreichen gewesen war, die erste Nummer von OKAY (in der RM-Zeit!) produziert hatte, und dazu viele später Hinzugekommene.

Am unteren Ende des Tisches hockte Klaus Mario Schreiber, eine Flasche, ein Glas und einen Becher mit Eiswürfeln vor sich. Neben ihm saß der Vertriebschef. Der Vertriebschef hatte das Recht, an jeder wichtigen Sitzung der Redaktion teilzunehmen, und er war auch stimmberechtigt. Man schrieb den 2. Mai 1961. Schwüle Hitze lastete über München. Alle waren nervös, Schreiber war voll wie eine Natter und seine Akne gerade wieder einmal im Begriff zu vernarben.

»Wir fordern, daß dieser Schmierer endlich rausgeschmissen wird!« rief, in höchster Erregung, ein nun schon reichlich betagter Herr – der Textchef Dr. Walter Drissen.

»Wenn Sie diesen Unmenschen nicht auf der Stelle entlassen, gehen alle verantwortlichen Redakteure, Herr Formann, und auch ich als Chefredakteur«, sagte Frau Dr. Ingeborg Malthus, die einst in einem Bootsschuppen am Staffelsee zu Murnau nur höchst mangelhaft behaust gewesen war.

»Sie haben den Bogen überspannt, Schreiber!« schrie Textchef Drissen und ließ seinen Armstumpf auf die Tischplatte krachen. »Mit Ihnen ist es aus!«

»Langsam«, sagte Jakob, »langsam, Drissen. Das mit Ihrem Kaiser-Wilhelm-Gedächtnisärmchen tun Sie nie wieder, verstanden? Ich habe einen langen Flug hinter mir. Ich bin momentan etwas geräuschempfindlich. Was fällt Ihnen überhaupt ein, mir, dem Verleger, ein solches Ultimatum zu stellen?«

»OKAY ist kein Hurenhaus...«

»Wir sind Journalisten, keine Schmierer...«

»In der ganzen Branche sind die Eskapaden dieses ewig besoffenen Lumpen das Thema Nummer eins...«

Alle redeten durcheinander.

Jakob brachte sie mit einem Tarzan-Urlaut zum Verstummen.

Dann ließ er sich die Einzelheiten berichten, die zu dem Aufstand geführt hatten.

So kurz wie möglich:

Am 1. November 1957 war die vierundzwanzigjährige, sexuell ambivalente Nutte Rosemarie Nitribitt in ihrem mit kleinbürgerlicher Prachtentfaltung (und Abhorchgeräten) aufwartenden Appartement, Frankfurt am Main, Stiftstraße 36, erwürgt aufgefunden worden. Seither – und bis zum heutigen Tag! – hatte sich die Polizei außerstande gesehen, den Mörder zu finden. Sozusagen als erste Wirtschaftswunder-Ermordete war die Dame mittlerweile zu zeitgeschichtlichen Ehren gelangt – wie man sie früher und auf höherem sozialen Niveau etwa einer Lola Montez hatte zuteil werden lassen.

Wenige Tage nach dem Mord war von Schreiber eine Serie über Rosemarie Nitribitt gefordert worden, es war gerade kein Stoff da, der die Leser vom Stuhl riß – und bei dieser Gelegenheit hatte er den eingangs erwähnten Ausspruch getan. Zum erstenmal.

Ein Verdächtiger war damals festgenommen worden. 1961 saß er noch hinter Gittern. Inzwischen ist er längst frei. Man hat ihm keinerlei Schuld nachweisen können.

Ende April 1961 gab es wieder einmal keinerlei sensationellen Vorfall, über den zu berichten sich gelohnt hätte. Also kam Schreiber prompt mit seiner fixen Idee, über die Nitribitt schreiben zu wollen, und tat den erwähnten Ausspruch zum zweitenmal.

Als dies durchsickerte, weigerten sich Regierungsmitglieder und führende Männer der deutschen Wirtschaft entschieden, OKAY Interviews zu geben, die längst zugesagt und terminiert waren, ja, einer, dem ein Titelblatt in Farben zugedacht war (OKAY brachte nun schon Bilder in Farbe!), erklärte, er werde die Erlaubnis zur Reproduktion seines Konterfeis und in einer Auflage von 1,7 Millionen Exemplaren zurückziehen, wenn er nicht bis 18 Uhr am 3. Mai 1961 die juristisch verbindliche Zusage in Händen halte, daß die von Schreiber geplante Serie nicht erscheine.

Es war jetzt 11 Uhr 37 am 2. Mai 1961, und die Chefredakteurin hatte für alle Fälle längst ein Austauschtitelblatt vorbereiten lassen, denn die Produktion eines Farbtitels dauerte seine Zeit, und die nächste Nummer erschien in sechs Tagen.

Standpunkt der Redaktion: Wenn Schreiber gestattet wird, doch über die Nitribitt zu schreiben, hat OKAY Regierung und Wirtschaft gegen sich – mit allen Konsequenzen!

Standpunkt des Vertriebschefs: Was Schreiber da vorschwebt, ist ein Bericht, in dem der Autor alles auf den Kopf stellen wird! Das habe er ja versprochen! In der Praxis wäre das dann so: Schreiber schließt einige Dinge von vornherein als absolut unsinnig und bösartige Unterstellung aus, so etwa die Möglichkeit, eine ganze Reihe von Industriebossen habe einen Killer aus Übersee angeheuert für den Mord an einer unbequemen Mitwisserin von Rüstungsgeheimnissen, die, wie man aus anderen Fällen wisse, manche Herren im Bett auszuplaudern nicht umhin könnten. Schreiber werde das als total absurd bezeichnen – aber in aller Farbenpracht ausmalen! Folge – so meine jedenfalls Schreiber: Kein Mensch könne OKAY an den Wagen fahren!

In dieser Situation des Kampfes aller gegen Schreiber also hatte die Redaktion Jakob telefonisch gebeten, schnellstens nach München zu kommen und zu entscheiden.

»Wie haben Sie sich die Serie denn vorge…«, begann Jakob, da klingelte das Telefon, das vor ihm stand.

»Ferngespräch aus Rostow, Herr Formann, dringend«, sagte ein Mädchen aus der Telefonzentrale.

Dann war Jakobs Freund Jurij Blaschenko zu hören, atemlos: »Jakob? Wieso bist du in München? Du weißt doch, daß wir hier die Einweihung des Werks haben! Du mußt sofort…«

»Ich komme ja auch sofort!«

»Sofort ist nicht schnell genug! Uns ist eine Katastrophe passiert! Wir alle sind reif für Sibirien, wenn du nicht…«

»Eines nach dem andern, Jurij. In München geht es auch drunter und drüber. Ich rufe in einer halben Stunde zurück«, sagte Jakob und legte den Hörer in die Gabel. Ein Leben führt man… ein Leben…!

Er sah Schreiber an.

»Also bitte, Ihre Vorstellung von der Serie, aber rasch, Schreiber!«

»B…Bitte, Ch…Chef!« Schreiber hielt einen Doppelbogen Layoutpapier hoch, auf dem bereits die Text- und Bildeinteilung festgelegt war und eine gezeichnete Schrift quer über beide Seiten schrie:

OKAY-LESER JAGEN DEN MÖRDER DER NITRIBITT!

»Da…Das ist die g…größte Ge…Geschichte, d…die wir je ge…gehabt haben, Ch…Chef! U…Unsere Leser als D…Detektive! Die unfähige P…Po…Polizei! Die k…korrupte Industrie! O…OKAY-Leser reißen ihnen allen die M…Maske vom Ge…Gesicht! Be…Belohnungen z…zum A…Anreiz!«

»Sie wollen damit ein Preisausschreiben verbinden?«

»Na…Natürlich. T…Tau…Tausend Preise. V…Vom Eigenheim bi… bis zu ei…ei…einem R…Roman von mir! Ch…Chef, so etwas k… kommt nie wieder! Ha…Habe ich Ihnen nicht immer g…gut geraten? De…Denken Sie an die S…Serie gegen die N…Nazis! Wie ich dagegen wa…war von A…Anfang an! Wie a…alles in E…Erfüllung gegangen ist, wa…was ich p…pro…prophezeit habe!« (Verdammt, dachte Jakob, das Belastungsmaterial gegen diesen Herresheim, das Jurij nach Bonn geschickt hat, liegt nun auch schon seine vier Jährchen dort. Sauerei. Nichts ist passiert, überhaupt nichts! Da muß ich mal ein paar SPD-Abgeordnete mit der Nase draufstoßen. Wenn man nur nicht so herumgehetzt würde…) »S…Seit Anfang an bi…bin ich hi…hier d…der F…Feu… Feuerwehrma…mann vom Dienst! Lä…Längst zusperren hätten S…Sie Ihren L…Laden sonst k…können! Mi…Mir r…reicht es jetzt! Entweder w…wi…wir b…bringen die S…Serie oder *ich* k…kü…kündige!«

»Wenn die Serie gebracht wird, kündigt die gesamte Redaktion«, sagte Frau Dr. Ingeborg Malthus eisig. Textchef Dr. Drissen hob seinen Arm.

»Lassen Sie den bloß unten!« sagte Jakob, gefährlich ruhig. »Unten lassen, habe ich gesagt, sonst fliegen *Sie* gleich!« Der Textchef senkte gehorsam sein Ärmchen.

»Na – Kornfeld?« Jakob wandte sich an den Vertriebschef, nachdem er auf die Uhr gesehen hatte. Er mußte nach Rostow! Da war also etwas schiefgegangen, verflucht! »Nun machen Sie schon, Kornfeld!«

Oskar Kornfeld, ein sehr großer, sehr dicker Mann, sagte: »Also, ich bin der einzige, der hinter Herrn Schreiber steht, voll und ganz. Was er da bringen will, wird unsere Auflage nur so hinaufschnellen lassen! Dagegen ist der Kerl da aus der Industrie mit seinem Farbtitelbild ein Dreck! Lassen wir den! Der bringt uns keinen einzigen Leser mehr! Aber Schreibers Story... also, da wette ich, daß wir hundert- bis hundertfünfzigtausend Leser mehr kriegen!«

»U... U... Und die Sa... Sache ist mit der R... Rechtsabteilung lä... längst wasserdicht gemacht, Ch... Chef! Ka... Kann uns k... keiner w... wa... was anhaben!«

»Aber eine Inseratensperre wird man über uns verhängen«, schrie Dr. Drissen. (Er ließ sein Ärmchen unten.)

»Das geht nicht so leicht, Herr Doktor Drissen«, sagte der Vertriebschef. »Wer unter solchen Umständen – wenn wir doch ausdrücklich Großindustrie als Urheber des Mordes ausschließen! – jetzt Inserate zurückzieht, der steht mies da, steht obermies da! Die Leute werden sich sagen: Nanu, hat der vielleicht doch Dreck am Stecken? Außerdem haben wir schließlich die Marktwirtschaft, den freien Wettbewerb! Da ist es nicht mehr so wie seinerzeit bei der Nazi-Serie! Heute ist die Konkurrenz da! Heute muß die Industrie inserieren!«

»Was soll denn bei Ihrer Serie eigentlich herauskommen, Schreiber?«

»Na, m... mehr Le... Leser na... natürlich, h... hö... höhere A... Auflage. Sie ha... haben's doch gehört, Ch... Chef!« Behutsam goß Schreiber sein Glas wieder voll.

»Und Sie meinen, unsere Leser finden den Mörder?«

»N... Natürlich n... n... nie! Da... Das ist do... doch auch sch... scheißegal. W... Wollen Sie den M... Mörder – oder w... wollen Sie m... mehr Auflage? Mit den The... Themen, die wir zur Z... Zeit haben, fä... fällt doch die A... Auflage, ha... habe ich recht, K... Kornfeld?«

»Herr Schreiber hat recht. Hat schon unzählige Male recht gehabt. Und immer wenn es kritisch wurde, hat er eine Serie geschrieben, die uns wieder nach oben riß. Und alle Leser sind gepackt gewesen!« assistierte Kornfeld. »Und die Auflage ist gestiegen und gestiegen, Herr Formann!«

»U... Und ich ver... verdanke die... dieser A... Arbeit hier mei... meine erste E... Ent... Entziehungskur!«

»Die hat aber nur sehr kurz vorgehalten«, bemerkte Frau Dr. Ingeborg Malthus giftig.

»Hö... Hören Sie, ich s... sage ja, ich k... kann auch g... gehen!« Schreiber wurde wütend. »D... Das ist also der D... Dank f... für mei... meine Sch... Schufterei in d... diesem I... Idi... Idiotenstall!«

»Also, das ist doch...«

»Noch ein Wort, und ich vergesse mich...«

Das Telefon läutete.

»Ruhe!« brüllte Jakob, während er den Hörer nahm.

Es war wieder Jurij Blaschenko. Diesmal weinte er: »Jakob, mein Freund, mein guter Freund, du mußt augenblicklich kommen, es ist schon wieder etwas passiert. Ich kann es am Telefon nicht sagen. Aber wenn du nicht sofort hilfst, sind wir alle verloren!«

»Nicht verzagen, Formann fragen! Ich fliege in einer halben Stunde ab.«

Jakob knallte den Hörer in die Gabel. »So«, sagte er. »Und wegen einer solchen Lächerlichkeit wird Jakob Formann aus Tokio gerufen, Frau Doktor Malthus?«

»Das ist keine Lächerlichkeit, Herr Formann! Wie ich Ihnen am Telefon sagte, sind wir – der ganze Redaktionsstab – entschlossen, fristlos zu kündigen, wenn Schreibers Serie von Ihnen genehmigt wird.«

Jakob lehnte sich vor.

»Schreiber!«

»Ch... Chef?«

»Sie kennen Gott und die Welt. Wie lange dauert es, bis Sie eine neue Redaktion zusammengestellt haben – aus erstklassigen Journalisten?«

»Z... Zwei, h... höchstens d... drei T.. Tage, Ch... Chef.«

»Dann tun Sie's!« Jakob sah rund um den Tisch. »Meine Entscheidung ist gefallen. Ich lasse mich von Ihnen nicht erpressen, verstanden? Ich nehme Ihre pauschale Sofortkündigung an. Heute abend sind Ihre Schreibtische geleert. Schreibers Serie kommt in die nächste Nummer!«

»Das können Sie nicht machen!« kreischte Frau Dr. Ingeborg Malthus.

»Das kann ich sehr wohl machen! Jakob Formann ist Verleger und Besitzer der Mehrheit. Sie bekommen Ihre Abfindungen, die Rechtsabteilung wird das übernehmen. Frau Kalder, die Witwe des ersten Lizenzträgers, werden wir mit einer Lebensrente beglücken, mit einer sehr hohen! Das wär's.«

Alle saßen erstarrt. Niemand brachte ein einziges Wort hervor. »Noch eine Frage? Nein, wie ich sehe. Von heute an bin *ich* Alleinbesitzer von OKAY! Wem's nicht paßt, der kann vor Gericht gehen. Erreichen wird er nichts. Die Lage ist eindeutig *gegen* Sie alle. Sie sind gefeuert, alle miteinander! Was wollen Sie denn noch, Schreiber, ich habe es eilig, ich muß nach Rußland fliegen!«

»Jaja. I... Ich wollte s... sagen: Da... Das ist ja se... sehr nett, Ch... Chef, da... daß Sie z... zu mi... mir halten, a... aber wollen Sie es sich n... nicht doch noch m... mal überlegen? Sind doch ganz ne... nette und ganz b... begabte K... Kerle – die m... meisten wenigstens!«

»Jakob Formann hat sich alles gründlich überlegt, Schreiber! Jakob Formann ist seiner Zeit immer um zwei Schritte voraus! Und deshalb weiß er, daß hier jetzt frisches Blut nötig ist! Also basta. In den nächsten Tagen bin ich wieder über das Kulturhaus von Rostow am Don zu erreichen. Servus...«

2

»Die Jahre in der Sowjetunion sind entweder Rekord- oder Unkrautjahre, aber alle sind historisch«, sagte Jurij Blaschenko, nunmehr – und immer noch – einer der höchsten Beamten der höchsten Planungsstelle der UdSSR, am Abend des 4. Mai 1961. Danach umarmte er seinen Freund Jakob Formann, küßte ihn (ziemlich feucht) auf beide Wangen und murmelte erschüttert: »Neunzehnhunderteinundsechzig ist ein ganz besonders historisches Jahr für mich. Für ein paar hundert Genossen. Und für Sowjetunion.«
Es bleibt mir nichts anderes übrig, dachte Jakob und küßte zurück. (Das mit dieser Wangenküsserei unter Männern ist inzwischen überall auf der Welt Mode geworden, die Sowjets haben nur damit angefangen.)
Ausgetauscht wurden die erwähnten Zärtlichkeiten auf dem Flugplatz der Stadt Rostow am Don und daselbst am Fußende der Gangway von Jakobs ›Superconstellation‹, die ihn hierhergebracht hatte.
Das sind keine nassen Küsse, das ist etwas viel Schlimmeres, dachte unser Freund und rief erschrocken: »Du weinst ja, Jurij! Um Himmels willen, warum denn?«
»Na, weil das Jahr 1961 eben ein so besonders historisches Jahr ist für mich und ein paar hundert andere und für Sowjetunion. Ab mit uns nach Kasakstan, Wüsten bewässern«, murmelte Jurij und ließ seine Tränen fließen wie's Bächlein auf der Wiesen.
»Reg dich nicht auf!« sagte Jakob mitfühlend und klopfte Jurij auf den breiten Rücken. »Was auch immer schon wieder passiert ist, *ich* bin jetzt da! Nicht verzagen, Formann fragen! Was ist also schon wieder passiert?«
»DX 330«, schluchzte Jurij.
»Was DX 330?« fragte Jakob streng. Hier mußte er streng sein zu seinem Freund, sonst heulte der immer weiter, und kostbare Zeit ging verloren.
»Haben wir nicht! Und in vier Tagen wird das Werk eröffnet, und Genosse Vorsitzender Ministerrat Chruschtschow kommt. Und da soll das Werk vollen Betrieb haben. Und ohne DX 330 können wir vollen Betrieb nicht aufnehmen, können wir gar keinen Betrieb aufnehmen, und jetzt sag mir bloß noch, in Kasakstan gibt es die schönsten Mädchen der Sowjetunion!« Jurij heulte jetzt nicht mehr. Er war nur noch sehr verbittert. »Weißt du, was DX 330 ist?«

Jakob streckte sich.

»Jurij, mir tun alle Knochen weh. Das war ein verflucht weiter Flug hierher. Ich bin gekommen, so schnell es gegangen ist, um dir zu helfen. Aber jetzt mach mich nicht wahnsinnig! Ich will nicht wissen, was DX 330 ist, denn das weiß ich selber! Das ist ein Schweröl, das ihr bei der Plastikproduktion braucht. Wissen will ich, wieso ihr, Himmel, Arsch und Zwirn, das auch schon wieder nicht habt!«

Jurij Blaschenko sagte gramvoll: »Weil die Zentrale Planungsstelle in Moskau es zu einem Eisenkombinat weit hinter dem Ural geschickt hat und weil die dort schon damit arbeiten. Irgendein Idiot hat wieder einmal falsch geplant.«

»Reg dich nicht auf, Jurij, Idioten gibt's überall.« Jakob gähnte. »Sollen die in Moskau euch doch anderes DX 330 schicken.«

»Können Sie nicht!«

»Können sie nicht?« Jakob runzelte die Augenbrauen.

»Nicht im Moment! Haben sich völlig verausgabt – und uns völlig vergessen. Für uns sind sie lieferfähig erst wieder in drei Wochen. Und in vier Tagen kommt Towaristsch Chruschtschow!«

»Ach, du liebe Scheiße!« Jakob setzte sich auf die unterste Stufe der Gangway. In der Dunkelheit sah er, auf einem Hügel der Stadt, herrlich weiß leuchtend das Riesenwerk, angestrahlt von vielen Scheinwerfern. Sein Riesenwerk! »Ausschauen tut das Ding ja wirklich schön!« meinte er.

»Nur Betrieb aufnehmen kann es nicht«, ächzte Jurij und setzte sich neben Jakob. Dann sagte er einen sehr langen und sehr komplizierten russischen Fluch auf.

»Vollkommen meiner Ansicht«, sagte Jakob. »Und wo kriegen wir jetzt das Schweröl her?«

»Die Rumänen hätten es«, antwortete Jurij mit erstickter Stimme.

»Na also, dann nix wie her damit!«

»Leicht gesagt. Gheorghiu-Dej.«

»Was heißt hier Gheorghiu-Dej?«

»Das ist Genosse Vorsitzender des Staatsrats Sozialistische Republik Rumänien.«

»Na und?«

»Na und, fragte er!« Jurij rang die Hände. »Mit dem Kerl haben wir täglich mehr Ärger.«

»Wieso?«

»Weil er eine Politik betreibt, die sein Land mehr und mehr von Moskau entfernt. Wenn wir den Gheorghiu-Dej jetzt um Schweröl bitten, kriegt der nur einen Lachanfall!«

»Das werden wir erst mal sehen«, sagte Jakob, erhob sich und stolperte die Gangway wieder hinauf.

»Wohin willst du?« erkundigte sich Jurij alarmiert.

»Wie heißt die Hauptstadt von Rumänien?« fragte Jakob neugierig. In Geographie hatte er immer nur Pintsche gehabt.

»Bukarest, Trottel!«

»Dann will ich jetzt sofort nach Bukarest«, gab Jakob freundlich winkend bekannt.

3

Der Flughafen von Bukarest heißt Băneasa.

Die wichtigsten staatlichen und militärischen Behörden sind in mehreren riesigen Gebäuden auf dem Platz der Republik im Innern der Hauptstadt der Republica Socialista România untergebracht. Im rechten Winkel zu ihnen steht die Halle der Republik.

Jakobs ›Superconstellation‹ landete in den ersten Morgenstunden des 5. Mai 1961 auf dem Flughafen Băneasa. Besatzung und Passagier schliefen sofort tief und traumlos ein. Jakob, sportgestählt und körperlich einfach nicht zu schaffen (sowie im Besitz einer Uhr mit Läutwerk), erwachte Punkt 7 Uhr 30. Er wusch und rasierte sich an Bord, zog einen anderen Anzug an, ließ die Besatzung pennen und fuhr mit einem Taxi in die Stadt.

Um 9 Uhr 05 saß Jakob Herrn Mihail Majorescu in dessen Büro gegenüber. Majorescu war einer der höchsten Beamten im Energieministerium. Die beiden Herren kannten einander – Majorescu war einmal nach Deutschland gekommen, um sich, mit einem Stab von Spezialisten, Jakobs Plastikfabriken anzusehen. Dabei hatte er einen halblauten Seufzer ausgestoßen, der dennoch sehr wohl an Jakobs Ohr gedrungen war. In Erinnerung an diesen Seufzer gedachte Jakob nun, sein Ziel zu erreichen. Dieser Mihail sieht gut aus, dachte er, den verdienten, hochdekorierten Genossen betrachtend. Der war ein schlanker, großer Mann mit oliv getönter Gesichtsfarbe, schwarzem Schnurrbart, schwarzem Haar und stahlgrauen Augen. Über dem verdienten Genossen hing eine große Fotografie des Vorsitzenden des Rumänischen Staatsrats, Gheorgiu-Dej, an der Wand. Mit der Zeit lerne ich so wirklich die Hohen Herren der ganzen Welt kennen, dachte Jakob.

»Was kann ich für Sie tun, mein Freund?« fragte Mihail Majorescu. Er sprach (zum Glück) Deutsch und hatte sich in der Bundesrepublik sehr gut mit Jakob verstanden. Jetzt vertraute Jakob sich ihm an. Er schloß mit den Worten: »Der Zug muß aber schnellstens und mit jedem Vorrang abfahren und so viel Schweröl bringen, daß das Werk da bei Rostow mindestens für drei Wochen genug hat.«

Der schöne Mihail sagte entsetzt: »Herr Formann, ich bitte Sie – sind Sie wahnsinnig geworden? Schweröl nach der Sowjetunion? Haben Sie noch nie von den ideologischen Spannungen gehört, die zwischen unseren beiden Ländern bestehen?«

»Mein Gott, natürlich«, sagte Jakob. Und traurig: »Wenn Sie wüßten, wie gerne ich Ihnen die Freude gemacht hätte, lieber Freund Majorescu!«

»Freude?« Majorescu bekam den Blick eines abgestochenen Kalbes.

»Ja.« Jakob nickte. »In Deutschland waren Sie doch so begeistert von meinem großen Mercedes! Ich erinnere mich genau an den halblauten Seufzer, den Sie ausgestoßen haben. Damals habe ich mir selbst versprochen: Mein Freund Mihail Majorescu kriegt auch so einen großen Mercedes – als Geschenk. Bei der nächsten passenden Gelegenheit. Jetzt hätten wir so eine Gelegenheit!«

Majorescu zog an seiner Krawatte und murmelte tragisch: »Sie wissen genausogut wie ich, daß unsere Gesetze es verbieten, einen Mercedes einzuführen, Herr Formann! So etwas geht einfach nicht!«

»Nicht in einem Stück, das weiß ich wohl«, sagte Jakob.

»Was soll das heißen?«

»In vielen Stücken«, erwiderte Jakob geduldig. »In vielen Ersatzteilstükken. Ersatzteile dürfen doch importiert werden, oder?«

»Ersatzteile schon, aber...«

»Nichts aber. Es werden so viele Ersatzteile kommen, daß man daraus einen ganzen großen Mercedes zusammenbauen kann. Lauter kleine Geschenksendungen. Sie haben mir doch in Deutschland erzählt, daß Sie eine so sehr große Familie haben, über das ganze Land verstreut. Es würde jedes Mitglied rechtzeitig vor Weihnachten ein Liebesgabenpaket bekommen. Zum Heiligen Abend wäre alles da, und ein paar tüchtige Mechaniker brauchtens das ganze Zeug bloß wieder zusammensetzen. Sie haben Speichel im linken Mundwinkel, Freund Majorescu, verzeihen Sie.«

Majorescu wischte das Zeichen seiner Gier fort, während Jakob an die Bedingten Reflexe des Professors Iwan Petrowitsch Pawlow dachte. Majorescu sagte: »Wie soll ich aber, wenn man mich fragt, erklären, wieso ein Zug mit Schweröl in die Sowjetunion geschickt worden ist, lieber Herr Formann? Wo bekomme ich alle nötigen Papiere her?«

»Mein Gott«, sagte Jakob. »Irren ist menschlich. Natürlich sind die Papiere bei Ihnen von jemanden – man wird ihn wohl nie finden – aus Versehen ausgestellt worden, lieber Freund. Und nach drei Wochen wird die Sowjetunion den Zug auch wieder zurückschicken. Wird dann halt sowjetisches DX 330 drin sein. Kein Mensch kann das von rumänischem unterscheiden. Es dauert bloß alles so lange auf dem Behördenweg, bis es wieder in Ordnung ist. Am besten wird es sein, falls niemand etwas bemerkt – und das nehme ich an, wenn ich mir den Betrieb in euern Behörden so betrachte –, Sie schlagen selber Alarm, lieber Freund, in, sagen wir, zwei Wochen! Das bringt Ihnen bestimmt auch noch eine Beförderung ein. Und passiert ist ja überhaupt nichts. Schweröl und Zug kommen zurück. Aber Sie haben sozialistische Wachsamkeit gezeigt, beispielhaft! Und den Mercedes – wenn er im neuen Jahr zusammengebaut ist und Sie damit herumfahren, und es stellt einer blöde Fragen – den Mercedes haben Sie von mir persönlich als Geschenk erhalten, als wir den Vertrag über den Bau eines Plastikgroßwerkes in Rumänien miteinander abgeschlossen haben, das dann schon im Entstehen sein wird.«

»Moment! Nicht so schnell! Wann haben wir zwei einen solchen Vertrag abgeschlossen, lieber Herr Formann?«

»Na, soeben, Freund Majorescu! Ich prophezeie Ihnen eine glänzende Karriere.«

»Es ist Ihnen doch klar, daß ich Sie jetzt anzeigen muß, nicht wahr? So leid es mir tut. Mit Ihnen ist es aus!«

»Vollkommen klar, Freund Majorescu. Die Zeit eilt wirklich. Wenn Sie vielleicht sofort das Nötige veranlassen wollten. Und ich meine nicht nur die lange Liste mit den Adressen Ihrer lieben Angehörigen!«

Freund Majorescu sah Jakob mit flackernden Augen etwa so lange an, wie man braucht, um bis neun zu zählen. Dann nahm er einen Telefonhörer auf, wählte und verlangte nach dem Ministerium für Grundstoffindustrie. Das Gespräch, das er führte, war kurz. Ein zweites Gespräch mit dem Ministerium für Transport und Verkehr war nicht länger. Danach sagte Majorescu zu Jakob: »Also, der Tankwagenzug wird schnellstens mit dem Schweröl gefüllt und fährt unverzüglich ab. Wann kommt Chruschtschow? Am siebten? Keine Sorge, da ist das Öl längst da! Sie haben reichlich Zeit in Rostow. Jetzt wissen Sie die Adressen meiner Verwandten. Und jetzt schließen wir einen Vertrag über den Bau eines Plastikwerks. Wir brauchen dringend eines, nebenbei.«

»Die ganze Welt braucht dringend welche, lieber Freund.«

»Das kann ich Ihnen versprechen: Sie werden einen hohen Orden der Sozialistischen Republik Rumänien bekommen!«

»Na, Sie aber auch«, sagte Jakob freundlich und dachte: So ist es schön! Im Bonzenviertel eine Villa. In der Villengarage schon bald ein großer Mercedes. In dem großen Mercedes schon bald der liebe, hochdekorierte Genosse Mihail Majorescu, im Genossen Mihail Majorescu ein Herz, und im Herzen Liebe – für die Arbeiterklasse!

»Also ganz ehrlich, ich bewundere Sie, Freund Formann. Sie sind schon ein toller Kerl!«

»Überhaupt nicht, lieber Freund Majorescu. Jakob Formann ist seiner Zeit nur immer um zwei Schritte voraus.«

4

»Ihr Täubchen«, sagte der dicke, glatzköpfige und leutselige Ministerpräsident der Sowjetunion, Nikita Chruschtschow, glühend vor Begeisterung, »also nu, ihr seht mich, wie soll ich sagen, gerührt seht ihr mich. Zu Tränen, jawohl. Das ist wirklich der phantastischste Betrieb, den ich je betreten habe, der da bei euch, ihr Täubchen, und wenn die Zeitungen heute schreiben, hier schlägt das Herz der Revolution, nu, dann ist das aber wirklich so – dank euch!« Er klatschte laut. Seine Zuhörerschaft, die sich in einer riesigen Werkhalle versammelt hatte, klatschte zurück. So machte man sich Komplimente. Es war in der Tat imponierend, dieses Plastikwerk von Rostow am Don, so in vollem Betrieb! (Seit knapp neun Stunden.) Das zischte und brodelte, daß es eine Lust war. Dank dem guten rumänischen Schweröl DX 330 lief alles wie geschmiert. Der Ausstoß an Plastikrohren für die Überlandleitungen konnte einem den Atem nehmen.

Es waren viele hohe und höchste Funktionäre mit Chruschtschow gekommen. Sie saßen auf einer mit roten Fahnen geschmückten Tribüne. Ihnen gegenüber in der Werkhalle saßen an die fünfhundert Arbeiter, Techniker, Direktoren und Funktionäre, diese nicht ganz so hoch wie die auf der Tribüne vorn (aber was nicht ist, kann ja noch werden...). Viele saßen auf Maschinen. Auch die Halle war festlich geschmückt, rot natürlich. Unmittelbar vor der Tribüne saßen Jurij Blaschenko, ein paar Chefingenieure und Jakob Formann auf rot geschmückten Sesseln.

Jurij sah immer wieder Jakob an. Er schien alles noch nicht fassen zu können. In den Ausdruck von Bewunderung mischte sich ein Ausdruck von Schmerz, glaubte Jakob festzustellen. Wieso Schmerz? überlegte er. Was hat der arme Jurij jetzt schon wieder? Vielleicht muß er daran denken, daß ich einmal in seinem Lager eingesperrt gewesen bin als Kriegsgefangener. Ein guter Kerl, dieser Jurij. Auch dieser Nikita ist ein guter Kerl. Er hat gesagt, er will mit Papst Johannes XXIII. zusammenkommen, um über alle Weltprobleme zu sprechen. Der Johannes sieht dem Nikita ähnlich wie ein Zwillingsbruder. Beide kommen aus dem Volk. Beide sind schlau. Beide sind bestimmt nicht böse. Denn beide lachen oft und gern. Beide sind dick. Und Dicke sind niemals so gefährlich wie die Dünnen, Hageren. Mir scheint, der Johannes ist ein Papst, der etwas taugt. Wenn sich diese beiden Burschen nun zusammensetzten – dann könnten wir alle vielleicht aufatmen in dieser Welt. Wer weiß? Es könnte doch sein, der Johannes tritt der Kommunistischen Partei bei, und der Nikita läßt sich katholisch taufen, und sie sehen ein, daß wir alle nur in ›Einer Einzigen Welt‹ leben und miteinander auskommen müssen, und sie lassen sich was Gutes einfallen, und uns allen ist geholfen... Bis dahin freilich, so meditierte Jakob weiter, müssen wir uns halt selber helfen...

Solchermaßen versank er tief in Träumereien.

Nikita redete noch zehn Minuten. In diesen zehn Minuten klatschten sich alle Anwesenden in Abständen wechselseitig an. Und der Boden vibrierte, so sehr auf Hochtouren arbeitete das Werk. Dann kam der Genosse Vorsitzende des Ministerrates der glorreichen Sowjetunion von der Tribüne und ging die Reihe der Chefingenieure entlang und heftete prächtige Orden an ihre stolzgeschwellten Männerbrüste. Auch Jurij bekam einen. Nach jedem Orden gab es natürlich die übliche Küsserei.

So ist es recht, dachte Jakob. Junge, Junge, was habe ich schon für Ordenverteilereien gesehen! Ihr Hohen Herren dieser Welt, beeilt euch mit dem Verteilen eurer Orden! Die Menschen werden so schnell schlecht...

Schließlich stand Nikita vor Jakob, dankte ihm bewegt und schüttelte ihm heftig die Hand. Ein Dolmetscher übersetzte Artigkeiten hin und her. Nikita befestigte ein Riesending von Orden in der Gegend von Jakobs Leber. Er fluchte ein wenig dabei, denn es ging schwer. Es geht schwer, dachte Jakob, weil Nikita durch den Vertrag mit der rumänischen Regierung stechen muß, betreffend den Bau eines Plastikwerks, den ich in der rechten Brusttasche habe. Ich Trottel hätte den Vertrag ja auch in die andere Tasche stecken können, also wirklich!

»Erlauben Sie, Herr Ministerpräsident...« Jakob führte Nikita die dicken Händchen mit dem Orden an dem rumänischen Vertrag vorbei. »Sehen Sie, so geht's!« Er strahlte Chruschtschow an. Via Dolmetscher ließ der ihn wissen: »Werter Herr Formann! Im Namen der Sowjetunion verleihe ich Ihnen hiermit für Ihre hervorragenden Verdienste den Großen Stern der Völkerfreundschaft Erster Klasse in Gold!«

Danach bedankte sich Jakob. Danach küßte ihn Chruschtschow auf beide Wangen. Danach wurde Chruschtschow von Jakob auf beide Wangen geküßt. Und selbstverständlich klatschten wieder alle. Der dicke Nikita warf beide Hände in die Höhe und rief: »Um im Klassenkampf zu kämpfen, meine Täubchen, versteht ihr, haben wir jetzt andere Mittel, und in dieser Hinsicht ist unser Sieg schon sicher! Wir entwickeln unsere Wirtschaft, wir erarbeiten mehr Produktion pro Kopf, und so wird bald die Zeit kommen, nu, nu, da werden wir es mit den Amerikanern ganz leicht aufnehmen können – dank, nu, solcher Männer wie Gospodin Formann!«

Jaja, dachte dieser. Immer nach dem Gießkannenprinzip. Jetzt haben die Sowjets reichlich Wasser bekommen aus meiner Gießkanne, nun müssen die Amerikaner wieder welches kriegen. Auf diese Weise – ich tu, was ich kann – wird mir weder der Osten noch der Westen übermächtig und übermütig... nu!

5

»Ssiehst du«, schluchzte BAMBI sanft lispelnd an diesem Abend im Wohnzimmer des Hauses von Jurij Blaschenko, erschüttert über sich selbst, »da kommt für jede von uns der Tag, wo ßie ßich im Sspiegel ßieht und ßagt: Gucke, Mäuschen, ßo hübsch biste ooch nich mehr!« Das gab sie den beiden Herren bekannt, die vor ihr saßen – Jakob und seinem Freund Jurij.

»Ich verstehe«, sagte Jakob.

»Was verstehst du, Jakob, mein Freund?« fragte Jurij.

»Na das, was ihr mir in der letzten halben Stunde eröffnet habt«, sagte Jakob, der nicht wußte, ob er betroffen oder erleichtert oder beides oder gar nichts sein sollte. In der letzten halben Stunde hatten ihm BAMBI und Jurij nämlich eröffnet, daß sie einander liebten, und daß BAMBI nicht mehr in den Westen zurückfliegen, sondern bei Jurij bleiben, ihn ehelichen und ihm viele Kinder schenken wollte. Aha, hatte Jakob zu Beginn dieses herausgestammelten und gelispelten Geständnisses gedacht, darum also hat der Jurij mich im Werk mit so einem Gemisch von Bewunderung und Schmerz in den Augen angesehen. Schlechtes Gewissen! Auf der anderen Seite nu, nu, habe ich ihm vor vielen Jahren seine Jelena ausgespannt. Es scheint einen Kreislauf nicht nur in der Natur zu geben.

»Und... und du bist mir nicht todböse?« erkundigte sich BAMBI.

»Was für einen Sinn hätte es, wenn ich dir todböse wäre?« fragte Jakob.

»Jakob«, sagte BAMBI, bebend konfrontiert mit ihrem Schicksal, »du hättest mich überhaupt nie hierherbringen dürfen. Das war dein schlimmster Fehler. Ssiehst du das ein?«

»Ja«, sagte Jakob und dachte: Also, eine bin ich los. Hoffentlich wird es mit der anderen auch so glatt gehen. Ein bißchen schmerzt es ja schon, die liebe BAMBI zu verlieren. Das ist natürlich nur meine Eitelkeit. Dieser Jurij ist ein wirklich netter Kerl – aber als Mann ihn *mir* vorziehen? Na also, so was!

»Und dann hast du mich hier in Rostow ßo lange allein mit Jurij gelassen! Das war dein ßweitgrößter Fehler! Ssiehst du das auch ein?«

»Ich seh' alles ein«, sagte Jakob.

»Du dauernd in der Weltgeschichte, und ich hier mit Jurij! Der hat ßich ßo um mich bemüht, Tag für Tag...«

»...und Nacht für Nacht«, sagte Jakob gedankenvoll und schrak auf. »Entschuldigt, das war taktlos von mir!«

»Aber gar nicht«, murmelte Jurij.

»Doch, das war es!« rief BAMBI lebhaft. »Du, du hast doch immer noch eine andere gehabt – widersprich nicht, war da zum Beispiel die Claudia, oder nicht? Na also! Und wenn du mich mal geküßt hast, dann habe ich immer überlegen müssen, woran du gerade denkst. An deine Fertighäuser oder deine Illustrierte oder deine Aktien oder dein Plastikßeug. Das hält eine Frau auf die Dauer nicht aus, Jakob!«

»Hm«, machte der verlegen. Jetzt auch noch mir die Schuld geben! Aber recht hat sie. Zwei Weiber mindestens habe ich immer gehabt, und, großer Gott, an was für Geschäfte ich wirklich gedacht habe, wenn ich BAMBI... geküßt habe. Nicht immer natürlich. Manchmal war ich auch ganz bei der Sache. Dieser Jurij, der scheint stets ganz bei der Sache gewesen zu sein.

»Und überhaupt der Westen«, sagte BAMBI. »Ich habe ihn kennengelernt, und er hängt mir ßum Hals raus. Hier ist wahrhaftig auch nicht alles Ssukker, aber wenn ein Mann eine Frau liebt, dann gibt es nur ße für ihn. Du, du hast doch jedem schönen Hintern nachgeschaut, gib's ßu!« Und erbarmungslos fuhr die schöne BAMBI fort: »Der Jüngste bist du auch nicht mehr... brauchß' bloß an deine Haare ßu denken, wie dünn und grau die werden...!«

Jakob griff sich mechanisch ins Haar. Tatsächlich – es wurde schon schütter.

Schütter!

Aber, dachte Jakob, ich fühle mich doch noch hundertfünfzigprozentig! Ich bin doch in den allerbesten Jahren! Nein, nein, daran kann es nicht liegen. BAMBI hat schon recht: Meine Geschäfte... und so eine weite russische Seele wie Jurij habe ich eben nicht. Frauen fliegen halt auf Seele.

Jakob erschauerte. Eine gräßliche Erinnerung an ein gräßliches Gespräch mit dem Major der Roten Armee, Jelena Wanderowa, war ihm gekommen. Damals, als Jelena noch kein Major war, damals im Lager... in der sanften Kuhle... sie hatten es gerade getan, als Jelena, sich wohlig streckend, sagte:

»Also wahrhaftig, Jakob, du kannst es mit dem Jurij aufnehmen! Und das ist ein Riesenkompliment, das ich dir da mache.«

»Wieso Riesenkompliment?«

»Du kannst es natürlich nicht wissen, aber wir Soldaten wissen es. Lange vor dem Krieg, da hatten sie den Jurij mal für eine Weile eingesperrt...«

»Eingesperrt? Weshalb denn?«

»Weil er in Nowosibirsk – da ist er ausgebildet worden, weißt du – eine Siebzigjährige vergewaltigt hat...«

»Na ja...«

»Warte! In der Nacht! Mitten auf der Straße! Und bei vierzig Grad unter Null! Also, ich wette, das könntest du auch!« hatte Jelena gesagt, und er war entzückt über das Kompliment gewesen. Jetzt, in der Erinnerung und so viele Jahre später, war er es überhaupt nicht mehr. Sondern sozusagen im Gegenteil.

Bei vierzig Grad minus? Da kann man bloß sagen: Erstaunlich, was die Truppe leistet! Und ich habe schon die ersten grauen Haare. Und die BAMBI die ganze Zeit hier bei Jurij gelassen. Frauen fliegen auf weite russische Seele? Ich Idiot! Jetzt weiß ich, worauf Frauen fliegen! Verflucht, aber ich bin doch noch gar nicht so alt. Allerdings, bei meinem Streß. Und bei vierzig Grad minus... nein, nein, wir sind halt doch bös degeneriert, wir im Westen. Und dann das gesunde Klima hier am Don. Das hält einen Mann ewig jung, ach ja, verflucht!

»Und ich hab auch genug von diesen ewigen Partys und dem ewigen Schönsein-Müssen im Westen, weißt du, Jakob«, fuhr BAMBI schamlos fort. Wie die lügt! dachte er empört. »Hier bin ich noch in ßwanzig Jahren die Schönste, und mein Jurij wird nie eine andere Frau anschauen, denn er liebt mich von Herzen« (Der muß es ihr aber besorgt haben, mein lieber

Mann!) »und ich will ihm eine gute Frau ßein, und er wird mir ein guter Gatte sein« (Eine kleine Glatze ist schon da – wann wird sie größer werden?), »und ich will einfach nicht mehr weiter ßo rumtun wie im Westen. Ich will endlich einen Mann haben, der mir allein gehört« (Ja, bei vierzig Grad unter Null!), »und ich will nicht immer Wimpern aufkleben und Perücken mit mir rumschleppen und all das Sseug und bloß dein Aushängeschild ßein« (So eine Gemeinheit, und meine Chinesischen Schlittenfahrten waren ein Dreck, was?), »und ich wünsche dir natürlich alles Glück von der Welt, lieber Jakob, für alles, was du für mich getan hast...«

Also, das halte ich nicht aus! dachte Jakob. Bevor ich mein ganzes Selbstvertrauen verliere, segne ich die beiden lieber. »Okay, okay, BAMBI, ist ja schon gut. Ich kann dich verstehen. Ich wünsche euch beiden natürlich auch alles Glück, wo gibt, und daß ihr einen Haufen Kinder bekommt und daß...«

Es klopfte. Gleich danach trat Jurijs Haushälterin ein.

»Was ist los, Jekaterina?« fragte Jurij.

»Ich bitte um Entschuldigung für die Störung, aber da haben sie vom Kulturhaus angerufen und gesagt, ich soll Gospodin Formann vom Gospodin Arnusch sagen, daß dieser Präsident aus Afrika in Bonn ist, und ob er das vergessen hat...«

»Großer Gott!« Jakob fuhr auf. »Der Neger! Tatsächlich vergessen! Hast schon recht, BAMBI, diese Herumhetzerei hält keine Frau der Welt aus. Der Schwarze! Ich muß sofort nach Bonn!«

BAMBI erhob sich feierlich, küßte Jakob auf beide Wangen (wenn diese Küsserei nicht bald aufhört, gehe ich noch schraubenförmig aus dem Anzug! dachte er), schlug ein Kreuz (wahrhaftig, schlug ein Kreuz, BAMBI!) auf Jakobs Stirn und sagte ernst und feierlich: »S'bogom.«

Das haute den Jakob nun aber wirklich fast um.

So viel Russisch konnte BAMBI bereits? Tja, dann war es wohl wirklich die ganz große Liebe, dachte unser Freund. Er wußte, was ›S'bogom‹ heißt. Es heißt: »Geh mit Gott!«

Jakob schnappte nach Luft. Dann brachte er das einzige hervor, was ihm noch einfiel: »Servus!«

6

»Die Regierung hätte mir sofort das nötige Geld gegeben, Mister Formann«, sagte der Premierminister der Republik Karania in Zentralafrika zu Jakob. Er sprach ein vorzügliches Englisch. »Mister Arnusch hat jedoch einen Vorschlag gemacht, der mir vorteilhafter erscheint.«

Der fette Arnusch Franzl, der mit Jakob und dem Premierminister der Republik Karania am Nachmittag des 10. Mai 1961 im kostbar, um nicht zu sagen luxuriös, eingerichteten Wohnzimmer seines Bonner Domizils saß, nickte und nahm die Havanna-Zigarre aus dem Mund. »Ungemein viel vorteilhafter, Exzellenz, das können Sie mir wahrhaftig glauben! Ich habe mich in Ihre Lage versetzt. Das tue ich immer. Immer so tun, als wäre man der andere mit seinen Sorgen und Nöten. Sie sind eben unabhängig geworden. Es fehlt Ihnen einfach an allem. Wir Deutsche können uns da aus eigener leidvoller Erfahrung gut hineindenken. Uns haben andere geholfen. Es ist nur Christenpflicht, daß wir jetzt anderen – Ihnen zum Beispiel! – helfen. Wo es Stärkere gibt, stehe ich immer auf seiten der Schwächeren.«

»Mister Formann, ich beglückwünsche Sie zu diesem Mitarbeiter«, sagte Seine Exzellenz Ora N'Bomba.

»Danke, Exzellenz«, antwortete Jakob artig. »Ja, Mister Arnusch ist ein wunderbarer Mensch.« Er lächelte den Franzl an. Der Franzl lächelte zurück. Seit einem Jahr führte er die Finanzverwaltung aller Unternehmen Jakobs von Bonn aus, wo Jakob ihm dieses Haus gekauft und eingerichtet hatte. Das Haus lag unmittelbar beim Diplomatenviertel. Ohne den Arnusch Franzl wäre ich verloren, dachte Jakob, noch immer ein wenig erschüttert von dem Abschiedsgespräch mit BAMBI in Rostow am Don. Er fuhr sich seither sehr oft durch die Haare. Zu seiner Erleichterung fielen selten ein paar aus, und noch seltener ein paar graue. Ich bin doch noch immer in Hochform, dachte er, jetzt ist es doch erst richtig losgegangen! Natürlich, minus vierzig Grad – das ist eben ein anderer Menschenschlag. Die Exzellenz da, die könnte auch nicht bei vierzig minus. Aber vielleicht bei vierzig *plus*? Diese unverbildeten, unverbrauchten Naturvölker wie die Afrikaner oder die Russen, die haben es einfach besser.

Jakob riß sich zusammen, griff nach der Hasenpfote in der Hosentasche und sprach weiter: »Gleich, als bekannt wurde, Exzellenz, daß Sie nach Bonn kommen, hat sich mein Generalbevollmächtigter mit mir unterhalten. Wenn wir beide etwas hassen, dann ist es Ungerechtigkeit!«

»Genau wie wir. Sie sprechen mir aus der Seele, Mister Formann«, sprach Seine Exzellenz Ora N'Bomba. »Wie hatten wir unter Ungerechtigkeit zu leiden, solange unser Land eine Kolonie gewesen ist! Schulen gab es nicht, Lesen und Schreiben lehrte man uns nicht! Wir sollten in Abhängigkeit und Hilflosigkeit gehalten werden, damit wir ganz leicht zu unterdrücken waren. Und unsere Bodenschätze, das gute Kupfer, nahmen die Weißen uns einfach weg!«

»Eine Schande!« rief Jakob empört.

»Eine Schande, jawohl!« sagt N'Bomba. »Unter den Weißen waren die sozialen Unterschiede gegen den Sozialismus! Jetzt, da wir frei sind, ist der Sozialismus gegen die sozialen Unterschiede!«

»Da sehen Sie es.« Jakob wiegte das Haupt. »Genau, was ich meine! Wenn Sie die Entwicklungshilfe-Millionen für die Fertighäuser von der deutschen Regierung genommen hätten, wären Sie wiederum gezwungen gewesen, die Häuser von einer deutschen Firma herstellen zu lassen, die im Kampf mit anderen Firmen auf diesem Gebiet liegt und das billigste Gebot gemacht hätte. Folge: Soziale Ungerechtigkeit in der Bundesrepublik! Wir, mein Generalbevollmächtigter und ich, haben uns sofort gesagt: Nein, Exzellenz müssen die Millionen von uns bekommen! Wir geben Exzellenz einen Experten und Facharbeiter, die werden die Fabriken zur Herstellung solcher Häuser in Karania bauen. Und das, was die Fabriken kosten, finanzieren wir vor, und Sie zahlen es uns zurück. Ganz einfach. Und wenn die Fabriken fertig sind, können Ihre Landsleute sie übernehmen und selber weiterproduzieren! Nur vierzig Prozent Kapazität der Fabriken behalten wir uns vor. Und die Fertighäuser, die ich baue, sind nun mal die anerkannt besten! Weiß Gott, was für einen Mist Sie sonst gekriegt hätten!«

»Die Dankbarkeit meines Volkes ist Ihnen für alle Zeit gewiß, meine Herren«, sprach der Premier ergriffen.

» *Wir* werden Ihnen also das Geld geben, und nicht die Regierung! Wieviel brauchen Sie? Erlegen Sie sich keinen Zwang auf! Achtzig Millionen? Hundert?«

Man einigte sich auf neunzig Millionen.

»Sie sprechen phantastisch Englisch, Exzellenz«, sagte Jakob schmeichlerisch, nachdem alle Verträge unterzeichnet waren.

»Ich habe in Oxford studiert, Mister Formann«, gab der Premier bekannt.

»Mein Vater war Elfenbeinhändler. Sie wissen, die Stoßzähne der Elefanten…« Jakob und Franzl nickten. »Im übrigen: Ihre Spezialisten können mit einer Maschine der KARANIAN AIRLINES nach Afrika, in meine Heimat kommen!«

»Sie haben schon eine eigene Luftfahrtgesellschaft, Exzellenz? Donnerwetter!« staunte Jakob. »Wie viele Maschinen sind denn im Einsatz?«

»Eine«, erwiderte der Premier freundlich. »Meine. Ich habe sie sofort gekauft, als ich die ersten Entwicklungsmillionen von Ihrer Regierung erhielt.«

»Sehr klug und weitsichtig, Exzellenz. Mehr Maschinen werden natürlich folgen!«

»Natürlich, Mister Formann. Sobald die nächste Millionenrate der Bundesregierung fällig ist. Und vor allem dann, wenn ich Kaiser von Karania geworden bin!«

Da konnten die Herren Formann und Arnusch nur stumm schlucken.

Mit tiefen Verneigungen und innigen Händedrücken verabschiedeten die beiden den schwarzen Anwärter auf den Kaiserthron von Karania schließlich. Sie begleiteten ihn bis auf die Straße hinaus. Hier stand ein nagelneuer großer Mercedes hinter dem Bentley des Arnusch Franzl. Ein weißer Chauffeur in Livree riß mit tiefer Verneigung, die Kappe in der Hand, den Schlag für den Neger auf.

»Schicker Wagen«, sagte Jakob.

»Nicht wahr? Den habe ich von der allerersten Rate der Bundesregierung gekauft. Ich meine: Als Staatschef…«

»…müssen Sie einen solchen Wagen haben, das ist nur selbstverständlich«, beeilte sich Jakob zu sagen. Danach kam der Arnusch Franzl zu Wort: »Und ein deutscher Chauffeur ist auch unerläßlich. Guten Tag, lieber Herr…«

»Stößlgasser«, sagte der riesige Chauffeur mit rauhen Urlauten. Sie schüttelten ihm beide die Hand, der Jakob und der Franzl. Schließlich waren sie soziale Sozialisten, und alle Menschen sind gleich, wenn auch manche gleicher sind als die andern.

»Ich habe eine Reise durch das schöne Bayernland gemacht«, erklärte der Premier. »Ludwig der Zweite! Hohenschwanstein! All diese herrlichen Schlösser! Diese Kultiviertheit! Das werden wir jetzt sehr bald auch in Karania haben! Kaiserschlösser…« Exzellenz blickten träumerisch in die Ferne. »In Ruhpolding – ein märchenhafter Ort, ach ja, in Ruhpolding habe ich Mister Stößlgasser gefunden. Wir sind schon sehr gute Freunde geworden!« Der Premier schlug dem Bayern auf die Schulter. »Mister Stößlgasser kommt mit nach Karania, natürlich.«

»Natürlich«, echoten der Jakob und der Franzl.

»Wie der Mercedes! Der wird verschifft! Mister Stößlgasser fliegt mit mir. Als Premier muß ich doch einen Weißen als Chauffeur haben, nicht wahr?… Als Hofchauffeur…«

Die Herren Formann und Arnusch beeilten sich, dem Premier zu versichern, daß das sogar unerläßlich sei – ein Attribut höchster Würde und zugleich ein Zeichen absoluter Freiheit und Unabhängigkeit von fremden Ländern (insbesondere solchen mit weißer Bevölkerung).

Sie winkten dem Wagen lange nach, dann gingen sie in die Villa zurück.

»Gott sei Dank«, sagte Jakob.

»Gott sei Dank, was?«

»Gott sei Dank hat Gott es uns erlaubt, diesen armen Menschen zu helfen. Ich hatte bereits eine beginnende Neurose… Das Elend in den frei und unabhängig werdenden Staaten der Dritten Welt ließ mir keine Ruhe mehr und hätte mich gar bald zum Wahnsinn getrieben.«

»Mein Armer«, sagte der Arnusch Franzl. »Jetzt aber ist alles wieder gut, ja?«

»Ja, Franzl«, sagte Jakob. »Dank dir! Du weißt nicht, was diese Transaktion, die du da zustande gebracht hast, für mich bedeutet!«

»Ach doch, ich weiß es schon.« Der Arnusch Franzl grunzte. »Das wird das größte Geschäft unseres Lebens!«

»Das allergrößte! Deine Idee war einfach genial mit den afrikanischen Fabriken für unsere Fertighäuser. Und jetzt rufst du sofort den Jaschke an und sagst ihm, er muß runterfliegen nach Karania, schnellstens, mit seinen besten Leuten.«

»Natürlich«, sagte der Franzl. »Und damit machen wir den Anfang von einem Riesenrebbach!«

»Dank deiner Genialität, Franzl! Denn, wie du gleich am Anfang gesagt hast: Wenn der Schwarze das Geld von Bonn nimmt, dann kann er die Fertighäuser auch von Jäger und Hampel kaufen, den miesen Vögeln.« Jäger & Hampel war eine Firma, die ebenfalls Fertighäuser fabrizierte und so zum natürlichen (und durchaus nicht ungefährlichen) Konkurrenten für Jakob geworden war. »Aber in den Fabriken, die der Jaschke dem Kaiserneger da hinbaut, da kann man bloß *unsere* Häuser herstellen! Und vierzig Prozent der Kapazität bleiben uns! Damit können wir ganz Afrika mit Fertighäusern beliefern! Mensch, Franzl, was da Geld reinkommen wird, ajajaj!«

»Natürlich werden Jäger und Hampel jetzt sagen, wir haben einen Beschiß gemacht. Aber das soll uns nicht bekümmern«, sagte der Franzl salbungsvoll. »Wir können es beruhigt überhören und diese Säue still verachten, denn wir wissen, daß wir nur Gutes für arme Menschen tun.«

»Franzl, du bist wirklich mein bester Freund!« rief Jakob bewegt aus. »Ich muß dir endlich einmal zeigen, wie dankbar ich dir bin für alles, was du für mich tust!«

»Ach, hör schon auf…« Der dicke Arnusch Franzl zierte sich. »Ist doch selbstverständlich, mein Bester!«

»Gar nicht selbstverständlich! Ich will dir auch einmal eine Freude machen. Hast du einen Wunsch? Na! Sag schon! Ist erfüllt, der Wunsch, was immer es ist!«

»Weißt du, ich hätte gern… Nein, das geht nicht…« Der Franzl machte auf verschämt.

»Bei Jakob Formann geht alles! Was hättest du also gern? Raus damit!«

»Du zwingst mich, es zu sagen…!«

»Ich zwinge dich, na klar, mein Lieber! Also, was hättest du gerne?«

»Eine Bank«, sagte der Arnusch Franzl.

»Eine was?«

»Du weißt doch, daß ich mich mein Leben lang für Geld interessiert habe. Eine ganz kleine Bank nur. Nicht hier in Deutschland. Für meine Geschäfte. In Wien am besten.«

»Und das sagst du Esel mir erst jetzt?« regte Jakob sich auf.

»Tja, siehst du, mein Guter, um so eine Bank, auch eine ganz kleine, zu eröffnen, brauche ich natürlich Geld. Und ich wollte doch nicht dich, meinen besten Freund, um Geld…«

»Halt den Mund! Wieviel Geld brauchst du für die kleine Bank in Wien?« Jakob war tief gerührt ob solcher Bescheidenheit seines großen Mentors.

»Ja, hm, also…«

»Wenn du es mir nicht sagst, feuere ich dich!«

»Um Gottes willen, das ist ja Erpressung, mein Bester! Also gut, du zwingst mich: Wenn ich so fünfzig Millionen Schilling hätte, dann könnte ich meine kleine Bank in Wien aufmachen.«

»Fünfzig Millionen Schilling?« hauchte Jakob.

»Da haben wir's! Ich hab' gewußt, daß ich nicht davon reden soll. Jetzt bist du erschrocken, stimmt's?«

»Ja.«

»Siehst du!«

»Aber nur über die Höhe der Summe, Franzl! Was kannst du schon mit fünfzig Millionen Schilling anfangen! Fünfundsiebzig ist das mindeste! Halt den Mund! Kein Wort! Bist du mein bester Freund oder bist du es nicht?« Jakob hatte schon nach dem Telefonhörer gegriffen, um eine seiner Banken anzurufen und die Sache in die Wege zu leiten. Der fette Arnusch Franzl stand ganz still, die Händchen über dem mächtigen Bauch gefaltet, und betrachtete Jakob ernst.

7

»Ich darf, lieber und verehrter Herr Formann, Ihnen namens und im Auftrage des Herrn Bundespräsidenten, der, wie Sie wissen, zu seinem allergrößten Bedauern verhindert ist, für Ihre Verdienste um die Bundesrepublik Deutschland das Große Bundesverdienstkreuz mit Stern und Schulterband verleihen«, sprach der Bundesinnenminister anläßlich eines Festaktes am Nachmittag des 21. Juni 1961. Zum erstenmal im Leben hatte Jakob einen Frack anziehen müssen, und nun kennt der geneigte Leser auch den genauen Zeitpunkt, zu dem unser Freund anfing, dieses Kleidungsstück (ein Relikt – mehr: ein Fossil aus spätfeudalistisch-frühbourgeoiser Zeit wohlgemerkt!) zu hassen.

Eine illustre Gesellschaft hatte sich aus diesem Anlaß im Festsaal des Bundesinnenministeriums zusammengefunden und wurde nun Zeuge, wie Jakob Orden und Urkunde erhielt. Ein Kammerorchester spielte Vivaldi. Jakob Formann verlor zehn Worte des Dankes für die hohe Auszeichnung und machte ein beherrscht wütendes Gesicht, was keinen der Anwesenden erstaunte, denn alle Anwesenden kannten den Grund für seine üble Laune. Etwa einen Monat zuvor nämlich hatte es einen kleinen Skandal gegeben, oder eigentlich einen gar nicht so kleinen.

Das bekannte Nachrichtenmagazin der Bundesrepublik war etwa einen Monat zuvor mit einer aufsehenerregenden Titelgeschichte erschienen. Der Titel hatte ein Foto des Herrn von Herresheim gezeigt. Darunter war zu lesen gewesen: WIE LANGE NOCH?

Die Titelgeschichte beschäftigte sich mit der Tatsache, daß an wichtigen Stellen der Bundesrepublik alte Nazis saßen, und im besonderen und ausführlich wurde dabei auf Herrn von Herresheim Bezug genommen.

Vor viereinhalb Jahren hatte Jurij Blaschenko auf Jakobs Bitte hin der Bundesregierung belastendes Material über den ehemaligen Wehrwirtschaftsführer schicken lassen, der nun Persönlicher Referent des Staatssekretärs im Außenamt Seefahrt des Bundesverkehrsministeriums war und Jakob so viele Unannehmlichkeiten bereitet hatte. Das Material war gut angekommen und bei der deutschen Bundesregierung viereinhalb Jahre lang gut liegengeblieben, ohne daß das geringste geschah. Viereinhalb Jahre sind eine lange Zeit, hatte Jakob nach seiner Rückkehr aus Rostow (und BAMBIS Verlust) gedacht, und man wird ihm da wohl zustimmen.

Infolgedessen hatte er Redakteure des erwähnten Nachrichtenmagazins auf das bei der Bundesregierung selig schlummernde Material gegen Herresheim aufmerksam gemacht und die Herren, wo nötig, mit Fotokopien versehen, die ihm sein Freund Jurij in freundschaftlichster Weise zuschickte. Gleichzeitig waren PRAWDA und ISWESTIJA so liebenswürdig gewesen, in zwei großen Artikeln bekanntzugeben, wie lange Material gegen ehemalige Nazigrößen bei der Bundesrepublik in Frieden ruht.

All dies hatte den Abgeordneten zum Deutschen Bundestag, Karl Höning (SPD), veranlaßt, in dieser Sache eine Große Anfrage an die Bundesregierung zu richten.

Die Sache erregte die Mitglieder des Deutschen Bundestages ungemein, und mit einer – immerhin! – Zweidrittelmehrheit stimmten sie dafür, daß die Angelegenheit des Persönlichen Referenten des Regierungssekretärs in der Außenstelle Seefahrt Hamburg im Bundesverkehrsministerium, Herrn von Herresheim, sofort vom zuständigen Herrn Minister zu bereinigen sei.

Etwa gleichzeitig hatte Jakob Gelegenheit erhalten, sein altes Wunschvorhaben einem Ausschuß von Parlamentariern zu erläutern. Es ging um den Bau eines großen luxuriösen Fahrgastschiffes! Wie er sich die Sache denn nun vorstelle, wurde er sehr liebenswürdig gefragt.

Nicht minder liebenswürdig erwiderte Jakob, er habe schon vor Jahren erläutert, wie er sich das vorstelle, wäre aber mitsamt seiner Vorstellung abgewiesen worden, nämlich von dem Herrn von Herresheim. Er sei aber gerne bereit, den Herren des Ausschusses (Jetzt habe ich dich, Herresschwein!) die Sache noch einmal zu erläutern. Besonders liebenswürdig sprach er sodann: »Ich bin bereit, das volle wirtschaftliche Risiko für den Betrieb des Schiffes zu übernehmen. Der Bau wird etwa einhundertfünfzig Millionen kosten. Ich hoffe, daß mir aus Mitteln der öffentlichen Hand vierzig Prozent Darlehen und vierzig Prozent Wiederaufbaumittel zur Verfügung gestellt werden. Zwanzig Prozent der Bausumme bringe ich selber ein.«

Das war nur eine reine Michael-Kohlhaas-Haltung (wenn Jakob natürlich auch keine Ahnung hatte, wer Michael Kohlhaas Kleistschen Angedenkens war). 1957 hatte er noch nicht Geld genug besessen, ein Passagierlinienschiff allein zu finanzieren. 1961 besaß er es – und viel mehr! Aber es ging dem Jakob hier nicht darum, daß er die Hilfe der Bundesregierung eigentlich gar nicht mehr nötig hatte, es ging ihm darum, daß er sie 1957 nötig gehabt – und nicht bekommen hatte! Es ging ihm (wie dem Kohlhaas) nicht um das Geld, es ging ihm um die Gerechtigkeit!

Nach halbstündiger Beratung stimmte der Ausschuß den Vorstellungen Jakobs zu. (Na also, Herresschwein!)

Der von Herresheim befand sich zu diesem Zeitpunkt schon nicht mehr in Hamburg. Nachdem Jakob die Zustimmung zum Bau des Luxusliners und noch bevor er das Große Bundesverdienstkreuz erhalten hatte, ging er am Vormittag des 21. Juni 1961 in das Riesengebäude des Verbandes der Deutschen Unternehmer und daselbst in die Abteilung VI, um verschiedene wichtige Papiere für das Entwicklungshilfeprojekt zu holen, das er mit dem Premierminister der afrikanischen Republik Karania, Ora N'bomba, ausgehandelt hatte. Von einer rotblonden Schönheit mittlerer Güteklasse wurde er im Zimmer des Vorstands der Abteilung VI des VDU gebeten, einen Augenblick Platz zu nehmen. Der Augenblick dauerte eine Stunde.

Jakob las eine Zeitung vom Tage aus. Er hatte Muße, sogar die Kino- und die Theaterprogramme, die Todesanzeigen und den Annoncenteil zu studieren.

Im Annoncenteil fand er dies:

ÖFFENTLICHE DANKSAGUNG

Endlich, nach genau 13 Jahren seelischer und materieller Not und beruflicher Nachteile, wurde der ›Dank des Vaterlands‹ Wirklichkeit! Nach über dreijähriger russischer Kriegsgefangenschaft habe ich heute DM 540,– sog. Heimkehrerentschädigung erhalten. Das entspricht einer Entschädigung

von pro Tag = 48 Pfennig

Dafür spreche ich meinem Vaterlande und dem Ausgleichsamt für die unbürokratische Bearbeitung meinen Dank aus.

Den jetzigen Soldaten empfehle ich, beizeiten eine Kriegsgefangenen-Versicherung abzuschließen für den Fall, daß der ›Dank des Vaterlandes‹ noch schmaler wird oder ganz ausbleibt.

Nass, Bezirksförster, Fürstenau

Gerade nachdem Jakob das gelesen hatte, öffnete sich eine Tür, und heraus ins Vorzimmer trat ein Hüne von Mann, elegant, blond und blauäugig. Wohlgenährt, gesund und kräftig. Er hielt eine Mappe.

»Hallo, mein lieber Herr Formann«, sprach der Hüne fröhlich und schlug Jakob krachend auf die Schulter.

Unser Freund plumpste in einen Sessel. Er fühlte sich einer Ohnmacht nahe, es wurde ihm schwarz vor den Augen, dann ermannte er sich und rief: »Herresschwein, Sie Heim…, ich meine: Herresheim, Sie Schwein, was tun denn Sie hier?«

»Aber, aber, Herr Formann, um Himmels willen, wie sprechen Sie denn?« entrüstete sich die Rotblonde (mittlerer Güteklasse).

»Lassen Sie nur, Jutta«, sagte der von Herresheim milde lächelnd. »Es ist nur die Wiedersehensfreude. Wir sind alte Bekannte. Hier, lieber Freund, bringe ich Ihnen alle Papiere, die Sie für Ihr Entwicklungshilfeprojekt benötigen.« Er drückte die Mappe Jakob in die linke Hand und schüttelte dem Erschütterten, der mit total blödsinnigem Gesichtsausdruck dasaß, markig die Rechte mit der eigenen Rechten.

»Wie kommen Sie hierher?« erkundigte sich Jakob endlich, leicht lallend.

Der von Herresheim lächelte väterlich und blickte stumm die Rotblonde (mittlerer Güteklasse) namens Jutta an.

»Herr von Herresheim ist der Persönliche Referent des Herrn Vorstands der Abteilung römisch sechs«, sagte die Jutta.

»Nun, also dann: Glück auf«, sagte der von Herresheim herzlich.

Jakob erhob sich mit der festen Absicht, dem Kerl in die ölig grinsende Fresse zu schlagen. Doch er glitt dabei aus und wäre gefallen, hätte der von Herresheim ihn nicht behutsam und schnell in seinen starken Armen aufgefangen.

»Hoppla«, sagte der von Herresheim. »Ja, ja, dieser Teppich rutscht immer, ich weiß. Also dann auf Wiedersehen, mein Lieber.«

Jakob raffte sich zu einer neuen Attacke auf, da traten wie durch Zufall zwei sehr breitschultrige Herren in den Empfangsraum und musterten ihn nachdenklich.

»Servus!« sagte Jakob Formann und machte, daß er fortkam.

Am Nachmittag des gleichen Tages wurde dann im Innenministerium Vivaldi gespielt, und Jakob erhielt das Große Bundesverdienstkreuz mit Stern und Schulterband für ›Besondere Verdienste um den Wiederaufbau der Bundesrepublik Deutschland‹. Der Orden war, wie schon der Name besagt, zu tragen am Großen Bande, der goldene Bruststern links.

Während das Kammerorchester sich durch das Vivaldi-Konzert für Viola d'amore, Violoncello, Flöte, Oboe und Fagott arbeitete und Jakob neben Hohen Herren des Ministeriums Platz genommen hatte, sagte der Innenminister der Bundesrepublik Deutschland zu ihm: »Wundervoll, dieser Vivaldi, nicht wahr?«

Jakob nickte nur. Er konnte vor Wut nicht reden.

»Einer der großen Musiker seiner Zeit«, sagte der Minister. »Johann Sebastian Bach hat einige seiner Werke bearbeitet und ist von Vivaldi nachhaltig beeinflußt worden. Dieses Konzert haben wir eigens für Sie ausgesucht, mein lieber Herr Formann…«

Also ist der Hund, der Herresheim, die Treppe hinaufgeflogen, dachte Jakob. Er dachte drei Tage lang nichts anderes, dann wandte er sich in seinem maßlosen Zorn an das bekannte deutsche Nachrichtenmagazin. Von jetzt an wird es kritisch, schöne Leserin, geistreicher Leser, denn der Redakteur, den das Nachrichtenmagazin daraufhin in Bonn beim Innenministerium Auskunft heischen hieß, ist tot. Einem Ondit zufolge, und wir wiederholen ausdrücklich: einem Ondit zufolge, sagte ein Beamter des Ministeriums dem verblichenen Redakteur in schönstem Kölsch: »Isch weiß jar nich, wat dä Herr Formann will. Mehr als dat Jroße Bundesverdienstkreuz kann er nisch kriejen. Is dä Herr von Herresheim noch Persönlicher Referent im Amt für Seefahrt? Nein! Im VDU ist er, ich bitte Sie! Dä Herr Bundeskanzler hat ooch ’ne Persönliche Referenten, den Herrn Doktor Globke, ja, ja, den mit den Nürnberger Jesetzen, nicha, und dä Herr Bundeskanzler hat jesagt: ›Auf den Mann kan isch nich verzichten!‹ Bitte, is dä Herr Doktor Globke also jeblieben. Damit muß sich dä Herr Formann abfinden, dat man bei uns in der Bundesrepublik auf manche Männer eben nich verzichten kann. Wenn ihm dat nicht paßt, kann er ja in’n Osten jehn, zu dä Zoffjets! Is doch überhaupt Österreicher, nicha?«

»Telefon, für dich«, sagte Arnusch Franzl zu Jakob, am Abend des Tages, an dem diesem das Große Bundesverdienstkreuz verliehen worden war. Wenn er sich in Bonn befand, wohnte Jakob immer bei seinem Freund. Die beiden hatten in der prunkvollen Halle gesessen und ferngesehen – eine Unterhaltungssendung, betitelt ›Hotel Victoria‹, mit dem singenden, charmanten, schwyzerdütsch sprechenden Vico Torriani.
»Wer ist dran?«
»Düsseldorf. Ein Blumengeschäft. Was weiß ich.« Der Franzl wälzte sich. Jakob nahm den Hörer und nannte seinen Namen.
»Herr Formann, verzeihen Sie die späte Störung, aber wir haben bis jetzt Nachforschungen angestellt und glauben, daß wir Sie gleich benachrichtigen müssen.«
»Was ist los?« fragte Jakob, dieweilen der Franzl freundlicherweise den Tonregler des Fernsehers zurückdrehte.
»Sie haben am Vormittag angerufen und uns einen Auftrag gegeben. Drei Dutzend Sonja-Rosen an Frau Julia Martens, Düsseldorf, Graf-Adolf-Straße 312.«
»Ja, und?«
»Es tut uns leid, Herr Formann, eine Frau Martens wohnt dort nicht.«

Jakobs Schläfennarbe zuckte.

»Unsinn! Ich habe sie doch selber dort besucht!«

»Wann?«

»Vor…« O Gott, ist das peinlich. O Gott, ist das eine Gemeinheit von mir gegen den guten Hasen! »…vor zwölf Jahren.«

»Ja, da hat sie vielleicht dort gewohnt, aber jetzt…«

»Was sagt der Hausmeister?«

»Der weiß von nichts.«

»Wieso weiß der von nichts?«

»Weil er neu ist. Der, der früher da war, ist gestorben. In dem Haus hat sich überhaupt viel geändert. Wirklich, es tut uns leid, Herr Formann, aber wir konnten die Blumen nicht liefern.«

»Das Telefonbuch! Ist das vielleicht auch verstorben?« regte Jakob sich auf.

»Frau Martens steht auch nicht im neuen Telefonbuch, Herr Formann!«

»Haben Sie eines in der Nähe?«

»Ja.«

»Schauen Sie einmal nach unter JULIA-MODELLE, bitte…«

»Einen Moment, Herr Formann, bitte.«

»Ich warte«, sagte Jakob, schwer beunruhigt.

»Der Hase verschwunden?« erkundigte sich der Arnusch Franzl vor dem Fernsehapparat. Vico Torriani und viele hübsche Mädchen präsentierten auf dem Bildschirm soeben ein grandioses Finale.

»Ja«, antwortete Jakob nervös. »Ich meine nein… Das heißt, natürlich meine ich ja… Er ist…«

»…im Hotel Vic-to-ri-a!« dröhnten Torriani und der Mädchen-Chor. Der Arnusch Franzl hatte den Tonregler wieder aufgedreht.

»Bist du wahnsinnig geworden?« Jakob sprang vor Schreck richtig ein wenig in die Höhe.

»Entschuldige… Ich hab' den Torriani so gerne, und da, siehst du, jetzt ist seine Show vorüber. Du kannst einem aber auch jede Freude verderben!« Wütend knipste der Fette das Gerät aus.

»Ich? Wieso ich? Was kann ich dafür, wenn mittendrin das Telefon… Ja? Ja, liebes Fräulein? Sie haben JULIA-MODELLE?… Sie haben JULIA-MODELLE nicht?… JULIA-MODELLE stehen auch nicht im Telefonbuch? Aber das ist doch… aber das gibt es doch… da muß ich selber runterkommen und nachschauen. Die Rosen behalten Sie vorläufig… Nein, haben Sie keine Angst, bezahlen tu ich sie ja auf alle Fälle! Und recht vielen Dank, Fräulein…«

Jakob ließ den Hörer in die Gabel fallen, stierte den Fernsehapparat an und sagte: »Ich muß sofort nach Düsseldorf!« Dabei zog er Jacke und Schuhe wieder an, die er des Wohlbehagens wegen beim Fernsehen abgestreift hatte, und stürmte zur Tür.

»Du willst jetzt nach Düsseldorf? Mitten in der Nacht?«

»Klar! Wo schläft Otto? Oben? Ich muß ihn wecken!«

»Mensch, Jakob, sei vernünftig, jetzt mitten in der Nacht erreichst du gar nichts! Da sind doch alle Ämter geschlossen!«

»Ämter?«

»Na, das Meldeamt zum Beispiel. Ich weiß ja nicht, warum dein Hase nicht mehr in der Graf-Adolf-Straße wohnt, wenn er jedoch woanders wohnt, dann kriegst du das nur beim Meldeamt raus!«

10

»Aber sie kann doch nicht einfach vom Erdboden verschwunden sein, Theo«, sagte Jakob tags darauf. Er saß mit seinem Freund und Chauffeur Otto sowie dem ›Esquire‹-Theo an einem Tischchen des Cafés Hemesath an der Düsseldorfer Königsallee. Den Theo hatte Jakob noch nachts zuvor aus Bonn angerufen und gebeten, ihm zu helfen. Aus dem ›Esquire‹-Club, wo er Dienst tat, war sofort die Antwort gekommen: »Na klar, Herr Formann, treffen mir uns em Café Hemesath op de Kö. Dat jehört och dem Carlo. Et es wejen de Frau Martens, wat?«

»Ja. Wissen Sie, wo sie ist?«

»Nee. Awer sons en Menge.«

»Dann erzählen Sie!«

»Duert zo lange. Do es' en Keilerei em Jang, Herr Formann, sidd net bös, ech moß do Freede stifte. Morje öm drei Uhr nommeddag? Ech moß mech doch usschlofe met min Nachtschecht.«

Jakob und Otto waren schon am Vormittag nach Düsseldorf gefahren. Da, wo einmal die Schaufenster der JULIA-MODELLE gewesen waren, fand Jakob ein Delikatessengeschäft vor. Im vierten Stock links wohnten fremde Menschen. Eine Frau Schubert öffnete. Nein, sie wisse nichts von Frau Martens, sie höre den Namen zum ersten Mal, sie sei mit ihrem Mann durch einen Wohnungsvermittler hier gelandet, früher hätten die Schuberts in Karlsruhe gelebt.

»Wann früher?«

»Na, bis vor sechs Jahren«, sagte Frau Schubert. Drei Kinder hatte sie, die eine Menge Krach machten. »1955 im September, da sind wir hier eingezogen. Seid doch mal ruhig. Kinder! Karl-Heinz, zieh der Ute nicht dauernd den Rock herunter, sonst setzt es was! Mein Mann ist bei der Steuer, wissen Sie, Herr Formann, sie haben ihn befördert und nach Düsseldorf versetzt. Tut mir wirklich leid, aber ich kann Ihnen nicht helfen, Herr For... Karl-Heinz! Jetzt kriegst du es aber...«

In dem Delikatessengeschäft war Jakob auch nicht weitergekommen. Die Geschäftsführerin hatte erklärt: »Wir sind eine Ladenkette, wissen Sie?

Wallner-Delikatessen. Kennen Sie sicher. Über vierhundert Filialen in ganz Westdeutschland.« Die Geschäftsführerin senkte die Stimme. »Ich will ja nichts gesagt haben, aber da hat es Stunk gegeben, als der Herr Wallner diesen Laden gekauft hat von der Dame, die Sie suchen.«

»Was für Stunk?«

»Weiß ich nicht. Wegen dem Preis vermutlich. Sie haben sich dann geeinigt, heißt es…«

Absolut unergiebig erwies sich das Meldeamt. Ein magerer Mann in grauem Kittel suchte in Regalen, fand, was er suchte, und sprach zu Jakob: »Da haben wir sie ja schon! Martens, Julia, Graf-Adolf-Straße dreihundertzwölf.«

»Ja, und?«

»Und nichts. Abgemeldet am zwölften August 1955. Verzogen.«

»Wohin?«

»Woher soll ich das wissen, Herr?«

»Na, ich denke, das steht auch da, wenn man sich dann woanders angemeldet hat.«

»Nee, das steht dann nicht da! Nur, daß die Person weg ist. Und zwar weg aus Düsseldorf. Das steht fest. In Düsseldorf ist die Dame nicht mehr! Sonst hätten wir die neue Adresse. In der gleichen Stadt geht das. Aber nicht, wenn sie in eine andere Stadt gezogen ist – oder ins Ausland.«

»Wieso ins Ausland?« fragte Jakob aufgeregt.

»Wieso nicht ins Ausland, Herr? Macht eine Mark, die Auskunft…«

»Aber sie kann doch nicht einfach vom Erdboden verschwunden sein, Theo«, sagte Jakob dann um drei Uhr nachmittag im Café Hemesath.

»Esse jo ooch net, Herr Formann. Die kann öwerall lewe, wat wesse mir? Dat se hee fott es, dat hätt ech dech jliich saje könne, Herr Formann. Nur wohenn, dat nich.«

»Warum ist sie weg?« fragte Jakob und fühlte, wie ihm das Herz weh tat.

»Na, weje der Hochziet, denk ech«, sagte Theo.

»Was für eine Hochzeit?« fragte sein Kriegskamerad Otto Radtke.

»Ihr Freund, de Schauspieler, de Herr Fromm, de hat doch die Edda jeheirat, et es de Tochter vom Direktor Mühsam von de CYRIO-Film – herrje, Herr Formann, wat haste denn da jemacht?«

Jakob hatte, weiß vor Zorn, auf den Tisch schlagen wollen und dabei seine Kaffeetasse getroffen. Der Erfolg war überwältigend. Tasse zerbrochen, Kaffee überallhin verspritzt, Anzug versaut, Hand aufgeschnitten…

Eine Kellnerin verarztete den Wortlosen. Eine andere kehrte die Scherben zusammen und wischte alles trocken. Das dauerte seine Zeit. Nachdem diese Zeit um war, sagte Jakob durch die Zähne: »Der Fromm, der Sauhund, der verfluchte. Prophezeit habe ich es dem Ha… der Julia! Klar ist mir gewesen, daß er sie nur ausnützt, der Schuft. Der Drecksack. Von Julia leben und warten, bis die Edda fünfzehn ist, und sich dann ranmachen an die... Wann war die Hochzeit, Theo?«

»Dat kann ech dech janz jenau saje, Herr Formann. Die wat am veeronzwanzigste August fünfonfuffzich. Ech weiß dat so janz jenau, weil ech am fünfonzwanzigste Geburtstag hab.«

»Herzlichen Glückwunsch. Und?«

»Und, na ja, die Hochziet... Janz fierliche Anjelejenheit! Piekfien! Es jo och ene stadtbekannte Mann, de Herr Direktor Mühsam. Die janz fiene Dösseldorfer Jesellschaft wor do, e Stadtereignis! Fotos on Berechte en de ›Rheinische Post‹ on all dene andere Ziedonge.«

»Da ist die Edda neunzehn gewesen.« Jakob nickte.

»Ja, und der Fromm, der Fromm, wie he dann met de Edda zusamme wor, da es he sofort danach in die Filmfirma vom Direktor Mühsam einjetreten, und da es he immer noch. Jetzt führt er die CYRIO-Film!« Theo räusperte sich. »Na ja, und jliech no de Hochziet, do hät de Frau Martens sech dönn jemacht. Alles öwer en Ajentur afweckele lasse, Wohnungsverkauf, Geschäftsverkauf.«

»Also, dieser Fromm, das ist schon ein Riesenschuft, Jakob, das muß ich ja sagen«, versuchte Otto seinen Chef zu trösten, der völlig erstarrt dasaß.

Ach, Hase, Hase, Hase, dachte Jakob. Wie ist das alles schrecklich.

11

Als Jakob dann auch noch mit Theresienkron bei Hörsching nahe Linz in Österreich telefoniert und von einer sehr einsilbigen Frau Pröschl erfahren hatte, daß der Hase nicht da war, seit Jahren nicht, wurde er gefährlich böse.

Jetzt war dieser Fromm fällig! Vergebens flehten Theo und Otto den Jakob an, sich zu beherrschen und einen klaren Kopf zu bewahren. Umsonst malten sie ihm die Folgen eines Skandals aus. Es gelang dem listigen Jakob, den beiden zu entwischen. Im Telefonbuch einer Fernsprechzelle fand er dann, was er suchte:

Fromm, Erich, Filmproduzent, Schadowstraße 241... 435 34 56 Privat: Cecilien-Allee 432... 76 54 53 4

Jakob fuhr mit einem Taxi in die Schadowstraße. Das Büro war sehr groß, sehr gediegen, erweckte einen sehr seriösen Eindruck, und Herr Erich Fromm war nicht anwesend, wie eine Sekretärin (die hat er natürlich auch längst aufs Kreuz gelegt, der liebe Fromm, dachte Jakob) bekanntgab.

Wo denn der Herr Fromm sei?

Noch zu Hause, soviel die Sekretärin wisse.

Also fuhr Jakob mit dem Taxi hinaus zur Cecilien-Allee, den Rhein entlang, vorbei an alten Parks und herrlichen Villen, eisigkalte Wut im Bauch.

Die Cecilien-Allee ist eine vornehme Straße, und je weiter Jakob kam, desto feiner wurde sie. Er ließ den Fahrer etwas zu früh halten, bezahlte und schickte das Taxi fort. (Keine unnötigen Zeugen!)

Den Kopf gesenkt, die Hände zu Fäusten geballt, so schritt Jakob fürbaß – wie die Helden in den amerikanischen Krimi-Serien, die das Deutsche Fernsehen seit geraumer Zeit importierte. Die Sonne schien, doch alles, was der sonst so heitere Jakob nunmehr finster denken konnte, war: Rache, Rache, Rache!

432!

Da war das Haus.

Haus?

Ein kleines Schlößchen war das! In einem verwunschenen Park gelegen. Der hat schon gewußt, was er macht, der Lump, dachte Jakob, der hat sich das schon alles fein ausgerechnet, der Schönling, der widerwärtige. Na, lange wird der nicht mehr schön sein, der Schönling. Wenn ich erst mit ihm fertig bin...

Das Gartentor stand halb offen. In dieser feinen Gegend hatte man offenbar keine Angst vor Übeltätern. Tags kommen sie sowieso nicht, und nachts stolpern sicherlich die armen Kerle von der Wach- und Schließgesellschaft hier ihre Runden, dachte Jakob. Er betrat den breiten Kiesweg, der durch den Park zum Haus führte. Blumenbeete, uralte Bäume, ein kleiner Teich...

Nebel bildeten sich vor Jakobs Augen, während er Schritt vor Schritt setzte. Freue dich, Fromm, jetzt ist die Sekunde der Abrechnung gekommen. Du hast den armen Hasen unglücklich gemacht, du hast ihn verlassen, du hast ihn belogen und betrogen – du hast ihm – wie hieß doch gleich dieser Film, ach ja! – die besten Jahre seines Lebens hast du ihm genommen, du Sauhund, dachte Jakob. (Daran, daß er dem armen Hasen ganz Ähnliches angetan hatte, dachte er keine Sekunde. Das kam ihm überhaupt nicht in den Sinn.)

Und links. Und rechts. Und links. Und...

Was war denn das?

Jakob blieb stehen.

Da hatte doch jemand geschrien, jämmerlich und laut! Schrie schon wieder! Noch lauter und jämmerlicher. Achgottachgott, da drüben! Da drüben auf einer sonnenbeschienenen Wiese sah Jakob ein Laufställchen, darin ein winziges Kind, das jämmerlich weinte. Es konnte nicht sprechen, das kleine Wesen, es hatte nur Jakob erblickt und zu schreien begonnen. Und zu winken. Etwas war dem Kleinen aus dem Ställchen gefallen. Ein Spielzeug. Das lag jetzt im Gras. Und das Kleine konnte es nicht greifen.

Jakobs weiches Herz pochte. Das arme Ding. So winzig und hilflos! Er verließ den Kiesweg und ging auf das Laufställchen zu. Das Kind ließ aufgeregte Töne der Freude und Hoffnung ertönen.

Da lag das Spielzeug. Es war – für Symbolträchtigkeit hatte Jakob im Moment, ach, was heißt im Moment, in seinem ganzen Leben! keinen Sinn – ein Bärchen. Mit einem Knopf im Ohr.

Jakob hob das Bärchen auf und reichte es dem Kind. Das Kind hielt das Bärchen mit zwei rosigen Händchen fest, und nun lachte es glücklich über das ganze Gesicht. Und ließ sich im Laufställchen auf eine Decke fallen und streichelte und liebkoste sein Bärchen, ganz in sein zärtliches Tun versunken.

Ach ja, und versunken stand Jakob da, drei Minuten mindestens, und sah dem spielenden Kind zu. Dann fuhr er zusammen. Es war ihm eingefallen, wo er sich befand und was er vorhatte. Nur, fand er, hatte er das jetzt gar nicht mehr vor. In keiner Weise. Das Kind hätte nicht da sein dürfen, das war sein Pech und des Herrn Filmproduzenten Direktor Erich Fromms Glück. Was können in unserer Welt die Kinder dafür?

Den Kopf gesenkt, die Hände geöffnet, die Schultern herabhängend, so schlich Jakob gleich darauf mit schlurfenden Schritten (und in keiner Weise mehr den Helden aus den amerikanischen Krimi-Fernseh-Serien ähnlich) den Kiesweg zurück zum Tor, trat auf die Cecilien-Allee hinaus und ging den Weg, den er gekommen war, mit völlig verwirrten Gefühlen, leicht schwindelig und gänzlich kraftlos, zurück.

Er mußte ein langes Stück gehen, bevor er ein Taxi anhalten konnte. Der Fahrer betrachtete ihn neugierig.

»Wohin, Herr Formann?«

Jakob blinzelte. »Sie wissen, wer ich bin?«

»Na, sind Sie der Herr Formann?«

»Ja.«

»Na also! Hat Sie noch niemand erkannt? Dauernd sieht man Fotos von Ihnen in den Zeitungen und liest Geschichten über Sie... Ist mir eine große Ehre, Sie fahren zu dürfen, Herr Formann.«

»Hm... danke...« So etwas tut natürlich wohl.

»Wohin soll's denn gehen?«

»Nach...« Jakob überlegt nicht lange. Der Hase war nicht mehr in Düsseldorf. Nur raus, raus, raus aus dieser Stadt! Was hatte er hier noch verloren?

»Nach Bonn, bitte.« Jakob gab die Adresse des Arnusch Franzl an.

»Okay. Bonn.« Der Fahrer war erfreut über die weite Strecke. Geschwätzig war er auch. »Apropos okay, Herr Formann, Ihnen gehört doch OKAY. Die Illustrierte, meine ich. Nicht?«

»Ja, die gehört mir.« Wo ist der Hase? »Warum?«

»Weil... Also, meinen Glückwunsch, Herr Formann«, sagte der Chauffeur.

»Glückwunsch wozu?«

»Na, zur neuen Serie!« Der Fahrer geriet außer sich. »So was habe ich in meinem Leben noch nicht gelesen! Und alle meine Freunde und Kollegen sind genauso begeistert wie ich! Na, Sie müssen doch wissen, wie Ihre Auflage steigt!«

Verflucht, ich habe zuviel zu tun, dachte Jakob, ich habe noch keine Zeit gehabt, nach München zu fliegen und mich wieder mal im Verlag sehen zu lassen.

»Klar weiß ich es«, sagte er jovial. »Das ist eine verflucht gute Serie, ja, ja, ich weiß es.« Keine Ahnung hatte er.

»Allein der Titel!« schwärmte der Taxifahrer. »Da soll erst einmal einer draufkommen! ES MUSS NICHT IMMER HUMMER SEIN! Ist aber auch ein phantastischer Schreiber, dieser Klaus Mario Schreiber!«

»Das stimmt. Der beste, den ich habe.«

»Ich habe von Anfang an immer alles gelesen, was der geschrieben hat, und ich bin sicher, der schreibt unter mehreren Namen – Sie werden es mir nicht sagen, Herr Formann –, aber diesmal hat er sein Meisterstück geliefert! Wie das gleich angefangen hat! Und dazu noch die Idee, daß der Kerl kocht und daß die Kochrezepte mitgedruckt werden!«

12

Zwei Stunden später...

»Schreiber, hier ist Formann!«

Jakob stand in der Halle von Franz Arnuschs Haus in Bonn und hielt den Telefonhörer am Ohr.

»Ach, g... guten Tag, Ch... Chef. L... Lange nicht ge... gesehen. W... Wo ha... haben Sie denn gesteckt?« ertönte die Stimme des Starschreibers und größten Trunkenboldes von OKAY an Jakobs Ohr.

»Ich war in Rußland. Jetzt bin ich in Bonn. Sagen Sie mal, ich habe mir eben eine OKAY gekauft. Sie schreiben da eine neue Serie. ES MUSS NICHT IMMER HUMMER SEIN. Also, das ist...«

»Sch... Scheiße, ich weiß, He... Herr Formann, a... aber es l... läuft wie ver... verrückt, was s... soll ich machen?«

»Weiterschreiben, Mensch!«

»Ja, da... das sagen Sie so... so, Ch... Chef. Mi... Mir hängt das Z... Zeug schon zum Ha... Hals raus. Ich krieg' von L... Lesern und Film... produzenten, die das D... Ding haben wollen, ob... obwohl es gerade erst angefangen hat, jeden Tag, den der l... liebe Gott werden läßt, H... Hummer! J... Jawohl, Hummer! Und na... natürlich ha... habe ich zuerst alles wie ein Irrer aufge... gefressen. Jetzt ka... kann ich keinen H... Hummer mehr s... sehen, ohne daß mir schlecht wird. Ich w... werde nie mehr H... Hummer essen können!«

»Mann, Schreiber, wo haben Sie die Story her?«

»Ach, die ha... haben mich nach Ame... Amerika geschickt, wissen Sie, Ch... Chef. Ei... Eine alte Dame hat uns ge... geschrieben, daß sie einen w... wunderbaren Stoff für u... uns hat. Wa... War auch ein w... wunderbarer Stoff. N... Nur nicht zu brau... brauchen.«

»Warum nicht?«

»Die alte D... Dame war völ... völlig unzurechnungsfähig... Ent... Entmündigt... A... Aber das habe ich erst drü... drüben rausgekriegt. Na, und wie ich mich da... dann so ein b... bißchen in den Staaten rumgetrieben h... habe, d... da ist mir die... dieser Kerl über den We... Weg gelaufen... Da... Das heißt, zuerst seine Frau... Sss... Süße Puppe... Die wollte ich natürlich sofort...«

»Verstehe.«

»A... Aber sie hat mich reingelegt! Z... Zu sich eingeladen... U... Und mir ihren Mann vorgestellt!«

»Diesen Thomas Lieven?«

»Na, in Wi... Wirklichkeit heißt er ga... ganz a... anders... Moment, der Ko... Kornfeld kommt grad rein, er hat gehört, Sie ru... rufen an, er muß Sie... La... Laß meinen ›Chivas‹ in Ruhe, Kornfeld, Mensch!... Spre... Sprechen muß er Sie, sagt er... Tschü... üß, Ch... Chef. U... Und la... lassen Sie sich mal w... wieder hier sehen! Ich ü... ü... übergebe...«

Dann vernahm Jakob die Stimme seines Vertriebschefs. (Er hatte seinerzeit den Redakteuren gekündigt, den anderen Angestellten nicht.)

»Herr Formann!« jubelte der Vertriebschef. »Haben Sie denn unsere Telegramme nicht gekriegt?«

»Kein einziges. Wo habt ihr sie hingeschickt?«

»Na, ins Kulturhaus nach Rostow!«

»Da liegen sie wohl noch. Was ist los? Geht die Serie wirklich so gut?«

»Gut? Das ist überhaupt kein Ausdruck!« Kornfeld schrie jetzt. »So was war noch nie da! Zweihunderttausend Exemplare mehr nach den ersten drei Teilen! Und wir steigen und steigen!«

»Dann muß der Schreiber weiter- und weiterschreiben!«

»Das ist ja das Kreuz! Er will nur eine kurze Serie, sagt er.«

»Quatsch! Ich kenne ihn doch, den Lumpen, den versoffenen. Mehr Geld will er! Und jetzt hat er uns in der Ecke und kann uns erpressen. Er muß einfach weiterschreiben! Und wir müssen ihm mehr Geld geben!«

»Gott sei Dank, daß Sie das bewilligen, Herr Formann. Es kommt hundert- und tausendfach wieder rein! Sie wissen ja, was ich früher immer gesagt habe: ›Text, das ist der Dreck, der zwischen den Inseraten steht!‹ Ich habe mich geirrt. Jetzt, beim HUMMER, da sind die Inserate der Dreck, der zwischen dem Schreiber seiner Serie steht!«

»›Chivas‹ muß er saufen«, brummte Jakob. »Vor ein paar Jahren hat's noch ›Johnnie Walker‹ getan. Und ganz am Anfang Weinbrandverschnitt. Mit der Bundesrepublik geht's bergauf!«

»Toi, toi, toi, Herr Formann. Nicht verschreien!«

»Da haben Sie recht, nicht verschreien«, sagte Jakob und klopfte auf Holz. Als er sich verabschiedet und das Gespräch beendet hatte, kam der fette Arnusch Franzl in die Halle. Er strahlte.

»Du strahlst ja so, Franzl?«

»Nachricht für dich!«

»Was für eine Nachricht?«

Der Arnusch Franzl ließ sich ächzend auf eine ächzende Couch krachen. »Na, du warst doch so außer dir wegen dem Hasen... Wo der ist... Ob der sich was angetan hat... Völlig meschugge warst du, als du angekommen bist... Da habe ich mir gedacht, ich muß mich gleich selbst darum kümmern...«

»Und? Wo ist der Hase?« flüsterte Jakob.

»Gleich. Laß mich erzählen, wie ich es angefangen habe. Ich habe alle unsere Piloten verständigt. Die haben die besten Verbindungen zur Polizei auf den Flughäfen.«

»Wieso Flughäfen?«

»Mein Bester, was tut eine Frau, die gerade ihre Wohnung und ihr Geschäft verkauft und ihren Geliebten verloren hat, in ihrer Verzweiflung?«

»Na was? Red schon. Was tut sie?«

»Sie haut ab von dort, wo es passiert ist, habe ich mir gesagt. So weit wie möglich haut sie ab. Bloß an nichts mehr erinnert werden. So denke ich. So denkt jede Frau.«

»Du bist ja gar keine.«

»Aber ich kann mich in eine hineinfühlen«, erklärte der Arnusch Franzl triumphierend. »Und ich hab' mich richtig hineingefühlt! Die haben auf allen großen Flughäfen nachgeschaut – unseren Piloten zuliebe –, wer um diese Zeit herum – August, September fünfundfünfzig – weit weggeflogen ist...«

»Sie hätte ja auch ein Schiff nehmen können.«

»Hätte sie, ja. Aber hat sie nicht. Wie es so geht im menschlichen Leben. Geflogen ist sie!« Der fette Franzl schlug auf einen Zettel, den er in einer Hand hielt. »Und zwar mit der LUFTHANSA! Erster Klasse! Von Orly aus! Am vierzehnten August 1955 um zwanzig Uhr zehn mit Flug fünfhundert-undelf über London nach Los Angeles!«

»LUFTHANSA? Nach Los Angeles?«

»Sage ich doch, mein Guter.«

»Aber warum? Was macht sie in Kalifornien?«

»Das habe ich natürlich nicht rauskriegen können, mein Bester.« Jakob krachte gleichfalls auf die Couch.

»Ich werde verrückt. Nach Kalifornien«, murmelte er...

13

JUNGE NEGER!

Seid ihr das Opfer rassisch bedingter Vorurteile? Weigern sich
weiße Mädchen, sich von euch nach Hause begleiten zu lassen?
Als Soldaten der USA könnt ihr ins Ausland reisen! Die weißen
Mädchen in Deutschland, England und Frankreich warten nur
darauf, euer gesundes Lachen zu sehen! Meldet euch noch heute
zur Armee!

»Sauerei so was«, sagte Jakob wütend und schlug mit der flachen Hand auf
die große Annonce im Inseratenteil der Zeitung. »Den armen Jesus haben
sie zuerst ins Ausland geschickt und dann daheim umgebracht, verflucht,
verflucht, verflucht!«

»Hör schon auf«, sagte sein alter Freund George Misaras. »Steht also wieder nichts drin, was?«

»Nicht die Spur.«

»Hätte ich dir sagen können. Der Hase will nicht. Oder er ist schon längst
woanders.«

»Fünf Detektive habe ich engagiert hier in Kalifornien!« erregte sich Jakob.
»Glaubst du, ein einziger hat auch nur die Spur von einer Spur gefunden?«

»Das glaube ich dir aufs Wort, daß keiner eine Spur gefunden hat. Man
wird auch keine finden. Wenn dein Hase nicht direkt in einen von deinen
Detektiven reinläuft. Ich habe dir doch gesagt, in den Staaten gibt es keine
Meldepflicht!«

»Scheiße, verfluchte«, schimpfte Jakob Formann und knallte die große,
dicke Zeitung, ein Exemplar des LOS ANGELES INQUIRER vom Tage, dem 28.
Juni 1961, auf den Frühstückstisch. Der Tisch stand in der großen Wohn-
halle von George Misaras' Haus an der Rossmoyne Street im nördlichen
Stadtteil und Nobelvorort Glendale von Los Angeles. Es gab auch eine
junge, sehr hübsche Mrs. Misaras. Kinder gab es nicht. Aber einen großen
Park, einen Swimming-pool, wunderschöne Möbel und viele Bilder. Die
Bilder kamen Jakob alle ein wenig kindisch vor, er hatte das auch gleich
nach der ersten Betrachtung gesagt.

»Ich sammle Bilder der Naiven Malerei, besonders aus Jugoslawien«, hatte
Misaras ihm milde lächelnd erklärt.

»Ja, dann!« hatte unser Freund erwidert und dabei verwundert gedacht:
Wenn eine Malerei schon naiv ist, warum sammelt man sie dann auch
noch?

Nach dem Tode von Jesus Washington Meyer und dessen Familie bei den
schweren Rassenunruhen hatte Jakob seinen MP-Freund George Misaras

als Leiter der Fertighausabteilung USA eingesetzt. Das heißt: Zuerst hatte er ihn, wie erinnerlich, in einem Hotel in Birmingham zusammengeschlagen, weil er glaubte, es mit einem Mitglied des ›White trash‹, des ›Weißen Abschaums‹, zu tun zu haben. Als Misaras wieder bei Sinnen war und sprechen konnte (mit schmerzendem Kiefer), hatte er Jakob erzählt, daß er gleich nach den ersten Nachrichten von den Zusammenstößen nach Alabama geeilt war, um Jesus beizustehen. (Er lebte in Chicago.) Dann hatte er gehört, daß sich auch Jakob in Birmingham befand, in einem Hotel, und war dorthin gerast, mit dem im wahrsten Sinne des Wortes niederschmetternden Erfolg, daß ihn Jakob k. o. schlug. Nein, nicht nur mit diesem Erfolg.

Nachdem die Trauerfeierlichkeiten vorüber, ihr alter Freund Jesus und dessen weiße Frau Fanny (aus Linz, Österreich) begraben und – bis auf weiteres – wieder Ruhe in Birmingham und Tuscaloosa eingekehrt waren, hatte Misaras erzählt, daß er in Chicago – seine Eltern waren bei einem Autounfall tödlich verunglückt – allein hause und eine Stelle bei einer großen Kartonagen-Firma habe, die ihn gräßlich langweile.

»Dann übernimm doch den Job von Jesus, dem armen Hund«, hatte Jakob gesagt. »Aber nicht hier! Nur weg von hier! Wir müssen alles verlagern, sämtliche Produktionsstätten.«

»South Gate«, hatte George gesagt.

»Was, South Gate?«

»South Gate, Vorort von Los Angeles. Da hat ein Onkel von mir ein großes Industriegelände gehabt. Onkel auch tot. Das Gelände gehört mir. Ich habe bis jetzt keinen gefunden, der es kaufen wollte. Dorthin könnten wir die Fabriken verlagern. South Gate liegt im südlichen Halbkreis von Los Angeles, weißt du, da, wo die Industrie sitzt. Sie sitzt auch in Compton, Inglewood und Huntington Park. Gleich anschließend kommt die Kette der Ölfelder. Die größte Raffinerie – Standard Oil Company of California – steht in El Segundo. Wenn ich gewußt hätte, wo Jesus steckt, längst hätte ich ihn dahin geholt. Aber ich habe ja keine Ahnung gehabt! Erst als die Unruhen losgingen, hat es einmal im Radio geheißen, daß Jesus da in Tuscaloosa und Birmingham arbeitet – als dein Vertreter. Aber da war es schon zu spät.«

»Das also ist die Patentdemokratie!«

»Das ist überhaupt keine Demokratie.«

»Was denn?«

»Hast du den neuen Film von Paddy Chayefsky denn nicht gesehen? Das ganze Land redet davon. Du hast ihn nicht gesehen?«

»Nein. Doch! Natürlich! Nur nicht persönlich«, erwiderte Jakob. »Wer ist Paddy Chayefsky?«

Misaras seufzte.

»Immer noch der alte Jake. Scheiß auf Film, Theater, Literatur, Musik und

so weiter, wie? Das ist kein Vorwurf, mein Junge. So ist eben dein Standpunkt. Nur, in diesem neuen Film, da hört man ein paar Sachen, die gehen
allen Menschen an die Nieren.«
»Was denn, zum Beispiel?«
»Zum Beispiel, weil du gesagt hast: Das ist also die Patentdemokratie!
Chayefsky sagt – natürlich läßt er es im Film einen Darsteller sagen – ungefähr: Ein Trottel, der noch in Begriffen von Nationen und Völkern
denkt! Es gibt keine Nationen mehr und keine Völker! Nicht die Russen
oder die Araber oder die Dritte Welt! Es gibt auch den Westen und den
Osten nicht! *Business* gibt es noch. Mit Petrodollars, Elektrodollars, Mul-
tidollars, Deutschmark, Rubel, Rin, Pfund und Schekel. Das internationale
Währungssystem ist es, das das Leben auf diesem Planeten bestimmt! Bejammere nicht Amerika! Bejammere nicht die Demokratie! Es gibt kein
Amerika mehr. Und keine Demokratie! Es gibt nur noch IBM und ITT und
AT & T und DuPont, Dow, Union Carbide und Texaco. ›Was glaubst du
wohl, worüber die Russen bei ihren Ministerratssitzungen reden?‹ läßt
Chayefski diesen Schauspieler sagen. Über Karl Marx? Daß ich nicht lache!
Die ziehen ihre Linearprogramme hervor, ihre Statistiken, ihre Mini- und
Maximierungsvorschläge – als die guten kleinen Systemanalytiker, die sie
sind! Dann werden die Preis-Kosten-Effekte ihrer Transaktionen und Investitionen per Computer eruiert, ganz genauso, wie das bei uns geschieht!
Die Welt ist ein Unternehmenskollegium geworden, Jaké, so ähnlich sagt
das der Paddy Chayefsky, gnadenlos unterworfen den unverrückbaren Ge-
setzen des Business. *Business!* Business beherrscht unsere Erde, sonst
nichts, Jake, sonst überhaupt nichts!«

14

George Misaras hatte das Fertighaus-Zentrum also nach South Gate verlagert und erweitert. Es war inzwischen ein riesiges Unternehmen geworden,
viele Male größer als Jakobs Werke in der Bundesrepublik, die nach wie
vor Karl Jaschke leitete. Der war gerade nach Karania geflogen, um dort
für die Obdachlosen der eben in die Freiheit entlassenen Republik Fertighaus-Fabriken zu bauen im ersten Entwicklungshilfe-Projekt unseres
Freundes Jakob.
Jakob hatte Fertighaus-Unternehmen in sieben Ländern der Erde errichtet
– das in Los Angeles war das größte. Ununterbrochen unterwegs, kam er
auch immer wieder zu George Misaras – diesmal war er auf dessen telefo-
nischen Notruf aus Düsseldorf gekommen mit seiner ›Superconstellation‹.
Misaras hatte ihn im Hause des Arnusch Franzl erreicht...
»Jake, hier brennt's!«
»Was soll das heißen?«

»Wir werden bestreikt. Die Gewerkschaft hat geradezu unverschämte Lohnerhöhungen gefordert.«

»Was heißt ›unverschämte‹? Alles wird teurer, George! Leben und leben lassen! Die armen Schweine, deine Arbeiter, kommen einfach mit ihrem Geld nicht mehr aus!«

»Ich habe ihnen ja auch mehr geboten! Ich schwöre dir, Jake – wir waren doch beide einmal arme Hunde –, ich bin doch kein Scheißkapitalist, ich fühle doch mit den Arbeitern! Alle ihre Forderungen habe ich erfüllt!«

»Na und?«

»Die Gewerkschaft hat die Forderungen noch höher geschraubt! So hoch, daß sie irrsinnig sind! Darauf kann ich nicht mehr eingehen, sonst machen wir Pleite! Wir stehen seit drei Wochen still! Die ganze Produktion bleibt liegen! Wir haben terminierte Lieferungen! Wenn wir die Termine nicht einhalten, setzt es Konventionalstrafen, die sind nicht von schlechten Eltern! Und wir kommen als unzuverlässiger Betrieb auf die Schwarze Liste und kriegen überhaupt keine Aufträge mehr!«

Jakob begriff schnell.

»Corbett!«

»Klar, Corbett. Nur beweisen kann ich es nicht.«

Corbett Inc. war gleichfalls ein Werk für Fertighäuser in Los Angeles. Bislang hatte es im Wettbewerb mit Jakobs Unternehmen hoffnungslos zurückstecken müssen – genauso wie Jäger & Hampel in Deutschland! Jakobs Fertighäuser (also eigentlich die von Christoph & Unmack in Niesky) waren eben die besten! Deshalb vergab das Pentagon schon seit geraumer Zeit auch wieder an Jakobs deutsche Werke Riesenaufträge. In Vietnam wurde es heißer und heißer. Dort stand ein großer Krieg unmittelbar bevor. Noch blieb es bei amerikanischer Militärhilfe und amerikanischen Militärberatern da unten. Noch! Bald würde Jakob nicht mehr aus den Augen schauen können, wenn die Amis in Vietnam aktiv eingriffen, und das stand fest zu erwarten. Dann würden seine deutschen Werke (wie schon anläßlich des Korea-Krieges) Tag und Nacht arbeiten müssen.

Corbett Inc. bekamen keine Pentagon-Aufträge. Und auch sonst konnten sie Jakobs Konkurrenz wenig entgegensetzen. Alle großen zivilen Aufträge erhielt sein Stellvertreter George Misaras.

Und jetzt streikten bei dem die Arbeiter, obwohl er ihre Forderungen erfüllt hatte? Jetzt schraubte die Gewerkschaft diese Forderungen in unsinnige Höhen? Ausgerechnet jetzt? Jetzt, wo man bei Corbett Inc. rasend sein mußte darüber, daß man keine Pentagon-Aufträge bekam?

Dieser Streik war von Corbett inszeniert worden, das stand für Jakob sogleich fest. Corbett wollte ihn ruinieren, ein für alle Mal. Inzwischen kannte Jakob sich ein wenig in internationalen Geschäftsmethoden aus ...

»Wenn wir noch zwei weitere Wochen verlieren, kriegen wir solche Konventionalstrafen, daß wir k. o. sind!« klang George Misaras' Stimme über einen Kontinent und ein Weltmeer hinweg an Jakobs Ohr. »Corbett kann dann sofort liefern. Der hat massig vorfabriziert, habe ich rausgekriegt. Und wir stehen auf der Schwarzen Liste!«

»Dafür geht mir der Corbett jetzt in'n Knast!« sagte Jakob, gefährlich leise.

»Einen Dreck geht er! Denn wir können nicht beweisen, daß er hinter dem Streik steckt, daß er ihn angezettelt hat! Was glaubst du, was ich schon alles versucht habe, um es zu beweisen? No can do. Die haben das wasserdicht gemacht. Wie gesagt: Noch zwei Wochen, und sie haben uns in die Pfanne gehauen!«

»Das glaube ich nicht«, hatte Jakob in Düsseldorf gesagt. »Ich komme sofort, George.« Bevor er losflog, telefonierte er noch mit seinem alten Freund, dem Senator Connelly im Weißen Haus in Washington. Er telefonierte eine halbe Stunde. Connelly versprach, in Kürze zurückzurufen. Er rief in Kürze zurück. Was er sagte, stimmte Jakob frohgemut. Und frohgemut flog er dann vom Flughafen Köln-Wahn aus nach Los Angeles. Jetzt kann ich auch den Hasen suchen, hatte er gedacht. Er war ein Mann, der stets so viele Fliegen wie möglich auf einen Schlag erledigte. Nur klappte es diesmal nicht. Die Suche nach dem Hasen blieb erfolglos. Und die Arbeiter in den Fabriken streikten weiter. Die Zeit, die Jakob verblieb, um wenigstens ein Geschäft zu retten, wurde kürzer und kürzer. Am Morgen des 28. Juni 1961 trank er gerade im Haus seines Freundes George Misaras an der Rossmoyne Street in dem Nobelvorort Glendale von Los Angeles seine Kaffeetasse leer, als das Telefon läutete.

Misaras nahm den Hörer ab. Er lauschte kurz, dann sagte er: »Okay, Chief. Tausend Dank. Wir kommen sofort.«

Jakob war aufgesprungen, noch bevor Misaras den Hörer wieder in die Gabel gelegt hatte.

»Ist es soweit?«

»Ja«, sagte Misaras. »Es geht los!«

15

Sie hatten drei Wagen – einen Lincoln Continental und zwei Chevrolets –, und sie fuhren auf der verkehrsreichen Straße einmal vor und einmal hinter dem schwarzen Chrysler. Der Mann am Steuer des schwarzen Chrysler war hager, hatte weiße Haare, schwarze Augenbrauen und ein hartes Gesicht...

In seinem Telefonat mit dem Senator Connelly, das Jakob am 22. Juni noch von Bonn aus geführt hatte, war lange die Rede davon gewesen, daß die Polizei normalerweise in den mit größter Wahrscheinlichkeit von Corbett inszenierten Streik nicht eingreifen konnte, ebensowenig wie sie Telefonleitungen anzapfen, einzelne Menschen, von denen nichts Nachteiliges bekannt war, überwachen oder gar gegen ganze Gruppen Fahndungsmaßnahmen einleiten konnte in der Hoffnung, irgendwelche Verdächtige werde man schon zu fassen kriegen. Als der Senator dann Jakob in Bonn zurückrief, war das anders...

»Ich habe mit dem Polizeipräsidenten von Los Angeles gesprochen, Jake. Der ist ein College-Freund von mir. Ich habe ihm die Sachlage geschildert und erreicht, daß Sie ab sofort Hilfe bekommen.«

»Danke, Senator, danke!«

»Schon gut. Sie haben Glück. Der Polizeipräsident will ein Exempel statuieren! Solche Sachen nehmen überhand, sagt er. Von dieser Minute an arbeiten Detektive einer Sonderkommission für Sie, Jake...«

Nun, die Sonderkommission hatte nach kurzer Zeit bereits herausgebracht, daß Jakobs Konkurrent John A. Corbett eine gewisse Kanzlei Dickins, Stark, Holloway, Holloway & Crown (ohne Wissen seiner hausinternen Rechtsabteilung!) beschäftigte, und die Detektive der Sonderkommission waren daraufhin dazu übergegangen, alle Anwälte der erwähnten Kanzlei, die Fabrik im Stadtteil Compton und Corbetts Haus in Beverly Hills rund um die Uhr zu überwachen. Dann, am 28. Juni 1961, morgens, hatten die Beamten im Präsidium diesen Anruf bekommen: »Jerry Stark wird in einer Stunde seine Kanzlei verlassen – nach einem Telefongespräch mit Corbett!« (Corbetts Telefonanschluß war schon seit Tagen angezapft.)

Daraufhin hatte der Chef der Sonderkommission bei George Misaras angerufen, und der und Jakob waren losgesaust.

Der Mann in dem schwarzen Chrysler mit dem harten Gesicht, den weißen Haaren und den schwarzen Augenbrauen war also der Anwalt Jerry Stark. Sie verfolgten ihn praktisch von dem Augenblick an, in dem er seine Kanzlei in dem Wolkenkratzer am Pico-Boulevard verlassen hatte.

Jakob saß mit Misaras und drei Detektiven in dem Lincoln Continental, in den beiden anderen Wagen fuhren jeweils drei weitere Kriminalbeamte. Die Einsatzwagen hatten untereinander direkten Sprechfunk-Kontakt; elektronische Zerhacker machten die Gespräche aber für jeden Fremden unverständlich.

Der Anwalt Jerry Stark fuhr zunächst ostwärts aus der Stadt hinaus. Im Valley war es grausig heiß, später in San Bernadino wurde es noch heißer, und auch in eintausendzweihundert Meter Höhe, hinauf nach Puma Point, war es nicht kühler auf der Straße, die sich nun in Kurven wand. Erträgliche Temperatur kam erst auf, als sie den Damm erreichten und am Südufer des Puma-Sees die großen Campingplätze passierten. Corbett hatte den Anwalt beauftragt, ein Zimmer im INDIAN HEAD HOTEL zu nehmen. Das hatte die Zentrale abgehört; also blieben die Detektive ein wenig zurück und ließen Stark vor dem braunen Eckhaus vorfahren und in das Hotel hineingehen, dem ein Tanzlokal gegenüberlag. Sie warteten eine ganze Weile, bis er im Hotel verschwunden war. Sie wußten, daß sie noch den ganzen Tag warten mußten, denn Corbett hatte seinen Anruf erst für zwanzig Uhr annonciert.

Jakob, Misaras und ihre Begleiter stiegen schließlich aus, die Detektive des ersten Chevrolets ebenfalls. Die im zweiten blieben neben der Auffahrt zum Hotel. Jakob, Misaras und die Kriminalbeamten gingen in das INDIAN HEAD HOTEL hinein. Hier herrschte großer Wirbel. Sehr viele Männer und Frauen in Sport- und Freizeitkleidung, nicht wenige bereits jetzt ziemlich angetrunken, drängten sich in der Halle. Vom See her ertönte das Donnern vorbeirasender Motorboote, und dazu spielte im Hintergrund der Halle eine Hillbillie-Band. Hier bereitete man sich anscheinend jetzt schon, am Freitagvormittag, auf ein fröhliches Wochenende vor.

Von den drei Detektiven, die Jakob begleiteten, waren zwei Techniker, Jakob erklärte das dem verstörten Hotelmanager.

»Aber was wollen Sie hier tun?«

»Uns in Ihre Telefonzentrale setzen und warten, und wenn wir Glück haben, ein Gespräch mitschneiden.«

»Von wem mit wem?«

»Es genügt schon, wenn wir das wissen.«

»Sie wissen, daß das verboten ist.«

»Schauen Sie sich mal das an«, schlug Jakob vor und zeigte dem Manager, der sie in sein Büro gebeten hatte (um Himmels willen kein Aufsehen!), verschiedene Papiere. Sie stammten alle von der Staatsanwaltschaft in Los Angeles. Nachdem er die Papiere gelesen hatte, sagte der Manager: »Aber wen wollen Sie denn abhören?«

»Das haben Sie schon einmal gefragt«, sagte einer der Detektive unfreundlich. »Jetzt ist es genug. Wo liegt die Telefonzentrale?«

Der nervöse Manager erklärte es.

Die beiden Techniker gingen daraufhin mit ihren Koffern fort. Die Kriminaler aus dem zweiten Chevvy saßen in der Halle und an der Bar und bewachten die Lifts. Es gab drei. Die Detektive sahen alle drei.

Jakob, Misaras und ein Kriminalbeamter blieben im Büro.

»Was soll das heißen?« fragte der Manager.

»Wir leisten Ihnen Gesellschaft«, sagte Misaras.

»Aber ich habe zu tun!…

»N-n.«

»Was n-n?«

»Sie bleiben bei uns, bis alles vorüber ist«, erklärte der Detektiv geduldig.

»Und wenn ich mich weigere? Von meinem Hausrecht Gebrauch mache?«

Der Detektiv zog geduldig seine schwerkalibrige Pistole aus dem Halfter, legte sie auf den Schreibtisch und lächelte.

»Ich glaube nicht, daß Sie sich weigern werden«, sagte Jakob.

Der Manager schwieg verbissen.

»Sehen Sie. Um neun Uhr abends spätestens ist ohnedies alles vorbei«, sagte Jakob gütig, und dachte: Mit Gott! »Sie können sich den ganzen Tag Ihre Pornohefte anschauen. Und auch mit sich spielen, wenn wir Sie nicht stören«, fügte er hinzu.

»Sie werden gleich ein paar in die Fresse... Wo sind hier Pornohefte?« fauchte der Manager, ein kleiner Mann mit einem Frettchengesicht.

»Sie haben sie alle schnell in die mittlere Schreibtischlade geschubst, als wir hereinkamen«, sagte Jakob und trat vor. »Erlauben Sie...« Und blitzschnell öffnete er die Lade und zog das Gesprächsthema hervor. »Quillt ja schon über, Mann. Sie sollten sich ein Mädchen leisten. Oder einen von diesen Analytikern.«

»Sie dreckiger...«, begann der Manager, da läutete das Telefon. Jakob hob ab.

»Wir sind dran«, erklang die Stimme eines der beiden Techniker. »Mitschneidegerät, Zimmer angezapft, alles. Zwei süße Puppen hier, eine Blonde und eine Schwarze.«

Jakob vernahm Gekicher.

»Viel Vergnügen«, sagte er. »Habt ihr so geschaltet, daß auch wir mithören können?«

»Glauben Sie, wir sind Idioten? Natürlich. Ich sage Ihnen, die Mädchen haben vielleicht was in den Blusen...«

Jakob hängte ein.

»Solche Telefonistinnen im Haus und dann so was hier«, sagte er zu dem erschütterten Manager. »Schämen Sie sich nicht? Oder riechen Sie aus dem Mund?«

»Ich bin schüchtern.«

Der Detektiv, der zurückgeblieben war, pfiff durch die Zähne. Er blätterte bereits in einem der Pornohefte.

»Meine Mutter hat mich nämlich noch als Sechsjährigen in Mädchenkleidern herumlaufen lassen...«, begann der Manager, Tränen in den Augenwinkeln, da bemerkte er, daß alle drei Herren ihm nicht zuhörten. Auch Jakob und Misaras blätterten bereits interessiert. Der Manager mit der traurigen Jugend seufzte und griff gleichfalls zu. Von draußen drang der Lärm in die Halle herein. Die Herren sahen sich geduldig Bildchen um Bildchen an. Zu Mittag wurden Sandwiches und Bier in das Büro gebracht, am Nachmittag Kaffee und Kuchen. Danach spielten die Herren bis zum Abend Karten. Punkt acht Uhr läutete das Telefon. Der Detektiv legte seufzend seine Spielkarten hin und hob ab.

Einer der Techniker sagte atemlos: »Jetzt ruft ein Kerl gerade Stark an. Achtung, ich schalte ein...«

Ein leises Summen, dann wurden der Detektiv und Jakob, der den zweiten Hörer des Telefons ans Ohr hielt, Zeugen des folgenden Dialogs:

»Ja, Boß, ich bin es, Stark.«

»Okay, wenigstens sind Sie da!« Die andere Stimme klang tiefer, man hörte, daß der Sprechende wütend war. »Was ist das für eine Sauerei, von der Sie mir heute früh Nachricht gegeben haben?«

»Ich kann nichts dafür, Boß! Ich mußte Sie doch benachrichtigen! Dieser Formann ist vor ein paar Tagen hier gelandet, und er scheint was vorzuhaben.« Jakob lächelte milde. »Unsere Leute von der Gewerkschaft haben mir gemeldet, daß dreißig Arbeiter plötzlich erklären, nicht länger streiken zu wollen, weil sie den dringenden Verdacht haben, daß da ein krummes Ding gedreht wird.« Der Detektiv warf Jakob einen herzinnigen Blick zu. »Wir haben sie uns sofort vorgenommen und jedem von ihnen fünftausend zusätzlich versprochen, wenn sie das Maul halten und mit der Rederei aufhören.«

»Sie haben aber nicht aufgehört, sondern im Gegenteil den Kollegen Andeutungen gemacht, daß wer anderer ihnen was geboten hat. Sagen mir *meine* Leute.«

»Wenn das Ihre Leute sagen, wird's schon stimmen, Boß.« Jetzt klang die Stimme des Anwalts Jerry Stark beleidigt. »Ich tue, was ich kann.«

»Das ist mir aber nicht genug.«

»Dann nehmen Sie sich einen anderen Anwalt, Mister Corbett!«

Na endlich hat er auch noch den Namen gesagt, dachte Jakob selig, während die tiefe Stimme tobte: »Sind Sie wahnsinnig geworden? Wie können Sie meinen Namen…«

»Tut mir leid, Boß. Aber wenn Sie mich so beleidigen…«

»Ich beleidige Sie nicht, ich stelle nur fest, daß ihr alle zusammen nicht mehr ausreicht, jetzt, wo Formann da ist…«

Die Stimme blendete aus, und die Stimme des Technikers erklang: »Wir wissen, von wo aus Corbett spricht! Die Fangschaltung in dem Sektor hat endlich funktioniert.«

»Wo ist der Mistkerl?« fragte Jakob.

»In ›Harry's Bar‹! Santa Monica, zwanzig-vierzig Ashland Avenue«, sagte der Techniker. »Sind schon drei Streifenwagen von dem Revier dort unterwegs, um ihn hoppzunehmen. Hoffentlich redet er noch ein Weilchen.«

»Tja«, sagte Jakob.

Die Hoffnung wurde erfüllt.

Corbett redete noch zwei Weilchen. Er sagte dem Anwalt, daß man jetzt eben mit kräftigeren Mitteln vorgehen müsse.

»Heute nacht brennt die erste Fabrik von Formann ab. Machen Sie sich keine Sorgen. Sie haben damit nichts zu tun. Das habe ich schon alles vorbereitet für den Fall der Fälle. Und diesen Streikbrechern wird die Fresse poliert.«

»Hören Sie, Boß, ich muß Sie warnen. Wenn das auch noch geschieht und wenn auch nur das geringste herauskommt, sind wir wirklich im Eimer.«

Jakob nickte bedächtig.

»Es kommt nie heraus! Sie sind doch überhaupt am Puma Lake und haben ein herrliches Alibi. Reißen Sie sich ein Mädchen auf heute nacht, machen Sie Tamtam, aber richtig, vielleicht einen kleinen Skandal, so etwas kann nie schaden, und bleiben Sie ein paar Tage oben. Mit diesem Formann werde ich noch Schlitten fahren.« Ach ja, dachte der belustigt, das wäre was. Vielleicht chinesisch? »Morgen nacht brennt die zweite Fabrik runter. Ist alles geplant. Wir müssen nur noch die paar Tage haben, damit Formann nicht liefern kann…«

»Und wenn er uns reinlegt?« Guter Anwalt, dachte Jakob.

»Der und uns reinlegen! Der hat doch keine Ahnung, was los ist! Der hat doch heute den ganzen Tag das Haus von seinem Freund Misaras nicht verlassen. Meine Leute passen da auf, Jerry.« Aber nicht auf den Hintereingang, die Idioten, dachte Jakob. So sind wir nämlich rausgekommen. Er hörte anschwellendes Sirenengeheul.

»Was ist denn *das*, Boss?«

»Ach, Scheiße, Verkehrsun…« Den Satz sprach John Albert Corbett nicht mehr zu Ende. Jakob vernahm das Fallen des Hörers, undeutliche Geräusche, dann wurde der Hörer in ›Harry's Bar‹ wieder in die Gabel gelegt – von zarter Hand.

Jakob ließ den seinen auch fallen.

»Den hätten wir«, sagte er zu dem Detektiv. »Bleiben Sie noch einen Moment hier und passen Sie auf diesen Kerl auf, dem Mami die Mädchenkleider verpaßt hat, ich will sehen, daß uns Jerry nicht entwischt. Komm, George!« Die beiden Freunde eilten in die überfüllte Halle. Lift Nummer II kam eben heruntergeglitten. Als er sich öffnete, trat der untadelig gekleidete Anwalt Jerry Stark heraus. Im nächsten Moment war er umringt von sechs freundlichen Herren, die ihn aus der Halle hinaus und in einen der Wagen geleiteten.

Jakob eilte zurück, entbot dem kleinen Manager mit den kleinen Pornoheften einen schönen guten Abend und verließ dann mit dem letzten Detektiv das INDIAN HEAD HOTEL. Die Leute auf der Straße waren noch besoffener als die im Haus. Die Wagen hatten Mühe, wegzukommen.

Der Anwalt saß jetzt neben Jakob im Fond des Lincoln Continental. Sein Gesicht war weiß wie ein frisches Bettlaken.

Jakob betrachtete ihn staunend.

»Sie arbeiten doch in einer so gutgehenden Kanzlei. Warum machen Sie solche Sachen, Stark?«

»Wenn man Ihnen so viel Geld bieten würde…«

Ja, ich glaube, George hat recht, dachte Jakob, es gibt keine Demokratie, kein Recht, keine Völker und Staaten mehr, sondern nur noch Business und Geld, Geld, Geld…

»Aber dafür gehen Sie jetzt in den Knast«, sagte Jakob äußerlich ganz ruhig, aber innerlich voller Unruhe, denn er mußte an Worte denken, die vor vielen Jahren der Major der Roten Armee Jelena Wanderowa in Berlin-Karlshorst zu ihm gesprochen hatte – über die Zukunft des Westens (und er über die Zukunft des Ostens). »Man wird Anklage gegen Sie erheben...«

»...wegen des Vorwurfs der Mitwirkung an einem Verbrechen, wegen der unterlassenen Anzeige eines Verbrechens, wegen Mißachtung der bestehenden Gesetze des Staates California, wegen Anstiftung zu einem Verbrechen in Verbindung mit konspirativer Tätigkeit, wegen...«

»Ich sehe schon, Sie wissen Bescheid, Jerry«, sagte Jakob, indessen sie wieder nach San Bernardino hinunterkurvten – nun war es schon lange dunkel – und fuhr fort: »Und man wird auch Ihren Klienten Corbett einsperren und den Gewerkschaftsvertreter, den Sie im Auftrag Corbetts gekauft haben, und Corbett dürfte damit am Ende sein – so wie Sie, Stark, und wie der Mann von der Gewerkschaft und...« Etwas war Jakob eingefallen. Er flüsterte mit Misaras, der vor ihm saß. Dieser nickte und flüsterte mit dem Detektiv am Steuer. Der nickte auch.

Also brachten sie den Anwalt zunächst auf das für ihn zuständige Polizeirevier in der Normandie Avenue. Dort wurde Anzeige gegen ihn erstattet und er sodann ins Untersuchungsgefängnis überstellt (in welchem zu dieser Zeit Jakobs Rivale, Mister John Albert Corbett, bereits saß). Anschließend fuhren Jakob, Misaras und zwei Detektive hinaus zu dem vornehmen Stadtteil Beverly Hills. Corbett besaß da eine Villa, die ein Filmstar ihm verkauft hatte. Die Adresse lautete 1065 Coldwater Canion Drive. Jakob kannte sich hier aus, er war schon einmal dagewesen, um sich den Prunk- und Protzbau seines Fertighaus-Feindes anzuschauen. Er hatte ein Fahrrad benutzt, weil er sich ein wenig erholen wollte von der Hetzerei, in der er nun schon so lange steckte (er fuhr bekanntlich, wo immer es nur ging, mit dem Rad), und er war denn auch gleich von Polizisten angehalten und in ein sehr höfliches, aber bestimmtes Gespräch verwickelt worden. In Beverly Hills passierte das jedem, der zu Fuß ging oder mit dem Fahrrad auftauchte und Häuser betrachtete. Man möge daraus ermessen, welch feine Gegend Beverly Hills ist.

Diesmal kamen sie durch, ohne angehalten zu werden. Jakob war eingefallen, daß Corbett eine Freundin hatte. Was war das für eine? Wie weit war die in Corbetts Machenschaften eingeweiht? Was würde die schnellstens noch an Belastungsmaterial gegen ihren Geliebten verschwinden lassen? Das hatte er Misaras auf der Rückfahrt von Puma Point zugeflüstert.

Nun glitten sie in ihrem Wagen also durch diese feinste aller feinen Gegenden von Los Angeles, erreichten Corbetts Palast, wurden von einem verschreckten Pförtner, der sein Häuschen neben dem Eingang hatte, eingelassen und fuhren durch einen Palmenhain auf das Schloß in kitschig maurischem Stil zu.

Ein Diener. Noch ein Diener. Ein Butler.

Die gnädige Frau werde sogleich kommen, verhieß der Butler, der aussah wie drei englische Hocharistokraten zusammen. Er verhieß es in einer Marmorhalle, von der eine herrlich geschwungene Treppe in den ersten Stock emporführte. Unmittelbar darauf kam eine herrlich geschwungene junge Frau in einem rotseidenen Hausmantel die Treppe herabgeschritten, sich leicht in den Hüften wiegend, brünett, grünäugig, mit Schmuck behängt wie ein Weihnachtsbaum mit Glitzerzeug. Diese Dame, dachte Jakob, während er sie mit aufgerissenen Augen anstierte, hat den schönsten Busen, den süßesten Popo und die längsten Augenwimpern, die ich jemals bei einer Frau gesehen habe. (Wir aber wissen, daß Jakob bei Begegnungen mit hübschen oder gar schönen Frauen gern in Superlativen dachte – oft freilich mit Recht.) Die hohen Backenknochen – leicht slawisch sieht diese Dame aus. Und grüne Augen... grüne Augen, die in meinem Leben doch schon solche Verheerungen verursacht haben! dachte Jakob bebend.

Misaras betrachtete den Freund tief besorgt. Jetzt geht *das* wieder los, dachte er.

Die Detektive wiesen sich aus und erklärten den Grund ihres Besuchs. Die Traumfrau bewegte hilflos (oder war es Wurschtigkeit?) die Schultern und verzog die vollen Lippen zu einem bitteren Lächeln. Die Detektive machten sich sofort daran, den maurischen Palast zu durchsuchen. Plötzlich standen Jakob und Misaras mit der Traumfrau allein. Sie musterte beide durch halbgeschlossene Augen, eine Hand in der Hüfte, eine überlange Spitze mit Zigarette in der anderen. Jakob fühlte, wie es ihm heiß in die Lenden schoß.

»Sie müssen Mister Formann sein!« Ihre Stimme klang rauchig, tief.

»Stimmt«, sagte unser Freund mühsam.

Ich bin ja schlimmer als der Wenzel mit seinen Rothaarigen, dachte er, indessen seine Schläfennarbe zu zucken und die Hasenpfote, nein, das war ja gar nicht die Pfote – verflucht, immer diese Peinlichkeit, und die Dame schaut genau hin! – lebendig wurde.

»Ich bin Natascha Ashley«, erklärte die Dame.

Er verneigte sich und küßte ihre Hand, wie die Edle es ihm beigebracht hatte. Ohne Schwierigkeiten, denn Natascha Ashley hob ihre weiße Hand seinem Mund zart entgegen. Jakob staunte darüber, wußte er doch, daß Amerikanerinnen einen Handkuß nicht gewohnt sind und deshalb diesen, beziehungsweise den die Hand Küssenden, besonders gern mögen. Misaras hingegen fluchte stumm. Als Jakob sich aufrichtete, traf ihn etwas schmerzhaft am Kopf. Das Etwas war ein enormer tropfenförmiger Smaragd, der Natascha Ashley, an einer Platinkette, vor dem Prachtbusen baumelte. Dem Zusammenstoß, den Jakob mit seinem bekannt charmanten Lächeln parierte, folgten blitzschnell zwei Jakob-Gedanken.

Erster Gedanke: Allmächtiger im Himmel, das Ding hat mindestens neunzig Karat, wahrscheinlich hundert. Lupenrein. Inzwischen versteht Jakob

Formann sich auf so was. Kostet? Also, drei Millionen Dollar sicherlich. Mindestens! Das Ding zieht die Lady ja richtig zu Boden! Die steht so herausfordernd aufrecht ja nur, damit der Klunker sie nicht umschmeißt! Zweiter Gedanke: Ich, Jakob Formann, meiner Zeit immer um zwei Schritte voraus, stehe hier vor der Geliebten dieses Lumpen Corbett, dieser Göttin mit dem phantastischen Busen und dem phantastischen Popo und den längsten Augenwimpern, die ich jemals gesehen habe, und meine Hasenpfote, die gar nicht meine Hasenpfote ist, meint es auch: Diese Göttin muß ich haben, und wenn's mich das Leben kostet! Na, nicht gerade das Leben. Aber wenigstens einen Smaragd, der noch größer ist als dieser Brummer da.

16

Um einen Brummer zu bekommen, der noch größer war als der, den Natascha schon hatte, mußte Jakob, der wegen der Verhandlungen und Verhöre, die nun folgten, Los Angeles nicht verlassen konnte, den Chef der New Yorker Filiale von ›Cartier‹ per Flugzeug holen lassen. Der New Yorker Direktor hatte mit Paris telefoniert, und dort gab es das Trumm, das Jakob wünschte. Es kam über den Ozean und mit dem New Yorker Direktor von ›Cartier‹ nach Los Angeles. So einen Smaragd gab es kein zweites Mal in der Welt. Dafür kostete er auch dreieinhalb Millionen Dollar. (Und Jakob bekam bei ›Cartier‹ schon ›Special Prices‹!) Mit dem kleinen Angebinde suchte unser Freund die schöne Natascha auf und überreichte es ihr mit der geistvollen Bemerkung, er hoffe, sie damit ein wenig in ihrem Schmerz um den eingesperrten Lebensgefährten Corbett trösten zu können.

»Das kann ich auf keinen Fall annehmen, mein Herr«, sagte Natascha.

»Aber warum denn nicht?«

»Es ist nicht meine Art, Mister Formann. Meine Vorfahren – besonders die meiner armen Mutter – würden sich in ihren Gräbern umdrehen, wenn ich es täte.«

»Die Vorfahren Ihrer armen Mutter...«

Natascha nickte ernst.

»Meine Mutter war eine russische Aristokratin. Direkt verwandt mit den Romanoffs. 1918 verließ sie Rußland und gelangte nach langen Irrfahrten nach Graz. Das ist eine Stadt im Westen des Landes Österreich, wissen Sie. Österreich liegt südlich von Bayern und ist...«

»Ich bin Österreicher, Miß Ashley.«

»Oh, was für eine angenehme Überraschung. Dann wissen Sie also, wo Graz liegt.«

»Hrm... rrrmm...« (Gott, gib mir Kraft und Stärke!) »...ja, gewiß doch, verehrte Miß Ashley, weiß ich, wo Graz liegt. Ich war schon oft dort.«

»How charming. Sehen Sie, und mein Vater war da Offizier und Leiter der Niederlassung einer großen britischen Firma. Aus einer ganz alten englischen Adelsfamilie. Meine Mutter und er lernten einander kennen und lieben und...«

»Russisches und britisches Adelsblut also, Miß Ashley!«

»So ist es, Mister Formann.« Nataschas Busen wogte. Die Hasenpfote, die gar nicht die Hasenpfote war, desgleichen. »Und da haben Sie die Kühnheit, mir das da...« Sie wies mit einer Kinnbewegung auf den Fünfundneunzigkaräter. »...ins Haus zu bringen? Wo ist Ihre Erziehung, Mister Formann? Oder wollen Sie mich absichtlich beleidigen? Das wäre infam... Eine schutzlose Frau...« Der Busen wogte noch heftiger.

»Aber ich bitte Sie, verehrteste Miß Ashley, nichts lag mir ferner.«

»Dann nehmen Sie das Ding hier weg. Sofort! Ich will es nicht sehen.«

»Es sollte doch nur ein ganz kleiner Beweis meiner Verehrung für Sie...«

Das ging so eine halbe Stunde.

Dann hatte Natascha einen Weg gefunden, Jakob in seiner Not zu helfen. »...Gott, ich will Sie schließlich auch nicht beleidigen, Mister Formann. Dieser Mensch, dieser Corbett, dem ich mich anvertraut habe, weil ich immer an die Ehrenhaftigkeit von Männern glaubte, die sich mir näherten – die sich mir zu nähern wagten –, dieser Mensch hat mich entsetzlich verletzt durch seine Untat. Und es ist ja auch sehr rührend von Ihnen, daß Sie mir diesen kleinen Trost bringen wollen. Der natürlich nie einer sein kann...«

»Natürlich nicht, Miß Ashley...« Zum ersten Mal in seinem Leben ließ Jakob Formann einen Idioten aus sich machen und merkte es gar nicht.

»...aber um *Ihnen* eine Freude zu bereiten, und weil Sie es doch gut gemeint haben – nun, also, ich nehme das Geschenk an.«

»Danke! Ich danke, ich danke, Miß Ashley.«

»Sie dürfen Natascha zu mir sagen.«

»Natascha...« Er fühlte heiße Erregung in sich aufsteigen – nicht die ihm schon bekannte in Gefahrensituationen (leider nicht die!). Nein, eine ganz andere, wilde, wüste und hitzige Erregung war das. Er preßte Natascha an sich und wollte sie küssen. Im nächsten Moment hatte er eine Ohrfeige weg.

»Sie sind wohl vollkommen verrückt geworden, Mister Formann«, sprach die russisch-englische Aristokratin mit eisiger Stimme.

»Verrückt, ja«, lallte er blödsinnig, »verrückt nach Ihnen, Natascha...«

»Wenn Sie noch einmal so etwas tun, müssen Sie gehen, Mister Formann!«

»Um Gottes willen... Ich will es ganz gewiß nicht mehr tun! Nur lassen Sie mich in Ihrer Nähe bleiben, Natascha, ich bitte Sie, ich bitte Sie flehentlich...«

»Es sei«, sagte die Dame.

»Und... und... und...«

»Na!«

»...und würden Sie Jake zu mir sagen?«

»Wenn es Sie glücklich macht, meinetwegen. Sie dürfen meine Hand küssen, Jake.« Er stürzte sich auf die Hand. Er preßte seine Lippen auf die Hand. Natascha entzog sie ihm sofort wieder. »Genug«, sagte sie.

(Genug für 3,5 Millionen Dollar! Und damals, 1961, stand der Dollar noch nicht so miserabel wie heute, da wir diese Zeilen schreiben. In seinem ganzen bisherigen Leben hätte Jakob einem weiblichen Wesen, das ihn so behandelte, eine geknallt und es aufs Kreuz gelegt. Mit Natascha schien ein neues Leben für Jakob begonnen zu haben. Diese Göttin... Wie konnte er es wagen zu erwarten, sie mit schnödem Mammon, plump und brutal noch dazu, zu kirren? Das war eine schwere Krise für Jakob, die da begonnen hatte. Jeder Mann kennt so etwas. Jeder Mann hat sich schon ähnlich idiotisch verhalten. Jeder.)

Jakob sah und hörte, wie Natascha, die Unirdische, mit zartem Ächzen in eine Recamière sank.

»Was haben Sie, um Himmels willen, verehrteste Natascha?«

»Luft...«, stöhnte diese, eine Hand an der Gurgel. »Luft! Ich ersticke! Ich kann hier nicht mehr atmen...«

Jakob rannte los und riß ein Fenster auf.

»So habe ich es nicht gemeint, Jake...«

»Wie denn?«

»Ich kann in diesem Hause nicht mehr atmen! Ich bekomme im Hause dieses Schuftes, der mich so betrogen hat, keine Luft mehr...«

»Na, mich hat der Schuft doch auch betrogen...«

»Er hat uns beide betrogen, Jake. Könnten Sie jetzt in diesem Hause noch leben?«

Jakob war erschüttert.

»Nein!« rief er. »Niemals! Und ich verstehe, was für eine Qual es für Sie sein muß, Natascha!«

»Sie verstehen es. Sie haben Verständnis. Das macht mich glücklich.«

»Wenn Sie glücklich sind, bin ich es...«

»Ach, Jake...«, flüsterte Natascha.

»Natascha?« flüsterte Jake, kniend, ihren Arm streichelnd.

»Sie sind so verständnisvoll, Jake...«

»Natascha! Natascha! Was haben Sie jetzt? Warum weinen Sie?«

»Elevado Avenue«, kam es, kaum hörbar, über ihre schönen Lippen.

»Wie bitte?« Er starrte sie an.

»Nummer siebenfünfzwo.«

»Nummer siebenfünfzwo was?«

»Ist zu verkaufen. Schon lange. Ein wunderbarer Besitz. In Beverly Hills. Gar nicht weit von hier. Das Haus doppelt so groß... Der Park doppelt so groß... Der Swimming-pool dreimal so groß... Das alles gehörte dem genialen Regisseur...« Sie nannte einen Namen, den Jakob noch nie gehört hatte. (Aber das bedeutet nichts, dachte er erschauernd, ich bin eben ein ungebildeter Bauer, immer noch.) »Wenn mir jemand helfen würde, hier fort- und dort hinzukommen... Dieser Schuft Corbett hat mir das Haus da überschrieben... Es gehört mir... Man müßte es verkaufen... Aber ich bin ja so hilflos, Jake, ich weiß ja nicht, was Geld ist, was man damit anfängt, was es bedeutet, ein ganz kleines, dummes Mädchen bin ich...«

Drei Tage später hatte Jakob Formann den Palast 752 Elevado Avenue mit Park, Swimming-pool, einfach allem, auch der kostbaren Einrichtung und den herrlichen Kunstschätzen erworben. Um lächerliche sechsundzwanzig Millionen Dollar. Natascha zog um. Sie fühlte sich etwas besser, aber natürlich war sie noch immer sehr deprimiert und schwach. Jakob durfte sie auf den Mund küssen. Kurz! Ein guter Freund halt...

»Sie sind ein Gentleman, Jake. Eine Kreatur wie Corbett hätte vielleicht die Situation ausgenützt... mehr gefordert... Sie nicht, ich weiß, Sie würden das niemals tun!«

»Niemals, Natascha«, stammelte der glückselige Trottel Jakob Formann (der bislang nie im Leben ein Trottel gewesen war), »niemals würde ich auch nur das geringste fordern, was Sie mir nicht freiwillig zu geben bereit sind... Ich liebe Sie! Das kann mir keiner verbieten! Und es wird die Zeit kommen, Natascha, glauben Sie mir, es wird eine Zeit kommen, da werden auch Sie mich lieben!«

»Ach, Jake, bitte, nicht weiter!« Sie preßte die Finger an die Schläfen.

»Ich schweige schon, Natascha. Ich kann warten. Ich kann ein Leben lang warten...«

»Sie sind so gut, Jake.«

»Ach nein, aber ich möchte es gerne sein, Natascha.«

Gleich nachdem dann die hundert roten Rosen, die Jakob bestellt hatte, abgegeben worden waren, ging er. Es war ihm blendend klar, daß er Natascha durch seine Geschenke doch immer wieder nur in Verlegenheit brachte. Und das wollte er nicht!

In den folgenden Tagen versuchte er dann, die Corbett-Villa loszuwerden. Sie war derart mit Hypotheken belastet, daß er sie lieber gleich den Banken überließ.

17

»...Corbett hat fünf Jahre bekommen, der Funktionär von der Gewerkschaft vier, die Corbett-Fabriken in El Segundo haben sie öffentlich versteigert, und damit so etwas nicht noch einmal passiert, habe ich alle erworben mit deiner Dauervollmacht, und so bleibt mir nur noch festzustellen, daß du das größte und hirnverbrannteste Arschloch bist, das mir je begegnet ist«, schloß George Misaras ungefähr ein Jahr später, am 5. Juli 1962, seinen Bericht über alles, was passiert war. Er hatte lange gesprochen, immer so lange, bis er absolut keine Luft mehr bekam. Dann holte er, wie eben jetzt, röchelnd Atem. Und schlug vor Wut auf den Tisch dabei.

»Wieso bin ich das größte und hirnverbrannteste…«, begann Jakob empört, aber George ließ ihn gar nicht zu Ende reden. »Weil du sehr bald dein ganzes Geld an diese Mistbiene verloren haben wirst, darum!« rief er lauthals.

»Georgie-Boy, du weißt, wie gerne ich dich habe, aber wenn du dieses widerliche Wort im Zusammenhang mit jenem Traumwesen noch einmal gebrauchst, vergesse ich mich!« rief Jakob.

»Traumwesen, daß ich nicht lache! Russisch-englische Aristokratin, daß ich nicht an freudlosem Gelächter ersticke!« tobte Misaras wieder los. »Ich habe mich erkundigt! Die Mutter von diesem Früchtchen war adelig und ist irgendwann einmal abgehauen, wann, weiß keiner so genau. In Graz hat sie dann rumgehurt auf Teufel komm raus – eben auch mit einem britischen Offizier, der weiß Gott kein Firmenchef und schon gar kein Aristokrat gewesen ist. Nur daß er sie angebufft hat. Und sie haben's nicht mehr wegmachen können, es war schon zu spät. Der Papa ist übrigens abgehauen, noch vor der Geburt! Das hat sie dir nicht erzählt, dein Traumwesen, was?«

»N-nein… Und das ist auch eine gemeine Lüge!«

»Das ist keine Lüge! Der Chef unserer englischen Niederlassung ist ein Freund von mir, der hat drei Agenturen angesetzt auf die englischen Aristokraten! Aus dem Kohlenpott ist der! Nichts gegen den Kohlenpott, um Himmels willen, du weißt, ich bin ein Linker! Aber da siehst du, wie dich dein Traumwesen vom ersten Moment an belogen hat, das Biest!«

»George, sag das noch mal, und ich knall' dir eine!«

George sagte es noch einmal.

Jakob knallte ihm eine.

»Trottel«, sagte Misaras und hielt sich die Backe, denn Jakob hatte ordentlich hingehauen, »siehst du denn nicht, wie die dir das Geld aus der Tasche zieht? Millionen und Abermillionen! Seit einem Jahr bist du jetzt mit ihr zusammen! Unzertrennlich, wie?«

»Bitte, George!«

»Was, ›bitte, George‹? Hast ihn doch Tag und Nacht drinnen bei der! Ich weiß, du warst immer ein munterer Hahn, aber jetzt rammelst du dich noch zu Tode in der Blüte deiner Jahre!«

Dann hatte er wieder eine weg. Diesmal schlug er zurück. Jakob setzte sich überrascht auf den Fußboden in Misaras' schönem Haus an der Rossmoyne Street. Es lagen da überall herrliche Teppiche herum. Ausgerechnet dort, wo Jakob sich setzte, lag keiner. Der Schmerz schoß ihm vom Steißbein ins Hirn.

»Einen Dreck rammle ich!« ächzte Jakob. »Nimm das Wort im Zusammenhang mit diesem Gottesgeschenk nie mehr in den Mund! Glaubst du, dieser Engel ist käuflich? Ab und zu ein scheuer Kuß auf den Mund, das ist alles, was sie sich vergibt!«

Misaras sah aus wie ein sprachloser Kretin.

»Mach's Maul zu!«

Misaras befolgte die Aufforderung nicht, sondern stammelte fassungslos: »In Jugoslawien bist du mit ihr gewesen! In Rußland! In Deutschland! In Japan! In Polen! Bei all den Plastik-Werken! Überall hin hast du sie mitgeschleift auf deiner Raserei durch die Welt! Nach Südamerika, zu unserer Niederlassung in Buenos Aires! Nach Mexiko! Nach Peking! Weil du dort auch baust! OKAY hat dauernd Fotos von ihr gebracht, und so ein armer Hund hat sich immer wieder Hymnen dazu einfallen lassen müssen!«

»Der wird dafür bezahlt, der Schreiber!« brüllte Jakob.

»In Kairo warst du mit ihr! In Indien! In Portugal! In Spanien! In Italien! Überall, wo du deine Geschäfte machst! Allen deinen Partnern und deinen Gegnern hast du sie präsentiert wie das Huhn, das goldene Eier legt! Jawohl, Gegnern habe ich gesagt! Du hast eine Menge, und es werden immer mehr, je erfolgreicher du wirst! Richtige Feinde hast du! Die warten nur darauf, dir das Messer in die Rippen zu rennen! Gib dir nur Blößen! Gib nur, gib nur! Renn selber in ihr Messer! Du glaubst, du bist der einzige reiche Mann auf der Welt? Trottel, verfluchter! Dein Riesenimperium ist bisher so geschmiert gelaufen, weil du immer über genügend Bargeld verfügt hast und alle anderen schnellstens austricksen konntest!«

»Das kann ich immer noch!«

»Wer's glaubt, wird selig! Mann, diese Natascha, die melkt dich vielleicht!«

»Ich verbitte mir diesen ekelhaften Ausdruck!«

Misaras nahm einen Zettel, setzte eine Brille auf (keiner wird jünger) und las vor: »In England einen Bentley! In Polen nur eine kleine Privatjagd samt Forellenzucht, lächerliche fünfhundert Hektar! Einen Privatjet in Deutschland! Schmuck für – ich habe dich überwachen lassen, lüg nicht, die Summe stimmt! – für siebenundzwanzig Millionen Dollar!«

»Na und, sind's deine Millionen?«

»Ein Chalet in Gstaad! Unterbrich mich nicht! Eine Lebensversicherung, nur auf sie! Ein Bankkonto, ich weiß, was draufliegt, ich sage es nicht, sonst kotze ich noch, mir wird schon totenübel, wenn ich bloß dran denke, daß sie allein zeichnungsberechtigt ist! Goldbarren die Hülle und die Fülle! Gingen gerade noch rein in einen großen Safe der Bank in der Züricher Bahnhofstraße!«

»Eine Frau braucht Sicherheit, George! Wenn mir etwas zustößt…«

»Ja, ja, Sicherheit braucht sie natürlich, die verfluchte Schneppe!«
Dann hatte er wieder eine weg. Er schlug wieder zurück. Jakob setzte sich
wieder auf den Boden. Diesmal milderte ein Smyrna den Aufprall.
»Sie ist keine verfluchte was du gesagt hast!«
»Klar ist sie eine was ich gesagt habe! Die hat doch schon den armen Cor-
bett ausgenommen wie eine Weihnachtsgans!«
»Hast du armer Corbett gesagt?«
»Habe ich, ja!«
»Und warum, bitte? Dieser Lump, der uns ruinieren wollte, bestreiken ließ,
die Buden abbrennen wollte und uns fast den Hals gebrochen hat?«
»Ihretwegen doch, Mensch!« Misaras haute auf den Tisch. »Doch alles nur
ihretwegen! Die hat ihn genauso ausgenommen, wie sie jetzt dich ausnimmt! Der hat doch die Hypotheken auf seine Villa nicht zum Spaß gebraucht! Und auch diese Streikgeschichte war ein Verzweiflungsakt! Cor-
bett mußte einfach mehr, viel mehr verkaufen, um seine Schulden zahlen
zu können! Das ist ein ganz ausgekochtes Luder, deine Natascha! Sie ist
schuld an allem, was Corbett getan hat!«
»Tut der Corbett dir vielleicht auch noch leid?«
»Von Herzen, Jake, von Herzen! Der ist ein Opfer dieser Natascha! Du
wirst auch ein Opfer dieser Natascha werden! Die hat das von der Frau
Mama gelernt! Die Frau Mama war nämlich nach Graz ganz groß in
West-Berlin im Geschäft, habe ich eruiert!«
»Lüge!«
Misaras konsultierte nur seinen Zettel.
»Ein Chalet in Gstaad hast du gekauft! Eine Villa in Beverly Hills! Ein
Schloß am Starnberger See hast du schon! Warum hast du dem Miststück
in Gstaad und Beverly Hills Häuser gekauft, Mensch? Warum braucht sie
zwei Luxuswohnsitze?«
»Die habe ich nicht ihr gekauft, sondern mir!«
»Ja, aber sie wohnt drin! Sie hat dich gezwungen, die Häuser zu kaufen!«
»Überhaupt nicht gezwungen! Ich habe es ganz von selbst getan!«
»Willst du mir dann bitte um alles in der Welt erklären, warum du derart
viele Protz-Häuser brauchst!«
»Weil ich«, belehrte ihn Jakob (so sehr hatte er sich inzwischen dank Nataschas ständigen Lobpreisungen geändert, daß er ihre ewigen Redereien zu
seinen eigenen gemacht hatte und auch noch glaubte, was er sagte), »ein
großer Mann bin, ein ganz großer Mann.« Er sagte es sehr ernst. »Ich habe
natürlich ein halbes Dutzend Wohnungen in der Welt. Ich habe Jahresappartements in den besten Hotels von London, Tokio, New York, Rio de Janeiro und London! Jetzt ist mein Besitz auf Cap d'Antibes fertig geworden.
Schau mich nicht so an!« Jakob wurde tragisch. »Da schuftet man und
schuftet, da gibt man Tausenden und Abertausenden Heim und Arbeit, da
ist man einer der wirklich großen Wirtschaftsführer dieser Zeit und tut

Gutes, Gutes, Gutes, wo und wie man nur kann – und selbst darf man sich gar nichts gönnen, wie, nur zu Tode schuften darf man sich, was? Einsam ist man und allein.« Jakob zerfloß in Selbstmitleid. Ach, unerbittlich geht das Leben mit Multimillionären um! Unseres Freundes ganzer Jammer brach aus ihm heraus. »Du, ausgerechnet du, der du mein Freund sein willst, machst mir Vorwürfe? Das hätte ich niemals von dir erwartet!« Misaras wurde rasend vor Zorn.

»Du hast wohl völlig vergessen, wie das war, als du damals zu diesem blöden Fliegerhorst in Hörsching gekommen bist, was? Nix zu fressen! Nix zum Anziehen! Gut, du hast Glück gehabt…«

»Glück hat nur der Tüchtige«, erklärte Jakob feierlich.

»Ach, leck mich doch… Wie viele Tüchtige haben kein Glück! Glück, Glück, Glück hast du gehabt, und ich und der Wenzel und der Karl und wir alle. Aber damit kann jeden Moment Schluß sein! Oder glaubst du, daß das ewig so weitergeht?«

»Warum soll es denn nicht so weitergehen?« fragte Jakob, ehrlich erstaunt. Der Gedanke, daß es einmal einen Rückschlag geben könnte, war ihm noch nie gekommen.

»Jake, du weißt, wie gerne ich dich habe! Eben darum mache ich mir doch solche Sorgen um dich!«

»Um mich muß sich keiner Sorgen machen«, äußerte Jakob.

Das brachte Misaras erneut in Wut. »Quatsch! Um jeden Menschen muß man sich Sorgen machen! Und bei dir am meisten wegen diesem Luder! Die Mama in Berlin eine Luxusnutte, das Töchterchen natürlich im Internat!«

»Gott sei Dank im Internat«, sagte Jakob Formann, »und Gott sei Dank in einem hervorragenden. Natascha spricht vier Sprachen fließend, sie hat Manieren – dir gewünscht, mir auch! –, überall hin kann ich sie mitnehmen!«

Misaras zerrte an seinem Brillenbügel und las mit bebender Stimme wieder von seinem Zettel ab: »Drei Nerzmäntel für die Dame mit den vier Sprachen und den glänzenden Manieren, dir und mir gewünscht, ja? Zwei Chinchillas! Einen Ozelot! Drei Breitschwänze! Einen Jaguar! Mann, dich sollte man ja unter Kuratel stellen! Aktien von den größten internationalen Industrieunternehmen, damit die Lady nur noch mit dem kleinen Scherchen die kleinen Couponchen abschneiden muß immer, wenn die Zeit gekommen ist, sich für die Zettelchen Geld geben zu las…«

»George!«

»Ich bin noch nicht fertig!«

»Doch, du bist fertig. Ich weiß selber sehr gut, was ich diesem Himmelswesen geschenkt habe. Du hältst das Maul, verstanden?«

Jakob sprach gepreßt, und sein Gesichtsausdruck war so erschreckend, daß Misaras ihn stumm anstarrte. Mit unserem armen Freund war etwas passiert in diesem letzten halben Jahr, das Misaras nicht wußte, das niemand wußte: Er hatte erlebt, was er noch nie zuvor erlebt hatte, nämlich daß eine Frau sich ihm nicht sofort liebend hingab!

Das hatte ihn seelisch umgehauen! Und er hatte sich in diese Haltung verrannt: Ich habe noch jede ins Bett gekriegt, die ich wollte! Das soll doch mit dem Teufel zugehen, wenn ich diese Natascha nicht auch ins Bett kriege! Doch es dauert eben ein bißchen! Ja – das ist ein ebenso irritierendes wie kribbelndes Gefühl. Geld! Was ist schon Geld? Ich habe es massig! Aber wir wollen doch einmal sehen, ob ich diese Natascha nicht zu einer Schlittenfahrt, zu einer Chinesischen, bekomme, verflucht und zugenäht!

»Ich meine ja bloß!« jammerte Misaras. »Ich will doch nur dein Bestes, Jake! Wir alle sind voller Sorge, ich und der Wenzel und der Jurij, ja, da staunst du, wie? Der hat mir geschrieben, wie viele Pelzmäntel du in der Sowjetunion für diese Natascha gekauft hast. Hast du denn die Scheiße vergessen, in der du nach dem Krieg gesteckt hast? Kannst du dich nicht mehr erinnern daran, wie schwer du hast schuften müssen, um das alles aufzubauen, was dir heute gehört? Soll es in Bruch gehen wegen einer kleinen dreckigen...«

»George!« Jakob schoß hoch.

Misaras winkte ab.

»Schon gut, schon gut, ich sehe, dir ist nicht zu helfen. Du hast den Verstand verloren.«

»Ich habe überhaupt nichts verloren«, sprach Jakob voll Würde und Gefühl, »aber du, George, weißt nicht, was das ist: Liebe!«

»Allmächtiger Vater im Himmel!« Misaras vergrub den Kopf in den Händen.

18

Jakob Formann kniete vor dreimal dreizehn brennenden Kerzen, die Hände über der Brust gefaltet, angetan mit einem weithin wallenden schwarzen Umhang, der nichts vom blendenden Weiß der zum Frack gehörenden Weste nebst Hemd, Kragen (oh!) und Fliege ahnen ließ. Vor ihm stand, in silbern schimmerndem Gewand, darüber ein leuchtend purpurroter Mantel, die Sehr Edle und Sehr Mächtige Frau Baronin von Lardiac, Edle Frau und Gerichtsherrin von Valtentante, erbliche Palastdame am Hofe von Jerusalem zufolge des Privilegs, verliehen der sehr ruhmreichen Familie Lardiac durch Kaiser Friedrich den Zweiten, späterhin König von Jerusalem.

Die Edle ließ gerade die flache Klinge eines mächtigen Schwertes auf Jakobs linke Schulter knallen.

»Aua!« sagte Jakob.

Die Edle sah ihn strafend an, schlug ihm auf die rechte Schulter und aufs gebeugte Haupt. Dann sprach sie: »Hiermit schlagen Wir dich, Jakob Formann, in Unserer Eigenschaft als Groß- und Heermeisterin des Hohen Christlichen Ritterordens ›Signum Fidëi‹, das heißt ›Zeichen der Treue‹, zum Ritter und zum Ordensmarschall. Erhebe dich, Ritter Jakob!« Ritter Jakob, nunmehr Marschall dieses Hohen Ordens, erhob sich. Die Edle sprach weiter: »Und verleihen dir nunmehr den Großen Silbernen Stern mit Schärpe, die Krone zum Kreuz und die Goldene Medaille für besondere Verdienste um den Hohen Ritterorden.« Die Edle steckte einen Haufen Blech an Jakobs nachthemdähnliche schwarze Oberbekleidung und setzte ihm tatsächlich eine ziemlich schwere Krone (aus [dünn] vergoldetem Zink) auf den Kopf.

Musik erklang. Irgend etwas ganz Feierliches, das Jakob natürlich nicht kannte. (Vielleicht Vivaldi?) Da muß einer hinter all diesen Vorhängen einen Plattenspieler in Gang gesetzt haben, dachte er, während er die Hand der Edlen küßte, die diese ihm fordernd entgegenstreckte. Fast rutschte ihm dabei die Krone vom Kopf.

Solcherlei geschah am 21. Juli 1962 im Großen Saal von Jakobs Schloß am Starnberger See, unweit der Haupt- und Residenzstadt München, Freistaat Bayern, um 9 Uhr 22 MEZ.

Und hatte natürlich seine Vorgeschichte.

Diese Vorgeschichte hatte sich fünf Tage zuvor abgespielt: am 16. Juli 1962, an der französischen Riviera, präziser: auf Cap d'Antibes, ganz präzise: in Jakobs Super-Prunk- und Pracht-Villa daselbst. Immerhin viereinhalb Jahre hatte es gedauert, bis sie dastand – aber es war nicht Schuld der Architekten, Handwerker und Techniker.

Es war Schuld der französischen Administration.

Administrationen pflegen im allgemeinen nicht sehr schnell zu funktionieren. Die französische Administration funktioniert in geradezu grauenerregender Weise langsam. Fast zweieinhalb Jahre waren vergangen, bevor die nicht wenigen in solchem Fall zuständigen Behörden unserem Jakob, einem Ausländer, die Genehmigung erteilt hatten, einen Kaufvertrag mit dem Besitzer, gleichfalls einem Ausländer, über den Erwerb von französischem Grund und Boden und einem Gebäude (das zu entfernen war) abzuschließen. Als erschwerend kam hinzu, daß man bei allen Ämtern in allen diesbezüglichen Akten den Namen des Eigentümers ändern mußte – um später beim richtigen Mann Lokalsteuer, Luxussteuer und sieben andere Arten von Steuern fordern zu können. Zudem verfügten Frankreichs Behörden über die Namen aller Grund- und Bodenbesitzer des Landes – also auch jener an der Côte d'Azur –, gespeichert in einem Computer der Dritten Generation.

Dieser Computer auch für die Côte d'Azur befand sich nun leider nach einem der unerschöpflichen zahllosen und stets unerfindlichen Ratschlüsse der Bürokratie nicht etwa im Süden des Landes, auch nicht in der Mitte, wunderbarerweise auch nicht in Paris, sondern im Norden, und zwar sehr hoch oben im Norden, in der Stadt Rouen, welchselbe in dem Departement Seine-Maritime liegt. Derlei geographische Pikanterien verzögerten die unbedingt nötige Änderung des Namens erheblich, vor allem deshalb, weil es sich bei Computern der Dritten Generation um äußerst sensible Gebilde handelt. Der Computer in Rouen neigte zu neurotischen Phasen, und in solchen wurde er im Laufe eines Dreivierteljahres zwar viermal mit den richtigen Daten gefüttert, verdaute diese jedoch schlecht und spie falsche aus.

Die Herren Beamten bedauerten.

Bestechungen akzeptierte man zwar freudig und mit dem Versprechen, selbstverständlich den administrativen Vorgang zu beschleunigen. Indessen waren die Herren Bestochenen, wie der Zufall so spielte, gleich nach Jakobs Geldzuwendungen in andere Departements versetzt worden, und ihre Nachfolger wußten von nichts, so daß auch die Nachfolger zu bestechen hatte. Und auch die Nachfolger waren in andere Departements versetzt worden. Frankreich besteht aus knapp hundert Departements. Jakob sah ein, daß da ein Scheißspiel mit ihm gespielt wurde.

So sehr ihm der entsetzliche Abend bei Sir Alexander auf Saint-Jean-Cap-Ferrat Löcher in die empfindsame Seele gebrannt hatte, so sehr alles in ihm nach Rache, Rache! Genugtuung, Genugtuung! schrie – es half nichts, er mußte sich gedulden. Aber die Geduld hatte sich dann gelohnt. Was da jetzt auf Cap d'Antibes stand, gab es vermutlich nicht noch einmal auf der Welt! Es war das absolute Phantasie-Schloß! Verglichen mit diesem Palast (Kosten – Grund und Boden, Bau und Installationen – insgesamt: 86 Millionen Francs) war die Klitsche des Sir Alexander da auf Saint-Jean-Cap-Ferrat nicht einmal Bewohnern von verfallenen H. L. M. (= Sozialer Wohnungsbau)-Häusern als Heimstatt zuzumuten. Sogar einen nicht eben kleinen Hafen gab es. Und daselbst ankerte Jakobs in diesen Jahren erworbene Hochseejacht, die es wohl mit den Jachten der Herren Onassis, Niarchos et cetera aufnehmen konnte. Natascha, das Zauberwesen, hatte vollkommen recht gehabt, als sie Jakob darauf aufmerksam machte, ein Mann wie er müsse unter allen Umständen eine Jacht wie jene Reeder haben.

Es gab da eine Werft für derartige Statussymbole. Die Lieferzeiten waren natürlich lang. Die Jacht, die Natascha einzig und allein als für eines Jakob würdig befand, hatte ein arabischer Scheich bestellt.

Die Herren der Werft bedauerten, diese Jacht könne Jakob nicht kaufen.

Ja, denen zeigte er es aber!

Diese Jacht könne er nicht kaufen?

Jakob kaufte die ganze Werft, feuerte die widerborstigen Herren und nahm sich danach die Jacht des arabischen Scheichs, dem er den knappen Bescheid zukommen ließ, daß der Herr noch zwei Jahre auf sein Schiff warten müsse. Was denn, was denn? Jakob hatte andere Sorgen, als sich wegen solcher Lappalien zu ärgern! Sagte auch Natascha.

Die Riesenjacht lag also jetzt, selbstverständlich auf den Namen NATASCHA getauft, in dem nicht eben kleinen Hafen vor Jakobs Superschloß auf Cap d'Antibes. Sie lag da und lag da und lag da. In See stach sie nie. Die Besatzung wurde langsam rammdösig, weil Jakob seine herrliche NATASCHA niemals benutzte, Offiziere und Matrosen aber immer an Bord hielt. Er mußte jeden Moment auslaufen *können*, darum! Sagte Natascha. Jakob lief nur nie aus.

So grandios war sein Schloß, daß selbst Natascha erschauerte, als sie es zum erstenmal sah. Sie sagte atemlos: »Jake, du bist wundervoll. Noch nie habe ich einen solchen Mann getroffen.« Und sah ihn mit halb geschlossenen Augen an.

Er reagierte richtig.

»Darf ich dir dein Schlafzimmer zeigen, liebste Natascha?« fragte Jakob, heiser vor Erregung. Nun ist es soweit, ich habe es ja gewußt. Genauso habe ich es erwartet!

»Du darfst, Jake«, sagte die Dame Natascha.

Und dann war es auch soweit. Allerdings nicht gerade genauso, wie Jakob es erwartet hatte. Nataschas Schlafgemach mußte auf ihren Wunsch zunächst von Jakob verdunkelt werden. Absolut alle Fenster dicht!

Mein Gott, dachte er erschauernd, natürlich will sich dieses Zauberwesen nicht nackt vor mir zeigen. Herrlich! So etwas habe ich noch nie gehabt! Ich bin begeistert.

Er war dann schon weniger begeistert, als er sich, nach eigener Entkleidung, durch die Finsternis auf das unsichtbare Bett vortastete, in welchem Natascha bereits ruhte, und sich dabei mehrmals schmerzhaft an Möbeln stieß, einmal an einer als besonders empfindlich bekannten Stelle. Auch sonst gestaltete sich dieses erste Treffen anders, als Jakob erhofft hatte.

»Was soll denn das?« fragte die Dame seines Herzens eisig, als er zu einer Chinesischen Schlittenfahrt ansetzte. »Geh sofort weg da!«

»Verzeih, Geliebte...« Er kroch wieder auf gleiche Höhe und küßte sie zart. Natascha küßte ihn noch zarter.

Sie flüsterte: »Bitte, tu mir nicht weh. Sei ganz vorsichtig, Jake. Und ganz zärtlich.«

Das erschütterte unseren Jakob.

Natascha hatte also überhaupt noch keine Erfahrung! Mit Corbett war niemals etwas Intimes gewesen, hatte sie ihm geschworen. Und ansonsten gab es nur zwei Jugendlieben. Also mußte er natürlich zärtlich sein und ganz, ganz vorsichtig, klar! Er war es.

Der Traum von einer Frau lag in der Finsternis da wie eine Marmorstatue, gab keinen Laut von sich, fragte jedoch schon nach recht kurzer Zeit: »Würdest du dich beeilen, Liebling?«

Also beeilte er sich.

Und stellte anschließend gramvoll fest: »Aber du kannst doch nichts davon gehabt haben!«

»Das macht nichts, Liebster. Wenn es nur dir gutgetan hat«, antwortete die Göttin.

Mit einem Wort: eine versaute Nummer.

Aber das dachte Jakob natürlich nicht. Der dachte: Diese schlummernde Schönheit muß ich halt erst zu wahrer Leidenschaft und wilder Gier erwecken...

Der Bau war von der lieben Claudia Contessa della Cattacasa, dem braven Mädel, überwacht worden. Die hatte da wirklich etwas geleistet und sich halb zu Tode geschuftet in diesen Jahren, da sie unablässig hinter allen Arbeitern her sein mußte, denn diese zeigten eine Neigung, nicht zum vereinbarten Termin zu erscheinen, in Bistros zu verschwinden oder andere Arbeiten nebenbei anzunehmen.

Claudia und Natascha haßten sich natürlich auf Anhieb. Sie ließen deshalb keine Begegnung (und wenn es zehnmal am Tag geschah) verstreichen, ohne sich zu umarmen, auf die Wangen zu küssen und einander ›Darling‹, ›Chérie‹ oder ›Bellissima‹ zu nennen.

Schlichten Sinnes und eben in seiner Irrsinns-Phase fragte Jakob beide Damen auch noch einzeln, was sie von der anderen hielten. Er bekam nur höchst Erbauliches zu hören. Das freute ihn. Er hatte gehofft, daß die beiden Damen sich verstehen würden. Er sah gerne glückliche Menschen um sich, die lachten und zärtlich miteinander waren. Das alles präsentierte sich nun seinen Blicken. Daß die Damen keinen heftigeren Drang verspürten, als einander umzubringen – das entging unserem Freund.

An einen strammen Dreier mit Natascha war nicht zu denken – das hätte der verliebte Jakob niemals gewagt vorzuschlagen, ach, auch nur anzudeuten! Seine wundervolle Prinzessin wußte sicherlich überhaupt nicht, was so eine richtige Partouze war, und hätte sich sogleich mit Abscheu von dannen gemacht. Gerade jetzt, wo sie Jakob immerhin schon gestattete, sie hie und da – leider schlummerte ihre Leidenschaft noch immer! – zu flirten, wenn er gerade wieder einmal ein paar Millionen für sie ausgegeben hatte.

Ich erwecke sie, ich erwecke sie! dachte Jakob in diesen Monaten immer öfter frohgemut (indessen sein Barvermögen dahinschmolz), und wenn ich erst einmal eine richtige Chinesische Schlittenfahrt mit Natascha gemacht haben werde... hei!

Am 16. Juli 1962 saß er mit Claudia – Natascha war mit der Jacht (zum erstenmal kam die aus dem Hafen raus, hipp, hipp, hurra!) nach Korsika gefahren – im Prunksaal der Prunkvilla. Jetzt konnte das Fest steigen! Das Fest der Feste! Das Fest, welches das Ende aller Feste hier an der Côte sein würde! Die Erfüllung des Schwurs war da, den er nach dem Desaster bei

Sir Alexander in der Nacht des 25. Juni 1957 in einer Kneipe der Altstadt von Nizza vor seinem Freund und Kriegskameraden, Chauffeur und Vertrauten Otto Radtke getan hatte: »Und ich sage dir, Otto, hier baue ich denen jetzt ein Ding hin, da wird ihnen das Lachen über mich vergehen! Die Augen aus dem Kopf werden ihnen fallen, den Lackaffen und ihren angemalten Weibern! Betteln, mit erhobenen Händen werden sie flehen, einmal eingeladen zu werden von mir, Otto!«

Nun, Claudia, das brave Mädel, hatte es tatsächlich so weit gebracht, daß so manch einer wirklich um eine Einladung zu dem großen Fest bettelte, das Jakob am 2. August 1962 zu geben entschlossen war.

Einhundertzwanzig Gäste standen auf der Liste, die er nun mit Claudia studierte. Da wimmelte es nur so von Ministern, Aristokraten, Wirtschaftskapitänen, Konzernmagnaten, Wissenschaftlern, Schriftstellern (aber nur feinen!), weltberühmten Namen! Jakobs Unterlippe bebte vor Ergriffenheit, als er las, wer da alles kam. Mein Gott, wirklich die GANZ, GANZ GROSSEN dieser Erde!

»Savarallo mit Gemahlin... Wer ist das, liebste Claudia?«

»Der Fleischkönig Südamerikas, Jakob. Ach ja, ehe ich es vergesse. Das ganze Personal ist von mir getestet und engagiert worden. Ich habe einen griechischen Chefkoch genommen.«

»Ausgezeichnet, ich danke dir, Claudia. Mit einem französischen Koch kann man ja nicht leben... Giorgio Terulli und Gemahlin... Wer sind die?«

»Er ist Chef der italienischen Historischen Sammlungen...«

»Und hier... Sir Derrick Blossom mit Gemahlin?«

»Einer von den Big Five.«

»Von den Big was?«

»Weißt du nicht, wer die Big Five sind?«

»Nein. Oder ja, natürlich. Es fällt mir nur eben nicht ein. Wer sind die Big Feif?«

»Die fünf größten Bankiers Englands. Sir Derrick ist einer von ihnen.«

»Oh... Und er kommt wirklich?«

»Er hat sogar herzlich gebeten, eingeladen zu werden, das heißt, seine Frau hat das getan, er konnte ja schlecht, nicht wahr? Ich habe übrigens eine ganz genaue Tischordnung gemacht.«

»Sehr schön.«

»Ich kenne doch alle diese Leute. Du kannst ganz beruhigt sein: Jeder von den hundertundzwanzig sitzt richtig! Das hat mich allein eine Woche Zeit zum Hin- und Herdenken gekostet!«

»Claudia! Laß dich umarmen! Laß dich küssen, meine Süße!«

Er war ein weng erstaunt, als sie sich nicht ließ.

»Was ist denn? Hast du was gegen mich?«

»Überhaupt nichts. Es ist nur wegen Natascha...«

»Was, Natascha?«

»Du liebst sie, diese wunderbare Frau«, sagte die Contessa ironisch, doch Ironie war zu allen Zeiten an unseren Jakob verschwendet. »Du liebst sie doch so sehr. Da darfst du doch keine andere küssen!«

»Ach, du bist aber eine so alte Freundin...«

»Wahre Liebe verträgt keine Kompromisse, Jakob.«

»Hrm...gewiß...Du hast natürlich recht, Claudia«, sagte Jakob ergriffen. Dann zog er eine Grimasse.

»Was hast du? Zahnweh?«

Jakob wurde verlegen. »Das hast du alles großartig gemacht, Claudia! Nie werde ich dir genug danken können! Jeden Wunsch erfülle ich dir...«

»Kannst du dir das denn noch leisten?«

»Was soll denn das heißen?«

»Na ja, ich meine, du hast größere Ausgaben in letzter Zeit gehabt...« Er lachte herzlich.

»Ach, Claudia! Das hat dir der Misaras erzählt, was? Der macht sich Sorgen, daß ich pleite gehe bloß wegen der paar kleinen Geschenke für Natascha, der Trottel, der liebe!«

Und sanft rauschte der Wind in den Palmen, in den Eukalyptus-, Zitronen- und Orangenbäumen und in den Kiefern vor dem offenen Fenster...

»Dann bin ich ja beruhigt. Ich werde mir schon noch etwas wünschen, Jakob. Und was wünschst du dir noch?«

»Ich...ja...aber du darfst nicht lachen...Ich habe einen Wunsch, einen ganz großen...«

»Welchen denn? So sag doch, Jakob!«

»Den Violetten«, sagte er.

»Wen?«

»Diesen Vetter von der Edlen! Wir haben ihn im Vatikan getroffen. Ich möchte unbedingt, daß er auch zu meinem Fest kommt.«

»Du meinst: ein Bischof?«

»Was weiß ich, was er ist, jedenfalls kein Bischof, aber ein Violetter. Diese Violetten, das sind ganz hohe Tiere, habe ich gehört. Gleich neben dem Stuhl vom Heiligen Vater. Warte mal – so ähnlich wie Notar war der Titel... Claudia, die Krönung meines Lebens wäre es, wenn dieser Violette käme!«

»Jetzt dämmert's mir. Du meinst den Protonotar, den Wirklichen Apostolischen Protonotar, den Vetter der Baronin. Um Himmels willen, wozu brauchst du den, Jakob?«

»Weil...aber, bitte, nicht lachen... Weil ich möchte, daß so ein hoher Kathole dieses Haus hier einweiht...«

»Einsegnet!«

»Oder einsegnet, ich kenne mich in diesen Fachausdrücken nicht aus!« Claudia zog die Stirn in Falten.

»Weißt du, Jakob, so einen Violetten, den kann man nicht einfach so mieten! Diese Violetten sind selten und machen sich rar. Bist du überhaupt katholisch?«

»Technisch gesprochen.«

»Was heißt technisch gesprochen?«

»Na ja, ich bin katholisch getauft. Ich habe nie Gebrauch davon gemacht, soll das heißen, ich bin – jetzt tut's mir wirklich leid – nie in die Kirche gegangen und habe nie gebeichtet und all das Zeug. Aber hör mal, wenn der Violette, den ich meine, doch ein Vetter von der Edlen ist, und wenn die Edle ihn nun bitten würde, zu meinem Fest zu kommen – die Edle ist natürlich auch eingeladen! –, dann besteht doch vielleicht eine Chance…«

»Die Edle wird dir was«, sagte die Contessa della Cattacasa. »Die hast du rausgeschmissen! Auf den Seychellen, als du und BAMBI gerade mitten dabei wart und wir euch gestört haben. Da hast du sie fristlos gefeuert, damals!«

»Ach du liebes Gottchen…« Jakob war erschüttert. »Und sie ist mir noch sehr böse?«

»Vermutlich, mein Lieber.«

»Wo lebt sie denn? Geht es ihr dreckig? Hoffentlich! Wenn so etwas mit Geld gutzumachen ist, an mir soll es nicht liegen!«

»Leben tut die Edle in München«, sagte Claudia. »Und dreckig gehen tut es ihr keinesfalls. Im Gegenteil. Also, so einfach mit Geld wird das nicht sein…«

19

»…höchstens mit sehr viel Geld«, sagte die Edle drei Tage später, am 20. Juli 1962, in ihrer luxuriösen Villa im Münchner Prominentenviertel Bogenhausen. Sie saß Jakob gegenüber in einem antik eingerichteten Salon und betrachtete ihren ehemaligen Zögling mit verächtlichem Gesichtsausdruck. »Ich gehöre nicht zu den obszönen Typen, die sagen, daß man Schmach, die einem angetan worden ist, nicht mit Geld abwaschen kann. Natürlich kann man, Herr Formann, natürlich, aber mit viel Geld! Für viel Geld werde ich Sie zum Ordensmarschall des Hohen Christlichen Ritterordens ›Signum Fidëi‹ – das heißt auf deutsch ›Zeichen der Treue‹, ich weiß, Sie verstehen es lateinisch nicht – schlagen, dazu bin ich berechtigt. Und ich werde Ihnen auch noch das Großkreuz mit Cordon oder besser den Silbernen Stern, die Krone zum Kreuz und die Verdienstmedaille geben. Sie zum Ritter und Marschall schlagen, und Sie werden sich ›Exzellenz‹ nennen dürfen.«

»Das will ich gar nicht, Baronin! Wir haben uns da falsch verstanden! Was ich will, ist, daß Sie Ihren Herrn Vetter da in Rom bitten…«

»Das habe ich sehr gut verstanden, Herr Formann«, sprach die Edle schmallippig. »Eines nach dem andern. Erst der Ritter- und Marschallschlag, dann die Auszeichnungen des Ordens...«

»Aber ich habe doch gar keine Verdienste um den Orden...«, gab Jakob zu bedenken.

»Bevor wir miteinander fertig sind, werden Sie welche haben, Herr Formann. Und was für welche! Sonst wäre die Sache ja obszön! Wir müssen uns gleich über das Geschäftliche unterhalten. Sie bezahlen... hm... nach Vereinbarung, so wollen wir es nennen und die Summe geheimhalten, mit der Sie die mir angetane Schmach tilgen *und* dafür sorgen, daß ich Ihnen meinen Vetter aus Rom hole zu Ihrem Fest – das kostet Sie einiges, glauben Sie mir, sonst wäre es ein Sakrileg. Sie sind natürlich einverstanden?«

»Was bleibt mir anderes übrig?« fragte Jakob hoffnungsvoll.

»Eben«, sagte die Edle. »Und sonst geht's gut?«

»Ich kann nicht klagen. Sie auch nicht, sehe ich, Baronin!«

»Sie dürfen Groß- und Heermeisterin zu mir sagen und Exzellenz, Herr Formann.«

»Wie sind Sie denn auf diesen Quatsch mit dem Orden und den Rittern... um Gottes willen, stellen Sie das Ding hin, ich flehe Sie an! Wie sind Sie denn Groß- und Heermeisterin und Exzellenz geworden und dazu gekommen, Leute zum Ritter zu schlagen, wollte ich sagen?«

Die Edle stellte die schwere Bronzevase, die sie auf Jakobs Kopf hatte fallen lassen wollen, mit dessen Hilfe wieder an ihren Platz.

»Ich habe mir unsere Ahnentafeln und unsere Familiengeschichte noch einmal ganz genau angesehen, Herr Formann, und dabei bin ich auf Gerardus den Enthaltsamen gestoßen, dem es Anno 1192 gefallen hat, während des Dritten Kreuzzugs einen eigenen Hausorden zu stiften – eben diesen.«

»Aha. Aber wie kommen Sie dazu...«

»Nicht unterbrechen, bitte. Die Tradition, die von jenem Gerardus dem Enthaltsamen bis zu mir führt, ist an keiner einzigen Stelle unterbrochen.«

»Inwiefern Tradition? Nicht böse werden, Exzellenz Großmeisterin! Ich glaub's ja, es möchte mich halt nur interessieren.«

»Wohlan denn«, sprach die Edle und gab huldvoll eine Erklärung.

Der Erklärung zufolge saß der wirklich allerletzte Adelige, der sich als Nachfahre jenes Kreuzzug-Enthaltsamen bezeichnen konnte, in Mexiko...

»...und zwar so tief im Dschungel dort, daß der Postbote jedesmal einen Fluß durchschwimmen muß«, sagte die Edle.

»Na servas!«

»Er ist Bischof einer Urwaldsekte. Hier, sehen Sie!« Die Edle entrollte eine vergilbte Pergamentrolle. Jakob las oben auf dem Pergament groß: DIPLOMA. Der Text darunter war in deutscher und spanischer Sprache geschrieben. Jakob entnahm dem deutschen Text, daß der Urwald-Bischof einem Oberstleutnant a. D. Karl-Heinz Stühlchen zu Duisburg-Ruhrort 1931 den Rang eines ›Groß- und Heermeisters der Ordensprovinz Germania superior‹ verliehen hatte mit der Berechtigung, Orden, Stern, Band und Krone zu tragen, Ritter in den Hohen Orden zu erheben et cetera et cetera.

»Der arme Stühlchen ist vor einigen Jahren gestorben«, sprach die Edle. »Er war mit mir verwandt. So erhielt ich das DIPLOMA. Und so bin ich für den in Gott Verblichenen in die Bresche gesprungen, um nunmehr Deutschlands Prominenz im Orden fest zusammenzuschließen. Wir stehen – das möchte ich ausdrücklich betonen – den Maltesern und Johannitern gleich und verfügen über sehr weitreichenden Einfluß.«

»Donnerwetter«, staunte Jakob. »Wie weit geht der denn, der Einfluß?«

»Bis zu der Berechtigung, Vorschläge bei der Besetzung von Konsulnstellen zu machen, Herr Formann.«

»Das ist ja ungeheuer! Also fast schon hohe Politik!«

»Hm. Nun ja. Wir sind ja auch nicht eben billig.«

»Das sehe ich«, sagte Jakob, sich umblickend.

» *Sie* wird es natürlich, aber da waren wir schon, besonders teuer zu stehen kommen. Ist ihnen das klar, Herr Formann?«

»Es ist mir klar, Baronin.«

»Sie sollen Großmeisterin oder Exzellenz zu mir sagen, Formann!«

»Es ist mir klar, Großmeisterin Exzellenz«, sagte Jakob und dachte: Ich sage dir, was du nur wünschst, ich will doch den Violetten haben!

»In den Aufnahmebedingungen jenes Gerardus des Enthaltsamen heißt es, daß in den Orden in Anerkennung caritativer Verdienste jeder erhoben werden kann, der des Lesens und Schreibens kundig ist. Ich darf voraussetzen, daß Sie das sind, Herr Formann?«

»Sie dürfen, Eure Exzellenz… Großmeisterin… Baronin.« Des Lesens und Schreibens kundig, dachte Jakob, gegen seinen Willen ergriffen. Heute klingt das natürlich blödsinnig. Zwölfhundertungerade hat das gewiß gar nicht blödsinnig geklungen. Wie viele Leute haben denn da wirklich schon lesen und schreiben können?

»In Anerkennung der Verdienste der Ordensprovinz um das deutsche Ansehen in der Welt«, sprach die Edle voll Würde, ach, soviel Würde, »ist den Rittern des Ordens nach dem neuen Ordensgesetz der Bundesrepublik Deutschland das Recht bestätigt worden, die Insignien des Grades vom Ritterkreuz über das Komturskreuz mit Krone bis zum Großen Silbernen Stern mit Cordon öffentlich zu tragen. Das kriegen Sie.«

»Was kriege ich, bitte?«

»Die zweithöchste Stufe nächst mir. Die Stufe des Ordensmarschalls. Weil sie am teuersten ist.«

»Ich verstehe. Aber dafür bringen Sie mir bestimmt den Violetten nach Cap d'Antibes?«

494

»Ich bringe Ihnen dafür bestimmt meinen Vetter nach Cap d'Antibes. Bei meiner Arbeitsüberlastung. Aber bitte! Wenn Sie eine entsprechende Summe bezahlen, über die wir uns gewiß einigen werden.«

»Sicherlich, Großmeisterin Baronin«, sagte Jakob. (Ich muß so einen Violetten einfach haben! Dann platzen sämtliche Geldsäcke der Welt vor Neid, nicht nur die Säcke an der Côte!) »Arbeitsüberlastung, sagen Sie, Exzellenz. Das Geschäft blüht also?«

»Ich komme kaum nach. Sehen Sie, Herr Formann, viele deutsche Menschen von Würde, Rang und Bedeutung nennen zwar längst alle Beweismittel gehobenen Lebensstandards ihr eigen, entraten jedoch immer noch der sozialen Wertung, als Leute von Welt zu gelten. Dem schaffe ich Abhilfe bis zur Erschöpfung – da auch weit über Deutschlands Grenzen hinaus. Soweit ich sie selber nicht zum Ritter – oder zur Ritterin! – schlagen kann, weil die Herrschaften keine Zeit haben, erlauben die Regeln auch die Zusendung von Urkunde, Ordensmantel und Insignien. Ein solcher Ritterschlag per Bundespost trifft nun schon einen globalen Zusammenschluß christlich integrer Prominenz der gegenwärtig hochgestellten Persönlichkeiten aus Politik, Wirtschaft, Wissenschaft und Kunst. Allein zwölf Staatsmänner habe ich zum Ritter geschlagen«, bekannte die Edle schlicht, aber ihrer Sendung wohl bewußt. »Leider sind sie schon ermordet oder abgesetzt worden.«

»Wer denn zum Beispiel?« fragte Jakob neugierig.

»Nun, die Staatspräsidenten von Guatemala, Kuba, Panama, Chile, Venezuela, Haiti, Ägypten – Nasser-Vorgänger Nagib –, Peru, Argentinien – Ex-Regierungschef Perron –, und von Nicaragua gleich zwei Staatspräsidenten. Der große Markt liegt natürlich in Deutschland. Die deutsche Elite braucht Ritterkreuze!«

»Wahrhaftig, Baronin Großmeisterin!«

»Setzen Sie sich endlich, Sie machen mich ganz nervös.«

Jakob plumpste auf seinen Sessel zurück.

»Damit Sie vollkommen im Bilde sind, Herr Formann«, sprach die Edle. »Wir – also ich – verleihen (auch gegen Ratenzahlung!) den Titel ›Ritter‹ mit dem Recht, das Ritterkreuz öffentlich zu tragen. Kostet dreitausend Mark. Den Ordenskomtur mit Kreuz am Band um den Hals zu tragen. Kostet neuntausend Mark. Den Ordensgeneral mit Großkreuz an der Schärpe. Und den Ordensmarschall, dazu noch den Silbernen Stern – mit der Anrede ›Exzellenz‹ – und, bei weiteren caritativen Zahlungen an mich, die Krone zum Kreuz und die Verdienstmedaille des Ordens. Hier liegt der Kostenpunkt nach Vereinbarung. Das werden Sie kriegen.«

»Was Kleineres würde auch genügen, Großmeisterin…«

»Ich denke, Sie wollen meinen Vetter aus Rom, um Ihr Haus einsegnen zu lassen, Herr Formann!«

»Ach so, ja! Natürlich! Entschuldigen Sie! Das hatte ich momentan vergessen. Also das Teuerste... nach Vereinbarung. Ich weiß, das wird mich eine Stange Geld kosten...«

»Da können Sie Ihr Leben drauf wetten.«

»...nach allem, was vorgefallen ist, aber ich bin bereit.«

»Es kommt übrigens noch eine Siegelgebühr in Höhe von zweitausend Mark für die Anfertigung des Diploms, der persönlichen Ordensinsignien und des Ordensmantels hinzu, Herr Formann.«

»Na, darüber wollen wir uns doch nicht streiten, Großmeisterin! Wann können Sie die Verleihung vornehmen? Ich meine: Wie schnell könnte es gehen, ich bin nämlich in Eile.«

»Wann soll Ihr Fest stattfinden?«

»Am zweiten August, Großmeisterin.«

»Dann ist höchste Eile geboten, Herr Formann. Ach ja, Sie können sich doch noch immer nicht anständig benehmen.« Jakob senkte beschämt das Haupt. »Darum sage ich Ihnen das Wichtigste: Mein Vetter ist mit ›Hochwürdigste Exzellenz‹ anzureden!«

»Hochwürdigste Exzellenz, jawohl...«.

»Im allgemeinen genügt auch ›Exzellenz‹.«

»Jawohl, Exzellenz«, wiederholte Jakob im Tonfall eines leicht Verblödeten.

»Und wenn Sie sich von Seiner Exzellenz verabschieden, dann sagen Sie um alles in der Welt, ich flehe Sie an, nicht: Und einen Handkuß an die werte Frau Gemahlin!«

»An die werte Frau...« Der Groschen fiel, Jakob fuhr zusammen. »Niemals, Großmeisterin, niemals werde ich das tun!«

»Gut. Zahlung in bar. Schecks werden nicht angenommen.«

»Ja, ich weiß nicht, ob ich soviel bar dabei habe... Wenn wir jetzt doch auch noch persönlich vereinbaren müssen...«

»Dann also werde ich Ihnen die Weihen morgen zuteil werden lassen«, sagte die Edle. »Da können Sie inzwischen zur Bank gehen. Und nun zu der persönlichen Vereinbarung. Sie haben mir die schwerste Kränkung meines Lebens bereitet, Herr Formann...«

»Ich weiß. Und es tut mir auch unendlich leid, Großmeisterin...«

»›In unsrer Welt kann Unrecht man mit vergoldeter Hand beiseite schieben‹, sagt Hamlet.«

»Wie heißt der Herr?«

»Hamlet, Sie Unverbesserlicher! Von dem unsterblichen William Shakespeare!«

»Da kommt mir eine großartige Idee, Baronin Großmeisterin!« gab Jakob bekannt. »Könnten wir nicht auch den Herrn Shakespeare einladen, wenn er so berühmt ist!«

Die Edle lief purpurn an, beherrschte sich mit aller Kraft und gab gepreßt eine Erklärung ab.

»Ach so ist das«, murmelte Jakob danach. »Ich habe ja auch nur daran gedacht, den Herrn Shakespeare einzuladen, weil Sie gesagt haben, er ist unsterblich. Jetzt sagen Sie mir, der arme Herr ist schon sechzehnhundert-
sechzehn gestorben. Da dürfen Sie doch nicht sagen: unsterblich. Das
bringt einen natürlich ganz durcheinander.«
»Herr Formann!«
Jakob winkte ab.
»Jajaja, ist ja schon gut. Also, dann lassen Sie uns mal beiseite schieben mit
vergoldeter Hand, Großmeisterin...«

20

»Z... Zwei... Zweiter August neunzehnhundertzweiundsechzig... D...
Das Fest des Ja... Jahrzehnts ha... hat begonnen«, sprach Klaus Mario
Schreiber, sanft besoffen, in ein Mikrofon. Das Tonbandgerät, das dazuge-
hörte, hing an einem Riemen über seiner Schulter und wog knappe drei
Kilo. Vor dreizehn Jahren, am Ende der Blockade Berlins, hatte Schreiber
noch einen Tonbandkoffer benützt, der seine zweiundzwanzig Kilogramm
gewogen hatte. Vollaufen lassen hatte er sich damals noch mit ›Johnnie
Walker‹-Whisky. Jetzt, dreizehn Jahre später, besoff er sich mit ›Chivas
Regal‹, und im Glase befand sich sogenanntes ›Polareis‹, das scheußlich
schmeckte, dafür aber sehr teuer und infolgedessen der letzte Schrei der
ganz feinen Leute war. Es kam von dorther, was der Name vermuten ließ.
Beim Auftauen knisterte es dauernd. Aus diesen beiden Veränderungen
mag man wohl den Fortschritt der Menschheit erkennen.
Schreiber trug einen Smoking. Seine Akne war fast verschwunden, nur
noch wenige Pickel verunstalteten das Gesicht. Jakob hatte ihn, den Starfo-
tografen Senkmann, drei weitere Reporter von OKAY und drei weitere Fotografen einfliegen lassen. Sie alle wieselten nun hier herum, denn OKAY
sollte ganz groß über Jakobs Fest im CHÂTEAU NATASCHA auf Cap d'Antibes
berichten.
»...es ist ein... einfach phan... phantastisch, wa... was hier vor sich ge...
geht«, sprach Schreiber, auf dem Sockel einer Marmorgestalt von Überle-
bensgröße hockend, sanft und scheu in sein Mikrofon. Er nahm einem vor-
beieilenden livrierten Diener ein neues Glas Whisky von dem Silbertablett,
auf dem er das leere abgestellt hatte, genehmigte sich einen großen Schluck
und fuhr fort: »B... Blöd... Blödsinnige Angeberei, neureiche, besch...
beschissene! Kö... Könige im Exil... Thronprä... prätendenten, ...die erste Ga... Garnitur von Hollywoods Schauspieler... spielern und R... Re-
gisseuren... die berühmtesten Sänger und Sänge... Sängerinnen der
Me... Me... Met. Ma... Maler von Welt... Weltruf. T... Tänzer un...
unseres Jahr... hunderts... Da, im Ge... Gespräch, l... lachend und g...

gelöst… Liz Taylor und Ri… Richard Burton… mein Go… Gott, sie vergöttert ihn, er ver… vergöttert sie… Nie… Niemals we… werden die…
diese bei… beiden wu… wunderbaren Menschen auseinandergehen!
Nie… Niemals!… Und da… die größten Re… Reeder der Welt, die
mäch… mächtigsten Ban… Bankiers, Ko… Ko… Konzernherren, die
be… berühmtesten Wiss… Wissenschaftler… die Häup… Häupter der
ä… ältesten A… A… Adelsgeschlechter Eu… Europas…« Wieder ein
Schluck. »Ein Theater ist das! Z… Zum Kotzen!… Die… Die be… be-
wundertsten Frauen d… dieser Erde… Phi… Philosophen… fünf Nobelpreisträger… ach, Scheiße, i… ich habe ja die G… Gästeliste… I… Ich
muß m… mich auf das Ge… Geschehen ko… ko… konzentrieren, m…
mit die… diesen Leuten re… reden… Sta… Statements b… brauche i…
ich… und gute F… Fotos… S… Senkmann! S… Senkmann, ko… komm
he… her, du Arschloch! Jetzt m… mußt du m… mich m… mit den He…
Herrschaften fo… fotografieren! U… Und rei… reiß di… dich zu… zusammen, Mensch, da… daß das an… anständige Auf… Aufnahmen we…
werden! Die K… Ko… Ko… Konkurrenz schlä… schläft nicht!«
Da… Das stim… stimmte –
Verzeihung, Damen und Herren. Aber wenn man längere Zeit so schreibt,
wie Schreiber sprach, kann einem so etwas schon passieren.
Also noch einmal: Das stimmte! Die Konkurrenz schlief weiß Gott nicht.
Wort- und Bildreporter aus dem In- und Ausland waren da und ackerten
schwer – einundzwanzig insgesamt. Das Zweite Deutsche Fernsehen in
Zusammenarbeit mit dem O. R. T. F., dem französischen Staatsfernsehen,
ließ riesige Scheinwerfer die Szene erhellen. Die Scheinwerfer standen auf
hohen Stativen. Es gab Podeste für die schweren Mitchell-Kameras, und
es gab Männer mit Schulter-Aufnahmegeräten, die sich durch das Gewühl
drängten, einen Lichtträger mit Akkutasche hinter sich. Kabel lagen überall
herum. Ein paar Damen und Herren bester Qualität waren schon über sie
gestolpert, eine dicke Fürstin aus dem Morgenlande war lang hingeschla-
gen. Aber niemand zeigte sich böse oder verärgert. Alle, alle hatten nur
einen Wunsch: auch fotografiert zu werden!
Schreiber hörte, saufend, ins Mikrofon reportierend, mit Senkmann vor-
wärtsstapfend, einen amerikanischen Kollegen zu einem anderen Fotografen sagen: »Mensch, der Marlon ist ganz unruhig, weil ich ihn nicht
schieße. Ich merk' schon die ganze Zeit, wie der Brando wartet, daß ich zu
ihm komme. Aber den lass' ich heute am ausgestreckten Arm verhungern.
Kein Wort. Kein Bild. Der Marlon kann nicht erwarten, daß wir ununterbrochen was von ihm bringen!«
Der Kollege sinnierte: »Wenn wir nicht wären, gäb' es die da alle und das
ganze Fest überhaupt nicht.«
»Da hast du recht«, sprach sein Freund. »Kein Mensch wüßte ja etwas davon!«

Es war ein heißer Tag gewesen, es war eine heiße Nacht – die Scheinwerfer machten sie noch heißer. Glänzend von Schweiß, Perlen und edlem Gestein, eingepfercht in der Menge, so durchlitten die Großen dieser Erde diese Nacht der Nächte.

21

»Was ist das für eine Sauerei? Wieso ist der Violette noch nicht da?« flüsterte Jakob Formann der Contessa della Cattacasa zu, die schräg hinter ihm stand. Neben ihm stand, grell angestrahlt, Natascha Ashley, welche die Dame des Hauses spielte. Alle drei posierten – wie einstens Sir Alexander – auf einer Terrasse vor dem CHÂTEAU NATASCHA und begrüßten ununterbrochen neue Gäste, deren Namen eine sehr saure Claudia dem Hausherrn Jakob zeitgerecht ins Ohr flüsterte. Sie war sehr sauer und hatte verheulte Augen, weil die schwierige Tischordnung, die sie eine Woche harte Arbeit gekostet hatte, von ihrer Intimfeindin Natascha nicht akzeptiert worden war. Dieselbe hatte in letzter Minute alles umgeschmissen und eine völlig neue Tischordnung (mit kleinen Täfelchen vor jedem Platz) aufgestellt. Wenn nun auch alles nicht mehr so harmonisch zueinander paßte, wie Claudia es sich ausgerechnet hatte – Natascha saß an der Tête der mittleren der drei Tafeln, und das war die Hauptsache. Für sie!
Da steht diese aufgetakelte Nutte, die Jakob sein ganzes Geld abnimmt, und das ist also der Dank, den ich kriege, dachte die Contessa erbittert.
»Ich habe etwas gefragt, Claudia!« flüsterte Jakob gereizt über die Schulter. »Wo steckt der Violette?«
»Die ›Mirage‹ ist noch im Anflug auf Nizza… Achtung, Graf und Gräfin Hunzlinga…«
»Küß d'Hand, liebste Gräfin, meine Verehrung, Graf«, sprach Jakob. Natascha neigte nur hoheitsvoll lächelnd den Kopf und ließ sich die Hand abschlecken von den Herren. Claudia machte das wütend. Jakob empfand es als Zeichen von unvergleichlichem Format.
»…die Maschine mußte eine Gewitterfront durchfliegen und bekam dadurch Zeitverlust… Achtung, Jakob, Lord und Lady Crossham…«
»Lady Crossham… Lord Crossham… Thank you ever so much for coming…«
»…aber sie muß in einer Viertelstunde in Nizza landen. Von dort kommt dann Tantchen mit dem Hochwürdigen Protonotar in einem Hubschrauber direkt hier herüber, hat mir der Nizza-Tower eben am Telefon gesagt. Der Hubschrauber wird da drüben auf der großen Wiese landen… Achtung, Seine Exzellenz, Botschafter Agrippolus und Gemahlin…«
»Your Excellency… dearest Madame… Thank you ever so much for coming…«

Jakob trug einen weißen Smoking, ein blaues Seidenhemd und eine rote Fliege. Das Jackenrevers reichte für die Ordensspangen, die er besaß, nun nicht mehr aus. Die Spangen und Sterne bedeckten die linke Brustseite. Noch ein paar mehr und er hätte wie ein sowjetischer General gewirkt. Das Große Bundesverdienstkreuz trug er schon gar nicht mehr. Dafür, weil es prächtiger war, die breite feuerrote Schärpe zum Großen Silbernen Stern des Ordensmarschalls ›Signum Fidëi‹, jenes Sterns, den er der Edlen für sündhaft teures Geld abgekauft hatte im Verlauf einer brutalen Erpressung: Titel und Orden gegen einen Violetten aus Rom. Er hatte sie mit seiner ›Mirage‹ losgeschickt. Die normalen ›Mirages‹ waren französische Düsenjagdflugzeuge. Jakob hatte es geschafft, daß man ihm eine ›Mirage‹ für den zivilen Gebrauch gebaut und verkauft hatte.

»Professor Doktor Heidesheim und Gemahlin...«, flüsterte die saure Claudia, die immer saurer wurde, je länger sich Natascha im Scheinwerferlicht fotografieren ließ.

»Küß d'Hand, Gnädigste, guten Abend, verehrter Herr Professor. Ich danke Ihnen herzlich dafür, daß Sie gekommen sind...«

Natascha trug ein Grün-Gold-Lamé-Kleid, grün eingefärbte Straußenfedern um den tiefen Ausschnitt sowie hinten an der Schleppe des Kleides und grüne Seidenschuhe. Grün alles deshalb, weil Natascha nur Smaragdschmuck zeigte – Ring, Ohrringe, Bracelet und Armband. Aber das waren Dinger! Das gab es alles nur einmal auf der Welt, hatte man Jakob bei ›Cartier‹ gesagt. Den Preis gab es auch nur einmal...

»Dear Madam, dear Mister Secretary of State, thank you ever so much for coming...«

Gewitterfront durchflogen. Scheibenkleister! Faule Ausrede! Die Edle ist einfach unpünktlich gewesen. Weiß Gott, wo sie herumgeschlampt hat. Und der Violette sollte als erster da sein. Das Haus einsegnen. Das habe ich mir so schön vorgestellt. Jetzt saufen sie schon und verdrecken mir alles und wandern durchs Haus, wie soll's da noch gesegnet werden? Das wird eine schmutzige Segnerei! Bei dem Geld, das ich für den Violetten ausgegeben habe! Eine Gemeinheit so etwas! Die blonde, rosige Claudia mit den verheulten Kulleraugen und den Brustwarzen, die einfach überall durchstachen, trug ein türkisfarbenes Paillettenkleid und herrlichen Türkisschmuck. Habe ich ihr auch gekauft, dachte Jakob, während er immer wütender wurde über die Verspätung des Violetten. (Aber wie es da drinnen aussieht, geht niemanden was an. Lächeln, lächeln, immer weiter nur lächeln!)

Claudia flüsterte wieder: »Sir Derrick Blossom und Gemahlin. Lady Cordine...«

»Good evening, Sir Derrick, thank you ever so much for coming, you too, dear Lady Cordine...« Jakob stockte der Atem.

»Hallo, Jake«, sagte Lady Cordine.

»Oh, ihr kennt euch?« fragte Sir Derrick lächelnd.

»Es ist schon lange her, aber ich habe dich nie vergessen, Jake«, behauptete Lady Cordine. »Du mich doch auch nicht, Jake, wie?«

»Wie hätte ich dich jemals vergessen können!« stammelte Jakob. Erde, tu dich auf und verschlinge mich!

Die Erde tat sich nicht auf und verschlang ihn nicht.

»Gleich nach dem Krieg haben wir einander kennengelernt, weißt du, Derrick«, plauderte Lady Cordine.

»Oh…«

»Ich sehe, es ist dir wohl ergangen seitdem«, sprach Lady Cordine.

Lady Cordine aber war niemand anderes als der Werwolf, präziser: die Werwölfin aus Wien, richtiger Name: Hilde Korn, mit der Jakob (damals Jerome Howard Fletcher, liebender Ehegemahl von Laureen Fletcher) später dann in Paris gewesen war und daselbst und in Belgien das Ding mit dem impotenten Devisenschieber Rouvier gedreht hatte, bis er Werwolf, sprich Werwölfin, sprich Hilde, sprich Laureen dann, ogottogottogott, schmählich im HÔTEL DES CINQ CONTINENTS nach einer Chinesischen Schlittenfahrt verlassen hatte, heimlich, still und leise. Das war sie also, die Werwölfin, die ihm ewige Rache geschworen hatte, damals, 1947. Ewige Rache! Und der Herr Gemahl der Werwölfin a. D. ist also einer der fünf größten Bankiers von England. Der Abend fängt lustig an, dachte Jakob Formann. Sehr lustig…

22

Ach, er sollte noch viel lustiger werden!

Obwohl alles mit so viel Umsicht geplant war von der guten und treuen Claudia, die nun buchstäblich im Schatten der strahlenden Schönheit Natascha Ashley stand. Dieser Natascha, die von Journalisten der ganzen Welt bereits seit langem als Jakob Formanns ›ständige Begleiterin‹ bezeichnet und von Fotografen in der ganzen Welt Hunderte Male abgelichtet worden war.

Die brave Claudia hatte für eine Sicherheitstruppe gesorgt – zwanzig als Einzelkämpfer ausgebildete Gentlemen, bei deren Anblick keiner auf die Idee kam, daß sie, wenn nötig, jeden Augenblick aus der Hüfte schießen konnten. Jakob hatte Claudia eigens darum gebeten: »Es müssen die besten sein, die du kriegen kannst! Lauter Nullnullsieben! Ich für mich brauche keinen einzigen Nullnullsieben und werde niemals einen brauchen, aber meine Gäste müssen absolut geschützt sein…«

Außer der 007-Truppe sorgten für die Sicherheit rund um das Cap noch sechs Boote der französischen Wasserpolizei. Ruhig lagen sie da. Nur ab und zu blinkten Lichtzeichen auf. Die riesigen alten Bäume waren von hinten mit Scheinwerfern angeleuchtet, einerseits des märchenhaften Effektes wegen, andererseits um zu verhindern, daß Neugierige dort hinaufkletterten. Eine weise Maßnahme – vier Kerle hatten die 007-Herren schon vor Beginn der Feierlichkeiten aus Palmenkronen heruntergeholt und sie direkt der Polizei übergeben, da man, obwohl alle vier es natürlich beteuerten, nicht mit Gewißheit glauben durfte, daß sie wirklich nur neugierig und sonst nichts waren. Vieles sprach dafür, denn außerhalb des hohen Parkzaunes drängten sich die Menschen. Der ganze Zaun war mit großen Bastmatten abgedeckt worden. Aber von den Leuten draußen hatten viele sich Leitern mitgebracht und sie an den Zaun gelegt, um über die Bastmatten hinweg einen Blick auf das Fest des Jahrzehnts zu haben. Polizei war gerufen worden und hatte die Leute vertrieben, das gemeine Volk, das hier nichts zu suchen hatte! Seither standen Polizisten rund um das Gelände Wache. Sie gehörten wahrlich nicht zu den Großen dieser Erde, und sie machten vermutlich so ihre bösen Bemerkungen, wenngleich der idealistisch soziale Sozialdemokrat Jakob Formann (verschüttet und fast vergraben war er das noch geblieben!) Diener mit kalten Platten, Freßkörben und vielen Rotweinflaschen zu ihnen hinausgeschickt hatte.

Bei Sir Alexanders Fest hatte es eine Tanzfläche gegeben.

Haha!

Jakob hatte deren drei!

Drei, jede so groß wie die eine bei Sir Alexander!

Und auf einer jeden von ihnen spielte – abwechselnd natürlich, nicht alle auf einmal! – eine berühmte Band: Modern Jazz die erste, Rhythm and Soul die zweite (aber auch Operetten und Musical-Hits bis Gershwin, Cole Porter und Roger and Hammerstein), mexikanische Weisen die dritte. Jakob hatte die Kapellen einfliegen lassen – jede halt so an die fünfzehn Mann. Im Augenblick waren die Rhythm & Soul-Boys dran mit ›Smoke get's in your eyes...‹

Um hundertprozentig vorzubeugen, hatte Jakob alle drei Orchesterchefs darauf vereidigt, ein einziges, ganz bestimmtes Lied unter keinen Umständen und in keiner Arrangierung erklingen zu lassen.

Am hinteren Rand des mittleren Podiums wehten von hohen weißen Masten achtundzwanzig angestrahlte Fahnen – so viele Nationen, beziehungsweise ihre bedeutendsten Vertreter, waren Jakobs Gäste. Er hatte sie alle entweder mit eigenen Maschinen oder mit LUFTHANSA-Flugzeugen herbeigeholt. Ausnahmslos LUFTHANSA-Maschinen waren es, das hübsche, charmante und freundliche Fräulein Brigitte Hartmann vom LUFTHANSA-Schalter im Flughafen Nizza hatte sämtliche Buchungen gemacht und dafür gesorgt, daß alles reibungslos ging. Jakob hatte allen seinen Mitarbeitern Anweisung gegeben, auf ihren Reisen nur noch LUFTHANSA-Maschinen zu benutzen, denn, so sagte er bei einer Zusammenkunft seiner engsten Freunde in Frankfurt: »Etwas Besseres als die LUFTHANSA gibt es nicht. Die Freundlichkeit, die menschliche Wärme, das vorzügliche Service an Bord, die Liebenswürdigkeit der Stewards und der hübschen Stewardessen, die fliegerische Sicherheit und Pünktlichkeit – das macht der LUFTHANSA wohl keine andere Gesellschaft nach.«

Um seine mehr als einhundertzwanzig Gäste standesgemäß unterzubringen, hatte Jakob im HÔTEL DU CAP auf Eden Roc Zimmer gemietet – einen Katzensprung entfernt. Damit auch alle die schönsten Zimmer und den besten Service bekamen, hatte er das Hotel einfach für die ganze Saison gemietet...

›Lady, be good‹, spielte das zweite Orchester nun.

»Signore Giorgio Terulli und Signora Maria«, flüsterte Claudia Jakob ins Ohr.

Ein gutaussehender, glutäugiger Italiener (Chef der italienischen Historischen Sammlungen, erinnerte Jakob sich) stand vor ihm und zeigte sein prachtvolles Gebiß in einem freundlichen Lächeln.

»Good evening, Sir, good evening, Madam«, sagte Jakob zum vierundneunzigsten Mal, dem Hübschen die Hand schüttelnd, »thank you ever so much for coming.« Dann wandte er sich seitlich, um Signora Terulli die Hand zu küssen, und wieder einmal begann die Narbe an seiner Schläfe stürmisch zu pochen.

Nein!

Nein und nein und nein!

Das gibt es nicht. Das ist unmöglich. Das kann nicht wahr sein.

Jakob kannte auch die Signora Maria Terulli! Er kannte sie in- und auswendig, und inwendig sozusagen besonders gut. Es handelte sich – Schreck, laß nach! – um niemand anderen als um das Woditschka Reserl, das unter dem Namen Gloria Cadillac im Brüsseler Nachtlokal ›Chatte noire‹ vor fünfzehn Jahren gestrippt hatte in einer Weise, daß der Schieber Rouvier fast einen Herzanfall bekam jedesmal, wenn sie am Ende ihrer Darbietung für Sekundenbruchteile, bevor das Licht auf der Bühne erlosch, alles zeigte.

Das Woditschka Reserl aus Wien...

Die mit dem ungeheuerlichen Dialekt.

Die mit dem ungeheuerlichen Sex-Appetit.

Die mit dem unglaublichen Ottakring-Amerikanisch. (»Schur, sanny-boi, schur...«)

Die hat den Chef der italienischen Historischen Sammlungen geheiratet? dachte Jakob, sie bebend betrachtend. Dieses kleine, süße Ferkel? Die war damals aber doch rothaarig? Jetzt ist sie erblondet. Sehr stark erblondet. Die Haare trägt sie wie eine Madonna. Schlicht, voll größter Würde und Einfachheit ist sie gekleidet, die Woditschka-Reserl-Madonna.

Um alles in der Welt, was ist da wieder passiert?

Damals in Brüssel habe ich aber doch ganz anders geheißen? Wenn das Reserl das jetzt sagt! Wenn die sich jetzt an damals erinnert – an alles, was wir getrieben haben in der Rue du Canal, bevor sie nach Rom abgefahren ist. Wenn…

Aus. Alles ist aus. Gleich wird das Reserl sagen: »Jessesmarandjosef, halt's mi fest, i scheiß mi an, des is ja der Miguel… der Sennjohr Miguel Santiago Cortez!«

23

»Guten Abend«, sagte das Woditschka Reserl alias Gloria Cadillac, nunmehr Signora Maria Terulli, in feinstem Hochdeutsch. »Ich bin glücklich, hier sein zu dürfen, liebe gnädige Frau, lieber Herr Formann. Möge Gott der Allmächtige Sie behüten und beschützen in Ihrem neuen Heim und mit Ihnen sein auf allen Ihren Wegen. Ja, ja, mein Mann und ich sprechen deutsch!« Sie redete feierlich, und da war kein Falsch, kein Ich-verrat-dich-schon-nicht-Blick in ihren Augen. Klar und fest sah sie Jakob an. Der dachte: Die kann doch nicht alles vergessen haben, das gibt es doch nicht. Das Reserl hatte alles vergessen, so etwas gibt es eben doch.

Ihr fast allzu schöner Mann sprach, ebenfalls in bestem Deutsch: »Meine geliebte Maria empfiehlt alle Menschen der Gnade und Güte Gottes. Bevor ich sie kennenlernte, war sie Schauspielerin. Doch dann erschien dieser Beruf ihr hohl und leer. Sie wollte ihrem Leben einen Sinn geben.«

»Sinn geben…«, lallte Jakob blödsinnig.

»Gewiß, Herr Formann«, sagte die Woditschka-Reserl-Madonna ernst. »Ich habe mich schon immer für Religions- und Glaubensfragen interessiert. So legte ich denn in Rom nach langem Studium die Prüfung als Religionslehrerin ab…« Jetzt trifft mich der Schlag, dachte Jakob und sein Schädel schmerzte, so sehr pochte die Narbe. Religionslehrerin ist sie geworden, dieses muntere Vögelein! »…und gebe seither Unterricht. Sie können sich nicht vorstellen, welch innerer Friede, welche Ausgeglichenheit, welch göttliche Ruhe mir das schenkt, Herr Formann, wenn ich…« Ihre weiteren Worte waren nicht mehr zu verstehen, denn rapide schwoll das Dröhnen eines Hubschrauber-Rotors an, der sich aus dem Nachthimmel herabsenkte.

Scheinwerfer flammten auf. Taghell erleuchteten sie ein großes Stück der riesigen Wiese. Die Kameras aller Fotografen und Fernsehteams waren jetzt auf dieses Stück Wiese gerichtet, wo langsam, sicher und federnd ein Hubschrauber landete. Der Pilot kletterte ins Freie. Er half einer Dame, die Jakob gut kannte (es handelte sich um die Edle) und einem beleibten Herrn in violettem Gewand, der einen flachen Hut auf dem Kopf trug.

»Ein Bischof…? Ein hoher Prälat…?« hörte Jakob ringsum flüstern. Der Rotor stand. Plötzlich herrschte Totenstille.

Der Violette war gekommen.

Er tat drei unsichere Schritte im blendenden Licht der Scheinwerfer. Dann krachte er auf die Nase.

Aufschrei!

Der Violette war über einen kindkopfgroßen Globus aus Marmor gestolpert, der da als besondere Attraktion mitten auf der Wiese stand. Kontinente und Weltmeere waren in diesen Globus gemeißelt, er ruhte auf einem niedrigen Sockel und drehte sich langsam. Zu ihm gehörte ein Läutwerk, das in regelmäßigen Abständen einen Bimmelton hören ließ. Auf den vier Seiten des Sockels stand in vier Sprachen:

> JEDESMAL, WENN DIESE GLOCKE ERTÖNT,
> WIRD IRGENDWO AUF DIESER WELT
> EIN KIND GEBOREN!

Dort, wo das auf Russisch stand, war der Violette zu Fall gekommen. Jakob raste über die Wiese. Von allen Seiten eilten Gäste herbei.

Jakob versuchte den Violetten aufzurichten. Es ging nicht. Er schaffte es – so sportgestählt er auch war – nicht allein. Der Violette war ein sehr korpulenter Herr. Mit Hilfe eines Lords, eines Botschafters und eines Nobelpreisträgers brachte Jakob seinen prominentesten Gast wieder auf die Beine. Er stammelte in Panik: »Hochwürdigste Exzellenz… Exzellenz… Haben Exzellenz sich verletzt? Ich bin untröstlich, Exzellenz! Tut etwas weh? Ist etwas verstaucht? Dieser verfluch… Pardon, dieser dumme Globus! Ich werde sofort einen Arzt…«

»Das erübrigt sich, mein Sohn«, sprach der Violette und wischte Wiesenerde von der Soutane. »Alles ist in Ordnung.« Er hob die Hand. Jakob neigte sich tief über die Hand, er ging dabei halb in die Knie. Er zitterte vor Aufregung am ganzen Leib, als er stammelte: »Gott zum Gruß, Hochwürdigste Exzellenz, Gott zum Gruß! Ich danke für die unendliche Ehre, die Exzellenz mir mit Ihrem Erscheinen erweisen…«

Von weitem sah Klaus Mario Schreiber der Akrobatik seines Chefs zu, hielt sich an seinem Whiskyglas fest und murmelte erschüttert: »Ge… gelobt sei Jesus Christus…«

24

»Herr Jesus, in Demut treten wir in dieses Haus. Laßt mit uns kommen ewiges Glück, göttlichen Segen, lichte Freude, fruchtbare Liebe und immerwährendes Heil…«

Also sprach der Violette in der Marmorhalle des CHÂTEAU NATASCHA, dieses einzigartigen Bauwerks an der Côte d'Azur, zwischen Menton und Marseille gab es nicht seinesgleichen.

Vor dem Violetten stand ein mit einer Damastdecke bedeckter Tisch, darauf befanden sich ein Kreuz und zwei Leuchter mit Kerzen, ferner ein Weihwasserkessel. Diese Gegenstände hatte der Violette mit Jakobs ›Mirage‹ aus Rom mitgebracht. Normalerweise, dachte Jakob, ist so ein Violetter immer von einer ganzen Horde Helfern umgeben. Bei mir ist er ganz allein. Nicht mal zwei kleine Minestronen hat er dabei. Alles macht er allein. Eine ganz besondere Ehre für mich. Nun schwenkte der Violette den Kessel, während er salbungsvoll weitersprach...

»...aller Andrang böser Geister bleibe diesem Orte fern. Engel des Friedens seien zugegen, und alle Zwietracht verlasse dieses Haus...«

Bei jenen Worten sah Claudia besonders giftig zu Natascha hinüber und murmelte leise ein paar Worte. Die Halle war gestopft voller Gäste. Tausende von Kerzen brannten an riesigen Lüstern. Manche der Großen dieser Erde beteten mit. Am inbrünstigsten betete die kniende Signora Maria Terulli mit, vordem Stripperin Gloria Cadillac, vordem Woditschka Reserl aus Wien-Ottakring.

»...laß mächtig sein, o Herr, Deinen heiligen Namen über uns und segne unser Tun...«

Sehr viele, die in der Halle keinen Platz mehr gefunden hatten, standen draußen auf der Terrasse im Freien, manche unten im Park. Es war entsetzlich heiß, nun klickten die Verschlüsse der Fotoapparate, nun surrten die Fernseh-Kameras, nun blendeten Scheinwerfer hier.

Das Woditschka Reserl ist gutmütig, dachte Jakob. Aber diese Lady Cordine, einstmals Hilde Korn, später dann Laureen Fletcher und weiß Gott wie viele weitere Namen noch, diese damals so gar nicht wölfische Werwölfin, mit der zusammen ich dann den großen Beschiß in Devisen gemacht habe, diese Bestie Lady Cordine, nunmehr Gattin eines der fünf größten Bankiers Großbritanniens, die sieht mich immer weiter mit ihrem Eiszapfenblick an, das halte ich nicht aus, das habe ich nicht verdient! Oder habe ich doch? Ach was, ich schau einfach nicht mehr hin!

»...heilige unseren demütigen Eingang«, sprach der nette, fette Violette, den Kessel schwingend. (Die Hitze hier und dieser Geruch nach Weihrauch – hoffentlich übergibt sich keiner! dachte Jakob. Er setzt einem schon zu, der Geruch. Mir nicht. Ich habe einen Magen, der kann alles vertragen. Aber da sehe ich ein paar Damen, die sind so komisch blaß, manche grünlich. Ob die Einsegnung noch lange dauert? Das ist ja alles ganz phantastisch, und keiner von den Säcken hier hat sich noch einen Violetten zum Segnen seines Hauses geholt, aber wenn da jetzt eine [oder mehrere] loszureihern beginnen – dem Marmorboden macht's ja nichts. Nur stehen wir so gedrängt. Und da kriegen es die anderen dann womöglich ins Genick. Nun mach schon, Exzellenz, mach zu!)

»...der Du heilig und gütig bist und mit dem Vater und dem Heiligen Geiste bleibest von Ewigkeit zu Ewigkeit, Amen...«

Na Gott sei Dank, dachte Jakob, ist ja unerträglich hier. Das Hemd, durch-
geschwitzt, klebt mir am Leibe. Jetzt ist aber Schluß.

Falsch gedacht!

Der Violette fuhr (ihm lief auch der Schweiß über das freundliche, runde,
rosige Antlitz) mit erhobener Stimme fort: »Lasset uns beten und flehen
zu unserem Herrn Jesus Christus...«

Na ja, klar, wegen ein paar Minuten Kesselschwingen allein ist der nicht
aus Rom heraufgeflogen, das geht noch weiter, eieiei...

»... Er möge mit der Fülle Seines Segens segnen dieses Haus und alle, die
in ihm wohnen, ihnen seine guten Engel zu Schützern geben und in Gna-
den wirken, daß sie Ihm dienen und die Wunder Seines Gesetzes beherzi-
gen...«

Verflucht, warum macht der Violette nicht endlich Schluß? dachte Jakob.
Hört das denn nie auf? Will der uns hier umbringen mit seiner Segensspen-
derei? Vielleicht war es doch keine so gute Idee, die ich da gehabt habe, die
mit dem Violetten...

25

»Noch mehr Kaviar, Eure Exzellenz? Ich bitte Sie, nehmen Sie doch, nehmen Sie doch«, bat Jakob eine halbe Stunde später.

»Vergelt's Gott«, sprach der Violette und schaufelte noch ein paar Löffel
Kaviar aus der kristallenen Schale, die der servierende Kellner ihm hinhielt.

Sie waren, nach der schweißtreibenden Einsegnung, inzwischen alle wieder
getrocknet, und saßen beim Essen an drei langen Tafeln unter einem ster-
nenbesäten Nachthimmel. Jakob hatte zuvor noch einen Riesenkrach mit
den drei Orchesterchefs gehabt, weil keine Kapelle ein Harmonium besaß.
Ungeheuerlich, so etwas! Wollten die Kerls dem Violetten vielleicht ›La
Cuccaracca‹ oder ›It's awful nice‹ vorspielen? Wenn man nicht an alles
denkt!

Der Violette hatte ihn beruhigt. »Ich bitte Sie, lieber Herr Formann, ich
bitte Sie! Ich liebe Jazz. Wirklich! Die Kirche geht mit der Zeit. Das muß
sie doch...«

»Ja, wirklich? Ach, da bin ich erleichtert. Was hören Hochwürdigste Exzellenz denn am liebsten?«

»Nun, mein Sohn, am liebsten höre ich Lieder von Frank Sinatra«, war die
Antwort des Violetten gewesen. Wie meine Hühner, hatte Jakob erstaunt
gedacht und entsprechende Anweisungen gegeben. Der Violette bekam so
viele Sinatra-Lieder zu hören, wie die Rhythm & Soul-Kapelle nur kannte,
und sie kannte eine Menge. Leider sang nicht Frankie-Boy persönlich, sondern nur ein sehr berühmter europäischer Star.

»Wenn ich eine Ahnung gehabt hätte, Exzellenz, wenn ich die geringste Ahnung gehabt hätte... natürlich stünde jetzt Frank Sinatra da droben auf dem Podium«, sagte Jakob.

»Ich bitte Sie, mein Sohn«, sagte der Violette, Kaviar löffelnd, »dieser Signore ist doch auch hervorragend.« Ein großer Schluck ›Dom Perignon‹. »Entschuldigen Sie, liebe Tochter, Sie haben mir noch nicht alles erzählt. Fahren Sie fort, ich bitte, fahren Sie fort!« Der Violette, an der Spitze eines Tisches, hatte sich dem so fromm gewordenen Woditschka Reserl – Pardon, der Signora Maria Terulli – zugewandt, Gattin des Chefs der italienischen Historischen Sammlungen. Sie saß infolge der von der lieben Natascha umgeschmissenen Tischordnung Jakob gegenüber, auf der anderen Seite des Violetten, und hatte diesem bereits eine Menge über ihre Tätigkeit als Religionslehrerin erzählt.

Es ist nicht zu fassen, dachte Jakob, nein, nein, nein, es ist einfach nicht zu fassen, was diese Stripperin, die in Brüssel allabendlich die ihre gezeigt hat, nun dem Violetten anvertraut, indem sie züchtig den Blick senkt.

»Nun ja, Hochwürdigste Exzellenz, dieser neue Beruf füllt mich vollkommen aus...« Da in Brüssel habe ich dich vollkommen ausgefüllt, dachte der entgeisterte Jakob, nicht mehr richtig laufen hast du können am Morgen danach! Und jetzt...

»...und er bereitet mir unendlich viel Freude!«

»Unterrichten Sie in Schulen, liebe Tochter?«

»Nein, Hochwürdigste Exzellenz. Das wollte ich zuerst. Doch dann lernte ich eine gleichgesinnte Gruppe von Frauen kennen, die es sich zur Aufgabe gemacht hatten, anderen Menschen mit Gottes Hilfe beizustehen und Nächstenliebe zu üben. Diesen Frauen schloß ich mich an...«

»Ich beglückwünsche Sie, liebe Tochter. Ja, bitte, gießen Sie mein Glas voll, mein Sohn«, sprach der Violette zu einem Kellner. »Ausgezeichnet, dieser ›Dom Perignon‹. Wie nötig sind Menschen gleich Ihnen in dieser Zeit, liebe Tochter. Ah, das schmeckt! Zum Wohle, lieber Sohn...«

Der Gute hat einen Zug – es ist eine wahre Pracht! dachte Jakob und winkte dem Kellner, der das Glas des Violetten sogleich nachfüllte. Jakob selber trank, gewohnheitsmäßig und sicherheitshalber, nur ›Perrier‹. Er prostete dem so veränderten Woditschka Reserl und dem Violetten zu. Das Reserl (hat die mich wirklich total vergessen, oder will sie einfach nicht, daß von ihrer Vergangenheit gesprochen wird? grübelte Jakob. Sie wird's wohl nicht wollen. Gott sei Dank!) fuhr inbrünstig fort: »Endlich, Hochwürdigste Exzellenz, habe ich eine Tätigkeit gefunden, die mir zutiefst sinnvoll erscheint und der ich meine ganze Kraft und Zeit widme.«

»Sie kümmern sich um Einzelpersonen, Arme, Elende, Verzweifelte, liebe Tochter?«

»So ist es, Hochwürdigste Exzellenz. Nicht eine Sekunde bereue ich, daß ich meinen Schauspielerberuf aufgegeben habe. Anderen Menschen zu helfen, sie Gott dem Allmächtigen näherzubringen, ist viele Male wichtiger als Karriere und Ruhm. Nur für das, was mich jetzt erfüllt, lohnt es sich zu leben. Es gibt ja so entsetzlich viel Elend auf der Welt…«

»Das ist leider wahr«, sagte der Violette, indessen ein zweiter Kellner seine Teller wechselte und ein dritter ihm eine überbackene Languste servierte. »Wieviel mehr könnten wir tun, wenn wir mehr Geld hätten! Dabei gibt es so viele sehr reiche Leute, für die es eine Kleinigkeit wäre, zu spenden, große Summen meine ich…«

Ojwehkrach, jetzt kommt's, dachte Jakob. Der Violette ist wirklich keine gute Idee von mir gewesen.

»Sie, zum Beispiel, Signore Formann…«

»Ich, bitte, Exzellenz?«

»Wie steht es mit Ihnen? Spenden Sie reichlich?«

»Exzellenz, ich spende reichlich, jawohl«, sagte Jakob und sah zu Natascha hinüber.

»Nun«, sprach der Violette, den Mund halb voll mit überbackener Languste, »und ich bin sicher, Sie tun es fröhlichen Herzens, mein Sohn.«

»Fröhlichen Herzens, Exzellenz!« Ich weiß nicht, auf einmal schmeckt mir meine überbackene Languste überhaupt nicht mehr. Was ist denn das?

»Sie fliegen dauernd um die Welt, Signore Formann. Sie reisen von Stadt zu Stadt. Kennen Sie Rom, mein Sohn? Natürlich kennen Sie Rom! Und den Pincio? Natürlich kennen Sie den Monte Pincio.«

»Natürlich. Warum, Exzellenz?«

»Es ist die wohl vornehmste und schönste Gegend der Heiligen Stadt, mein Sohn. Wie mir eben einfällt, hat der Vatikan vor Jahren da auf dem Pincio-Hügel einen Palazzo erworben, um einem gläubigen, rechtschaffenen Mann zu helfen, der finanzielles Unglück hatte und vor dem Ruin stand.«

Jakob bekam einen Hustenanfall. »Was ist, mein Sohn? Ein Stückchen Langustenschale in die falsche Kehle?«

»Ein Stückchen Langustenschale in die… ja, Exzellenz.«

»Ein Stückchen Brot und ein Schlückchen Champagner… Warten Sie, ich klopfe Ihnen auf den Rücken… Da! Es geht wieder, mein Sohn, ja?«

»Es geht wieder, Exzellenz.«

»Sehr schön. Um auf den Palazzo zurückzukommen… Sie haben hier ein so wunderbares Haus, mein Sohn. Sie sind oft in Rom. Haben Sie in Rom ein Haus?«

»Nein, Exzellenz. Nur ein Jahresappartement im BERNINI-BRISTOL.«

»Hotel! Das ist doch nichts für einen Mann Ihrer Position! Kaufen Sie den Palazzo, mein Sohn! Der allein ist Ihnen standesgemäß! Beinahe so groß wie das Haus hier! Und voll wertvollster Gemälde, Möbel, Antiquitäten! Eine einmalige Okkasion! Ich werde mich gleich nach meiner Rückkehr persönlich darum kümmern, daß die entsprechende Stelle des Vatikans mit Ihnen in Verbindung tritt!«

»Wissen Sie, Exzellenz… hrm…, eigentlich brauche ich… hrm, hrm… gar keinen Palazzo in Rom«, sagte Jakob, aber schon mit schwacher Stimme. Na schön, dachte er gottergeben, wieder ein paar Millionen D-Mark im Eimer. Wie diese Woditschka mich anschaut! Ich muß einfach das Ding da auf dem Pincio kaufen. Sonst kriegt das Reserl mir noch einen Schreikrampf.

»Ich danke herzlichst, Exzellenz«, würgte Jakob hervor, indessen er den Teller mit der überbackenen Languste beiseite schob (das Zeug war ja geradezu ungenießbar!). »Wenn ich damit den Armen helfen kann…«

»Vergelt's Gott, mein Sohn! Natürlich ist der Palazzo nicht billig, ha-haha!«

»Hahaha, natürlich nicht!« krächzte Jakob.

Der Violette brach plötzlich in Gesang aus.

»But when you're smiling, when you're smiling, the whole world smiles with you!« sang er, im Duett mit dem Show-Star auf dem Podium. Die Kapelle spielte gerade diesen Schlager. »Mein Lieblingslied von Frankie-Boy«, sagte der Violette. »Salute, mein Sohn!« Und abermals hob er sein Champagnerglas.

26

»Du Miststück«, sagte Lady Cordine, Gattin des Sir Derrick Blossom, sich zärtlich an Jakob schmiegend, eine halbe Stunde später. Sie tanzten. Viele Paare tanzten zwischen den Gängen des Festmahls. »Du Miststück, du elendes, hängen solltest du für das, was du mir damals in Paris angetan hast.«

»Leise, bitte, leise!« flehte Jakob. Tanzen hatte er mittlerweile gelernt. ›In the mood‹, spielte die Kapelle gerade.

»Ja, jetzt geht dir der Arsch mit Grundeis, was?« sagte, leiser, Lady Cordine Blossom, ehemals Werwölfin Hilde Korn, ehemals Laureen Fletcher mit ehemals noch so an die zwanzig anderen Namen.

»Ich bitte dich, Laureen… äh… Lady Cordine… sprechen Sie so nicht mit mir! Sie wissen nicht… ach was, du weißt nicht, was ich damals alles zu tun gehabt habe! Ich mußte einfach nach Deutschland zurück! Und es hat mir fast das Herz gebrochen, daß ich dich deshalb allein lassen mußte. Darum, nur darum bin ich zum Bahnhof gesaust, während du geschlafen hast! Mein Gott, Laureen, sei doch ein Mensch! Du hast doch wirklich Karriere gemacht in all den Jahren!«

»Du doch auch, du Schweinehund!« Und noch zärtlicher an Jakob gepreßt!

»Ich auch, ich Schwei… Ich auch, gewiß…« Jakob sprach bereits mit Mühe. Ihm war schlecht. Die Languste konnte das nicht sein! Das Fest, das

Fest war es, das ihn schaffte! Diesem Fest war er einfach nicht gewachsen. Er hatte sich doch alles so ganz anders vorgestellt. »Du willst mich jetzt zugrunde richten? Das kannst du doch gar nicht, ohne dich selber zugrunde zu richten... ich meine gesellschaftlich! Weiß denn dein lieber Mann etwas von der Laureen- oder von der Werwolf-Zeit in deinem Leben?«

»Natürlich nicht.«

Augenblicks fühlte unser Jakob sich besser.

»Das könnte man dann ja ändern, Laureen... äh, Lady Cordine.« Er machte einen eleganten Wechselschritt.

»Ändern? Wie?«

»Nun, man könnte Sir Derrick aufklären, mein liebes Kind. Damit er weiß, was er geehelicht hat.«

»Du bist noch immer die alte Kanalratte, die du damals warst«, sagte seine Partnerin. Und machte auch einen eleganten Wechselschritt. »Von mir wird Derrick niemals etwas über dich erfahren, Jake! Ich... ich... gottverflucht noch einmal, ich liebe dich doch noch genauso wie damals! Trotz der vielen Jahre! Trotz der grünen Natascha-Nutte, die da drüben mit Rex Harrison tanzt! Darum habe ich Derrick doch gebeten, deine Einladung anzunehmen! Um dich wiederzusehen... um dich wiederzuhören... um dich...« Hier preßte Lady Cordine sich lebensgefährlich fest an Jakob. »...zu spüren! Die Chinesische Schlittenfahrt! Weißt du noch? Natürlich weißt du noch? Mit wie vielen Weibern hast du sie inzwischen gemacht?«

»Ach, mit ganz wenigen nur«, log Jakob.

»Und sie sind dir alle verfallen, wie? Welche Frau verfällt einem Mann nicht bis ans Ende ihrer Tage, wenn sie die Chinesische Schlittenfahrt erlebt hat? Wer liebt dich nicht bis ans Ende seiner Tage, du Schuft?«

»Du... hrm... liebst mich bis ans Ende deiner Tage?« forschte Jakob unsicher.

»Sage ich doch, du Mistkerl! Was kann ich anderes tun?«

»Tja, das weiß ich allerdings auch nicht«, meinte er, schon wieder ganz obenauf, der alte Jakob.

»Du, du könntest etwas tun! Aber wenn du jemals sagst, daß ich dich darum gebeten habe, bringe ich dich um, ich schwöre es dir, mit meinen eigenen Händen bringe ich dich um, und wenn ich dich noch so liebe!«

»Worum handelt es sich denn?«

»Du bist doch einer von den ganz Großen!«

»Hm... ja... ich denke...«

»Verbaust Milliarden! Dem armen Derrick geht es nicht mehr so, wie es ihm einmal gegangen ist.«

»Was heißt das? Hat er Sorgen?«

»Mächtige, ja! Ganz England hat mächtige Sorgen! Du könntest – aber du darfst mich niemals verraten, ich *warne* dich –, du könntest Derrick unter die Arme greifen!«

»Unter die Arme…?«

»Schau mal, die Big Five gibt es eigentlich gar nicht mehr. Die waren einmal die großen Fünf. Jetzt krebsen sie bloß noch so herum. Wenn du Derrick helfen würdest…«

»Braucht dein Mann etwa Geld?« Also eine Erpressung, dachte Jakob erleichtert.

»Geld? Wo denkst du hin? Er braucht Leute, die bei ihm Kredite aufnehmen! Millionenkredite! Wie du sie doch sicher auch bei Banken aufnimmst. Nimmst du doch, wie?«

»Natürlich. Meinst du, so ein Kombinat in China kann ich aus der hohlen Hand…«

»Sehr gut. In welche Höhen gehen denn deine Kredite? Ich frage, weil Derrick bei hohen Krediten natürlich viel mehr verdienen würde als bei niedrigen.«

»Na ja, so zweihundert, dreihundert Millionen D-Mark…«

»Könnten es ausnahmsweise auch einmal vierhundert Millionen sein? Hast du mich denn nicht auch noch ein bißchen lieb? Und wenn nicht, könntest du es nicht aus nostalgischer Erinnerung an unsere schöne Zeit im Elend tun?«

»Gewiß könnte ich das, mein liebes Kind. Wenn ich deinem Mann damit helfe…«

»Du wirst also bei Derrick einen Kredit über vierhundert Millionen aufnehmen? Versprochen?«

»Versprochen«, sagte Jakob.

Lady Cordine atmete heftig, ihr Busen hob und senkte sich.

»Gott, bist du wundervoll! Gott, bist du süß! Ich liebe dich noch genauso wie damals in Paris! Schnell, führ mich zu meinem Platz zurück, sonst fange ich gleich hier auf dem Podium mit dir an…«

27

»…jetzt f…fressen sie den N…Nachtisch…Ba…Bananen…ei…eistorte mit A…Armagnac…«, sprach Klaus Mario Schreiber in das Mikro seines Kassettenrecorders. »Auf a…allen drei Po…Podiums wird getanzt…Senk…Senkmann hält drauf wie ve…verrückt…Der Ch…Chef tanzt mit seiner neuen Flamme, dieser N…Natascha! K…Kann ihn verstehen…Senk…Senkmann schießt sie jetzt…und wieder…und wieder…und w…wieder…Die K…Kameraden auch! Also bei dieser N…Natascha, da würde ich auch nicht n…nein s…sagen. W…Wenn sich der Che…Chef bloß nicht ga…ganz ruiniert bei der S…Sau! Die n…nimmt ihn doch aus n…nach Strich…Strich und F…Faden…Hoffentlich über…übersteht er da…das! Die fühlt sich bereits wie…«

»...seine angetraute Gemahlin«, sagte eine weibliche Stimme. Schreiber, der auf dem Kopf einer Putte saß, fuhr zusammen.

»W... Was ist?«

Hinter ihm trat Claudia Contessa della Cattacasa aus dem Schatten eines Eukalyptusbaumes. Sie lächelte Schreiber an. Der rutschte von der Putte, stoppte das Bandgerät und forschte: »Sie... Sie h... haben mich belauscht?«

»Ja«, sagte die Contessa und lächelte breiter.

»Hö... Hören Sie, d... das ist aber n... nicht fair. We... Wenn je... jemand erfährt, was ich da eben ge... gesagt habe, bi... bin ich meinen Jo... Job los!«

»Aber ich bitte Sie, liebster Herr Schreiber, kein Mensch erfährt etwas von mir. Diese Natascha ist wirklich eine Sau, da haben Sie völlig recht. Ich mache mir auch sehr große Sorgen um Herrn Formann.«

»Sie... Sie au... auch? Wi... Wieso kennen Sie m... meinen Namen, Mademoiselle... Ma... Madame... gnä... gnädige Frau?«

»Ihren Namen kenne ich seit vielen Jahren, lieber Herr Schreiber.« Claudia trat zwei Schritte vor.

Klaus Mario trat zwei Schritte zurück.

»Warum treten Sie zurück? Haben Sie Angst vor mir?«

»Da... Das nicht. A... Aber Sie sind so w... wunderschön. U... Und ich mi... mit meinem Gestotter...«

»Gestotter! Als ob das nicht vollkommen gleichgültig wäre! Auch Demosthenes hat gestottert!«

»U... Und besoffen bi... bin ich auch...«

»Was, glauben Sie, hat Goethe getrunken?«

Klaus Mario Schreiber musterte die türkisgewandete Contessa erfreut.

»Da... Das ist wahr. A... Aber wieso ke... kennen Sie wirklich meinen Na... Namen?«

»Herr Schreiber, jeder Mensch kennt Ihren Namen, seit Sie ES MUSS NICHT IMMER HUMMER SEIN geschrieben haben!«

Der Trunkenbold belebte sich.

»Ist da... das wirklich so, Ma... Mademoiselle...«

»Contessa della Cattacasa. Bitte sagen Sie Claudia zu mir.«

»N... N... Nur wenn Sie M... M... Ma... Mario zu mir sagen!« Schreiber geriet in Erregung. »Sie ha... haben de... den HUMMER g... gelesen, Claudia?«

»*Gelesen?*« Sie funkelte ihn an. »*Verschlungen!* Und mich halbtot gelacht! Die ganze Welt wird sich halbtot lachen, wenn das erst als Buch herauskommt!«

»Die... Dieser Mi... Mist als Buch? Ich w... weiß nicht! Ich ha... habe andere, ernste B... Bücher geschrieben, die alle n... nicht ge... gegangen sind. Z... Zum Beispiel...«

»Ich brauche keine Beispiele, Mario«, sagte Claudia, und jetzt stand sie so nahe vor ihm, daß er ihren Atem spürte. »Ich habe alle Ihre Bücher gelesen. Ich habe sie alle großartig gefunden. Sie heißen nicht nur Schreiber. Sie *sind* wirklich ein Schreiber, ein unerhört begabter Schreiber. Aber die Leute wollen lachen in dieser miesen Zeit, glauben Sie's mir. Und darum prophezeie ich Ihnen, daß Sie mit dem HUMMER Ihren Durchbruch haben werden! In zwanzig, in fünfundzwanzig Sprachen wird der übersetzt werden!«

Schreiber mußte dreimal ansetzen, bevor er überhaupt einen Ton herausbrachte. »D... Da... Das glauben Sie w... wirklich?«

»Davon bin ich felsenfest überzeugt!«

»Cl... Clau... Claudia, Sie sind m... mir so sy... sympathisch!«

Der Mensch ist komisch. In einer einzigen Sekunde kippte Claudias Wut über Jakob und Natascha in Liebe für den stotternden, verpickelten und besoffenen Klaus Mario Schreiber um.

»Küß mich«, stöhnte die Contessa della Cattacasa, die es bisher eigentlich stets lieber mit Frauen trieb. »Küß mich! Beiß mich! Küß mich, Mario! Bitte! Ich bin verückt nach dir! Na, nun tu's schon!«

»W... Wenn's weiter nichts ist«, sagte Klaus Mario Schreiber und tat es. Mit Lullerchen...

In dem Moment, da sie stöhnend ihre Körper aneinander zu reiben begannen, erloschen alle Lichter.

28

Und im nächsten Moment setzte wüste Musik ein!

Und im übernächsten kam die Plattform des mittleren Podiums schnell emporgefahren. Scheinwerfer, angebracht auf dem Dach des CHÂTEAU NATASCHA, flammten auf, ihre Strahlen irrten durch die Dunkelheit, sammelten sich schließlich allesamt auf dem hochgefahrenen Podium.

Ein wilder Schrei aus fünfzehn Mädchenstimmen erscholl. Die Mädchen hatten schwarzes, blondes und rotes Haar. Es wäre falsch, zu sagen, daß sie splitternackt waren. Das ›splitter‹ gehört weg. Sie hatten an einer bestimmten Stelle Herzchen angeklebt. Und sie begannen sich in atemberaubender, unfaßbar erotischer Weise zu winden, zu krümmen, zu drehen.

Es war ganz still geworden unter Jakobs Gästen.

Verflucht, dachte unser Freund. Stundenlang habe ich mit Claudia gestritten. Sie hat mir eine Tempeltänzerinnentruppe aus Bali samt der Hohepriesterin angeboten, ich habe unbedingt die ›Crazy Horse‹-Girls haben wollen. Ich habe mich durchgesetzt. Da sind nun meine Girls. Nein, das habe ich aber nicht gewußt, daß die sich so aufführen werden! Das ist ja entsetzlich! Das ist ja eine Katastrophe! Hätte ich doch bloß auf die liebe

Claudia gehört und die Tempeltänzerinnen aus Bali samt Hohepriesterin genommen!

An einem der Tische war die Edle aufgesprungen.

»Das ist obszön!« schrie sie.

Kaum jemand hörte es, die Musik war zu laut. Jemand zog die Edle auf ihren Sessel zurück. Wenige Augenblicke danach starrte sie plötzlich fasziniert zum Podium hin, auf dem fünfzehn Girls, eines schöner als das andere, tanzten, allein, miteinander, sich räkelten, streckten, einander liebkosten, umarmten.

Maria Terulli, einstmals das Woditschka Reserl aus Wien-Ottakring und späterhin Belgiens Stripperin Nr. 1, nunmehr Religionslehrerin, die ihren Frieden in Gott gefunden hatte, saß mit offenem Mund da. Sie sagte, und nacktes Entsetzen stand ihr ins Gesicht geschrieben, zu Jakob: »Sind Sie denn wahnsinnig geworden, Herr Formann? Das ist ja ekelerregend! Das ist ja die reine Pornographie! Und so etwas wagen Sie in Anwesenheit Seiner Hochwürdigsten Exzellenz...«

Jakob zitterte in den Schuhen.

»Kommen Sie, Hochwürdigste Exzellenz, ich bitte Sie für Herrn Formann um Verzeihung. Vergeben Sie ihm, wenn Sie können. Und möge auch der Allmächtige ihm vergeben.« Das Reserl erhob sich und nahm eine Hand des Violetten. »Ich führe Sie zum Hubschrauber, Hochwür...«

Aus. Alles aus, dachte Jakob wieder einmal, und spürte angenehme Wärme in sich aufsteigen.

Dann erlebte er eine Überraschung.

Der Violette strich sanft über die Hand der frommen Ex-Stripperin, indessen die fünfzehn ›Crazy Horse‹-Girls in einer Reihe, Unterleib vorgestemmt, über die Podiumsfläche auf das Publikum zumarschiert kamen.

»Nicht doch, liebe Tochter«, sagte der Violette, sich behaglich in seinen Sessel zurücklehnend. (Schmatzte der? grübelte Jakob fasziniert.) »Setzen Sie sich wieder. Das ist wirklich eine gelungene Überraschung, lieber Sohn.« Und er tätschelte Jakobs Hand. »Sie haben ein großes Herz! Die Villa auf dem Pincio wird Ihnen gefallen. Und was soll Ihre Erregung, liebe Tochter? Dem Reinen ist alles rein!«

29

Eine halbe Stunde später, nachdem die ›Crazy Horse‹-Girls unter dem donnernden Applaus aller Anwesenden (auch des Violetten) in der Tiefe versunken waren, begann dann das Feuerwerk.

Es wurde das größte Feuerwerk, das es jemals an der Côte d'Azur gegeben hatte. Die Raketen wurden abgeschossen von kleinen Spezialschiffen, die auf dem Meer vor dem Hafen lagen. Der Anblick war überwältigend, und die ›Aaaahhhs!‹ und ›Ooooohhhs!‹ der Gäste fanden kein Ende. Immer neue Feuerbilder zauberten die Pyrotechniker an den blauschwarzen Himmel.

In einem Gebüsch, nahe der Putte, war Klaus Mario Schreiber beim wechselnden Schein der Leuchtfarben sehr glücklich mit Claudia Contessa della Cattacasa, und sie war es mit ihm. So einen Mann, sagte sie, habe sie noch nie erlebt. Sie war nun wieder Männern zugetan. Und dieser Schreiber, der war, wenn man wollte, sofort auch eine süße kleine Lesbierin!

Und Orchideen an den Himmel gezaubert! Und Blumenarrangements! Und Sternenregen! Und Feuergarben! Und pfeifende Lichtpunkte, die hoch, hoch oben explodierten und riesige farbige Leuchtpunktgebilde schufen, welche langsam ins Meer rieselten. Und…

Eine Hand legte sich auf Jakobs Schulter.

Verärgert fuhr er herum.

Einer der Maîtres de Maison stand hinter ihm, neigte sich – das Feuerwerk machte gerade einen Riesenkrach – dicht an Jakobs Ohr und schrie: »Ich bitte um Verzeihung, Monsieur Formann, Sie werden ganz dringend am Telefon verlangt!«

Automatisch betrachtete Jakob sein Hosentürl. Er hatte da so seine Erinnerungen. Und wenn ihn nun jemand hereinlegen wollte…

Nein, alles in Ordnung mit dem Hosentürl.

»Wer will mich sprechen?«

»Eine Madame Herta Jaschke aus Murnau, Monsieur…«

Jakob fuhr auf und raste, ohne sich bei seinen illustren violetten Nachbarn zu entschuldigen, ins Haus.

Jaschke! Jaschke! Die Herta ist dem Jaschke seine Frau! Was ist passiert, um Himmels willen?

Er erreichte einen Salon, sah dort einen Hörer neben dem Telefon liegen und riß ihn ans Ohr.

»Hier Jakob! Was ist los, Herta?«

Durch ein Fenster sah er das Feuerwerk. Grün. Blau. Rot.

Eine schluchzende Stimme ertönte: »Gott sei Dank, daß ich dich erreiche, Jakob! Sie haben es in den Abendnachrichten im Fernsehen durchgegeben…«

»Was? Was haben sie durchgegeben?« Und Gold. Und Silber. Und Weiß.

»In Karania ist die Regierung des Präsidenten Ora N'Bomba gestürzt worden! Von Aufständischen! N'Bomba haben sie sofort erschossen! Es hat viele Tote gegeben! Und alle Ausländer im Land sind verhaftet worden! Verhaftet, Jakob!«

»Verhaftet, Herta.« Und Purpurn und Violett und Honigfarben.

»Mein Gott, Jakob, der Karl ist doch da unten wegen der Fertigbauhäuser! Den haben sie jetzt auch eingelocht! Sie wollen Geiseln, haben sie gesagt! Wenn dem Karl was zustößt!«

Jakob dachte: Da wollten wir also einmal ordentlich unseren Rebbach machen mit den Negern und sie aufs Kreuz legen, und jetzt haben sie den armen Karl eingesperrt. Hoffentlich lebt er noch. Herrgott, ist das eine Sauerei! »Sofort kümmere ich mich darum, Herta!« sagte Jakob.

Und Rot! Und Grün! Und Gold! Und Weiß!

Also auf nach Karania!

Nicht einen einzigen Abend lang hat man Ruhe...

30

»Also, ich kann dir nur sagen, die Edle, die du mir da vor Jahren angehängt hast, die hat nicht die geringste Ahnung von Literatur gehabt«, erklärte Jakob Formann seinem Freund Karl Jaschke in der Nacht vom 3. zum 4. August 1962, tief in Schwarzafrika und daselbst irgendwo in der Republik Karania, wo, das wußte er nicht.

»Was willst du damit sagen, Jakob?« fragte der Ingenieur Karl Jaschke, der hier unten seit langer Zeit (natürlich mit regelmäßigem Erholungsurlaub in der deutschen Heimat) Fertighäuser und Fertighausfabriken gebaut hatte. Jetzt sah Jaschke erschöpft aus und war es auch. Schließlich saß er nun schon fast eine Woche hinter Schloß und Riegel. (Jakob hingegen erst zehn Minuten; seine Bemerkung hatte er gleich nach der Begrüßung gemacht, nachdem er Jaschke um den Hals gefallen war und ihn geküßt hatte.)

»Na, also weißt du«, antwortete er jetzt, »was zuviel ist, ist zuviel! Da hat die Edle mich doch gezwungen, dem Kafka seine Romane ›Das Schloß‹ und ›Der Prozeß‹ und all das andere Zeug zu lesen, und ich habe natürlich kein Wort kapiert, und da hat die blöde Kuh gesagt, das wundert sie gar nicht, indem daß ich nämlich ein schwersterziehbarer Neureicher bin, der von Tuten und Blasen – haha! – keine Ahnung hat, und daß dieser Kafka eben mystisch-symbolisch geschrieben hat, was ein Vieh wie ich natürlich niemals kapieren kann!«

»Und?« fragte der Ingenieur Jaschke (der mit der hübschen Freundin in dem einigermaßen weit entfernten Garmisch-Partenkirchen, Karl Jaschke, dem es auch nicht an der Wiege gesungen worden war, daß er, in Niesky, Oberlausitz, geboren und aufgewachsen, sein Leben einmal als Gefangener einer Neger-Militärjunta in Schwarzafrika verbringen sollte). »Was ist mit diesem Kafka?«

»Dieser Kafka«, regte Jakob, soeben eingetroffen, verschwitzt und dreckig, sich auf, »der hat mystisch-symbolisch geschrieben? Haha!« Der Schweiß rann Jakob in Strömen vom Körper, er hatte nur Hemd, Hose und Schuhe an, Jaschke nur eine Unterhose. Es war wirklich sehr heiß da, wohin immer man sie gebracht hatte. »Haha!« fuhr Jakob fort, sich in seine Erregung hineinsteigernd. »Damit ich dir bloß einmal sage, wie ich hergekommen bin, Karl. Mein Düsenflugzeug haben syrische Jäger abgefangen und in Damaskus zur Landung gezwungen. Da steht die Maschine nun, da haben sie die Besatzung eingesperrt. Mich haben dann Kerle, die sich nicht einmal vorgestellt haben, mit Maschinenpistolen in ein anderes Flugzeug gescheucht, das dann auch gleich losgeflogen ist. Und diese Kiste hat überhaupt kein Hoheitszeichen gehabt! Vor der Landung haben sie mir die Augen verbunden und mich behandelt halb wie einen Regierungschef, der zu einem Staatsbesuch kommt, halb wie einen Raubmörder, den sie zur Hinrichtung bringen! Nach der Landung haben sie mich – ich weiß nicht mal, wer, ich habe doch nichts sehen können, Mensch! – in einen Militär-Lkw geschmissen. Da haben sie mir dann die Augenbinde abgenommen. Aber ich habe immer noch nichts als einen Dreck sehen können, denn alle Fenster sind schwarz angemalt gewesen! Wie die Irren sind sie dann mit mir durch die Wüste gerast, was weiß ich, wie lange, zwei Stunden, fünf Stunden, ich war schon ganz durchgedreht, und zuletzt hat der Wagen gehalten, so heftig, daß ich auch noch auf die Schnauze gefallen bin, und dann haben sie mich hierhergebracht, in dieses prächtige Gebäude, und da erst haben sie mir die Binde von den Augen genommen. Und was ist das erste, was ich sehe? Das bist du, in deiner Unterhose, auf dem Steinboden, unrasiert, verdreckt und verschwitzt wie ich. Und gesprochen hat keiner von den Schwarzen die ganze Zeit auch nur ein einziges Wort.«

»Mit mir haben sie auch nicht gesprochen«, sagte der Karl Jaschke. »Aber willst du mir vielleicht endlich sagen, was das alles mit diesem Kafka zu tun hat?« »Na, Mensch, dieser Kafka ist doch nie im Leben ein mystisch-symbolischer Dichter gewesen!« ereiferte sich Jakob. »Nach allem, was mir gerade passiert ist, kann ich nur sagen: Kafka war der realistischste Dichter, den es je gegeben hat! Na, die Edle soll mir noch mal unter die Augen kommen. Ach ja, herzlichste Grüße von deiner Frau. Und von deiner Freundin. Mit der habe ich auch noch telefoniert.«

»Das war lieb von dir, Jakob. Und ich freue mich ja auch sehr, daß du sofort gekommen bist, als du erfahren hast, was hier passiert ist.«

»Das war doch selbstverständlich! Ich muß doch meine Freunde aus der Scheiße holen!« sagte Jakob, ein Mann mit einem Herzen treu wie Gold.

»Glaubst du, du schaffst es?«

»Schaffe was?«

»Mich hier rauszuholen. Uns alle! Die Arbeiter auch!«

»Natürlich schaffe ich es«, sagte Jakob, und es wurde ihm noch ein wenig (auf die schon häufig beschriebene Weise) wärmer, »wär ja gelacht! Wo sind wir überhaupt?«

»In Karania, Jakob. Das hier, das ist einer von den Palästen, in denen sich der Herr Premierminister Ora N'Bomba zu erholen pflegte. Unsere Arbeiter haben sie irgendwo anders eingesperrt, keine Ahnung, wo.«

»Sauerei! Und dem Kerl habe ich neunzig Millionen gegeben, damit er die Fertighausfabriken bauen kann! Na, dem werde ich jetzt aber was er...« Jakob litt häufig unter Spätzündungen. »Eiwei. Den haben sie doch erschossen, hat deine liebe Frau mir am Telefon gesagt, wie?«

»Mhm.«

»Das ist natürlich böse.« Jakob verfiel in Trauer. Nur kurz. Dann war er wieder auf des Messers Schneide, auf dem Rasierklingenpfad seines Lebens. »Schön, dann werde ich also mit den Kerlen Tacheles reden, die ihn erschossen haben!«

»Jakob, sei bloß vorsichtig. Das war ein Militärputsch! Die Armee regiert! Mach dich nicht unglücklich! Sei realistisch wie dein Kafka, wenn *die* jetzt mit *dir* reden, sonst knallen sie auch uns über den Haufen!«

»Ich werde«, versprach Jakob Formann und schlug mit einer Hand eine große Spinne tot, die ihm über den Nacken kroch, »milde sein wie der Beischlaf eines Kommandierenden Generals.«

31

»Was stehen Sie denn dauernd stramm vor mir, Mister Formann? Das macht mich noch ganz nervös! Was ist denn los mit Ihnen?« fragte drei Tage später der riesige Neger in der farbenprächtigen Uniform mit den ungeheuer vielen Ordensspangen auf der linken und der rechten Brust (der hat noch mehr als ich, dachte Jakob).

Dieser riesige Neger hatte gleich zur Begrüßung gesagt: »Mein Name ist Gamba M'Gamba. Ich bin Feldmarschall der ruhmreichen karanianischen Armee und Chef der Militärregierung. Sie dürfen mich mit ›Exzellenz‹ anreden!«

Drei Tage hatte kein Mensch mit Jakob und seinem Freund Jaschke gesprochen, drei Tage hatte sich kein Mensch sehen lassen. Essen wurde ihnen durch die Schiebetür eines Speiseaufzugs serviert. Das Gegenteil mußten sie auf dem Fußboden erledigen. Es war gerade so weit gewesen, daß der Jaschke Selbstmordabsichten geäußert hatte, als ungeheuerlich bewaffnete und grimmig dreinschauende schwarze Soldaten erschienen waren und die Freunde abholten.

Auch die Soldaten sprachen kein einziges Wort. In einem amerikanischen Jeep, eskortiert von zwei anderen Jeeps voller schwarzer Krieger, rasten sie mit Jakob und Jaschke durch Wüste, Staub und Hitze zu einem Militärlager, das mit Stacheldraht eingezäunt war.

Jakob bewunderte, was er sah. Er sah im Camp amerikanische Fahrzeuge, sowjetische Waffen, britische Uniformen und ein Jaschkesches Fertighaus, vollgefüllt mit französischem Rotwein und davor ein Doppelposten unter Gewehr. Hier haben, sinnierte unser Freund, während sein Jeep auf kreischenden Pneus um immer neue Fertighäuser Nieskyer Bauart bog, also die Großen dieser Erde Wirtschaftshilfe für ein Krisen- und Elendsgebiet geleistet. Auch ich habe mein Scherflein dazu beigetragen, kann man wohl sagen!

Jakob war indessen nicht lange deprimiert. Was denn, dachte er sogleich, die Großen haben noch viel mehr Wirtschaftshilfe geleistet und sind dabei auch auf die Schnauze gefallen! So was soll man eben – üb immer Treu und Redlichkeit – nicht machen, es geht sicherlich ins Auge, bis an dein kühles Grab... Pfui Teufel, daran will ich gar nicht denken, ich will hier wieder raus mit allen meinen Leuten, also weiche ich keinen Fingerbreit mehr und so weiter und krieche diesen verrückt gewordenen Militärs in Afrika (denen in Europa und Amerika und Rußland bin ich schon!) immer rein in den Arsch.

Das war denn auch der Grund, warum unser Freund stramm, die Hände an der Hosennaht (gelernt ist gelernt!), immer weiter vor dem Schreibtisch des glänzend-schwarzen Feldmarschalls Gamba M'Gamba mit der bunten Ordensgalerie stehen blieb, obwohl dieser ihn alsdann schon mehrfach aufgefordert hatte, sich zu setzen, und bereits ganz nervös war.

»Exzellenz«, antwortete Jakob Formann, »es gebietet mir die Ehrfurcht, daß ich stehen bleiben muß.«

»Wissen Sie, daß Sie ein weißes Schwein sind?« fragte der Chef der Militärregierung.

»Jawohl, Exzellenz, melde gehorsamst, ich weiß«, sprach Jakob und fügte sicherheitshalber hinzu: »Und von dem Karl Jaschke weiß ich es auch, und er weiß es auch, daß er ein weißes Schwein ist.«

»Weißes Schwein Formann, setzen Sie sich augenblicklich!« sagte der hochdekorierte Negerfeldmarschall. »Das ist ein Befehl, verstanden?«

»Jawoll, Exzellenz, melde gehorsamst, habe verstanden, das ist ein Be...«

Weiter kam Jakob nicht, denn zwei noch riesenhaftere (wenn auch nicht so wunderschön geschmückte) andere Neger, die mit schußbereiten Maschinenpistolen (Made in Czechoslovakian Socialistic Republic – Jakob sah's auf den ersten Blick) den Chef der Militärregierung bewachten, hatten ihn bereits hochgehoben, über einen Sessel gehalten und fallen gelassen. Es tat verdammt weh.

Ihr verfluchten Hunde, dachte Jakob und sagte freundlich: »Ich danke auch herzlich, meine Herren!«

In gepflegter englischer Sprache erklärte nunmehr der Feldmarschall Gamba M'Gamba: »So, Sie sitzen. Gut. Ruhen Sie sich noch ein wenig aus. Nach drei Uhr nachmittags werden Sie für immer Zeit haben, sich auszuruhen.« Der Herr Feldmarschall mußte über seine Worte herzlich lachen. Die beiden Herren mit den Maschinenpistolen mußten auch lachen.

»Wieso nach drei Uhr nachmittags, Exzellenz?« forschte Jakob. »Sie sprechen übrigens ein phantastisches Englisch!« fügte er schmeichelnd hinzu.

»Ich habe in Oxford studiert.«

»Ah, Oxford«, sagte Jakob und dachte: Dieser N'Bomba ist auch in Oxford erzogen worden. *Ich* bin nicht in Oxford erzogen worden. Mir scheint, ich irre ab. Er räusperte sich. »Wieso ab drei Uhr nachmittags, Eure Eminenz... äh, Eure Exzellenz...«

»Weil Sie heute nachmittag um drei Uhr standrechtlich erschossen werden«, antwortete der Feldmarschall, der noch vor Lachen gluckste. »Und dieser Kerl, den Sie uns geschickt haben, dieser Jak...«

»Jaschke, Eure Exzellenz, Karl Jaschke«, stellte der sich vor, indem er sich mühsam hochrappelte. Jaschke war bereits fix und fertig.

»Und dieser Karl Jaschke – setzen! – auch. Und alle Ihre Fachkräfte auch. Unsere Revolution will Blut, braucht Blut, muß Blut haben!«

»Ja, muß sie?« fragte Jakob. Wieder eine Spätzündung. »Erschossen? Ich? Der Jaschke? Die Arbeiter?« Jakob sprang wieder auf. Schweiß brach ihm aus, die Narbe an der Schläfe zuckte, er griff nach der Hasenpfote in seiner Hosentasche.

»Hand weg!« knurrte einer der MP-Gorillas.

»Alle, jawohl«, sagte Gamba M'Gamba. »Mit Ihnen fangen wir an. Dann kommen jeden Tag andere dran, die wir hier als Geiseln festhalten.«

»Aber warum, Exzellenz?«

»Setzen, habe ich gesagt! Weil Sie und alle die anderen sich in verbrecherischer Weise an dem ruhmreichen karanianischen Volk bereichern wollten!« (Wieso ruhmreich? überlegte Jakob angestrengt. Bloß, weil sie uns jetzt zusammenknallen? Und was für andere? Ach, natürlich haben da auch andere Entwicklungshilfe geleistet. Schön vertrottelt. Also nie im Leben rühr' ich auch nur noch einen Finger für Entwicklungshilfe. Obwohl, natürlich, die Exzellenz hat ganz recht, meinen Rebbach habe ich ja wirklich machen wollen mit dem ruhmreichen karanianischen Volk. Genauso wie die andern vermutlich.)

»Weil Sie«, donnerte der Feldmarschall weiter, »Fremdgeld in unser heiliges Vaterland gepumpt haben, um uns weiter ausbeuten zu können – wie die Weißen vor Ihnen!«

»Entschuldigen Sie, Exzellenz, davon kann keine Rede sein! Der Herr Premierminister N'Bomba ist zu uns nach Bonn gekommen und hat um Geld gebeten, und wir haben es ihm gegeben, um dem ruhmreichen Volk von Karania zu helfen und...«

»Schweigen Sie!« Die Faust des Militärregierungschefs krachte auf den Tisch. Jakob hüpfte ein wenig durch die Erschütterung des Bodens. »N'Bomba war ein Schakal, eine Hyäne, ein Verbrecher! N'Bomba hat mit dem Schicksal des karanianischen Volkes gespielt wie mit einem Ball! Er hat Geld geliehen und damit in unvorstellbarem Luxus gelebt! Wem gehörten die drei Maschinen der KARANIAN AIRLINES? Wem gehörten die zahlreichen Schlösser und Landsitze, die er sich mit dem Geld der Entwicklungshilfe bauen ließ? Sie haben ja selber in einem solchen Palast drei Tage zugebracht, Mister Formann. Ich frage Sie: Stinkt das nicht zum Himmel?«

Ja, also wenn ich an das Palastzimmer denke, wo sie uns drei Tage lang nicht rausgelassen haben und wo wir alle unsere Geschäfte auf Smyrna-Teppichen haben erledigen müssen, dann will ich dir recht geben, dachte Jakob und sagte: »Exzellenz, wie konnten wir denn ahnen, daß dieser N'Bomba...«

»Der seinen Tod tausendfach verdient hat!« donnerte der Feldmarschall.

»...der wo seinen Tod tausendfach verdient hat, weil er so mit den ihm anvertrauten Geldern...«

»Tun Sie nicht so scheinheilig, Mister Formann! Wer hat sich denn vierzig Prozent der Produktionskapazität an Fertigbauhäusern ausbedungen, na?«

»Ja, natürlich, wenn Sie es so sehen...«

»Natürlich sehe ich es so! Sie haben gemeinsame Sache gemacht mit dem Verräter N'Bomba! Wie alle anderen, die ihm Geld gegeben haben, auch!«

»Nein, nicht ›auch‹! Wir haben doch weiter Fertigbauhäuser für das arme Afrika bauen wollen, hier in Karania!« protestierte Jaschke. »Wir haben geglaubt, das ist gerecht so!«

»Der Glaube, Mister Jaschke, ist nicht der Anfang, sondern das Ende von allem Wissen, wie einer Ihrer großen Dichter gesagt hat.«

»Welcher denn?« interessierte sich Jakob.

»Johann Wolfgang von Goethe! Das kannten Sie nicht? Unfaß... na, egal! Um drei sind Sie ohnehin tot...« Wann sagt der Kerl endlich: »Wenn nicht«, überlegte Jakob, da sagte der Kerl schon: »...wenn Sie nicht augenblicklich eine Erklärung abgeben, und zwar schriftlich, daß die Fertighausfabriken dem karanianischen Volke gehören, daß Sie nichts mehr damit zu tun haben, also auch keinen Anteil an der Produktion, und wenn Sie nicht erklären, keinerlei Forderungen mehr an die Regierung von Karania zu stellen...« Der eine MP-Gorilla sagte dem Feldmarschall etwas ins Ohr. »...ach ja, und ferner, daß Sie mit größter Höflichkeit und bestens behandelt worden sind!«

»Also, das ist doch eine glatte Erpress...«, begann der Jaschke, aber Jakob hielt ihm schleunigst den Mund zu und lächelte den Lametta-Feldmarschall Gamba M'Gamba gewinnend an. »Kleiner Scherz, Exzellenz. Natürlich können Sie jederzeit eine solche Erklärung von uns bekommen. Stand uns doch nach nichts anderem der Sinn, als den Völkern der Dritten Welt zu helfen.« (Da bin ich also mächtig auf den Arsch gefallen. Neunzig Millionen im Eimer! Das kommt davon, Jakob, mein Lieber, siehst du, wenn man ein unredliches Geschäft machen will. Wer hat es sich ausgedacht? Der Arnusch Franzl, der Haderlump! Daß der ein Haderlump ist, habe ich aber schon immer gewußt. Außerdem: Habe ich nicht sofort jubelnd mitgemacht und dem Franzl fünfundsiebzig Millionen Schilling zur Gründung einer Bank in Wien geschenkt für seine Idee? Klar unterschreibe ich, bevor ich mich erschießen lasse um drei Uhr nachmittags. Ich möchte sagen, es gibt nichts, was ich nicht unterschreiben würde, damit sie mich nicht erschießen um drei Uhr nachmittags! Das Geschäft hier können wir also vergessen. Ich muß mehr aufpassen! Viele solche Geschäfte kann ich mir nicht leisten...)

»Es steht«, sagte indessen der Feldmarschall, »natürlich keinem, der hierher Geld verschoben hat, anderes im Sinn, als den Völkern der Dritten Welt zu helfen. Die Herren unterschreiben alle, bloß damit sie wieder rauskommen. Die Herren, die die Straßen und Schulen finanziert haben, den Regierungspalast, das Gefängnis, die Eisenbahnlinien, die neuen Kupfergruben und so weiter und so weiter... Nun, und weil ich große Achtung vor Ihrer Intelligenz habe – wenn auch nicht vor Ihrem Charakter, Mister Formann –, habe ich die entsprechenden Dokumente bereits schreiben lassen. Hier wären sie. Wenn Sie das einmal durchlesen wollten!«

Feldmarschall Gamba M'Gamba gab einem seiner MP-Bullen einige Blätter Papier, der gab sie weiter an Jakob und Karl Jaschke. Die beiden lasen. Ach, dachte Jakob, was wird da schon drinstehen? Daß sie uns – na also! – hier behandelt haben wie im HÔTEL DE PARIS in Monte Carlo; daß wir Staatsgäste gewesen sind, die dem großen und stolzen Volk von Karania einen Besuch abgestattet haben, um zu sehen, wie hier der demokratische Fortschritt beim Bau der von uns geschenkten Fertighausfabriken blüht und gedeiht; und daß wir dankbar sind für die Freundschaft des großen, ruhmreichen Volkes von Karania, das sich selbst hundertprozentig im Besitz seiner Produktionsmittel befindet und unabhängig von jedem Ausländer ist und stets bleiben wird.

Was tut man nicht alles, um nicht erschossen zu werden?

Jakob unterschrieb eilends. Jaschke unterschrieb eilends. Es werden wohl, dachte Jakob, alle Herren, die in diesem Sauland Geld investiert haben, eilends unterschrieben haben oder noch unterschreiben. Neger müßte man sein!

Kaum hatte Feldmarschall Gamba M'Gamba die signierten Dokumente wieder in Händen, da verwandelte er sich jählings in einen völlig anderen Menschen: Er bat Jakob und Jaschke, doch ein Bad zu nehmen, sich zu rasieren, sich die Haare schneiden und waschen zu lassen und ihm dann die Ehre zu geben, sie zu einem bescheidenen Imbiß einzuladen.

Der bescheidene Imbiß bestand aus acht Gängen und wurde in einem Lokal der Hauptstadt eingenommen, mit dem verglichen, ach, dachte Jakob verträumt, die ›Sheherazade‹ in Paris ein Dreck gewesen ist. Schwarze Herren, vollendete Kavaliere, ganz in Weiß, mit weißen Handschuhen, servierten. (Und zu Jakobs grenzenloser Beruhigung gab es persischen Kaviar die

Hülle und die Fülle, jedoch keine Austern. Was angesichts der geographischen Lage Karanias und der Temperaturen dort ja eigentlich auch nicht zu erwarten gewesen war.)

»Ein wunderschönes Restaurant haben Sie hier, Exzellenz«, sagte Jakob.

Gamba M'Gamba nickte verträumt.

»Einer Ihrer Landsleute.«

»Was, einer meiner Landsleute?«

»Hat es gebaut. Er hat noch vier andere solche Restaurants in Karania gebaut. Und jetzt hat er sie – genau wie Sie Ihre Fertighausfabriken – dem großen, ruhmreichen karanianischen Volk zum Geschenk gemacht.«

»Hut ab«, sagte Jakob. Also haben sie den auch erwischt, dachte er.

»Früher, unter dem verbrecherischen Regime des räudigen Hundes Ora N'Bomba«, erläuterte der Feldmarschall und Chef der Militärregierung, »haben in diesen Lokalen nur die Huren und Speichellecker des Schurken und seine Bonzen prassen dürfen. Jetzt, nachdem wir das Vaterland befreit haben, kann in unserer Demokratie jedermann aus dem Volk hier essen, soviel und so reichlich er will!«

»Entschuldigen Sie tausendmal, Exzellenz«, sagte Jakob. »Aber ist das nicht ein wenig unrealistisch?«

»Unrealistisch, wieso?« grollte Gamba M'Gamba.

»Na ja«, sagte Jakob freundlich, »ich könnt' mir halt vorstellen, daß das Essen und Trinken hier herinnen ganz schön teuer ist und daß also so ein Wasserträger oder Ziegelschupfer oder Melonenverkäufer nicht genug Geld hat, in diesen schönen Lokalen zu essen, soviel und so reichlich er will.«

»Das ist eine vollkommen andere Sache«, sagte der Befreier des vorher so unterdrückten Volkes von Karania böse. »Schweigen Sie, weißes Schwein! Wissen Sie, was Sie sind? Ich habe es gleich gewußt! Ein Demagoge, das sind Sie!« (Was ist ein Demagoge, was hat, um Gottes willen, ein Demagoge mit Demokratie zu tun? grübelte Jakob verwirrt. Diese dämliche Edle hat mir aber auch gar nichts beigebracht.) »Sie wollen sich über Minderheiten lustig machen!«

»Das wollen wir auf keinen Fall!« beeilte sich Jaschke zu versichern.

»Und auf gar keinen Fall wollen wir uns über Mehrheiten lustig machen«, sagte Jakob eifrig.

»Bei uns«, erklärte der Feldmarschall, »sind jetzt alle Menschen gleich, verstanden?«

»Jawoll, Exzellenz, melde gehorsamst, wir haben verstanden«, antwortete Jakob zuvorkommend.

Nach dem bescheidenen Imbiß wollte es sich Seine Exzellenz nicht nehmen lassen, Jakob, Jaschke und alle Arbeiter der Fertighausfabriken zum Flughafen zu bringen und mit einer Maschine der KARANIAN AIRLINES bis Damaskus fliegen zu lassen, wo Jakobs Jet wartete. Unser Freund erlitt einen heftigen Schreck, als er aus dem Lokal hinaus in die glühende Sonne trat.

Vor dem Lokal stand ein großer Mercedes. Diesen Mercedes kannte Jakob. Den hatte er schon einmal vor der Villa des Arnusch Franzl zu Bonn am Rhein stehen sehen! Da hatte der Mercedes noch dem inzwischen erschossenen Premierminister Ora N'Bomba gehört. Der Chauffeur war ein Weißer in einer Phantasieuniform.

»Jessas, der Herr Stößlgasser!« rief Jakob, schlug die Hände zusammen und betrachtete ergriffen den stämmigen Bayern, der, die Mütze in der Hand, die Schlagtüren geöffnet hatte. »Das ist aber gelungen! Daß wir uns hier wiedersehen! Darf ich bekannt machen? Mein Mitarbeiter, Herr Jaschke – Herr Stößlgasser aus... aus...«

»Aus Ruhpolding, Herr Formann«, sagte der stämmige Bayer mit kehligen Urlauten und schüttelte Hände. Seine Exzellenz lächelte sanft.

»Daß Sie noch leben!« staunte Jakob.

»Warum soll ich denn nicht mehr leben, Herr Formann?«

»Ich meine nur... Entschuldigen Sie, das war taktlos... Aber weil Sie doch der Chauffeur von diesem... diesem...«

»Dieser Verrätersau Ora N'Bomba, meinen Herr Formann?«

»Ja, von dem sind Sie doch Chauffeur gewesen! Und ihn hat man als Feind des Volkes erschossen.«

»Vollkommen gerechterweise«, sagte der Bayer. »Das ist ein sehr böser Mensch gewesen.«

»Sehr böser Mensch gewesen«, echote Jakob. »Und... Sie selber... Sie sind dabei nicht zu Schaden gekommen...«

»In keiner Weise! Seine Exzellenz, der Herr Feldmarschall, hat mich gleich gefragt, ob ich jetzt sein Fahrer sein will. Ja, hab' ich gesagt. No, und jetzt bin ich's und fühl' mich sauwohl.«

»Sau... und Sie haben kein Heimweh? Ich meine: Sie möchten nicht zurück in das schöne Ruhpolding?« erkundigte sich Jakob.

»Nicht ums Verrecken, Herr Formann.« Stößlgasser schüttelte den Quadratschädel. »Mir gefällt es hier. Hier hab' ich meine Freiheit. Die Landschaft... die herrliche Natur... das gesunde Klima... der soziale Fortschritt! Also, ich bin ein ganz anderer Mensch, seit ich in Karania bin, Herr Formann!«

»Und niemand tut Ihnen was?«

»Was soll mir denn einer tun? Ich bin der beste Fahrer, den wo sie haben in Karania! Hier bin ich mein eigener Herr! In Ruhpolding, da hab' ich mich totschuften müssen und den Deppen machen mit Seppelhosen und Gamsbart und Schuhplatteln und Jodeln für die saubläden Preißn. Das hier ist eine uralte Kulturnation, Herr Formann. Also, für mich gibt es nichts anderes mehr!«

»Die Zeit drängt«, mahnte Seine Exzellenz sanft.

»Entschuldigen Sie, wir kennen uns nämlich und haben…«

»Ich verstehe auch Deutsch, Mister Formann. Bitte, steigen Sie ein. Sie gleichfalls, Mister Jaschke. Wir fahren zum Flughafen, lieber Mister Stößlgasser.«

»Is' scho' recht«, sagte dieser.

»Ihre Fabriken liegen übrigens an der Straße zum Airport«, sagte der Feldmarschall. »Sie werden sie sehen können.«

Jakob kam fast der herrliche Kaviar aus dem Kaiserreich Iran hoch, aber er nickte erfreut.

Die Straße zum Flughafen war ganz neu. (Entwicklungshilfe, dachte Jakob. Da sind auch ein paar Idioten, wie ich einer bin, am Werk gewesen.) Die Straße lief ein Stück durch heißen Wüstensand. Dann sah Jakob sie – seine Fertighausfabriken! Sechs Stück hatte der Jaschke da hingebaut, eine neben der anderen. Und da ratterte und klopfte es, da wurde gebaut, daß es eine Lust war.

»Auch das alles gehört jetzt dem Volk von Karania«, sagte der Feldmarschall. »Erhebt es Ihnen nicht das Herz, wenn Sie diese Fabriken sehen, Mister Formann?«

»Es erhebt mein Herz, Exzellenz, wenn ich *Ihre* Fabriken sehe«, sagte Jakob. Danach versagte ihm die Stimme vor Kummer und Leid. Er bemerkte, daß der Jaschke die Augen geschlossen hielt, bis die Fabriken außer Sicht waren. Dem geht das auch mächtig nahe, dachte Jakob, belebte sich etwas und sagte: »Also bekommt das ruhmreiche karanianische Volk jetzt endlich schöne Häuser!«

»Im Moment noch nicht«, erwiderte Seine Exzellenz Feldmarschall Gamba M'Gamba freundlich. »Im Moment exportieren wir alle Fertighäuser in Krisengebiete und in die verelendeten benachbarten Staaten. Aber die Zeit wird kommen…«

»Jajaja, ganz bestimmt wird die Zeit kommen, Exzellenz«, unterbrach ihn Jakob und dachte: Es ist also überall auf der Welt dasselbe…

Auf dem modernen Flughafen von Karania herrschte reges Treiben. Drei Maschinen der KARANIAN AIRLINES standen vor dem Tower. Jakob sah viele Passagiere der unterschiedlichsten Nationalitäten – lauter Fachleute, die nach dem Militärputsch als Geiseln festgenommen worden waren und jetzt, da das befreite Karania sich ebenso demokratisch wie hundertprozentig in den Besitz seiner Produktionsmittel gesetzt hatte, ausgeflogen wurden.

Jubelnd wurde Jakob von seinen Mitarbeitern begrüßt. Sie bildeten gleichsam eine Euphorie-Kommune – wie einer der Herren es ausdrückte: »Scheißegal, wem hier jetzt was gehört – Hauptsache, wir kommen nach Hause!«

Mit größter Höflichkeit wurden sie dann alle zu den Flugzeugen geleitet. Der Feldmarschall schüttelte Jakob und Jaschke die Hand, sah ihnen fest in die Augen und sagte: »Bona causa triumphat! Oder, um es Ihnen, lieber Mister Formann, der Sie so schlecht Latein können, wie mein Geheimdienst mir mitteilte, zu übersetzen: ›Zuletzt siegt immer die gute Sache!‹«

»Das haben Sie sehr schön gesagt, Exzellenz«, antwortete Jakob artig und verneigte sich tief. Wollen mal sehen, wie lange es dauert, bis du bei der nächsten Revolution erschossen wirst, dachte er. Dem Stößlgasser, dem wird nichts passieren. Gute Fahrer erschießt man nicht. Gute Fahrer werden immer gebraucht.

Dann flogen sie.

Jakob saß an seinem Fenster, Jaschke neben ihm. Lange sprachen sie kein Wort. Nach einer Stunde ging der Pilot mit seiner Maschine tiefer, denn er hatte ein Rudel Elefanten ausgemacht und wollte seinen Gästen etwas bieten. Die Elefanten stürmten vor dem lautlos über die Steppe jagenden Schatten der Maschine davon.

Jakob seufzte tief.

»Was hast du denn, Jakob?« fragte Jaschke.

»Ach, weißt du, Karl«, sagte dieser. »Mir ist gerade was eingefallen.«

»Und zwar was, Jakob?«

»Vor Jahren, da habe ich einmal in einer Zeitung eine Kritik über ein Buch gelesen, das hat geheißen – warte, ich habe ein Gedächtnis wie ein Elefant – ›Die Wurzeln des Himmels‹ hat es geheißen, was sagst du jetzt?«

»Donnerwetter, schon toll, dein Gedächtnis.«

»Nicht wahr?«

»Ja, und?«

»Und was? Ach so! Und in diesem Buch hat einer über Afrika und Elefanten geschrieben... Da hast du es, die Gedankenverbindung!«

»Sehr schön. Und?«

»Und was noch? Ach ja! Damals habe ich mir fest vorgenommen, daß ich auch einmal nach Afrika fliege und meinen Elefanten schieße auf einer Safari.« Jakob sah still zu den lieben Tieren hinab. »Aber«, sagte er versonnen, »jetzt möcht' ich das eigentlich gar nicht mehr. Nein, nein, ich glaub', ich werd' nie im Leben freiwillig auf eine Safari nach Afrika gehen!«

32

»So etwas ist mir noch nie passiert«, brummte Jakob.

»Obwohl es jeder hätte voraussehen können, der seine fünf Sinne beisammen hat. Weißt du, Darling – du bist mir nicht böse, nein? –, weißt du, zu deinen Geschäften fehlt dir, wie ich immer wieder gesagt habe, eben ein bißchen Intelligenz.«

»Verflucht, ja! Wie ein Idiot habe ich mich benommen«, sagte Jakob gramvoll. Es kam ihm überhaupt nicht zu Bewußtsein, was sich Natascha da herausnahm. Kein Weib hatte bislang so zu ihm gesprochen, hatte so zu sprechen gewagt. Natascha schon. Die erlaubte sich bei Jakob einfach alles. Und er schluckte einfach alles, denn seine fixe Idee, Nataschas Sinnlichkeit zu wecken, hatte ihn jeder klaren Betrachtungsweise beraubt.

Die Dame lag nackt auf dem Bauch und ließ sich von dem nackten Jakob den Rücken eincremen, denn man schrieb den 8. August 1962, und im August sind die Tage heiß da unten an der Côte d'Azur. Gar leicht holt man sich einen Sonnenbrand. Die Herrschaften befanden sich auf der Dachterrasse des CHATEAU NATASCHA auf Cap d'Antibes. Dieser Rücken... Jakob fühlte eine Spannung in sich und an sich, die wuchs und wuchs und so unerträglich wurde, daß er stöhnte.

»Weshalb stöhnst du so, Jake?« erkundigte sich Natascha.

»Weil ich... Aua, jetzt habe ich ihn eingeklemmt!... Weil ich... weil ich...«

»Fester die Schultern! Und mehr Creme! Weshalb stotterst du denn jetzt auch noch?«

»Was heißt auch noch?«

»Na, du sagst doch selber, so eine Idiotie wie dieses Afrikageschäft ist dir noch nie passiert. Mit allem fängt es einmal an. Mit geschäftlichem Versagen. Mit Stottern... Mit...«

»Natascha!«

»Den Rücken weiter runter... und fest...«

Jakob war in Schweiß gebadet. Sein Herz raste. Sein... na ja, schon gut.

»Natascha!«

»Jake?«

»Ich glühe... Ich verbrenne... vor Sehnsucht nach dir...«, behauptete er. (Sein Freund Misaras hätte ihm ob solcher Worte und ob solch entwürdigenden Verhaltens ein paar ins Zahnfleisch gelangt. Ach, aber sein Freund Misaras war so weit weg, in Los Angeles!)

»Laß mich... laß mich... jetzt gleich!«

Also ließ sie ihn jetzt gleich.

An dieser Stelle wäre allerdings noch etwas nachzutragen.

Vor langer Zeit, als Jakob zum erstenmal eine Chinesische Schlittenfahrt gewagt hatte, war er von Natascha sogleich zurückgestoßen worden.

»Bist du irre?«

»Überhaupt nicht. Das ist... da kriegst du... du wirst schon sehen... wo ich dich doch so liebe, Natascha...«

»Ich liebe dich auch, Darling«, hatte die Göttin erwidert. »Aber nicht so! Nicht, wenn du das machst. Nicht, wenn du deiner Perversität freien Lauf läßt.«

»Ich lasse meiner Perversität freien...« Jakob war verblüfft gewesen.

Natascha hatte sich mütterlich geäußert: »Ich sagte ja, du sollst mir nicht böse sein. Ich bin ganz offen: Anscheinend ist es dir nicht leicht möglich, den Beischlaf normal zu vollziehen, deshalb hilfst du dir mit Perversität. Damit du leichter kannst. Aber nicht bei mir, Darling, bitte, nicht bei mir. Ich hasse Perversitäten...«

Wie immer, so ließ Natascha auch diesmal seine Bemühungen träge und unbeteiligt über sich ergehen.

Na, es wird schon noch, es wird schon noch, dachte Jakob zuversichtlich. Sie ist eben ein besonders unschuldiges, besonders unerwecktes Geschöpf. Aber ein bißchen traurig machte ihn dieser Zustand.

Und golden glänzte das Mittelmeer...

»Darling«, sprach Natascha zärtlich, »ich weiß wohl, was in dir vorgeht. Ich bin eine Frau, die weiß, was in jedem Mann vorgeht, der mich sieht. Ich höre alles, ich bemerke alles, ich sehe alles. Aber eine Dame spricht nicht über derlei. Eine Frau, eine wirkliche Frau, weiß Bescheid über die geheimsten Gefühle eines Mannes – doch sie schweigt über sie... wie über ihre eigenen...« (Hier hätte Natascha vermutlich von Misaras eine hinter die hübschen Ohren bekommen!)

Jakob war ergriffen.

»Soll das heißen, daß du doch...«

»Sehnsucht ist mehr als Erfüllung. Mußt du immer alles durch Worte zerstören? So etwas fühlt man. Oder man fühlt es nicht. Das Wort ist der Tod des Gefühls. Noch ein bißchen mehr Sonnenöl auf den Popo, bitte.«

Jakob war zutiefst erschüttert. Eine Göttin eben! Die Göttin meines Lebens!

»Auch blinde Eile zerstört alles«, sprach die Göttin. »Du darfst nicht blindlings eilig sein, Jake. Niemals. Versprich es mir.«

»Ich verspreche es, Natascha... Und verzeih mir.«

»Natürlich verzeihe ich dir. Aber zerstöre bitte nie unsere wunderbare Zweisamkeit durch perverse Sinnenlust, die du nicht bezähmen kannst. Bezähme sie, wie ich es tue. Versprich mir das.«

»Ich... verspreche es dir, Natascha!«

»Du hast gesagt, du mußt heute nachmittag nach Bonn fliegen, um mit Herrn Arnusch zu sprechen, geschäftlich...«

»Ja, dringend. Warum?«

»Du bist ein so Süßer! Du hast deiner kleinen Natascha doch immer noch jeden Wunsch von den Augen abgelesen...«

»Ja, das stimmt. Hrrm... Wünschst du dir wieder was, Natascha? Sag' es! So sag' es doch! Du mußt verzeihen, aber seit dem Pech, wo ich mit den Negern gehabt habe, bin ich ein bissel nervös...«

»Das kann ich nur zu gut verstehen, Liebster. Auf unserer großen Gala, da hattest du doch auch den Prinzen Karl-Heinz von Heydersburg eingeladen, nicht wahr?«

»Den aus der Schwerindustrie, den Multimillionär, ja, warum?«

»Während du in Afrika warst, hat er angerufen. Er wollte dich und mich einladen...«

»Wozu?«

»Zu einer Weltreise. Er hat doch diese herrliche Jacht...«

»Ich habe auch eine herrliche Jacht!« protestierte Jakob.

»Natürlich. Eine herrlichere sogar. Aber du hast doch nie Zeit! Bitte, jetzt mußt du wieder nach Bonn... Deine herrliche Jacht liegt und liegt und liegt. Der Prinz will mit seiner um die Welt reisen. Vier Monate lang. Ich weiß, ich weiß, soviel Zeit hast du nie für mich! Deine Arbeit! Aber ich, Jake, ich bin so oft allein und langweile mich. Und Karl-Heinz... äh, der Prinz hat eine so lustige Gesellschaft eingeladen, dreißig Leute alles zusammen, und wir hätten so viel Spaß, und wenn ich dann wiederkomme, Liebster, dann wird meine Sehnsucht nach dir ganz groß geworden sein...«

Jakob war so aufgeregt, daß er versehentlich den Inhalt eines Fläschchens Sonnenöl auf sein kostbarstes Gut goß.

»Natürlich«, sprach die Göttin, »brauche ich neue Kleider. Ich habe nichts anzuziehen. Die alten Sachen kennt jeder, nicht wahr? Auch meinen Schmuck kennt schon jeder. Da! Ich habe doch gesagt, ich kann alles, was ein Mann in meiner Gegenwart denkt, von seinen Augen ablesen! Ich weiß genau, du wolltest gerade sagen, daß ich neue Kleider und ein bißchen Schmuck brauche! Habe ich recht, Jake?«

»Voll...« Er mußte sich wieder räuspern. »Vollkommen, mein Herz. Du weißt selber am besten, was du brauchst, ich bin nur ein gehetzter, von seinen Geschäften terrorisierter Mann. Du hast doch Vollmacht über mein Konto bei der Chase Manhattan...«

Der Blick ihrer Augen ging ins Leere.

»Natascha!« Keine Antwort. »Natascha! Woran denkst du?«

Das Himmelswesen sprach: »An das Leben, Geliebter.«

»Was ›an das Leben‹?«

»Wie flüchtig es ist... und wie tragisch...«

»Wieso tragisch?«

»Ach, Jake«, seufzte sie. »Denke an Dante...«

»War der auch auf meinem Fest?«

»O Gott. An die ›Göttliche Komödie‹!«

Jessasmariandjosef, jetzt wird die mir auch noch intellell, dachte Jakob entsetzt und fuhr zurück.

»Was für eine Komödie?«

»Die Göttliche. Die hat Dante geschrieben, Alighieri. Dante Alighieri. Der größte römische Dichter. Sein Hauptwerk ist ein Epos in Terzinen« (Allmächtiger, ein was in was? dachte Jakob), »nämlich die ›Divina Commedia‹ – die ›Göttliche Komödie‹. An sie mußte ich eben jetzt denken. An einen bestimmten Gesang daraus.«

»Einen bestimmten wie bitte?«

»Gesang.«

»Hat der denn auch Lieder gemacht, der Dante?«

»Jake!«

»Entschuldige, aber wenn du sagst ›Gesang‹…«

»Es ist kein richtiger Gesang«, sprach die Barbusige mit einem Blick des Mitleids (auf Jakob sowohl wie auf einen Teil von Jakob, der sich ebenfalls sehr erschrocken zurückgezogen hatte), »es ist ein… das hat doch bei dir alles keinen Sinn… Ich habe an Dante denken müssen, weil mir die Vergänglichkeit alles Wesens gerade so stark zu Bewußtsein gekommen ist… Ich spreche ihn dir vor, diesen Gesang.«

Und Natascha rezitierte:

> »Gerade in der Mitte meiner Lebensreise
> Befand ich mich in einem dunklen Walde,
> Weil ich den rechten Weg verloren hatte.
> Wie er gewesen, wäre schwer zu sagen.
> Der wilde Wald, der harte und gedrängte,
> Der in Gedanken noch die Angst erneuert,
> Fast gleichet seine Bitternis dem Tode…«

Stille.

Absolute Stille.

Eine Träne quoll aus dem linken Auge der göttlichen Göttin Natascha.

»Ist das nicht wunderbar?« flüsterte sie.

»Wunderbar«, flüsterte Jakob und küßte ihre entzückenden Fingerspitzen.

Na ja, Hopfen und Malz verloren…

33

»Halt bloß die Goschen, du Trottel«, sprach der fette Arnusch Franzl in der Prachthalle seiner Bonner Residenz verärgert am Abend dieses 8. August 1962, »und untersteh’ dich, mir noch eine Minute lang weiter Vorwürfe zu machen, daß ich schuld bin an dieser Neger-Schweinerei!« (Jakob hatte ihm bereits vier Minuten Vorwürfe gemacht.) »Wer nicht wagt, der nicht gewinnt!« fuhr der Arnusch Franzl böse fort. »Das, was da in Karania passiert ist, das hätte auch der Einstein nicht voraussehen können.« (Wer ist Einstein? Haben sie den auch reingelegt, die Neger? grübelte Jakob.) »Da rackert man sich ab seit Jahren und zerbricht sich den Kopf und schläft nicht vor Sorgen und Überlegungen hin und her, und alles für dich, und das ist der Dank! Na ja, wie es eben so geht im menschlichen Leben.«

»Herrgott, sei doch nicht gleich so empfindlich!«

»Ich bin sehr empfindlich auf diesem Gebiet, mein Guter«, sagte der Arnusch Franzl. »Ich habe dir geholfen, dein Imperium aufzubauen...«

»Aber das bestreitet doch niemand, mein Bester!«

»...und es zu erhalten...«

»Dafür danke ich dir ja auch, aber man wird doch noch reden dürfen!«

»...was weiß Gott immer schwieriger wird in dieser Zeit.«

»Was heißt: In dieser Zeit? Unsere Betriebe laufen doch so phantastisch wie noch nie!«

»Ja, und wir zahlen auch Steuern so phantastisch wie noch nie. Das heißt«, sagte der Franzl, »wir *würden* Steuern zahlen so phantastisch wie noch nie, wenn der Arnusch Franzl nicht achtgeben und sich immer wieder was Neues einfallen lassen würde. Du, du bist ja vollauf mit deiner Natascha beschäftigt, du...«

»Franzl, mein Bester?«

»Jakob, mein Guter?«

»Halt sofort das Maul, Franzl, sonst knall' ich dir eine, über Natascha hast du kein Wort zu verlieren, verstanden?«

»Ach, leck mich doch...«

»Wie ist das mit den Steuern? Was hast du da ausgeheckt?« Jakob lenkte eilig ab und schmierte dem Arnusch Franzl Honig um dessen Mündchen. Der fiel prompt darauf herein. Oder er tat so, als falle er darauf herein. »Es gibt immer neue Wege«, dozierte er, aus einer riesigen Bonbonniere Konfekt fressend, mit halbvollem Mund. »Man muß am Ball bleiben. Wie es so geht im menschlichen Leben. Die Steuerfahnder schlafen nicht. Willst du nicht auch?« Er hob die Bonbonniere.

»M-m.«

»Nougat mit Nuß. Das Beste!«

»Nein, danke, wirklich nicht.«

»Na schön, dann nicht. Auch Marzipan wäre da. Aber wie es so geht im menschlichen Leben... Also zum Beispiel Provisionen...«

»Was ›also zum Beispiel Provisionen‹?«

»Daß ich es dir erkläre, was ich gemacht habe«, sagte der Arnusch Franzl und erklärte es...

34

Nämlich:

Jakob machte doch riesenhafte Geschäfte mit der ganzen Welt, nicht wahr? Millionengeschäfte! Geschäfte mit vielen Millionen! (So ein Plastikwerk in China oder Rumänien oder Rußland oder Japan, das kostet schon seine paar hundert Millionen, na was denn!)

Selbstverständlich kam man aus all diesen Ländern und bat Jakob – wie wir es geschildert haben –, derartige Werke dort zu bauen. Der Arnusch Franzl fand, daß das gar nicht so selbstverständlich war. Die meisten dieser Monster-Geschäfte werden normalerweise über einen Vermittler abgewickelt. Der Vermittler bekommt eine saftige Provision. Bei ein paar hundert Millionen ist so eine Provision dann schon ganz schön saftig, wie es so geht im menschlichen Leben.

Um ganz sicher zu sein, hatte der Arnusch Franzl einen Experten für deutsches Steuerrecht aufgesucht und ihm Fragen gestellt.

»Wenn«, hatte der Experte gesagt, »ein Vermittler da ist, und er bekommt von einer Gesellschaft oder einer Firma Provision für ein durch ihn zustande gekommenes Geschäft, dann kann diese Firma oder diese Gesellschaft die Provision von der Steuer absetzen; sie erklärt dann, daß sie Herrn Soundso soundsoviel Mark für die Vermittlung eines Geschäfts gegeben hat.«

»Das ist mir klar«, hatte der Arnusch Franzl zu dem Experten gesagt. »Was ich wissen möchte, ist: Muß so eine Gesellschaft oder Firma auch genau Namen und Adresse des Vermittlers angeben?«

»Nein. Angegeben werden muß nur, auf welche Bank die Provisionssumme überwiesen worden ist. Und die Firma oder Gesellschaft selber muß nachweisen, daß das Geld von einem ihrer Konten abgebucht wurde.«

»Das ist alles?«

»Das ist alles. Natürlich muß der Empfänger der Provision auch seine Steuern zahlen. Aber das geht Sie nichts mehr an, dafür haben Sie keine Verantwortung.«

»Ich danke für die Auskunft«, hatte der Arnusch Franzl höflich gesagt und sich ans Werk gemacht.

Von Stund an gab es bei sämtlichen Großunternehmen des Wirtschafts-Imperiums Jakob Formann Vermittler, und diese Vermittler bekamen natürlich die ihnen zustehenden Provisionen. Als Chef des Rechnungswesens hatte der Franzl selbstredend Vollmacht über Jakobs Konten. Das ging alles ungeheuer ordentlich zu bei ihm! Auch bei den Provisionszahlungen.

Der Franzl hob die anfallenden Millionenbeträge ab und überwies sie den Vermittlern. Wie es sich traf, war bei den drei, die er sich zuletzt als Chefvermittler aussuchte, der Sitz ihres Geschäfts in Liechtenstein. Liechtenstein ist ein sehr kleines und sehr schönes Land. Das schönste an Liechtenstein sind die Kanzleien der Anwälte, die es in diesem kleinen Land gibt. So ein Anwalt vertritt zweihundertfünfzig bis dreihundert Klienten, sprich Firmen oder Einzelpersonen. Mit Leichtigkeit! Das geht wie's Brötchenbacken.

Der Franzl suchte sich unter den Liechtensteiner Anwälten einen aus, der ihm besonders vertrauenswürdig erschien, und an den überwies er dann, auf ein Liechtensteiner Konto, die Provisionen für seine drei Chefvermittler. Der deutschen Steuer gab er die Überweisungen gesetzestreu bekannt. Der Anwalt in Liechtenstein, der dem Franzl besonders vertrauenswürdig erschienen war, überwies die eintreffenden Beträge – nach Abzug seiner Gebühren – prompt weiter auf ein schwarzes Konto in Amerika, wo Jakob ja auch einen großen Ableger seines Imperiums installiert hatte.

All das erklärte der Arnusch Franzl dem staunenden Jakob am Abend des 8. August 1962 in seiner schönen Villa in Bonn.

»Wie lange machst du das schon, Franzl?«

»Na, seit drei Jahren.«

»Und… und was ist denn so alles in allem nach Liechtenstein und dann nach Amerika überwiesen worden?«

»Ich sage ja, diese Natascha ruiniert dich noch! Du kümmerst dich nicht ums Geschäft! Du weißt nicht, was auf deinen Konten liegt! Du…« Der Franzl schob die Faust beiseite, die Jakob ihm unter die Nase hielt. »Du bist mit Blindheit geschlagen. Wie es so geht im menschlichen Leben. Etwa zweihundertzweiunddreißig Millionen.«

»Was?«

»Sind nach Liechtenstein und dann nach Amerika überwiesen worden bisher.«

»Und keiner von den Vermittlern ist der Steuer aufgefallen dadurch, daß er keine Steuern bezahlt hat?«

»Keiner, mein Bester.«

»Aber wieso denn nicht?« wunderte sich Jakob.

»Jakob, mein Guter, manchmal bist du wirklich so blöd, daß man dich mit einem nassen Fetzen erschlagen müßte«, äußerte der Franzl und lutschte genüßlich an einer Kognakkirsche, was seine Aussprache etwas undeutlich werden ließ.

»Wieso bin ich so blöd?«

»Na, es gibt doch überhaupt keine Vermittler«, sagte der Franzl.

»Es gibt keine…« Jakob saß mit offenem Mund da.

»Natürlich nicht. Sonst wäre das doch nie ein Geschäft für uns, du Trottel! Und außerdem: Brauchen wir vielleicht Vermittler? Das mache ich alles selber!«

»Du bist dein eigener Vermittler?« fragte Jakob überwältigt.

»Siehst du, es wirkt schon, mein Bester!« Der Arnusch Franzl rieb sich die fetten Hände und begann danach, in Pistazienstückchen zu wühlen. »Übrigens mußt du morgen nach Zürich fliegen. Und zwar mit einem von deinen Flugzeugen.«

»Warum?«

»Weil, mein Guter«, sagte der Arnusch Franzl, verzeihend und milde wie ein Lehrer zu einem idiotischen Kind, »es praktisch ist, ein Flugzeug zu nehmen, wenn man zweiundzwanzig Millionen D-Mark in Scheinen zu transportieren hat. Und Nougat ist *doch* das Beste!«

»Was sind denn das für zweiundzwanzig Millionen?« fragte Jakob.
Der verfressene und von sich selbst begeisterte Arnusch Franzl erwiderte
heiter: »Na, du hast da in der Schweiz doch einen Haufen Patente gekauft
– für deine Kunststoffe und Fertighäuser und Hühnerfarmen!«

35

»Du hast da in der Schweiz natürlich *nicht* einen Haufen Patente gekauft
– für deine Kunststoffe und Fertighäuser und Hühnerfarmen«, sagte der
Franzl ungeduldig, nachdem er das Glas voll Wasser gebracht hatte, um
das ihn Jakob mit schwacher Stimme gebeten hatte. Er sprach, während
unser Freund trank: »Du hast nicht eine einzige müde Mark jemals für den
Erwerb von Patenten ausgegeben – in der Schweiz oder irgendwo sonst,
klar?«
»Vollkommen klar«, sagte Jakob und umklammerte das Wasserglas. »Und
darum, weil ich nicht eine einzige müde Mark in der Schweiz für den An-
kauf von Patenten ausgegeben habe, muß ich jetzt hinfliegen und – wieviel
hast du gesagt...?«
»Zweiundzwanzig Millionen, mein Guter.«
»...und zweiundzwanzig Millionen abholen. Klar, völlig klar.«
Jakob hielt sich den Kopf. »Das ist ja wohl selbstverständlich, daß ich zweiundzwanzig Millionen verdiene damit, daß ich keine einzige Mark ausgebe
und kein einziges Patent kaufe.«
»Du bist leider ein ganz großer Trottel, Jakob, mein Bester«, sagte der Arnusch Franzl, der immer munterer wurde. »Ich möchte bloß wissen, was
du ohne mich gemacht hättest in all den Jahren. Natürlich hast du *doch*
Patente in der Schweiz gekauft!«
»Natürlich habe ich *doch* Patente in der Schweiz gekauft«, wiederholte Jakob, um den sich bereits alles drehte.
»Das haben wir jedenfalls dem Finanzamt gesagt.«
»Das hast *du* jedenfalls dem Finanzamt gesagt, *ich* nicht!«
»Krümelkackerei – aber schön, *ich* habe es gesagt. Als dein Generalbevollmächtigter! Paß auf, du Trottel, daß ich es dir erkläre: Du hast in den ganzen Jahren Patente in der Schweiz gekauft, für deine verschiedenen Betriebe.«
»Aha.«
»Und die Patente, die haben natürlich Geld gekostet. So ein Erfinder muß
schließlich auch leben. Nur daß es so einen Erfinder gar nicht gibt.«
»Aha«, sagte Jakob zum zweitenmal. Der zitternde Ton in seiner Stimme
entging dem munteren Arnusch Franzl, der weiterdozierte: »Das Geld für
die Patente von den Erfindern, die es gar nicht gibt, hast du auf verschiedene Bankkonten in Zürich überwiesen, und bei den Steuererklärungen

haben wir dann jedesmal angegeben, wieviel wir überwiesen haben. Diese Beträge sind natürlich nicht versteuert worden. In Wirklichkeit habe ich dir diese Konten eingerichtet …« Der Franzl schmatzte vor Selbstgefälligkeit und Schokolade. »…und da ist das Geld dann draufgeblieben. Alles klar, mein Guter?«

»Alles klar«, sagte Jakob gottergeben.

»Jetzt ist die Zeit gekommen, wo man das Geld beruhigt wieder abziehen kann, weißt du? Darum habe ich dich herkommen lassen – weil du sofort das ganze Geld in bar mit einem Flugzeug abholen und zurückbringen mußt.«

»Wohin zurückbringen?«

»Na, zurück in die Heimat, mein Bester. Ich habe alle wichtigen Leute geschmiert. Du wirst nicht kontrolliert werden. Die Maschine auch nicht. Heim ins Reich, haha! Der Steuer haben wir es auf diese Weise entzogen, und nun können wir mit diesen zweiundzwanzig Millionen in Ruhe weiterarbeiten. Ist jetzt alles klar?«

»Jetzt«, sagte Jakob, beinahe flüsternd, »ist alles klar. Aber erlaube mir eine Frage. Erlaubst du mir eine Frage?«

»Natürlich. Also bittschön?«

»Wieviel Prozente hast du denn bei all diesen Transaktionen für dich behalten, mein Guter?«

»Lächerliche zwanzig Prozent«, antwortete der Arnusch Franzl freundlich. »Du kennst mich doch… und meine Bescheidenheit, nicht wahr, mein Bester?«

»*Lächerliche zwanzig Prozent?*«

»War doch geschenktes Geld, nicht?« sagte der Arnusch Franzl. Danach erschrak er über Jakobs Gesichtsausdruck.

»Was hast du denn?«

»Was ich habe, du Drecksau, du verfluchte?« Jakob erhob sich, nahm die große Bonbonniere und schlug sie dem Arnusch Franzl um die Ohren, daß die Pralinen nur so durchs Zimmer flogen.

36

»Hör auf! Hör auf! Gott im Himmel, bist du wahnsinnig geworden?« schrie der Arnusch Franzl, seinen Kopf mit den Händen schützend, so gut es ging. Jakob gab ihm einen Tritt in den mächtigen Bauch, und der Franzl krachte auf die breite Couch.

»Ich bin nicht wahnsinnig geworden«, sagte Jakob sanft, »ich bin absolut normal. Ich hab' alles begriffen. Du, mein Generalbevollmächtigter, hast unter schwerstem Mißbrauch meines guten Namens betrogen und belogen und beschissen!«

»Na und? Hast du das bei dem Afrikageschäft, das leider, leider in die Hosen gegangen ist, nicht etwa mit Freuden auch getan?«

»Das«, sprach Jakob Formann voll Würde, »war etwas ganz anderes. Ich habe nicht gesagt, daß Jakob Formann überhaupt nicht bescheißt. Aber Jakob Formann bescheißt nicht so, daß er plötzlich die deutsche Steuerfahndung auf dem Hals hat. Die Steuerfahndung, jawohl, du Hund! Und Jakob Formann läßt sich nicht einfach zwanzig Prozent von seinem Generalbevollmächtigten klauen!«

»Aber…«

»Kusch! Die Schiebereien hätte ich auch allein machen können! Aber ich hätte sie so gemacht, daß die Steuer mir niemals an den Karren hätte fahren können, und nicht so wie du, du Arsch von einem Arsch! In Gefahr gebracht hast du mein Lebenswerk durch deine blödsinnigen Sauereien! Und beklaut hast du mich auch noch! Mein Schulfreund und alter Spezi beklaut mich! Um zwanzig Prozent nur! In seiner Bescheidenheit, in seiner wunderbaren!«

»Hör mal, Jakob, als dein Generalbevollmächtigter habe ich dir unzählige Dienste erwiesen, und das ist der Dank?«

»Dank? Bist du wahnsinnig geworden? Die Fahndung, du Hornochse! Verantwortlich bin immer und immer ich, nicht irgendein Generalbevollmächtigter!« Mehr und mehr regte Jakob sich auf. »Und deshalb habe ich ab sofort keinen Generalbevollmächtigten mehr!«

»Aber du hast doch mich…«

»Gehabt! Du bist nämlich soeben gefeuert worden, kapiert? Zwanzig Prozent… Und wenn jetzt die Fahndung kommt… Mensch, ich könnte dich umbringen, du Drecksau! Bis morgen früh bist du hier raus, verstanden? Raus mit dir! Jakob Formann ist seiner Zeit immer um zwei Schritte voraus! Jakob Formann weiß, was ein guter Name und eine weiße Weste in zwei Jahren wert sein werden! Scher dich weg! Von Stund an kenne ich dich nicht mehr! Und wenn du morgen früh nicht verschwunden bist oder irgendwelchen Wirbel machst, zeige ich dich an. Und von alldem, was du Mistvieh da angerichtet hast, habe ich überhaupt nichts gewußt!«

37

Aufrecht, bieder, ein Gentleman vom Scheitel bis zur Sohle, so schritt Jakob durch den Garten vor der Villa des Arnusch Franzl auf die Straße hinaus, wo der gute alte Otto Radtke mit einem Rolls-Royce wartete und nun den Schlag aufriß. Otto bemerkte sofort, daß etwas nicht stimmte. Er fragte erschrocken: »Ist was passiert, Jakob?«

»Das kann man wohl sagen«, antwortete Jakob, auf den Sitz neben Radtke fallend. Otto rannte um den Wagen, kletterte hinter das Steuer und fragte:

»Was denn, um Himmels willen? Jakob! Du siehst ja aus wie der Tod!«
»Ganz in der Nähe von dem bin ich auch«, sagte Jakob schwach. »Ich habe
die größte Enttäuschung meines Lebens hinter mir. Mich hat's grauenhaft
erwischt. Fahr in den BREIDENBACHER HOF nach Düsseldorf...« Er zuckte
zusammen. »Nein, nicht Düsseldorf! Auf keinen Fall Düsseldorf! Fahr
nach Köln, ins DOM-HOTEL!«
»Ich habe gedacht, wir bleiben eine Weile in Bonn, Jakob, und du schläfst
beim Herrn Arnusch.«
»Nenne diesen Namen nie mehr, ich bitte dich herzlich«, sagte Jakob.
»Diesen Mann gibt es nicht mehr für uns. Dieser Mann ist für uns gestor-
ben!«
»Aber was hat er denn angestellt?«
Jakob erzählte seinem Kriegskameraden und Freund Otto Radtke auf der
Fahrt nach Köln, was der Arnusch angestellt hatte. Als er fertig war, sagte
Otto gedankenvoll: »Na ja, ich weiß aber gar nicht, was du hast, Jakob. Das
waren doch prima Ideen!«
»Otto!« Jakob sah seinen Freund entsetzt an. »Hast du denn keinen Funken
Verstand mehr?«
»Wieso Verstand?«
»Mensch, der Arnusch Franzl, der Hund, der hat das alles doch vollkom-
men idiotisch angefangen!« Jakobs Schläfennarbe pochte heftiger und hef-
tiger. »Der bringt mich um Kopf und Kragen! Der bringt mich ins Loch!
Wenn da jetzt die Fahndung auf was draufkommt, ist es aus mit mir! Denn
ich, Otto, ich bin immer noch der Verantwortliche! Ein Generalbevoll-
mächtigter tut ja nichts gegen den Willen des Chefs! Weiß Gott, was der
Arnusch noch gemacht hat! Und zwanzig Prozent für sich!« Jakob stöhnte,
preßte eine Hand gegen das Herz, denn da hatte er einen Stich verspürt.
Er dachte scharf nach.
Also seit drei Jahren hat der Franzl diesen Beschiß gemacht und noch weiß
Gott wie viele andere dazu. Bevor die Fahndung draufkommt, muß ich
mich wenigstens halbwegs schützen. Am besten durch Selbstanzeige!
Nehmen wir an, die Steuer ist – ganz niedrig gegriffen – nur um fünfund-
achtzig Millionen beschissen worden. Dann sind das in drei Jahren...
Zweihundertfünfundfünfzig Millionen!
Großer Gott im Himmel!
Bei einer Selbstanzeige kriege ich die Fahndung auf jeden Fall und dabei
kommen dann die ganzen Geschichten raus, die ich angestellt habe... dazu
Zinsen und Strafe, das macht gut und gerne... Vierhundert Millionen, gut
und gerne.
Gut und gerne?
Das kann ich mir ja nie im Leben leisten! Das bringt mich ja um! Mit mei-
nen Häusern und meinen Flugzeugen und meinen Autos und meinem
Aufwand und mit meiner Natascha, die jetzt neuen Schmuck kauft! Herr-

gott, da muß ich ja Bankdarlehen aufnehmen, um meine Steuern nachzuzahlen! Und mein Ruf in der Branche wäre hin! Also, so geht das nicht! Also...

Also kann ich mich gar nicht selber anzeigen! Sondern muß mit dem ewigen Schrecken leben, daß sie mir von selber draufkommen! Entsetzlich! Unfaßbar, was dieser Schuft, dieser Verbrecher, dieser Arnusch Franzl mir da angetan hat.

Der Schmerz in der Herzgegend wurde stärker und stärker. Und das Atmen fiel Jakob schwerer und schwerer. Er ächzte. Er stöhnte. Er wand sich. Überall brach ihm Schweiß aus. Er konnte gerade noch denken: Jetzt hat der Franzl mir meinen ganzen schönen Krieg versaut.

Nachdem er das gedacht hatte, wurde ihm schwarz vor den Augen, und er kippte gegen Ottos Schulter. Aber das wußte er schon nicht mehr.

38

Mit einem Schrei fuhr Jakob auf. Er lag in einem fremden Bett in einem fremden Zimmer und vor ihm stand ein fremder Mann in einem weißen Mantel. In diesem Zimmer war alles weiß.

»Hilfe!« schrie Jakob Formann.

»Jajaja«, sagte der Mann in Weiß und drückte ihn ganz sanft auf das Kissen zurück. »Ist ja schon gut. Endlich ausgeschlafen?«

»Wer sind Sie?«

Jakob war so sterbenselend zumute wie noch nie.

»Ich bin«, sagte der im weißen Kittel, »Professor Klappke, Arzt vom Dienst auf Ihrer persönlichen Privatstation.«

»Privatstation von was?«

»Von Ihrem Berliner Großklinikum, Herr Formann.«

»Sie... Sie kennen mich?«

»Natürlich kenne ich Sie.«

»Ogottogottogott...«

»Aber was haben Sie bloß?«

»Einen Herzinfarkt natürlich!«

»Keine Spur, Herr Formann!«

»Ich habe einen Herzinfarkt!« regte Jakob sich auf.

»Herr Formann, Sie sind sofort nach der Einlieferung untersucht worden. Gründlichst. Besonders das Herz. Ich wiederhole: Sie haben keinen Herzinfarkt!«

»Und ich bestehe darauf, ich *habe* einen!«

»Sie haben einen... verzeihen Sie... hysterischen Herzanfall erlitten und...«

»Hysterisch? Sie haben hysterisch gesagt?«

»Ja. Das war nicht bös gemeint. Sie hatten wahrscheinlich große Aufregungen. Da passiert so etwas schon einmal.«

»Aber die Schmerzen in der Herzgegend... die Atemnot... meine Ohnmacht... Jetzt erinnere ich mich wieder...«

»Und ich kann nur wiederholen: Sie haben keinen Herzinfarkt, Herr Formann.« Der Arzt mußte mächtig an sich halten. »So glauben Sie mir doch endlich!«

»Wer sind Sie überhaupt?«

»Professor Klappke, wie ich schon sagte, Herr Formann. Oberarzt bei Professor Weidenhaus, Herr Formann. Professor Weidenhaus ist mehr als überlastet. Ich halte hier seit sechs Tagen Wache. Umschichtig natürlich. Mit Professor Johannsen. Es geschieht alles für Sie! Wenn Sie wieder zu sich kommen, soll ich Professor Weidenhaus sofort verständigen...«

»Was heißt ›zu mir kommen‹?«

»Wir haben Ihnen ein paar Spritzen geben müssen, Herr Formann.«

»Spritzen? O Gott! Warum Spritzen?«

»Um Sie zu beruhigen. Damit Sie schlafen. Sie waren überarbeitet. Sie hatten einen kleinen Zusammenbruch.«

»Zusammenbruch?« jaulte Jakob auf. »Jakob Formann ist zusammengebrochen? Was schreiben die Zeitungen? Was sagt das Fernsehen?«

»Ihre kleine Unpäßlichkeit ist geheimgehalten worden.«

»Kleine Unpäßlichkeit?« Jakob empörte sich. »Mann, gefällt es Ihnen hier nicht mehr? Wollen Sie kündigen? Fristlos vielleicht?«

»Herr Formann... Herr Formann... Ich bitte Sie!«

»Bitten mich... bitten mich!« brauste Jakob noch mehr auf. »Da hat man in Berlin ein Großklinikum aus dem Boden gestampft, und wenn man dann selber eingeliefert wird, dann hat man eine kleine Unpäßlichkeit? Unverschämtheit so etwas! Sie werden von mir bezahlt, vergessen Sie das nicht! Ihr alle hier werdet von mir bezahlt, verflucht noch mal! Und dann muß ich mir so was anhören! Kleine Unpäßlichkeit! Wie bin ich überhaupt hierhergekommen? Mir fehlen ja sechs Tage!«

»Mit einem Flugzeug der PAN AMERICAN WORLD AIRWAYS, Herr Formann«, sagte der Professor, der sich entsetzlich zusammennehmen mußte, um Jakob nicht eine zu schmieren. »Ihre eigenen Maschinen dürfen ja nicht durch die Luftkorridore nach Berlin.«

»Wie bin ich in die PAN AM gekommen?«

»Sie... hrm... haben Ihren Zusammenbruch auf der Fahrt nach Köln erlitten...«

»Zusammenbruch, hahaha! Meinen Herzinfarkt!«

»...und Ihr Chauffeur, Herr Radtke, brachte Sie sofort zum Flughafen. Sie tragen doch eine goldene Plakette um den Hals, auf der steht, daß Sie im Krankheitsfall unter allen Umständen sofort hierher in Ihr Berliner Klinikum gebracht zu werden wünschen!«

»Krankheitsfall! Jetzt haben Sie sich verraten! Herzinfarkt! Ich hab's doch gesagt! Herzinfarkt! Was fehlt mir noch?«

»Ihnen fehlt gar nichts, Herr Formann. Wie gesagt: Überarbeitung und…«

»Schweigen Sie! Schweigen Sie augenblicklich! Und bringen Sie mir den Klinikchef! Her mit ihm! Aber sofort, verstanden?«

39

Es gibt Sachen, die darf sich selbst ein so großer Mann wie Jakob Formann nicht erlauben. Mit solchen Sachen bringt er seine Umwelt auf die Palme.

Es gelang dem großen Jakob Formann in den nächsten zwei Stunden, sieben Ärzte von Rang und Namen, ja von Weltruf auf die Palme zu bringen. Es gelang ihm ganz einfach. Nämlich so: Er zieh sie der Unfähigkeit. Er erklärte, jeden Moment sterben zu können. Er bestand auf einer Untersuchung seines Herzens.

Einer Untersuchung seines Herzens?

Auf allen Untersuchungen, die es überhaupt gab!

Wozu hatte sein Großklinikum phantastische Geräte, Apparate und sonstiges diagnostisches Inventar? Bloß, um ausgerechnet ihn nicht damit zu untersuchen?

»Wir werden Sie also untersuchen, lieber Herr Formann«, sagte der Klinikchef Professor Dr. Eberhard Weidenhaus mit gefrorenem Lächeln. Er stand vor Jakobs Bett. Neben ihm standen sechs andere Professoren der verschiedensten Fachgebiete.

»Aber von Kopf bis Fuß!« sagte Jakob Formann, mit zuckender Narbe an der Schläfe.

»Von Kopf bis Fuß«, sagte Professor Dr. Eberhard Weidenhaus gepreßt höflich. »Seien Sie ganz ohne Sorge.« Die versammelten Ärzte wechselten Blicke. Sie besagten nichts Gutes, diese Blicke. Sie hatten nichts Gutes vor, die sieben Ärzte. Sie hatten allerdings auch nicht mit einem Charakter wie Jakob Formann gerechnet…

Sie fingen harmlos an.

Also wieder das Herz. Mit allen Ableitungen, die es gab und noch ein paar dazu, die es nicht gab, damit mehr bunte Kabel mit Saugnäpfen auf Jakobs Brust befestigt werden konnten. Dann nahmen sie Jakob Blut ab. Für ein differenziertes Blutbild und vielerlei andere Tests. Dann Urin. Eine Probe genügte ihnen nicht. Einen ganzen Tag lang wurde jedes Tröpfchen Harn gesammelt. Und damit noch nicht genug. Am frühen Morgen mußte er eine Riesenkanne voll scheußlich schmeckendem Tee hintereinanderweg austrinken und dann jedesmal, wenn er mußte, in ein anderes Glas pinkeln. Sie machten ein Elektroenzephalogramm. Sein Gehirn arbeitete normal.

Sie spritzten ihm eine blaue Flüssigkeit ein, um zu sehen, was mit seiner Leber los war. Eine halbe Stunde nach dem Einspritzen wurde es Jakob totenübel. Sein (tadellos funktionierendes, er hatte es einsehen müssen!) Herz klopfte wild. Na also, dachte er, Leberkrebs. Es war kein Leberkrebs. Die Leber war völlig in Ordnung. Bei solchen Untersuchungsmethoden wird vielen Patienten schlecht. Das sagte ihm – in ihrer Unschuld – vertraulich eine bildhübsche Schwester mit Namen Kirsten.

Prompt begann Jakob abermals vor dem Professor zu lärmen: »Warum haben Sie keine Untersuchungsmethoden, bei denen einem nicht schlecht wird?«

»Sie wollten doch einen kompletten Check-up, Herr Formann!«

»Jawohl, den will ich! Das ist das wenigste, was Jakob Formann in seinem eigenen Großklinikum erwarten darf! Weiter, meine Herren, weiter!«

Also klemmten sie ihm die Nase zu und setzten ihm eine Maske aufs Gesicht und bestimmten seinen Grundumsatz. Völlig normal. Überhaupt alles: o. B., und das heißt: ›ohne Befund‹ und also völlig normal.

»Das gibt es nicht! Ich bin krank! Weiteruntersuchen!« befahl Jakob.

Also machten sie eine hübsche kleine Gastroskopie mit ihm. Da mußte er einen langen Schlauch schlucken. Während er es tat, hatte er Lustgefühle bei dem Gedanken, daß er jeden Moment ersticken würde. Noch größere Lustgefühle überkamen ihn anläßlich der folgenden Rektoskopie. Da wurde ihm so ein Schlauch hinten reingesteckt, um zu sehen, ob mit seinem Darm alles in Ordnung war. Es war alles in Ordnung mit seinem Darm.

»Weiter!« befahl Jakob. »Ich bin krank! Sie haben die Pflicht, die Krankheit festzustellen! Ihre beschworene Pflicht ist das! Das wissen Sie genau! Sie haben schließlich den Eid von diesem Hip… von diesem Hip… den Eid von diesem Dingsda geleistet! Vorwärts! Weiter! Wahrscheinlich sind es die Lungen!«

Also durchleuchteten sie ihn. Machten Röntgenaufnahmen der Lungen. Machten Schichtaufnahmen.

Es kam nichts dabei heraus.

»Dann ist es die Prostata!« zürnte Jakob.

Also untersuchten sie seine Prostata. Das ist eine nicht eben angenehme Untersuchung. Da wird einem eine lange Sonde in das kostbarste Gut geschoben und – na ja, und so weiter. Jakob genoß die Untersuchung. Beleidigt war er, als man ihm erklärte, auch mit seiner Prostata sei alles in Ordnung.

»Dann habe ich einen Tumor«, erklärte er grimmig. »Los, aufmachen den Schädel!«

»Aber das EEG war doch völlig normal…«

»Na und? Was ist schon so ein Scheiß-EEG? Haben wir in Jakob Formanns Großklinikum nichts Besseres?«

»Wir könnten eine kalte Operation machen...«

»Was ist das?« forschte Jakob mit lustbetonten Zügen.

»Schichtaufnahmen des ganzen Schädels mit Röntgenstrahlen.«

Jakob war begeistert.

»Na los, los, los, meine Herren! Worauf warten Sie noch? Ein bißchen Beeilung, wenn ich bitten darf!«

Also Schichtaufnahmen des ganzen Schädels.

Kein Tumor. Jakob war beleidigt.

»Kann man auch Schichtaufnahmen vom ganzen Körper machen? Von allen Organen?«

»Ja, das kann man natürlich, aber wirklich, Herr Formann...«

»Nichts ›aber wirklich, Herr Formann‹! Geht es hier um Ihr Leben oder um das meine?«

Das trieb er eine Woche so weiter.

Heraus kam: Jakob war kerngesund.

Als man ihm das sagte, begann er zu toben.

»Kerngesund! Daß ich nicht lache! Sie finden meine Krankheit nicht! Scharlatane sind Sie! Und so was bezahlt Jakob Formann! Ungeheuerlich! Weiteruntersuchen!«

Sie untersuchten ihn weiter. Der erste, der zusammenklappte, war Professor Klappke. (Dem Namen nach hatte er das größte Recht dazu!) Andere Herren folgten.

Jakob forderte neue Untersuchungen und amerikanische Spezialisten an, die eingeflogen wurden. Er schaffte auch die amerikanischen Spezialisten. Zuletzt war das Funktionieren der Anstalt gefährdet – immer mehr Ärzte verloren ihr seelisches Gleichgewicht.

Professor Dr. Eberhard Weidenhaus berief einen Großen Krisenstab ein. Man bedachte stundenlang, was man mit Jakob Formann tun könne, damit dieser nicht Gesundheit und Leben aller Ärzte des Großklinikums gefährde. Weidenhaus hatte die erlösende Idee.

»Abführmittel! So viel Abführmittel, wie in den Kerl reingehen!«

Ein Jubelruf aller Anwesenden!

»Aber kein Mensch sagt auch nur ein einziges Wort von Abführmitteln! Kein einziges Wort!«

Eine Viertelstunde später bekam Jakob dann die erste große Portion Abführmittel. Zwei Stunden später die nächste. Zwei Stunden später saß er dann auf dem Klo.

Er saß – mit kleinen Unterbrechungen – fünf Tage lang auf dem Klo und verlor in dieser Zeit elf Kilogramm Gewicht. Sein Gesicht war totenbleich, die Hände zitterten, die Beine schlotterten, er konnte sich nur an der Wand entlang zwischen Bett und Klo hin und her bewegen, und wenn er im Bett lag, schlief er sofort ein. Abführmittel in hohen Dosen machen nämlich auch noch ungemein müde.

Sie machten Jakob eine ganze Woche lang ungemein müde. Danach fühlte er sich so wie ein nasses Handtuch, wenn ein nasses Handtuch sich wie ein nasses Handtuch fühlen könnte. Jetzt war ihm nicht mehr schlecht. Jetzt war er nur ungeheuer traurig, denn er hatte einsehen müssen, daß er kerngesund war.

Diese Trauer dauerte an bis zum 21. August 1962. Am Abend des 21. August 1962 kam die bildhübsche Schwester Kirsten in sein Zimmer, lächelte verführerisch und meldete einen Besuch an.

40

»Tag, Chef«, sagte Klaus Mario Schreiber. Er schüttelte dem entgeisterten Jakob kräftig die Hand. Schreibers Akne war verschwunden, nur noch kleine Narben erinnerten an sie. Er hatte eine gesunde Gesichtsfarbe, ein freundliches Gebaren, und er trug einen Morgenmantel über dem Pyjama.

Unser Freund holte röchelnd Luft.

»Schreiber!« ächzte er überwältigt. »Wie kommen Sie hierher? Meinetwegen?«

»Nicht direkt.«

»Was heißt ›nicht direkt‹?«

»Na ja«, sagte Schreiber, »ich liege auch hier drin in diesem Großklinikum.«

»Sie auch? Seit wann?«

»So acht Wochen werden es wohl sein. Ich stehe vor der Entlassung.« Schreiber setzte sich und schlug die Beine übereinander.

»Entlassung?« Jakob war entsetzt. »Sind Sie krank gewesen?«

»Ziemlich, Chef.«

»Der... Entschuldigen Sie, Schreiber... der Suff, was? Der Suff hat Sie endlich geschafft, wie?«

»Ja, Chef. Mitten in der Arbeit, an einem neuen Roman noch dazu. BIS ZUM LETZTEN TROPFEN heißt er. Jetzt werde ich ihn fertigschreiben. Aber beim LETZTEN TROPFEN, da ist es von einer Sekunde zur anderen gekommen! Ich habe immer gesagt, solange ich schreiben kann, kann ich auch saufen. Wenn ich nicht mehr schreiben kann, höre ich einfach mit dem Saufen auf. Habe ich gesagt. Und gedacht. War nur nicht so. Die meisten Sachen im Leben kommen ganz anders, als man sie sich vorstellt. Beim Schreiben bin ich umgekippt. Einfach umgekippt! Na ja, und weil Sie doch angeordnet haben, daß alle Ihre Mitarbeiter hierher nach Berlin gebracht werden, wenn sie krank sind, in Ihr Großklinikum, haben sie auch mich hergebracht – in einem Flugzeug, höre ich. Ich weiß nichts davon. In meinem Leben fehlen vier Tage.«

»Bei mir sind es sechs, Schreiber«, sagte Jakob erschüttert. »Was war's denn bei Ihnen? Delirium?«

»Fast, Chef. Fast. Es ist dann bei Halluzinationen geblieben. Akustischen. Dauernd habe ich Stimmen gehört. Unangenehme Sachen haben die gesagt. Die Stimme vom Kaiser-Wilhelm-Gedächtnis-Ärmchen. Von Frau Doktor Malthus. Von meinen letzten vier Freundinnen.«

»Sie haben vier Freundinnen in letzter Zeit gehabt?«

»Nicht in letzter Zeit, Chef. Alle auf einmal. Darum war da ja auch alles so unangenehm, was ich zu hören glaubte. Na, lassen wir das. Es ist vorbei. Ich brauche noch eine Weile Psychotherapie, dann bin ich wieder okay. Ich habe ein Riesenschwein gehabt, Chef. Der Arzt, der mich in der Psychiatrischen Abteilung behandelt hat, ist wirklich der beste Psychiater, den es gibt!«

»Jakob Formann hat nur die besten Ärzte, Schreiber.«

»Ja, ja, schon. Aber der Arzt, der mich wieder hingekriegt hat, das ist wirklich ein Genie! Der hat eine ganz große Zukunft vor sich. Wissen Sie, was das tollste ist? Wir sind zusammmen in die gleiche Schule gegangen! Haben uns dann nie mehr gesehen. Erst wieder hier. Das ist vielleicht ein Kerl, Chef. Der hat mich übern Berg gebracht – für immer.«

»Hoffentlich«, murmelte Jakob. »Ich will Sie nicht erschrecken, aber die Rückfallquote bei Alkoholikern ist...«

»... sehr hoch, ich weiß. Und ich würde ja auch bestimmt rückfällig werden, sagt der Cornel – so heißt dieser Psychiater mit dem Vornamen, wissen Sie, Chef –, wenn ich nicht ein so feiges Schwein wäre.«

»Sie sind doch kein feiges...«

»Haben Sie eine Ahnung, was für eines, Chef! Wenn ich nicht so feige wäre, hätte ich doch mein Leben lang nie so schreiben können! Die Mutigen, das sind die, die keine Phantasie haben, die sich nicht vorstellen können, was möglich wäre. Besonders die Helden – also das sind die größten Idioten! Aber ich, ich habe mir immer alles vorstellen können, das Verrückteste, Abenteuerlichste, Schlimmste.«

»Und es aufgeschrieben.«

»Und es aufgeschrieben. Und da sagt jetzt der Cornel, mein Schulfreund: Klar würdest du sofort wieder saufen, wenn du nicht ein so feiges Schwein wärst und dir jetzt in Erinnerung an deine Halluzinationen und all das andere Unangenehme beständig in die Hosen scheißen würdest. Vielleicht wirst du noch haschen oder koksen oder fixen oder LSD nehmen – aber niemals im Leben mehr Whisky. Denn vor dem hast du jetzt eine viel zu große Angst! Toller Kerl, wie?« Schreiber schüttelte den Kopf. »Ich quatsche dauernd von mir. Deshalb bin ich nicht zu Besuch gekommen, Chef.«

»Na, ich freue mich aber doch, Schreiber! Nur eines ist mir unheimlich. Sind Sie wirklich der Schreiber? Haben Sie keinen Zwillingsbruder?«

»Nein, warum, Chef?«

»Der Schreiber, den ich gekannt habe, der alte Saufaus, der hat immer ge-
stottert, aber wie!«
»Das war ich, Chef! Ich!«
»Sie? Und jetzt... jetzt reden Sie ganz fließend?«
»So ist es, Chef. Nach der Entwöhnungskur war es mit der Stotterei vorbei.
Weiß ich, warum! Zuerst habe ich auch einen mächtigen Schreck gekriegt
und gedacht, ich bin nicht mehr der alte und werde nie mehr schreiben
können ohne Saufen und Stottern, aber das hat mir der Cornel dann ausge-
redet.«
»Unglaublich! Meinen herzlichsten Glückwunsch!«
Schreiber wurde ernst.
»Sie haben einen hübschen kleinen Zusammenbruch gehabt, höre ich.«
»Habe ich auch. Die Idioten hier sagen zwar, ich bin vollkommen gesund,
aber ich fühle mich nicht so«, bekannte Jakob. »Ich fühle mich beschissen!
Kommen Sie mal näher, Schreiber. Noch näher, ich muß es Ihnen ins Ohr
sagen, es darf kein anderer hören...«
»Um was handelt es sich denn?«
»Ich habe solche entsetzlichen Schuldgefühle!«
»Weshalb?«
»Wegen einer Steuergeschichte!«
»Was für eine Steuergeschichte?«
Jakob flüsterte in Schreibers Ohr...

41

»Jetzt hören Sie mir mal gut zu, Chef«, sagte Schreiber sechs Minuten später. »Da muß ich Ihnen sofort etwas Lustiges erzählen. Mir hat es der Cornel erzählt. Also: Vater und Mutter kommen zum Psychiater. Vollkommen verzweifelt. Warum sind Sie so verzweifelt? fragt der Psychiater.
Wegen unserem Sohn, Herr Doktor. Was fehlt denn dem Herrn Sohn? Er
pischt jede Nacht ins Bett, Herr Doktor. Na ja, na ja, sagt der Doktor, das
tun viele. Wie alt ist denn Ihr Sohn? Fünfzehn, Herr Doktor. Hm, hm, hm,
sagt der Psychiater. Da ist er schon ein bißchen zu alt dafür – eigentlich!
Das ist es ja, heult die arme Mutter los. Deshalb hat der Bub ja auch so
entsetzliche Schuldgefühle! Daraufhin sagt der Psychiater: Also, passen Sie
auf, wir werden das schon in Ordnung bringen. Schicken Sie mir Ihren
Herrn Sohn her, sagen wir morgen um vier. Danke, Herr Doktor, sagt der
Vater. Und am nächsten Tag um vier kommt der Sohn zum Psychiater.
Große Zeitblende! Ein dreiviertel Jahr später trifft der Psychiater den Vater
auf der Straße. Hallo, ruft er. Wie geht's? Ausgezeichnet, strahlt der Vater.
Und wie geht es dem Herrn Sohn, den ich behandelt habe? Auch ausge-
zeichnet, lieber Herr Doktor, wir werden Ihnen nie genug danken können!

Ah, sagt der Psychiater mit stolzer Bescheidenheit, meine Behandlung hat also hingehauen? Und wie! jubelt der Vater. Und wie, Herr Doktor! Also, der Herr Sohn pischt nicht mehr ins Bett? fragt der Arzt. Schaut ihn der Vater groß an und sagt: Aber natürlich pischt er noch ins Bett, Herr Doktor. Nacht für Nacht! Wie früher! Aber jetzt ist er *stolz* drauf! Und Schuldgefühle hat er überhaupt keine mehr!« Schreiber verschluckte sich bei seinem Heiterkeitsausbruch. »Gut, was? Schuldgefühle hat er überhaupt keine mehr!«

Jakob lag ganz still.

»Was ist denn? Hat Ihnen der Witz nicht gefallen?«

»Nein, Schreiber«, sagte Jakob.

»Wieso nicht?«

»Sie wollten mich trösten, das war lieb von Ihnen. Aber sehen Sie, wenn Sie diese Geschichte da erzählt haben, um den Herrn Sohn mit mir zu vergleichen – dann stimmt das nicht! Ich habe nie ins Bett gepischt, und trotzdem habe ich Schuldgefühle, das ist ja das Entsetzliche!«

»Nie ins Bett... Ah, Sie meinen, Sie haben nie die Steuer beschissen!«

»So ist es. Das hat doch der Arnusch Franzl gemacht!«

»Na, den haben Sie doch aber rausgefeuert, Chef!«

»Stimmt. Aber ich kann das, was er ins Bett ge... äh, was er gegen die Steuer verbrochen hat, nicht mehr gutmachen. Sonst bin ich pleite.«

Schreiber schlug auf die Bettkante.

»Jetzt übertreiben Sie aber, Chef! Jetzt machen Sie Theater, jetzt reden Sie sich in was hinein!« Klaus Mario Schreiber neigte sich über Jakob. »Chef, Sie müssen raus aus diesem Teufelskreis! Ich, ich habe ja inzwischen auch ein bißchen Psychiatrie gelernt – nicht freiwillig. Sie reden sich da in einen Schuldkomplex hinein! Mehr und mehr! Das dürfen Sie nicht tun! Sie gehen mir ja sonst noch zugrunde! Die Steuer hat der Arnusch beschissen und nicht Sie! Das müssen Sie sich hundertmal am Tagen sagen! Und auch das: Ich habe es nicht gewußt. Mich trifft daran keine Schuld. Als ich es wußte, habe ich den Kerl sofort rausgeschmissen. Daß ich den Schaden nicht mehr gutmachen kann, ist auch nicht meine Schuld, das liegt an der Zeitentwicklung, an den Umständen... So müssen Sie denken, Chef! Sie sind doch ein großer Mann! Der größte, den ich kenne! Und das wollen Sie doch noch lange bleiben – oder?«

»Eigentlich schon«, sagte Jakob nach gründlichem Überlegen.

»Eben. Übrigens komme ich gerade deshalb zu Ihnen!«

»Weshalb?«

»Ich muß mit Ihnen reden. Grundsätzlich. Ich werde mein Leben ändern. Sie müssen auch manches in Ihrem Leben ändern. Die Zeiten sind nicht mehr so, wie sie waren. Oder vielleicht sind sie es noch, aber sie werden es nicht mehr lange bleiben.«

Jakob fuhr hoch.

»Sie meinen, es wird einen wirtschaftlichen Rückschlag geben?«
»Wird?« Schreiber schüttelte den Kopf. »Muß, Chef, muß! Oder meinen
Sie, mit unserem Schlaraffenparadies geht das immer so weiter und wei-
ter?«
»Hm...« Jakob sah Schreiber grübelnd an. »Ich kann es noch immer nicht
fassen, daß Sie nicht mehr saufen und nicht mehr stottern«, sagte er.
»Es wird bald eine Zeit kommen, in der viele vieles nicht fassen können,
Chef! Schauen Sie: Wir überreißen einfach alles. Wir glauben hier in
Deutschland, uns ist keiner gewachsen, wir können immer und immer so
weitermachen! Das ist der große Irrtum! Bei Ihren vielen anderen Ge-
schäften, da kenne ich mich nicht aus. Aber bei OKAY schon!«
»Die Auflage von OKAY ist so hoch wie noch nie!«
»Eben drum.«
»Was ›eben drum‹?«
»Eben drum müssen Sie OKAY verkaufen«, sagte Klaus Mario Schreiber.

42

»Verkaufen?« echote Jakob Formann.
»Und zwar gleich! Jetzt, wo Sie noch am meisten dafür kriegen! Jeder Auflage sind Grenzen gesetzt. Bei OKAY ist diese Grenze erreicht, wenn nicht
schon überschritten. Die Auflage kann nur noch fallen – und wenn wir
noch so gut sind! Gute Illustrierte werden bald schon nicht mehr gefragt
sein, Chef! Die Zeiten haben sich auch hier geändert! Alles hat sich geändert, Chef, alles!«
»Zum Beispiel was, Schreiber?«
Schreiber sagte (in fließender Sprache und mit melodiöser Stimme), was
sich zum Beispiel geändert hatte, obwohl es den Deutschen noch wie Gold
ging...
Also zum Beispiel:
In der Stahlindustrie wurden Massenentlassungen für das übernächste Jahr
erwogen.
Bonns jüngstes Volksaktien-Papier VEBA war auf dem besten Wege, unter
die Ausgabequote zu sinken.
Das Bundeswirtschaftsministerium sagte für die Bundesrepublik Deutschland voraus, daß die Wachstumsrate von noch 4,4 Prozent auf 3,4 Prozent
zurückgehen würde.
Im Jahresbericht der Industrie- und Handelskammer Dortmund hieß es,
daß zwar noch alles in Ordnung sei, daß indessen schon das Jahr 1966 ›erst-
malig eine echte Krise‹ bringen könne. Das Investitionsklima sei schon
merklich abgekühlt, außerdem müsse mit scharfen Arbeitskämpfen gerechnet werden...

»...und so weiter und so weiter«, sprach Klaus Mario Schreiber. »Diese Warnsignale für die nahe Zukunft – ich interessiere mich sehr für Wirtschaft, wissen Sie, Chef – werden sehr bald eine Wohlstandsgesellschaft beunruhigen, für die der Konsum längst nicht mehr nur der Abwehr materieller Not dient!«

Jakob war nachdenklich geworden.

»Erinnern Sie sich, Chef!« bat Schreiber. »1947 haben sich die Menschen noch mit Tonseife den Dreck vom Körper geschabt. Im nächsten Jahr, so die Voraussage, werden sie eintausendundzweiunddreißig Millionen Mark für Körperpflegemittel ausgeben. Das geht überall so! Erich Kuby, dieser prima Kerl und gescheite Autor, hat über ›die Plage mit dem Wohlstand‹ geschrieben, und daß ihretwegen die ›Zeit der schönen Not‹ vergessen worden ist! Die Alten unter den Wunderkindern sind ohnedies der Ansicht, daß das alles auf die Dauer nicht so weitergehen kann! Die erinnern sich noch an die Zeit, in der in Frankfurt Vitaminpillen verteilt worden sind und ein Göttinger Universitätsprofessor der Bevölkerung geraten hat: ›Schlaft mehr und geht früher ins Bett, denn dadurch spart ihr Kalorien!‹«

Jakob schüttelte den Kopf.

»Schreiber, Sie gefallen mir nicht. Ihnen fehlt der Whisky. Besoffen waren Sie immer so lustig und optimistisch. Jetzt, nüchtern, sind Sie ein altes Klageweib, das mir Angst machen will!«

»Ich will Ihnen keine Angst machen, Chef. Ich habe Sie sehr, sehr gerne. Sie waren immer gut zu mir. Ich will Sie warnen und beschützen.«

»Das ist lieb von Ihnen, aber Sie übertreiben!«

»Ich übertreibe gar nicht!« Schreiber regte sich auf. »Erinnern Sie sich! 1947, im Hochsommer, hat man in Deutschland – einmalig in der Welt! – ein sogenanntes ›Speisekammergesetz‹ erlassen! Den letzten Brotkrümel hat man deklarieren müssen! Die feinsten Leute haben in städtischen Parks Brennholz gestohlen. Und haben eine ›Kochhexe‹ gehabt – ein abgeschnittenes Ofenrohr! Und darauf haben sie sich aus Grieß, Zwiebeln und, so sie hatten, etwas Fett in zerbeulten Töpfen die sogenannte ›falsche Leberwurst‹ gemacht! Die haben sie dann auf Soja- oder auf Maisbrot gepappt! Heute? Schauen Sie sich die anderen Großen im Land an! In zehn Jahren haben wir vierhundertfünfzig Millionen Tonnen Beton verbaut! Das würde ausreichen, eine zwei Meter hohe Mauer zweimal rund um die Erde zu ziehen! Jedermann braucht heute sein Eigenheim! Seinen Grill im Garten! Sein Auto – aber immer das neueste und teuerste!«

Jakob sah Schreiber unfreundlich an.

»Und was ist da falsch dran?«

»Daran ist noch gar nichts falsch, Chef! Aber bei uns ist die alte Volkskrankheit wieder ausgebrochen: Wir sind maßlos geworden!«

»Nun übertreiben Sie aber, Schreiber!«

»Übertreiben? Ich untertreibe, Chef! In keinem Land der Welt – außerhalb

der USA und Kanadas – wird heute kürzer gearbeitet! 1952 noch achtundvierzig Stunden in der Woche! Jetzt blasen die Gewerkschaften bereits zum
Sturm auf die Fünfunddreißig-Stunden-Arbeitswoche!«

»Wirklich, Schreiber, nüchtern sind Sie kaum zu ertragen!«

»Mir hat's in diesem Land besoffen auch besser gefallen, Chef! Aber ich
habe einfach aufhören müssen! Und da sehe ich jetzt zu meinem Kummer:
Wir sind zu frech, wir sind zu fett, wir sind zu unverschämt geworden!
Und das hat Folgen! Die Aktienkurse sinken bereits! Unser Außenhandel
saust runter, daß es eine wahre Pracht ist! Stahl- und Bauwirtschaft gelten
nicht mehr als impulsgebende Industrien!«

»Schreiber, jetzt hören Sie aber endlich auf, alles mies zu machen! Es geht
uns so blendend wie nie zuvor«, sagte Jakob streng.

»Noch, Chef, noch! Noch haben wir genügend Gold- und Devisenreser-
ven! Noch kommen wir mit denen auch durch eine große und lange Flaute!
Nur zu lange darf die nicht dauern!«

Jakob war plötzlich nachdenklich geworden.

»Na ja«, sagte er, »das ist natürlich alles wahnsinnig übertrieben, was Sie
da von sich gegeben haben, Schreiber, aber ein bißchen zu wild fahren tun
wir schon. Ich muß mich auf einige große Projekte konzentrieren. Ich darf
mich nicht zersplittern. Sie haben recht: Ich muß OKAY verkaufen, solange
die Auflage noch so hoch ist und ich am meisten bekomme. Aber was machen Sie dann? Ich meine – entschuldigen Sie –, von Ihren Büchern können Sie doch immer noch nicht leben!«

Der Ex-Trunkenbold stand auf und blickte Jakob tragisch an.

»Was ist jetzt los?« fragte Jakob. »Was soll der tragische Blick?«

»Es bricht mir fast mein gottverdammtes Herz, Chef, aber wir haben Ihnen
noch etwas zu sagen.«

»Wir? Was heißt ›wir‹?«

»Ich bin nicht allein gekommen. Ich bin zu zweit gekommen. Aber ich habe
zuerst mit Ihnen allein reden wollen, um zu sehen, ob Sie auch in der Verfassung sind ...«

»In was für einer Verfassung?«

»In einer genügend guten ...« Schreiber war plötzlich verlegen.

»Ich bin in einer genügend guten Verfassung!« Der alte Jakob war wieder
da. »Mit Ihrem blöden Witz haben Sie mir tatsächlich geholfen!«

»Sie haben keine Schuldgefühle mehr?«

»Nicht die geringsten! Morgen haue ich hier ab! Und verkitsche die OKAY!
Nun sagen Sie mir schon, was Sie mir zu sagen haben! Es wird mich nicht
umhauen! Holen Sie den zweiten Mann rein, mit dem Sie gekommen sind
– wer immer es ist!«

Klaus Mario Schreiber nickte, ging zur Tür, öffnete sie und machte jemandem, der auf dem Gang draußen stand, ein Zeichen, einzutreten. Der
zweite Mann trat ein und blieb bei der Tür stehen. Es war nur kein Mann.

Es war eine Frau. Und das haute unsern Jakob doch fast um. Ein Glück, daß er schon im Bett lag!

»Guten Tag, lieber Jakob«, sagte die blonde Claudia Contessa della Cattacasa.

43

»O hallo, Claudia«, sagte Jakob, charmant lächelnd. »Das ist aber eine freudige Überraschung!«

»Hoffentlich.«

»Hoffentlich was?«

»Hoffentlich wird's auch eine freudige Überraschung bleiben.«

»Da bin ich ganz sicher, mein liebes Kind! Großartig siehst du aus!«

»Hör mal, Jakob, ich muß dich was fragen.«

»Immer jünger wirst du, mein liebes Kind«, lärmte Jakob.

»Ich muß dich fragen, ob du dich noch an unser Gespräch in deiner Villa auf Cap d'Antibes« – CHÂTEAU NATASCHA brachte Claudia einfach nicht über die Lippen – »erinnerst.«

»Jakob Formann erinnert sich an jedes Gespräch. Welches meinst du, liebes Kind?« forschte er, während Schreiber sich dezent in den Hintergrund zurückzog.

»Ich meine das Gespräch, bei dem du dich so bedankt hast für meine ganze Mühe beim Bau der Villa. Vor dem Fest. Als wir von dem Violetten gesprochen haben.«

»Natürlich erinnert Jakob Formann sich an dieses Gespräch, mein liebes Kind. Möchtest du, daß ich mich an das ganze erinnere oder nur an eine bestimmte Stelle?«

»Nur an eine bestimmte Stelle«, sagte die Contessa. Sie schob das Kinn vor. »Du hast mich in deiner Dankbarkeit gefragt, ob ich einen Wunsch habe, den du mir erfüllen wolltest, und ich habe dir gesagt, ich würde schon noch einmal einen Wunsch haben. Erinnerst du dich?«

»Jakob Formann erinnert sich, liebes Kind.«

»Dann ist es gut. Jetzt hätte ich nämlich einen Wunsch.«

»Aha. Und welchen?«

»Von dir Abschied zu nehmen und fortzuziehen.«

»Aha.«

»Und fortzuziehen mit Klaus.«

»Mit wem?«

»Mit dem da!«

»Ach so, mit dem Schreiber. Warum sagst du das denn nicht gleich?«

»Ich sage es dir ja gleich, Jakob. Klaus und ich gehen jetzt fort. Zusammen. Für immer. Wir lieben uns, wenn du den Ausdruck verzeihst«, sagte Claudia. So etwas wie eine kleine Stunde der Rache war gekommen. Sie fuhr fort: »Du hast ja deine geliebte Natascha. Du bist nicht allein und verlassen. Darum sei uns nicht böse, wenn wir jetzt gehen. Das ist mein Wunsch, da hast du ihn.«

Donnerwetter, dachte Jakob verblüfft. Vor etwa einem Jahr, in Rostow, am stillen Don, hat mir BAMBI gesagt, daß sie den Jurij Blaschenko liebt und in der Heimat aller Werktätigen bleiben und den Jurij heiraten will, weil sie ihn so liebt und er sie, und da habe ich gedacht: Also eine bin ich los. Hoffentlich wird das mit der anderen auch so glatt gehen. Herrschaften, glatter kann es nun aber wirklich nicht gehen! Trotzdem darf ich jetzt nicht beispielsweise zu jodeln beginnen. Sei ernst, Jakob, seriös und feierlich!

Seriös, feierlich und ernst sagte Jakob: »Ja, wenn das euer Wunsch ist, dann muß ich ihn natürlich respektieren.«

Claudia schluckte schwer.

»Was hast du denn noch, Claudia?« forschte er.

»Weil du ein so großartiger Mann bist, Jakob«, sagte die Contessa della Cattacasa bewegt. »Weil du sofort den Weg freigibst für eine wunderbare Liebe, wie sie Mario und mich verbindet.«

»Hör mal, wie redest du denn, Claudia? Du hast doch immer ein Schandmaul gehabt und geschweinigelt und geflucht wie drei Matrosen! Und jetzt fängst du mit diesem Lore-Roman-Quatsch von der so wunderbaren Liebe an! Was soll denn das?« fragte Jakob und dachte: Jajaja, prima glatt ist es mit der zweiten gegangen. Aber ist das eigentlich wirklich Grund zum Jubilieren? Früher habe ich immer gefunden, daß mich ein paar Weiber auf einmal mehr zieren als nur eine einzige. Jetzt geht der Umsatz zurück. Verflucht, und ich bin doch wirklich nicht alt! Und meine Schlittenfahrten, meine Chinesischen? Oder... oder, dachte er bange, lasse ich nach? Mechanisch fuhr er sich durchs Haar und schob, was er erwischen konnte, gegen den Mittelscheitel. Man kann es drehen und wenden, wie man will, dachte er, aber in diesem einen Jahr ist die kleine Glatze um eine kleine Kleinigkeit größer geworden...

Während er das gerade dachte, sagte Schreiber, neben Claudia tretend: »Wir lieben einander unendlich, Chef, und wir wollen heiraten.«

»Ihr wollt was?« Ogottogottogott. Fest zusammenpressen den Schließmuskel. Das Aufs-Klo-rennen-Müssen war doch schon vorüber. Wenn es jetzt wiederkommt und ich aus dem Bett springe und ins Badezimmer sause, versaue ich denen ihre ganze schöne, rührende Familienszene. Jakob preßte, so sehr er konnte. Der Druck ließ nach.

»Hören Sie, wenn Sie so einen Satz jemals in OKAY geschrieben hätten, hätte ich Sie sofort gefeuert!« sagte Jakob. »Sowas von Kitsch! Vielleicht haben Sie sich doch das Gehirn weichgesoffen?«

»Gewiß nicht, Chef. Wir lieben einander wirklich unend...«

»Jetzt langt's, Schreiber!«

»Aber so ist es, Jakob«, sagte Claudia. Sie schlang die Arme um Schreiber. Er schlang die seinen um sie.

Das war zuviel! Alles Pressen half nichts angesichts dieses Anblicks.

Jakob sprang aus dem Bett und raste ins Badezimmer. Nach einer Weile kehrte er erleichtert wieder. Im Pyjama blieb er vor den Liebenden stehen.

»Entschuldigt die Unterbrechung. Sie war nicht zu vermeiden. Seit wann geht das denn schon mit euch?«

»Seit Ihrem Fest auf Cap d'Antibes, Chef. Da haben wir uns kennen und lieben gelernt, in dieser wundervollen Sommernacht…«

»Aus! Schluß! Kein Wort weiter, Schreiber! Sonst fängt es bei mir wieder an!«

»Entschuldigen Sie, Chef«, sagte Schreiber. Und zu Claudia: »Ich habe dir gleich gesagt, er ist noch zu schwach, Liebste, wir dürfen es ihm noch nicht gestehen.«

»Ich bin nicht zu schwach!« rief Jakob verärgert. »Also, ihr habt euch schon damals ineinander verkracht, ja?«

»Ja, Chef.«

»Und auch gleich…«

»Und auch gleich, Chef, ja. Es war ein coup de foudre.«

»Was war's?«

»Ein Blitz aus heiterem Himmel. So hat uns die Liebe überfallen.«

»Reden Sie gefälligst anständig mit mir, Schreiber, ja?« Jakob setzte sich aufs Bett und ließ die Beine mit den nackten Füßen baumeln. Na ja, dachte er, erst BAMBI, jetzt Claudia. Sehr angenehm. Allerdings: Komplimente sind das keine für mich! Nicht ums Verrecken fahre ich mir wieder durchs Haar, obwohl es da oben plötzlich wie verrückt juckt. Scheiß drauf! Ich habe meine Natascha, das ist die Hauptsache! Und wenn die beiden da unbedingt an ihre Liebe glauben…

»Tja, also, wenn ihr glaubt, daß ihr euch liebt…«, begann er, und Claudia unterbrach ihn: »Wir glauben es nicht, mein Jakob. Wir wissen es.«

»Aha«, sagte Jakob, auf dem Bett sitzend, die Zehen bewegend. »Also dann meinen herzlichsten Glückwunsch, ihr beiden!«

»Bitte, sei jetzt nicht zynisch und verbittert, Jakob!« sagte die blonde Claudia.

»Bin ich gar nicht! Ich meine es ganz ernst.«

Claudia konstatierte: »Du bist doch wahrhaft ein wunderbarer Mann, Jakob.«

»Ach, Scheiße«, sagte dieser herzhaft. »Reden wir mal Tacheles. Ihr wollt also heiraten?«

»Ja.« (Im Duett)

»Und wovon wollt ihr leben?« Jakob hustete. »Entschuldigt die brutale Frage, aber auch wenn zwei sich unendlich lieben, brauchen sie Geld. Wenigstens ein bißchen.«

»Wenigstens ein bißchen haben wir«, gab Claudia bekannt. »Durch deine Güte.«

»Was hast du gesagt?«

»Durch deine Güte, habe ich gesagt. Schau mal, Mario hat bei dir ein irrsinniges Geld verdient und einiges zurückgelegt, du, du hast mir irrsinnige Geschenke gemacht – Schmuck, Kleider, Pelze, ein Auto –, damit kommt man schon eine Strecke.«

»Und nach der Strecke?«

»Ich habe einen Roman in Arbeit, Chef«, sagte Schreiber. »Ich schreibe jetzt nur noch für mich. Romane und Geschichten. Ich habe genug von Zeitungen. Zeitungen sind prima für einen Autor – aber er muß wissen, wann er aufhören soll. Ich weiß es. Und Sie verkaufen die OKAY jetzt ja doch. Unter einem anderen Verleger hätte ich ohnedies nicht gearbeitet.«

»Und wenn der Roman kein Erfolg wird?« fragte Jakob, jetzt ehrlich besorgt.

»Er wird ein Erfolg werden!« sagte Claudia fest.

»Jajaja«, sagte Jakob. »Und wenn nicht?«

»Im nächsten Monat kommt der HUMMER heraus, Chef. Von dem versprechen sich alle sehr viel.«

»Wer kommt raus?«

»ES MUSS NICHT IMMER HUMMER SEIN! Als Buch! Claudia hat gesagt, das muß unbedingt als Buch erscheinen! Mein Verleger ist ganz meschugge damit! Wir haben schon vierzehn Übersetzungsverträge – bevor die deutsche Ausgabe erschienen ist!«

»Donnerwetter, Schreiber!«

»Und dann hat Mario ein Theaterstück geschrieben – im Rahmen eines Autorenwettbewerbs. Gestern haben wir die Nachricht erhalten: Das Stück hat den ersten Preis bekommen! Die Premiere ist in drei Monaten.«

»Ein Theaterstück?« Jakob sah Schreiber ehrfürchtig an. »Donnerwetter! Haben Sie das noch unter Suff geschrieben?«

»Ja, Chef. Nachts. Wenn ich ganz voll war. Wenn mir alle den Buckel runterrutschen konnten und ich keine Rücksichten mehr auf Inseratenkunden, Schornsteinfegerinnungen und Kaninchenzüchterverbände nehmen mußte.«

»Wie heißt das Stück denn?«

»DER SCHULFREUND, Chef. Ein lustiges Stück, das eigentlich zum Heulen ist.«

»Schreiber«, sagte Jakob, »ich bin stolz auf Sie! Und stolz darauf, daß Sie so viele Jahre lang für mich gearbeitet haben. Denn jetzt glaube ich auch, daß Sie mit Ihren Romanen Erfolg haben werden, und nicht nur in Deutschland.«

»Deshalb gehen wir aus Deutschland ja auch weg, Jakob«, sagte Claudia.

»Ihr... was?«

»Weißt du, ich habe von meinen Eltern – sie sind lange tot – ein Haus geerbt, in Monte Carlo. Es ist wahrscheinlich ganz verkommen, ich war jahrelang nicht dort. Aber es ist groß genug für uns zwei, und wir werden es herrichten lassen. Und dann, Jakob, dann ... direkt am Meer liegt das Haus, weißt du, und Mario wird Ruhe und Frieden haben und sich nicht mehr kaputtmachen lassen müssen in diesem irren Wirbel ...«

»Das ist sehr vernünftig«, sagte Jakob und dachte plötzlich: Ich habe da unten an der Riviera einen Palast! Ich habe einen Haufen Paläste und Villen und Chalets. Aber wo bin ich eigentlich zu Hause? Es muß schön sein, so ein kleines Haus in Monte Carlo, direkt am Meer, und Ruhe und Frieden und nicht diesen irren Wirbel, in dem ich lebe. Ich erinnere mich noch, wie glücklich ich in diesem Drecksnest Theresienkron da bei Linz gewesen bin, damals, gleich nach dem Krieg, mit dem ...«

Um Himmels willen! Nur nicht an den Hasen denken! Schnell, schnell an etwas anderes denken! Etwas tun! Er tat etwas. Er packte Schreiber bei den Ohren, zog ihn zu sich herab und küßte den Verblüfften auf die Wangen. Dann küßte er Claudia. Auf den Mund. Und sagte: »Ihr zwei Glücklichen! Recht habt ihr! Haut ab von hier! Lebt nur für euch! In der Sonne, am Wasser ... Aber untersteht euch und laßt jetzt einfach nichts mehr von euch hören!«

»Ich bitte dich«, sagte Claudia, »wofür hältst du uns? Wir werden immer Kontakt zu dir halten, wir werden dich besuchen kommen, oder du kommst zu uns!«

»Dann ist es ja gut«, murmelte Jakob.

»Sie werden mehr von uns hören, als Ihnen lieb ist«, versprach Schreiber. Es klopfte.

Die bildschöne Schwester Kirsten mit dem bildschönen Busen und den bildschönen Beinen kam herein. Der Kittel klaffte ...

»Es tut mir wirklich leid, daß ich stören muß«, sagte sie mit ihrer bildschönen Stimme, »aber die Besuchszeit ist längst um. Nachtruhe! Sie müssen in Ihr Bett, Herr Schreiber! Und Sie, Frau Gräfin, müssen jetzt das Klinikum verlassen.«

»Die beiden gehen ja schon«, sagte Jakob, »keine Sorge, Schwester Kirsten. Haben Sie heute bei mir Nachtdienst?«

»Ja, Herr Formann.«

»Gut. Also, ich schmeiße die beiden gleich hinaus!« sagte Jakob. »Verlassen Sie sich drauf!« Er lächelte wieder sein berühmt charmantes Lächeln. Auch Schwester Kirsten lächelte. Und verschwand.

»Ja, also dann«, sagte Jakob.

Noch einmal begannen Küsserei und Händeschüttelei.

Zuletzt sagte Claudia: »Einen Mann wie dich gibt es kein zweites Mal, Jakob.«

»Blödsinn!«

»Gar kein Blödsinn!« rief Klaus Mario Schreiber. »Claudia hat vollkommen recht! Ich habe das auch oft gesagt und gedacht. Wissen Sie was, Chef?«

»Was?«

»Ich überlege mir das schon lange. Es wird vielleicht noch eine Zeitlang dauern. Aber eines weiß ich bestimmt: Über Sie und Ihr Leben werde ich noch einmal einen Roman schreiben!«

44

Und dann war es wirklich soweit. Die beiden hatten sich ein drittes Mal verabschiedet und waren endlich verschwunden – händchenhaltend.

Händchen haben sie gehalten, dachte Jakob, nun allein in seinem Bett sitzend. Also wieder zwei weniger. Und die Glatze wird größer. Wäre es nicht Zeit, daß ich auch mit allem Schluß mache und mich irgendwohin zurückziehe und Ruhe gebe und spazierengehe und lese und Musik höre und Briefmarken sammle oder so etwas? Wäre das nicht das vernünftigste? Ganz in Gedanken hatte er eine Hand in eine Tasche seiner Pyjamajacke gleiten lassen. In der Tasche befand sich die Hasenpfote. Da er sie berührte, durchzuckte es ihn, als hätte er mit zwei nassen Fingern in die Löcher einer elektrischen Steckdose gegriffen! Er fuhr im Bett hoch. Die Narbe an der Schläfe zuckte. Von einem Moment zum anderen war unser Freund von seinen Überlegungen befreit.

Was denn: zurückziehen?

Was denn: aufhören?

Was denn: meinen Krieg beenden? Meinen schönen Krieg, den ich bisher (fast) immer gewonnen habe?

Und die Steuer? Niemals kriege ich eine Fahndung! (Er kriegte auch tatsächlich niemals eine. Dem Mutigen hilft Gott.) Da habe ich mich selbst in etwas reingeredet. Mein Laden ist wasserdicht!

Die kleine Glatze. Na und? Das kommt vom vielen Denkenmüssen. Aber sonst bin ich kerngesund und oho, das haben mir gerade die besten Ärzte der Welt bestätigt! Ein Jüngling, ein Jüngling bin ich (fast) noch!

Gut, die OKAY werde ich verscherbeln, da hat der Schreiber recht. Bestimmt auch mit vielem anderen, was er gesagt hat. Schön, ich werde mich entsprechend absichern gegen schlechte Zeiten, falls sie kommen. Und: Für Claudia und den Schreiber ist es das beste, daß sie aus Deutschland weggehen und der Kerl jetzt, wo er trocken ist, endlich seine Romane schreiben will und sonst nichts. Ich freue mich ehrlich, daß die beiden sich so lieben. Natascha und ich lieben uns doch auch so! Und da soll ich mich zurückziehen? Ich bin doch kein Trottel! Mein Krieg geht weiter! Und wie! Ich habe noch so viele Pläne, ich habe noch so viel zu tun! Ich muß noch so viel...

Jakob klingelte. Das muß ich jetzt gleich einmal, dachte der Mann, von dem wir gesagt haben, daß er, wenn er von dem schmalen Grat, auf dem er wandelte, einmal abrutschte und in die Tiefe sauste, sogleich wieder in die Höhe kletterte und auf des Messers Schneide weitermarschierte, unbeirrbar, heiter, nicht zu entmutigen.

Es klopfte. Und die bildschöne Kirsten trat ein.

»Sie haben geläutet, Herr Formann?« (Mensch, der Kittel klafft ja wie noch nie! Die hat noch einen Knopf aufgemacht! Oder zwei?)

»Ja.« Jakob schenkte ihr einen verführerischen Blick: »Viel zu tun, mein liebes Kind?«

»Ach, überhaupt nichts. Alle schlafen. Ich mache Nachtdienst zusammen mit Gudrun. Wir müssen aufpassen, daß wir nicht auch einschlafen.«

»Sehr schön.«

»Was ist sehr schön, Herr Formann?«

»Kirsten – ich darf Sie doch so nennen? –, Kirsten, sperren Sie doch bitte die Tür ab.«

»Die Tür... Herr Formann!«

»Nun sperren Sie schon ab! Sonst kommt noch jemand rein, und das wäre doch unangenehm.«

»Aber Herr Formann!« Kirsten sah ihn kokett an. »Was haben Sie denn vor?« (Während sie das fragte, sperrte sie die Tür ab.)

»Komm her«, sagte er. Sie kam näher. Er begann die restlichen Knöpfe ihres Kittels (sehr wenige) zu öffnen.

Sie wand sich.

»Herr Formann...«

»Jakob, bitte!«

»Jakob... Jakob, was tust du denn da?«

»Ich ziehe dich aus, mein liebes Kind.«

»Und was machst du jetzt?«

»Wirst du gleich sehen...«

»Uj, was der Herr Formann da macht!«

Jakob verschwendete keine Zeit. Daß die bildschöne Kirsten gleich darauf in weitere »Uj! Uj! Uj!«-Rufe ausbrach und danach nicht mehr sprechen konnte vor keuchender Erregung, hat der geneigte Leser gewiß längst vermutet.

Wie ein junger Stier legte Jakob los.

Die bildschöne Kirsten machte Krach.

Jakob hielt ihr den Mund mit einer Hand zu.

Dafür biß sie ihn dann ein paarmal in dieselbe.

Nach eineinhalb Stunden entschuldigte sie sich.

»Es tut mir wirklich leid, daß ich dich gebissen habe, aber ich habe gedacht, ich sterbe, ich halte das nicht mehr aus... Jakob, Jakob, so einen Mann wie dich gibt es nicht noch einmal auf der Welt!« Das hat heute abend doch schon jemand anderer gesagt, überlegte er. Wer? Scheißegal! »Was … was war das bloß für ein Wahnsinn, den du mit mir getrieben hast, Jakob?«

»Man nennt es eine Chinesische Schlittenfahrt …«

»Also, da kann eine schon den Verstand verlieren«, sagte die bildschöne Kirsten. »Mensch, Mann, Jakob, du bist vielleicht eine Wucht!«

Da haben wir's! Eine Wucht bin ich! Na also!

45

Hei, jetzt ging es aber los!

So ein Tempo hatte Jakob noch nie vorgelegt!

Zunächst besetzte er die leer gewordene Stelle des Arnusch Franzl, dieses Schweins, mit dem Wenzel Prill (der seinen Doktor der Rechte noch immer nicht gemacht hatte). Dann trat er in Verhandlung mit einem Mann, der ein Regenbogenpresse-Reich hatte – seine bunten Zeitschriften wurden in Millionenauflagen gierig gekauft. Der Mann hatte einen Drang zum Höheren. Er wollte sich jetzt, wo er so reich geworden war mit dem Mist, den er produzierte, für seinen Monster-Verlag ein Paradepferd zulegen, etwas Seriöses, etwas Feines – eben OKAY.

Die Verhandlungen dauerten Monate, denn Jakob bestand darauf, daß Arbeitsplatz und Arbeitsbedingungen eines jeden seiner OKAY-Redakteure, Reporter, Techniker, Vertriebs- und Versandleute, Telefonistinnen – bis zur letzten Putzfrau – gesichert blieben. Die hundertunddreißig Millionen D-Mark, die unser Freund für die OKAY (samt Redaktion, einigen Häusern und allem Inventar) verlangte, zahlte der Regenbogenpresse-Verleger dann sozusagen mit der linken Hand.

In der Nacht nach dem Verkauf stand Jakob noch einmal vor dem Redaktionsgebäude in München. Er dachte daran, wie es mit dieser OKAY begonnen hatte vor vielen Jahren, an all die Abenteuer und all die Schufterei und all das Gefluche und all das Gelächter. Jetzt, dachte Jakob, ist OKAY in den großen Topf von diesem Kerl mit der Regenbogenpresse gekommen. Gott weiß, was aus ihr werden wird. Was Besseres bestimmt nicht. Eher im Gegenteil. Na ja, dachte Jakob zuletzt, aber es ist ja nicht mehr meine OKAY …

Von dieser Nacht an raste er wieder rund um den Erdball. Und baute Plastikfabriken in der ganzen Welt. Und verhandelte in der ganzen Welt. Und führte seinen Krieg in der ganzen Welt. Natascha, von ihrer Reise zurückgekehrt, begleitete ihn dabei natürlich. Und nun war es ihr schon in kürzeren Abständen immer wieder einmal danach. Jakob konnte nicht klagen. Nur für seine Schlittenfahrt, seine Chinesische, schien ihm die Zeit noch zu früh. Bei einem so wunderbaren, unverdorbenen und unschuldigen Geschöpf mußte er Geduld haben …

Er hatte Geduld, weil er gerade soviel zu tun hatte. 1961 – da wurde die Mauer in Berlin gebaut. Damals hatte Jakob Formann, seiner Zeit immer um zwei Schritte voraus, aus seinen vielen Schiffen durch Hinzunahme von Charter-Flugzeugen und Charter-Eisenbahnzügen und Omnibussen ein internationales Mammut-Reiseunternehmen aufgebaut, dieses gekoppelt mit einem gigantischen Möbelversandhaus, das Pleite gemacht und das er blitzschnell günstigst erworben hatte, um daran noch eine Immobilienfirma zu hängen. Den Werbe-Slogan für das Unternehmen hatte er sich selber ausgedacht und war mächtig stolz darauf. Er lautete: SCHÖNER WOHNEN – SCHÖNER REISEN – SCHÖNER LEBEN! Blödsinniger ging's kaum noch, und deshalb zog dieser Slogan wie ein Magnet!

Des weiteren besaß Jakob – in der Phase der größten Expansion – bereits ein Anlageberatungsbüro (mit zahlreichen Außenstellen) für Abschreibungsprojekte in Zonenrandgebieten und West-Berlin. Er sah einfach alles voraus.

Und was er voraussah, traf ein. Ende 1964 traten die Amerikaner fast schon offen an der Seite Südvietnams in den Krieg gegen Nordvietnam. Jakobs Fertighausfabriken in Deutschland arbeiteten rund um die Uhr. Er selber flog dauernd zwischen Deutschland und Amerika hin und her. Immer wieder traf er seinen alten Freund, den Senator Robert Jackson Connelly. (Die liebe Jill hatte geheiratet und bereits einen kleinen Sohn.) Connelly war ziemlich traurig. Cindy, seine entsetzliche, wahrhaft der Hölle entsprungene Gemahlin, hatte ihm einen Drachen von neuer Sekretärin ins Vorzimmer gesetzt.

Jakob flog (mit Natascha) nun auch oft nach Los Angeles, um Misaras zu besuchen und mit diesem den Bau neuer Werke in Südamerika und Mexiko zu besprechen. Am 5. November 1964 wurde er mitten in einer solchen Besprechung aus Washington angerufen. Sein Freund, der Senator, war am Apparat. Seine Stimme klang unglücklich und aufgeregt: »Jake, tut mir leid, daß ich dich stören muß, aber da ist was sehr Unangenehmes passiert...« Nach all der Zeit duzten sie sich.

»Was denn, Bob?« fragte Jakob milde.

»Du lieferst doch jetzt auch Fertighäuser für Truppenunterkünfte nach Südvietnam, von Bremerhaven aus, nicht wahr...«

»Ja!«

»...und zwar sehr große Mengen, nicht wahr?«

»Ja doch! Und?«

»Und ich bin gerade vom Pentagon angerufen worden, Jake. Du kannst natürlich nichts dafür, aber mit deinen Fertighäusern für Südvietnam, mit diesen Truppenunterkünften, die das Pentagon jetzt bei dir bestellt hat, ist eine Sauerei passiert.«

»Was für eine Sauerei?«

»Reg dich nicht auf, Jake! Alles ging glatt, sagen sie im Pentagon, alles ging

prima, aber jetzt sind die Ladungen von drei Schiffen verschwunden.«
»Was sind sie?«
»Verschwunden! Geklaut! Von irgendwelchen Lumpen. Unsere Leute
kommen nicht dahinter. Die da unten klauen alle wie die Raben. Aber du
hast den Auftrag und die Häuser bezahlt gekriegt, und jetzt sind sie nicht
mehr da, und deshalb...«
»Schon gut, schon gut, Bob«, sagte Jakob, die Augen schließend, »ich weiß,
was du mir sagen sollst.«
»Du weißt, Jake?«
»Ja. Du sollst mir vom Pentagon sagen, daß ich meinen Arsch gefälligst
ins nächste Flugzeug zu setzen und nach Saigon zu fliegen habe, weil ich
für die Häuser verantwortlich bin und jetzt versuchen muß, sie wiederzu-
finden.«
»Wie konntest du das bloß ahnen, Jake?« Der Senator war fassungslos.
»Reine Sache der Intuition. Außerdem ist Jakob Formann auch den Gedan-
ken anderer Leute immer um zwei Schritte voraus. Okay, okay, ich fliege
in zwei Stunden los, mein Alter!« sagte Jakob und dachte, während er den
Hörer niederlegte: Hübsch, hübsch, jetzt kann ich für die Amis da unten, wo
es schießt, auch noch Detektiv spielen und rauskriegen, wer sich meine
Häuser unter den Nagel gerissen hat!
Natascha und Misaras vernahmen voller Gram, was sich ereignet hatte.
»Na ja«, sagte Jakob, »was soll man machen? Pack deine Sachen, Schatz!«
Zu seiner Überraschung wollte Natascha ihre Sachen nicht packen.
»Aber warum nicht, Liebste? Du fliegst doch sonst immer mit mir überall-
hin! Warum nicht diesmal?«
»Mein Gott, Jake, ich würde ja so gerne mit dir fliegen, aber gerade jetzt,
morgen, beginnt hier in Los Angeles dieses große Festival.«
»Was für ein Festival?«
»Das Mozart-Festival, Liebster. Mit den berühmtesten Sängern und Soli-
sten!« erwiderte Natascha. »Es dauert zwei Wochen. Im Music Center of
Los Angeles. Konzerte und Opern und alles – und, bitte sieh das ein: Mei-
nen Mozart lasse ich mir nicht nehmen!«

46

Einskommafünf Millionen Menschen lebten zu diesem Zeitpunkt in Saigon, der Hauptstadt von Südvietnam, am rechten Ufer des Saigon-Flusses.
Obwohl achtzig Kilometer vom Meer entfernt, besaß die Stadt einen Seehafen und war Standort großer Industrien. Am Flußufer befand sich das
Geschäftsviertel, auf Schwemmlandterrassen lag das Regierungsviertel. Da
ein öffentliches Verkehrsnetz in der Stadt fehlte, waren mehrere hunderttausend Motorroller in Betrieb.

Das alles und noch viel mehr wußte Jakob Formann bereits, noch bevor er einen Fuß auf vietnamesische Erde gesetzt hatte.

Nach Saigon flog er – wozu die guten Stücke gefährden? – einmal nicht mit einer seiner eigenen Maschinen, sondern mit einem Transporter der amerikanischen Luftwaffe. In diesem saß ein außerordentlich geschwätziger Oberst neben ihm, der stolz war auf seine intime Kenntnis Vietnams. Außerdem gab es noch einen Reiseführer... Jakobs Transporter landete auf dem Flugplatz von Than Son Nhut. Er fand es nicht gemütlich hier. Massenhaft waren da Düsenjäger geparkt, Hubschrauber mit Bordkanonen, Tieflader mit Napalm-Bomben. Alle Soldaten hatten traurige Gesichter. (Die armen Schweine, dachte Jakob, in Erinnerung an eigenes Erleben versunken.) Auf der Straße, die in die Stadt führte, gab es immer wieder Stacheldrahtsperren, Sandsackbarrikaden und Wachttürme. Auf ihnen sah Jakob Soldaten, Gewehr im Anschlag. Nein, dachte er, wir Menschen haben nichts dazugelernt seit 1945. Wahrscheinlich sind wir unbelehrbar.

In der City rasten Jeeps mit schwerbewaffneten Soldaten umher, LKWs mit kleinen Kanonen. Lastzüge voll Munitionskästen. Dazwischen glitten leichte Rikschas, eilten Wasserverkäuferinnen, die ihre Ware wie auf Waagschalen an einer Bambusstange hielten, fuhren Motorräder und Fahrräder, Taxis und Motorroller. Es war ein Chaos ohnegleichen.

Soldaten sah Jakob, Zivilisten, buddhistische Mönche, zierliche kleine Frauen mit langen Gewändern, langgeschlitzten Röcken und aufgestecktem Haar, schmutzige Kinder, die auf der Erde hockten, einen Holzblock vor sich, und Soldaten, Amerikanern und Vietnamesen sowie vornehm gekleideten Herren aus Europa die Schuhe putzten. Das alles sah Jakob...

Er hatte draußen am Flughafen ein Taxi erobert. Sein Freund, der Senator, war der Ansicht gewesen, Jakob solle im Hotel METROPOL wohnen. Also hatte Jakob dort ein Zimmer bestellt. Nach dem langen Flug wollte er erst einmal baden und schlafen, bevor er sich auf die Suche nach den verschwundenen Fertighäusern machte.

Das Taxi erreichte das Hotel. Kinder prügelten sich darum, Jakobs Koffer tragen zu dürfen. Er bezahlte den Fahrer und drehte sich dann um, in der Absicht, das Hotel zu betreten. Dabei stieß er heftig mit einem amerikanischen Offizier zusammen, der aus dem Hotel herauskam.

»Entschuldigen Sie, Lieutenant-Colonel«, sagte Jakob höflich.

Der Lieutenant-Colonel stierte ihn mit hervorquellenden Augen an, rang nach Luft und stammelte: »Gott der Gerechte, Jake, alter Junge, was machst denn du hier?«

»Mojshe...«, stammelte Jakob fassungslos. Vor ihm stand – ein Irrtum war unmöglich! – tatsächlich jener Mojshe Faynberg, ehemals bei der Military Police in Wien und sodann beim Fliegerhorst Hörsching nahe Linz, Austria – der Gefreite, der damals so dick und rothaarig gewesen war, jener Sohn eines armen jüdischen Flickschusters aus New York Bronx. Dieser Sohn war noch immer dick, aber sein rotes Haar leuchtete graumeliert (was sehr merkwürdig aussah), und er war nicht mehr Gefreiter, sondern wirklich und wahrhaftig – Jakob kannte schließlich die Uniform noch – ein Lieutenant-Colonel!

»Jake!« schrie Oberstleutnant Mojshe nun, so lauthals, daß ein Junge einen Koffer fallen ließ. »Mann, ich werde verrückt! Du und in Saigon! In Saigon sehen wir uns endlich wieder – nach achtzehn Jahren!«

»Mein guter, alter Mojshe«, sagte Jakob gerührt.

»Jake, you son-of-a-bitch«, sagte Mojshe gerührt.

Und in den Armen lagen sich beide.

47

»In den letzten drei Jahren, in denen ich mit deiner Frau gevögelt habe, ist sie um zwanzig Jahre jünger geworden!«

»Ich vögle deine Frau zwar erst zwei Jahre, aber in denen ist sie auch um zwanzig Jahre jünger geworden! Das sagt sie selber immer, was, Joe?«

»Sagt sie selber immer, ja, Jim!«

»Sie hat mir erzählt, du hast einen so kleinen, daß mit ihm einfach keine Frau kommen kann!«

»Was heißt kommen! Mir hat sie gesagt, man weiß bei dir nie, ob er drinnen ist oder draußen!«

»Und außerdem bist du eine feige Sau, das muß auch mal gesagt werden!«

Neun Herren, die in blauen Trainingsanzügen auf Matten im Kreis saßen, sprachen plötzlich alle zur gleichen Zeit auf einen zehnten Mann ein, der in der Mitte des Kreises hockte, an allen Gliedern bebend und lauthals schluchzend.

»In Korea, da beim Heartbreak Ridge, da hast du feige Sau die Kameraden nach vorne gejagt, mitten hinein ins Artilleriefeuer, und selber bist du im tiefsten Bunker gesessen und hast dir in die Hosen geschissen!«

»Dafür hast du jeden Morgen flammende Reden vor der Einheit gehalten, du Scheißkerl! Wir müssen die Freiheit verteidigen! Wir sind die Retter der Welt vor der Roten Flut!«

»Auf diese Weise hast du Karriere gemacht, du Lump! Andere sind verreckt, aber du bist befördert und befördert worden, bis du im Generalstab warst!«

»Weißt du noch, du Sauhund, wie du die eigenen Boys mit Granaten hast eindecken und krepieren lassen, weil du zu blöd warst, den Werfern die richtige Entfernung durchzugeben, so daß die Dinger direkt zwischen uns explodiert sind?«

Der zehnte Herr, auf den die anderen neun Herren solcherart einschrien, schluchzte jetzt nicht mehr. Er rollte über die Matratze und biß wie ein Rasender in viele bunte Kissen, die, zwanglos verstreut, herumlagen. Zwei Kissen hatte er schon erledigt, im Moment zerfetzte er mit seinen Zähnen ein drittes. Rot war es.

»Deinen Adjutanten hast du mit einem Spähtrupp in ein Gebiet geschickt, von dem du gewußt hast, daß es total vermint ist!«

»Und die armen Hunde sind auch prompt alle hochgegangen!«

»Weil dein Adjutant dir nämlich gesagt hat, er wird einen Bericht über dich schreiben! Über dich und deine Blödheit und Feigheit und Hinterfotzigkeit!«

Der arme Kerl, der also beschimpft wurde, biß nun auch nicht mehr in die Kissen. Schneeweiß im Gesicht, hielt er im Knien die Hände an den Leib gepreßt und kotzte, was das Zeug hielt.

»Mensch, Mojshe, ich werde verrückt! Das gibt es doch nicht«, flüsterte Jakob entgeistert.

»Du siehst ja, daß es das gibt. Und ich werde dir noch ganz andere Sachen zeigen«, antwortete Mojshe Faynberg. Er stand mit Jakob in einer Kammer, die dem Vorführraum eines Kinos ähnelte. Durch einen Spiegel, der auf der Innenseite durchsichtig war, konnte man in die große Turnhalle blicken, in der es unter den zehn Herren zuging wie in einem Tollhaus. Über einen Lautsprecher kam der Krach von draußen in die Kammer.

»Ja, aber was soll denn das?« fragte Jakob. »Ist das eine Klapsmühle hier?«

»Im Gegenteil, das ist ein Kursus für zusätzliche seelische Stärkung.«

»Mojshe, ich flehe dich an, sag, daß du mich auf den Arm nimmst!«

»Ich schwöre dir, ich nehme dich nicht auf den Arm, Jake!«

»Ja, aber warum wehrt sich denn der arme Kerl – mein Gott, jetzt hat er sich vor Wut auch noch in die Hosen gepißt! –, warum wehrt sich denn der arme Kerl nicht und brüllt die anderen auch an oder verdrischt sie?«

»Ah«, sagte der gereifte, rothaarig-graumelierte dicke Oberstleutnant Mojshe Faynberg in seiner piekfeinen Uniform ernst, »das dürfte er niemals! Damit wäre seine Karriere zu Ende! Er muß sich alles anhören, was die anderen über ihn denken, und er darf kein Wort sagen! Nur heulen, sich auf der Erde wälzen, kotzen und das andere da jetzt, das darf er. Sich vollscheißen auch.«

»Aber warum, Mojshe, warum?«

»Es ist wichtig, daß alle Mitglieder des Generalstabs genau wissen, was sie voneinander halten. Nur so entsteht echter Corpsgeist.«

»Das... das... das sind lauter Mitglieder des Generalstabs?«

»Natürlich! Hast du vielleicht gedacht, es sind einfache GIs, so wie du und ich es waren? Nein, nein, so was Feines gibt's nur für Hohe Herren, mein Lieber!« Mojshe grinste.

Jakob sank auf einen Hocker.

»Wahnsinnig«, murmelte er, indessen von draußen, übertragen durch den Lautsprecher, immer weiteres Gefluche und Gebrüll in die Kammer drang,

»ich bin wahnsinnig geworden. Bei mir ist es losgegangen! Ich bin gar nicht in Saigon! Und dich gibt es gar nicht, Mojshe! Und die da drinnen auch nicht! Das sind nur Ausgeburten meines Wahnsinns!«

»Hör auf«, sagte Mojshe streng. »Augenblicklich! Alles, was du hörst und siehst, gibt es! Vor allem mich! Du hast gesagt, ich soll dir zeigen, was ich in Saigon treibe – ja oder nein?«

»Ja – ha...«

»Na also. Und so zeige ich es dir also heute.« Heute, das war der 9. November 1964, und Mojshe zeigte Jakob das Innere eines großen Hauses an der Rue Catinat. Er setzte sich neben Jakob. »Ich betreue das ›T-Gruppen-Programm‹ der amerikanischen Streitkräfte, die sehr bald hier eingesetzt werden sollen. Verstehst du?«

»Kein Wort!«

Die Geräusche, die von der Turnhalle zu ihnen drangen, ließen Jakob erschauern. Die neun Mann brüllten immer noch auf den zehnten ein, und der zehnte übergab sich ununterbrochen.

»Paß auf, daß ich es dir erkläre: ›T-Gruppen‹, so nennen wir diese ›Trainings-Gruppen‹. Das Programm – von dem du erst ein bißchen gesehen hast, hat eine amerikanische Forschergruppe bereits 1947 auszuarbeiten begonnen. Das ist ein zusätzlicher Erziehungsfaktor für Normalpersonen – nicht eine Therapie für Neurotiker!«

»Mensch, bist du gebildet, Mojshe!«

»Man lernt natürlich mit der Zeit«, sagte Mojshe. »Diese ›T-Gruppen‹, die jeder vom Generalstab mitmachen muß...«

»Ja, aber um Himmels willen, wozu...«

»Laß mich es dir erklären, Jake, du kannst es nicht wissen in deiner Beschränktheit: Also, diese ›T-Gruppen‹ werden unterteilt in ›Encounter‹- und ›Sensibility‹-Trainingsgruppen. Ist beides dasselbe. Nur der Spaß ist verschieden – wie du gleich sehen wirst. Das hier, das ist eine ›Encounter‹-Gruppe. Das heißt, hier äußert jeder frei, was er über den andern denkt. Auch alle auf einmal können sich äußern.«

»Aber wozu?«

»Na, Jake, Junge, so was stärkt doch ungeheuer das Zusammengehörigkeitsgefühl und den Kampfgeist! Darum macht man das jetzt auch hier in Saigon, wo's gleich richtig losgehen wird. Früher hat man die Ausbildung in den Staaten gemacht. Ich bin ein armer Hund, das weißt du ja, bin es immer gewesen, und also bin ich in der Army geblieben, das habe ich dir auch schon erzählt. Nachdem mein Alter gestorben ist, war überhaupt kein Geld mehr für meine Mutter und meine Schwester da. Also, was ist mir übriggeblieben?«

»Das verstehe ich alles, Mojshe«, sagte Jakob und fuhr zusammen, weil von draußen ein besonders tierischer Schrei des so entsetzlich beschimpften zehnten Mannes in die kleine Kammer gedrungen war.

»Reg dich nicht auf, Jake! Nach diesem General kommt der nächste dran. Alle kommen sie dran! Wo war ich? Ach ja: Also was ist mir da übriggeblieben, als Soldat auf Zeit zu werden? So habe ich die ganze Korea-Scheiße mitgemacht – im Vertrauen: Den Kerl, den sie da drinnen gerade in der Mache haben, den kenne ich von damals, das ist wirklich ein ganz großes Arschloch! –, und dann bin ich natürlich befördert worden und befördert, und jetzt kann ich Mutter und Schwester ordentlich ernähren und fliege dauernd zwischen Los Angeles und Saigon hin und her.«

»Hast du Los Angeles gesagt?« hauchte Jakob.

»Habe ich. Ja. Warum?«

»George Misaras ist dort, und ich bin auch oft dort – aber das habe ich dir ja schon alles erzählt. Auch daß sie den armen Jesus umgebracht haben, die weißen Schweine da im Süden!« Mojshe nickte traurig. »Aber daß wir einander nie gesehen haben, das ist unfaßbar!«

»Viele Sachen sind unfaßbar«, sagte Mojshe. »Ich werde dir gleich noch ein paar zeigen. Stimmt schon, wir hätten uns mal begegnen können. Aber ich bin doch dauernd unterwegs gewesen! Korea. Deutschland. Weiß ich, wo überall. Und jetzt, jetzt fliege ich die ganzen Generalstäbler, die für den Krieg hier vorgesehen sind, hin und her. Sie machen solche ›T-Gruppen‹ auch drüben, aber hier machen sie das jetzt auch, damit die Herren sozusagen im Angesicht des bösen Feindes noch einmal richtig mutig werden. Und ich bin so was wie der Reiseleiter, kapierst du?«

»Gratuliere«, sagte Jakob. »Dann haben wir tatsächlich alle Karriere gemacht – bis auf den armen Jesus.«

»Ich muß sehen, daß ich heute noch neun Juden auftreibe, damit wir Kaddisch sagen können für Jesus.«

»Kaddisch?«

»Ein Totengebet sprechen, weißt du. Zu einem Gebet braucht man immer zehn Mann. Ich wäre der zehnte.«

Eine ferne Explosion ließ den Boden wanken.

»Was war das?«

»Ach, irgendwas ist explodiert in der Stadt«, sagte Mojshe. »In dieser Stadt explodiert dauernd was. Hast du eine Ahnung, wie das hier oft zugeht. Eine Rakete solltest du mal hören! Sind ein Haufen Vietcong in der Stadt, verstehst du. Da gibt's immer wieder Morde, Anschläge, Feuerüberfälle, Entführungen. Wir haben hier einen Bürgerkrieg.«

Ein dumpfes Trommeln ertönte.

»Und was ist das?« fragte Jakob.

Mojshe sah durch das kleine Fenster in den Turnsaal.

»Ach, jetzt haut er mit den Fäusten auf den Boden, der General, weil sie ihm vermutlich was besonders Hübsches gesagt haben. Und hin und her rollen tut er sich auch in seiner eigenen... in seinen eigenen Ausscheidungen«, sagte Lieutenant-Colonel Mojshe Faynberg.

Am Abend zuvor, gleich nach ihrer Begegnung, hatte Jakob seinem Freund erzählt, warum *er* in Saigon war. Mojshe hatte nur genickt. Dann war er mit ihm in das Chinesenviertel der Stadt – Cholon – gefahren und hatte zielstrebig eine Opiumhöhle angepeilt. Jakob konnte da in der Finsternis, die von einer Ölfunzel kaum erhellt wurde, zuerst überhaupt nichts erkennen. Dann gewöhnten sich seine Augen an das Dämmerlicht, und er sah auf Pritschen, auf dem Boden oder auf Tischen reglose, zusammengekrümmte Gestalten.

»Keine Angst«, sagte Mojshe, der Jakobs Entsetzen bemerkte, schnell, »die sind nicht tot. Die haben nur alle ihr Opiumpfeifchen geraucht und träumen jetzt schön.« Nun erst empfand Jakob den schweren, süßlichen Geruch, der das Kellergewölbe erfüllte.

Ein alter Chinese kam mit vielen tiefen Verneigungen näher. Er schien Mojshe zu kennen und wollte ihn gerade untertänigst begrüßen, doch dieser ließ ihm keine Zeit.

»He, Hue-Sen«, sagte Mojshe. »Halt's Maul und hör gut zu. Dieser Gentleman ist mein Freund. Ihm sind drei Schiffsladungen Fertighäuser abhanden gekommen. Du sollst das Maul halten! Ich weiß genausogut wie du, wer das Ding gedreht hat. Nämlich dein Vetter San-Tui. Widersprich nicht! Wir wissen beide, was San-Tui für einer ist. Der größte Dieb und Hehler von Saigon. Kusch. Du wirst sofort zu San-Tui gehen und ihm sagen, daß die drei Schiffsladungen morgen abend wieder dort sein müssen, wo man sie gestohlen hat – auf den drei Schiffen. Kusch, habe ich gesagt. Wir haben San-Tui bisher nichts getan und ihn seine Sauereien machen lassen, weil er uns so viele Informationen über geplante Aktionen des Vietcong gegeben hat – gegen viele Dollars, der Schweinehund. Jetzt ist Schluß. Wenn die Fertighäuser morgen abend nicht wieder auf den Schiffen dieses Herrn sind, lassen wir deinen Vetter hochgehen. Lebenslänglich ist dann noch ein Späßchen! Wahrscheinlich wird man ihn aufhängen.«

»Hue-Sen welden sofolt gehen und mit Vettel leden, Hell Faynbelg. Seien ganz beluhigt. Häusel kommen zulück bis molgen abend. Wäle nie passielt, wenn mein Vettel gewußt hätte, daß dieses Mistel Ihl Fleund, Hell Faynbelg. Wilklich, seien ganz beluhigt. Und nicht böse. Vielleicht ein klein Pfeifchen oder zwei gefällig, die Hellen?«

Die Herren Mojshe und Jakob hatten energisch abgelehnt. Sie waren zurück in Jakobs Hotel METROPOL gefahren und hatten die ganze Nacht durch beieinandergesessen, ein wenig getrunken (Mojshe ein wenig Bourbon, Jakob alkoholfreies ›Schweppes Tonic Water‹), geraucht und erzählt, wie es ihnen und allen anderen, die sie gemeinsam kannten, ergangen war. Gegen Morgen hatte Mojshe gesagt: »So, jetzt hauen wir uns aufs Ohr, und so um zehn hole ich dich ab und zeige dir, was ich hier mache.«

Na ja, und das hatte er dann auch getan...

»Nur ein kleiner erster Eindruck«, sagte er nun, in der Kino-Vorführkabine des Hauses an der Rue Catinat, zu Jakob, indessen durch den Lautsprecher das Fluchen, Beschimpfen, Heulen und Trommeln im Saal nebenan weiter zu hören war. »Komm mit. Ich zeig dir noch was.«

Sie verließen die Kabine, fuhren mit dem Lift ein Stockwerk höher, wanderten einen Gang hinab und betraten eine zweite Kabine. Als Jakob hier durch den Einwegspiegel blickte, hielt er sich an Mojshe fest, um nicht umzufallen.

Er sah in einem Saal wie dem ersten wiederum zehn Männer, diesmal in roten Trainingsanzügen. Fünf von den Herren Stabsoffizieren und Generalen krochen auf allen vieren durch die Halle. Die anderen fünf Herren saßen auf ihren Rücken und ritten. Wenn es ihnen nicht schnell genug ging – und es ging ihnen niemals schnell genug –, gaben sie ihren Pferdchen die Sporen, das heißt, sie hauten die Offizierskameraden klatschend auf die Hintern oder traten ihnen auf die Hände. Dann trabten die Pferdchen hurtiger.

»Mmmmmmmmm!!!« war alles, was Jakob herausbrachte.

»Der Witz hier«, ließ sich Mojshe vernehmen, »ist der, daß einmal hohe und einmal niedrigere Dienstgrade Pferdchen spielen müssen beziehungsweise reiten dürfen.«

»Aber wozu das, um Himmels willen?«

»Stärkung des Gefühls der Gleichheit aller. Keiner ist dem andern überlegen oder hat mehr Macht! Alle sind eine verschworene Gemeinschaft, klar?«

»Klar«, sagte Jakob.

Die Pferdchen trabten, die Herren ritten auf ihnen, daß es eine Lust war.

»Also, diesen Krieg gewinnt ihr ganz bestimmt!« sagte Jakob.

»Na was denn«, sagte Mojshe. »Komm.« Und er brachte Jakob in ein anderes Stockwerk und in eine andere Kabine. Jakob blickte durch den dritten Einwegspiegel. Er sah neun Mann im Kreis, wie schon gewohnt, der zehnte in der Mitte.

Totenstille.

»Der in der Mitte ist ein ganz hohes Tier«, sagte Mojshe. »Er wird sich gleich umfallen lassen.«

»Warum?«

»Damit ihn die anderen auffangen natürlich«, sagte Mojshe.

»Und wozu soll das gut sein?«

»Stärkung des Gemeinschaftsgefühls. Einer ist für den andern da, einer hilft dem andern. Alles von ersten Psychotherapeuten Amerikas entwickelt. Es gibt nichts Besseres.«

»Bestimmt nicht«, sagte Jakob.

Im nächsten Moment geschah zweierlei. Der General ließ sich – wie Mojshe prophezeit hatte – fallen. Er war überzeugt davon, daß ihn die Kameraden auffangen würden in ihrem starken Gemeinschaftsgefühl. Leider heulte im gleichen Moment eine Rakete heran – Jakob und Mojshe warfen sich zu Boden – und explodierte mit ohrenbetäubendem Getöse.

»Das war ganz schön nahe«, sagte Mojshe, sich erhebend. Auch Jakob erhob sich und sah durch den Spiegel. Ein schrecklicher Anblick bot sich ihm.

Die neun Generalstäbler hatten sich beim Heranheulen der Rakete gleichfalls zu Boden geworfen, die Köpfe zwischen den Händen – und deshalb war niemand dagewesen, um den General, der sich gerade fallen ließ, in verschworener Gemeinschaft aufzufangen. Jetzt richtete er sich auf und hielt sich den Schädel. Aus der Nase tropfte Blut auf den Trainingsanzug. (Hier wurden weiße getragen.) Der General, außer sich, rappelte sich auf und begann zu toben, daß die Membran des Lautsprechers klirrte: »Ihr Hurensöhne! Ihr Hunde! Ich lasse euch an die Wand stellen, alle miteinander! Verräter! Kommunisten! Schweine, verfluchte! Vors Kriegsgericht bringe ich euch alle! Auf! Stillgestanden! Hände an die Hosennaht! Niemand rührt sich!« Es rührte sich wirklich niemand. Die neun anderen Herren sahen ihn gespannt an. Im Sitzen.

»Auf!« schrie der General wie rasend. »Ich habe ›Auf‹ befohlen!«

Danach begannen plötzlich alle durcheinanderzuschreien.

»Du Arschloch, du verstunkenes, du kannst uns mal! General und noch nie eine Rakete gehört!«

»Klar hat er nicht! Die feige Ratte hat doch während des ganzen Korea-Kriegs nichts als Truppenbetreuung gemacht!«

»Und dann mußte er mit einem Trio ins Lazarett! Ich könnte schwören, er hat gewußt, daß das Mädchen nicht sauber war, als er ihn reinsteckte! Bloß damit er nicht an die Front mußte!«

»Aber sein Bruder ist Vizepräsident bei der... na, jetzt fällt mir der Name nicht ein... bei dieser Firma, die Napalm erzeugt! Dem sein Geld sollten wir haben, Boys!«

»Verdammt, verdammt, verdammt«, flüsterte Mojshe erschrocken. »So geht das aber auch nicht. Die haben da etwas mißverstanden, die Jungs.«

»Was haben sie mißverstanden?«

»Die glauben, sie sind noch im ›Encounter‹-Training, die Trottel, und sie sollen dem armen General alles sagen, was sie über ihn denken. Der Schock... man kann es ja verstehen. Aber dabei ist das hier schon die höchste Gruppe – nämlich die Erziehung zum Getragenwerden durch die Gemeinschaft.«

»Die hat ihn ja auch fein getragen«, sagte unser Freund, während nebenan der General und neun andere Herren sich heiserschrien.

An diesem Abend fuhr Jakob mit Mojshe im Jeep hinunter zum Hafen. Die drei Schiffe waren über Nacht wie durch ein Wunder wieder mit Fertighausteilen gefüllt worden.

»Zufrieden?« fragte Mojshe. »Dieser alte Ganeff, der San-Tui.«

»Warum sperrt ihr ihn nicht überhaupt ein?« fragte Jakob. »Der Kerl verdient's doch wahrhaftig!«

»Ach Mensch, wenn wir hier alle einsperren wollten, die es verdienen... Außerdem, du hast es ja gehört, versorgt er uns zuverlässig mit Nachrichten über bevorstehende Aktionen des Vietcong.«

»Über die Rakete heute vormittag hat er euch aber nicht rechtzeitig informiert!«

»Ein Mann kann nicht alles wissen«, sagte Mojshe. »Du siehst ja, wie es hier drunter und drüber geht. Komm, erholen wir uns ein bißchen in deinem Hotel!«

Mojshe trank Bourbon, Jakob Tonic Water, sie redeten von längst Vergangenem und von hautnaher Gegenwart. Plötzlich sagte Jakob: »Du, Mojshe, ich hab eine Idee.«

»Soso.«

»Paß auf. Das hat tiefen Eindruck auf mich gemacht, was du mir da gezeigt hast, diese ›T-Gruppen‹. Ich war in den Staaten selber mal bei einem Püschoanalytiker. Das ganze Volk ist doch meschugge mit Püschoanalytikern und all dem Zeug. Willst du ein paar solche Institute wie das hier mit ›Encounter‹- und ›Sensibility‹-Training und dem ganzen Zeug in Amerika auf *privater* Basis eröffnen? Geld schieße ich vor. Du mußt für das Know-how und ein paar Püschater sorgen. Ich schwöre dir, da kommt Geld rein wie Scheiße in die Latrine!«

»Das brauchst du mir nicht zu schwören. Jake, das glaube ich dir unbesehen. Eine prima Idee. Machen wir, klar!«

»Hm...« Jakob war noch etwas eingefallen. »Hör mal, Mojshe. 1965 feiere ich meinen fünfundvierzigsten Geburtstag.«

»Ja, und?«

»Und meine Freundin, diese Natascha, ich habe dir von ihr erzählt...«

»Stundenlang«, seufzte Mojshe. »Was ist mit deiner Natascha?«

»Die will meinen fünfundvierzigsten Geburtstag ganz besonders festlich begehen! Die liebt mich so sehr, verstehst du!«

»Aha.«

»Ja, es ist nicht zum Beschreiben! Eine wunderbare Frau! Weißt du, was sie sich ausgedacht hat?«

»Was?«

»Wir feiern meinen Geburtstag auf dem Wiener Opernball! Der ist in der Nacht vor meinem Geburtstag! Toll, was?«

»Toll. War denn deine Natascha schon mal auf einem Opernball?«

»Nein.«

»Aha.«

»Was heißt aha? Ich war auch noch auf keinem! Natascha meint, ich soll ein paar Logen nehmen, damit ich meine besten Freunde und engsten Mitarbeiter einladen kann! Also, das gäbe eine Riesenhetz, Mojshe! Früher waren wir arme Schweine. Jetzt, jetzt sind wir alle wer und können die feinen Maxen machen!«

»Können wir, ja.«

»Würdest du kommen? Bitte, Mojshe! George Misaras kommt auch bestimmt!«

»Na, glaubst du, da bleib' ich weg?« fragte Mojshe, fast beleidigt. »Wo wir doch so alte Freunde sind! Klar gehen wir alle zusammen mit dir 1965, zu deinem fünfundvierzigsten Geburtstag, auf den Wiener Opernball!«

50

Und so geschah's.

Sie alle, alle kamen. Und Jakob erhielt das ›Große Silberne Ehrenzeichen am Band für Verdienste um die Republik Österreich‹ und wurde von Bundeskanzler Josef Klaus (schwarz, ÖVP, aber ein ganz reizender Mensch!) auf beide Wangen geküßt, und alle beglückwünschten ihn, und alle umarmten ihn, und alle tranken zuviel, und nachts fuhr Jakob dann mit seinem Rolls-Royce noch los, weil er unbedingt anderntags in München eine wichtige Besprechung hatte, und auf der Autobahnbrücke über die Mangfall, da bei Weyarn, geriet sein Wagen auf der eisigen Bahn ins Schleudern, durchbrach das Geländer, stürzte in die Tiefe und explodierte dort, Jakob aber flog in das Geäst eines Baumes und hing da und versuchte verzweifelt, von diesem Baum wieder herunterzukriechen und dabei nicht auch in die Tiefe zu stürzen...

Tja, und da steht er nun.

Da steht er nun, glücklich aus dem Geäst des vereisten Baumes heruntergeklettert auf die vereiste Autobahnbrücke über die Mangfall, und es ist gräßlich kalt, und ein stürmischer Wind heult, und Jakob Formanns Frack ist ganz und gar verdreckt, und die stolz gestärkte Hemdbrust sieht aus wie aus dem... Kakao gezogen, und er selber – du liebes Gottchen! Verschrammt, verdreckt, bleich das Gesicht, wirr und naß das Haar. Die Fliege ist weg. Weg ist auch das ›Große Silberne Ehrenzeichen am Band für Verdienste um die Republik Österreich‹. Beides ist in die Schlucht hinuntergeflogen, als Jakob noch im Baume hing. 7 Uhr 15 ist es nun am 26. Februar 1965, und Jakob feiert heute seinen fünfundvierzigsten Geburtstag. So kann man also seinen Geburtstag auch feiern!

Da steht er nun, dem Tode eben noch von dessen Schäufelchen gesprungen, am ganzen Leibe zitternd vor Schrecken, und kann sich kaum aufrecht halten, kann kaum richtig atmen, dieser Jakob Formann, dieser Multimillionär, dieser Herr eines weltweiten Wirtschaftsimperiums, dieser Träger hoher und höchster Orden und Ehrenzeichen, dieser Freund hoher und höchster Herrschaften in West wie in Ost, dieser Liebhaber vieler schöner Frauen, da steht er nun…

Nein, da *sitzt* er nun. Er ist einfach zusammengesackt, die Beine, sie trugen ihn nimmer.

Tiefe Winternacht ist es noch, unnötig zu sagen, aber wir sagen es trotzdem. Die Autobahn verlassen. Kein einziges Auto weit und breit. Verflucht, dachte Jakob, stehen kann ich nicht mehr, aber sitzen darf ich auch nicht zu lange, sonst klebe ich am Eis an. Der Tod durch Erfrieren scheint mir gewiß. Happy birthday! Na, wenigstens ziehe ich keinen anderen Menschen mit in das Malheur! Alle schlafen süß in ihren weichen, warmen Betten im schönen Hotel IMPERIAL, alle meine Freunde: der Wenzel Prill, der Karl Jaschke mit seiner Frau, George Misaras mit seiner Frau, Mojshe Faynberg (Herrgott, drei solche Idioteninstitute hat der in der Zwischenzeit in Amerika eröffnet, das Geschäft geht wie verrückt!), der gute alte Senator Connelly schläft im IMPERIAL, den habe ich allein rüberholen lassen, und die liebe BAMBI mit dem lieben Jurij Blaschenko, ihrem Mann, der wackere Oberst Assimow, der Plastic-Experte Dr. Addams Jones, und so weiter und so weiter, Millionäre, Künstler, die GANZ GROSSEN dieser Welt halt, ein paar von meinen Freunden halt, was so in drei Logen reingegangen ist halt. Und natürlich meine geliebte Natascha! Claudia und der versoffene Schreiber, der, wie ich höre, tatsächlich keinen einzigen Tropfen mehr trinkt, sind nicht gekommen. Sie haben angerufen und sich entschuldigt. So lieb! So rührend!

»Wir können unter keinen Umständen aus Monte Carlo weg, lieber Jakob«, hat Claudia gesagt. »Bitte, sei nicht böse und sieh es ein. Der Mario muß Ende Februar mit seinem neuen Roman fertig sein, er arbeitet wie ein Irrer von früh bis abends, damit er es schafft.«

»Klar«, habe ich gesagt. »Arbeit geht vor. Hat er schon einen Namen, der neue Roman?«

»ALLE MENSCHEN WERDEN BLÖDER.«

»Na«, habe ich gesagt, »da hat er aber ja recht, der Mario! Hoffentlich wird das Buch wieder so ein Erfolg wie das letzte, toi, toi, toi.« Und ich habe auf Holz geklopft und gehört, wie die süße Claudia auch auf irgend etwas aus Holz da in Monte Carlo geklopft hat. Der Schreiber, der hat nämlich mit seinem letzten Buch – Gott, mit seinem letzten Buch – steht eine bezaubernde Widmung in dem Band, den er mir geschenkt hat! – einen Bestseller geschrieben. Über die Mauer in Berlin und die ganze Scheiße mit dem zweigeteilten Deutschland, das keiner wiedervereinigen will, weil sie sich alle fürchten vor einem wiedervereinigten Deutschland, man kann's ja verstehen. Sogar gelesen habe ich diesen Roman!

SCHLAFE, LIEB VATERLAND, SCHLAF EIN hat er geheißen. Hat mir sehr gut gefallen. Nur so säuisch sollte der Schreiber nicht schreiben. Ich weiß ja, ich weiß ja, den Leuten gefällt's. Den meisten jedenfalls. Und ›in‹ ist so was auch. Aber hat er das nötig? Im übrigen ist da etwas sehr Komisches passiert: Seine ersten sieben Bücher haben sich schlecht verkauft, aber die Kritiker in Deutschland haben wahre Hymnen über sie angestimmt. Jetzt gehen seine Bücher, was heißt gehen? – sie verkaufen sich rasend, und die Kritiker in Deutschland zerreißen den Mario Schreiber in der Luft. Wie es eben so geht im menschlichen Leben, würde der Arnusch Franzl sagen, der elende Schuft. Den habe ich natürlich nicht zum Opernball eingeladen, den Scheißkerl! Den habe ich doch rausgeschmissen wegen seiner Steuerschweinereien, die er hinter meinem Rücken gemacht hat. Seitdem höre ich nichts mehr von ihm. Und so einem habe ich noch eine Bank in Wien finanziert – ich bin schon ein großer Trottel! Vielleicht sollte ich jetzt doch ein bißchen aufstehen, bevor mir der Hintern endgültig anfriert. Es kommt schon so grauenhaft kalt von da unten herauf, bis ins Hirn...

Jakob versuchte sich zu erheben.

Es ging nicht.

Er war bereits angefroren. Und er hatte nicht mehr die Kraft, sich loszueisen. Mit idiotischem Gesichtsausdruck saß er da. Na, schön. Wenn der Herrgott nicht will, nützt das gar nichts. Dann ist es mir also bestimmt, zu sterben. In meiner Jugendmaienblüte. Am 26. Februar 1965. Auf der Brücke über die Mangfall. An meinem fünfundvierzigsten Geburtstag noch dazu.

Der Tod durch Erfrieren soll ja ein sehr gnädiger Tod sein, habe ich gehört. Man wird immer schläfriger und schläfriger, und dann ist man hinüber. Ach, Natascha, nun werde ich dir die Chinesische Schlittenfahrt doch nicht mehr verpassen können! Das ist schon traurig. Besonders wenn man bedenkt, was ich bereits in dich investiert habe. Und wenn man weiter bedenkt, daß ich dich auch schon zu erwecken angefangen habe. Beim letzten Mal vor drei Wochen, da hast du schon Geräusche von dir gegeben! Und was für welche! Dreimal hintereinander hast du geniest. Na ja, wir sind eben alle in Gottes Hand.

Jakob zuckte zusammen.

Was habe ich da gedacht?

Wir sind alle in Gottes Hand?

Steht es so arg um mich? Na ja, jetzt bin ich wenigstens sicher: Das ist also das Ende...

Er ließ sich sanft seitwärts gleiten. Seine Gedanken wurden leichter und leichter. Wie war das Gedicht, eh, der Gesang, den mir Natascha auf Cap d'Antibes vorgesprochen hat, von diesem Danton? Quatsch, Danton! Danton, das ist der mit den hochgezwirbelten Schnurrbartspitzen, der diese Pfannkuchenuhren malt. Nein, Dante heißt der Kerl! Und meine geliebte

Natascha hat mir vorgesprochen – rezitiert heißt das –, was dieser Darwin
da geschrieben hat...

> Gerade in der Mitte meiner Lebensreise
> Befand ich mich in einem dunklen Walde,
> Weil ich den rechten Weg verloren...

Aus.

Schluß.

Jakob war mitten in der Erinnerung an diesen Gesang friedlich eingeschlafen. Schnee stäubte ihn zu...

51

»Herifi son anda bulduk!«

»Lânet olsun! Arkasi donmaya başlamiş bile.«

»Herifin kimin nesi oldogunu da bilmiyoruz.«

Einen Moment mal, ja?

Einen ganz kleines Momentchen, bitteschön!

Wer spricht denn hier Türkisch?

Ich kann selber nicht Türkisch, aber ich war oft genug in der Türkei wegen
diesem Plastikwerk, das ich denen da hingebaut habe, um zu wissen, wie
Türkisch klingt. Für diese Sprache habe ich überhaupt einen gut entwickelten Sinn!

Aber wieso Türkisch?

»Inşallah yolda geberip gitmez!«

Keine Ahnung, was es bedeutet, aber Türkisch ist es, da will ich verrecken,
wenn nicht.

Verrecken?

Vielleicht bin ich schon verreckt! Sehr wahrscheinlich. Auf der Brücke über
die Mangfall. Erfroren. Im Himmel.

Sprechen sie im Himmel Türkisch?

Ach, Mensch, ich und in den Himmel kommen!

Sprechen sie also in der Hölle Türkisch?

Und wieso ruckelt und wackelt alles so unter mir? Ruckelt's und wackelt's
so in einer türkischen Hölle? Das muß ich mir mal besehen, wie so eine
Hölle, eine türkische, ausschaut!

Jakob öffnete die Augen.

Er fand, daß er auf dem Rücksitz eines sehr alten, sehr dreckigen Autos
lag, das vollgestopft war mit Gepäckstücken – mit Koffern, Persilkartons,
Taschen. Jakob hob etwas den Kopf. Er befand sich, so stellte er fest, in einem ziemlich kaputten Auto. Die Stoßdämpfer waren jedenfalls im... na
ja. Nicht immer so ordinär sein wie dieser Schreiber! dachte Jakob.

Über ihm krachte etwas. Da sind auch noch Koffer auf dem Dach, überlegte er. Und sah nach vorne. Vorne saßen zwei Herren in desolater Winterkleidung. Der eine hatte einen Schal um den Kopf gewickelt, der andere rauchte eine Zigarette. Gott, was für ein Gestank! Ach was, erstunken ist noch keiner, erfroren schon so mancher. Jakobs benebeltes Hirn begann besser und besser zu arbeiten.

Die zwei Herren da vorne reden miteinander. Türkisch! Werden also wohl Türken sein. Türken in Bayern? Ach so, Gastarbeiter! Die kommen offenbar gerade aus der Heimat zurück, wenn man sich die Koffer und Kartons anschaut, in denen wohl ihre Kleidung verpackt ist. Die Weihnachtszeit haben sie daheim verbracht und alles Geld, das sie in der Bundesrepublik erschuftet haben, ihren Familien gegeben, die guten Kerle, und dann vermutlich noch Urlaub drangehängt, und jetzt fahren sie zurück, wieder schuften.

Also bin ich gar nicht tot!

Jakob wurde es heiß.

Also lebe ich noch, hurra!

Sein Herz klopfte wild.

»He...«, krächzte er.

Der Türke, der rechts saß, drehte sich um und sah ihn an. Noch nie hat mich ein Mensch so liebevoll betrachtet, dachte Jakob, dem die Tränen kamen.

»Okay?« fragte der Türke.

»Okay, ja. Ganz okay! Sie haben mich aufgelesen da auf der Brücke, meine Herren?«

»Nix verstehn.«

»Brücke. Ich. Ihr Auto.« Jakob sprach automatisch wie ein Mann, der nur ein paar Worte Deutsch kann. Er war der Überzeugung, daß ihn die Türken so viel besser verstehen könnten.

»Ja, ja. Du gut. Wir...« Es folgte eine Flut türkischer Erklärungen.

Jakob verstand kein Wort. »Aha«, sagte er. Und noch einmal: »Aha.« Er klopfte den beiden Türken auf die Schultern. »Danke! Danke! Danke!«

»Was?«

»Danke! Thank you! Merci! Spassibo! Grazie...« Was heißt ›danke‹ auf türkisch? Der Mensch kann nicht alles wissen.

Der Wagen schleuderte und schlidderte auf der vereisten Autobahn, daß es eine Lust war. Der Türke am Steuer hielt eisern den Fuß auf dem Gashebel. Jakob sah auf das Armaturenbrett. Fünfundneunzig Stundenkilometer. Gelobt sei Jesus Christus! Und was ist das da? Eine Uhr ist das da. Und was zeigt die Uhr? Die Uhr zeigt die Zeit: 8 Uhr 58. Fast neun. Es ist schon hell draußen! Und es schneit wie verrückt. Fast neun. Nie im Leben komme ich mehr zu meiner Aufsichtsratssitzung zurecht! Die habe ich selber angesetzt. In meiner Münchner Fertighausfabrik, der ganz großen, da draußen in Solln. Wichtige Dinge sind mit den Direktoren meiner ausländischen und überseeischen Niederlassungen zu besprechen. Den Jaschke brauche ich nicht dazu. Darum habe ich ihn ja auch im IMPERIAL schlafen lassen. Eigentlich sollte er natürlich doch dabeisein. Aber ich hab's nicht über mich gebracht, ihn zu wecken. Ich kann ihn sehr gut vertreten. Sehr gut vertreten...

Wie?

So?

In diesem verdreckten Frack?

Was heißt verdreckten Frack?

So verdreckt, wie der ganze Jakob Formann, seiner Zeit immer um zwei Schritte verdreckt voraus, ist? Ich kann sehen, *wie* verdreckt ich bin, da vorne, im Rückspiegel, sehe ich mich. Großer Gott im Himmel, so was Dreckiges hat die Welt noch nicht gesehen! Ich muß aber zu der Vorstandssitzung. Natürlich nicht in diesem Zustand. Also muß ich mich schnell waschen im Werk. Aber der Scheißfrack! In dem kann ich doch unmöglich, also das ist doch absolut ausgeschlossen, daß ich in dem vor meine Direktoren trete und...

Was?

Was ist das?

Was sagt der Rechte da zu mir mit gewinnendem Lächeln?

»Wir Gastarbeiter«, sagte er mit gewinnendem Lächeln und zeigt auf sich und seinen Freund.

»Aha«, sage ich. Habe ich es mir doch gleich gedacht.

»Du schön Kleid...«

»Bitte?«

»Schön Kleid, du... wir arm... keine schön Kleid...« Und wieder ein türkischer Wortschwall.

Kein schön Kleid?

Den beiden gefällt mein Scheißfrack. Ist ja auch von einem erstklassigen Schneider! Und wenn man ihn reinigt... und ein bißchen zusammennäht...

»Wir tau... tau... tau... ja?«

Tauschen will der! Mensch, das ist die Rettung! Die haben doch ihre Klamotten in den Koffern! Die geben mir was, und ich gebe ihnen den Scheißfrack! Die Rettung! Die Rettung ist da! Was so ein Jakob Formann ist, der geht eben nicht unter.

»Du wollen...?«

»Klar will ich! Mit Vergnügen! Da vorne ist ein Parkplatz!« Jakob zeigte wie irre nach rechts. »Fahrt da rein! Das können wir gleich machen! Ihr müßt mich dann aber auch noch nach Solln hinausfahren, ich habe es wahnsinnig eilig, ich komme ohnehin schon viel zu spät!« sprudelte Jakob. »Solln!«

Die Türken verstanden keines seiner Worte und verstanden dennoch, was er wollte. Der am Steuer fuhr schon in den hohen Schnee eines Parkplatzes im Hofoldinger Forst. Der Wagen hielt. Noch bevor der Türke rechts ausgestiegen war und einen Persilkarton geöffnet hatte, war Jakob schon aus Frackjackett, Frackweste und Frackhose geschlüpft…

52

»Herr über Leben und Tod, Jesus Christus, dem wir leben und dem wir sterben, wir bitten Dich bei Deinem hochheiligen und schweren Tode am Kreuz, verleihe Jakob Formann, das Deine Ankunft bei seinem Tode ihn nicht als schlafenden, unvorbereiteten und trägen, sondern als wachen und guten Knecht angetroffen hat…«

»Was woaß denn der Depp, ob er aa wirklich hi is, der Formann?«

»Im Radio ham s' es g'sagt um achte, daß s' koa Spur g'funden ham von eahm da in der Mangfallschlucht und daß er mit an Wahrscheinlichkeit grenzender Sich… naa, umgekehrt: daß er mit an Sicherheit grenzender Wahrscheinlichkeit hi is. Verbrennt in seinem Schlitten, vastehst, Seppl?«

»Da hätten s' doch aba wenigstens a paar Knochen finden müssen von dem Hund – aba gar nix?«

»Sag des net, Dschonni. Wenn er mit seim Rolls explodiert is, nacher hat's ihn ganz z'riss'n, den Lumpen, den elenden. Drum hams uns ja alle zammg'holt. Und deswgn san ja de Fahnen aa bloß halbert aufzogn! Na, na, der is hi, da gibt's nix!«

Also, das ist doch…

Ein Mann in mittleren Jahren, mit zerschrammtem Gesicht und wunden Händen, Pflaster darauf, angetan mit einer sehr abgetragenen Hose, einer sehr abgetragenen Jacke von undefinierbarer Farbe (an den Ellbogen Lederherzen!), einem zerdrückten grünlichen Hemd, am Halse offen, und einer Schirmmütze, die tief ins Gesicht gedrückt war, konnte sich nicht fassen vor Empörung. Er stand, eingekeilt in die Menge der Arbeiter, in der größten Halle des Fertigbauwerks München-Solln und hatte bebend vernommen, was der Betriebsratsvorsitzende, ein braver, gläubiger Bayer, ein wenig mühsam aus einem kleinen schwarzen Buch da vorlas.

Hirnschall, so heißt der Sack, dachte Jakob Formann, denn um ihn handelte es sich bei dem schäbig gekleideten Mann inmitten der Arbeiterschaft des Münchner Werks (Sie haben es doch nicht etwa schon vermutet?), Alois Hirnschall heißt der fromme Herr. Wahrscheinlich hat auch er angeordnet, daß die beiden Fahnen – die bundesdeutsche und die österreichische – draußen auf den Stangen beim Werkeingang halbmast zeigen –, und diese Trauergemeinde hat er auch zusammengetrommelt, Angestellte und Arbeiter, Putzfrauen und Direktoren, alles, das sieht ihm ähnlich, diesem Gschaftlhuber, diesem schwarzen, und jetzt muß er auch noch aus dem Büchl da das Gebet über mein seliges Sterben vorlesen, das Rindvieh, und wer paßt draußen auf? Kein Mensch. Nicht mal ein Portier war da, wie die beiden türkischen Gastarbeiter mich abgesetzt haben. Keine Maschine ist gelaufen. Ich habe gedacht, die sind hier alle ausgerissen oder machen Streik, und dann komme ich in die Halle fünf und sehe und höre so was, also, nein, pfui Teufel noch mal!

»...laß nicht zu, wir bitten Dich, daß Jakob Formann ohne Reue aus diesem Leben geschieden und gänzlich unversehen vom Tode überrascht worden ist«, las der Betriebsratsvorsitzende Alois Hirnschall, geboren in Tuntenhausen, Oberbayern, etwas mühsam, aber desto inbrünstiger weiter. Das Podest, auf dem Hirnschall seine Andacht zelebrierte, war schwarz drapiert mit einem Stück jener Kunststoff-Folie, die, in Streifen geschnitten, zum Abdichten der Verbundstellen an den Fertighäusern diente.

Einen Geistlichen Herrn hat der Hirnschall so auf die schnelle nicht auftreiben können, darum macht er es selber, dachte Jakob. Der Hirnschall ist ein guter Kerl, nur so entsetzlich hastig und impulsiv (auch bei Verhandlungen über Lohnerhöhungen), ich muß unbedingt was unternehmen, ich muß sagen, daß er aufhören soll, weil ich noch lebe, das ist ja nicht zum Anhören! Verflucht, wenn ich nur nicht so eingeklemmt wäre. Eine dicke Luft ist das hier. Kaum zu atmen! Na, ich werde mal laut schreien: »Ich lebe noch, Hirnschall!« Dann wird er schon aufhören. Jakob öffnete den Mund, um seinen Vorsatz in die Tat umzusetzen, da hörte er einen Arbeiter zu einem anderen sagen: »Scheiß doch auf'n Formann. Reue! Was hat denn den scho g'reut, den Ausbeuter, den dreckat'n.«

»Da hast amal recht«, sagte sein Kollege nickend. »Und G'wiss'n hat er aa koans g'habt. A typischer Scheißkapitalist halt.«

Also, das ist doch...

Jakob schoß das Blut ins Gesicht. Er wollte den beiden eine knallen (somit zwei, jedem eine), aber er bekam den Arm nicht hoch, so dichtgedrängt standen sie hier zwischen den Maschinen.

»...wenn Jakob Formann alles verlassen hat, was man an hinfälligen und vergänglichen Gütern dieser Zeit besitzen kann, dann verlasse Du den Jakob Formann nicht, besonders nicht in dem letzten Kampf seines Lebens...«

»Was der scho zum Kämpfen g'habt hat, möcht' i wissen«, fing ein anderer Arbeiter, hinter Jakob, an. »Multimillionär is er g'wesen! Unseroans muaß kämpfen um jedes Markl, aba der mit seine Flugzeug und Mercedes und Weiber und Häuser, der Hund, der verreckte, der hat doch überhaupt net g'wußt, wos des hoaßt: kämpfen!«

»Recht hast, Ferdl«, ertönte eine andere Stimme hinter Jakob. »Der hat allawei im Luxus g'lebt und Weiba g'habt und g'soffen, und dauernd is er spaziereng'flogen mit seine Dschets, und mir, mir ham uns krumm und buck-lat schuften derfa weg'n eahm…«

»….wenn Jakob Formann mit dem bösen Feind hat ringen müssen«, las der Betriebsratsvorsitzende Hirnschall, leiernd und gequält hochdeutsch, »dann mögen ihm Deine Engel beigestanden und ihn wider alle Versuchungen beschützt haben…«

»Den Hund ham de Engel sei Leben lang b'schützt und ihm beig'standen! Unseroana plagt si und bringt's doch zu nix. Und so a Pleeboi, so a ausg'schamter, der verdient an Haufa Geld mit unseroam!«

»Und net amoi a Bayer war a. A Österreicher!«

»Des aa no!« sagte der, der Jonny genannt wurde. »Und wegen dem Scheißkerl müaß ma mir uns jetzt d'Füaß in Bauch steh!«

»…verleihe dem Jakob Formann in jener Stunde lebendigen Glauben, festes Vertrauen, brennende Liebe und große Geduld…«, las Hirnschall.
Der Arbeiter neben Jakob sagte: »Oiso, des woaß a jeda: I bin koa Kommunist! Aba wenn i an den Formann denk', nacha könnt i oana werden!«

»Mir geht's grad a so«, ließ sich eine andere Stimme vernehmen. »I mag die DDR, die sogenannte, g'wiß net. Aba was wahr is, des muaß wahr bleiben: Solchene Kreaturen, solchene, die hams drüben net!«

Herrgott, würde ich dir gerne die Zähne einschlagen, dachte Jakob, dem speiübel geworden war vor Wut. Euch allen! Was bin ich? Ein Ausbeuter? Ein Kapitalistenschwein? Eine Kreatur, wo es in der DDR, in der sogenannten, nicht gibt? Ich, ausgerechnet ich, der ich mein Leben lang ein anständiger Mensch gewesen bin? Der euch Armleuchtern Häuser gebaut hat und ganze Siedlungen und Schulen für eure Kinder und Kindergärten und Kinos und Supermärkte, und vierzehn Monatsgehälter kriegt ihr, wozu ich gar nicht verpflichtet bin, und mehr Urlaub als jeder andere, und bei dem ihr habt krankfeiern können bis zum Geht-nicht-mehr, sogar euern Weibern hab' ich einen Zuschuß gegeben, wenn sie schwanger gewesen sind. Und die Sportplätze? Und die Betriebsausflüge? Und die Spielplätze für eure Kinder? Und das Schwimmbad, das große? Also, das ist ja… Herrgott, drängelt doch nicht so, ich kann mich ja nicht rühren, nicht einmal meine Knie kann ich einem reinrennen dort, wo's weh tut. Die größte Sau, die ich in meinem Leben kennengelernt habe, das ist ohne jeden Zweifel der Arnusch Franzl gewesen. Meine bitterste Enttäuschung. Aber da fällt mir ein, was er einmal gesagt hat: »Goldene Klos kannst du ihnen schenken, du Trottel, und sie werden doch nur vom ›schlechten Gewissen‹ reden und daß du ein ›kapitalistischer Ausbeuter‹ bist…« Eine ganz große Sau, der Arnusch Franzl, mein lieber, lieber Schulfreund, aber er hat halt wirklich gewußt, wie es zugeht im menschlichen Leben!

»…gib, daß Jakob Formann sich mit vollem Bewußtsein in Deine Hände empfohlen und im heiligen Frieden entschlafen ist…«, bemühte sich der Hirnschall.

»Heiligen Frieden!« murrte wieder einer der Arbeiter. »Den hat er sei Leben lang g'habt! Was hat der denn von Sorgen g'wußt, so wie wir?«

Gott sei Dank, wenigstens goldene Klos haben sie nicht von mir gekriegt!

»...Du hast dem reuigen Schächer Dein Reich verheißen und in Deiner großen Güte geschenkt! Gedenke auch des reuigen Jakob Formann, o Herr, in seiner letzten Stunde...«

»Reuig! Da machst da ja in d'Hos'n! Der is in sei'm ganzen Leben net reuig g'wesen, de Wuidsau!«

»Der hat net amal g'wußt, was des hoaßt: reuig!«

Also, das halte ich nicht aus. Nicht eine Sekunde länger halte ich das aus. Ihr seid Lumpen, alle miteinander! Kalt ist mir, der Kopf tut mir weh, einen Kater habe ich wie noch nie vom zu vielen Saufen, die Knie schlackern mir noch vor Aufregung wegen dem Malheur da auf der Autobahnbrücke über die Mangfall, und jetzt das! Ich könnte ja brüllen, daß ich noch lebe, und daß ich der Jakob Formann bin. Aber ich habe einfach keine Kraft mehr. Weg, weg, weg hier!

Mit gesenktem Kopf und Tränen der Wut in den Augen brach Jakob Formann sich zum Ausgang hin Bahn. Er rammte Bäuche, Gesichter, Brüste. Ihm war alles egal. Raus hier, raus, raus, raus!

Die Arbeiter wichen zurück.

»Was is denn des für a Trottel?«

»Schaut's euch des an, Leutln, der woant ja!«

»Mamakind, tut er dir leid, der Herr Formann, gell?«

Ja, dachte Jakob erbittert, sich zum Ausgang kämpfend, ja, ihr undankbares Gesindel, er tut mir leid, der Herr Jakob Formann.

»...und gedenke seiner in seiner letzten Stunde. Amen!«

53

»Nach Starnberg«, sagte Jakob Formann, außer Atem, und ließ sich in den Fond eines Taxis fallen. Er war außer Atem, weil er ein weites Stück bis zum nächsten Taxistand hatte rennen müssen.

Der Chauffeur drehte sich um und musterte ihn angewidert.

»Was is los?«

»Nach Starnberg«, wiederholte Jakob, der eisern an sich hielt, »sollen Sie mich fahren. Wenn es Ihnen nicht zuviel Mühe macht oder vielleicht unangenehm ist.«

»Du bist b'soffen, was?«

»Nein! Ja! Das auch! Aber nicht mehr so sehr! Also wollen Sie nun fahren oder nicht?«

»Starnberg! Des is a schöns Stück Weg! Des kannst du doch nia bezahlen! Also los, los, los, schau, daß du aus mei'm Kübel rauskommst!«

Jakob schnappte nach Luft. »Wie reden Sie denn mit mir, Sie Lümmel?«

»Hast du Lümmel g'sagt, du Mausdreck, du aufg'stellter? Na wart, dir geb' i glei' an Lümmel!« Der Chauffeur stieg aus, ging um das Taxi herum, riß den Schlag an Jakobs Seite auf und zerrte unsern Freund heraus. Jakob hatte jetzt genug. Er holte weit aus und traf den Chauffeur mit einem rechten Schwinger direkt an der Kinnspitze. Der stürzte in den Schnee wie ein gefällter Baum. Klassischer K. o.

Jakob stieg über ihn hinweg und setzte sich in das Taxi hinter dem ersten. Der Chauffeur war ein kleiner, magerer Mann, der alles mit angesehen hatte und nun, um sein Leben fürchtend, die Hände hob.

»I hab' Ihnen nix getan! Steigen S' aus, Herr! Nehmen S' a anderes Taxi!«

»Es sind nur Sie und der Kerl da am Stand!« sagte Jakob grimmig. Er hatte sich neben den Chauffeur gesetzt. Der griff in Verzweiflung zu dem kleinen Mikrofon, das am Armaturenbrett hing, und hob es an den Mund, um seiner Zentrale einen Notruf zu geben. Jakob riß ihm das Mikrofon aus der Hand und sicherheitshalber gleich das Kabel ab, an dem es hing.

»Hilfe!« schrie der Kleine. »Hilfe! A Verrückter! Der is aus Haar auskumma!«

Jakob wühlte in einer Tasche der Jacke des ersten türkischen Gastarbeiters. (Die Hose war vom zweiten.) Jakob suchte und fand einen Haufen Geldscheine. Die hielt er dem bebenden Chauffeur unter die Nase. »Da! Ich hab' Geld! Ich will nach Starnberg! Zum Formann-Schloß! Ich bin der Formann!«

»Sie... sind... Um Gottes willen, der bringt mi um! Der glaubt, er is der Herr Formann! Hilfe!«

Jakob stopfte dem Chauffeur wahllos Scheine in die Tasche.

»Also, fahren Sie jetzt?«

Der Kleine betrachtete ihn bebend.

Dann sah er nach, was Jakob ihm in die Tasche gestopft hatte.

»Wenn ma's net so dringend brauchen tät«, murmelte er. »Also schön, wie der Herr meinen. Zum Formann-Schloß am Starnberger See. Sie, aba ich warne Sie! I hab' a Pistole!«

»Ach, leck mich doch am Arsch«, sagte Jakob, endgültig verärgert. Sonderbarerweise brachte die Aufforderung dem Kleinen neuen Lebensmut und ließ seine Ängste schwinden.

Er lachte sogar.

Die erwähnte Aufforderung ist nach höchstrichterlicher Entscheidung im Freistaat Bayern keine Beleidigung. Hingegen häufig ein Grund zur Erheiterung.

»Du g'fallst ma«, sagte der Kleine zu Jakob Formann und fuhr los.

Den Schrecken seines Lebens bekam er erst in Starnberg, als drei Diener aus dem Schloß Jakob Formann entgegeneilten, nachdem der Wagen vor der Treppe zum Eingang gehalten hatte, ihm aus dem Wagen halfen, in

Glück- und Segenswünsche ausbrachen (auch sie hatten Radio gehört) und Tränen der Erleichterung und Freude vergossen. Da erwischte es den Taxichauffeur! Er saß mit offenem Mund da und würgte.

»Na los, fahren Sie schon ab, Mann«, sagte Jakob. »Geld genug habe ich Ihnen in die Tasche gestopft. Los, hauen Sie ab!«

»Sie... Sie... Sie sind wirklich der Herr Jakob Formann...«

»Das habe ich Ihnen von Anfang an gesagt, Sie Trottel. Los, fahren Sie ab!«

»I kann net... mir is schlecht... ich... ogottogottogott...« Der Chauffeur brach über dem Lenkrad zusammen.

»Nehmt ihn mit in die Küche und gebt ihm einen ordentlichen Kaffee und einen großen Kognak«, sagte Jakob. »Ihr seht ja, es steht nicht gut um den armen Kerl...«

Während heißes Wasser in die Wanne floß, in der Jakob sich zu reinigen gedachte, telefonierte er mit dem Münchner Büro der Deutschen Presse-Agentur, welches sich in der Sonnenstraße befindet.

Die Folge dieses Gesprächs war eine Meldung, die von der Hamburger Zentrale sodann über die Fernschreiber gejagt wurde. Sie lautete:

```
e i l        e i l

dpa 423
muenchen 26. januar 1965

formann lebt

jakob formann hat autounfall auf der mangfallbruecke
unversehrt ueberstanden und befindet sich zur zeit
in seinem schloss am starnberger see. alle voran-
gegangenen meldungen ueber seinen tod sind damit
gegenstandslos. dpa wurde opfer eines missverstaend-
nisses und bittet um entschuldigung.

dpa  el  bf  mm  26. jan 65 1412 nnnn
```

54

»*Was* wollen Sie?« fragte unser Freund am 29. November 1971 gereizt.

»Einen Privatjet«, antwortete sein Plastic-Experte Dr. Addams Jones. Die Herren saßen einander im Living-room von Dr. Jones' schöner Villa an der Elbchaussee zu Hamburg gegenüber.

Jakob lief rot an.

»Alle meine anderen Herren fliegen mit der LUFTHANSA! Sie als einziger nicht! Sie haben mir schon ein Privatflugzeug abgepreßt!«

»Ja, eben«, sagte Dr. Addams Jones.

»Eben was?«

»Eine Propellermaschine haben Sie mir zur Verfügung gestellt, Herr Formann. Abgepreßt? Ich muß doch sehr bitten! Zum Zeichen der Anerkennung für meine unermüdliche Arbeit haben Sie mir das Propellerprivatflugzeug gegeben!«

»Na also!«

»Propellerprivatflugzeug habe ich gesagt, Herr Formann. Inzwischen gibt es aber Düsenprivatmaschinen. Also kann ich selbstverständlich von Ihnen erwarten, daß Sie mir als Anerkennung meiner unermüdlichen Arbeit jetzt eine Düsenprivatmaschine geben. Das ist doch nur logisch, nicht wahr?«

»Das ist *Ihre*, Logik, Jones!« sagte Jakob leise.

»Wie darf ich das verstehen, Formann?«

»Ich werde Ihnen ein Beispiel für Ihre Art von Logik geben, Jones«, sprach Jakob, noch leiser. »Ihre Art von Logik funktioniert so: Kuh ist ein einsilbiges Wort. Die Kuh gibt Milch. Auch ein einsilbiges Wort. Aus Milch macht man Käse. Also ist Käse ein einsilbiges Wort!« Jakob erstickte fast an seinen Worten. »Das ist Ihre Ich-kann-den-Hals-nicht-voll-genug-kriegen-Logik, Jones!«

»Immer noch *Mister* Jones für Sie, Formann!«

»Mann«, sagte Jakob, jetzt fast flüsternd, was ein Zeichen dafür war, daß er sich in einem nahezu unkontrollierbar erregten Zustand befand, »sind Sie denn vollkommen wahnsinnig geworden? Drei Autos haben Sie von mir gekriegt! Einen zweiten Diener! Einen Tennisplatz drinnen, falls es regnet und Sie auf dem draußen nicht spielen können! Einen Swimmingpool drinnen, falls es regnet und Sie draußen nicht schwimmen können, zwei Gärtner, zwei Chauffeure, eine Empfangsdame, prozentuelle Beteiligungen am Umsatz meiner Plastikwerke nicht nur in der Bundesrepublik, sondern in der ganzen Welt, ein Gästehaus im Watzmanngebiet mit eigenem Lift, ein zweites Gästehaus auf Sylt, vier Monate Urlaub im Jahr, bezahlten natürlich, das höchste Gehalt, das ein Manager Ihrer Art in der Welt kriegt, den höchsten Spesensatz, Jahresappartements in fünf Hotels! Was wollen Sie denn noch?«

»Einen Düsenprivatjet«, sagte Dr. Addams Jones milde. »Das wäre ein nettes kleines Weihnachtsgeschenk, zum Beispiel, Formann, wenn es Ihnen so leichter fällt.«

»Weihnachten steht doch schon vor der...«

»Ich habe mir auch schon etwas ausgesucht und reservieren lassen«, gab der Experte bekannt.

Am 22. Dezember 1971 hielt Jakob dann anläßlich eines Festschmauses in der Kantine des Hamburger Plastikwerkes eine Rede. Festlich geschmückt war der Raum. Auf einem Podium stand Jakob vor dem Mikrofon, rechts von ihm saß der Wenzel Prill, links von ihm der Karl Jaschke. Jakob sprach nur kurz und zu Herzen gehend. Er schloß mit den Worten: »…der Wind, meine lieben Freunde, ist rauher geworden, und er wird noch rauher wehen. Die Zeiten werden auch schwerer werden, das wissen wir alle. Gerade darum müssen wir, die ich wie eine große Familie sehe, nun zusammenhalten und zusammenstehen! Keine Feindschaft darf es geben, nicht die geringste. Wir müssen alles verstehen und alles verzeihen…« Hier beugte sich Jakob kurz zu Wenzel und sagte dem ins Ohr: »Diesen Scheißkerl, den Jones, den schmeißt du zum nächstmöglichen Zeitpunkt raus, verstanden?«, und als Wenzel nickte, fuhr Jakob, wieder in das Mikrofon hinein, mit verklärtem Gesichtsausdruck und im Schein der Kerzen eines riesigen Weihnachtsbaumes fort: »….und so lassen Sie mich denn alles, was noch zu sagen bleibt, in dem alten Spruch zusammenfassen: ›Gott gebe uns die Gelassenheit, Dinge hinzunehmen, die wir nicht ändern können, den Mut, die Dinge zu verändern, die zu verändern sind, und die Weisheit, das eine vom andern zu unterscheiden.‹«

55

»Ja, mir san mit'm Radl da!« sang Jakob am Sonntag, dem 25. November 1973, um 10 Uhr 35 MEZ im Chor mit achtundsechzig Männern, Frauen und zarten Kindern. »Ja, mir san mit'm Radl da! Ja, mir san mit'm Radl da! Ja, mir san mit'm Radl da…« Der Text dieses bundesweit beliebten Liedchens hatte die Besonderheit, daß man, wenn man wollte, fast nur mit dieser einzigen Zeile auskam, und das, sofern man nur wollte, stundenlang. Jakob sang »Ja, mir san mit'm Radl da!« in dem schönen Kirchlein von Hammering bei Passau in Niederbayern. Auf der Kanzel stand Hochwürden Karl Dussl und sang mit. Saukalt war es in der Kirche. Und die gläubigen Schäflein waren denn auch wirklich fast alle mit'm Radl da. Die Radln lehnten draußen an der Kirchenmauer. Vierundfünfzig Radln. Ein paar, die ganz nahe wohnten, waren zu Fuß gekommen. (Die logen jetzt beim Singen, die meisten aber sangen die Wahrheit.)

»…ja, mir san mit'm Radl da…« steigerte sich der Chor der Gläubigen. Jakob war auch wieder ein Gläubiger geworden! Hatte er doch in der Nacht zu seinem fünfundvierzigsten Geburtstag, im Geäst eines Baumes über der Mangfallschlucht hängend, ein Gelübde getan. Nix wie wieder rein in die Kirche, wenn ich jetzt mit dem Leben davonkomme, hatte Jakob gelobt. Er war mit dem Leben davongekommen. Er hatte sein Versprechen gehalten. Er war wieder in die Gemeinschaft der katholischen Christen eingetreten. Trotz der ganz schön hohen Kirchensteuer! Aber versprochen ist versprochen!

»…ja, mir san mit'm Radl da…« Der Chor schwoll weiter an. Das Liedchen war noch lange nicht aus! Der Geistliche Herr, Hochwürden Dussl, hatte vor diesem Sonntag verlauten lassen, er verheiße den Einwohnern von Hammering (und Umgebung) Gotteslohn und das Absingen von ›Ja, mir san mit'm Radl da!‹, wenn sie auch wirklich zur Sonntagsmesse kämen. Diese Verheißung hatte natürlich ihren Grund. Der Grund dafür, daß in einer katholischen Kirche in Niederbayern ›Ja, mir san mit'm Radl da!‹ gesungen wurde, war Jom Kippur.

Jom Kippur, zu deutsch ›Tag der Sühne‹, bekannter als Versöhnungstag, ist das höchste jüdische Fest. Es wird am zehnten Tischri mit strengem Fasten, feierlichem Sündenbekenntnis und ununterbrochenem Gebet begangen. In biblischer Zeit entsühnte am Versöhnungstag der Hohepriester das Heiligtum, das Volk und sich selbst.

Zum Jom Kippur des Jahres 5734 jüdischer Zeitrechnung, am 6. Oktober 1973 (sieben Wochen also vor dem ›.... mit'm Radl-da‹-Gottesdienst in Hammering, Niederbayern), startete Ägypten einen Überraschungsangriff gegen Israel und verwickelte das kleine Land in einen Zweifrontenkrieg, nämlich im Süden am Suezkanal und im Norden bei den Golanhöhen, wo die Syrer den Kampf eröffneten.

Es wurde mit äußerster Erbitterung gekämpft. Die Verluste waren auf beiden Seiten sehr hoch. Schließlich wurde die ägyptische Dritte Armee von israelischen Truppen eingeschlossen. Mit allbekannter Blitzgeschwindigkeit reagierte wie immer auch diesmal die UN. Augenblicks, 25. Oktober, erzwangen Amerikaner und Russen in der Vollversammlung der Vereinten Nationen einen Waffenstillstand.

Die Israelis waren erbittert. Die Araber auch. Die Araber besannen sich darauf, daß sie im Besitz einer Waffe waren, die sie zwar niemals zuvor noch aggressiv eingesetzt hatten, mit der sie aber die Weltwirtschaft ruinieren konnten.

Diese furchtbare Waffe hieß Öl.

Die arabischen Staaten erklärten, ihre Öllieferungen einschränken oder gar ganz einstellen zu wollen. Sie hielten Wort. Der Schock war weltweit. Die Folgen waren unabsehbar...

Herr Daghely, Libyens Botschafter in Bonn, gab dem deutschen Nachrichtenmagazin DER SPIEGEL ein Interview. Er sagte:

DAGHELY: Die ganze Welt soll unser Problem fühlen. So viel wie wir im Nahen Osten verfeuert haben, sollen Sie hier frieren. Sie müssen Israel klar sagen, daß es unseren Boden verlassen soll.

SPIEGEL: Das ist eine Erpressung.

DAGHELY: Wenn Sie so fühlen, ist es Ihre Sache. Ich habe nicht dieses Gefühl.

SPIEGEL: Sie wollen uns also mit dem Versorgungsdruck zu einer ganz bestimmten politischen Haltung zwingen.

DAGHELY: Da es dem Frieden dient, ist es keine Erpressung...

56

Nein, dann ist es keine Erpressung, dachte Jakob, der, während er (falsch) sang, auch (richtig) denken konnte, nun also am Sonntag, dem 25. November 1973, in der schönen kleinen Kirche von Hammering bei Passau (Niederbayern), weil ihm gerade eingefallen war, warum er hier stand und ›Ja, mir san mit'm Radl da!‹ röhrte. Wenn da einer kommt und sagt, daß es dem Frieden dient, dann hat es in der Geschichte bisher schon immer eine Riesensauerei gegeben. Großer Gott, wie hat der Hitler dem Frieden dienen wollen.

Ach, lieber nicht dran denken…

»…ja, mir san mit'm Radl da…« Nun dröhnte der Gesang der Gläubigen schon so, daß die wunderschön bunten Kirchenfenster klirrten. Den Sangesfrohen schoß der Atem in Form weißer Wölkchen aus den Mündern. Das kam, weil es so hundsgemein kalt war.

Der Hochwürdige Herr Dussl war ein sehr kluger Mann. Natürlich durfte er nicht zulassen, daß in seiner Kirche gewöhnliche Schlager gesungen wurden. ›Ja, mir san mit'm Radl da‹ indessen ist, insbesondere dem Rhythmus und der Melodie nach, alles andere als ein gewöhnlicher Schlager. Rhythmus und Melodie sind exakt die der ›Negro Spirituals‹, jener innig bewegt frommen Lieder, welche die Schwarzen in den Südstaaten der USA singen. Und also durchaus für eine Kirche zulässig, was Hochwürden Dussl auch bestätigt worden war von höchster Geistlicher Stelle. Man stelle sich das nur einmal vor: Ohne Hochwürden Dussls Angebot wäre an diesem bitterkalten Sonntag ganz gewiß kein einziges Schäflein in das bitterkalte Gotteshaus gekommen. So aber war es neben der Heiligen Messe auch noch eine Mordsgaudi, und eine Mordsgaudi mögen die Bayern alleweil.

»…ja, mir san mit'm Radl da…«

An diesem Sonntag war es still in der Bundesrepublik Deutschland und in allen umliegenden Ländern. Verwaist lagen Straßen und Autobahnen. Die Bundesregierung hatte ein striktes Fahrverbot von Sonntag 3 Uhr früh bis Montag 3 Uhr früh erlassen. (Die Araber hielten, was sie angekündigt hatten!) Jetzt mußte jedes Land sehen, daß es so lange wie möglich mit seinen Ölvorräten auskam. Also: Fahrverbote, Geschwindigkeitsbegrenzungen – höchstens 100 km/h –, Heizungsbeschränkungen – höchstens 20 Grad in öffentlichen Gebäuden und Schulen, im Bundestag, in Kinos und Theatern –, Fahrgenehmigungen.

Die deutschen Wohlstandsbürger hatte der Schock schwer getroffen. Zum ersten Mal seit vielen Jahren fühlten sie sich wieder an die Zustände bei Kriegsende erinnert. Vollgefressen, vollgesoffen, voller Erfolg, sahen sich nun auf einmal viele um den Sinn ihres Schuftens, Schaffens und Raffens gebracht: Sie durften am Sonntag nicht mehr Auto fahren!

Die geliebten Autos!

Es gibt nichts, was viele Deutsche mehr lieben als ihre Autos. Gatten, Gattinnen, Freundinnen, Freunde, Kinderlein, Gesundheit – alles ist diesen Leuten wurscht, wenn es um ihre Autos und um deren hemmungslose Benutzung geht. Und um die ging es jetzt. Also, das allein war für viele fast schon ein Grund zum Selbstmord...

»...ja, mir san mit'm Radl da...«

Für Jakob Formann war es kein Grund zum Selbstmord.

Sondern sozusagen im Gegenteil! Unser Jakob blühte richtig auf. Seit Kriegsende hatte er sich nicht so wohl gefühlt. Das kam so: Seit Kriegsende bis zur Ölkrise von 1973 hatte er kaum einmal so leben können, wie es immer sein Traum gewesen war: naturverbunden, sportlich, vor allem hoch zu Rad, so weit und so oft und so lange er wollte, zu körperlicher Ertüchtigung. Im Ernst: Das, was für Millionen in aller Welt ein Alptraum war, das bedeutete für Jakob Formann (zunächst!) etwas ganz und gar Wunderbares!

Ruhe! Frieden! In-sich-gehen-Können! Ausspannen! Ferien machen! Faulenzen! Wieder wie ein normaler Mensch leben! Ja, war das denn nichts? so fragte Jakob. Und vor allem: radeln, radeln, radeln! Nein, nein, versicherte Jakob sich glücklich immer wieder, ich bin noch der alte. Ich bin noch der Springinsfeld. Ein Springinsfeld mit kleiner Glatze meinetwegen. Aber sonst: oho! Mich müssen noch viele Schläge treffen, eh mich der Schlag trifft!

Und so sprach er denn stets ernst und eindringlich mit allen Kleinmütigen: »Was denn, was denn? Glaubt ihr, das halten die Araber durch? Glaubt ihr, die können auf ihrem Öl sitzenbleiben? Die brauchen schließlich auch Geld! Keine Sorge! Relaxt mal ein wenig (nein, nein, ›relax‹ hat nichts mit Abführmitteln zu tun, sondern bedeutet ›entspannen‹), und dann werdet ihr sehen, wie sie ankommen werden, die Scheichs, und vor uns hinknien mit ihren Ölkanistern und uns anflehen mit erhobenen Händen: Nehmt, so nehmt doch um Himmels willen wieder Öl von uns!«

57

Hei, sauste Jakob dann in der folgenden Zeit über die verwaisten Autobahnen um München! War das eine Lust! War das eine Freude! Und tief einatmen, und tief ausatmen! Und strampeln, strampeln, strampeln!

Am 25. November 1973, an jenem Sonntag, da er in der Kirche von Hammering bei Passau so fröhlich gesungen hatte, war er anschließend noch ein Stündchen durch den schönen deutschen Wald gefahren, dann hatte er gegessen, dann ein Nachmittagsschläfchen gehalten (dazu war er seit 1946 nicht mehr gekommen!), und des Abends hatte er dann sogar Muße gefunden, mit der Lektüre eines neuen Romans von Klaus Mario Schreiber zu beginnen, den dieser ihm ausdrücklich (Gott, war das lieb von dem alten Saufaus, der nun keiner mehr war) dediziert hatte.

DIE ANTWORT KENNT NUR DER REGENBOGEN war der Titel des Romans, und Jakob las lange und entspannt im Zimmer des Hotels zu Passau, in dem er stets abstieg, denn in Passau stand eines seiner Fertighauswerke. Die ANTWORT gefiel Jakob sehr. Nur, warum mußte der Schreiber immer noch so schweinische Szenen ins Buch einbauen? Der war doch so begabt! Hatte der denn solche billigen Effekte nötig? fragte sich Jakob. Und also fragten viele andere von Schreibers Lesern (denn er hatte jetzt massig Leser), und nicht anders fragten die Kritiker, die ihn verrissen.

Na ja, jeder wie er kann und muß. Man muß tolerant sein, dachte Jakob noch, während er, das dicke Buch auf der Brust, selig entschlummerte. Siebenundzwanzig Jahre Nachmittagsschlaf nachzuholen hatte er! Siebenundzwanzig Jahre, das stelle man sich erst einmal vor! Der Ölboykott brachte Jakob sozusagen die ersten Ferien seines Lebens, zuvor hatte er nie Zeit für Ferien gehabt. Nur einmal zwei Monate mit BAMBI.

Natürlich ließ es sein Temperament einfach nicht zu, daß er überhaupt nicht arbeitete! Er arbeitete – aber sozusagen schaumgebremst. Er kümmerte sich um sein Imperium – aber nach dem Motto ›Eile mit Weile‹, und das mit Schwergewicht auf ›Weile‹. Er konnte nicht klagen, bei ihm ging überall in der Welt alles tadellos, es gab keinen Grund zu irgendwelcher Panik! Das sagte er auch immer dem Wenzel Prill, der ihm mit Unheilsprognosen die Ohren vollsang.

Karl Jaschke war ein fauler Hund, der sich überhaupt nicht für Sport interessierte. Nur für den mit seiner Rothaarigen in Garmisch.

Darum holte Chauffeur Otto an einem Samstagnachmittag, an dem man ja noch fahren durfte, Jaschkes Söhne in das Schloß am Starnberger See. (Komisch, da jammerten sie jetzt alle über die Kälte in den großen Sälen! Als ob frische kalte Luft nicht gesund wäre! Jeden Morgen machte Jakob eine halbe Stunde Gymnastik bei weit offenen Fenstern!) Und da übernachteten die Knaben dann, und am Sonntag radelten sie alle nach München, ins Stadion an der Grünwalder Straße, denn sie waren alle begeisterte Fußballer, und es spielte 1860 München gegen die SpVgg Fürth.

Die Organisatoren dieses Matchs hatten ähnliche Methoden angewendet wie der Geistliche Herr Karl Dussl aus Hammering bei Passau, um zu verhindern, daß keine Zuschauer oder nur ganz wenige kamen und die Veranstaltung eine Pleite wurde: Sie versprachen allen Besuchern Freibier und verbilligte WIENERWALD-Hendln!

Sein Freibier überließ Jakob den stämmigen Knaben, die, in Bayern großgeworden, das edle Getränk sozusagen von Mutterbrust an lieben und schätzen gelernt hatten. Jakob trank ›Überkinger‹. Sein WIENERWALD-Hendl aß er im Stehen. Im Mantel. In der klirrenden Kälte. Wie alle anderen, die gekommen waren.

Und wieder hatte er Grund, in Anlehnung an den Titel des ersten Romans von Klaus Mario Schreiber zu sich selber zu sagen: MICH WUNDERT GAR NICHT, DASS ICH SO FRÖHLICH BIN!

Denn warum?

Weil die WIENERWALD-Hendln allesamt und unterschiedslos mit *zwei* Schenkeln verkauft wurden, während Jakob – schon seit 1957 und den Erkenntnissen, die er bei der im übrigen eher peinlichen großen Party auf Saint-Jean-Cap-Ferrat bei Lord und Lady Alexander gewonnen hatte – *seine* Hühner, wenn deren Lege-Hoch-Zeit vorüber war, für die guten Leute mit nur *einem* Schenkelchen an Großabnehmer verkaufte, nämlich dem linken, weil, wie er seit Saint-Jean-Cap-Ferrat wußte, Hühner beim Schlafen gemeinhin auf dem rechten Bein stehen und deshalb die linken Schenkelchen wesentlich zarter sind als die rechten. Beim WIENERWALD kümmerte man sich nicht um derlei, stellte Jakob triumphierend fest.

Na ja, wenn man's eben nicht weiß...

In vollem Glücksgefühl radelte er dann mit den beiden Knaben nebst Otto zurück zu seinem Schloß am Starnberger See. Noch nie im Leben war Jakob so optimistisch und so gut gelaunt gewesen wie in diesen Monaten, in denen alle Menschen immer pessimistischer und pessimistischer wurden und immer üblere und üblere Laune hatten...

58

25. Januar 1974.

Finster sah Wenzel Prill, Jakobs Generalbevollmächtigter für das Finanzwesen, die beiden Herren an, die vor ihm in der Halle jenes Hauses in Bonn saßen, in dem einmal der Arnusch Franzl residiert hatte.

»Die Lage war noch nie so ernst«, sagte er. (Immer noch kein Dr. jur.)

»Den Satz kenne ich doch«, rief Jakob fröhlich. »Den hat doch bei jeder Gelegenheit der Adenauer gesagt!«

»Du wirst gleich nicht mehr so fröhlich sein«, sagte Wenzel. »Jetzt geht es nämlich um die Wurscht.«

»Was für eine Wurscht?« fragte der Karl Jaschke.

»Um alle unsere Werke, überhaupt um alles, Mensch! Oder lebst du hinter dem Mond?«

»Wie redest du denn mit dem Jaschke?« Jakob wurde zornig.

»Reg dich ab und hör mir zu. Vor ein paar Wochen war ich im Bundeswirtschaftsministerium und habe mit ein paar von den höchsten Beamten gesprochen. Und da hat mir einer gesagt: ›Wenn die Araber diese Ölblockade noch lange durchhalten, dann steht uns allen einiges bevor!‹ Die Araber halten die Ölblockade durch, wie ihr seht. Und sie haben schon ganz hübsche Wirkungen erzielt.«

»Zum Beispiel?« fragte Jakob. Er drückte seine Hasenpfote, die er in der Hosentasche hielt. Mach, daß alles gutgeht, dachte er, daß nix Schlimmes passiert, Hasenpfote, liebe.

»Jeder tut, was er will, in Europa – und Amerika geht in den Arsch. Die Europäer haben dazu noch diese widerwärtige ›Alles schon mal dagewesen‹-Einstellung!« sagte Wenzel. »Schaut euch England an!«

»Warum sollen wir uns England anschauen, Wenzel?« frage Jakob unschuldig.

»Weil ich gerade aus London komme und England ein typisches Beispiel auch für uns ist. Ich war bei dem armen Sir Derrick. Er hat mich flehentlich gebeten, ihm zu helfen. Ich tu, was ich kann. Das ist natürlich nur ein Tropfen auf den heißen und so weiter. Also, in England fehlen Milchflaschen! Coca-Cola bettelt in einem Werbefeldzug, der siebzigtausend Pfund kostet, um die Rückgabe von leeren Flaschen! Die Zeitungen drucken weniger, weil Papier fehlt. Kunstmaler malen auf Karton, weil Leinen ausverkauft ist. Außenhandelsdefizit im Oktober: dreihundert bis dreihundertsiebzig Millionen Pfund Sterling! Lebensmittelpreise seit 1971 um fünfundvierzig Prozent gestiegen! Die Bergarbeiter weigern sich, noch mehr Überstunden zu machen. Zusätzliche zweihundert Millionen Tonnen Kohle, die man dringend benötigt, bleiben in der Erde! Eisenbahnerstreiks! Die Lokomotivführer wollen am Sonntag nicht fahren! Hier!« Wenzel hob eine britische Zeitung. »›Evening Standard‹! Hundertundeine Methode, sich warm zu halten. Zum Beispiel: Besuch der Reptiliengehege im Zoo. Da ist es schön warm. Oder: Eßt Curry! Oder hier, bitte: Denkt an den Kaukasus! Und noch eine ganz spezielle Empfehlung: Gehen Sie mit dem Menschen Ihrer Wahl ins Bett!«

»Hör schon mit England auf«, maulte Jakob. »Wir sind in Deutschland!«

»Und du meinst, hier wird es blühender aussehen?« Wenzel lachte heiser. »Hast du eine Ahnung, Mensch! Überall sieht es beschissen aus! In Übersee! In Nord- und Südamerika! In Japan! Merkst du was?«

»Nein«, sagte Jakob.

»O Gott, Mensch, da hast du doch überall deine Werke! Die Plastikfabriken! Die Fertighausfabriken! Die Kliniken! Die Touristik-Unternehmen! Was glaubst du, was es dich jetzt kostet, zu fliegen oder ein Flugzeug zu chartern – bei dieser Benzinpreiserhöhung? Was glaubst du, wie lange deine Schiffe und Tanker überhaupt noch fahren können? Und womit? Für deine Plastikfabrikate braucht man zur Herstellung Öl! Die Fabriken brauchen Öl! Egal, welche! Egal, wo!«

»Eijeijei«, sagte Jakob.

»Oi weh«, sagte der Jaschke.

»Jetzt endlich geht euch der Arsch mit Grundeis, ja, ihr fröhlichen Idioten!« Wenzel regte sich mehr und mehr auf. »Dein ganzes Imperium kracht bereits, Jakob!«

»Das ist nicht wahr!« Jakob war hochgefahren.

»Und ob es wahr ist! Es kracht in allen Fugen. Die Umsätze sind bereits rückläufig. Die Fabriken, die Kurzarbeit eingeführt haben! Die Riesenaufträge, die storniert worden sind! Alles in den letzten paar Tagen!«

»Aber wieso...«, begann Jakob, und Wenzel unterbrach ihn erbost: »Stell dich nicht noch blöder, als du ohnehin schon bist! Ich habe gesagt, deine Fabriken brauchen Mineralöl, um arbeiten zu können. Weil sich alle Industrienationen des Westens und die meisten des Ostens ganz auf Öl eingestellt haben! Schlimm genug, daß ich euch Arschlöchern das noch erklären muß! Wir sind alle so abhängig vom Nahost-Öl, daß die Araber praktisch mit uns machen können, was sie wollen: die Preise und die Mengen für Öl diktieren – oder es uns überhaupt sperren. Erhöhte Preise genügen bereits. Denn dadurch werden wir mit unseren Produkten saftig teurer werden müssen! Und die Menschen haben Angst um ihr Geld! Sie kaufen weniger und weniger! Ich sage ja, haufenweise storniert sind unsere Aufträge – besonders in der Plastikfabrikation. Weil sie, zum Beispiel, die Autoproduktion eingeschränkt haben, da es nicht genug Benzin zum Fahren gibt. Also brauchen sie auch keine Kunststoffkarosserien oder was immer noch wir an Plastikzeug für ein Auto liefern. Weil es so wenig Öl gibt, ziehen andere ihre bereits erteilten Aufträge für Plastikrohrleitungen zurück – was soll durch die fließen? Das ist ein Teufelskreis. Weniger Aufträge, also weniger Geld. Also haben die Banken Angst um ihre Kredite. Weniger Aufträge, also weniger Arbeit. Also Kurzarbeit oder Entlassungen. Also Arbeitslosigkeit. Also Streiks. Also politische Unruhen. Das internationale Währungsgefüge wird durcheinandergeraten. Der Dollar ist schon runtergesaust. Mit unserer Mark werden wir dauernd andere Währungen stützen müssen! Ich sage euch, wir rodeln mitten in die dickste Scheiße hinein!«

»Du meinst also wirklich...«, murmelte Jakob nach einer langen Stille dumpf.

»Und ob, meine ich wirklich...« Wenzel rang nach Luft. »Ihr habt weiß Gott was gemacht in der letzten Zeit...«

»Erlaube mal, wir haben gearbeitet wie immer!« (Jaschke).

»Aber nicht wie Misaras drüben in Los Angeles! Nicht wie die in Tokio und Rom und Buenos Aires und Stockholm! Nicht wie ich, der ich versucht habe – sechzehn, achtzehn Stunden am Tag –, diese Lawine, die da auf uns zukommt, aufzuhalten – vergebens! Wie oft habe ich mit Experten gesprochen! Sie alle haben dasselbe gesagt: Bis neue Energieträger das arabische Ölmonopol brechen könnten, müßten mindestens fünfzehn Jahre vergehen.«

»Wieviel Jahre?« erkundigte sich Jakob, während seine Schläfennarbe zuckte wie verrückt. Pfote, Pfote, warum hilfst du nicht?

»Du hast schon richtig gehört«, sagte Wenzel. »Und mir san mit'm Radl da.«

Aber Jakob hatte sein Selbstvertrauen bereits wiedergefunden. Sie funktionierte also doch noch immer, die gute alte Hasenpfote. Er stand auf.

»Wo willst du hin?« fragte Wenzel.

»Losfliegen, sofort!«

»Wohin?«

»In die ganze Welt«, sagte Jakob. »Überall dorthin, wo meine Fabriken stehen. Mir scheint, jetzt geht's wirklich um die Wurscht!« Und ohne ein weiteres Wort verließ er grußlos die Halle.

Die beiden Freunde starrten die Tür an, hinter der Jakob verschwunden war.

Dann fand der Karl Jaschke es an der Zeit, seinen Lieblingsausspruch in Zeiten schwerer Bedrängnis auszusprechen, laut und deutlich. Er sagte erschüttert: »Verflucht, sprach Max und schiß sich in die Hose.«

59

Das erste Mal fuhr Jakob noch im Rolls-Royce und ungemein seriös gekleidet vom DOM-HOTEL in Köln zum CWWDWW. Das war am 18. Juni 1975, und Jakob hatte 282 451 Flugkilometer sowie an die sechzehn Monate der schwersten Schufterei seines Lebens hinter sich. Er war nicht mehr zur Ruhe gekommen seit jenem Gespräch mit Wenzel, das ihn im Januar 1974 aus seinen friedlichen Ferien gerissen hatte.

Wie ein Irrer war er um den Erdball gejagt, um sein selbstgeschaffenes Werk zu retten – denn leider hatten die Befürchtungen Wenzels sich bewahrheitet. Die Ölkrise war zur Weltkrise geworden, und sie hatte auch Jakobs Imperium nicht verschont. Sein Haar war in dieser Zeit vollkommen grau geworden, die Glatze doppelt so groß – aber damit hatte es sich auch. Ungebrochen wie eh und je waren Jakobs Optimismus, Jakobs Leistungsfähigkeit, Jakobs Unternehmergeist und Jakobs Chuzpe. Sein Lieblingsausspruch bei jeder sich bietenden Gelegenheit: »Noch hängt die Hose nicht am Kronleuchter!«

Otto fuhr schweigend südwärts, in Richtung der Kirche Sankt Severin. Dort, in einer vornehmen Straße, lagen die Räume des CWWDWW.

Jakob sah aus dem Fenster, lächelte, pfiff sich eins und drückte vorsichtshalber die Hasenpfote.

»Was heißt das eigentlich, CWWDWW, Jakob?« fragte Otto.

»Das heißt«, belehrte Jakob ihn milde, »CONSILIUM ZUR WAHRUNG DER WELTGELTUNG DEUTSCHER WERTE UND WÄHRUNGSINTERESSEN. So hat's jedenfalls auf all den Briefen gestanden, die ich so ab und zu gekriegt habe. Was soll das eigentlich, habe ich mir gedacht. Ich mache mir meine Werte und meine Weltgeltung alleine. Also habe ich das Zeug in den Papierkorb geschmissen. Aber jetzt haben diese Brüder von dem Stotterverein mir ganz dringende Fernschreiben geschickt, ich soll unbedingt heute herkommen. Was wird schon sein?«

»Aber hängt das nicht vielleicht mit der Krise zusammen?« fragte Otto besorgt.

»Klar.« Jakob lachte, aber freudlos. »Diesen CW-Verein, verstehst du, Otto, haben die großen Banken aufgezogen. Und ich habe doch eine Menge mit den Banken zu tun.«

»Aber was bedeuten eigentlich solche Sprüche wie ›Weltgeltung Deutscher Werte‹?« fragte Otto. »Was ist das für eine blödsinnige Bezeichnung?«

»Ich kann es dir im Moment auch nicht sagen, mein Alter.« Jakob pfiff wieder fröhlich. Diesmal, weil ein Mädchen mit einem sehr kurzen Rock und einer sehr ausgeschnittenen Bluse an ihnen vorüberglitt. Er winkte dem Mädchen zu. Es winkte zurück. Na, funktioniert ja noch, dachte Jakob. »Bei uns gibt es eine Menge blödsinnige Bezeichnungen, weißt du?« fügte er hinzu. »Ich werde jetzt ja gleich erfahren, was das heißen soll: ›Wahrung der Weltgeltung Deutscher Werte‹!«

60

»›Weltgeltung Deutscher Werte‹, das soll heißen: Ehrlichkeit, Tüchtigkeit, Sauberkeit, Qualität und Sicherheit, Herr Formann. All das hat die Markenbezeichnung ›Made in Germany‹ zu einem Begriff werden lassen! In diesen schweren Zeiten ist eine Institution vonnöten, die darüber wacht, daß der Weltbegriff ›Made in Germany‹ weiterhin bestaunt, begehrt und bewundert wird, und zwar meine ich damit ebenso alle Produkte ›made in Germany‹ wie die Hersteller aller Produkte ›made in Germany‹ beziehungsweise, und das eigentlich vor allem, die absolute Honorigkeit und über alles erhabene Integrität der Führer unserer Wirtschaft«, sagte der Herr an der Spitze des langen Tisches in dem kostbar eingerichteten Konferenzraum – Mahagonitäfelung, dicke Teppiche, ein Prachtleuchter – eine halbe Stunde später zu Jakob. Er lächelte ihn freundlich an. Jakob lächelte nicht. Jakob bekam keinen Ton heraus, und das wollte etwas heißen. Jakob war sprachlos. Und die Narbe an seiner Schläfe pochte wie noch nie. Außer Jakob saßen an dem langen Tisch sieben Herren. Sechs davon waren Generalbevollmächtigte von Großbanken, mit denen Jakob zusammenarbeitete – seit vielen Jahren. Er kannte sie alle. Er kannte auch den siebenten Herrn, der an der Spitze der Tafel saß – als Präsident des CONSILIUM ZUR WAHRUNG DER WELTGELTUNG DEUTSCHER WERTE UND WÄHRUNGSINTERESSEN. Dieser siebente Herr hatte zu ihm gesprochen. Er war sehr groß, blond, blauäugig und von dezenter Eleganz. Ein Hauch eines äußerst dezenten Eau de Cologne umgab ihn. Er war sozusagen das fleischgewordene Sinnbild der Weltgeltung deutscher Werte.

»Sie!« sagte Jakob, während ihm immer mehr Blut in den Kopf schoß.

»Bitte?«

»Sie!« Jakobs Fäuste ballten sich.

»Herr Formann, Sie wiederholen sich.«

»Sie Schw...« Im letzten Moment fing sich Jakob. Die Bankenvertreter sahen ihn bereits mit hochgezogenen Augenbrauen an. Scheiße, dachte unser Freund, ich kann nicht so, wie ich will. Ich kann jetzt nicht ›Schweinehund‹ sagen zu diesem Schweinehund, diesem verfluchten. Nein, dazu ist meine Lage zu mies. Dazu sind diese Herren zu fein. Dazu bin ich zu abhängig von ihnen. Aber das ist doch wirklich die Höhe!

»Wie meinen Sie, Herr Formann?« fragte der Präsident, immer noch freundlich lächelnd.

»Herresheim...«

»Herr von Herresheim, nicht wahr?« mahnte der Präsident.

Da sitzt er also nun, dieser ehemalige Herr Wehrwirtschaftsführer aus dem Dritten Reich, dachte Jakob, schwer atmend. Dieses Arschloch, dem ich in all den Jahren immer wieder und wieder begegnet bin, und zwar in immer ehrenvolleren und höheren Positionen, dieses Herresschwein, das ich versucht habe, mit Hilfe von sowjetischem Belastungsmaterial abzuschießen, was mir nicht gelungen ist. Da sitzt dieser Schweinesherr, dem ich nichts anhaben kann, dem keiner etwas anhaben kann, nicht das geringste – er, der einzige, dem ich nicht gewachsen bin, er, der Unbesiegbare!

Einer der Bankmenschen räusperte sich lange und laut. Seine Kollegen waren gleich ihm verwirrt über Jakobs Betragen. So geht das nicht, dachte der, denn er bemerkte natürlich die Verwirrung. Ich muß hier einen glänzenden Eindruck machen, nicht einen absonderlichen. Und zwar schleunigst.

»Ich war nur so erstaunt, Sie hier wiederzutreffen, Herr von Herresheim«, sagte er darum, nun fließend (und die Hasenpfote beinahe zerquetschend). »Das letzte Mal haben wir uns im...«

»...Verband Deutscher Unternehmer gesehen.« Der von Herresheim nickte und lächelte. »Ja, lieber Herr Formann. Das ist nun auch schon wieder eine kleine Ewigkeit her.«

»Eine kleine Ewigkeit, ja«, sagte Jakob, der um jedes Wort ringen mußte. Verflucht, dachte er, so ein Schleimscheißer! Da sitzt er nun, immer weiter die Treppe hinaufgeflogen, dieser Herresschweinehund. Und ich muß das Maul halten und darf das nicht sagen in meiner beschissenen Lage. Was darf ich denn überhaupt sagen? Höchstens – sehr mühsam – das: »Gratuliere, jetzt sind Sie aber wirklich ganz oben!«

»Mein lieber Herr Formann«, sprach der von Herresheim leutselig, »wo ich bin, da ist immer ganz oben.« Weiß Gott, dachte Jakob, ich habe die ganze Welt besiegt, nur den da nicht! Nur den da nicht! Hasenpfote, hilf! Nein, dachte Jakob, grün vor Wut, da kann wohl auch diese wunderbarste aller Hasenpfoten nicht helfen...

Der von Herresheim sprach. Jakob hatte die ersten Worte nicht mitbekommen. Jetzt riß er sich zusammen und sah den ehemaligen Wehrwirtschaftsführer an. Die andern sahen Jakob an.

»...ersuche ich Sie namens der hier versammelten Generalbevollmächtigten der Großbanken, bei denen Sie jeweils Kredite in der Höhe von Hunderten von Millionen aufgenommen haben, in möglichst kurzer Zeit eine konsolidierte Bilanz vorzulegen, in der die neuesten Bilanzen aller Ihrer Unternehmen zusammengefaßt sind.« Herresheim machte eine Pause und ein sehr bedeutendes Gesicht und fuhr dann fort: »Wir erwarten daraus Aufschlüsse über die Abhängigkeit Ihrer Werke von den in Anspruch genommenen Bankkrediten und Ihre Gesamtverschuldung.«

»Was heißt denn das: in möglichst kurzer Zeit?« Es hat keinen Zweck, dachte Jakob. Du sitzt in der Scheiße. Das weißt du. Und das wissen die Bankleute. Und das Herresschwein. Wer in der Scheiße sitzt, ist besser nicht auch noch frech. Also ruhig, Jakob. Besonnen, Jakob. Liebenswürdig, Jakob. »Ich habe allen Banken, mit denen ich gearbeitet habe, jährlich meine Bilanzen vorgelegt, und alle waren stets außerordentlich zufrieden, Herr von Herresheim. Warum waren sie wohl so außerordentlich zufrieden?« Jakob lächelte jetzt der Reihe nach die Bankenvertreter an, die sein Lächeln allerdings nicht erwiderten. »Weil«, beantwortete Jakob seine Frage selber, »die Banken für das Geld, das sie mir geliehen haben, seit vielen, vielen Jahren ungeheure Summen an Zinsen einstreichen, weil ich einer ihrer größten Kunden bin, weil sie an mir gewiß mehr als an den meisten anderen Unternehmern verdient haben, weil ich für sie ein solch potenter Großkunde bin, daß sie sehr oft gar nicht nach den Bilanzen gefragt oder sie, wenn ich sie ihnen zuschickte, gar nicht angesehen haben.«

Die Tür ging auf, und ein Herr im dunklen Anzug, mit Regenschirm (im Hochsommer!) und Melone trat ein.

»Ich bitte vielmals um Verzeihung«, sagte der Gentleman englisch, »aber mein Flugzeug hatte einen Maschinenschaden.«

»Ich bitte Sie, Mister Gregory«, sagte der von Herresheim gleichfalls in englischer Sprache, »wir haben schon einen Anruf aus London erhalten, daß Sie sich verspäten werden. Die Herren kennen einander alle, nicht wahr?« Die Herren nickten. Auch Jakob. Er kannte den Gentleman auch. Der Gentleman war der Generalbevollmächtigte von Sir Derrick Blossoms Bank in London. Die Unterhaltung lief nun englisch weiter, nachdem Mr. Gregory Regenschirm und Melone verstaut und sich gesetzt hatte. »Wir haben Mister Formann gerade gesagt, daß es nötig sein wird, uns binnen kürzester Zeit seine Bilanzen offenzulegen.«

Mr. Gregory nickte.

Was soll ich tun? dachte Jakob. Die Zähne fletschen und knurren wie ein Tiger? Er sagte, an alle gewandt, sehr liebenswürdig: »Selbstverständlich können Sie jederzeit meine Bilanzen sehen, Gentlemen. Ich bin, wenn Sie erlauben, daß ich das sage, indessen denn doch erstaunt über diese Haltung einem Ihrer ältesten Kunden gegenüber, der Ihnen weiß Gott Geld in Massen gebracht hat. Vielleicht darf ich bitten, mir zu sagen, was der Grund für diese... hrm, nun sagen wir... unfreundliche Aufforderung ist?«

»Die Aufforderung ist keineswegs unfreundlich, Herr Formann«, sagte der von Herresheim und lächelte wieder, und alle anderen Herren lächelten nicht und schüttelten die Köpfe.

»Was ist sie denn dann?« fragte Jakob. O Herresheim, o Herresheim, was bist du für ein Riesenschwein!

»Unerläßlich, Herr Formann!« Der von Herresheim stützte die Ellbogen auf den Tisch und preßte die Spitzen der edlen Finger aneinander. »Wir alle wissen, daß die Ölkrise die gesamte Weltwirtschaft in eine üble Lage gebracht hat. Daß die größten Unternehmen schwerste Rückschläge und Einbußen erlitten haben. Daß die seriösesten und ältesten Werke in Schwierigkeiten gekommen sind. Natürlich auch Sie, Herr Formann. Es wäre unsinnig, hierüber zu streiten. Niemand macht Ihnen einen Vorwurf daraus. Unsere Bitte, Ihre Bilanzen vorzulegen, ist kein persönlicher Insult, Herr Formann!«

Alle anwesenden Herren beeilten sich, dies auch ihrerseits Jakob zu versichern. Keine Rede von einem individuellen Mißtrauen.

»So, dann müssen Sie ja jetzt viel zu tun haben, Herr von Herresheim«, sagte Jakob.

»Wieso, Herr Formann, wenn ich fragen darf?«

»Na, wenn – über das CWWDWW – die Banken jetzt von jedem Unternehmer, der bei ihnen Kredite laufen hat, das Offenlegen der Bilanzen verlangen!«

Es folgte eine Stille.

Dann sagte der von Herresheim: »Die Sache ist leider nicht ganz so, wie Sie denken, Herr Formann. Natürlich ersuchen die deutschen und ausländischen« – Verneigung vor Mr. Gregory, dem Generalbevollmächtigten von Sir Derrick Blossoms Bank – »Banken jetzt nicht jeden deutschen Unternehmer, seine Bilanzen vorzulegen.«

»Aber mich schon!«

»Aber Sie schon, Herr Formann.«

»Und warum mich, bitte?«

Der von Herresheim trieb Fingergymnastik. Jedes Wort, das er von nun an sprach, war ein Hochgenuß für ihn, das bemerkte Jakob sehr wohl. Die anderen bemerkten es nicht, weil sie nichts über die private Beziehung Formann-Herresheim wußten. Der hat jetzt was davon, dachte Jakob. Jeder Satz ein Organismus... äh, ein Orgasmus, meine ich.

»Weil uns Informationen vorliegen, daß Ihre Verluste Größenordnungen erreicht haben, die das übliche Maß des durch die derzeitige wirtschaftliche Lage Bedingten und uns Bekannten weit, sehr weit überschreiten.«

»Von wem haben Sie denn überhaupt Ihre großartigen Informationen bekommen?«

»Ach, Herr Formann, grundsätzlich würden wir Ihnen das natürlich nicht verraten. Indessen haben wir das vollständige Einverständnis des Betreffenden dazu, ja sogar seine Bitte, Ihnen dies zu eröffnen.«

»Welches Betreffenden?«

»Desjenigen, der den Banken, mit denen Sie arbeiten und die sich begreiflicherweise angesichts der Irrsinnsbeträge, die Sie aufgenommen haben, zu einem Konsortium vereinigen und gegenseitig rückversichern mußten... desjenigen also, der diesen Banken die zweifellos auch von Ihnen nicht bestreitbare Mitteilung hat zukommen lassen, daß Sie allgemein, insbesondere aber auf dem Gebiet der Plastikindustrie, und das ist ja Ihr Hauptgebiet, schwere, um nicht zu sagen schwerste Verluste hinnehmen mußten...«

Wie im Film blendete die Stimme des von Herresheim etwas aus und wurde leiser, während Jakob fieberhaft dachte: Wer war der Drecksack, der das getan hat? Warum schaut dieser Gregory mich auf einmal nicht mehr an? Hat sich Sir Derrick Blossom entschlossen, mich zu ruinieren? Vierhundert Millionen habe ich bei ihm aufgenommen – gleich nach dem Fest da auf Cap d'Antibes, wo seine liebe Frau, Lady Cordine, mich darum gebeten – sagen wir besser: erpreßt hat. Denn Lady Cordine ist ja nicht wirklich Lady Cordine, sie hat auch schon einmal Laureen Fletcher und, was weiß ich wie oft, noch anders geheißen, ursprünglich Hilde Korn, die ich in Wien in der MP-Wache kennengelernt habe, als dieser junge Lieutenant Connelly sie als ›Werwolf‹ hereingebracht hat. Ei weh, das war also wirklich eine richtige Wölfin, mit der ich dann in Paris den großen Devisenschwindel aufgezogen habe, um anschließend heimlich, still und leise zu meinen Hühnern abzuhauen, als sie nach einer Chinesischen Schlittenfahrt noch geschlafen hat, da in Paris, im HÔTEL DES CINQ CONTINENTS? Ist das die (späte) Rache einer verlassenen Frau?

Jakob sagte: »Das ist natürlich Unsinn.«

»Das werden Ihre Bilanzen zeigen, Herr Formann.«

»Selbstverständlich. Nur: Sie haben erklärt, Herr von Herresheim, daß jene... Persönlichkeit geradezu darum *gebeten* hat, ihren Namen zu nennen, wenn ich Sie recht verstehe?«

»Sie verstehen mich völlig recht.«

»Dann können Sie mir also den Namen dieser... Persönlichkeit nennen?«
(Sir Derrick kann nichts dafür. Der war nur Werkzeug. Das Miststück, das mir das angetan hat, ist seine Frau!)

»Aber gewiß, wenn Sie es wünschen.«

»Natürlich wünsche ich es. Also, wer war es?«

»Es war«, sagte der von Herresheim und lehnte sich seufzend vor Genugtuung (jetzt kommt's ihm wieder, dachte Jakob) in seinen Sessel zurück,

»der Besitzer einer Bank, mit der Sie gar nicht zusammengearbeitet haben, der Ihre Geschäfte jedoch aus dem Effeff kennt.«

»Wie kann eine Bank, mit der ich niemals zusammengearbeitet habe... Wie heißt diese Bank?«

»FORTUNA.«

»Nie gehört.«

»Es ist eine sehr kleine Bank. Eine Privatbank. In Wien. Sie gehört Herrn Franz Arnusch«, sagte der von Herresheim. »Herr Arnusch war es, der alle Banken, deren Vertreter vor Ihnen sitzen, alarmiert hat mit präzisesten Informationen über Ihre desolate Lage.«

»Der Arnusch Franzl«, sagte Jakob fassungslos. Die versammelten Herren sahen ihn schweigend an.

61

Der Arnusch Franzl.

Dieses monströse Schwein!

Dem ich die Gründung seiner Scheißbank überhaupt erst ermöglicht habe durch mein kleines Geschenk von fünfundsiebzig Millionen Schilling.

Mein Schulfreund!

Mein Generalbevollmächtigter für das gesamte Finanzwesen... ojweh. In dieser Funktion habe ich ihn doch damals, nach dem mißglückten Afrika-Geschäft (das *er* mir auch eingebrockt hat!) rausgeschmissen, weil er die üblen Schwindeleien mit den verschobenen Geldern organisiert und zuviel für sich eingesteckt hat. Und die Steuer um Hunderte von Millionen beschissen! So viele Millionen, daß ich sie nie hätte bezahlen können, wenn sie mir draufgekommen wären. Weshalb ich jetzt nur auf den Franzl losgehen und alles erzählen müßte, um sofort und mit absoluter Sicherheit auf die Schnauze zu fallen – aber wie! Großer Gott, was würde die Steuer sagen, wenn sie wüßte... Das hat er sich fein ausgedacht, der Arnusch Franzl, wahrlich wunderfein. Er hat sich also gerächt. Dem Werwolf habe ich Unrecht getan. Aber in der Scheiße sitze ich so oder so. Dieser gottverfluchte Hund von einem Franzl!

Jakob riß sich zusammen.

Jetzt nur nichts anmerken lassen! Alle lauern darauf, daß ich vielleicht zusammenbreche, heule, um Gnade winsle. Da können sie lange warten!

Jakob wiegte den Kopf.

»Schau an, schau an, der Arnusch Franzl«, sagte er sanft. »Ausgerechnet der. Wer hätte das gedacht? Na ja, man erlebt halt immer noch Überraschungen...« Er sah in acht ernste Gesichter, die auf seine nächste Reaktion warteten. Er sagte fröhlich: »Vielen Dank für die prompte Auskunft, Herr von Herresheim.«

»Gerne geschehen, Herr Formann.«

»Somit, meine Herren, bleibt mir im Augenblick nichts mehr übrig als ...«
Jakob erhob sich, warf allen rundum einen tiefen Blick zu und ging langsam
auf die Tür zu »...Ihnen Johann Wolfgang von Goethe, ›Götz von Berlichingen‹, dritter Akt, siebente Szene, ans Herz zu legen.« Damit verschwand er.

Offener Aufruhr brach aus.

Alle schrien durcheinander.

»Götz von Berlichingen!«

»Unverschämtheit!«

»Anzeigen, den Kerl!«

»Beleidigung!«

»Uns den Götz...!«

Es gab eine erlesene Klassikerbibliothek im Gebäude des CWWDWW. Alle
Herren stürzten dorthin, um die Beleidigung wörtlich zu lesen, bevor sie
Anzeige gegen Jakob erstatteten.

Da stand der Goethe. Achtzehn Bände. Hastige Sucherei. Dann hatten sie
den ›Götz‹. Dann hatten sie den dritten Akt. Dann hatten sie die siebente
Szene. (Jaxthausen.) Dann hatten sie die berühmten Schlußsätze:

›Sag deinem Hauptmann: Vor Ihro Kayserlichen Majestät hab ich, wie immer, schuldigen Respekt. Er aber, sag's ihm, er kann mich im Arsche lek-
ken!‹

Neuerlicher Aufruhr.

Sofortiges Vorsprechen beim Anwalt des CWWDWW.

Dieser, ein äußerst honoriger Herr, rief Jakob eine Stunde später im DOM-
HOTEL an und stellte ihm anheim, sich augenblicks mündlich und schriftlich
zu entschuldigen, ansonsten er, der Anwalt, namens seiner zahlreichen illustren Klienten auf der Stelle Anzeige wegen gröblichster Beleidigung erstatten werde.

»Ich entschuldige mich mitnichten, Herr Rechtsanwalt«, sagte Jakob am
Telefon.

»Mitnichten? Gut! Dann werden Sie sich die Folgen selber zuzuschreiben
haben.«

»Ich werde mir gar nichts zuzuschreiben haben«, antwortete Jakob liebenswürdig. »Ich habe gesagt: ›Götz von Berlichingen, dritter Akt, siebente
Szene.‹«

»Na ja, und da steht zum Schluß...«

»Vom Schluß habe ich nichts gesagt«, erklärte Jakob. »Lesen Sie die ganze
siebente Szene des dritten Aktes, verehrter Herr Rechtsanwalt. Sie werden
finden, daß – nur kurz vor dem Ende! – Götz zu Maria sagt: ›Wir werden
uns verteidigen, so gut wir können.‹«

»Wa... was sagt Götz?«

»›Wir werden uns verteidigen, so gut wir können‹«, wiederholte Jakob mit

Genuß. »Diese Stelle habe ich natürlich gemeint. Grüß Gott, Herr Rechtsanwalt.«

Natürlich hatte Jakob niemals im Leben den ganzen ›Götz‹ oder auch nur ein ganzes Epigramm, geschweige denn ein ganzes Gedicht von Goethe gelesen. Nur nach Götzens grobem Gruß hatte er gesucht. Und bei dieser Gelegenheit jene andere, von ihm mit soviel Erfolg zitierte Stelle entdeckt. Danach interessierte ihn Goethe nicht mehr. Doch Jakob war selig gewesen, von da an stets einen kleinen Scherz zur Hand zu haben.

Nun hatte er ihn also wieder einmal zur Hand gehabt.

Ach was, dachte er, ganz der alte Jakob, es wird alles nicht so heiß gegessen und so weiter. Ich komme schon wieder raus aus dieser Klemme. Ich bin immer noch aus allen Klemmen rausgekommen! Rutscht mir doch alle den Buckel runter! Genug für heute! Jetzt gehe ich in das Nebenappartement. Da wartet Natascha auf mich, meine geliebte Natascha. Die weiß, wer ich bin! Die weiß mich zu schätzen! Und der werde ich es jetzt besorgen!

62

»Aber das macht doch nichts, Darling«, sagte Natascha Ashley eine Stunde später. Nackt lag sie auf dem großen Bett in Jakobs Appartement, rauchte eine Zigarette und streichelte tröstend den Arm eines leise keuchenden, schweißbedeckten, gleichfalls nackten Jakob, der, am Bettrand sitzend, die Beine und andere Dinge hängen ließ. »Du bist überarbeitet, da ist es doch kein Wunder! Ich habe so etwas schon lange erwartet. Raubbau treibst du mit deiner Gesundheit. Das hält kein Mensch von der Welt aus... So sag doch endlich auch etwas, Darling!«

Ja, Darling, dachte Jakob. Darling, Scheibenhonig! So was ist mir in meinem ganzen Leben noch nicht passiert! Noch nie! Und dabei war Natascha heute bereit, mir alles zu gewähren, sogar eine...

»Du sollst etwas sagen, Darling!« Jetzt hatte Natascha sich aufgerichtet. »Warum mußtest du dich in deiner Überarbeitung auch noch derartig verausgaben mit dem Versuch einer Chinesischen Schlittenfahrt?«

Jakob erstarrte zu Eis.

»Was ist denn, Darling? Was hast du?«

Er brachte kein Wort heraus.

»Jake! Mach mich nicht verrückt! Bist du krank?«

Kaum hörbar kam es über unseres Freundes Lippen: »Hast du Chinesische Schlittenfahrt gesagt?«

»Ja, natürlich! Die hast du doch mit mir machen wollen! Nur daß es nicht geklappt hat. Ich sage dir doch, das macht nichts, Darling, das...«

»Du...« Er mußte noch einmal ansetzen. »Du... weißt, was das ist, eine Chinesische Schlittenfahrt?«

Natascha sah ihn mitleidig an.

»Aber Jake, Darling, natürlich weiß ich, was das ist, eine Chinesische Schlittenfahrt. Das weiß doch jedes Kind!«

»Jedes Kind...«, wiederholte er blödsinnig.

»Entschuldige, Jake.«

»Was?«

»Daß ich gesagt habe, die kennt jedes Kind.«

»Na, offenbar ist es ja auch so«, antwortete er dumpf.

»Das spielt keine Rolle. Für dich war es etwas, von dem du gedacht hast, außer dir kennt es keiner, mein Armer... Und du warst sicherlich sehr stolz darauf...«

»Jetzt nicht mehr.«

»...und hast dir viel zugute gehalten auf diese Schlittenfahrt, und da sage ich dumme Kuh, jedes Kind kennt sie. Ich wollte dich doch nicht verletzen, dir wehtun, mein Gott...« Natascha schluchzte auf. »Und doch muß ich es tun!«

»Eh?« Jakob kratzte seine Schulter. Er starrte Natascha an. »Was mußt du?« (Ein feiner Tag heute!)

»Dir wehtun«, jammerte die Dame.

»Warum denn, Natascha?«

»Weil... Nämlich... Es geht nicht anders...«

»Was geht nicht anders?«

»Ich habe so lange mit mir gekämpft!« gab Natascha bekannt. »Ich habe so viele Nächte keinen Schlaf gefunden! Ich habe mich eine Ewigkeit immer und immer wieder gefragt: Darfst du es tun?«

»Und jetzt bist du soweit, daß du weißt, du mußt es tun.«

»Jetzt bin ich soweit, ja.« Tragisch lastende Stille.

Dann forschte Jakob: »Was, verflucht und zugenäht, mußt du tun?« (Man sieht, Jakobs Lebensgeister kehrten trotz des schrecklichen Versagens seines kostbarsten Gutes wieder.)

»Ich muß dich verlassen«, hauchte Natascha und umarmte den nackten Jakob wild.

Bumm, dachte der. Wieder eine! Das geht ja immer schneller und schneller. Warum denn die?

»Warum denn?« fragte er, etwas allzu geschäftsmäßig, aber nur, weil er es eben wie ein Geschäftsmann schon allzu häufig gehört hatte.

»Ich liebe ihn so unendlich. Ich liebe auch dich unendlich«, behauptete Natascha. »Das ist ja mein Dilemma.«

»Dein... hrm... Dilemma, mein liebes Kind?«

»Ja...« Plötzlich heulte Natascha wie ein Schloßhund. »Ich liebe dich unendlich, Jake, Darling, und ich liebe Karl-Heinz unendlich... Aber nur platonisch, verstehst du, das ist ja die größte Qual für mich gewesen in all der langen Zeit, nur platonisch...«

»Was für ein Karl-Heinz, mein Kind?« Er hielt mit Mühe an sich. Wenn sie mich noch lange so naßflennt, scheuere ich ihr eine, dachte er.

»Mein Gott, der Prinz Karl-Heinz von Heidersdorff, mit dem ich diese Weltreise gemacht habe!«

»Ah, der.« Munter, munter.

»Den ich bei deiner großen Gala in Cap d'Antibes kennengelernt habe...«

»Jajaja, ich weiß schon... Also, den liebst du auch so sehr wie mich? Aber nur... wie hast du gesagt?«

»Aber nur platonisch«, antwortete Natascha. »Weil ich dich nie betrügen wollte und konnte... Doch so geht das nicht weiter... Das halte ich nicht aus... Daran gehe ich zugrunde... seelisch meine ich... Und er auch...«

»Er auch? Ja, also das ist natürlich unmöglich.«

»Nicht wahr, das verstehst du?«

»Das verstehe ich.« Komisch, wie man eine Frau von einem Moment zum anderen völlig verschieden sieht. So, als hätte man ein Opernglas umgedreht. Zuerst war Natascha riesig groß, jetzt ist sie winzig klein.

»Ich habe gewußt, du wirst es verstehen!« Natascha schlang beide Arme um Jakobs Hals. »Du bist ein Mann, der alles versteht! Ein Mann mit einem großen Herzen und mit einer großen Seele...« Wenn mich dieses Weib nur loslassen würde, die würgt mir ja noch die Luft ab, außerdem ist das widerlich, so verschwitzt wie ich bin. Aber nein, die klebt fest. »Gott, bin ich glücklich, daß ich es dir gesagt habe. Eine Zentnerlast ist von mir gefallen.« Ist immer noch eine Zentnerlast drauf, dachte er. Schmuck zum Beispiel, Bankkonten zum Beispiel, Gold, Häuser, Pelze, eine Jagd mit Forellenzucht zum Beispiel. »Du... du bist der Mann, der vom Leben unbarmherzig durch die Welt gehetzt wird, Tag und Nacht mit deinen Geschäften belastet... ein großer, ein unvergeßlicher Mann... Aber du hast so wenig Zeit für eine Frau... Wann haben wir einander schon richtig gesehen in den ganzen letzten Monaten? Auch daran kann die größte Liebe zugrunde gehen, Jake, Darling...«

»Kann sie, ja. Und dieser Karl-Heinz, dieser Prinz, der wird nicht so herumgehetzt wie ich? Der hat Zeit für dich?«

»Hätte.«

»Pardon, hätte. Mit dem könntest du immer zusammensein?«

»Ja-ha.«

»Aber der ist doch aus der Schwerindustrie, dieser Millionär«, grübelte Jakob.

»Er hat es sich anders eingeteilt, weißt du. Er arbeitet nicht selber, er läßt andere arbeiten. Er ist ein Erbe, dem sein Geld nur so zufließt. Es gibt dafür berühmte Beispiele in Deutschland, Jake. Zum Beispiel der...«

»An den habe ich auch gerade gedacht. Hm.«

»Bitte?«

»Nichts. Ich habe nur ›hm‹ gesagt.«

»Hm, was? Darling, sprich zu deiner Natascha. Schweige jetzt nicht. Gib ihr ein Wort! Ein einziges Wort, mein Gott…«

Also, jetzt steht's fest: Diese Natascha, die hat ja nicht mehr alle Tassen im Schrank. Diesen Karl-Heinz mir vorzuziehen! Diesen Nichtstuer! Diesen Schönling… Nein, das war der vom Hasen. Ich meine diesen Playboy, diesen Herumtreiber! Das ist der nicht die Natascha, die ich geliebt habe! Was geht mich diese Natascha an? Trottel verfluchter, der ich bin. Misaras hat ganz recht gehabt, damals, in Los Angeles, als er mir die Leviten gelesen hat wegen dieser Natascha. Ausgenommen wie eine Weihnachtsgans hat das Luder mich, und jetzt, wo ich… ich meine, mit der Glatze und all der Überarbeitung… jetzt hat sie plötzlich ihre Liebe für den Karl-Heinz entdeckt. Plötzlich? Die treibt's mit dem doch ganz bestimmt mindestens seit der Weltreise. Vorher schon! Und das ist einige Jährchen her! Und einige Jährchen schleppe ich dieses Luder mit mir herum, und wahrscheinlich kennen alle die Wahrheit, nur ich nicht, und ich mache mich lächerlich vor aller Welt, und… Jakob unterbrach seinen Gedankenschwall und sprach milde: »Wie recht du hast, Natascha.«

»Wie-ie?«

»Mit deinen Worten. Ich bin kein Mann für dich. Ich habe dich vernachlässigt. Karl-Heinz dagegen, der wird immer für dich dasein…«

»Du… du… du…«

»Na!«

»…du gibst mich also frei?«

»Natürlich gebe ich dich frei. Ich wäre ja ein Verbrecher, wenn ich dich festhielte. Bei meinem Leben! Und dem Leben, das du an der Seite von Karl-Heinz führen kannst…« Und dem du die Chinesische Schlittenfahrt beibringen kannst, du ausgekochtes Stück, wahrscheinlich hast du sie ihm schon beigebracht, nein, wahrscheinlich noch nicht, denn so was hält das Bürschchen ja nicht aus, der täte nach einer Chinesischen ja sofort auf der Intensivstation landen! Aber versuch's nur, versuch's nur! Du wirst schon sehen…

»Und du bist mir nicht böse?«

»Warum sollte ich dir böse sein?« fragte er mit vor Edelmut bebender Stimme. »Wenn das Herz spricht, muß der Mund schweigen.« Das habe ich aus einem Buch von der Edlen. Dieser blöden Kuh.

»Du bist so gut, so gut…« Natascha war aufgesprungen und bedeckte Jakobs Gesicht mit vielen feuchten Küssen.

»Gar nicht gut. Nur vernünftig..«

»Nein, gut! Was… was machst du da?«

»Ich ziehe mich an, mein Kind.«

»Ja, das sehe ich. Aber warum, Jake, Darling?«

»Ich muß noch etwas ganz Dringendes erledigen.« Ins Badezimmer sollte ich eigentlich noch – ach was, zum Teufel!

»Das ist dir jetzt eingefallen?«

»Das ist mir jetzt eingefallen.«

»Da siehst du aber, Darling, wie recht ich habe! Wenn du sogar aus dem Bett aufstehst wegen deiner Geschäfte und deine kleine Natascha allein läßt…«

»Verflucht noch mal, warum komme ich nicht in diese Unterhose rein? Reg dich nicht auf, Natascha. Wir werden Freunde bleiben, für immer. Und werden noch richtig voneinander Abschied nehmen und später mit Karl-Heinz zusammentreffen, diesem wunderbaren Mann…«

»Jake, du bist einmalig!«

»Ach gar nicht. Ich bin meiner Zeit nur immer um zwei Schritte voraus. Herrgott, wo ist jetzt wieder mein zweiter Schuh hingeraten?«

63

Das zweite Mal fuhr Jakob Formann mit dem Fahrrad vom DOM-HOTEL zum CWWDWW. Das war am 2. Oktober 1976. So lange hatte es gedauert, bis zwei Dutzend seiner Buchhalter sämtliche Bilanzen für Jakobs Betriebe in der ganzen Welt auf den neuesten Stand gebracht hatten und diese an die Banken verschickt worden waren. Eine Kopie – auf Wunsch – auch an Herrn von Herresheim.

Es war ein schöner, sonniger Tag, noch sehr warm, und Jakob sah nicht mehr so feierlich angezogen aus, sondern vielmehr recht sportlich-salopp. Er hielt die Lenkstange mit einer Hand. In der anderen hielt er ein Schmalzbrot, das man ihm im DOM-HOTEL zubereitet hatte. Schmalzbrote waren inzwischen der letzte Schrei geworden. »Das Beste, was ich kenne«, hatte Marlene Dietrich einem Reporter gesagt. Man denke!

Jakob war ganz ruhig, denn was nun kam, wußte er genau. Also wozu sollte er sich noch aufregen? Prima Schmalzbrot, dachte er, radelnd, genau die richtige Menge Grieben…

Man wartete bereits auf ihn. Die Bankmenschen, allen voran der von Herresheim, sahen Jakob mit starren Gesichtern entgegen. Also haben sie die Bilanzen brav gelesen, dachte der befriedigt und lächelte sie sonnig an. Das Lächeln blieb unerwidert. Die Mienen verhärteten sich noch mehr. Vermutlich nehmen sie mir meine sportliche Kleidung übel, dachte Jakob und steuerte auf seinen Sessel vom letzten Mal zu. Danach geschah eine ganze Weile nichts.

Dann sagte der von Herresheim: »Tja, Herr Formann, das sieht ja bös aus.« Er sagte es mit Genuß. Und auf englisch. Mr. Gregory war wieder mit von der Partie.

Jakob nickte ihm freundlich zu.

»Das sieht ja noch viel böser aus, als wir gedacht haben, Herr Formann!«

»Mhm«, machte Jakob.

»Sonst haben Sie nichts zu sagen?« Der von Herresheim sah ihn an mit einem Stahlblick made in Germany.

»Ja, also wenn Sie mich so fragen, eigentlich nicht, Herr von Herresheim«, sagte Jakob liebenswürdig. Komisch, dachte er. Vor fast dreißig Jahren habe ich ihn gehabt. Dann habe ich ihn verloren. Und jetzt ist er plötzlich wieder da. Mein lieber stiller Leckt-mich-am-Arsch-Standpunkt! Er betrachtete die Bankmenschen einen nach dem andern. Vor jedem lagen stapelweise Papiere – Kopien seiner Bilanzen. Sie alle starrten ihn nun an – die Skala des Ausdrucks reichte von nacktem Grauen über absolute Fassungslosigkeit bis zu totaler Verachtung. Das fand Jakob besonders komisch.

»Ihre Bilanzen weisen unfaßbar hohe Verluste aus!«

»Mhm.«

»Die Verluste bei den Plastikwerken sind, wie ja Herr Arnusch schon angedeutet hat, geradezu grauenerregend.«

»Mhm.«

»Sagen Sie einmal, Herr Formann, was soll denn überhaupt dieses dauernde Mhm?«

»Das dauernde Mhm, Herr von Herresheim, soll bedeuten, daß ich Ihre Erschütterung und die…« Rundverneigung im Sitzen »…Erschütterung all der anderen Herren voll und ganz teile. Es ist tatsächlich eine Katastrophe, wie es um meine Bilanzen steht.«

»Wie es um *Sie* steht, meinen Sie, Herr Formann!«

»Oder wie es um mich steht, wenn Ihnen das besser gefällt, Herr von Herresheim!«

»Herr Formann, ein Fabrikgebäude, ein Werksgelände und Spezialmaschinen sind, wenn sie mit Gewinn arbeiten, natürlich sehr viel wert. Wenn sie jedoch – wie bei den allermeisten Ihrer Anlagen in der ganzen Welt – mit Verlust – und mit was für Verlusten, mein Gott! – oder gar nicht arbeiten, dann sind sie überhaupt nichts wert!«

»Mhm. Pardon. Ich wollte sagen, da haben Sie vollkommen recht, Herr von Herresheim.« Diesmal berührte Jakob die Hasenpfote erst gar nicht. Daß sie diesmal nichts mehr retten konnte, war sonnenklar. Und wieder überkam ihn das schöne alte Gefühl seines Nachkriegsstandpunkts. Na schön, alles hin, alles weg. Er konnte das einfach nicht ernst nehmen, beim besten Willen nicht.

Der von Herresheim regte sich mehr und mehr auf, und das gefiel Jakob natürlich.

»Wenn solche Werke mit Verlust oder gar nicht arbeiten, sind sie nur Steinhaufen, Herr Formann, und die Maschinen sind Schrott!«

»Schrott«, echote Jakob.

»Denn dann können Sie…« Der von Herresheim steigerte sich ob Jakobs Gleichmut und solch verblödeten Grinsens und Redens in immer größere

Erregung, »...denn dann können Sie mit diesen Werkhallen überhaupt nichts anfangen! Sie können keine Wohnhäuser daraus machen! Sie können überhaupt nichts anderes daraus machen! Sie können keine andere Branche da unterbringen! Sie können so ein Ding nicht einmal abreißen, um den nackten Grund und Boden zu verkaufen, weil Sie ja auch dabei Geld verlieren würden! Also ist das alles, was Sie da aufgebaut haben, nicht nur nichts wert, sondern verursacht für Instandhaltung und so weiter dazu auch noch außerordentlich hohe Kosten!« Der von Herresheim schwitzte jetzt.

»Mhm«, machte Jakob. »Ich meine, Sie haben absolut recht, lieber Herr von Herresheim.«

»Damit ist der Verkehrswert aller Ihrer Unternehmen ungeheuerlich gesunken – und damit sinken die Sicherheiten der Banken, die all das finanziert haben, ebenfalls ganz ungeheuerlich.«

»Tja, leider.« Jakob betrachtete interessiert seine Fingernägel.

»Herr Formann!« kreischte der von Herresheim.

»Ich bitte vielmals, Herr von Herresheim?« Jakob warf ihm einen sanften Blick zu.

»Wollen Sie mich... wollen Sie uns alle hier... provozieren?«

»Um nichts in der Welt, meine Herren! Wie käme ich denn dazu?« sagte Jakob überhöflich.

»Ja, ist Ihnen dann denn nicht klar, wie man bei all diesen Banken, die Ihnen mit unzähligen Millionen den Aufbau Ihres Imperiums überhaupt erst ermöglicht haben, sich jetzt fühlen muß?«

»Herr von Herresheim, ich glaube schon, daß es mir klar ist.«

Unruhe unter den Bankern, Ausrufe von Unmut.

»Und was haben Sie also vorzuschlagen?«

»Ich weiß nicht... Was den Herren am liebsten ist. Mir ist alles recht«, sagte Jakob. Jetzt grinste er offen.

»Das ist ja unerträglich!« schrie der von Herresheim. »Dann will ich Ihnen einmal sagen, was die Banken vorschlagen.«

»Was schlagen sie denn vor?« erkundigte sich Jakob mit übertriebener Neugier.

»Die Banken wollen keine Fabriken, keine Werke, die nicht gehen, die Banken wollen, und das mit Recht, von Ihnen ihre Zinsen aus den Millionendarlehen und die Beträge für die Tilgung weitererhalten! Es ist jedoch sonnenklar, daß Sie dazu nicht in der Lage sind – oder?«

»Nein.«

»Was, nein?«

»Nein, Herr von Herresheim, dazu bin ich nicht in der Lage«, sagte Jakob zu dem ehemaligen Wehrwirtschaftsführer, der es so weit gebracht hatte.

»Sie sind nicht flüssig?«

»Sehe ich so aus?«

»Herr Formann!«

»Ich habe doch nur auf Ihre Frage geantwortet. Wahrheitsgetreu. Ich darf doch jetzt nur noch die Wahrheit sagen«, erklärte Jakob. »Nein, ich bin nicht flüssig. Es tut mir leid, meine Herren, die Sie alle mit mir so viele Jahre lang so viel schönes Geld verdient haben, aber jetzt ist Schluß. Jetzt können Sie mit mir kein Geld mehr verdienen. Jetzt bin ich pleite.«

»Jetzt sind Sie...« Der von Herresheim rang nach Atem, Jakob sah es mit Freude.

»Pleite, ja.«

»Sie haben den Mut, das so offen auszusprechen?«

»Entschuldigen Sie, aber wie soll ich es denn sonst aussprechen? Nein, nein, bitte erregen Sie sich nicht weiter! Sagen Sie es mir, wenn ich mich falsch ausgedrückt habe. Sagen Sie mir, wie ich mich ausdrücken soll, Herr von Herresheim. Ich drücke mich dann sofort ganz genauso aus. Ich tue Ihnen doch jeden Gefallen!«

Der Aufruhr unter den Versammelten konnte vom Präsidenten des CWWDWW erst nach drei Minuten gebändigt werden.

Herr von Herresheim hatte größte Mühe, an sich zu halten und das zu formulieren, was er sagen wollte: »Sie können nicht einmal die Zinsen für die Bankdarlehen aufbringen?«

»Wie sollte ich das können, Herr von Herresheim?«

»Sie wissen, daß das ein zwingender Grund für Sie ist, Konkurs anzumelden?«

»Gewiß, Herr von Herresheim«, antwortete Jakob.

Die anderen Herren saßen nun wieder wie erstarrt da.

»Sie werden also zum Konkursgericht gehen!«

»Was bleibt mir denn anderes übrig?«

»Sie wissen, daß Sie dort alle Ihre Aktiva, aber vor allem Ihre Schulden, bekanntgeben müssen...«

»Weiß ich, Herr von Herresheim.«

»...und zwar nicht nur Ihre Fabriken und Ihre Schiffe, überhaupt alle Ihre Unternehmen, Ihre Hühnerfarmen zum Beispiel! Auch Ihren privaten Besitz! Ihre Villen! Ihr Geld! Ihre Autos! Die Jacht! Die Schlösser! Einfach alles! Sie können ja nicht einmal Ihre Zahlungsbereitschaft wiederherstellen, Sie können weder die Zinsen noch die Kreditrückzahlungen aufbringen. Sie werden den Offenbarungseid leisten müssen. Wissen Sie das eigentlich?«

»Lieber Herr von Herresheim, ich bin doch kein kleines Kind«, gab Jakob bekannt. »Natürlich weiß ich das. Und wenn ich alles angemeldet habe, dann wird alles versteigert, verkauft oder sonstwie zu Geld gemacht bis auf ein paar Anzüge und Schuhe und Wäsche, und die Herren Banken stellen einen Antrag, ihnen diese ganzen Werte, die ich angegeben habe und die gepfändet sind, zu übertragen, weil ich doch solche Schulden bei ihnen habe, nicht wahr, und so können die Herren Banken versuchen, wenigstens einen Teil ihres Geldes zurückzukriegen…«

»Herr Formann, wenn Sie glauben, daß das hier ein Spaß ist, dann will ich Ihnen etwas sagen…«

»Ich glaube ja gar nicht, daß das hier ein Spaß ist«, sagte Jakob voller Unschuld. Aber der von Herresheim war jetzt zu sehr in Fahrt, als daß er noch hätte stoppen können. Er schrie weiter: »…Im Konkurs werden Ihre Machenschaften aufgedeckt werden! Wir werden schon feststellen, was Sie mit unserem Geld angestellt haben. Den Offenbarungseid schwören werden Sie! Und das wird dann in allen Zeitungen der Welt stehen! Auch in der OKAY! Mit dicken Überschriften! Wollen Sie das auch?«

»Natürlich will ich das auch, lieber Herr von Herresheim. Bloß: OKAY gehört mir nicht mehr. Aber sonst müssen sie wirklich groß sein.«

»Wer?«

»Die Überschriften in den Zeitungen der ganzen Welt. Das wäre mein inniger Wunsch!«

Der von Herresheim rang nach Luft.

»Sie wagen es, sich in Ihrer Situation auch noch lustig zu machen über uns?«

»Keine Spur, Herr von Herresheim. Ich will doch immer nur das tun, was den Herren von den Banken, die ich so furchtbar geschädigt habe – mein Gott, rote Teppiche haben sie früher für mich ausgerollt, wenn ich gekommen bin, um Millionenkredite aufzunehmen, so glücklich waren sie, und jetzt habe ich alle so entsetzlich enttäuscht… Wo war ich? Ach ja! Also, wie gesagt, ich will doch ganz gewiß nur das tun, was den Herren von den Banken am nützlichsten und angenehmsten ist!«

Die Bankherren sprachen schon die ganze Zeit halblaut miteinander. Jetzt sagte einer etwas zu dem von Herresheim. Der von Herresheim nickte und sprach mit bebender Stimme: »Um Sie nicht derart vor der Öffentlichkeit bloßzustellen, Herr Formann, sind die hier versammelten Bankenvertreter bereit, Ihnen den schmachvollen Weg zum Offenbarungseid zu ersparen.«

»Da danke ich aber tausendmal, meine Herren, Sie sind wirklich zu gütig«, sagte Jakob.

»Allerdings verlangen wir von Ihnen, sogleich alle Ihre Werke, Ihre Schiffe, Ihre Hühnerfarmen, die Investment- und Touristikfirmen, das Großklinikum, die übrigen Kliniken, Ihre Aktien und so weiter und so weiter und Ihren gesamten persönlichen Besitz, also die Flugzeuge, Häuser, Schlösser, für die Ihnen gewährten Kredite herauszugeben und in eine Auffang-GmbH der Banken einzubringen.«

»Das ist wahrlich sehr großzügig von Ihnen, meine Herren!« Jakob wischte sich Tränen, die nicht existierten, aus den Augen. »Bitte, bedienen Sie sich! Ich danke Ihnen von ganzem Herzen!«

Wieder Stille.

»Na, was ist denn?« fragte Jakob schließlich. »Keine Angst, ich meine es so, wie ich es sage. Und ich bin nicht, wie Sie offenbar denken, verrückt geworden! Ich bin ganz normal!«

»Nun gut«, sprach der von Herresheim, der kaum noch richtig sprechen konnte, »dann soll es also auf diese Weise geschehen. Die Banken werden Ihren gesamten Besitz übernehmen und versuchen, das Beste daraus zu machen. Immerhin, eine kleine Wiederbelebung der Wirtschaft – gerade auf dem Plastiksektor, aber auch ganz allgemein – ist schon zu spüren...«

»Eben«, sagte Jakob.

»Was soll denn das heißen?«

»Nichts, nichts. Verzeihen Sie. Ah ja, richtig, und bitte nicht vergessen: Ich bin der allein Schuldige, der allein Haftbare! Weil ich es in meiner grenzenlosen Verantwortungslosigkeit verschmäht habe, meinen Unternehmen die entsprechend günstigen Rechts- oder Gesellschaftsformen zu geben, durch die ich jetzt nur zu einem Teil oder vielleicht überhaupt nicht haftbar wäre. Ich bin aber haftbar, ich allein! Und es ist nur gerecht, daß man mir alles wegnimmt. Gerade wo sich die Wirtschaft jetzt wieder erholt. Ich schlage vor, daß jetzt, da ja für diese Riesen-Konkursmasse so etwas wie ein Verwalter eingesetzt werden muß, der alles zum Heile der Banken tut und der die Geschicke meiner Unternehmen weiter in hoffentlich für die Banken segensreiche Bahnen lenkt, daß jetzt Sie, Herr von Herresheim, der Mann sind, der eingesetzt wird!«

»Herr Formann, wenn Sie frech werden...«

»Ich werde nicht frech! Ich meine es so, wie ich es sage! Wer wäre besser geeignet für diesen Posten als Sie?«

Der von Herresheim sah Jakob mit flackernden Augen an.

Einer der Banker sagte: »Da hat Formann recht, Herr von Herresheim. Sie sind der Mann, an den auch wir alle gedacht haben.«

»Sehen Sie?« sagte Jakob.

Der von Herresheim mußte sich setzen. Und ein Glas Wasser trinken. Er brauchte eine Erholungspause.

Nachdem er seiner Stimme wieder mächtig war, begann er zu verlesen, was alles Jakob nun von den Banken abgenommen werden sollte.

Jakob hörte aufmerksam zu und erlaubte sich zuletzt, den von Herresheim auf etwas aufmerksam zu machen: »Bitte vielmals um Entschuldigung, aber es muß doch alles seine Ordnung haben, nicht wahr? Herr von Herresheim. Sie haben meine Strumpfhosenfabriken vergessen. Die gehören jetzt ja auch nicht mehr mir.«

Der von Herresheim konnte nur stumm nicken.

Zuletzt mußte Jakob zahlreiche Unterschriften leisten, dann war er sein Weltreich los. Demütig hob er den Kopf ein wenig.

»Einen letzten Wunsch hätte ich noch...«

»Welchen?« ächzte der von Herresheim.

»Ich bin mit einem Fahrrad hergekommen. Ist es sehr unverschämt, wenn ich bitte, dieses Fahrrad behalten zu dürfen?«

»Sie dürfen es behalten«, sagte der von Herresheim, fast unhörbar. Er zitterte am ganzen Körper.

Nach den Unterschriften ging alles in ein paar Minuten zu Ende. Der von Herresheim fragte Jakob, ob er noch ein Schlußwort sprechen wollte.

»Ja, bitte.«

»Dann sprechen Sie es, Herr Formann!«

Und Jakob sprach es. Er sagte, nachdem er auf den von Herresheim zugegangen war und ihm nun markig die Hand schüttelte: »Ich möchte mich noch herzlich bei Ihnen bedanken, Herr Wehrwirtsch... entschuldigen Sie, Herr von Herresheim wollte ich natürlich sagen. Wirklich, von ganzem Herzen!«

»Wofür?« hauchte der von Herresheim.

»Dafür«, sagte Jakob, »daß Sie mir diese ganze miese Scheiße abgenommen haben. Jetzt können Sie sich damit herumschlagen, und ich bin endlich wieder ein glücklicher, freier Mensch ohne Sorgen!«

64

›Ich fühl' mich nicht zu Hause...‹

Es ist wirklich furchtbar, wie so ein Satz einem im Gehirn herumkriechen kann wie ein Wurm im Apfel und man andauernd an diesen Satz denken muß. Grauenhaft ist das!

›Ich fühl' mich nicht zu Hause...‹ – so lautete ein Satz aus einem Lied auf einer Schallplatte, die Mojshe Faynberg dem Jakob vor einiger Zeit geschenkt hatte. ›Nichtarische Arien‹ hieß diese Platte, und die Lieder auf ihr, die Musik und die Texte, stammten – natürlich! – von einem Wiener namens Georg Kreisler.

Früher, vor vielen, vielen Jahren, existierten bei uns wunderbare jüdische Witze. Diese jüdischen Witze hatten alle eines gemeinsam: Sie waren so lustig, daß man über sie vor Lachen brüllen, und dabei so traurig, daß man über sie vor Kummer weinen mußte. Das macht den guten jüdischen Witz aus. Wir werden hier nicht erklären, warum es heute fast keine derartigen Witze mehr gibt – es will doch keiner hören.

Nun, die Lieder auf Kreislers Platte sind genau so, wie die besten jüdischen Witze es gewesen sind: lustig, weise und traurig – alles in einem! Ein Lied handelt von einem armen Juden, der nichts hat und nichts ist und gedemütigt und verachtet wird von allen in seinem Städtel und der zu seiner Schwester nach Berlin eingeladen wird, wo es ihm glänzend gehen könnte, aber leider, er fühlt sich nicht zu Hause. Und so nimmt er die Einladung seines Bruders nach New York an, da könnte es ihm noch besser gehen als in Berlin, aber leider, er fühlt sich nicht zu Hause. Und so nimmt er die Einladung seines Schwagers nach Buenos Aires an, und da könnte es ihm noch viele Male besser gehen, aber leider, er fühlt sich auch da nicht zu Hause. Und deshalb reist er in seine wahre Heimat Israel, aber leider, auch hier fühlt er sich nicht zu Hause. Und so kehrt er schließlich in sein Städtel zurück, aus dem er auszog, und hier schaut man ihn nicht an, und hier verachtet und verhöhnt und demütigt man ihn – und hier endlich fühlt er sich dann zu Hause!

Wie gesagt, so eine Zeile aus so einem Lied, wenn sie sich erst einmal im Gehirn festsetzt, kann fürchterliches Unheil anrichten!

Jakob Formann war von Köln nach München gereist und von da in sein Schloß (das ihm nun nicht mehr gehörte) am Starnberger See, um das zu holen, was man ihm erlaubt hatte zu behalten, nämlich etwas Kleidung und eine Armbanduhr, Wäsche und Schuhe. (Das Fahrrad hatte er im Zug nachkommen lassen und in die Garage des Schlosses gestellt.) Mitten im Packen hörte er plötzlich das Telefon läuten. Er hob ab, und eine Männerstimme – die Mädchen der Telefonzentrale kamen längst nicht mehr – fragte ehrerbietig: »Entschuldigen Sie, spreche ich mit dem Herrn Baron Rothschild?«

Jakob wurde von einem Lachsturm geschüttelt.

»Lieber Gott im Himmel«, ächzte er, »sind *Sie* falsch verbunden!« Und legte auf. Er mußte immer weiter lachen.

Da läutete das Telefon wieder.

Wenn es derselbe Kerl ist und mir da einer das mit Fleiß macht, dann werde ich ihm jetzt etwas erzählen, dachte Jakob, riß den Hörer ans Ohr und brüllte: »Formann!«

»Mensch, Jake, bist du wahnsinnig geworden?« ertönte die Stimme eines entsetzten George Misaras.

»Nein.«

»Warum brüllst du dann so?«

»Schade um das viele Geld für das Gespräch, George! Du weißt doch, jetzt steht ihr alle auf eigenen Füßen. Nicht mehr auf meinen!«

»Deshalb rufe ich dich ja an!«

»Weshalb?«

»Weil ich… weil du… weil wir…« Misaras war verlegen. »Weil wir doch so alte Freunde sind! Und seit du gesagt hast, ich soll dir alle Bilanzen deiner Werke schicken, weiß ich, wie tief du im Dreck steckst.«

»Tiefer, als du überhaupt denken kannst«, amüsierte sich Jakob.

»Haben sie dir alles genommen, die Hunde?«

»Alles, natürlich.«

»Dann weißt du ja jetzt nicht einmal, wo du wohnen sollst! Dann hast du ja jetzt nicht einmal ein Dach über dem Kopf!«

»Stimmt. Hier aus dem Schloß muß ich bis zum Abend raus sein.«
»Und wo willst du dann hin?«
»Es gibt Nachtasyle, mein Alter.«
»For Christ's sake! Das ist ja grauenhaft! Das kommt, weil du nie an dich gedacht hast, sondern immer nur an andere. An uns, zum Beispiel! Mojshe, ich, der Wenzel und der Jaschke, die haben jetzt ihre schönen Häuser und Autos und Bankkonten und werden sie auch behalten. Du hast gar nichts! Auch deine Bankkonten haben sie dir natürlich genommen!«
»Natürlich auch die Bankkonten! Und recht geschieht mir!«
»Du kannst doch aber nicht in einem Nachtasyl schlafen!«
»Ich habe schon schlimmer geschlafen! Im Strafbunker in Rußland oder in einem Loch bei Artilleriebeschuß oder später dann in Wien in Wärmestuben... Es gibt schon eine Million Arbeitslose in Germany. Warum soll ich nicht dazugehören? Laß mich doch in Ruhe, George!«
»Shut up! Ich habe schon alles vorbereitet! In zwei Stunden holt dich ein Chauffeur aus München im Mercedes ab und bringt dich nach Riem, zum Flughafen! Dort gehst du zum LUFTHANSA-Schalter! Eine Karte liegt da für dich! Erster Klasse Los Angeles! Ich hole dich hier am Airport ab. Du kommst jetzt erst mal zu mir! Zu meiner Frau und mir! Und ruhst dich aus und machst Urlaub und erholst dich...«
»Also hör mal, George«, sagte Jakob entschieden, »das ist ja alles sehr lieb von dir, aber das kommt natürlich unter gar keinen Umständen in Frage!«

65

Zwanzig Stunden später lag er dann im Garten von George Misaras' Haus an der Rossmoyne Street im nördlichen Stadtteil und Nobelvorort Glendale von Los Angeles in der Sonne und grunzte zufrieden.
»Bist schon ein feiner Kerl, Georgie-Boy«, sagte er. »Ich denke, ich werde mich wirklich ein bißl erholen bei euch...«
Und das tat er! Er fuhr Rad, spielte Tennis, schwamm und machte seine gymnastischen Übungen, begleitete das Ehepaar Misaras zu vornehmen Partys oder nahm an solchen vornehmen Partys teil, wenn das Ehepaar Misaras sie gab. Jakob wurde von Hand zu Hand gereicht. Kein Wunder – der Eklat seines (ogottogott!) ›Zusammenbruchs‹ hatte weltweit Furore gemacht.
Jakob schlief lange, aß gut und reichlich, ja, und so tief war er gesunken, daß er nun eine Menge las – darunter ein neues Buch von Klaus Mario Schreiber, schon ins Englische übersetzt, deutscher Titel UND JIMMY GING ZUM SONNENUNTERGANG – wiederum ein internationaler Bestseller! Tja, der Schreiber, dachte Jakob versunken lächelnd. Der hat eine Nase gehabt, der alte Saufaus, der ist rechtzeitig abgehauen und hat Schluß gemacht mit

dem Saufen und der OKAY und lebt jetzt mit seiner Claudia in Monte Carlo und schreibt nur noch, was er will – und verdient sogar einen Haufen Geld damit! Jakob versank tiefer und tiefer in Träumereien, mit jedem Tag mehr. Misaras hatte recht gehabt: Es war allerhöchste Zeit gewesen, daß er mal ausspannte! So blieb er denn bei seinem ehemaligen MP-Freund und dessen schöner Frau, und zu Weihnachten sang er brav mit ›I'm dreaming of a white Christmas!‹ und bekam einen Haufen Geschenke – hauptsächlich Anzüge und Kleidung – und war sehr glücklich, auch noch zu Silvester. Auch noch zu Ostern. Da war er dann allerdings nicht mehr so glücklich.

Misaras merkte es.

»Was ist denn los mit dir?« fragte er Jakob.

»Ach weißt du«, erklärte dieser, »ich kann es selber nicht sagen. Ihr seid so gut zu mir. Es ist so schön bei euch. Alle andern können mich am Arsch lecken. Meinen alten, stillen Standpunkt habe ich wieder. Jeden Abend freue ich mich vor dem Einschlafen, wenn ich daran denke, wie dieses Herresschwein nicht schlafen kann vor Sorgen – so wie ich früher oft nicht habe schlafen können vor Sorgen –, weil er jetzt meinen ganzen Krempel auf dem Buckel hat und bei den Banken seinen dämlichen Schädel hinhalten muß. Und trotzdem…«

»Und trotzdem?«

»Du bist mir nicht böse, Georgie-Boy, wenn ich es dir sage?«

»Ich werde dir niemals böse sein, Jake, was immer du sagst! Also raus damit, was ist es?«

Und da kam es dann zum ersten Mal über Jakobs Lippen: »Siehst du, Georgie-Boy, ich fühl' mich nicht zu Hause…«

»Ist etwas passiert? Habe ich etwas falsch gemacht? Hat meine Frau etwas falsch gemacht?«

»Richtig, nur richtig habt ihr alles gemacht! Das ist kein Gefühl, das sich gegen dich oder Los Angeles oder Kalifornien richtet. Es ist eigentlich überhaupt kein Gefühl. Es ist… so was Unruhiges, verstehst du? Du verstehst nicht, was ich meine… Aber ich fühl' mich ganz einfach nicht zu Hause!«

»Natürlich verstehe ich dich! Man kann nicht zu lange bei einem Freund bleiben, nicht? Mojshe ruft mich schon seit Wochen an!«

»Mojshe?«

»Aus New York! Er hat da ein ganz phantastisches Penthouse am East River! Ich habe ihm versprochen, daß ich dich zu ihm schicke, wenn du hier die Nase voll hast!«

»Ich will aber gar nicht nach New York zu Mojshe!«

»Wo willst du denn hin? Sag es, und du bist dort! Sag irgendeinen Ort auf der Welt! Egal, wo! Na los, los, los, sag schon! Wo willst du hin?«

Jakob wand sich verlegen.

»Ja, also, ich weiß eigentlich gar nicht, wo ich wirklich hin will, Georgie-Boy...«

»Na, aber dann nix wie nach New York zu Mojshe!«

Einen Tag später war Jakob dann bei Mojshe.

Mojshe bewohnte wirklich ein wunderbares Penthouse. Er war mit einem hohen Rang aus der Armee ausgeschieden, und er hatte massig Geld gespart, denn er bekam dazu noch eine hohe Pension und verdiente mit seinen ›Encounter‹- und ›Sensibility-Training‹-Instituten mehr denn je. Eine richtige jiddische Momme hatte er geheiratet, die ihn umsorgte wie ein kleines Kind und die nun auch Jakob umsorgte wie ein kleines Kind. Jakob war selig.

»Ach, Mojshe«, sagte er oft, wenn er dem Freund beim Pflegen und Züchten von Orchideen half, »weißt du noch...« Und dann erinnerten sie sich gemeinsam an irgendein völlig verrücktes Erlebnis aus ihrer gemeinsamen Vergangenheit. Tja, und dreieinhalb Monate später war es dann auch in New York so weit, daß Jakob, neuerlich unruhig geworden, zu Mojshe sagte: »Bitte sei mir nicht böse, aber ich weiß nicht, ich weiß nicht – ich fühl' mich nicht zu Hause...«

»Zu Hause, zu Hause, ich fühl' mich nicht zu Hause!« sang Mojshe sofort los, denn er kannte das Kreisler-Lied auswendig. »Dazu habe ich dir die Platte aber nicht geschenkt, Jake«, sagte er zuletzt ernst.

»Mojshe, versteh mich doch...«

»Ich versteh dich schon, Jake. Immer New York ist eben auch nichts für einen wie dich. Der Jaschke ruft schon die ganze Zeit an, ich hab dir nie was gesagt davon. Er will, daß du unbedingt zu ihm nach Murnau kommst... Meinetwegen flieg, Jake! Gut sollst du es haben beim Jaschke! Bleiben sollst du, solange du willst! Und wenn du dich wieder nicht zu Hause fühlst, dann wartet schon der nächste Freund auf dich! Das Ganze ist ein großes Ringelspiel. In einem Jahr oder so sehen wir uns wieder!«

»Ach, Mojshe«, sagte Jakob gerührt.

»Da geht eine herrliche Maschine heute abend vom Kennedy-Airport, die fliegt durch bis München. Ich bring dich hin – mit meiner Sarah natürlich!«

Und so war Jakob denn am nächsten Tag bei Karl Jaschke in Murnau und wurde empfangen wie ein Kaiser und freute sich von Herzen über das Wiedersehen und darüber, was für gute Freunde er hatte.

Er blieb tatsächlich bis zum Mai 1976 in Murnau und radelte und kraxelte auf die Berge und badete im Staffelsee, und siehe da, die alte Bootshütte, in welcher er einstens Frau Doktor Ingeborg Malthus kennengelernt hatte (›kennengelernt‹ ist gut, dachte Jakob grinsend, als ihm dies Wort durch den Kopf ging), war immer noch da! Aber ganz neu hergerichtet! Sie gehörte einem reichen Münchner, der sein Motorboot da aufbewahrte und zu den Wochenenden herauskam.

Ach, aber im Mai 1976 kam der Tag, da sagte Jakob zu seinem Freund Jaschke: »Sei mir bitte nicht böse, Karl, aber...«

»...du fühlst dich nicht zu Hause«, ergänzte der.

»Woher weißt du das?«

»Mojshe und George haben mich angerufen und gesagt, daß der Tag kommen wird. Wir können dich alle gut verstehen. Morgen fliegst du nach Nizza.«

»Was soll ich in Nizza?«

»Der Klaus Mario Schreiber wird dich vom Flughafen abholen und nach Monte Carlo fahren mit seinem Auto. Er ruft seit Wochen an und beharrt darauf, daß er der nächste sein muß, den du besuchen kommst!«

»Ich will aber nicht nach Monte Carlo!« protestierte Jakob.

Vierundzwanzig Stunden später war er dort.

Ach, fand er es schön in Monte Carlo!

Die Sonne! Das Meer! Die vielen Blumen! Der Frieden! Die milde Luft! Wellenreiten und Motorbootfahren und Golfspielen auf dem Mont Agel! Und was hatten die Schreibers doch für ein gemütliches Haus. Zum Verlieben!

Jakob verliebte sich in das Haus und in Monte Carlo, und in alle Menschen da, besonders in Claudia und Klaus Mario Schreiber. Die waren aber auch ganz besonders nett zu ihm. Schreiber schenkte ihm sein jüngstes Buch, als es frisch aus der Presse kam. JEDER IST EINE INSEL hieß es, und Jakob lag abwechselnd unter einem Palmen- und einem Olivenbaum und las, und ganz leise flüsterte der Wind. Bis Februar 1977 dauerte dieses Glück. Dann war es wieder soweit, und er nahm den Klaus Mario Schreiber (der nie wieder einen einzigen Tropfen Alkohol, egal in welcher Form, getrunken hatte und auch nicht zu trinken beabsichtigte) beiseite und sagte ihm, was er schon dreien seiner Freunde gesagt hatte.

Klaus Mario Schreiber nickte nur.

»Da haben wir schon drauf gewartet, Claudia und ich, Herr Formann«, sagte er. »Wann wollen Sie nach Frankfurt fliegen?«

»Wieso nach Frankfurt?« fragte Jakob.

»Na, zu Ihrem Freund Wenzel Prill. Der hat gesagt, er kommt runter und bringt uns um, wenn wir Sie nicht zu ihm in den Taunus schicken, sobald Sie sich hier nicht mehr zu Hause fühlen.«

»Aber ich will nicht zum Wenzel!« rief Jakob.

Achtundvierzig Stunden später war er bei ihm.

Und selig!

Gott, wie lachten die beiden alten Freunde miteinander! Wenzel war immer noch nicht verheiratet, und er hatte noch immer nicht seinen Doktor juris utriusque. (»Zu was brauche ich den jetzt noch?« pflegte er zu sagen.) Seine Leidenschaft für Rothaarige indessen hatte er noch. Jakob sah ein paar von ihnen in den folgenden Wochen und wurde munter.

»Tolle Bienen, was?« Wenzel strahlte. Jakob nickte. »Wenn du mal eine haben willst...«

Jakob wollte.

Mit dem, was folgte, war er sehr zufrieden. Donnerwetter, dachte er, ein Jüngling, ein wahrer Jüngling bin ich noch. Also diese süße Kleine, die ist mir doch nach der zweiten Schlittenfahrt glatt ohnmächtig geworden! Aber ach...

Wie die Tage vergingen, so wuchs Jakobs Unruhe wiederum. Wenzel, der ihn nicht weglassen wollte, veranstaltete am Abend des 5. Oktober 1977 eine große Party, zu der er viele alte Bekannte seines Freundes lud – Finanzleute, Politiker, Aristokraten, Unternehmer und Kaufleute, die meisten mit ihren Frauen. Alle diese Leute waren Jakob früher stets mit größter Hochachtung und Freundlichkeit begegnet, und Wenzel hoffte zuversichtlich, daß Jakob viele dieser alten Bekanntschaften wieder auf- und zum Anlaß nehmen würde, zu bleiben. Leider irrte der gute Wenzel sich da gewaltig...

Die Zeiten waren mittlerweile sehr unruhig geworden in Deutschland. Es gab Kaufhausbrände, Attentate, Schießereien, Morde, Entführungen, Geiselnahmen, gekaperte Flugzeuge und jede Menge Terroristen.

Der Terrorismus bildete denn auch auf jener Party vom 5. Oktober 1977 das Hauptgesprächsthema, weil nämlich im September wiederum eine ganz hohe Persönlichkeit entführt worden war. Die Entführer verlangten für die Freilassung dieser Geisel die Freilassung inhaftierter Genossen, und um der Sache Nachdruck zu verleihen, entführten andere Terroristen wiederum einmal ein Flugzeug und flogen damit um die halbe Welt, und in der Maschine saßen einhunderteinundzwanzig völlig unbeteiligte Menschen, Männer, Frauen und Kinder. Das Kommando an Bord drohte, das Flugzeug mit all diesen Menschen und sich selbst in die Luft zu sprengen, wenn den Forderungen nach der Freilassung der inhaftierten Terroristen nicht Folge geleistet würde.

Wenzel hatte es wirklich gut gemeint – und wirklich schlecht getroffen. Den Abend lang sprachen die so vornehmen und ehrbaren Damen und Herren über nichts als dieses Geschehen – und überhörten beharrlich alles, was Jakob sagte.

Also, das ist ja ein tolles Ding, dachte Jakob verblüffter und verblüffter. Da sind doch haufenweise Kerle darunter, die mir alles verdanken! Und wie benehmen die sich? Die benehmen sich, als wäre ich überhaupt nicht da.

Jakob wanderte von Grüppchen zu Grüppchen und versuchte, seine Ansichten bekanntzugeben. Es mißlang ihm hundertprozentig. Hm, dachte er, hm. Und setzte sich in einen tiefen Lehnstuhl in der Nähe der Bar. Ein Kellner fragte nach seinen Wünschen. Er trug ein Silbertablett mit Gläsern voll Champagner und Whisky, und es erstaunte ihn, daß Jakob sich ein großes Glas voll Whisky griff, denn vorher hatte Jakob stets nur Orangensaft verlangt. Noch mehr erstaunte es ihn, als Jakob, nachdem er das Glas gekippt hatte, brummte: »Bringen Sie mir eine ganze Flasche und ein Kübelchen mit Eiswürfeln, bitte!«

»Sehr wohl, Herr Formann, aber Herr Prill hat doch gesagt, Sie trinken sonst nie Alkohol...«

»Manchmal schon«, sagte Jakob. »Heute abend zum Beispiel. Also, wenn ich um die Flasche ersuchen dürfte, mein Freund.«

»Gewiß, selbstverständlich, sofort, Herr Formann!« Der Kellner verschwand und kehrte gleich darauf mit allem Gewünschten wieder. Jakob goß ein neues Glas voll, ließ zwei Eisstückchen in den Whisky plumpsen und nahm einen weiteren Riesenschluck. Damit (wir kennen seine unheilvolle Beziehung zum Alkohol) war alles, was folgte, bereits sozusagen programmiert...

Scheißbande, dachte Jakob, aus seinem Sessel das bunte Treiben der Geladenen betrachtend, ihrer geistreichen Konversation lauschend, neuerlich Schlückchen nehmend. Scheißbande, verfluchte! Wie viele von euch Blaublütlern, euch elendigen, haben mich – leider mit Erfolg – angeschnorrt, wieder und wieder? Wie vielen von euch biederen Wirtschaftsführern habe ich die Karriere ermöglicht? Was habt ihr, ihr Herren der Großbanken, an mir verdient? So geht's ja nicht! (Schlückchen.) Weil ich nun pleite bin, existiere ich nicht mehr für euch, wie? Weil ihr von mir kein Geld mehr bekommt, kennt ihr mich nicht mehr, was? (Zwei Schlückchen.) Gesindel! Und wenn ich denke, daß es eine Zeit gegeben hat, in der ich vor euch Hemmungen gehabt habe, in der es mein größter Wunsch gewesen ist, aufgenommen zu werden in eure Kreise, verflucht noch mal! (Schlückchen... nein, das Glas ist leer. Füllen wir es also wieder. Das war doch eine gute Idee von mir, daß ich dem Kellner gesagt habe, er soll die Flasche gleich dalassen.) Also dann auf euer Wohl, ihr Mistviecher! Ihr Noblen! Ihr Reichen! Ihr Armleuchter!

Was seid ihr denn wirklich wert, ihr Noblen und Großen und Mächtigen dieser Welt? Als ich Geld gehabt habe, habt ihr mich angebetet! Jetzt? Jetzt scheißt ihr auf mich und werdet wahrscheinlich den Wenzel anschnorren, werdet ihn um Gefälligkeiten, um Fürsprache und was es so alles gibt bitten, denn der Wenzel, der hat noch Geld. (Das ganze Glas ex, neu gefüllt!) Ihr Kreaturen seid immer und überall dort, wo das Geld ist, wo die Macht ist! (Das ganze Glas auf einmal leer.) Die gerade ›herrschende Schicht‹ seid ihr. Und die gerade herrschende Schicht muß im SACHER fressen und im PALACE in St. Moritz wohnen! (Drei große Schlückchen.)

Jakobs jähe Erkenntnisse überwältigten ihn ebensosehr wie der Whisky. Und beides setzte einen unaufhaltsamen Gedankenstrom in Gang: Wer hat mir denn beigebracht, ›fein‹ zu sein und ›fein‹ zu speisen und ›fein‹ zu trinken und ›fein‹ Konversation zu machen? Wer hat mich denn dressiert, daß ich unbedingt (verdammt, es war ja ›bedingt‹, hat dieser dämliche Püschoanalytiker da in Washington gesagt!) – wer hat mich denn dressiert, daß ich bedingt unbedingt wissen muß, wer Hindemith ist und wer die Heilige Anna Selbdritt? Durch wen bin ich denn in eure Scheißwelt überhaupt erst richtig hineingekommen und habe Orden und Ritterkreuze und was weiß ich gekriegt? Und meine Zeit mit Angeberei, Geldrausschmeißen und Jet-Set-Getue vergeudet? Wer ist das denn gewesen, der das alles fertiggebracht hat? Wer denn?

Das ist *die Edle* gewesen, Gott verflucht noch mal! (Drei Schlucke. Glas leer. Glas wieder voll.) Die Edle! Wie die mich getriezt und geschliffen und gequält hat! Was ich bei der ertragen und ausgehalten habe! Dieses hochmütige, selbstgefällige, niederträchtige Aas, das wo zurückgegangen ist bis auf Kaiser Lobgesang! Und damit war Jakob einem Tobsuchtsanfall nahe. Und mächtig blau. Und verbohrt in seine Idee: Die Edle, die Edle, die Edle ist schuld an allem! Jawohl, an allem! So viele gute, einfache und anständige Menschen gibt es auf der Welt, drei oder vier Milliarden, glaube ich, aber nein, nicht zu ihnen hat die Edle mich gebracht, nicht zu ihnen, nein, sondern zu denen da, zu diesen Arschgesichtern, zu diesen angemalten Weibern (Schlückchen, küß die Hand, gnä' Frau!), zu diesen ach so Auserlesenen, haha, zu diesen ach so Berühmten, haha, zu diesem ganzen beschissenen Pack, für das ich jetzt nicht mehr existiere, bloß weil ich arm bin.

Das Glas ganz voll!

Das Glas gekippt bis zur Neige!

Schwankend erhob sich Jakob.

Rot, rot, rot wehten Schlieren vor seinen Augen.

»Na warte«, murmelte er und stolperte davon, ohne daß jemand ihn beachtete. »Na warte…«

66

»Aaaaaahhh!«

Mit einem Entsetzensschrei fuhr die Edle in ihrem Bett im Schlafzimmer ihrer schönen Villa im Münchner Prominentenviertel Bogenhausen in die Höhe. Es war noch früh am Morgen – genau 6 Uhr 32.

»Wie kommen Sie hierher, Formann?«

»Mit dem Fahrrad.«

»Ich meine: Wie kommen Sie hier herein, Formann?«

»Durchs Fenster, Baronin. Es war offen.«

»Aber ich schlafe im zweiten Stock!«

»Draußen sind Streben mit Weinlaub, und ich bin ein sehr guter Kletterer.«

»Was wollen Sie eigentlich von mir? Sind Sie irre geworden?«

»Das werden Sie gleich sehen, Baronin.« Weiß Gott, das wird sie, dachte Jakob, aus den Hosen steigend. Den ganzen Weg von Frankfurt bis München über hatte er seine Wut auf die Edle am Kochen gehalten. Jetzt war sie am Überkochen. Weg mit dem Hemd! Raus aus der Unterhose! Und rauf auf die Edle!

Sie kreischte (bis Jakob ihr den Mund zuhielt) und kratzte und trat und schlug, doch es half alles nichts.

Jakob war stärker.

»Jetzt bist du dran«, sagte er, während er ihren letzten Widerstand brach (der schon keiner mehr war – Jakob merkte, wie sie nachgab, mehr und mehr). »Jetzt zahle ich's dir heim. Deine ganze Scheißerziehung, die keine gewesen ist, und das Gesindel, mit dem du mich verrückt gemacht hast!«

Keuchend, den Kopf hin und her werfend (es war das einzige, das sie noch werfen konnte), erlebte die Edle, was sie noch niemals erlebt hatte. Es brachte sie fast um den Verstand. Man bedenke: Eine Frau mit der Veranlagung dieser Edlen! Ein Mann! Und dieser Mann macht mit ihr, aus kaltem Haß und siedend heißem Zorn, die wüsteste Chinesische Schlittenfahrt seines Lebens!

So wüst war diese Fahrt, daß selbst Jakob, der Sportgestählte, eine Stunde später mit schlackernden Knien wieder in seine Hosen fuhr.

Die Edle aber lag zitternd vor völlig ungewohntem Entzücken und in totaler Schwäche auf dem Bett, unfähig, ein Glied zu rühren, unfähig, eine Silbe hervorzubringen, und so lauschte sie denn hilflos dem, was Jakob ihr noch zu sagen hatte, nämlich dieses: »Also. Sehr Edle und Sehr Mächtige Frau Baronin« (rein ins Hemd, die Knöpfe schließen können wir später) »von Lardiac, Edle Frau und Gerichtsherrin von Valtentante« (Jacke), »erbliche Palastdame am Hof« (linker Socken, linker Schuh), »von Jerusalem zufolge des Privilegs, verliehen der sehr ruhmreichen« (rechter Socken, rechter Schuh) »Familie Lardiac durch Kaiser Friedrich den Zweiten, späterhin König von Jerusalem« (tiefes Atemholen) – »ist Ihnen das jetzt obszön genug gewesen?«

Epilog

Der Tod ist ein schlechter Abschluß vom Leben.
Es wäre viel schöner sicherlich:
Erst sterben, dann hätte man's hinter sich –
und nachher leben!

Der Vortragskünstler OTTO REUTTER (1870–1931)

1

Etwa zwanzig Kilometer vor Theresienkron überholte ein junger Lackel auf seinem Rennrad den zügig die Pedale tretenden Jakob. Er überholte ihn auf die gemeinste Art und Weise und schnitt ihm dabei so heftig den Weg ab, daß Jakob bremsen mußte. Und fluchen.
Der Lackel trug Sportschuhe, eine Turnhose und ein gelbes Trikot, auf dessen Rückseite RADSPORTVEREIN LINZ zu lesen war. Der Lackel kam sich ganz groß vor.
Kommst dir wohl ganz groß vor, Lackel, dachte Jakob, der einen weiten Weg hinter sich hatte, aber noch im Vollbesitz seiner sportgestählten Kräfte war. Na, dir werde ich jetzt mal was zeigen, du Schneider, du dreckiger!
Jakob beugte sich tief vor, schaltete die Gänge, trat heftiger und heftiger auf die Pedale und fuhr schneller und schneller. Die Straße war staubig, die Sonne schien am Vormittag dieses 30. Oktober 1977.
Der Knabe vom RADSPORTVEREIN LINZ staunte nicht schlecht, als vier Minuten später Jakob an ihm vorbeisauste, sein Rad genauso gemein nach rechts riß, wie zuvor der andere es getan hatte, und zu dem Knaben auch noch kopfschüttelnd zurückblickte, indessen dieser notbremsen mußte. Mit heruntergeklapptem Unterkiefer stierte der Sportsfreund dem Herrn im grauen Flanell, mit Spangen an den Hosenbeinen, nach. Der hat doch schon ganz graue Haare, der Opa, dachte er, der ist ja mindestens fünfzig! So was gibt's doch nicht.

Der Lackel nahm die Verfolgung auf. Aber er erreichte den Opa nie mehr, er fuhr nur in der von diesem verursachten Staubwolke. Schließlich ließ er hustend und mit tränenden Augen von seinem Bemühen ab. Ich gäb' was drum, wenn ich bloß wüßt', wer dieser Kerl gewesen ist, dachte er, denn er ging noch ins Gymnasium, und da lasen sie gerade Goethes ›Faust‹. Mit verteilten Rollen. Der Knabe war das Gretchen. (Dereinst in Rußland war Jakob das Gretchen gewesen.) Und das Gretchen sagt so etwas Ähnliches.

Fünfundzwanzig Minuten später sauste Jakob an einem Schild mit der Aufschrift THERESIENKRON vorbei. Er mäßigte sein Tempo, als er in das Dorf einfuhr.

Dorf?

Er konnte nur staunen!

Da gab es jetzt eine richtige Hauptstraße mit Nebenstraßen und also Kreuzungen mit Verkehrsampeln! Da gab es moderne Häuser! Da gab es einen Supermarkt, ein Kino mit Riesenplakaten, die tolle Pornofilme ankündigten, alle möglichen Arten von Geschäften, drei Bankfilialen, ein schmuckes Postamt!

Junge, Junge, überlegte Jakob, 1946, da habe ich hier in der Nähe gedacht: Gebt mir sieben Jahre Zeit für meinen Krieg! Nun sind es dreißig Jahre geworden. Und was habe ich eigentlich erreicht in meinem Dreißigjährigen Krieg? Ist vielleicht nicht doch der ›Leckt-mich-am-Arsch‹-Standpunkt das einzig Richtige?

Die Leute, denen Jakob begegnete, schauten ihm neugierig nach. Er kannte keinen einzigen, und sie kannten den seltsamen Fremden nicht. Bei der nächsten Kreuzung hielt Jakob und überlegte scharf. Moment mal, wo war jetzt gleich das Haus von der Pröschl-Bäuerin? Das ist ja alles völlig neu hier. Fragen werde ich wohl müssen, so sehr hat sich alles verändert. Oder nein, Moment, da drüben, hinter der Allee, sehe ich die Kirche, die schon 1946 da gestanden hat! Und gleich rechts davon war doch das Haus der guten Frau Luise Pröschl. Na, wir werden ja gleich feststellen, ob es noch da ist.

Jakob bog ab und radelte in Richtung Kirche. Dann erblickte er das Pröschl-Haus. Es war noch da! Aber neu gestrichen, ganz weiß die Mauern, leuchtend grün die Fensterrahmen und -läden, und die Fensterscheiben blitzten nur so. 1946 ist das alles romantisch dreckig gewesen hier, dachte Jakob, über glatten Asphalt radelnd. Da hat es auch noch keinen Asphalt gegeben, nur holprige Wege voller Kuhfladen und Mist vom Misthaufen...

Jakob erreichte das Pröschl-Haus, lehnte das Rad gegen die weiße Wand und klingelte an der Eingangstür. Nichts rührte sich. Er klingelte noch einmal. Eine Frauenstimme ertönte: »Ja doch, ja, ich komm' ja schon!«

Jakobs Schläfennarbe klopfte plötzlich stürmisch.

Die grüngestrichene Tür wurde aufgerissen. In ihrem Rahmen stand, außer Atem, eine Küchenschürze umgebunden – der Hase. Jakob lächelte sein berühmtes Lächeln, während der Hase, im größten Schock seines Lebens, stammelte: »Der Bär...«

»Grüß Gott«, sagte Jakob, »also da bin ich wieder.« Es wäre unklug, dachte er, hinzuzufügen: ›Nach dreißig Jahren‹. Mit so etwas kann man die schönsten Wirkungen zunichte machen.

»Bär!« schrie der Hase jetzt, nachdem er sich ein wenig – ein wenig nur – von dem Schreck in der Vormittagsstunde erholt hatte. »Bär! Bär! Bär!«

Jakob brummte, wie er vor dreißig Jahren gebrummt hatte. Brummen ist noch das klügste, dachte er. Unmöglich kann ich sofort sagen, was mir da beim Wenzel eingefallen ist! So kracht man nicht mit der Tür ins Haus. Da würde der Hase ja was fürs Leben abkriegen! Nein, nein, so geht das nicht. Langsam, Jakob, langsam. Im übrigen dachte er, also Hut ab, der Hase schaut fabelhaft aus! Das braune, volle Haar, die rehbraunen Augen und alle Rundungen immer noch dort, wo sie 1946 gewesen sind. An diesem Hasen ist die Zeit offenbar spurlos vorübergegangen. Dieser Hase ist schon ein ganz außergewöhnlicher Hase. Jakob verspürte ein heftiges Rühren. Ach, dachte er, jetzt fühl' ich mich endlich zu Hause. Bei meinem guten Hasen. Aber um Gottes willen, was wird mit mir, wenn der mich sofort wieder rausschmeißt?

Davon war indessen keine Rede.

Der Hase ließ den Kochtopf fallen, den er in der Hand gehalten hatte, Kartoffeln rollten Jakob um die Schuhe, und dann stürzten dem guten Hasen Tränen in die Augen, und der gute Hase als ganzer stürzte Jakob in die Arme. Der taumelte ein wenig rückwärts, so stark war die Wucht des Zusammenpralls. Der Hase umklammerte den Bären und küßte ihn wild auf den Mund, dann auf die Nase, auf die Stirn, auf die Wangen, auf die Ohren, er küßte einfach überallhin, wo er küssen konnte. Und flüsterte dazu: »Du bist wiedergekommen... Mein Gott, mein Gott, du bist wiedergekommen... Ich werd' verrückt! Der Bär ist da! Der Bär ist da!«

»Na ja«, brummte Jakob, dem dieser ekstatische Ausbruch langsam unheimlich wurde, »du hast doch immer gesagt, Hase und Bär gehören zusammen für immer!«

»Für immer!« schluchzte Julia auf. Und weiter ging die Küsserei. »Und du fährst nie mehr weg?«

»Nie... hrm... mehr.«

»Du bleibst jetzt bei mir bis... bis... bis...«

»Na!«

»...bis daß der Tod uns scheidet?«

»Hase! Was ist das für ein Blödsinn?«

»Ich weiß nicht, Bär. Natürlich habe ich gemeint: bis an das Ende unserer Tage?«

»Viel besser klingt das auch nicht«, brummte Jakob. »Was für Bücher liest du denn? Was für einen Umgang hattest du denn?«

»Ach, Bär, ich bin ja vollkommen außer mir! Du darfst jetzt doch nicht jedes Wort, das ich sage, auf die Waagschale legen! Ich lese nur gute Bücher. Und einen Umgang habe ich überhaupt nicht gehabt seit einer Ewigkeit. Nur früher. Und das waren lauter Männer, die ich überhaupt nicht geliebt habe! Ich zähle sie dir sofort auf, ich lasse keinen aus, das schwöre ich! Das war also zuerst einmal – nach der Geschichte mit dem Dingsda, dem Erich Fromm – nie wieder nennen wir seinen Namen, nein, ja? – also da war der Quentin in Kalifornien, ein sehr netter Kerl…«

»Hase, hör auf! Du wirst mir doch nicht in den ersten zwei Minuten eine Generalbeichte ablegen! Ich weiß ja nicht einmal, ob du mich überhaupt noch willst. Wenn nicht, kannst du dir das alles ersparen.«

»Ob ich dich noch will?« Der Hase machte sich wieder über Jakob her.

»Wenn einer… was zu beichten… hat«, brummte Jakob, sooft er Luft bekam, »…dann bin… ich… es…«

»Beichten? Deine Weiber? Daß ich nicht lache. Das weiß ich doch, wie du dich rumgetrieben hast!«

»Nein, ich fürchte, das weißt du nicht…«

»Doch weiß ich! In der ganzen Welt hast du Weiber gehabt! Hunderte! Tausende!«

»Na, also, das ist ja nun wieder mächtig übertrieben!«

»Ich kenne dich doch, Bär! Alle Bären sind gleich! Glaubst du, das macht mir was? Einen Dreck macht es mir! Du kannst doch keine so liebgehabt haben wie mich! Sonst wärst du nicht zu mir zurückgekommen – oder? Na also!«

Das wird aber wirklich peinlich, dachte Jakob. Der Hase ist offenbar nicht informiert über das, was sich ereignet hat. Daß ich mit dem Fahrrad und nicht mit einem Rolls samt Chauffeur gekommen bin, hat Julia in ihrer Aufregung nicht bemerkt. Also, das muß ich sofort in Ordnung bringen.

»Hör mal, Hase, du weißt nicht, wie es um mich steht!«

»Klar weiß ich es, Bär!« behauptete Julia, an seinem linken Ohrläppchen nagend. »Pleite bist du. Haben tust du nichts mehr! Nicht einen Tupf! Gerade das Fahrrad da und den schäbigen Koffer und was in dem drin ist! Alles andere haben dir die Banken weggenommen! Du bist genauso arm, wie du vor dreißig Jahren gewesen bist. Aber gerade das macht mich ja so besonders glücklich!«

»Daß ich pleite bin?«

»Ja!«

»Lieb von dir. Woher weißt du das denn überhaupt?«

»Das wissen doch alle! Das hat ja in allen Zeitungen gestanden! Im Radio haben sie es gesagt und im Fernsehen!«

»Ganz Theresienkron weiß es also? Na servas!«

»Ganz Österreich! Ganz Deutschland! Die ganze Welt!« Der Hase zog den Bären hastig mit sich. »Komm ins Haus! Da drüben stehen sie schon und starren uns an!«

Er folgte ihr stolpernd.

»Bist du allein hier?«

»Ja. Die liebe Frau Pröschl ist tot! Sie hat mir alles vererbt!« Jakob sah sich staunend um. Auch innen war das Haus neu hergerichtet, verändert, modern und glänzend vor Sauberkeit. »Du mußt ja einen Mordshunger haben! Wo kommst du her?«

»Aus dem Taunus.«

»Was?«

»Aber ich habe ja sechsmal übernachtet.«

»Trotzdem. Vom Taunus nach Theresienkron geradelt – du bist sicher todmüde!«

»Müde? Keine Spur! Hase, wofür hältst du mich? Für einen alten Kakker?«

»Niemals, Bärchen! Donnerwetter, vom Taunus bis hierher! Das soll dir erst mal einer nachmachen! Aber Hunger hast du – oder?«

»Na ja, also wenn du mich so fragst...«

»Geh da hinein, Bärchen. Ins Eßzimmer. Ich komme gleich.«

Julia stürzte davon.

Jakob betrat das Eßzimmer, das offenbar ebenfalls funkelnagelneu war. Er setzte sich und griff in die Tasche. Hasenpfote, ich danke dir, weil du gemacht hast, daß bisher alles so gut gegangen ist und Julia mich nicht gleich rausgeschmissen hat. Hasenpfote, liebe, bitte, mach jetzt auch, daß alles so gut weitergeht und nix passiert...

Tiefer und tiefer versank Jakob in sein Hasenpfotengebet. Es wurde ihm geradezu schwindlig von so viel Beterei.

Die Tür ging auf. Julia kam herein. Ihre Küchenschürze hatte sie abgenommen. Sie trug ein Tablett, das sie auf den großen Tisch stellte.

»So«, sagte Julia Martens strahlend.

Auf dem Tablett erblickte Jakob ein Glas und zwei Flaschen ›Preblauer‹. Ferner ein Stück Pappendeckel, auf das Julia in fliegender Hast mit Buntstiften ein großes Herz, einen Bären und einen Hasen sowie viele Blumen gezeichnet hatte, unter denen zu lesen stand: HERZLICH WILLKOMMEN IM HASENSTALL, GELIEBTER BÄR! Und dann – und jetzt traten Tränen in Jakobs Augen – stand da noch etwas: ein Teller und darauf ein, zwei, drei dick bestrichene Schmalzbrote!

2

»Don't know why, there's no sun in the sky! Stormy weather! Since my man and I ain't together, it keeps raining all the time...«, ertönte die aufregend heisere Stimme der berühmten schwarzhäutigen amerikanischen Blues-Sängerin Lena Horne aus dem Lautsprecher eines Plattenspielers. Die Platte, die da auf dem Teller kreiste, war alt – mehr als dreißig Jahre alt, zerkratzt, verschrammt und total abgespielt. Man konnte Lena Horne kaum verstehen.

»Du hast immer noch ›Stormy weather‹?« sagte Jakob gerührt.

»Natürlich«, antwortete Julia. »Das ist doch unser Lied! Diese Platte habe ich in der ganzen Welt mit mir herumgeschleppt und sie mir immer wieder vorgespielt!«

»...Stormy weather! Just can't keep my thoughts together...«

»Weißt du, Bärchen, also es ist eigentlich ein großes Glück, daß wir solange auseinandergekommen sind und uns erst jetzt wiedergefunden haben«, sagte der Hase. Das war am Morgen des nächsten Tages. Der Hase lag neben dem Bären im Bett und war ganz voller Seligkeit. Sie hatten es gerade ausgiebig hinter sich. Und der Plattenspieler stand neben dem Bett. »Denn«, fuhr der Hase fort, »wenn wir zusammengeblieben wären, dann hättest du mich doch sicher auf Teufel komm raus betrogen, als du das viele Geld gehabt hast, und ich hätte mich revanchiert natürlich, und es wäre nie etwas aus uns beiden geworden. So aber, weil du mich verlassen hast, ist alles anders! Du hast dich ausgetobt, und jetzt bist du wieder bei mir! Allein wegen dieser Chinesischen Schlittenfahrt lohnt es sich, dreißig Jahre auf einen Mann zu warten! Das ist ja vielleicht was. Ich kann mich kaum noch bewegen!«

»Weil du aber auch gleich drei Fahrten nacheinander hast haben wollen«, erinnerte Jakob zärtlich.

»Na ja, wenn das doch so aufregend ist, Bärchen!«

»Man tut, was man kann«, sagte Jakob mit gespielter Bescheidenheit. »Aber ich bin nicht einverstanden mit dem, was du da vorher gesagt hast.«

»Was habe ich vorher gesagt?« Julia streichelte ihren Jakob unablässig.

»Über unsere Trennung! Denk doch bloß an die Gefahren, in denen du geschwebt hast – sehr oft gewiß, ohne es überhaupt zu ahnen!«

»...since he went away, cold fear walked in to wreck me! If he stays away ol' rockingchair will get me...«

»Was für Gefahren?«

»Hast du eine Ahnung, was für Gefahren es gibt in dieser Welt! Du mit deinen Weltreisen! Eine dunkle Nacht. Du bist allein. Vielleicht ein Ungewitter. Und wer kommt? Ein Irrer! Ein Frauenmörder! Ein Einbrecher genügt schon! Und du wachst auf, und bevor du noch schreien kannst...«

»Ich hätte gar nicht geschrien«, gab der Hase bekannt.

»Du hättest gar nicht…«

»Nein.«

»Sondern?«

Der Hase wandte Jakob den nackten Rücken zu, öffnete eine Nachttischschublade, entnahm ihr einen Gegenstand, bückte sich und sah dann Jakob an.

»Da! Schau dir das an!«

Jakob schaute sich ›das‹ an. ›Das‹ war eine Neun-Millimeter-Pistole der US Army. Riesengroß sah sie aus in der Hand des Hasen, der gelassen und kühl bis ins Hasenherz hinein sagte: »Wer immer gekommen wäre, Bärchen, er hätte keine Freude gehabt. Zuerst einmal hätte ich ihn in den Bauch geschossen und dann an die Decke. Das hat mir einmal ein Freund – ich habe ihn dir gebeichtet – Larry, der Kriminalkommissar in Sydney, dieser nette Kerl…«

»Jajaja«, sagte Jakob gereizt.

»Was bist du denn so gereizt? Ich habe gedacht, wir haben keine Geheimnisse voreinander! Du hast es überhaupt nötig mit deinem ›Jajaja‹! Was du Weiber gehabt hast!«

»Aber ich protze nicht mit ihnen!«

»Ich protze doch auch nicht, Bärchen! Ich wollte dir doch nur erzählen, was dieser Kriminalkommissar in Sydney mir geraten hat.«

»Was hat dieser Kriminalkommissar in Sydney dir denn geraten?«

»Immer zuerst totschießen so einen Kerl, der mich überfallen will – und dann in die Decke! Und dann nach der Polizei schreien. Und der hätte ich gesagt: Das ist der erste Schuß, meine Herren, der da in der Decke! Das war der Warnschuß, damit der Kerl sieht, ich meine es ernst, und bleibt stehen! Tja, er ist aber nicht stehengeblieben, sondern er ist weiter auf mich eingedrungen, und da habe ich dann eben in Selbstverteidigung einen zweiten Schuß abgeben müssen, und der hat ihn in den Bauch getroffen. Sowas ist absolut idiotensicher! Das glaubt einem jedes Gericht! Muß es! Denn keiner kann einem das Gegenteil beweisen!«

Jakob starrte die große Pistole fasziniert an.

»Wo hast du das Ding denn überhaupt her?«

»Weißt du denn nicht mehr, Jakob… Ach nein, das kannst du ja nicht wissen, da warst du ja schon fort! Also, wie der Misaras und der Jesus und der Mojshe Faynberg auch weggekommen sind vom Fliegerhorst Hörsching, da hat mir der gute Mojshe zuvor noch diesen Revolver…«

»Diese Pistole!«

»Unterbrich mich nicht, Bärchen. Also, diese Pistole hat mir der gute Mojshe noch gegeben und mir das Schießen beigebracht und mir sogar bei den Behörden einen Waffenschein besorgt! Ja, da staunst du, was? Damit mir nichts zustößt, hat der gute Mojshe das gemacht. Seither bin ich mit dem Ding da geschützt.«

»Gib her«, sagte er heiser, entriß dem entgeisterten Hasen die Waffe und rannte im Pyjama, auf bloßen Füßen, zur Tür. Die Tür führte in das Arbeitszimmer des Hasen.

»Bär!« schrie dieser entsetzt. »Bär! Was willst du mit dem Revolver? Was hast du vor? Bleib stehen! Ich dulde es nicht, daß du... Ich verbitte mir, daß du mit dem Revolver... Sofort gibst du den Revolver zurück!«

Doch Jakob gab nichts zurück. Er war schon ins Nebenzimmer gerannt. Die Tür hinter ihm fiel zu.

Der Hase purzelte aus dem Bett.

»...cold fear walked in to wreck...«, konnte Lena Hornes Stimme gerade noch herausbringen. Dann bekam der Plattenspieler, der auf der Erde stand, versehentlich einen Fußtritt, die Nadel glitt kreischend über die ganze Platte, und der Apparat schaltete sich aus.

Der Hase raste in einem langen Nachthemd auf die Tür zu. Noch ehe er sie erreichte, drehte sich zweimal ein Schlüssel im Schloß. Der Hase krachte gegen das Holz, rüttelte an der Klinke und schrie: »Jakob! Bär! Um alles in der Welt, mach auf! Komm zurück! Was immer dir zugestoßen ist, wir sind doch wieder zusammen, und das ist die Haupt...«

Nebenan krachte ein Schuß.

Der Hase kippte um und saß auf dem Boden.

»Heiland im Himmel«, flüsterte der Hase. »Er hat sich was angetan... Er hat sich erschossen... Er hat plötzlich an alles denken müssen, was sie ihm weggenommen haben und daß er wieder ganz arm ist... Bär!« schrie der Hase so laut es ging und schlug mit den kleinen Fäusten gegen die Tür. Keine Antwort. Nicht ein Laut. Totenstille. Der Hase brach in Tränen aus.

»Er hat sich was angetan... Er lebt nicht mehr...«, flüsterte Julia. Ein Weinkrampf schüttelte sie. »Er ist tot! Mein Bär ist tot! Ich will auch tot sein! Ich will auch nicht mehr leben! Nein, sterben will ich, wenn er gestorben ist!«

Da krachte ein zweiter Schuß.

Der Hase erstarrte.

Wieso ein zweiter Schuß? Hat der Bär beim ersten danebengeschossen? Dann hat er noch einmal geschossen und jetzt richtig getroffen!

»Bär!« schrie der Hase.

Da krachte nebenan ein dritter Schuß.

Julia, die sich schon halb erhoben hatte, sackte wieder zusammen.

Wieso ein dritter Schuß? Ein Mensch kann doch nicht zweimal danebenschießen, wenn er sich umbringen will! Na, aber dreimal nacheinander umbringen kann er sich doch auch nicht!

Panik verlieh dem Hasen Riesenkräfte. Einen Stuhl als Rammbock vor sich, so stürmte er auf die Tür zu und versuchte, sie aufzubrechen. Beim ersten Mal zitterte schon das Holz. Bei der zweiten Attacke flog der Hase mitsamt Tür und Sessel wie eine Kanonenkugel ins Nebenzimmer. Die Tür war aus dem Rahmen gebrochen. Der Hase tat sich weh, fluchte (was er noch nie im Leben getan hatte), hielt sich den Schädel und hob dann langsam, langsam den Kopf, um den armen Bären zu sehen.

Der arme Bär stand drei Schritte vor einem Tischchen, fluchte gleichfalls (aber viele Male gräßlicher), hielt die Neun-Millimeter-Kanone in beiden Händen und zielte auf eine alte eiserne Kassette, die er in die Mitte dieses Tischchens gestellt hatte.

Jetzt bin ich hinüber, dachte der arme Hase.

Achgottachgottachgott, ist das alles entsetzlich.

»Bär!« brüllte der Hase mit solcher Lautstärke, wie man sie bei einem derart zarten Geschöpf niemals vermutet hätte. Auch Jakob nicht. Der drehte sich gleich einem Schlafwandler um und fragte leiernd: »Was-machst-denn-du-da-Hase?«

»Und du? Was machst du?« Der Hase rappelte sich hoch. Das Nachthemd zerriß. »Warum schießt du auf die Kassette? Bist du wahnsinnig geworden?«

»Weil du mir gestern abend gesagt hast, daß du die beiden Schlüssel von den beiden Schlössern verloren hast, und weil in der Kassette das Grundsatzprotokoll über das Theresienkroner Eierkollektiv liegt! Ich habe es selber hineingelegt, damals, Anfang November 1946, das weißt du noch genau, hast du gestern abend gesagt! Der feine alte Geistliche Herr hat es geschrieben, weil er die schönste Schrift von uns allen gehabt hat. Der ruht nun auch schon lange in Gottes Schoß. Wie hast du bloß die Schlüssel verlieren können, Hase?«

»Also weißt du, Bär, du... du... du...«

»Ja?«

»Du verdienst ein paar hinter die Ohren, du Esel! Deinen armen Hasen so zu erschrecken!«

»Wieso erschrecken?« fragte verwundert der Bär, der ein Esel geworden war.

»Also das ist die Höhe!« Der Hase rang nach Luft, was in Anbetracht des zerrissenen Nachthemds einen berückend tiefen Einblick gestattete. »Ich habe natürlich gedacht, dir ist ganz plötzlich dein Elend zu Bewußtsein gekommen, und daß du jetzt genauso arm bist wie am Anfang, und da hast du durchgedreht und wolltest dich umbringen!«

»Mich umbringen?« Jakob schüttelte verwundert den Kopf, die Neun-Millimeter-Brumme in der Hand. Die Pistole schüttelte er mit. »Ziel mit dem Ding nicht auf mich!« kreischte der Hase. »Wenn das losgeht, habe *ich* ein Loch im Bauch!«

»Bei Jakob Formann geht nichts los, wenn er nicht will«, prahlte dieser schon wieder. »Warst du nicht gestern abend noch Feuer und Flamme, wie ich dir meinen Plan entwickelt habe? Weil in dem Protokoll in der verfluchten Kassette nämlich steht, daß auch ich meinen Anteil an dem Theresienkroner Eierkollektiv habe! Und weil, wenn ich diesen Anteil jetzt ganz schnell dir überschreibe – wo wir doch wieder zusammen sind –, dir niemand von diesen Bankgaunern den Anteil wegnehmen darf, denn er gehört ja dann nicht mehr mir, sondern dir. Und dir darf man überhaupt nichts wegnehmen, so würde ich wenigstens wieder ein bißchen Geld kriegen, um neu anfangen zu können hier in Theresienkron! Begeistert warst du von meiner Idee, oder warst du nicht?«

»Ich war…« stöhnte der Hase.

»Und hast du dich nicht ebenso wahnsinnig aufgeregt wie ich darüber, daß du die Schlüssel für die beiden Schlösser von der Kassette nicht hast finden können? Ja oder nein?«

Ein Hauch: »Ja…«

»Na also! Und wie du mir da eben deine Pistole gezeigt hast, da ist mir der Einfall gekommen, das verfluchte Ding aufzuschießen! Es geht nur nicht auf, es fliegt nur jedesmal vom Tisch runter!«

Der Hase ließ sich, gänzlich ohne Kraft, abermals zu Boden sinken. »Bär! Weißt du, daß ich fast gestorben bin vor Schreck? Du hast doch die Tür hinter dir versperrt!«

»Weil ich gewußt habe, daß du mich stören wirst und versuchen, mir die Kanone zu entwinden, und daß du schreien und jammern wirst, in deinem schönen Zimmer wird nicht geschossen, das habe ich genau gewußt! Und weil ich Angst gehabt habe, du läufst mir ins Schußfeld. Es ist ja leider auch eine Kugel abgeprallt von der Kassette und in die Maria-Theresia-Kommode geflogen. Tut mir leid, aber wenn ich die Tür nicht abgesperrt hätte, hätte ich überhaupt nicht schießen können, du hättest es nie erlaubt! Jetzt sei ruhig! Drei Patronen sind noch drin. Jetzt muß sie aufgehen, die elende Kassette!« Jakob hob die Pistole neuerlich. Der Hase hob die Hände, um sich die Ohren zuzuhalten. In diesem Moment klingelte das Telefon auf dem Schreibtisch des Hasen. Jakob erstarrte. Der Hase krabbelte tapfer hoch, wankte zum Schreibtisch und hob ab.

»Martens«, sagte der Hase sanft und ruhig, als wäre überhaupt nichts geschehen. »Julia Martens spricht hier… Wie bitte?… Wen wollen Sie?… Wer sind Sie denn?… Ach so, natürlich… Ja, der ist hier, einen Moment, bitte…« Und zu Jakob: »Für dich!«

»Für mich?« Jakob stand der Mund offen.

»Ja, für dich! Paß auf den Revolver auf, du zielst schon wieder auf mich, und es sind noch drei Patronen drin!«

»Aber wer ist es denn?«

»Einer von deinen Bankgaunern«, sagte Julia Martens.

»Wieso weiß er denn, daß ich bei dir bin?«

»Er hat mich gefragt. Ich habe ja gesagt. Sie suchen dich wie eine Stecknadel im Heuhaufen! Himmelarschundzwirn«, rief der zierliche Hase, »willst du vielleicht den Hörer nehmen?«

3

»Hier Formann!«

Der Hase war so aufgeregt, daß er etwas tat, was er normalerweise nie getan hätte. Er preßte sein Ohr an das Kopfende des Hörers und wurde damit Zeuge der folgenden Konversation...

»Herr Formann! Mein Gott, endlich! Wo wir Sie überall gesucht haben! Frau Martens war unsere letzte Hoffnung. Da sind Sie also jetzt, zum Glück! Äh... Hier spricht Rusch, Dieter Rusch. Ich bin Präsident des CWWDWW in Köln.«

»Der Präsident des... Aber das ist doch der Herr von Herresheim!«

»Gewesen, Herr Formann, gewesen!«

»Ist er krank? Ist ihm etwas zugestoßen?« forschte Jakob mit falscher Besorgnis.

»Er hat sein Amt freiwillig niedergelegt, Herr Formann.«

Ach, wie wohl wurde da dem Jakob!

Die Hasenpfote machte einen kleinen Hüpfer in seiner Hose. Jakob auch.

»Aber warum denn?«

»Er fühlte sich diesem Amt nicht gewachsen. Nervenzusammenbruch. Liegt in einem Sanatorium. Schlafkur.«

»Warum denn einen Nervenzusammenbruch, Herr Rusch?«

»Die Arbeit, Herr Formann«, kam die sympatische Stimme aus Köln. »Die ungeheure Arbeit, die er sich mit der provisorischen Leitung Ihres Imperiums aufgebürdet hat... Er war doch den Banken gegenüber verantwortlich... Stündlich gab es neue Aufregungen... Hervorragend, dieser Herr von Herresheim...«

»In der Tat!«

»Ach was, Herr Formann, warum soll ich Ihnen etwas vorlügen? Sie erfahren es ja doch. Also: Die Banken haben den Herrn von Herresheim gefeuert!«

Hasenpfote, ich danke dir!

»Gefeuert? Aber weshalb denn?«

»Weil er den Aufgaben, die ihm das CWWDWW gestellt hat, in keiner Weise gewachsen war und den Erwartungen aufgrund dessen, was er von sich und seiner Qualifikation behauptete, nicht im geringsten entsprochen hat.«

Lieber Gott, dachte der vor einiger Zeit wieder in die Gemeinschaft der katholischen Christen Zurückgekehrte ergriffen, es gibt Dich also doch! Niemals mehr werde ich daran zweifeln. Aber ich muß jetzt etwas sagen. Verzeih mir, bitte...

Jakob sagte: »Tja, für einen Wehrwirtschaftsführer unter den Nazis hat's bei dem gerade noch gereicht. Aber für mehr auch nicht. Ist er also auf die Nase gefallen, der Trottel, der hochnäsige.«

»Hrm! Herr Formann, Sie werden doch zu diesen letzten Sätzen nicht ausgerechnet von mir eine Bestätigung erwarten! Ich meine, was Sie da sagen
in Ehren... Aber ich...«

»Aber Sie?«

»Aber ich bin dieser schwierigen Materie auch nicht gewachsen! Und ich
war kein Wehrwirtschaftsführer unter den Nazis!«

»Sie sind dieser Materie auch nicht gewachsen, Herr Rusch?« Jetzt pochte
die Narbe an Jakobs Schläfe, als wollte sie platzen.

»Nein! Darum suchen wir Sie ja so dringend, Herr Formann! Ganz besonders jetzt, wo dieser Herr Arnusch im Gefängnis sitzt.«

Der Hörer glitt aus Jakobs Hand und krachte auf den Tisch. Er hob ihn mit
bebenden Händen wieder auf. Der Arnusch Franzl im Hefen! Der Arnusch
Franzl, der mir fünfundsiebzig Millionen Schilling aus den Rippen gezogen
und mich dann mit der Steuer aufs Kreuz geschmissen hat. Jessas, jessas,
so a Freud', wir alle fahr'n nach Konnersreuth!

»Der Arnusch sitzt...«

»...im Gefängnis. Untersuchungshaft. Das wird wohl etliche Jährchen geben. Und den haben Sie für Ihren besten Freund gehalten!«

»Ja, aber was hat er denn angestellt?« erkundigte Jakob sich selig, während
der Hase wie wild an ihm herumküßte.

»Er war doch Generalbevollmächtigter für das gesamte Finanzwesen all Ihrer Unternehmen, Herr Formann, nicht wahr?«

»Ja, und?«

»Und nun, bei der gründlichen Prüfung durch vereidigte Fachleute hat es
sich herausgestellt, daß dieser Arnusch schon vor vielen Jahren in absolut
krimineller Weise bei zwei Plastikwerken in Argentinien und einem in
Brasilien die Bilanzen gefälscht hat – zusammen mit anderen natürlich.«

»Er hat die Bilanzen...!«

»Ich wußte, es würde Ihnen sehr nahegehen, das zu hören. Ihr vermeintlich
bester Freund. Die Bilanzen waren so gefälscht, daß sie nur Verluste oder
kaum Gewinne auswiesen – viele Jahre lang. Ist Ihnen das denn nie aufgefallen?«

»Wissen Sie, ich hatte so viel zu tun! Und ich habe dem Arnusch Franzl
doch völlig vertraut!«

»Das war Ihr Unglück, Herr Formann.«

»Wieso?«

Der Hase hörte zu küssen auf und wurde ernst. Frauen haben ein unheim-
liches Gespür für Dinge, die da kommen.

»Weil die Bilanzen alle so gefälscht waren, daß der Arnusch Millionen und
Millionen einstrich, während es so aussah, als ob diese Werke überhaupt
nichts erwirtschafteten. Das haben wir jetzt festgestellt.«

»Das haben Sie jetzt festgestellt...«

Der Hase sah auf einmal zu Tode betrübt aus.

Um so freudiger wurde Jakob.

»Ja. Und damit stimmt natürlich die Generalbilanz, die Herr von Herresheim Sie im Namen des Bankenkonsortiums vorzulegen genötigt hat, nicht! Sie ist viel zu ungünstig!«

»Zu... ungünstig?«

»Sage ich doch! Was sollten wir tun? Wir haben Arnuschs Auslieferung gefordert. Österreich hat ihn ausgeliefert. Einen üblen Wirtschaftskriminellen. Da war Herr von Herresheim schon im Sanatorium. Und ich saß auf seinem Stuhl.«

»Und Sie saßen auf seinem...«

»Ja. Aber jetzt ging es erst los, Herr Formann! Die Wirtschaft begann sich zu erholen! Alle Ihre Fabriken und Werke arbeiten wieder mit Gewinn. Natürlich noch nicht so wie früher...«

»Natürlich nicht...«

»...aber doch so, daß Sie den Banken gegenüber wieder liquid sind, was Zinsen und so weiter angeht... Herr Formann, Sie müssen sofort herkommen! Sofort! Ich schaffe es, wie gesagt, auch nicht. Und die Banken wollen – nein, sie *bitten* Sie, Herr Formann, wieder die Gesamtleitung über alle Ihre Werke und sonstigen Firmen zu übernehmen! Sie sind doch der einzige, der sich auskennt. Sie waren doch immer der einzige, der sich vollkommen ausgekannt, der alle Fäden in der Hand gehabt hat! Natürlich können wir Ihnen Ihren gesamten Besitz noch nicht zurückerstatten... Aber selbstverständlich das Schloß am Starnberger See! Und einen Rolls-Royce! Oder auch zwei! Und wenn sich die Lage weiter so bessert, dann werden die Banken mit Freuden in Ihnen schon in Kürze einen interessanten Kunden sehen, und alles wird Ihnen wieder gehören... wenn die Lage sich weiter bessert... wenn Sie dieses entsetzliche Knäuel, das sich gebildet hat, entwirren... Herr Formann! Hören Sie? Herr Formann! Um Himmels willen, sind Sie noch da?«

Der Hase war auf einen Stuhl gesunken.

Jakob betrachtete ihn blinzelnd.

»Natürlich bin ich noch da...«

»Gut. Dann fliegt hier sofort die Maschine los, die wir für Sie gechartert haben. Direkt nach Österreich! Sie wird auf dem Flugplatz Hörsching bei Linz landen. Das ist doch ganz in Ihrer Nähe, nicht wahr?«

»Ganz in meiner Nähe, jawohl.«

»In zwei Stunden ist die Maschine da! Seien auch Sie da, Herr Formann! Kommen Sie! Helfen Sie uns! Ich bitte Sie! Wir alle bitten Sie! Sie dürfen uns jetzt nicht im Stich lassen! Schließlich geht es ja auch um Ihre Interessen, nicht wahr?«

»Schließlich geht es ja auch um meine Interessen...«

»Sie werden also auf dem Flugplatz Hörsching sein in zwei Stunden, ja?«

»Ja«, sagte Jakob Formann.

4

Aus einem strahlend blauen Herbsthimmel senkte sich eine makellos weiße Düsenmaschine und fand auf Rollbahn 2 des österreichischen Flughafens Hörsching bei Linz Bodenberührung. Die Sonne schien, es war warm, sehr warm noch für diese Jahreszeit.

Auf dem Rasen vor dem Tower standen der Hase und der Bär. Sie hatten ihre Räder daheimgelassen und waren mit dem Taxi von Theresienkron hierhergekommen. Neben Jakob stand sein schäbiger Koffer. In einer Hand hielt er einen schon sehr mitgenommenen Diplomatenkoffer, den er seit dreißig Jahren mit sich in der Welt herumschleppte – ein Geschenk des Hasen.

Der arme Hase bemühte sich verzweifelt um Beherrschung und Fassung, Fassung, Fassung! Julia hatte ein Tuch um das Haar gebunden. Sie war nicht geschminkt, denn sie hatte sich gesagt, daß sie ja doch nur fürchterlich würde weinen müssen – und dann rann die ganze Schminke, so sie drauf war, bloß über ihr Gesicht, und sie sah aus wie ein Clown. Ach, dachte der arme Hase, jetzt weiß ich, warum die Clowns im wirklichen Leben alle so traurig sind.

Die schneeweiße Düsenmaschine war ausgerollt und glitt jetzt langsam auf das Vorfeld. Das Jaulen der Triebwerke starb ab.

Bei der Pilotenkanzel wurde eine Treppe heraus- und heruntergeklappt. In der offenen Cockpit-Tür erschienen Pilot und Copilot und winkten. Sie stiegen die Gangway ein paar Stufen herab. Da schluchzte der Hase laut auf und klammerte sich an Jakob. Sofort zogen sich die zwei Piloten dezent in das Cockpit zurück. Draußen, in großer Entfernung, graste eine Lämmerherde.

»Ja, also dann...«, sagte Jakob heiser. Ihm war auch nicht sehr wohl zumute.

»Ach, Bärchen«, barmte der Hase. »Bitte, bitte, bitte, flieg nicht weg! Verlaß mich nicht schon wieder! Bitte, Bärchen!«

»Mein liebes Kind«, sprach Jakob, die Bebende streichelnd, »hör doch bloß auf zu weinen!«

»Ich will ja aufhören«, schluchzte Julia. »Aber ich ka... ka... kann nicht!« Und sie weinte nur um so heftiger.

»Ich komme doch zurück«, sagte Jakob. »Ich habe dir doch versprochen, daß ich zurückkomme...«

»Das hast du mir schon einmal versprochen, Bärchen!« Ganz fest umklammerte der Hase den Bär. »Und dann hat es dreißig Jahre gedauert, bis du zurückgekommen bist... länger! Wenn es diesmal wieder so lange dauert, dann kommst du im Jahre... jetzt haben wir siebenundsiebzig... siebenundsiebzig und dreißig sind hundertsieben... dann kommst du im Jahr zweitausendsieben wieder zurück... Oder kann sein auch erst im Jahr zweitausendacht... Und dann bin ich schon...« Es war zuviel für den Hasen. Er brach in hemmungsloses Heulen aus.

Jakob streichelte und streichelte. Es wurde nicht besser. Aber ich muß doch nach Köln! dachte er. Ich kann doch nicht ewig weiterstreicheln! Also, das geht wirklich nicht! Und dreißig Jahre bleibe ich diesmal bestimmt nicht weg!

Zärtlich machte er sich von Julia frei, küßte sie wortlos und rannte davon, auf das schneeweiße Flugzeug zu, den schäbigen großen Koffer in einer Hand, den schäbigen kleinen Diplomatenkoffer in der anderen. Nur weg, dachte er, nur weg! Das halte ich nicht aus!

Der Hase sank schluchzend und bebend auf eine Bank. Aber das sah Jakob nicht. Der hatte schon die Gangway der Maschine erreicht und hastete sie empor. Die Besatzung – vier Mann – begrüßten ihn herzlich. Langes Händeschütteln. Äußerster Respekt. Alles wie früher. Tja, dachte Jakob, Menschen...

In dem Moment, in dem er die Maschine betreten hatte, verspürte er bereits das Duftgemisch aus Benzin, Metall, Leder und Parfum, das er seit so vielen Jahren so sehr liebte. Er atmete tief ein. Er betrat die Kabine. Er war der einzige Passagier. Sanft summend schloß sich die Luke mit der Gangway wieder. Jakob sah plötzlich wieder einmal aus wie ein armer Kretin. (Alle seine Intelligenz war ganz nach innen gekehrt.) Reglos saß er da. Die Narbe zuckte, zuckte, zuckte. Und plötzlich rief Jakob nach dem Captain.

»Herr Formann?«

»Kommen Sie doch bitte mal her. Ich muß Ihnen etwas sagen.«

Der Captain kam zu Jakob.

Und Jakob sagte ihm vieles ganz leise ins Ohr.

Der Captain nickte und nickte.

5

Fünf Minuten später öffnete sich die Cockpit-Tür der weißen Düsenmaschine noch einmal. Die Gangway glitt herab. Über sie verließ Jakob Formann den Jet langsam und würdevoll. Würdevoll und langsam schritt er über das Vorfeld zu der Bank zurück, auf welcher der Hase zusammengebrochen war. Julia hatte sein Kommen gar nicht bemerkt. Als Jakob vor ihr stand, mußte er laut husten.

Der Hase schrak auf und starrte den Bären an wie eine Geistererscheinung.

»Aber... aber was machst du denn hier? Wieso bist du nicht im Flugzeug? Du mußt doch nach Köln fliegen!«

»Ich fliege nicht nach Köln«, sagte er.

»Nicht nach Köln...« Der Hase bekam kaum Luft zum Atmen. »Wohin denn?«

»Nirgendwohin, mein liebes Kind. Ich bleibe hier.«

»Du bleibst... hier?«

»Ja.«

»Bei mir?«

»Wie ich gerade bemerkte.«

Der Hase sank wieder auf die Bank. Jakob zog ihn zärtlich hoch.

»Also, jetzt begreife ich überhaupt nichts mehr«, sagte Julia Martens. »Wieso...«

Er unterbrach sie freundlich, während er ihr den alten Diplomatenkoffer gab, sich bei ihr unterhakte und langsam zu gehen begann. Der Hase stolperte an seiner Seite.

»Jakob Formann, mein liebes Kind«, sagte der Bär, »ist seiner Zeit immer um zwei Schritte voraus.«

Dank

Ohne die Hilfe, die mir von vielen Seiten so liebenswürdig gewährt worden ist, wäre es unmöglich gewesen, diesen Roman zu schreiben. Ich benötigte viele große Archive, Helfer bei der Recherchen-Arbeit und Experten auf den Gebieten von Politik, Wirtschaft, Finanzwesen, Justiz, Soziologie und Psychiatrie. Ein Verleger erzählte mir die Geschichte der deutschen Nachkriegsillustrierten, eine treue Seele tippte unermüdlich wieder und wieder meine vollgeschmierten, verbesserten Manuskripte ab. Freunde haben diese Arbeit von Anfang an hingebungsvoll unterstützt, indem sie alles, was ich geschrieben hatte, rechtlich absicherten, kritisierten, Änderungsvorschläge machten und neue Ideen entwickelten. Es ist unmöglich, alle diese Helfer hier zu nennen. Ich kann ihnen nur allen meinen herzlichsten Dank aussprechen und an dieser Stelle allein jene anführen, die mir am meisten geholfen haben.

Es sind:

Rudolf Augstein. Katharina Berg. Fritz Bolle. Dr. Walter Braun. Ilse Ebbinghaus. Margot Hielscher. Michael Jungblut. Diedrich Kenneweg. Universitätsprofessor Dr. Stephan Koren, ehemaliger Finanzminister der Republik Österreich. Universitätsprofessor Dr. Kornelius Kryspin-Exner. Erich Kuby. Professor Dr. Alex Möller, ehemaliger Finanzminister der Bundesrepublik Deutschland. Luise Nikel. Dr. Hans J. Reichhardt. Und meine Frau.

Weihnachten 1977   Johannes M. Simmel

Romane von
Johannes Mario Simmel

Knaur ®

Romane von Johannes Mario Simmel

Von Johannes Mario Simmel sind außerdem bei Knaur erschienen:

Bis zur bitteren Neige (118)

Liebe ist nur ein Wort (145)

Lieb Vaterland magst ruhig sein (209)

Alle Menschen werden Brüder (262)

Und Jimmy ging zum Regenbogen (397)

(1393)

Foto: Isolde Ohlbaum

(1570)

(1731)

(2957)

Es muß nicht immer Kaviar sein (29)

Der Stoff aus dem die Träume sind (437)

Die Antwort kennt nur der Wind (481)

Niemand ist eine Insel (553)

Ein Autobus groß wie die Welt (643)

Meine Mutter darf es nie erfahren (649)

Hurra, wir leben noch (728)

Zweiundzwanzig Zentimeter Zärtlichkeit (819)

Wir heißen Euch hoffen (1058)

Die Erde bleibt noch lange jung (1158)

Knaur ®

Romane von
James Clavell

James Clavell
Tai-Pan
Der Roman Hongkongs
Weltbestseller

Knaur

(235)

James Clavell
Ratten könig
Roman

Knaur Weltbestseller

(625)

Knaur ®
James Clavell
Noble House
Hongkong
Roman
港香

(1439)

Knaur ®
James Clavell
Wirbel sturm
Roman
Vom Autor der Weltbestseller
SHOGUN und NOBLE HOUSE

(3004)

James Clavell
Shōgun
Der Roman   Knaur
Japans

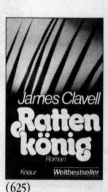

Roman und TV-Serie

(653)

Noah Gordon

Knaurᴿ Noah Gordon

Der **Rabbi**

Roman

(1546)

Knaurᴿ Noah Gordon

Die **Klinik**

Roman

(1568)

Knaurᴿ Noah Gordon

Roman

Der **Medicus**

(2955)